Mathemateg Bur Bellach

BRIAN A MARK GAULTER
ADDASIAD GERAINT WILLIAMS

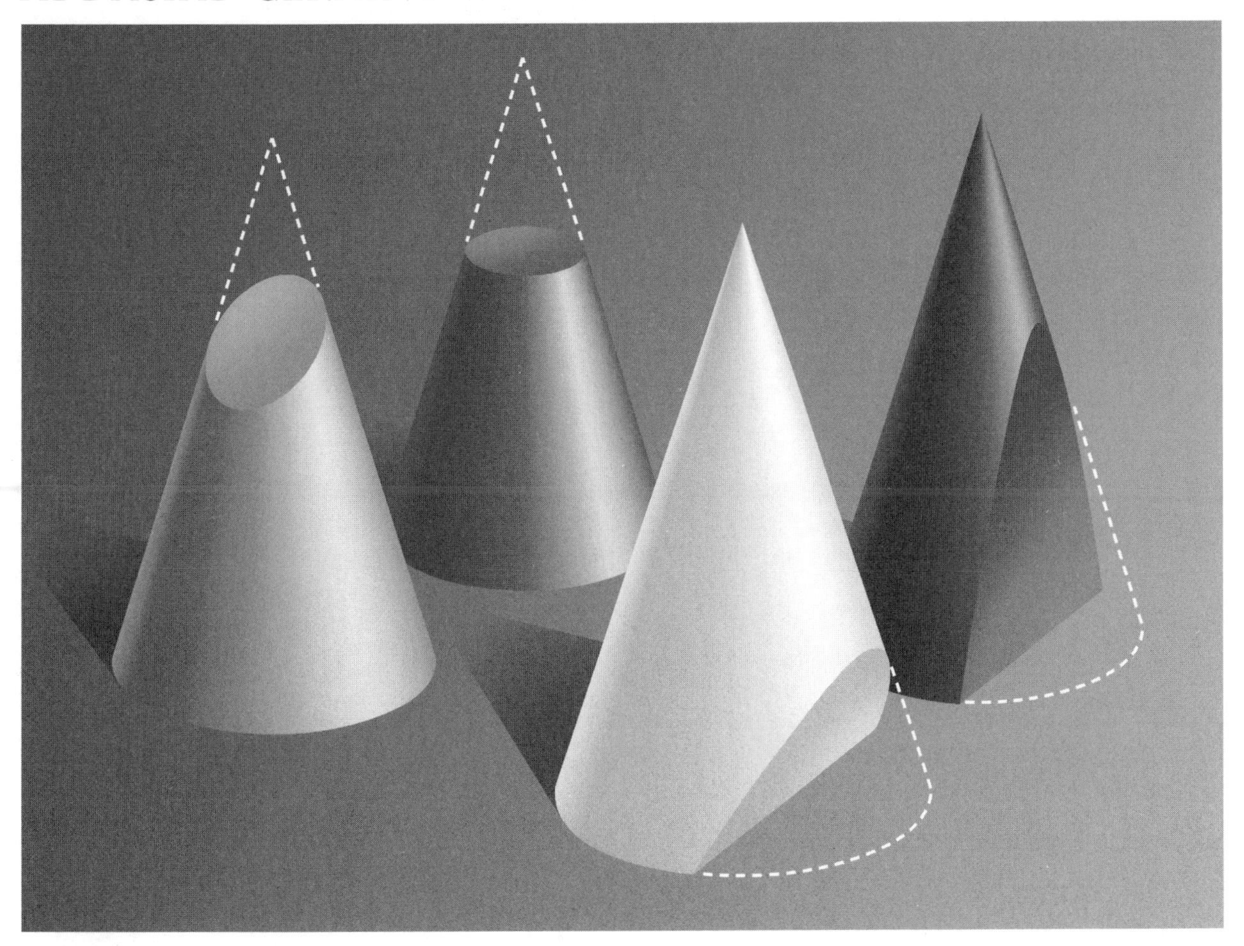

Cyhoeddwyd dan nawdd Cynllun Adnoddau Addysgu a Dysgu CBAC

D0315827

DIDDYMWYD
LLYFRGELL
COLEG MEIRION DWYFOR
LIBRARY
WITHDRAWN

Mathemateg Bur Bellach

Addasiad Cymraeg © Gwasg Taf Cyfyngedig 2010 (h)

Mae hawlfraint ar y deunyddiau hyn ac ni ellir eu hatgynhyrchu na'u cyhoeddi mewn unrhyw fodd heb ganiatâd perchennog yr hawlfraint.

ISBN 1-904837-24-7

Cysodwyd gan Almon, Pwllheli, Gwynedd

Argraffwyd gan Y Lolfa Cyf., Talybont, Ceredigion

Cyhoeddwyd gyntaf yn 2010 gan Wasg Taf
Hen Dŷ, Llanfair-yng-Nghornwy, Caergybi, Ynys Môn LL65 4LS

Noddwyd gan Lywodraeth Cynulliad Cymru

Cyhoeddwyd dan nawdd Cynllun Adnoddau Addysgu a Dysgu CBAC

Further Pure Mathematics

Cyhoeddwyd *Further Pure Mathematics* gyntaf yn Saesneg yn 2001.
Cyhoeddir y cyfieithiad hwn drwy drefniant gyda Gwasg Prifysgol Rhydychen.

Further Pure Mathematics was originally published in English in 2001.
This translation is published by arrangement with Oxford University Press.

© B Gaulter and M Gaulter, 2001

Cynnwys

Rhagair yr awduron

Ein nod oedd cynhyrchu un gwerslyfr cynhwysfawr a fyddai'n cynnwys yr holl fathemateg bur yn Safon Uwch Mathemateg Bellach, yr holl ran bellach o Safon Uwch Mathemateg Bur, a holl gynnwys UG Mathemateg Bur Bellach.

Ceisiwyd datblygu'r pwnc mewn modd a fyddai o fewn cyrraedd i bob myfyriwr sy'n dilyn y manylebau a ddaeth i rym ym mis Medi 2000, boed hynny yn llinol neu yn fodiwlaidd. Yn wir, rydym hyd yn oed wedi rhagweld newidiadau a allasai ddod i rym yn y dyfodol drwy gynnwys, yn y bennod ar grwpiau, adrannau ar grwpiau deuhedrol a gofod fector.

Rhagwelwn y bydd y rhan fwyaf o fyfyrwyr yn defnyddio'r llyfr dan gyfarwyddyd athro, ond rydym hefyd wedi ystyried anghenion y myfyrwyr hynny sy'n astudio ar eu pennau eu hunain. Felly mae'r cynnwys wedi ei gynllunio i fod yn addas ar gyfer hunan astudio ac ar gyfer adolygu. Ym mhob pennod, dilynir pob adran sy'n cyflwyno pwnc gan nifer o enghreifftiau yn ymwneud â'r pwnc hwnnw wedi eu hateb yn fanwl. Y mae'r enghreifftiau hyn yn nodweddiadol o'r cwestiynau a geir yn yr ymarferion ar ddiwedd pob adran ac yn arweiniad iddynt. Drwy ddilyn y ffordd y datrysir yr enghreifftiau, bydd myfyrwyr yn ehangu eu dealltwriaeth o'r pwnc dan sylw ac yn arfer â'r technegau fydd angen arnynt er mwyn mynd i'r afael â'r ymarferion. Bydd yr ymarferion, y mae'r rhan fwyaf ohonynt yn cynnwys detholiad cynhwysfawr o gwestiynau arholiad diweddar, yn rhoi digon o gyfle i fyfyrwyr i ymarfer cymhwyso'r technegau hyn a byddant o gymorth iddynt ddatblygu'r sgiliau sylfaenol hollbwysig hynny y dylai pob myfyriwr sy'n astudio mathemateg bur ar y lefel hon fod yn meddu arnynt.

Y mae trefn y pynciau a'r modd yr ymdrinnir â hwy yn cyfateb yn fras i'n dull ni o addysgu'r pwnc. Ni fydd hyn, yn naturiol, yn gweddu i bawb, ac felly ceir croesgyfeirio helaeth o fewn y testun er mwyn cynorthwyo'r sawl sydd am fwrw ymlaen mewn ffordd wahanol.

Tra bo'r testun yn canolbwyntio ar anghenion myfyrwyr Safon Uwch, ein disgwyl yw y bydd yn werthfawr iawn i fyfyrwyr mewn addysg uwch sy'n dilyn cyrsiau mewn mathemateg bur, ffiseg, a'r gwahanol bynciau peirianneg, ac felly angen testun rhagarweiniol ar y technegau mathemategol pellach sy'n sail i'r pynciau hynny.

Rydym yn ddiolchgar i AQA, EDEXCEL, MEI, NICCEA, OCR, CBAC a SQA am ganiatâd i ddefnyddio eu cwestiynau. Cyfrifoldeb yr awduron yn unig yw'r atebion a roddir i'r cwestiynau hyn.

Diolch hefyd i Rob Fielding a James Nicholson am wirio'r atebion i'r ymarferion a'r cwestiynau arholiad.

Brian Gaulter a Mark Gaulter

Gair am yr addasiad Cymraeg

Ffrwyth comisiwn ar y cyd gan Lywodraeth Cynulliad Cymru a Chyd-bwyllgor Addysg Cymru yw'r gyfrol hon.

Dymuna'r cyhoeddwyr ddiolch i Geraint Williams, yr addasydd, am ei lafur mawr ar y trosi. Diolch yn arbennig hefyd i Bedwyr ab Iestyn, Almon, a gysododd y cyfan o'r newydd am nad oedd gwaith disgiau'r llyfr gwreiddiol ar gael.

Ceir cyfeirio bob hyn a hyn yn y testun at y gyfrol *Introducing Pure Mathematics* nad yw wedi ei chyhoeddi yn Gymraeg. Gadawyd y teitl yn Saesneg o'r herwydd a dylai athrawon a myfyrwyr fod yn ymwybodol o hyn.

Mae Geraint Williams yn bennaeth yr Adran Fathemateg yn Ysgol Syr Hugh Owen, Caernarfon.

1 Rhifau cymhlyg

Y rhyfeddod hwnnw o ddadansoddi, yr argoel hwnnw o'r byd perffaith,
yr amffibiad hwnnw rhwng bod a pheidio â bod, a elwir gennym yn ail isradd dychmygol y rhif un.
GOTTFRIED WILHELM LEIBNIZ

Yn ein gwaith mathemateg blaenorol, rydym wedi cymryd yn ganiataol nad yw hi'n bosibl cael ail isradd rhif negatif. Er enghraifft, ar dudalen 26 o *Introducing Pure Mathematics* lle roeddem yn ystyried datrysiad hafaliadau cwadratig, $ax^2 + bx + c = 0$, fe nodwyd pan fo $b^2 - 4ac$ yn llai na sero, ein bod yn dweud nad oes gan yr hafaliad wreiddiau real.

Mewn gwirionedd, mae gan hafaliad o'r fath **ddau wreiddyn cymhlyg.**

Cymerwn, er enghraifft, ddatrysiad $x^2 + 2x + 3 = 0$. Drwy ddefnyddio'r fformiwla gwadratig, cawn

$$\begin{aligned} x &= \frac{-2 \pm \sqrt{4-12}}{2} \\ &= \frac{-2 \pm \sqrt{-8}}{2} \\ &= \frac{-2 \pm \sqrt{8}\sqrt{-1}}{2} \\ &= \frac{-2 \pm 2\sqrt{2}\sqrt{-1}}{2} \\ &= -1 \pm \sqrt{2}\sqrt{-1} \end{aligned}$$

Nid oes rhif real sydd yn $\sqrt{-1}$, gan fod sgwâr unrhyw rif real bob amser yn bositif.

Rydym yn dweud felly fod $\sqrt{-1}$ yn **rhif dychmygol**. Dynodwn $\sqrt{-1}$ gan i.

Felly, drwy ddefnyddio i, gallwn fynegi gwreiddiau'r hafaliad uchod yn y ffurf

$$-1 \pm \sqrt{2}\mathrm{i}$$

neu $-1 + \sqrt{2}\mathrm{i}$ a $-1 - \sqrt{2}\mathrm{i}$

Noder Defnyddir j yn ogystal i gynrychioli $\sqrt{-1}$.

Beth yw rhif cymhlyg?

Rhif cymhlyg yw rhif o'r ffurf

$$a + \mathrm{i}b$$

lle mae a a b yn rhifau real ac $\mathrm{i}^2 = -1$.

Er enghraifft, mae $3 + 5\mathrm{i}$ yn rhif cymhlyg.

Os yw $a = 0$ dywedir bod y rhif yn **gwbl ddychmygol**. Os yw $b = 0$, mae'r rhif yn **real**. Os yw rhif cymhlyg yn 0, yna mae a yn sero ac mae b yn 0.

Fel arfer rydym yn defnyddio $x + \mathrm{i}y$ i gynrychioli rhif cymhlyg anhysbys a z i gynrychioli $x + \mathrm{i}y$. Felly, pan fo'r anhysbysyn mewn hafaliad yn rhif cymhlyg fe'i dynodwn gan z: er enghraifft, $z^2 - 40z + 40 = 0$, sydd â'i wreiddiau yn $2 \pm 6\mathrm{i}$.

Yr un modd, byddwn yn defnyddio w i gynrychioli ail rif cymhlyg anhysbys, lle mae $w = u + \mathrm{i}v$.

Y cyfiau cymhlyg

Gelwir y rhif cymhlyg $x - \mathrm{i}y$ yn **gyfiau cymhlyg** y rhif $x + \mathrm{i}y$ (neu'n aml yn **gyfiau** $x + \mathrm{i}y$ yn unig), ac fe'i dynodir gan z^* neu $\bar{z}$.

Er enghraifft, $2 - 3\mathrm{i}$ yw cyfiau cymhlyg $2 + 3\mathrm{i}$, a chyfiau cymhlyg $-8 - 9\mathrm{i}$ yw $-8 + 9\mathrm{i}$.

Cyfrifo â rhifau cymhlyg

Pan ydym yn gweithio gyda rhifau cymhlyg rydym yn defnyddio dulliau algebraidd cyffredin. Mae hyn yn golygu **na allwn** gyfuno rhif real â therm-i. Er enghraifft, ni ellir symleiddio $2 + 3\mathrm{i}$.

Er mwyn i ddau rif cymhlyg fod yn hafal, **mae'n rhaid i'w rhannau real fod yn hafal a'u rhannau dychmygol fod yn hafal.**

Mae hyn yn **amod angenrheidiol** i ddau rif cymhlyg fod yn hafal.

Felly, os yw $a + \mathrm{i}b = c + \mathrm{i}d$, yna mae $a = c$ a $b = d$.

Er enghraifft, os yw $2 + 3\mathrm{i} = x + \mathrm{i}y$, yna mae $x = 2$ ac $y = 3$.

Adio a thynnu

Wrth adio dau rif cymhlyg, rydym yn adio'r termau real ac yna'n adio'r termau-i **ar wahân**. Er enghraifft,

$$(3 + 7\mathrm{i}) + (4 - 6\mathrm{i}) = (3 + 4) + (7\mathrm{i} - 6\mathrm{i})$$
$$= 7 + \mathrm{i}$$

Yn gyffredinol, ar gyfer adio cawn

$$(x + \mathrm{i}y) + (u + \mathrm{i}v) = (x + u) + \mathrm{i}(y + v)$$

ac ar gyfer tynnu

$$(x + \mathrm{i}y) - (u + \mathrm{i}v) = (x - u) + \mathrm{i}(y - v)$$

Enghraifft 1 Tynnwch $8 - 4\mathrm{i}$ o $7 + 2\mathrm{i}$.

DATRYSIAD

$$7 + 2\mathrm{i} - (8 - 4\mathrm{i}) = 7 - 8 + (2\mathrm{i} + 4\mathrm{i})$$
$$= -1 + 6\mathrm{i}$$

Enghraifft 2 Darganfyddwch x **ac** y **os yw** $x + 2\text{i} + 2(3 - 5\text{i}y) = 8 - 13\text{i}$.

DATRYSIAD

Wrth hafalu'r termau real, cawn

$$x + 6 = 8$$
$$\Rightarrow \quad x = 2$$

Wrth hafalu'r termau dychmygol, cawn

$$2 - 10y = -13$$
$$\Rightarrow \quad 15 = 10y$$
$$\Rightarrow \quad y = 1\tfrac{1}{2}$$

Lluosi

Defnyddiwn y dull algebraidd cyffredinol ar gyfer lluosi. Er enghraifft,

$$\begin{aligned}(2 + 3\text{i})(4 - 5\text{i}) &= 2(4 - 5\text{i}) + 3\text{i}(4 - 5\text{i}) \\ &= 8 - 10\text{i} + 12\text{i} - 15\text{i}^2\end{aligned}$$

Gan fod $\text{i}^2 = -1$, mae hyn yn symleiddio i

$$\begin{aligned}8 - 10\text{i} + 12\text{i} - 15 \times -1 &= 8 - 10\text{i} + 12\text{i} + 15 \\ &= 23 + 2\text{i}\end{aligned}$$

Yn gyffredinol, cawn

$$(a + \text{i}b)(c + \text{i}d) = ac - bd + \text{i}(ad + bc) \quad \text{gan fod } \text{i}^2 = -1$$

Noder Mae'n haws lluosi'r rhifau bob tro yn hytrach na chofio'r fformiwla hon.

Rhannu

Er mwyn gallu rhannu â rhif cymhlyg, mae'n rhaid ei newid yn rhif real.
Cymerwn, er enghraifft, y ffracsiwn hwn

$$\frac{2 + 3\text{i}}{4 + 5\text{i}}$$

Yn yr adran ar symleiddio syrdiau ar dudalen 408 yn *Introducing Pure Mathematics*,

nodwyd bod modd symleiddio $\dfrac{1}{1 + \sqrt{3}}$ drwy luosi rhifiadur ac enwadur y ffracsiwn hwn ag $1 - \sqrt{3}$.

Yr un modd, er mwyn symleiddio $\dfrac{2 + 3\text{i}}{4 + 5\text{i}}$ rydym yn lluosi ei rifiadur a'i enwadur â $4 - 5\text{i}$,

sef **cyfiau cymhlyg** yr enwadur. Felly cawn

$$\begin{aligned}\frac{2 + 3\text{i}}{4 + 5\text{i}} &= \frac{(2 + 3\text{i})(4 - 5\text{i})}{(4 + 5\text{i})(4 - 5\text{i})} \\ &= \frac{8 + 12\text{i} - 10\text{i} - 15\text{i}^2}{4^2 - (5\text{i})^2}\end{aligned}$$

$$= \frac{23 + 2i}{16 + 25} \quad [\text{Noder: } -(5i)^2 = -(-25) = +25]$$

$$= \frac{23}{41} + \frac{2}{41}i$$

Enghraifft 3 Symleiddiwch $\frac{3 + i}{7 - 3i}$.

DATRYSIAD

Drwy luosi'r rhifiadur a'r enwadur â chyfiau cymhlyg $7 - 3i$, sef $7 + 3i$, cawn

$$\frac{3 + i}{7 - 3i} = \frac{(3 + i)(7 + 3i)}{(7 - 3i)(7 + 3i)}$$

$$= \frac{21 + 7i + 9i + 3i^2}{7^2 - (3i)^2}$$

$$= \frac{21 + 16i - 3}{49 + 9} \quad [\text{Noder: } -(3i)^2 = -(-9) = +9]$$

$$= \frac{18}{58} + \frac{16i}{58}$$

$$= \frac{9}{29} + \frac{8}{29}i \quad \text{neu} \quad \frac{1}{29}(9 + 8i)$$

Enghraifft 4 Symleiddiwch $\frac{(5 - 3i)(7 + i)}{2 - i}$.

DATRYSIAD

Yn gyntaf, rydym yn symleiddio'r rhifiadur:

$$\frac{(5 - 3i)(7 + i)}{2 - i} = \frac{35 + 5i - 21i - 3i^2}{2 - i}$$

$$= \frac{35 - 16i + 3}{2 - i}$$

$$= \frac{38 - 16i}{2 - i}$$

Rydym wedyn yn lluosi rhifiadur ac enwadur y ffracsiwn hwn â chyfiau cymhlyg $2 - i$, sef $2 + i$:

$$\frac{(38 - 16i)(2 + i)}{(2 - i)(2 + i)} = \frac{76 + 16 + 38i - 32i}{4 + 1}$$

$$= \frac{92 + 6i}{5} \quad \text{neu} \quad 18\tfrac{2}{5} + 1\tfrac{1}{5}i$$

Ymarfer 1A

1 Symleiddiwch bob un o'r canlynol.

a) i^3 **b)** i^4 **c)** i^6 **d)** i^9

2 Mynegwch bob un o'r rhifau cymhlyg canlynol yn y ffurf $a + ib$.

a) $3 + 2\sqrt{-1}$ **b)** $6 - 3\sqrt{-1}$ **c)** $-4 + \sqrt{-9}$

d) $-2 + \sqrt{-8}$ **e)** $\sqrt{-100} - \sqrt{-64}$

3 Nodwch gyfiau cymhlyg z pan fo z yn:

a) $3 + 4i$ **b)** $2 - 6i$ **c)** $-4 - 3i$ **d)** $-8 + 5i$

4 Datryswch bob un o'r hafaliadau canlynol.

a) $z^2 + 2z + 4 = 0$ **b)** $z^2 - 3z + 6 = 0$

c) $2z^2 + z + 1 = 0$ **d)** $4z - 3 - 2z^2 = 0$

5 Symleiddiwch bob un o'r canlynol.

a) $(8 + 4i) + (2 - 6i)$ **b)** $(-7 + 3i) + (8 - 4i)$ **c)** $2 - 4i + 3(-1 + 2i)$

d) $4(-2 + 5i) + 5(2 + 7i)$ **e)** $(8 + 3i) - (7 + 2i)$ **f)** $(7 + 6i) - (4 - 2i)$

g) $2(9 - 3i) - 4(2 - 6i)$ **h)** $3(8 + i) - 2(3 - 5i)$

6 Enrhifwch bob un o'r mynegiadau hyn.

a) $(3 + i)(2 + 3i)$ **b)** $(4 - 2i)(5 + 3i)$ **c)** $(8 - i)(9 + 2i)$

d) $(9 - 3i)(5 - i)$ **e)** $i(2 - 3i)(i + 4)$ **f)** $(3 - 2i)(7 - 5i)$

7 Mynegwch bob un o'r ffracsiynau hyn yn y ffurf $a + ib$, lle mae $a, b \in \mathbb{R}$.

a) $\dfrac{2 + 3i}{4 - i}$ **b)** $\dfrac{4 + 3i}{5 + i}$ **c)** $\dfrac{8 - i}{2 + 3i}$ **d)** $\dfrac{2 + 5i}{-3 + 2i}$

8 Datryswch bob un o'r hafaliadau canlynol yn x ac y.

a) $x + iy = 4 - 2i$ **b)** $x + iy + 3 - 2i = 4(-2 + 5i)$

c) $x + iy = (2 + i)(3 - 2i)$ **d)** $x + iy = (3 - 5i)(4 + i)$

e) $x + iy = \dfrac{7 + i}{2 - i}$ **f)** $x + iy = (2 - 3i)^2$

9 Os yw $z = 3 + i$, darganfyddwch werth $z + \dfrac{1}{z}$.

10 Darganfyddwch ddatrysiad pob un o'r hafaliadau canlynol.

a) $x^2 + 4x + 7 = 0$ **b)** $x^2 + 2x + 6 = 0$

c) $2x^2 + 6x + 9 = 0$ **d)** $x^2 - 5x + 25 = 0$

Diagram Argand

Mae'n debyg mai'r mathemategydd o Ffrancwr Jean Robert Argand (1768–1822) a ddyfeisiodd ac a ddatblygodd gynrychioliad graffigol rhifau cymhlyg a'r gweithrediadau arnynt er bod eraill wedi rhagweld ei waith. Felly, gelwir y cynrychioliad graffigol hwn yn **ddiagram Argand**.

Mewn diagram Argand cynrychiolir y rhif cymhlyg $a + ib$ gan y pwynt (a, b), fel y gwelir ar y dde.

Cynrychiolir rhifau real (Re) ar yr echelin-x a rhifau dychmygol (Im) ar yr echelin-y. Felly cynrychiolir y rhif cymhlyg cyffredinol $(x + iy)$ gan y pwynt (x, y).

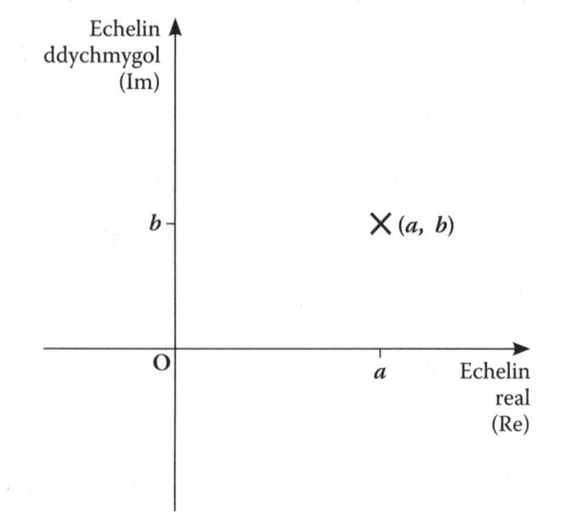

Enghraifft 5 Cynrychiolwch y rhif cymhlyg 2 + 3i ar ddiagram Argand. Dangoswch ei gyfiau cymhlyg.

DATRYSIAD

Cynrychiolir y rhif 2 + 3i gan y pwynt P(2, 3).

Y cyfiau cymhlyg yw 2 – 3i a gynrychiolir gan y pwynt P′(2, –3).

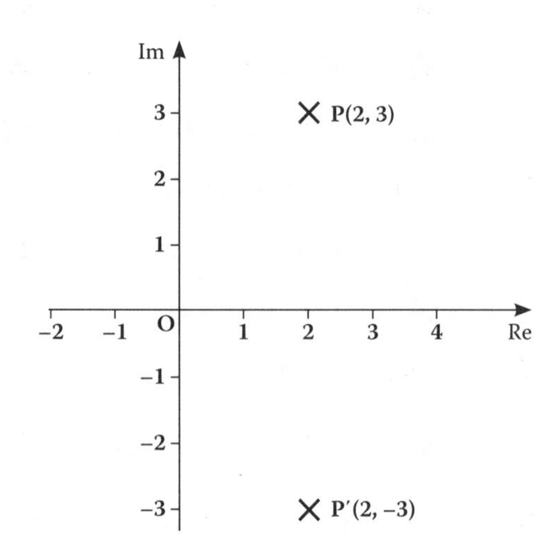

Noder Gellir pennu safle'r cyfiau cymhlyg z^* bob amser drwy adlewyrchu safle z yn yr echelin real.

Ffurf modwlws–arg neu ffurf begynlinol rhifau cymhlyg

Gellir pennu safle pwynt $P(x, y)$ ar ddiagram Argand yn nhermau OP, pellter P o'r tarddbwynt, a θ, yr ongl a ffurfir gan OP yn **wrthglocwedd** o'r echelin real bositif.

Hyd OP yw **modwlws** z, a ddynodir gan $|z|$, ac fe gymerir bod yr hyd hwn, $|z|$, **bob amser** yn **bositif**.

Yr ongl θ (fel arfer mewn radianau) yw **arg** z, a ddynodir gan arg z. Cymerir bod **prif werth** θ rhwng $-\pi$ a π.

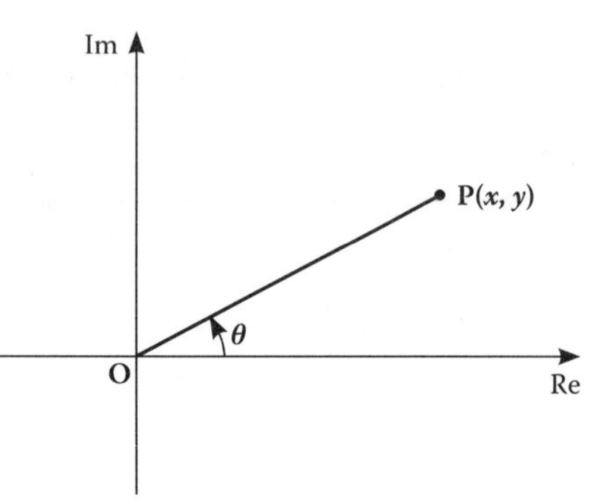

Cysylltiad rhwng y ffurf $x + \mathrm{i}y$ a'r ffurf modwlws–arg

O'r diagram ar y dde, cawn

$$r = |z| = \sqrt{x^2 + y^2}$$

$$x = r\cos\theta \quad \text{ac} \quad y = r\sin\theta$$

sy'n rhoi

$$z \equiv x + \mathrm{i}y = r\cos\theta + \mathrm{i}r\sin\theta$$

$$= r(\cos\theta + \mathrm{i}\sin\theta)$$

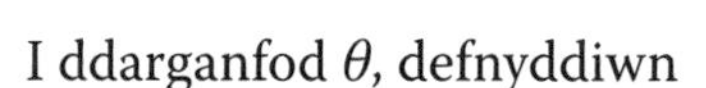

I ddarganfod θ, defnyddiwn

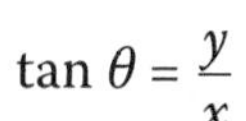

$$\tan\theta = \frac{y}{x}$$

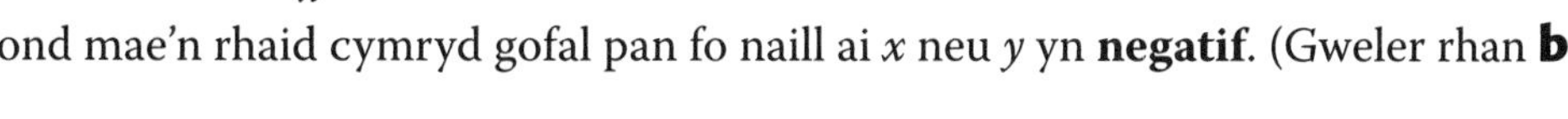

ond mae'n rhaid cymryd gofal pan fo naill ai x neu y yn **negatif**. (Gweler rhan **b** yn Enghraifft 6.)

Enghraifft 6 Darganfyddwch fodwlws ac arg y ddau rif cymhlyg hyn.

a) $2 + 2\sqrt{3}\mathrm{i}$ **b)** $-1 - \mathrm{i}$

DATRYSIAD

a)

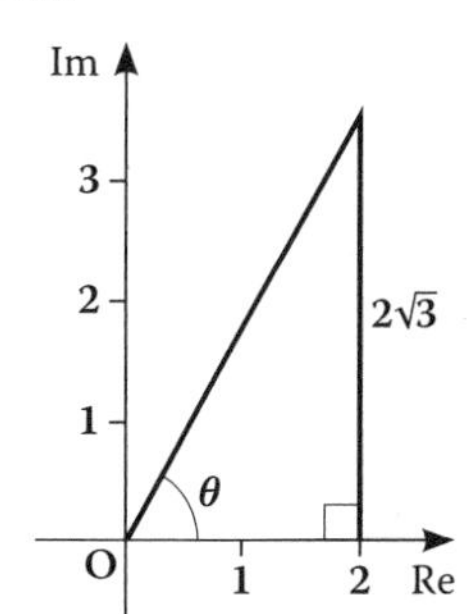

Rhoddir modwlws $2 + 2\sqrt{3}\mathrm{i}$ gan

$$\sqrt{2^2 + (2\sqrt{3})^2} = 4$$

Rhoddir ei arg, θ, gan

$$\tan^{-1}\sqrt{3} = \frac{\pi}{3}$$

b)

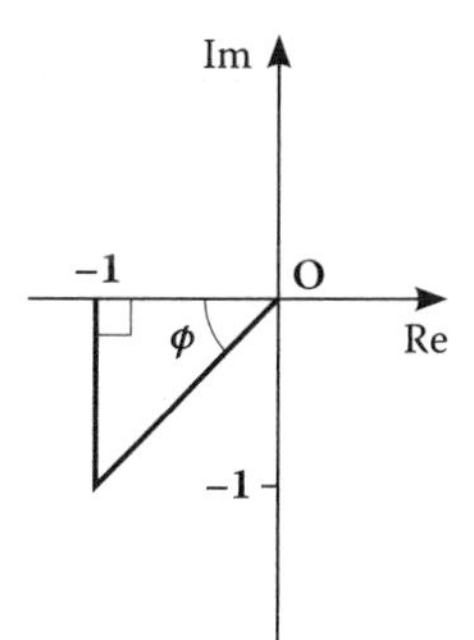

Rhoddir modwlws $-1 - \mathrm{i}$ gan

$$\sqrt{1^2 + 1^2} = \sqrt{2}$$

Mae'r ongl ϕ yn $\frac{\pi}{4}$.

Felly yr arg (yr ongl o'r echelin real bositif) yw

$$-\frac{\pi}{2} - \frac{\pi}{4} = -\frac{3\pi}{4}$$

Noder Os mesurir yr ongl yn Enghraifft 6 yn **wrthglocwedd** o'r echelin real bositif, ei gwerth yw $\frac{5\pi}{4}$, ond nid yw hyn rhwng π a $-\pi$.

Felly, rydym yn cymryd yr ongl glocwedd, sydd yn $-\frac{3\pi}{4}$.

Mae'r arwydd minws yn dynodi bod yr ongl yn cael ei mesur yn glocwedd.

Lluosi dau rif cymhlyg yn y ffurf modwlws–arg

Ystyriwch y ddau rif cymhlyg z_1 a z_2 a roddir gan

$$z_1 \equiv r_1 (\cos \theta_1 + \text{i} \sin \theta_1) \quad \text{a} \quad z_2 \equiv r_2 (\cos \theta_2 + \text{i} \sin \theta_2)$$

Drwy luosi z_1 â z_2, cawn

$$\begin{aligned} z_1 z_2 &= r_1 (\cos \theta_1 + \text{i} \sin \theta_1)\, r_2 (\cos \theta_2 + \text{i} \sin \theta_2) \\ &= r_1 r_2 [(\cos \theta_1 \cos \theta_2 - \sin \theta_1 \sin \theta_2) + \text{i}(\sin \theta_1 \cos \theta_2 + \cos \theta_1 \sin \theta_2)] \\ &= r_1 r_2 [\cos (\theta_1 + \theta_2) + \text{i} \sin (\theta_1 + \theta_2)] \end{aligned}$$

Gallwn fynegi'r canlyniad hwn fel a ganlyn:

I ddarganfod lluoswm dau rif cymhlyg, **lluoswch eu modwli** ac **adiwch eu hargiau**.

Rhannu dau rif cymhlyg yn y ffurf modwlws–arg

Wrth rannu z_1 â z_2, cawn

$$\frac{z_1}{z_2} = \frac{r_1 (\cos \theta_1 + \text{i} \sin \theta_1)}{r_2 (\cos \theta_2 + \text{i} \sin \theta_2)} = \frac{r_1}{r_2} \frac{\cos \theta_1 + \text{i} \sin \theta_1}{\cos \theta_2 + \text{i} \sin \theta_2}$$

Drwy luosi'r rhifiadur a'r enwadur â chyfiau cymhlyg $\cos \theta_2 + \text{i} \sin \theta_2$, cawn

$$\begin{aligned} \frac{z_1}{z_2} &= \frac{r_1}{r_2} \frac{(\cos \theta_1 + \text{i} \sin \theta_1)(\cos \theta_2 - \text{i} \sin \theta_2)}{(\cos \theta_2 + \text{i} \sin \theta_2)(\cos \theta_2 - \text{i} \sin \theta_2)} \\ &= \frac{r_1}{r_2} \frac{\cos \theta_1 \cos \theta_2 + \sin \theta_1 \sin \theta_2 + \text{i}(\sin \theta_1 \cos \theta_2 - \cos \theta_1 \sin \theta_2)}{(\cos^2 \theta_2 + \sin^2 \theta_2)} \\ &= \frac{r_1}{r_2} [\cos (\theta_1 - \theta_2) + \text{i} \sin (\theta_1 - \theta_2)] \quad \text{oherwydd bod } \cos^2 \theta_2 + \sin^2 \theta_2 \equiv 1 \end{aligned}$$

Gallwn fynegi'r canlyniad hwn fel a ganlyn:

I ddarganfod cyniferydd dau rif cymhlyg, **rhannwch eu modwli** a **thynnwch eu hargiau**.

Enghraifft 7 Darganfyddwch fodwli ac argiau pob un o'r canlynol.

a) $z = 1 + \text{i}$ **b)** $w = -1 + \sqrt{3}\text{i}$

c) zw **d)** z^2 **e)** $\dfrac{w}{z}$

DATRYSIAD

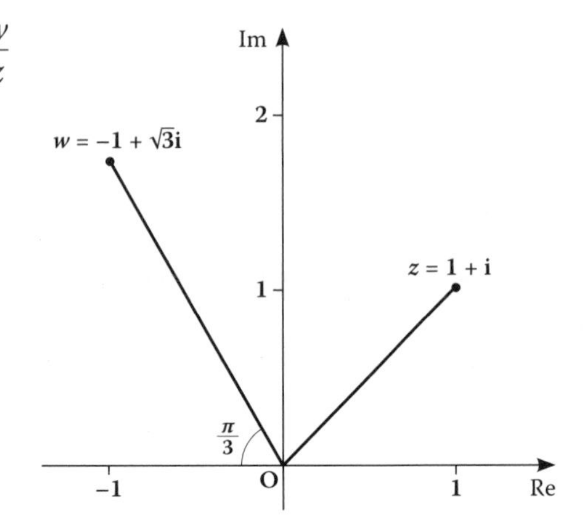

a) O'r diagram, cawn fod

$$\text{modwlws } z = \sqrt{2}$$

$$\arg z = \frac{\pi}{4}$$

b) Modwlws $w = \sqrt{1^2 + (\sqrt{3})^2} = 2$

$$\text{Arg } w = \pi - \frac{\pi}{3} = \frac{2\pi}{3}$$

c) Modwlws $zw = |z| \times |w| = 2\sqrt{2}$

Arg zw yw

$$\arg z + \arg w = \frac{\pi}{4} + \frac{2\pi}{3} = \frac{11\pi}{12}$$

d) Drwy ddefnyddio $z^2 = z \times z$, cawn

$$\text{modwlws } z^2 = |z| \times |z| = \sqrt{2} \times \sqrt{2} = 2$$

Arg z^2 yw

$$\arg z + \arg z = \frac{\pi}{4} + \frac{\pi}{4} = \frac{\pi}{2}$$

e) Modwlws $\dfrac{w}{z} = \dfrac{|w|}{|z|} = \dfrac{2}{\sqrt{2}} = \sqrt{2}$

Arg $\dfrac{w}{z}$ yw

$$\arg w - \arg z = \frac{2\pi}{3} - \frac{\pi}{4} = \frac{5\pi}{12}$$

Ymarfer 1B

1 Cynrychiolwch bob un o'r canlynol ar ddiagram Argand.

a) $2 + 2\text{i}$ **b)** $-3 + 3\text{i}$ **c)** $-2 + 2\sqrt{3}\text{i}$

d) $-1 - \text{i}$ **e)** 4i **f)** $5 + 12\text{i}$

g) -4 **h)** $6 + \sqrt{13}\text{i}$

2 Darganfyddwch fodwlws ac arg pob un o'r rhifau cymhlyg yng Nghwestiwn **1**.

3 O wybod bod $z = 3 + 4\text{i}$

a) cyfrifwch **i)** z^2 **ii)** z^3

b) darganfyddwch **i)** $|z|$ **ii)** $|z^2|$ **iii)** $|z^3|$

c) enrhifwch **i)** $\arg z$ **ii)** $\arg z^2$ **iii)** $\arg z^3$

4 Mynegwch y rhif cymhlyg z yn ei ffurf $a + \text{i}b$ pan fo:

a) $|z| = 2$ ac $\arg z = \dfrac{\pi}{3}$ **b)** $|z| = 4$ ac $\arg z = \dfrac{\pi}{4}$

c) $|z| = 1$ ac $\arg z = -\dfrac{\pi}{2}$ **d)** $|z| = 4$ ac $\arg z = \dfrac{3\pi}{4}$

e) $|z| = 2$ ac $\arg z = \dfrac{5\pi}{6}$ **f)** $|z| = 6$ ac $\arg z = \dfrac{7\pi}{6}$

5 **a)** Symleiddiwch $\dfrac{1 - \text{i}}{-3 - \text{i}}$.

b) Darganfyddwch fodwlws ac arg y rhif cymhlyg $-5 + 12\text{i}$ (CBAC)

6 O wybod bod $z = \dfrac{3 + 4\text{i}}{5 - 12\text{i}}$ darganfyddwch fodwlws ac arg z. (CBAC)

7 O wybod bod $z = \dfrac{1 + \mathrm{i}}{1 - 2\mathrm{i}}$, darganfyddwch

a) z yn y ffurf $a + \mathrm{i}b$

b) modwlws ac arg z. **(CBAC)**

8 **i)** O wybod bod $z_1 = 5 + \mathrm{i}$ a $z_2 = -2 + 3\mathrm{i}$,

a) dangoswch fod $|z_1|^2 = 2|z_2|^2$

b) darganfyddwch arg $(z_1 z_2)$.

ii) Cyfrifwch ail israddau $16 - 30\mathrm{i}$ yn y ffurf $a + \mathrm{i}b$, lle mae $a, b \in \mathbb{R}$. **(EDEXCEL)**

9 O wybod bod

$$z = \tan\alpha + \mathrm{i}, \text{ lle mae } 0 < \alpha < \frac{1}{2}\pi$$

$$w = 4\left[\cos\left(\frac{1}{10}\pi\right) + \mathrm{i}\sin\left(\frac{1}{10}\pi\right)\right]$$

darganfyddwch yn eu ffurf symlaf

i) $|z|$ **ii)** $|zw|$ **iii)** $\arg z$ **iv)** $\arg\left(\dfrac{z}{w}\right)$ **(OCR)**

10 Rhoddir y rhif cymhlyg z gan $z = \sin^2\alpha + \mathrm{i}\sin\alpha\cos\alpha$, lle mae $0 < \alpha < \frac{1}{2}\pi$.

Gan symleiddio eich atebion cyn belled ag sy'n bosib, darganfyddwch

i) $|z|$ **ii)** $\arg z$ **(OCR)**

11 Mae'r ddau rif cymhlyg z ac w yn bodloni

$$z = -2 + 5\mathrm{i} \qquad zw = 14 + 23\mathrm{i}$$

a) Darganfyddwch w yn y ffurf $p + q\mathrm{i}$, lle mae p a q yn real.

b) Dangoswch z ac w ar yr un diagram Argand.

c) Darganfyddwch arg z mewn radianau gan roi eich ateb i ddau le degol.

d) Nodwch y rhif cymhlyg sy'n cynrychioli M, canolbwynt y llinell sy'n cysylltu'r pwyntiau z a zw. **(EDEXCEL)**

12 **a)** Darganfyddwch wreiddiau'r hafaliad $z^2 + 4z + 7 = 0$ gan roi eich atebion yn y ffurf $p \pm \mathrm{i}\sqrt{q}$, lle mae p a q yn gyfanrifau.

b) Dangoswch y gwreiddiau hyn ar ddiagram Argand.

c) Ar gyfer pob gwreiddyn, darganfyddwch

i) y modwlws

ii) yr arg mewn radianau

gan roi eich atebion i dri ffigur ystyrlon. **(EDEXCEL)**

13 Drwy roi $z = x + \mathrm{i}y$, darganfyddwch y rhif cymhlyg z sy'n bodloni'r hafaliad

$$z + 2z^* = \frac{15}{2 - \mathrm{i}}$$

lle mae z^* yn dynodi cyfiau cymhlyg z. **(NEAB)**

14 O wybod bod $z_1 = 1 + 2\text{i}$ a $z_2 = \frac{3}{5} + \frac{4}{5}\text{i}$, ysgrifennwch $z_1 z_2$ a $\frac{z_1}{z_2}$ yn y ffurf $p + \text{i}q$, lle mae p a $q \in \mathbb{R}$.

Mewn diagram Argand, mae'r tarddbwynt O a'r pwyntiau sy'n cynrychioli $z_1 z_2$, $\frac{z_1}{z_2}$, z_3 yn fertigau rhombws. Darganfyddwch z_3 a brasluniwch y rhombws ar y diagram Argand hwn.

Dangoswch fod $|z_3| = \frac{6\sqrt{5}}{5}$. **(EDEXCEL)**

15 Rhoddir y rhifau cymhlyg z_1 a z_2 gan

$$z_1 = 5 + \text{i} \qquad z_2 = 2 - 3\text{i}$$

a) Dangoswch y pwyntiau sy'n cynrychioli z_1 a z_2 ar ddiagram Argand.

b) Darganfyddwch fodwlws $z_1 - z_2$.

c) Darganfyddwch y rhif cymhlyg $\frac{z_1}{z_2}$ yn y ffurf $a + \text{i}b$, lle mae a a b yn rhifau cymarebol.

d) Drwy hyn darganfyddwch arg $\frac{z_1}{z_2}$, gan roi eich ateb mewn radianau i dri ffigur ystyrlon.

e) Darganfyddwch werthoedd y cysonion real p a q fel bod

$$\frac{p + \text{i}q + 3z_1}{p - \text{i}q + 3z_2} = 2\text{i}$$ **(EDEXCEL)**

16 $$z_1 = -3 + 4\text{i} \qquad z_2 = 1 + 2\text{i}$$

a) Mynegwch y naill a'r llall o $z_1 z_2$ a $\frac{z_1}{z_2}$ yn y ffurf $a + \text{i}b$, lle mae $a, b \in \mathbb{R}$.

b) Dangoswch z_1 a z_2 ar yr un diagram Argand.

c) Darganfyddwch arg z_1, gan roi eich ateb mewn radianau i un lle degol.

O wybod bod $z_1 + (p + \text{i}q)z_2 = 0$, lle mae $p, q \in \mathbb{R}$,

d) darganfyddwch werth p a werth q. **(EDEXCEL)**

17 Rhoddir y rhif cymhlyg z gan $z = -2 + 2\text{i}$.

a) Darganfyddwch fodwlws ac arg z.

b) Nodwch fodwlws ac arg $\frac{1}{z}$.

c) Dangoswch y pwyntiau A, B ac C, sy'n cynrychioli'r rhifau cymhlyg z, $\frac{1}{z}$ a $z + \frac{1}{z}$ yn ôl eu trefn, ar ddiagram Argand.

d) Nodwch werth $\angle ACB$. **(EDEXCEL)**

18 $$z_1 = -30 + 15\text{i}$$

a) Darganfyddwch arg z_1, gan roi eich ateb mewn radianau i ddau le degol.

Rhoddir y rhifau cymhlyg z_2 a z_3 gan $z_2 = -3 + p\text{i}$ a $z_3 = q + 3\text{i}$, lle mae p a q yn gysonion real a $p > q$.

b) O wybod bod $z_2 z_3 = z_1$, darganfyddwch werth p a gwerth q.

c) Drwy ddefnyddio eich gwerthoedd ar gyfer p a q, plotiwch y pwyntiau sy'n cyfateb i z_1, z_2 a z_3 ar ddiagram Argand.

d) Gwiriwch fod $2z_2 + z_3 - z_1$ yn real a darganfyddwch ei werth. **(EDEXCEL)**

19 **i)** Enrhifwch ail israddau y rhif cymhlyg $5 + 12\text{i}$ yn y ffurf $a + b\text{i}$, lle mae a a b yn real.

ii) Os θ yw arg unrhyw un o'r ddau ail isradd hyn, darganfyddwch werth $\cos 4\theta$ fel ffracsiwn **union**. (NICCEA)

20 **a)** Mae'r ddau rif cymhlyg z ac w yn bodloni $z = (4 + 2\text{i})(3 - \text{i})$ ac $w = \dfrac{4 + 2\text{i}}{3 - \text{i}}$.

Mynegwch z a hefyd w yn y ffurf $a + \text{i}b$, lle mae a a b yn real.

b) **i)** Nodwch fodwlws ac arg y naill a'r llall o'r rhifau cymhlyg $4 + 2\text{i}$ a $3 - \text{i}$. Rhowch y ddau fodwlws mewn ffurf swrd union a'r ddau arg mewn radianau rhwng $-\pi$ a π.

ii) Mae'r pwyntiau O, P a Q yn y plân cymhlyg yn cynrychioli'r rhifau cymhlyg $0 + 0\text{i}$, $4 + 2\text{i}$ a $3 - \text{i}$ yn ôl eu trefn. Darganfyddwch union hyd PQ a thrwy hynny, neu fel arall, dangoswch fod triongl OPQ yn driongl ongl sgwâr. (AEB 97)

Locysau yn y plân cymhlyg

Rydym yn gwybod o'n gwaith blaenorol ar geometreg fectorau fod y fector **a** – **b** yn cysylltu'r pwynt sydd â fector safle **b** â'r pwynt sydd â fector safle **a**.
(Gweler *Introducing Pure Mathematics*, tudalen 498.)
Yr un modd, yn y plân cymhlyg mae $z - z_1$ yn cysylltu'r pwynt z_1 â'r pwynt z.

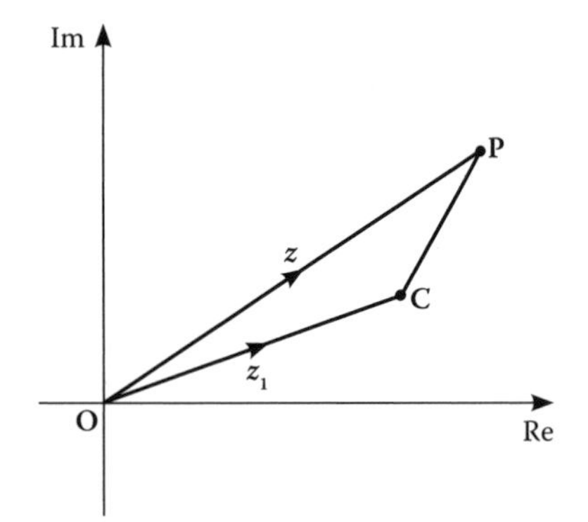

O'r diagram, cawn

$$\overrightarrow{OC} = z_1 \quad \text{a} \quad \overrightarrow{OP} = z$$

Felly, cawn

$$\overrightarrow{CP} = \overrightarrow{CO} + \overrightarrow{OP}$$
$$= -z_1 + z$$
$$= z - z_1$$

Drwy ddefnyddio'r ffaith hon gallwn adnabod nifer o locysau.

Locysau y dylid eu hadnabod

- $|z - z_1| = r$

$|z - z_1|$ yw modwlws neu hyd $z - z_1$.
Hynny yw, hyd y llinell sy'n cysylltu z_1 â phwynt newidiol z.

Felly, $|z - z_1| = r$ yw locws pwynt, z, sy'n symud fel bod hyd y llinell sy'n cysylltu pwynt sefydlog z_1 â z bob amser yn r.
Ac felly, locws z yw cylch, canol z_1 a radiws r.

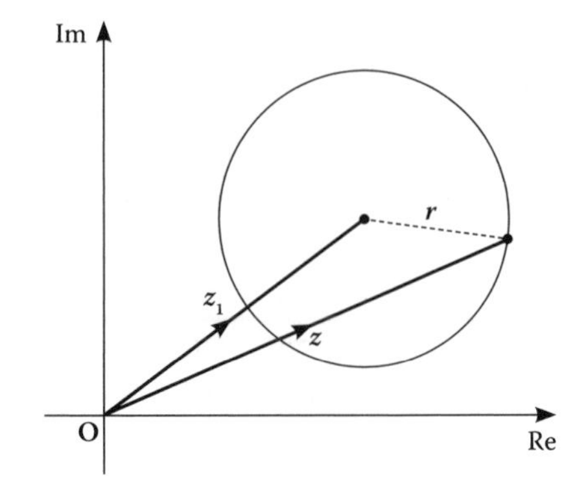

Enghraifft 8 Disgrifiwch a brasluniwch locws $|z - 2 - 3i| = 3$.

DATRYSIAD

Y locws hwn yw $|z - (2 + 3i)| = 3$, sydd yn gylch, canol (2, 3) a radiws 3.

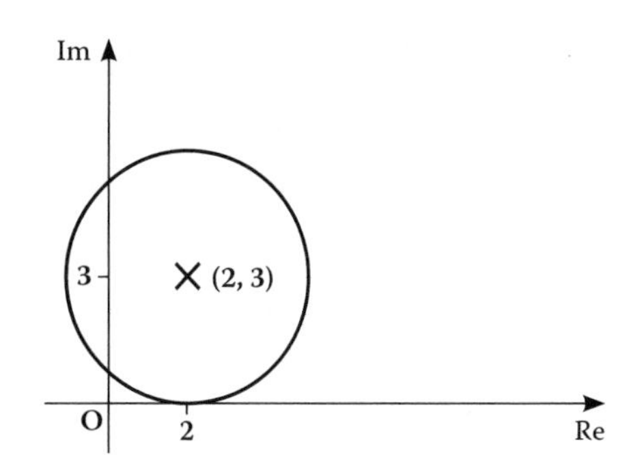

Noder Wrth fraslunio'r locws hwn, dangoswch yn glir fod y cylch yn **cyffwrdd** â'r echelin-x ac yn **torri**'r echelin-y ddwy waith.

◆ **arg** $(z - z_1) = \theta$

Mae'r pwynt z yn bodloni'r locws hwn pan fo arg θ gan y llinell sy'n cysylltu z_1 â z.

Dyma'r **hanner-llinell** sy'n cychwyn yn z_1 ac sydd wedi'i goleddu ar ongl θ i'r echelin real. (Fe'i gelwir yn hanner-llinell oherwydd nad ydym ond eisiau'r rhan honno o'r llinell sy'n dechrau yn z_1.)

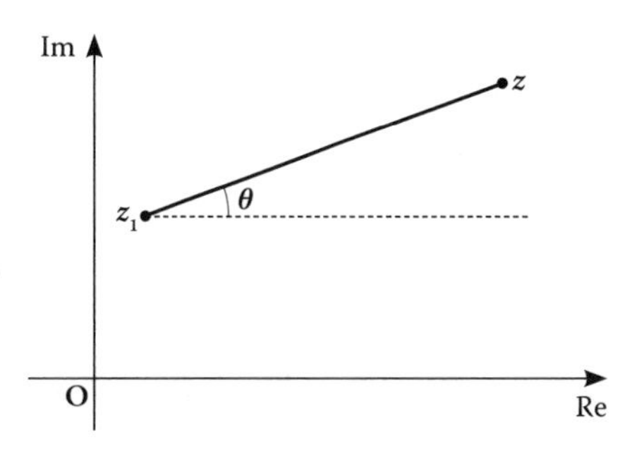

Enghraifft 9 Disgrifiwch a brasluniwch locws $\arg(z - 2) = \frac{\pi}{3}$.

DATRYSIAD

Y locws hwn yw'r hanner-llinell sy'n cychwyn yn (2,0) ac sy'n goleddu ar ongl $\frac{\pi}{3}$ i'r echelin real.

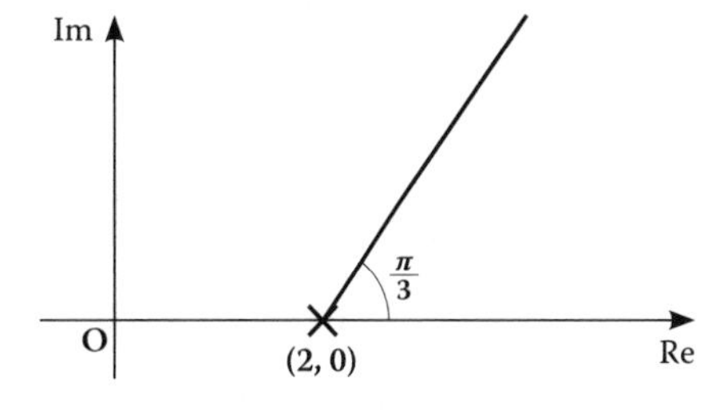

◆ $|z - z_1| = |z - z_2|$

Mae'r llinell sy'n cysylltu z â z_1 yr un hyd â'r llinell sy'n cysylltu z â z_2. Felly, locws z yw hanerydd perpendicwlar y llinell sy'n cysylltu z_1 â z_2.

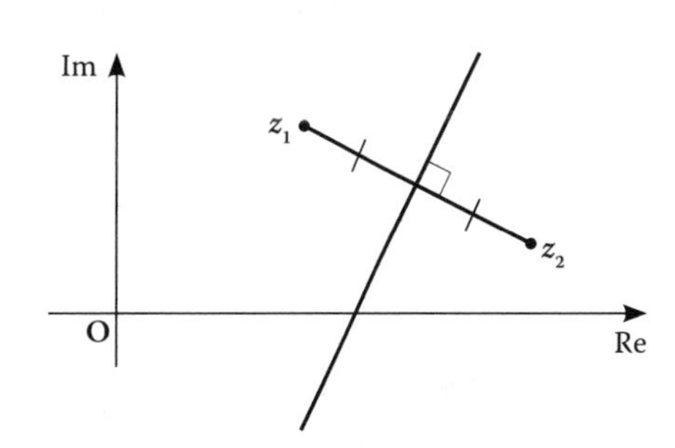

Enghraifft 10 Disgrifiwch locws $|z - 3| = |z - 2i|$.

DATRYSIAD

Y locws hwn yw hanerydd perpendicwlar y llinell sy'n cysylltu +3 â +2i.

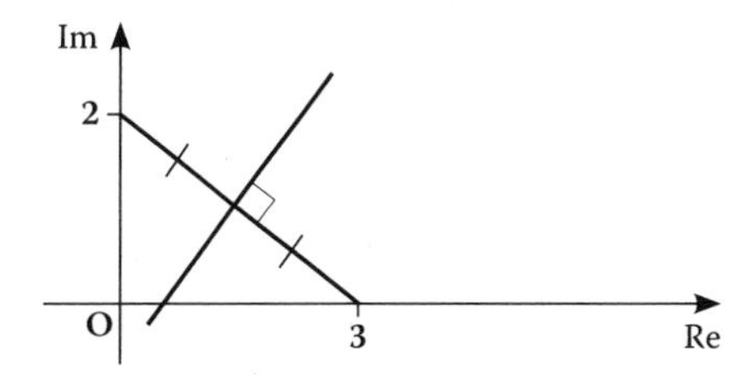

• $|z - z_1| = k\,|z - z_2|$ **lle mae** $k \neq 1$

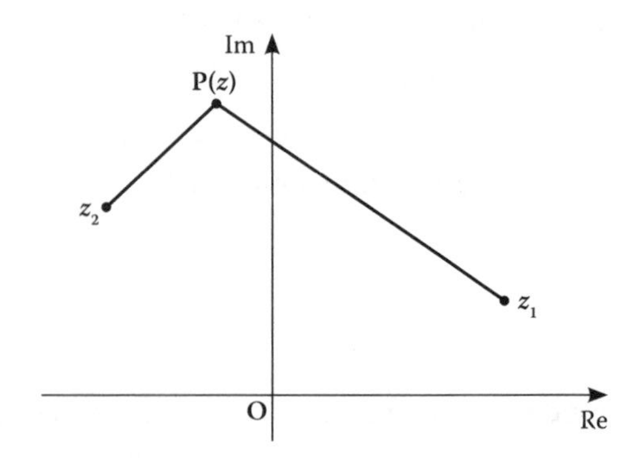

Llunnir locws P(z) fel bod hyd y llinell sy'n cysylltu P â z_1 yn k gwaith hyd y llinell sy'n cysylltu P â z_2.

Gan gymryd bod $z \equiv x + iy$, $z_1 \equiv x_1 + iy_1$ a $z_2 \equiv x_2 + iy_2$, mae theorem Pythagoras yn rhoi

$$|z - z_1| = \sqrt{(x - x_1)^2 + (y - y_1)^2}$$

a $$|z - z_2| = \sqrt{(x - x_2)^2 + (y - y_2)^2}$$

Felly, gellir mynegi $|z - z_1| = k\,|z - z_2|$ fel

$$\sqrt{(x - x_1)^2 + (y - y_1)^2} = k\sqrt{(x - x_2)^2 + (y - y_2)^2}$$

Drwy sgwario'r ddwy ochr cawn

$$(x - x_1)^2 + (y - y_1)^2 = k^2\,[(x - x_2)^2 + (y - y_2)^2]$$

$$\Rightarrow \quad x^2 - 2xx_1 + x_1^2 + y^2 - 2yy_1 + y_1^2 = k^2x^2 - 2k^2xx_2 + k^2x_2^2 + k^2y^2 - 2k^2yy_2 + k^2y_2^2$$

$$\Rightarrow \quad (1 - k^2)x^2 + (1 - k^2)y^2 - x(2x_1 - 2k^2x_2) - y(2y_1 - 2k^2y_2) + x_1^2 + y_1^2 - k^2x_2^2 - k^2y_2^2 = 0$$

Yn yr hafaliad hwn, mae cyfernodau x ac y yr un fath ac nid oes term yn xy. Felly, locws z yw cylch.

Drwy gymesuredd bydd diamedr y cylch yn gorwedd ar y llinell sy'n cysylltu z_1 â z_2.

Noder Cofiwn o waith cynharach (*Introducing Pure Mathematics*, tudalen 220) mai hafaliad cylch, canol (a,b) gyda radiws r, yw

$$(x - a)^2 + (y - b)^2 = r^2$$

Gellir ysgrifennu'r hafaliad hwn fel hyn hefyd

$$x^2 + y^2 + 2gx + 2fy + c = 0$$

I ddarganfod canol a radiws cylch pan roddir ei hafaliad yn y ffurf hon, defnyddiwn ddull cwblhau'r sgwâr:

$$x^2 + y^2 + 2gx + 2fy + c = 0$$

$$(x + g)^2 + (y + f)^2 = g^2 + f^2 - c$$

Felly, canol y cylch yw $(-g, -f)$, a'i radiws yw $\sqrt{g^2 + f^2 - c}$.

Enghraifft 11 Darganfyddwch locws $|z - 2| = 3|z + 2|$.

DATRYSIAD

Boed A yn $(-2, 0)$ a B yn $(2, 0)$.

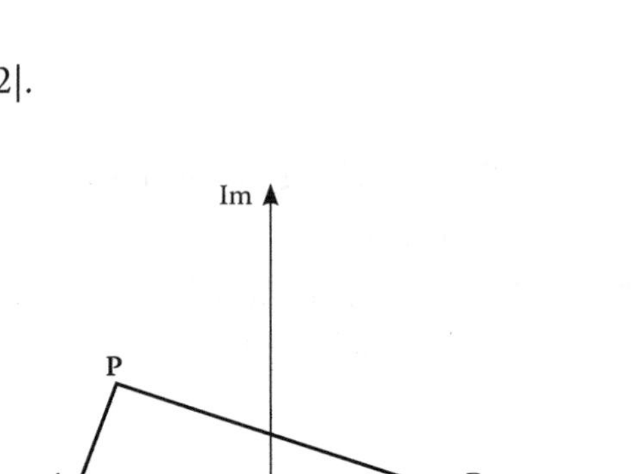

Y locws sydd ei angen yw locws P pan fo BP = 3AP.

I ddarganfod y cylch hwn, rydym yn darganfod y ddau bwynt lle mae'n croestorri'r llinell sy'n cysylltu A â B.

Mae'r pwynt $(-1, 0)$ yn bodloni'r amod hwn.

Nid yw'r pwynt arall ar y llinell AB sy'n bodloni'r amod hwn byth rhwng A a B ond ar y llinell AB wedi ei hestyn.

Y pwynt (–4, 0) yw'r pwynt arall sy'n bodloni'r locws.

Mae'r pwyntiau (–1, 0) a (–4, 0) yn pennu diamedr cylch y locws.

Felly, canol y cylch yw $(-2\frac{1}{2}, 0)$ a'i radiws yw $1\frac{1}{2}$.

Ei hafaliad yw $|z + 2\frac{1}{2}| = \frac{3}{2}$.

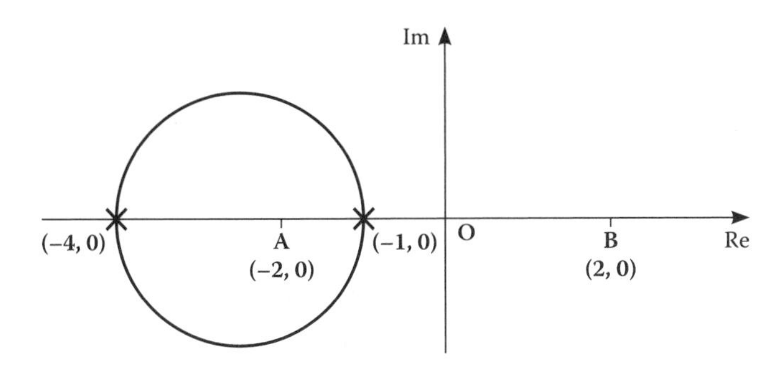

Enghraifft 12 Darganfyddwch locws $|z - 18| = 2\,|z + 18\text{i}|$.

DATRYSIAD

I ddarganfod y cylch, rydym yn darganfod y ddau bwynt lle mae'n croestorri'r llinell sy'n cysylltu z_1 â z_2, lle mae $z_1 = 18$ a $z_2 = -18\text{i}$.

Y ddau bwynt sy'n bodloni'r locws yw 6 – 12i a –18 – 36i.

Mae'r ddau bwynt hyn yn pennu diamedr cylch y locws.
Felly, mae canol y cylch yn –6 – 24i ac mae ganddo radiws $12\sqrt{2}$.

Felly, ei hafaliad yw $|z + 6 + 24\text{i}| = 12\sqrt{2}$.

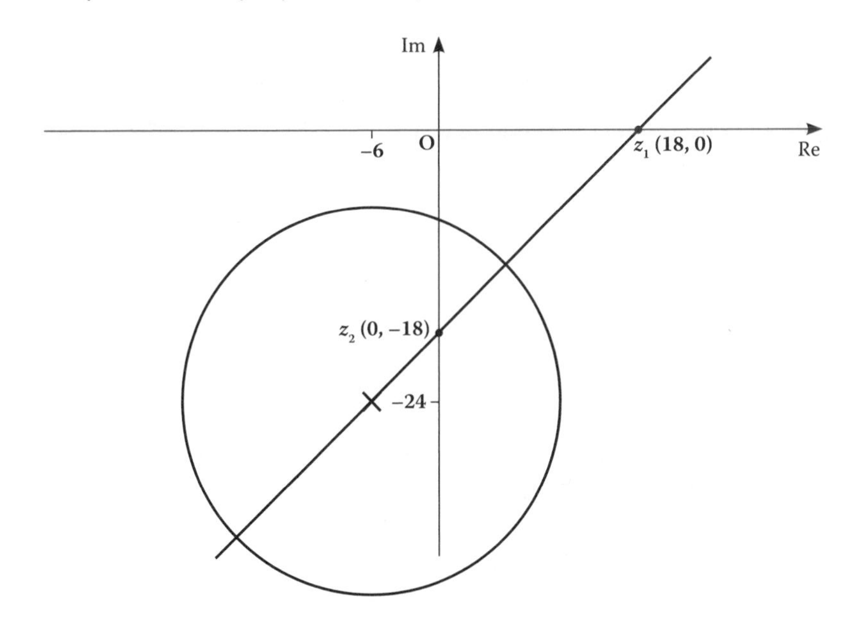

- $\arg \dfrac{(z - z_1)}{(z - z_2)} = \theta$

I ddarganfod y locws hwn, rydym yn defnyddio'r berthynas

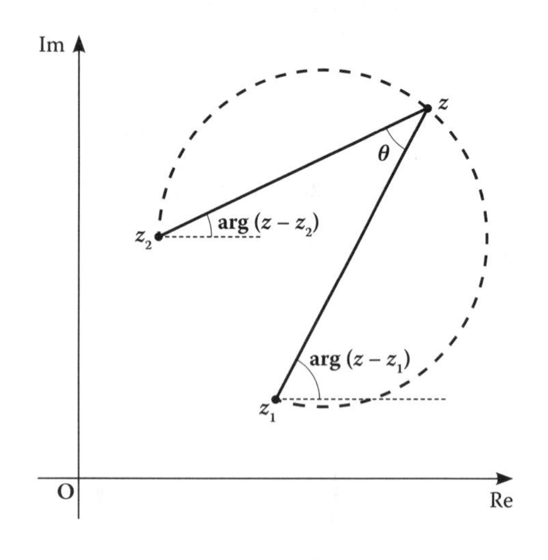

$$\arg \frac{u}{v} = \arg u - \arg v$$

Drwy roi $u = z - z_1$ a $v = z - z_2$, cawn

$$\arg \frac{z - z_1}{z - z_2} = \arg (z - z_1) - \arg (z - z_2)$$

$$\Rightarrow \quad \arg (z - z_1) - \arg (z - z_2) = \theta$$

Mae onglau sydd yn yr un segment yn hafal.
Felly, locws z yw rhan o'r cylch drwy z_1 a z_2
(a ddangosir gan y llinell doredig).

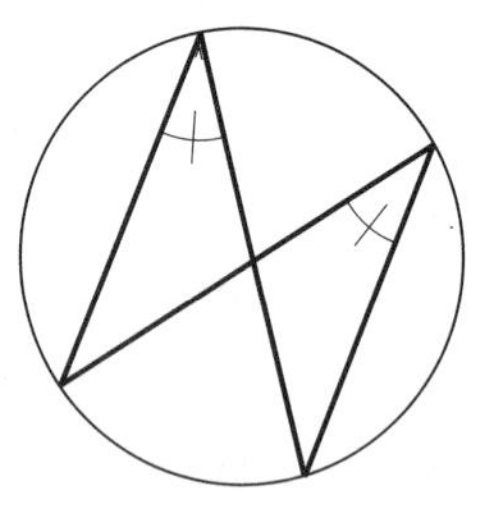

Enghraifft 13 Dangoswch locws z pan fo

a) $|z - 4| = 4$ **b)** $\arg z = \dfrac{\pi}{4}$

Darganfyddwch y pwynt sy'n bodloni'r ddau locws.

DATRYSIAD

Dangosir y ddau locws sydd eu hangen yn y diagram ar y dde.

Y pwynt sy'n bodloni'r ddau locws yw (4, 4) neu (4 + 4i).

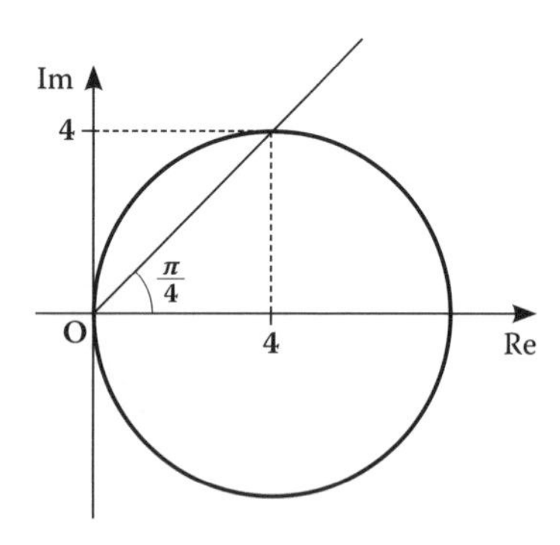

Noder Fel arfer mae'n bosibl darganfod pwynt cyffredin ar ddau locws gwahanol drwy ddefnyddio geometreg syml a synnwyr cyffredin.
Yn Enghraifft 13 gellir gweld yn glir bod y pwynt (4, 4) ar y ddau locws.
Gall cyfrifo pwynt cyffredin olygu defnyddio algebra cymhleth.

Enghraifft 14 Darganfyddwch locws $\frac{\pi}{4} < \arg(z-2) < \frac{\pi}{3}$.

DATRYSIAD

Lluniwn y ddau locws gwahanol

$$\frac{\pi}{4} = \arg(z-2) \quad \text{ac} \quad \arg(z-2) = \frac{\pi}{3}$$

gan sicrhau ein bod yn dewis y sector cywir.

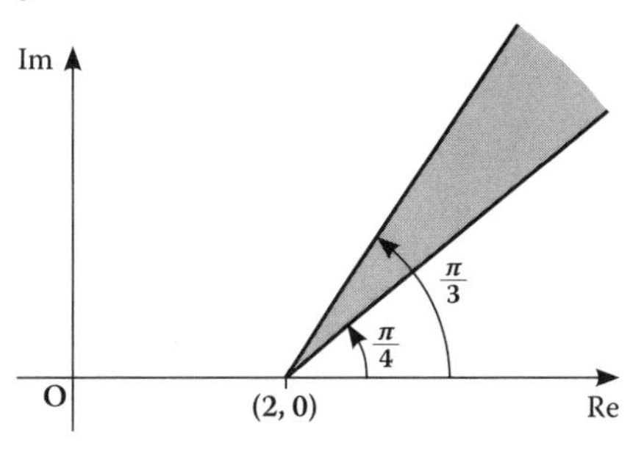

- $|z - z_1| + |z - z_2| = c$

Mae'r locws hwn yn elips, sydd â z_1 a z_2 yn ffocysau (gweler yr adran ar elipsau, tudalennau 222–6). I ddarganfod safle'r elips, mae'n rhaid darganfod pedwar pwynt sy'n bodloni'r locws:

- dau bwynt ar y llinell sy'n cysylltu z_1 â z_2 wedi ei hestyn, a
- dau bwynt ar hanerydd perpendicwlar y llinell sy'n cysylltu z_1 â z_2.

Enghraifft 15 Darganfyddwch locws z pan fo $|z-4| + |z+2| = 10$.

DATRYSIAD

Yn gyntaf, rydym yn nodi ar y diagram y pwyntiau A a B sy'n cynrychioli z_1 a z_2. Y rhain yw (4, 0) a (–2, 0).

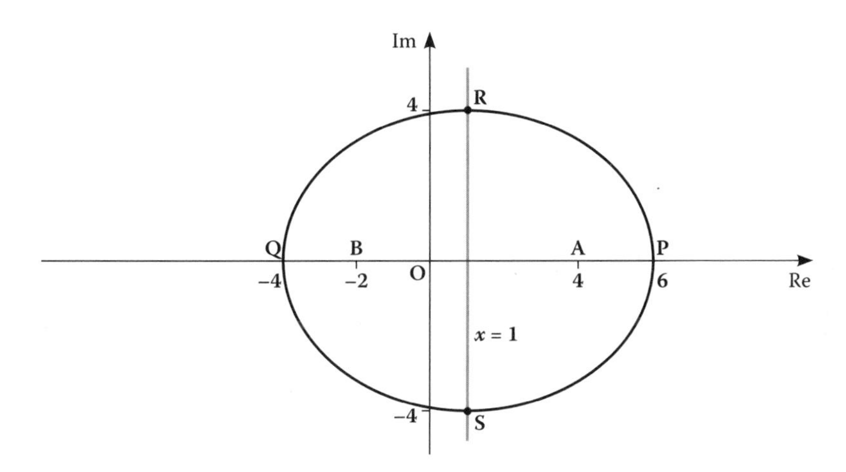

Rydym wedyn yn estyn AB i'r ddau gyfeiriad, lle mae hyd AB yn 6.

Felly, y pwyntiau sy'n bodloni'r locws yw P (6, 0) a Q (–4, 0) fel bod PA = 2 a PB = 8, sy'n rhoi PA + PB = 10.

Yn ogystal, mae QA = 8 a QB = 2, sy'n rhoi QA + QB =10.

Hanerydd perpendicwlar PQ yw'r llinell $x = 1$.

Y pwyntiau sy'n bodloni'r locws ar y llinell hon yw R(1, 4) ac S(1, –4) fel bod RA = 5, RB = 5 ac felly RA + RB = 10.

Mae'r pedwar pwynt hyn, P, Q, R ac S, yn pennu echelin fwyaf ac echelin leiaf yr elips.

Trydydd israddau un

Os yw z yn drydydd isradd 1, cawn

$$z^3 = 1$$

$$\Rightarrow \quad z^3 - 1 = 0$$

$$\Rightarrow \quad (z - 1)(z^2 + z + 1) = 0$$

Felly, naill ai: $z = 1$, sef y gwreiddyn real, neu

$$z^2 + z + 1 = 0$$

Os yw w yn wreiddyn **cymhlyg** 1, yna $w \neq 1$ ac mae'n bodloni'r hafaliad $z^2 + z + 1 = 0$. Felly, cawn

$$w^2 + w + 1 = 0$$

$$\Rightarrow \quad w = \frac{-1 \pm \sqrt{1 - 4}}{2}$$

$$= -\frac{1}{2} \pm \frac{\sqrt{3}}{2}\mathrm{i}$$

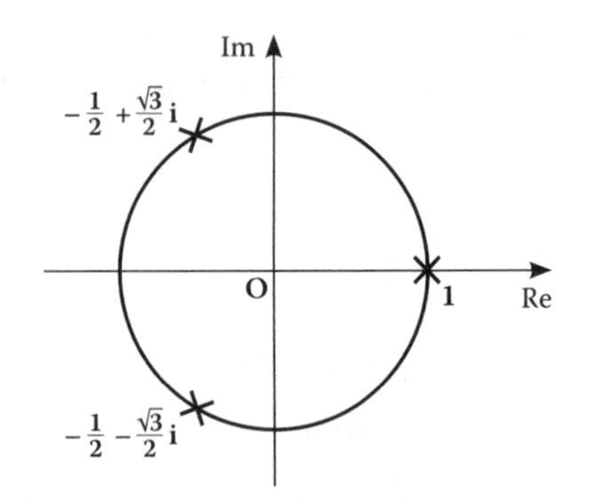

Wrth blotio'r tri gwreiddyn hyn o 1 ar ddiagram Argand, rydym yn darganfod eu bod wedi eu lleoli'n gymesur ar gylchyn cylch radiws 1, fel y gwelir yn y diagram ar y dde.

Sgwâr trydydd isradd cymhlyg un

Os yw w yn drydydd isradd cymhlyg 1, mae w^2 hefyd yn drydydd isradd cymhlyg 1.

Prawf

Os yw w yn drydydd isradd cymhlyg 1 yna $w^3 = 1$. Felly, cawn

$$(w^2)^3 = w^6 = (w^3)^2 = 1$$

Hynny yw, mae w^2 hefyd yn drydydd isradd cymhlyg 1.

Noder Roeddem wedi dod i wybod yn gynharach bod $w = -\frac{1}{2} \pm \frac{\sqrt{3}}{2}\mathrm{i}$. Felly, cawn

$$w^2 = \left(-\frac{1}{2} + \frac{\sqrt{3}}{2}\mathrm{i}\right)^2 \quad \text{neu} \quad -\frac{1}{2} - \frac{\sqrt{3}}{2}\mathrm{i}$$

Neu cawn

$$w^2 = \left(-\frac{1}{2} - \frac{\sqrt{3}}{2}\mathrm{i}\right)^2 \quad \text{neu} \quad -\frac{1}{2} + \frac{\sqrt{3}}{2}\mathrm{i}$$

Felly, cawn

$$1 + w + w^2 = \left[1 + \left(-\frac{1}{2} + \frac{\sqrt{3}}{2}\mathrm{i}\right) + \left(-\frac{1}{2} - \frac{\sqrt{3}}{2}\mathrm{i}\right)\right] = 0$$

sy'n cytuno â'r hafaliad a gafwyd uchod.

Enghraifft 16 Os yw w yn drydydd isradd cymhlyg 1, darganfyddwch werth $w^4 + w^8$.

DATRYSIAD

$$w^4 + w^8 = w \times w^3 + w^2(w^3)^2$$

Gan fod $w^3 = 1$, cawn

$$w^4 + w^8 = w + w^2$$

Gan fod $1 + w + w^2 = 0$, gwelir bod

$$w^4 + w^8 = -1$$

Enghraifft 17 Os yw p yn drydydd isradd 1, darganfyddwch werthoedd posibl $p^2 + p^4$.

DATRYSIAD

$$p^2 + p^4 = p^2 + p \times p^3$$

$$= p^2 + p \quad \text{oherwydd } p^3 = 1$$

Os yw p yn real, $p = 1$ ac felly $p^2 + p = 2$.

Os yw p yn drydydd isradd **cymhlyg**, cawn

$$p^2 + p = -1$$

Felly, gwerthoedd posibl $p^2 + p^4$ yw 2 a -1.

Ymarfer 1C

1 Brasluniwch locws z pan fo:

a) $|z| = 5$ **b)** $|z| = 3$ **c)** $|z - 2| = 3$

d) $|z - 2i| = 4$ **e)** $|z + 2 + 2i| = 2\sqrt{2}$ **f)** $|z + 3 - \sqrt{3}i| = 2\sqrt{3}$

g) $2|z - i| = 3$

2 Brasluniwch locws z pan fo:

a) $\arg z = \dfrac{\pi}{3}$ **b)** $\arg z = -\dfrac{3\pi}{4}$ **c)** $\arg (z + 2) = \dfrac{\pi}{2}$

d) $\arg (z - 3i) = \dfrac{\pi}{3}$ **e)** $\arg (z + 1 + i) = \dfrac{\pi}{4}$ **f)** $\arg (z - 2 - \sqrt{3}i) = -\dfrac{2\pi}{3}$

3 Brasluniwch locws z pan fo:

a) $|z - 2| = |z - 4|$ **b)** $|z - 6| = |z + 3|$ **c)** $|z - i| = |z - 2i|$

d) $|z + 2i| = |z - 2|$ **e)** $\left|\dfrac{z - 1 - i}{z + 2 + 2i}\right| = 1$ **f)** $\left|\dfrac{z - 4i}{z + 4}\right| = 1$

4 Brasluniwch locws z pan fo:

a) $|z - 1| = 3|z + 2|$ **b)** $|z + i| = 2|z - 2i|$ **c)** $|z - i| = 4|z + 3i|$

d) $|z - 2 - i| = 3|z + 6 + 3i|$ **e)** $\left|\dfrac{z - 2}{z + 2i}\right| = 3$

5 Brasluniwch bob un o'r canlynol.

a) $\arg\left(\dfrac{z}{z-2}\right) = \dfrac{\pi}{4}$ **b)** $\arg\left(\dfrac{z-1}{z-3}\right) = \dfrac{\pi}{3}$

c) $\arg\left(\dfrac{z+2\text{i}}{z-2\text{i}}\right) = \dfrac{\pi}{4}$ **d)** $\arg\left(\dfrac{z}{z+4\text{i}}\right) = \dfrac{\pi}{6}$

6 Os yw w yn isradd cymhlyg 1, symleiddiwch bob un o'r rhain.

a) $w^4 + w^8$ **b)** $w^9 + w^{18}$ **c)** $w^3 + w^7 + w^{11}$

7 Os yw w yn drydydd isradd 1, darganfyddwch werthoedd posibl pob un o'r canlynol.

a) $1 + w^4 + w^8$ **b)** $w^3 + w^6$ **c)** $\dfrac{w + w^4}{w^2 + w^5}$ **d)** $w^8 + w^{10}$

8 Darganfyddwch ddatrysiadau $(z-2)^3 = 1$.

9 Gyda chymorth braslun, esboniwch pam nad oes rhif cymhlyg sy'n bodloni

$$\arg z = \frac{\pi}{3} \quad \text{a hefyd} \quad |z - 2 - \text{i}| = |z - 4 + \text{i}|$$

10 Mae'r rhif cymhlyg $z = x + \text{i}y$ yn bodloni'r hafaliad

$$|z - 9 + 4\text{i}| = 3|z - 1 - 4\text{i}|$$

Cynrychiolir y rhif cymhlyg z gan y pwynt P yn y diagram Argand.

a) Dangoswch mai cylch yw locws P.

b) Nodwch ganol a radiws y cylch hwn.

c) Brasluniwch y cylch ar ddiagram Argand. **(EDEXCEL)**

11 Mae rhif cymhlyg z yn bodloni'r anhafaledd

$$|z + 2 - (2\sqrt{3})\text{i}| \leqslant 2$$

Disgrifiwch mewn termau geometrig, gyda chymorth braslun, y rhanbarth cyferbyniol mewn diagram Argand. Darganfyddwch

i) werth lleiaf posibl $|z|$

ii) gwerth mwyaf posibl $\arg z$. **(OCR)**

12 Diffinnir y rhanbarth R mewn diagram Argand gan yr anhafaleddau

$$|z| \leqslant 4 \quad \text{a} \quad |z| \geqslant |z - 2|$$

Lluniwch ddiagram wedi'i labelu'n glir i ddarlunio R. **(OCR)**

13 Diffinnir y rhanbarth R mewn diagram Argand gan yr anhafaleddau

$$0 \leqslant \arg(z + 4\text{i}) \leqslant \frac{1}{4}\pi \quad \text{a} \quad |z| \leqslant 4$$

Lluniwch ddiagram wedi'i labelu'n glir i ddarlunio R. **(OCR)**

14 Mae'r ddau rif cymhlyg, z ac w, yn bodloni'r anhafaleddau

$$|z - 3 - 2\text{i}| \leqslant 2 \quad \text{a} \quad |w - 7 - 5\text{i}| \leqslant 1$$

Drwy lunio diagram Argand, darganfyddwch werth lleiaf posibl $|z - w|$. **(OCR)**

15 Mae'r pwynt P yn y diagram Argand yn cynrychioli'r rhif cymhlyg z ac mae'r pwynt Q yn cynrychioli'r rhif cymhlyg w, lle mae $w = \frac{1}{z + 1}$.

i) Darganfyddwch w pan fo

a) $z = -\mathrm{i}$ **b)** $z = \mathrm{i}$

gan fynegi eich atebion yn y ffurf $u + \mathrm{i}v$.

ii) Darganfyddwch z yn nhermau w.

iii) O wybod bod P yn gorwedd ar gylch sydd â'i ganol yn y tarddbwynt a'i radiws 1, profwch fod $|w| = |w - 1|$.

iv) Brasluniwch y locws a gynrychiolir gan $|w| = |w - 1|$. **(OCR)**

16 **a)** Mae'r pwynt P yn y plân cymhlyg yn cynrychioli'r rhif cymhlyg z. Disgrifiwch locws P yn y ddau achos canlynol:

i) $|z - 2| = 1$ **ii)** $\arg(z - 2) = \frac{2\pi}{3}$

Ar yr un diagram o'r plân cymhlyg, lluniwch y ddau locws a ddiffinnir yn rhannau **i)** a **ii)** uchod.

b) **i)** Mae'r pwynt A yn y plân cymhlyg yn cynrychioli'r rhif cymhlyg $w = a + \mathrm{i}b$ (lle mae a a b yn real), fel bod $|w - 2| = 1$ **ac** $\arg(w - 2) = \frac{2\pi}{3}$.

Darganfyddwch werth a a gwerth b, gan roi'r ddau ateb mewn ffurf union.

ii) Nodwch werth $\arg(w)$, a thrwy hynny darganfyddwch y cyfanrif positif lleiaf, n, fel bod $\arg(w^n) > 2.5$. **(AEB 98)**

17 Mae dau rif cymhlyg z_1 a z_2 gyda $z_1 = 1 + a\mathrm{i}$ a $z_2 = a + \mathrm{i}$, ar gyfer rhyw gyfanrif $a \geqslant 0$.

a) O wybod bod $w = z_1 + z_2$, dangoswch fod $|w| = (1 + a)\sqrt{2}$ a nodwch $\arg(w)$. Drwy hynny, darganfyddwch, yn nhermau a, werth y rhif cymhlyg w^4.

b) Yn yr achos lle mae $a = 2$, cynrychiolir y rhifau cymhlyg z_1 a z_2 yn y plân cymhlyg gan y pwyntiau P_1 a P_2 yn ôl eu trefn.

Darganfyddwch hafaliad Cartesaidd locws y pwynt P, sy'n cynrychioli'r rhif cymhlyg z, o wybod bod $|z - z_1| = |z - z_2|$.

c) Yn yr achos lle mae $a = 0$, cynrychiolir y rhifau cymhlyg z_1 a z_2 yn y plân cymhlyg gan y pwyntiau Q_1 a Q_2 yn ôl eu trefn.

Disgrifiwch yn llawn, a brasluniwch, locws y pwynt Q, sy'n cynrychioli'r rhif cymhlyg z, o wybod bod $\left(\frac{z - z_1}{z - z_2}\right) = \frac{\pi}{2}$. **(AEB 97)**

2 Trigonometreg bellach gyda chalcwlws

Petai'r trionglau'n creu Duw byddent yn rhoi tair ochr iddo.
MONTESQUIEU

Datrysiadau cyffredinol hafaliadau trigonometrig

Yn *Introducing Pure Mathematics* (tudalen 341), fe wnaethom ni ddatrys yr hafaliad trigonometrig $\cos\theta = \frac{1}{2}$ drwy ddefnyddio cyfrifiannell i gael datrysiad 60° a thrwy ddefnyddio graffiau $y = \cos\theta$ ac $y = \frac{1}{2}$ i gael y datrysiadau eraill. Pan fo gennym nifer o ddatrysiadau i'w darganfod, mae'r dull hwn yn cymryd llawer o amser ac yn dueddol o gynhyrchu gwallau.

Y dull arferol o ddarganfod mwy nag un datrysiad ar gyfer hafaliadau trigonometrig o'r fath yw defnyddio'r **datrysiad cyffredinol**.

Datrysiadau cyffredinol ar gyfer cromliniau cosin

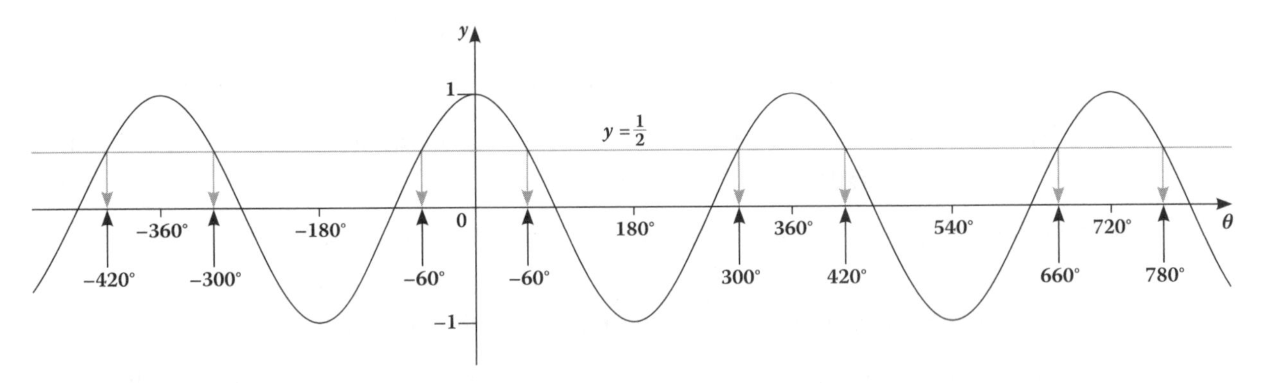

Pan fo $\cos\theta = \frac{1}{2}$, gwelwn o'r graff $y = \cos\theta$ (uchod) mai'r datrysiadau ar gyfer θ yw

$$\ldots, -300°, -60°, 60°, 300°, 420°, 660°, 780°, 1020°, 1140°, \ldots$$

neu $360n° \pm 60°$ ar gyfer unrhyw gyfanrif, n.

Felly, rhoddir datrysiad cyffredinol $\cos\theta = \cos\alpha$ gan

$$\theta = 360n° \pm \alpha \quad \text{ar gyfer unrhyw gyfanrif, } n$$

lle mesurir θ ac α mewn graddau.

Os mesurir θ ac α mewn radianau, yna'r datrysiad cyffredinol fyddai

$$\theta = 2n\pi \pm \alpha$$

Enghraifft 1 Darganfyddwch werthoedd θ o 0° hyd 720° sy'n rhoi $\cos\theta = \frac{1}{\sqrt{2}}$.

DATRYSIAD

Mae'r cyfrifiannell yn rhoi $\cos^{-1}\left(\frac{1}{\sqrt{2}}\right)$ yn 45°. Felly'r datrysiad cyntaf, neu α, yw 45°.

Gan roi $\alpha = 45°$ yn y datrysiad cyffredinol, $\theta = 360n° \pm \alpha$, cawn y datrysiadau canlynol:

Pan fo $n = 0$ $\quad\theta = 45°$

Pan fo $n = 1$ $\quad\theta = 315°$ neu $405°$

Pan fo $n = 2$ $\quad\theta = 675°$

Enghraifft 2 Darganfyddwch werthoedd θ o 0° hyd 360° sy'n rhoi $\cos 5\theta = \frac{\sqrt{3}}{2}$.

DATRYSIAD

Ar ôl dileu'r term cos, rydym yn defnyddio'r datrysiad cyffredinol gan ddefnyddio gwahanol werthoedd n hyd nes bod gennym amrediad llawn o ddatrysiadau.

Mae'r cyfrifiannell yn rhoi $\cos^{-1}\left(\frac{\sqrt{3}}{2}\right)$ yn 30°. Felly'r datrysiad cyntaf, neu α, yw 30°.

Yn yr achos hwn, mae'r datrysiad cyffredinol yn hafaliad mewn $\mathbf{5\theta}$. Felly, pan fydd $\alpha = 30°$, cawn

$$5\theta = 360n° \pm 30°$$

$$\Rightarrow \quad \theta = 72n° \pm 6°$$

Felly, mae'r datrysiadau fel a ganlyn:

Pan fo $n = 0$ $\quad\theta = 6°$

Pan fo $n = 1$ $\quad\theta = 66°$ neu $78°$

Pan fo $n = 2$ $\quad\theta = 138°$ neu $150°$

Pan fo $n = 3$ $\quad\theta = 210°$ neu $222°$

Pan fo $n = 4$ $\quad\theta = 282°$ neu $294°$

Pan fo $n = 5$ $\quad\theta = 354°$

Noder Gallwn bob amser wirio'r gwerthoedd hyn ar gyfrifiannell graffigol, ar ôl dewis yr **amrediad** neu'r **ffenestr weld** gywir.

Datrysiadau cyffredinol ar gyfer cromliniau sin

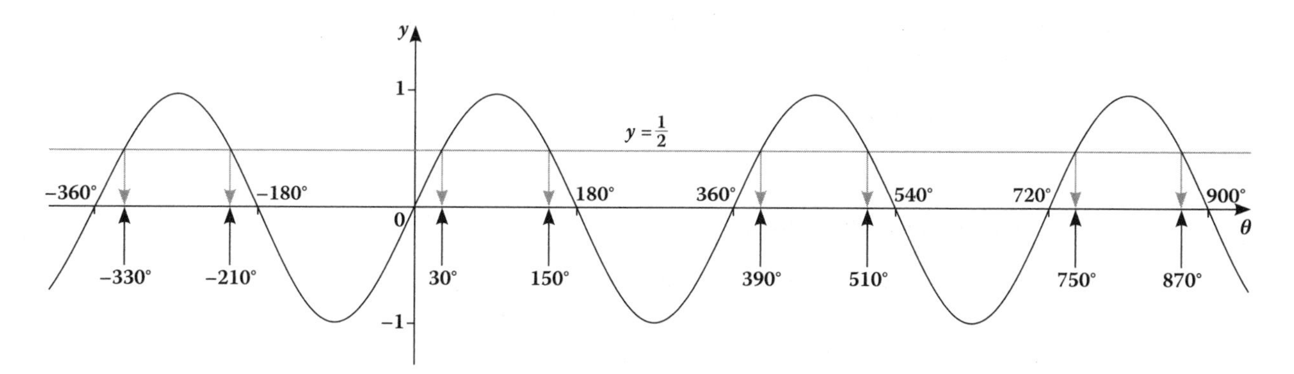

Pan fo $\sin\theta = \frac{1}{2}$, gwelwn o graff $y = \sin\theta$ (uchod) mai'r datrysiadau ar gyfer θ yw

…, –330°, –210°, 30°, 150°, 390°, 510°, 750°, …

y gellir eu hysgrifennu fel

$$\ldots, -360° + 30°, -180° - 30°, 30°, 180° - 30°, 360° + 30°, 540° - 30°, 720° + 30°, \ldots$$

Felly, rhoddir datrysiad cyffredinol $\sin\theta = \sin\alpha$ gan

$$\theta = 180n° + (-1)^n\alpha \quad \text{ar gyfer unrhyw gyfanrif, } n$$

lle mesurir θ ac α mewn graddau.

O fesur θ ac α mewn radianau, yna'r datrysiad cyffredinol fyddai

$$\theta = n\pi + (-1)^n\alpha$$

Enghraifft 3 Darganfyddwch werthoedd θ rhwng 0° a 720° sy'n rhoi $\sin\theta = \frac{\sqrt{3}}{2}$.

DATRYSIAD

Mae'r cyfrifiannell yn rhoi $\sin^{-1}\left(\frac{\sqrt{3}}{2}\right)$ yn 60°. Felly'r datrysiad cyntaf, neu α, yw 60°.

O'r datrysiad cyffredinol, $\theta = 180n° + (-1)^n\alpha$, cawn

$$\theta = 180n° + (-1)^n 60°$$

Felly, mae'r datrysiadau fel a ganlyn:

Pan fo $n = 0$ $\quad\theta = 60°$
Pan fo $n = 1$ $\quad\theta = 180° - 60° = 120°$
Pan fo $n = 2$ $\quad\theta = 360° + 60° = 420°$
Pan fo $n = 3$ $\quad\theta = 540° - 60° = 480°$
Pan fo $n = 4$ $\quad\theta = 720° + 60° = 780°$

Ond mae $\theta = 780°$ tu allan i'r amrediad angenrheidiol.
Felly, mae pedwar datrysiad: $\theta = 60°, 120°, 420°$ a $480°$.

Enghraifft 4 Darganfyddwch werthoedd θ rhwng 0° a 360° sy'n rhoi $\sin 3\theta = \frac{1}{\sqrt{2}}$.

DATRYSIAD

Mae'r cyfrifiannell yn rhoi $\sin^{-1}\left(\frac{1}{\sqrt{2}}\right)$ yn 45°. Felly'r datrysiad cyntaf, neu α, yw 45°.

Yn yr achos hwn, mae'r datrysiad cyffredinol yn hafaliad mewn $\boldsymbol{3\theta}$.
Felly, pan fydd $\alpha = 45°$, cawn

$$3\theta = 180n° + (-1)^n 45°$$

$$\Rightarrow \quad \theta = 60n° + (-1)^n 15°$$

Felly mae'r datrysiadau fel a ganlyn:

Pan fo $n = 0$ $\quad\theta = 15°$ $\qquad$ Pan fo $n = 3$ $\quad\theta = 165°$
Pan fo $n = 1$ $\quad\theta = 45°$ $\qquad$ Pan fo $n = 4$ $\quad\theta = 255°$
Pan fo $n = 2$ $\quad\theta = 135°$ $\qquad$ Pan fo $n = 5$ $\quad\theta = 285°$

Hynny yw, mae chwe datrysiad: $\theta = 15°, 45°, 135°, 165°, 255°$ a $285°$.

Datrysiadau cyffredinol ar gyfer cromliniau tangiad

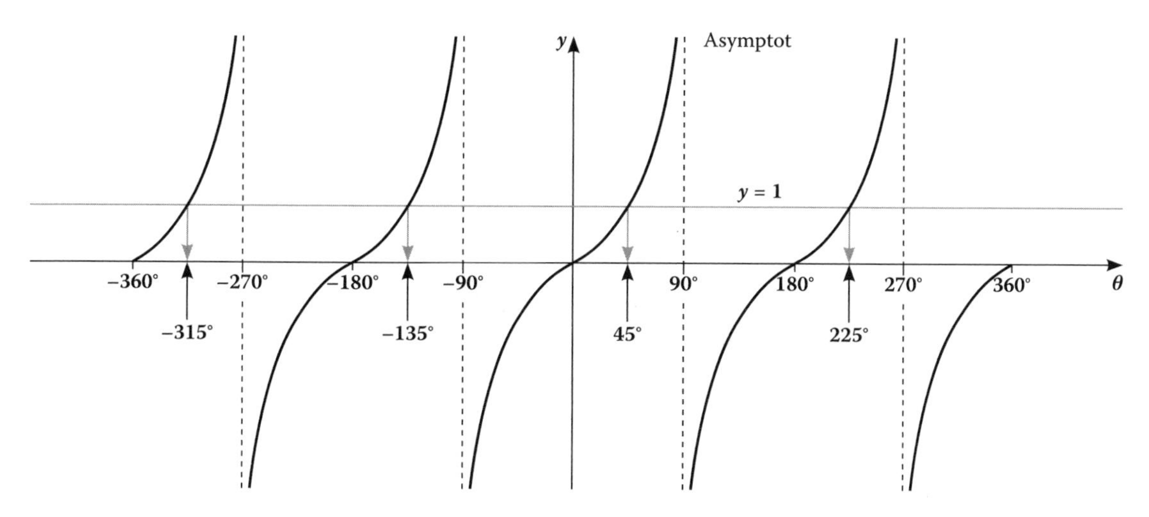

Pan fo tan $\theta = 1$, gwelwn o graff $y = \tan\theta$ (uchod) mai'r datrysiadau ar gyfer θ yw

$$\ldots, -135°, 45°, 225°, 405°, \ldots$$

neu $180n° + 45°$ ar gyfer unrhyw gyfanrif, n.

Felly, rhoddir datrysiad cyffredinol $\tan\theta = \tan\alpha$ gan

$$\theta = 180n° + \alpha \quad \text{ar gyfer unrhyw gyfanrif, } n$$

lle mesurir θ ac α mewn graddau.

O fesur θ ac α mewn radianau, yna'r datrysiad cyffredinol fyddai

$$\theta = n\pi + \alpha$$

Enghraifft 5 Darganfyddwch werthoedd θ rhwng 0° a 360° sy'n rhoi $\tan 4\theta = -\sqrt{3}$.

DATRYSIAD

Mae'r cyfrifiannell yn rhoi $\tan^{-1}(-\sqrt{3})$ yn −60°. Felly'r datrysiad cyntaf, neu α, yw −60°.

Yn yr achos hwn, mae'r datrysiad cyffredinol yn hafaliad mewn $\boldsymbol{4\theta}$.
Felly, pan fydd $\alpha = -60°$, cawn

$$4\theta = 180n° - 60°$$

$$\Rightarrow \quad \theta = 45n° - 15°$$

Felly'r datrysiadau yw 30°, 75°, 120°, 165°, 210°, 255°, 300°, 345°.

Ymarfer 2a

Yng Nghwestiynau **1** hyd **4** ac **8** hyd **15**, darganfyddwch ddatrysiad cyffredinol pob hafaliad mewn **a)** radianau, a **b)** graddau. Yng Nghwestiynau **5** hyd **7**, darganfyddwch ddatrysiad cyffredinol pob hafaliad mewn radianau yn unig.

1 $\sin\theta = \dfrac{1}{\sqrt{2}}$ **2** $\cos\theta = -\frac{1}{2}$ **3** $\sin 2\theta = \frac{1}{2}$

4 $\tan 3\theta = 1$

5 $\sin\left(2x + \frac{\pi}{4}\right) = 1$

6 $\cos\left(3x - \frac{\pi}{3}\right) = \frac{1}{2}$

7 $\sin\left(2x + \frac{\pi}{3}\right) = \cos\left(2x + \frac{\pi}{3}\right)$

8 $\sin^2 4\theta = \frac{1}{2}$

9 $\sin^2 3\theta + \cos 3\theta + 1 = 0$

10 $\cos 2\theta = \cos\theta - 1$

11 $\tan\theta = 2\operatorname{cosec} 2\theta$

12 $\sin 5\theta - \sin\theta = \sin 2\theta$

13 $3\cos^2\theta + \cos^2 2\theta = 4$

14 $2\cos 2\theta = \sin\theta - 1$

15 $\sin 7\theta + \cos 3\theta = 0$

16 Dangoswch fod $\sin 3x \equiv 3\sin x - 4\sin^3 x$. Darganfyddwch, mewn radianau, ddatrysiad cyffredinol yr hafaliad $\sin 3x = 2\sin x$. **(EDEXCEL)**

17 Darganfyddwch, mewn radianau yn nhermau π, ddatrysiad cyffredinol yr hafaliad $\cos\theta = \sin 2\theta$. **(EDEXCEL)**

18 Darganfyddwch ddatrysiad cyffredinol yr hafaliad $\cos 2x = \cos\left(x + \frac{\pi}{3}\right)$, gan roi eich ateb yn nhermau π. **(EDEXCEL)**

19 O wybod bod $t = \tan x$, ysgrifennwch fynegiad ar gyfer $\tan 2x$ yn nhermau t.
Drwy hyn, neu fel arall, darganfyddwch, mewn radianau, ddatrysiad cyffredinol yr hafaliad $\tan x + \tan 2x = 0$. **(AEB 97)**

20 Dangoswch mai datrysiad cyffredinol yr hafaliad $\tan\left(3x - \frac{\pi}{4}\right) = \tan x$ yw $x = \frac{(4n+1)\pi}{8}$, lle mae n yn gyfanrif. **(NICCEA)**

Y ffurf harmonig

Fel yr esboniwyd ar dudalen 374 o *Introducing Pure Mathematics*, y ffurf harmonig yw

$$R\cos(\theta \pm \alpha) \quad \text{neu} \quad R\sin(\theta \pm \alpha)$$

lle mae $R > 0$ yn gysonyn.

Newid $a\cos\theta + b\sin\theta$ yn $R\cos(\theta \pm \alpha)$ neu $R\sin(\theta \pm \alpha)$

Caiff hyn ei ddefnyddio wrth ddatrys hafaliadau trigonometrig, wrth ddarganfod macsimwm a minimwm mynegiadau trigonometrig ac weithiau wrth ddatrys problemau mudiant harmonig syml, lle mae R yn cynrychioli osgled y mudiant.

◆ $a\cos\theta + b\sin\theta = R\cos(\theta - \alpha)$

Drwy ehangu $R\cos(\theta - \alpha)$, cawn

$$a\cos\theta + b\sin\theta = R\cos\theta\cos\alpha + R\sin\theta\sin\alpha$$

Mae hafalu cyfernodau $\cos\theta$ yn rhoi: $a = R\cos\alpha$

Mae hafalu cyfernodau $\sin\theta$ yn rhoi: $b = R\sin\alpha$

Felly, cawn

$$a^2 + b^2 = R^2 \cos^2 \alpha + R^2 \sin^2 \alpha$$
$$= R^2 (\cos^2 \alpha + \sin^2 \alpha)$$
$$= R^2$$
$$\Rightarrow \quad R = \sqrt{a^2 + b^2}$$

Sylwch y cymerir bod R **bob amser** yn **bositif**.

I ddarganfod α, defnyddiwn

$$\cos \alpha = \frac{a}{R} \quad \text{a} \quad \sin \alpha = \frac{b}{R}$$

sy'n rhoi

$$\tan \alpha = \frac{b}{a}$$

ond mae angen cymryd gofal pan fo naill ai a neu b yn **negatif**.

Wrth ddefnyddio $a \cos \theta$ neu $b \sin \theta$, os yw naill ai a neu b yn negatif, defnyddiwch

$$\cos\alpha = \frac{a}{R} \quad \textbf{a hefyd} \quad \sin \alpha = \frac{b}{R}$$

bob amser, gan sicrhau bod y ddau'n rhoi'r un gwerth ar gyfer α.
Os nad ydynt, defnyddiwch werth α **nad ydyw** rhwng 0° a 90°

Enghraifft 6 Newidiwch $3 \cos \theta - 4 \sin \theta$ yn $R \cos (\theta - \alpha)$.

DATRYSIAD

Cawn fod

$$R = \sqrt{a^2 + b^2} = \sqrt{3^2 + 4^2} = 5$$

sy'n rhoi

$$\cos \alpha = \frac{3}{5} \qquad \sin \alpha = -\frac{4}{5}$$
$$\alpha = 53.1° \qquad \alpha = -53.1° \text{ (o'r cyfrifiannell)}$$

Noder Mae –53.1° hefyd yn ddatrysiad $\cos \alpha = \frac{3}{5}$, ond mae'r cyfrifiannell bob amser yn rhoi'r ongl rhwng 0° a 90°, lle mae hynny'n bosibl.

Felly, defnyddiwn $\alpha = -53.1°$, gan mai hwn yw'r gwerth a gafwyd gan $\cos \alpha = \frac{3}{5}$ yn ogystal â $\sin \alpha = -\frac{4}{5}$ ac **nad ydyw** rhwng 0° a 90°.

Felly, cawn

$$3 \cos \theta - 4 \sin \theta = 5 \cos (\theta + 53.1°)$$

Enghraifft 7 Darganfyddwch ddatrysiad cyffredinol $5 \cos \theta - 12 \sin \theta = 6.5$.
Drwy hynny, darganfyddwch y datrysiadau sy'n gorwedd rhwng 0° a 360°.

DATRYSIAD

Gan ddefnyddio $5 \cos \theta - 12 \sin \theta = R \cos (\theta + \alpha)$, cawn

$$R = \sqrt{5^2 + 12^2} = 13$$

sy'n rhoi

$$\cos \alpha = \frac{5}{13} \quad \Rightarrow \quad \alpha = 67.4°$$

Felly, cawn

$$5 \cos \theta - 12 \sin \theta = 13 \cos (\theta + 67.4°)$$

Oherwydd hyn, mae $5 \cos \theta - 12 \sin \theta = 6.5$ yn newid yn

$$13 \cos (\theta + 67.4°) = 6.5$$

$$\Rightarrow \quad \cos (\theta + 67.4°) = \frac{6.5}{13} = 0.5$$

sy'n rhoi

$$\theta + 67.4° = 360n° \pm 60°$$

Felly, y datrysiad cyffredinol yw

$$\theta = 360n° \pm 60° - 67.4°$$

Pan fo $n = 0$, mae'r ddau ddatrysiad yn negatif a thu allan i'r amrediad angenrheidiol. Felly, y datrysiadau sydd eu hangen yw 232.6° a 352.6° (pan fo $n = 1$).

◆ **$a \sin \theta + b \cos \theta = R \sin (\theta + \alpha)$**

Drwy ehangu $R \sin(\theta + \alpha)$, cawn

$$a \sin \theta + b \cos \theta = R \sin \theta \cos \alpha + R \cos \theta \sin \alpha$$

Mae hafalu cyfernodau $\sin \theta$ yn rhoi: $a = R \cos \alpha$

Mae hafalu cyfernodau $\cos \theta$ yn rhoi: $b = R \sin \alpha$

Felly, unwaith eto, cawn

$$R = \sqrt{a^2 + b^2}$$

$$\cos \alpha = \frac{a}{R} \quad \text{a} \quad \sin \alpha = \frac{b}{R}$$

Enghraifft 8 Newidiwch $24 \sin \theta + 7 \cos \theta$ yn $R \sin (\theta + \alpha)$.

DATRYSIAD

Cawn fod

$$R = \sqrt{24^2 + 7^2} = 25$$

sy'n rhoi

$$\cos \alpha = \frac{24}{25} \quad \Rightarrow \quad \alpha = 16.3°$$

Felly, cawn

$$24 \sin \theta + 7 \cos \theta = 25 \sin (\theta + 16.3°)$$

Noder I osgoi'r broblem bosibl o gael dau werth gwahanol ar gyfer α, rydym yn dewis pa un bynnag o $R\cos(\theta - \alpha)$, $R\cos(\theta + \alpha)$, $R\sin(\theta - \alpha)$ neu $R\sin(\theta + \alpha)$ sy'n cynnwys yr un arwydd â'r mynegiad sy'n cael ei symleiddio.

Felly, byddem yn newid $3\sin\theta - 4\cos\theta$ i'r ffurf $R\sin(\theta - \alpha)$, yr unig fformiwla drigonometrig sy'n rhoi $a\sin\theta - b\cos\theta$. Yn yr achos hwn, cawn

$$R = \sqrt{3^2 + 4^2} = 5$$

$$\cos\alpha = \frac{3}{5} \quad \Rightarrow \quad \alpha = 53.1°$$

sy'n rhoi

$$3\sin\theta - 4\cos\theta = 5\sin(\theta - 53.1°)$$

Enghraifft 9 Ar gyfer y naill a'r llall o

a) $f(x) = 24\cos\theta + 7\sin\theta$ **b)** $f(x) = \dfrac{1}{2 + 4\sin\theta - 3\cos\theta}$

darganfyddwch

i) amrediad gwerthoedd $f(x)$ **ii)** bwynt macsimwm **iii)** bwynt minimwm

DATRYSIAD

a) i) Drwy ddefnyddio $24\cos\theta + 7\sin\theta = R\cos(\theta - \alpha)$, cawn

$$R = \sqrt{24^2 + 7^2} = 25$$

$$\cos\alpha = \frac{24}{25} \quad \Rightarrow \quad \alpha = 16.3°$$

sy'n rhoi

$$24\cos\theta + 7\sin\theta = 25\cos(\theta - 16.3°)$$

Nawr, mae gan $\cos\theta$ facsimwm sy'n +1 a minimwm sy'n –1.
Felly amrediad gwerthoedd $\cos(\theta - 16.3°)$ yw –1 hyd +1,
sy'n rhoi amrediad gwerthoedd $25\cos(\theta - 16.3°)$ yn –25 hyd +25. Hynny yw,

$$-25 \leqslant f(x) \leqslant 25$$

ii) Ar gyfer y pwynt macsimwm, cawn $\cos(\theta - 16.3°) = 1$. Felly,

$$\theta - 16.3° = 0 \quad \Rightarrow \quad \theta = 16.3°$$

Felly'r pwynt macsimwm yw (16.3°, 25).

iii) Ar gyfer y pwynt minimwm, cawn $\cos(\theta - 16.3°) = -1$. Felly,

$$\theta - 16.3° = 180° \quad \Rightarrow \quad \theta = 196.3°$$

Felly'r pwynt minimwm yw (196.3°, –25).

b) i)

$$f(x) = \frac{1}{2 + 4\sin\theta - 3\cos\theta}$$

Gwelwyd yn Enghraifft 6 fod $3\cos\theta - 4\sin\theta = 5\cos(\theta + 53.1°)$.
Felly, cawn

$$f(x) = \frac{1}{2 - 5\cos(\theta + 53.1°)}$$

Mae gan yr **enwadur** amrediad o –3 hyd 7. (Cofiwch fod $1 \div 0 = \infty$.)
Felly, mae gan f(x) amrediad

$$f(x) \geqslant \frac{1}{7} \quad \text{a} \quad f(x) \leqslant -\frac{1}{3}$$

ii) Gwelir y pwynt macsimwm pan fo $\cos(\theta + 53.1°)$ yn +1. Hynny yw,

$$\theta + 53.1° = 360° \quad \Rightarrow \quad \theta = 306.9°$$

Felly'r pwynt macsimwm yw $(306.9°, -\frac{1}{3})$.

iii) Gwelir y pwynt minimwm pan fo $\cos(\theta + 53.1°)$ yn –1. Hynny yw,

$$\theta + 53.1° = 180° \quad \Rightarrow \quad \theta = 126.9°$$

Felly'r pwynt minimwm yw $(126.9°, \frac{1}{7})$.

Ymarfer 2B

1 Darganfyddwch werth R ac α ym mhob un o'r unfathiannau canlynol.

a) $5\cos\theta + 12\sin\theta \equiv R\cos(\theta - \alpha)$ **b)** $3\cos\theta - 4\sin\theta \equiv R\cos(\theta + \alpha)$

c) $3\sin\theta - 4\cos\theta \equiv R\sin(\theta - \alpha)$ **d)** $\cos 2\theta + \sin 2\theta \equiv R\cos(2\theta - \alpha)$

e) $6\sin 3\theta + 8\cos 3\theta \equiv R\sin(3\theta + \alpha)$

2 Ar gyfer pob un o'r mynegiadau canlynol, darganfyddwch

i) y gwerthoedd macsimwm a minimwm
ii) gwerth lleiaf θ, nad yw'n negatif, ar gyfer pob macsimwm a minimwm.

Rhowch eich ateb yn gywir i un lle degol pan fo angen.

a) $12\cos\theta - 9\sin\theta$ **b)** $8\cos 2\theta + 6\sin 2\theta$ **c)** $\dfrac{4}{8 - 3\cos\theta - 4\sin\theta}$

d) $\dfrac{6}{8 + 4\sin\theta - 2\cos\theta}$ **e)** $\dfrac{2}{1 + 3\cos\theta + 4\sin\theta}$ **f)** $\dfrac{3}{8 + 8\sin\theta + 6\cos\theta}$

3 Darganfyddwch ddatrysiad cyffredinol, mewn graddau, pob un o'r hafaliadau hyn.

a) $3\cos\theta + 4\sin\theta = 2.5$ **b)** $12\cos\theta - 5\sin\theta = 6.5$ **c)** $\cos 2\theta + \sin 2\theta = \dfrac{1}{\sqrt{2}}$

d) $\sin 3\theta - \cos 3\theta = \dfrac{1}{\sqrt{2}}$ **e)** $2\sin 6\theta + 3\sin^2 3\theta = 0$

Ffwythiannau trigonometrig gwrthdro

Diffinnir y ffwythiant gwrthdro $\sin^{-1} x$, neu arcsin x, fel yr ongl sydd â'i sin yn x.
Er enghraifft,

$$\sin\left(\frac{\pi}{6}\right) = \frac{1}{2} \quad \Rightarrow \quad \sin^{-1}\left(\frac{1}{2}\right) = \frac{\pi}{6}$$

Felly, os yw $\theta = \sin^{-1} x$, yna mae $\sin\theta = x$.

Braslunio ffwythiannau trigonometrig gwrthdro

Graff gwrthdro sin

Ceir graff $y = \sin^{-1} x$ drwy adlewyrchu graff $y = \sin x$ yn y llinell $y = x$.

Er mwyn gallu braslunio i raddfa dderbyniol o gywirdeb, mae arnom angen darganfod graddiant y gromlin sin yn y tarddbwynt. Felly rydym yn differu $y = \sin x$, sy'n rhoi

$$\frac{dy}{dx} = \cos x$$

Yn y tarddbwynt, lle mae $x = 0$, cawn

$$\frac{dy}{dx} = \cos 0 = 1$$

Felly, graddiant $y = \sin x$ yn y tarddbwynt yw 1.

Awn ymlaen fel hyn wedyn:

- Yn gyntaf, tynnu'r llinell $y = x$. Dangoswch hon fel llinell doredig.
- Yn ail, braslunio graff $y = \sin x$ yn ofalus, gan gofio bod $y = x$ yn dangiad i $y = \sin x$ yn y tarddbwynt.
- Yn olaf, braslunio adlewyrchiad $y = \sin x$ yn y llinell $y = x$, yn ofalus, i roi'r graff a welir isod.

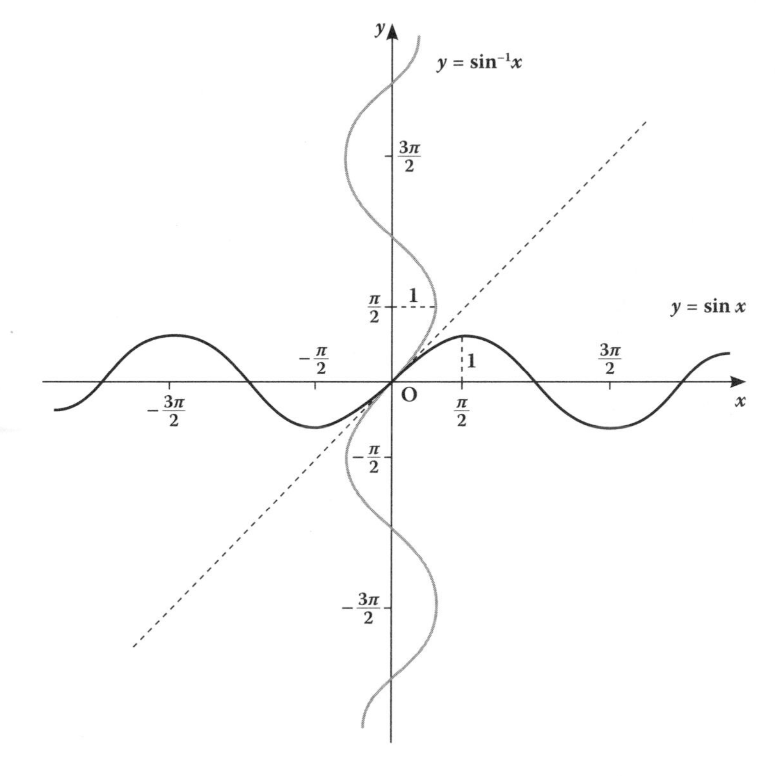

Gellir llunio graffiau ffwythiannau trigonometrig gwrthdro eraill mewn ffordd debyg: hynny yw, drwy adlewyrchu graff y ffwythiant trigonometrig perthnasol yn y llinell $y = x$. Os yw cromlin y ffwythiant yn mynd drwy'r tarddbwynt, cychwynnwch drwy ddarganfod y graddiant yn y pwynt hwnnw.

Graff gwrthdro tan

Drwy ddifferu $y = \tan x$ i ddarganfod y graddiant, cawn

$$\frac{dy}{dx} = \sec^2 x$$

Yn y tarddbwynt, lle mae $x = 0$, cawn

$$\frac{dy}{dx} = \sec^2 0 = \frac{1}{\cos^2 0} = 1$$

Felly, graddiant $y = \tan x$ yn y tarddbwynt yw 1.

Dangosir graffiau $y = \tan x$ ac $y = \tan^{-1} x$ (neu arctan x) isod.

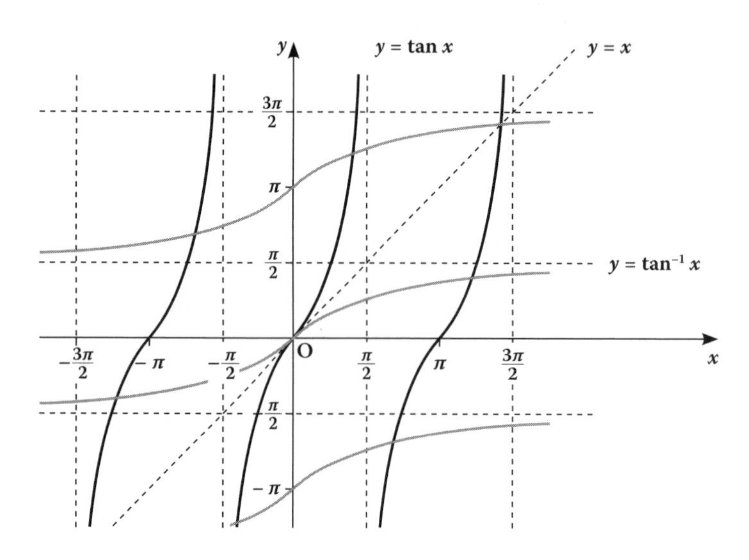

Graff gwrthdro cosin

Dangosir graffiau $y = \cos x$ ac $y = \cos^{-1} x$ (neu $y = \arccos x$) isod.

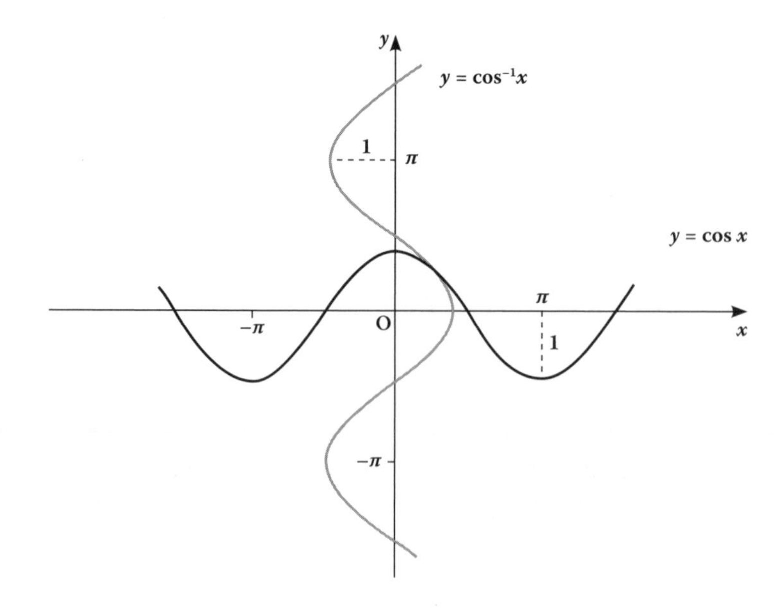

Ymarfer 2C

1 Darganfyddwch werth pob un o'r ffwythiannau gwrthdro hyn.

a) $\sin^{-1} 0.5$ **b)** $\sin^{-1}\left(-\frac{1}{2}\right)$ **c)** $\cos^{-1}\left(-\frac{\sqrt{3}}{2}\right)$

d) $\tan^{-1} 1$ **e)** $\sec^{-1} \sqrt{2}$ **f)** $\cot^{-1} 3$

2 Brasluniwch graff pob un o'r ffwythiannau gwrthdro hyn.

a) $\sec^{-1} x$ **b)** $\operatorname{cosec}^{-1} x$ **c)** $\cot^{-1} x$

3 Os yw $\cos^{-1} x = \frac{2\pi}{5}$, darganfyddwch $\sin^{-1} x$.

4 Profwch fod $\tan^{-1}\left(\frac{1+x}{1-x}\right) = \frac{\pi}{4} + \tan^{-1} x$

5 Darganfyddwch ddatrysiad cyffredinol yr hafaliad

$$3 \cos \theta - 7 \sin \theta = -6$$

Rhowch eich ateb mewn graddau yn gywir i ddau le degol. (NICCEA)

6 $$5 \cos x - 12 \sin x \equiv R \cos (x + \alpha)$$

lle mae $R > 0$ ac α yn ongl lem sydd wedi'i mesur mewn graddau.

a) Darganfyddwch werth R.
b) Darganfyddwch werth α i un lle degol.
c) Drwy hyn, neu fel arall, darganfyddwch ddatrysiad cyffredinol yr hafaliad

$$5 \cos x - 12 \sin x = 4$$ (EDEXCEL)

7 **i)** Ysgrifennwch $f(\theta) = 7 \cos \theta - 3 \sin \theta$ yn y ffurf $R \cos (\theta + \alpha)$, lle mae R yn bositif ac α yn ongl lem.
ii) Darganfyddwch werthoedd macsimwm a minimwm $f(\theta)$.
iii) Datryswch $7 \cos \theta - 3 \sin \theta = 1$, gan roi'r datrysiad cyffredinol mewn graddau. (NICCEA)

8 **a)** Darganfyddwch holl werthoedd x rhwng 0° a 360° sy'n bodloni

$$3 \cos x + \sin x = -1$$

b) Darganfyddwch ddatrysiad cyffredinol yr hafaliad

$$\sin 2x + \sin 4x = \cos 2x + \cos 4x$$ (CBAC)

9 O wybod bod

$$7 \cos \theta + 24 \sin \theta \equiv R \cos (\theta - \alpha)$$

lle mae $R > 0$, $0 \leqslant \alpha \leqslant 90°$,

a) darganfyddwch werthoedd y cysonion R ac α.

Drwy hynny, darganfyddwch

b) ddatrysiad cyffredinol yr hafaliad $7 \cos \theta + 24 \sin \theta = 15$
c) amrediad y ffwythiant $f(\theta)$ lle mae

$$f(\theta) \equiv \frac{1}{5 + (7 \cos \theta + 24 \sin \theta)^2} \qquad 0 \leqslant \theta < 360°$$ (EDEXCEL)

10 Darganfyddwch, mewn graddau, werth yr ongl lem α fel bod

$$\cos\theta - (\sqrt{3})\sin\theta \equiv 2\cos(\theta + \alpha)$$

ar gyfer pob un o werthoedd θ.

Datryswch yr hafaliad

$$\cos x - (\sqrt{3})\sin\theta = \sqrt{2} \qquad 0° \leqslant x \leqslant 360°$$ **(EDEXCEL)**

11 Mynegwch $\cos\theta + \sqrt{3}\sin\theta$ yn y ffurf $R\cos(\theta - \alpha)$, lle mae $R > 0$ ac $0° < \alpha < 90°$.

Drwy hynny, darganfyddwch ddatrysiad cyffredinol yr hafaliad

$$\cos\theta + \sqrt{3}\sin\theta = 2\cos 40°$$

gan roi eich atebion mewn graddau. **(AEB 96)**

12 Mae'r ongl α yn bodloni $0 < \alpha < \frac{\pi}{2}$ ac $R\cos(\theta + \alpha) \equiv 84\cos\theta - 13\sin\theta$, lle mae R yn rhif real positif.

a) Nodwch werth R a darganfyddwch α, mewn radianau, yn gywir i dri lle degol.

b) Drwy hynny, darganfyddwch ddatrysiad cyffredinol yr hafaliad canlynol mewn radianau:

$$84\cos\theta - 13\sin\theta = 17$$ **(AEB 98)**

13 $$f(x) \equiv 7\cos x - 24\sin x$$

O wybod bod $f(x) \equiv R\cos(x + \alpha)$, lle mae $R \geqslant 0$, $0 \leqslant \alpha \leqslant \frac{\pi}{2}$, ac x ac α wedi'u mesur mewn radianau,

a) darganfyddwch R a dangoswch fod $\alpha = 1.29$ i ddau le degol.

Drwy hynny nodwch

b) werth minimwm $f(x)$

c) werth x yn y cyfwng $0 \leqslant x \leqslant 2\pi$ sy'n rhoi'r gwerth minimwm hwn.

d) Darganfyddwch y ddau werth positif lleiaf o x fel bod

$$7\cos x - 24\sin x = 10$$ **(EDEXCEL)**

14 **i)** $$f(\theta) \equiv 9\sin\theta + 12\cos\theta$$

O wybod bod $f(\theta) \equiv R\sin(\theta + \alpha)$ lle mae $R > 0$, $0 \leqslant \alpha \leqslant 90°$,

a) darganfyddwch werthoedd y cysonion R ac α.

b) Drwy hynny darganfyddwch werthoedd θ, $0 \leqslant \theta < 360°$, fel bod

$$9\sin\theta + 12\cos\theta = -7.5$$

gan roi eich atebion i'r degfed rhan agosaf o radd.

ii) Darganfyddwch, mewn radianau yn nhermau π, ddatrysiad cyffredinol yr hafaliad

$$\sqrt{3}\sin(\theta - \tfrac{1}{6}\pi) = \sin\theta$$ **(EDEXCEL)**

Differu ffwythiannau trigonometrig gwrthdro

$\sin^{-1} x$ neu arcsin x

Os yw $y = \sin^{-1} x$, yna mae $\sin y = x$.

Wrth ddifferu $\sin y = x$, cawn

$$\cos y \frac{dy}{dx} = 1$$

$$\Rightarrow \frac{dy}{dx} = \frac{1}{\cos y} = \frac{1}{\sqrt{1 - \sin^2 y}} = \frac{1}{\sqrt{1 - x^2}}$$

Felly, cawn

$$\int \frac{dx}{\sqrt{1 - x^2}} = \sin^{-1} x + c$$

Yr un modd, os yw $y = \sin^{-1}\left(\frac{x}{a}\right)$, yna $\sin y = \frac{x}{a}$.

Wrth ddifferu, cawn

$$\cos y \frac{dy}{dx} = \frac{1}{a}$$

$$\Rightarrow \frac{dy}{dx} = \frac{1}{a \cos y} = \frac{1}{a\sqrt{1 - \sin^2 y}}$$

$$\Rightarrow \frac{dy}{dx} = \frac{1}{a\sqrt{1 - \left(\frac{x}{a}\right)^2}} = \frac{1}{\sqrt{a^2 - x^2}}$$

Felly, cawn

$$\frac{d}{dx} \sin^{-1}\left(\frac{x}{a}\right) = \frac{1}{\sqrt{a^2 - x^2}}$$

sy'n rhoi

$$\int \frac{dx}{\sqrt{a^2 - x^2}} = \sin^{-1}\left(\frac{x}{a}\right) + c$$

Os yw $y = \cos^{-1} x$, gallwn ddangos bod

$$\frac{d}{dx} \cos^{-1} x = \frac{-1}{\sqrt{1 - x^2}}$$

sy'n rhoi

$$\int \frac{dx}{\sqrt{1 - x^2}} = -\cos^{-1} x + c$$

Yn y diagram ar y dde, $\sin \theta = x$, $\cos \phi = x$ a $\phi = \frac{\pi}{2} - \theta$.

Felly, cawn $\theta = \sin^{-1} x$ a $\phi = \cos^{-1} x$, sy'n rhoi

$$\sin^{-1} x = \frac{\pi}{2} - \cos^{-1} x$$

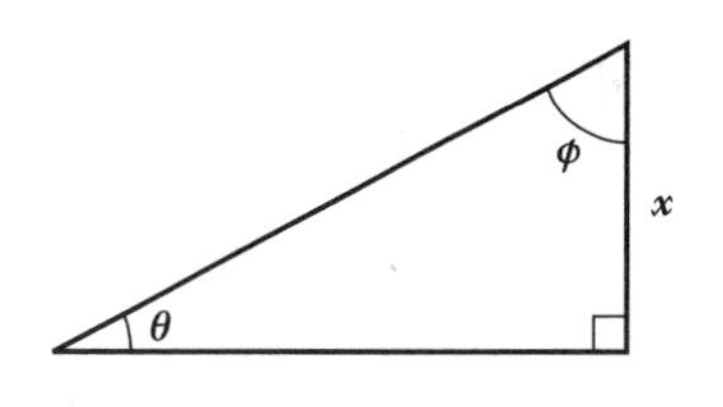

Felly, cawn

$$\int \frac{dx}{\sqrt{1-x^2}} = \sin^{-1} x + c$$

$$= -\cos^{-1} x + c'$$

lle mae $c' = \frac{\pi}{2} + c$.

Oherwydd hyn mae'n anarferol defnyddio ffwythiant mewn $\cos^{-1} x$ wrth ddifferu neu integru am nad yw'n ddim ond dewis arall i $\sin^{-1} x$.

$\tan^{-1} x$ neu arctan x

Os yw $y = \tan^{-1}\left(\frac{x}{a}\right)$, yna mae $\tan y = \frac{x}{a}$.

Wrth ddifferu $\tan y = \frac{x}{a}$, cawn

$$\sec^2 y \frac{dy}{dx} = \frac{1}{a}$$

$$\Rightarrow \frac{dy}{dx} = \frac{1}{a\sec^2 y} = \frac{1}{a(1+\tan^2 y)} = \frac{1}{a\left[1+\left(\frac{x}{a}\right)^2\right]}$$

$$\Rightarrow \frac{dy}{dx} = \frac{a}{a^2+x^2}$$

Felly, cawn

$$\frac{d}{dx}\tan^{-1}\left(\frac{x}{a}\right) = \frac{a}{a^2+x^2}$$

sy'n rhoi

$$\int \frac{dx}{a^2+x^2} = \frac{1}{a}\tan^{-1}\left(\frac{x}{a}\right) + c$$

Noder $\frac{d}{dx}\tan^{-1} x = \frac{1}{1+x^2}$ ac $\int \frac{dx}{1+x^2} = \tan^{-1} x + c$

Enghraifft 10 Differwch bob un o'r ffwythiannau gwrthdro canlynol.

a) i) $\sin^{-1}\left(\frac{x}{3}\right)$ **ii)** $\sin^{-1} 4x$ **b)** $\tan^{-1}\left(\frac{x}{5}\right)$

DATRYSIAD

a) Drwy ddefnyddio $\frac{d}{dx}\sin^{-1}\left(\frac{x}{a}\right) = \frac{1}{\sqrt{a^2-x^2}}$, cawn

i) $\frac{d}{dx}\sin^{-1}\left(\frac{x}{3}\right) = \frac{1}{\sqrt{9-x^2}}$

ii) $$\frac{d}{dx}\sin^{-1}4x = \frac{d}{dx}\sin^{-1} = \left(\frac{x}{\frac{1}{4}}\right) = \frac{1}{\sqrt{\frac{1}{16}-x^2}}$$

$$\Rightarrow \frac{d}{dx}\sin^{-1}4x = \frac{4}{\sqrt{1-16x^2}}$$

b) Drwy ddefnyddio $\frac{d}{dx}\tan^{-1}\left(\frac{x}{a}\right) = \frac{a}{a^2+x^2}$, cawn

$$\frac{d}{dx}\tan^{-1}\left(\frac{x}{5}\right) = \frac{5}{25+x^2}$$

Enghraifft 11 Enrhifwch **a)** $\int_0^2 \frac{1}{\sqrt{4-x^2}}\,dx$ **b)** $\int_0^1 \frac{1}{\sqrt{4-3x^2}}\,dx$

DATRYSIAD

a) $$\int_0^2 \frac{1}{\sqrt{4-x^2}}\,dx = \left[\sin^{-1}\left(\frac{x}{2}\right)\right]_0^2$$

$$= \sin^{-1}1 - \sin^{-1}0 = \frac{\pi}{2} - 0$$

Felly, cawn

$$\int_0^2 \frac{1}{\sqrt{4-x^2}}\,dx = \frac{\pi}{2}$$

b) Ar gyfer integrynnau yn y ffurf hon, rydym **bob amser** yn gostwng cyfernod x^2 i un cyn integru. Felly, yn yr achos hwn, cawn

$$\int_0^1 \frac{1}{\sqrt{4-3x^2}}\,dx = \frac{1}{\sqrt{3}}\int_0^1 \frac{1}{\sqrt{\frac{4}{3}-x^2}}\,dx$$

$$= \frac{1}{\sqrt{3}}\int_0^1 \frac{1}{\sqrt{\left(\frac{2}{\sqrt{3}}\right)^2-x^2}}\,dx$$

$$= \frac{1}{\sqrt{3}}\left[\sin^{-1}\left(\frac{x}{\frac{2}{\sqrt{3}}}\right)\right]_0^1$$

$$= \frac{1}{\sqrt{3}}\left[\sin^{-1}\left(\frac{\sqrt{3}x}{2}\right)\right]_0^1$$

$$= \frac{1}{\sqrt{3}}\left(\sin^{-1}\left(\frac{\sqrt{3}}{2}\right) - \sin^{-1}0\right) = \frac{1}{\sqrt{3}}\,\frac{\pi}{3}$$

Drwy hyn, cawn

$$\int_0^1 \frac{1}{\sqrt{4-3x^2}}\,dx = \frac{\pi}{3\sqrt{3}} \text{ neu } \frac{\pi\sqrt{3}}{9}$$

Enghraifft 12 Enrhifwch $\int_0^3 \frac{1}{9+x^2}\,dx$.

DATRYSIAD

$$\int_0^3 \frac{1}{9+x^2}\,dx = \left[\frac{1}{3}\tan^{-1}\left(\frac{x}{3}\right)\right]_0^3$$

$$= \frac{1}{3}\tan^{-1}1 - \frac{1}{3}\tan^{-1}0 = \frac{1}{3}\frac{\pi}{4}$$

Felly, cawn

$$\int_0^3 \frac{1}{9+x^2}\,dx = \frac{\pi}{12}$$

Enghraifft 13 Darganfyddwch $\int \frac{1}{16+25x^2}\,dx$.

DATRYSIAD

Cofiwch Gostyngwch gyfernod x^2 i un cyn integru. (Gweler Enghraifft 11.)

Drwy hyn, cawn

$$\int \frac{1}{16+25x^2}\,dx = \frac{1}{25}\int \frac{1}{\frac{16}{25}+x^2}\,dx$$

$$= \frac{1}{25}\int \frac{1}{\left(\frac{4}{5}\right)^2+x^2}\,dx$$

$$= \frac{1}{25}\,\frac{1}{\frac{4}{5}}\tan^{-1}\left(\frac{x}{\frac{4}{5}}\right) + c$$

Felly, cawn

$$\int \frac{1}{16+25x^2}\,dx = \frac{1}{20}\tan^{-1}\left(\frac{5x}{4}\right) + c$$

Enghraifft 14 Darganfyddwch $\int \frac{dx}{x^2+6x+25}$

DATRYSIAD

Os ydym yn rhagweld y bydd yr integryn yn ffwythiant trigonometrig gwrthdro, rydym yn cychwyn drwy ddefnyddio dull cwblhau'r sgwâr i newid yr enwadur cwadratig i'r ffurf $a(x+b)^2 + c$. Wedyn rydym yn gostwng cyfernod $(x+b)^2$ i un er mwyn i ni allu defnyddio'r fformiwlâu integru safonol gydag $(x+b)$ yn cymryd lle x.

Felly, cawn

$$x^2 + 6x + 25 = (x+3)^2 + 16$$

sy'n rhoi

$$\int \frac{dx}{x^2+6x+25} = \int \frac{dx}{(x+3)^2+16}$$

Mae'r integryn sydd gennym nawr yn yr un ffurf ag $\int \frac{dx}{x^2 + a^2}$,
gydag $(x + 3)$ yn cymryd lle x a 4 yn cymryd lle a.

Felly, cawn

$$\int \frac{dx}{(x+3)^2 + 16} = \frac{1}{4} \tan^{-1}\left(\frac{x+3}{4}\right) + c$$

Enghraifft 15 Darganfyddwch $\int \frac{dx}{\sqrt{11 - 8x - 4x^2}}$

DATRYSIAD

I newid $11 - 8x - 4x^2$ i'r ffurf $a(x + b)^2 + c$, mae'n haws yn gyntaf rhoi'r minws y tu allan ar ffurf ffactor ac wedyn rhoi'r arwydd yn ôl y tu mewn ar ôl cwblhau'r sgwâr.

Noder Rhaid cadw'r arwydd minws **y tu mewn i'r ail isradd**.

Felly, drwy roi'r minws y tu allan ar ffurf ffactor, cawn

$$\sqrt{11 - 8x - 4x^2} = \sqrt{-(4x^2 + 8x - 11)}$$

$$= \sqrt{-4\left(x^2 + 2x - \frac{11}{4}\right)}$$

Yna, wrth gwblhau'r sgwâr, cawn

$$\sqrt{11 - 8x - 4x^2} = \sqrt{-4\left[(x+1)^2 - \frac{15}{4}\right]}$$

$$= \sqrt{15 - 4(x+1)^2}$$

$$= 2\sqrt{\frac{15}{4} - (x+1)^2}$$

Drwy amnewid hwn yn yr integryn gwreiddiol, cawn

$$\int \frac{dx}{\sqrt{11 - 8x - 4x^2}} = \frac{1}{2} \int \frac{dx}{\sqrt{\frac{15}{4} - (x+1)^2}}$$

$$= \frac{1}{2} \sin^{-1}\left(\frac{x+1}{\sqrt{\frac{15}{4}}}\right) + c$$

sy'n rhoi

$$\int \frac{dx}{\sqrt{11 - 8x - 4x^2}} = \frac{1}{2} \sin^{-1}\left(\frac{2(x+1)}{\sqrt{15}}\right) + c$$

Ymarfer 2D

1 Differwch bob un o'r canlynol mewn perthynas ag x.

a) $\sin^{-1} 5x$ **b)** $\tan^{-1} 3x$ **c)** $\sin^{-1} \sqrt{2x}$ **d)** $\tan^{-1} \frac{3}{4}x$

e) $\sin^{-1} x^2$ **f)** $\tan^{-1}\left(\frac{x}{1 + x^2}\right)$ **g)** $(\sin^{-1} 2x)^3$ **h)** $(3 \tan^{-1} 5x)^4$

i) $\sec^{-1} x$ **j)** $\cot^{-1} x$

2 Darganfyddwch bob un o'r integrynnau canlynol.

a) $\int \frac{dx}{\sqrt{4 - x^2}}$ **b)** $\int \frac{dx}{\sqrt{9 - x^2}}$ **c)** $\int \frac{dx}{\sqrt{25 - 4x^2}}$

d) $\int \frac{dx}{\sqrt{16 - 9x^2}}$ **e)** $\int \frac{dx}{9 + x^2}$ **f)** $\int \frac{dx}{16 + x^2}$

g) $\int \frac{dx}{25 + 16x^2}$ **h)** $\int \frac{dx}{9 + 25x^2}$

3 Enrhifwch bob un o'r integrynnau pendant canlynol, gan roi gwerth union eich ateb.

a) $\int_0^1 \frac{dx}{\sqrt{1 - x^2}}$ **b)** $\int_0^2 \frac{dx}{4 + x^2}$ **c)** $\int_0^3 \frac{dx}{\sqrt{9 - x^2}}$ **d)** $\int_0^2 \frac{dx}{4 + 3x^2}$

e) $\int_{-\frac{1}{5}}^{\frac{1}{5}} \frac{dx}{\sqrt{1 - 25x^2}}$

4 Enrhifwch bob un o'r integrynnau pendant canlynol, gan roi eich ateb yn gywir i dri ffigur ystyrlon.

a) $\int_0^{0.1} \frac{dx}{\sqrt{4 - 25x^2}}$ **b)** $\int_1^2 \frac{dx}{4 + 9x^2}$ **c)** $\int_1^2 \frac{dx}{\sqrt{3 - (x - 1)^2}}$

d) $\int_0^1 \frac{dx}{4(x + 1)^2 + 5}$ **e)** $\int_0^2 \frac{dx}{\sqrt{20 - 8x - x^2}}$ **f)** $\int_0^1 \frac{dx}{16x^2 + 20x + 35}$

5 Darganfyddwch werth union $\int_0^{\frac{5}{8}} \frac{1}{\sqrt{(25 - 16x^2)}}\, dx$. (OCR)

6 Mynegwch $5 + 4x - x^2$ yn y ffurf $a - (x - b)^2$, lle mae a a b yn gysonion positif. Drwy hynny, darganfyddwch werth union

$$\int_{\frac{7}{2}}^{5} \frac{1}{\sqrt{5 + 4x - x^2}}\, dx. \quad \text{(OCR)}$$

7 Mynegwch $\frac{2x^3 + 5x^2 + 11x + 13}{(x + 1)(x^2 + 4)}$ mewn ffracsiynau rhannol.

Dangoswch fod

$$\int_0^1 \frac{2x^3 + 5x^2 + 11x + 13}{(x + 1)(x^2 + 4)}\, dx = 2 + \ln\left(\frac{5}{2}\right) + \frac{1}{2}\tan^{-1}\left(\frac{1}{2}\right) \quad \text{(OCR)}$$

8 O wybod bod $y = x - \sqrt{(1 - x^2)}\sin^{-1} x$, dangoswch fod

$$\frac{dx}{dy} = \frac{x \sin^{-1} x}{\sqrt{(1 - x^2)}}$$

Drwy hyn, neu fel arall, enrhifwch

$$\int_0^{\frac{1}{4}\sqrt{3}} \frac{2x \sin^{-1}(2x)}{\sqrt{(1 - 4x^2)}}\, dx$$

gan roi eich ateb yn nhermau π ac $\sqrt{3}$. (OCR)

9 O wybod bod $z = \tan^{-1} x$, deilliwch y canlyniad $\frac{dz}{dx} = \frac{1}{1 + x^2}$

[Ni roddir marc am ddyfynnu'r canlyniad o'r *Rhestr Fformiwlâu* yn unig.]

Drwy hyn, mynegwch $\frac{d}{dx}(\tan^{-1}(xy))$ yn nhermau x, y a $\frac{dy}{dx}$.

O wybod bod x ac y yn bodloni'r hafaliad

$$\tan^{-1} x + \tan^{-1} y + \tan^{-1}(xy) = \tfrac{11}{12}\pi$$

profwch, pan fo $x = 1$, fod $\frac{dy}{dx} = -1 - \frac{1}{2}\sqrt{3}$. (OCR)

10 **i)** O wybod bod $y = \sin^{-1} x$, deilliwch y canlyniad $\frac{dy}{dx} = \frac{1}{\sqrt{(1 - x^2)}}$.

[Ni roddir marc am ddyfynnu'r canlyniad o'r *Rhestr Fformiwlâu* yn unig.]

ii) Darganfyddwch $\frac{d}{dx}\sqrt{(1 - x^2)}$.

iii) Drwy ddefnyddio'r canlyniadau uchod, darganfyddwch $\int_0^1 \sin^{-1} x\, dx$. (OCR)

11 O wybod bod $x = \frac{1}{y}$, dangoswch fod

$$\int \frac{1}{x\sqrt{(x^2 - 1)}}\, dx = -\int \frac{1}{\sqrt{(1 - y^2)}}\, dy$$

Darganfyddwch $\int \frac{1}{x\sqrt{(x^2 - 1)}}\, dx$. (OCR)

12 Mae OAC yn bedrant o'r cylch â'r hafaliad $x^2 + y^2 = 1$.
O bwynt B, sydd ar y cylchyn, gollyngir perpendicwlar i D, sy'n bwynt ar y radiws OC, fel bod cyfesuryn-x D yn t.
Dangosir hyn yn y ffigur ar y dde.

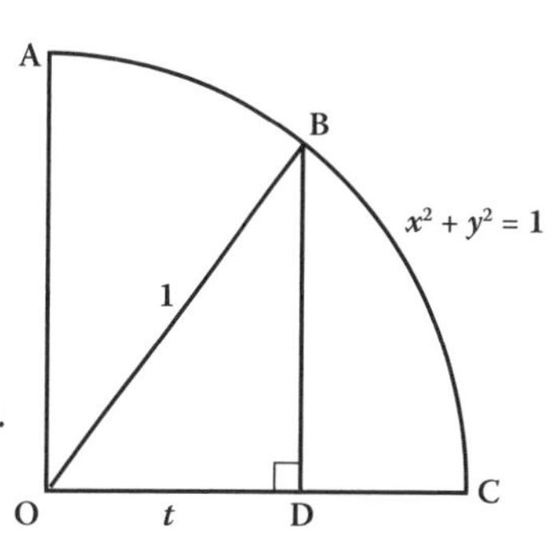

i) Dangoswch mai arwynebedd y sector AOB yw $\frac{1}{2}\sin^{-1} t$.

ii) Darganfyddwch arwynebedd y triongl OBD yn nhermau t.

iii) Drwy hyn dangoswch fod

$$\sin^{-1} t = 2\int_0^t \sqrt{1 - x^2}\, dx - t\sqrt{1 - t^2}$$

iv) Drwy ddefnyddio integru fesul rhan, dangoswch fod

$$\int_0^t \sqrt{1-x^2}\,dx = t\sqrt{1-t^2} + \int_0^t \frac{x^2}{\sqrt{1-x^2}}\,dx$$

v) Gan ddefnyddio rhannau **iii** a **iv**, profwch fod

$$\sin^{-1} t = \int_0^t \frac{dx}{\sqrt{1-x^2}}$$ **(NICCEA)**

3 Cyfesurynnau pegynlinol

All places are distant from Heaven alike.
ROBERT BURTON

Safle pwynt

Gellir pennu safle pwynt, P, mewn plân yn nhermau ei bellter o bwynt sefydlog, O, a elwir yn **begwn**, a'r ongl mae OP yn ei ffurfio gyda llinell sefydlog, a elwir yn **llinell gychwynnol**. Pan roddir safle pwynt yn y dull hwn, cawn **gyfesurynnau pegynlinol** y pwynt.

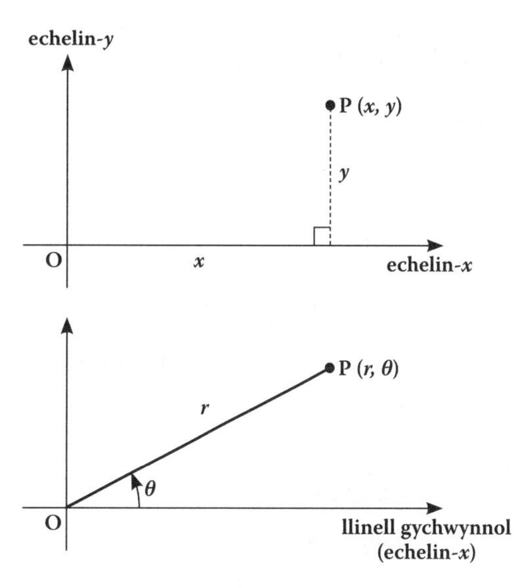

Yn y diagram ar y dde, cyfesurynnau Cartesaidd y pwynt P yw (x, y).

Caiff ei safle mewn cyfesurynnau pegynlinol ei roi fel (r, θ), lle mae $r (\geqslant 0)$ yn bellter P o'r tarddbwynt, O, a θ yw'r ongl **wrthglocwedd** mae OP yn ei ffurfio gyda'r echelin-x, a gymerir fel arfer yn llinell gychwynnol.

Mesurir θ fel arfer mewn radianau a chymerir bod ei **phrif werth** rhwng $-\pi$ a π.

Enghraifft 1 Plotiwch y pwynt P sydd â chyfesurynnau $\left(4, \frac{\pi}{6}\right)$ a'r pwynt Q sydd â chyfesurynnau $\left(2, -\frac{\pi}{3}\right)$.

DATRYSIAD

a) Tynnwch y llinell OP ar $\frac{\pi}{6}$ radian i'r echelin-x.
Gwnewch OP = 4 uned.
Yna bydd y pwynt P wedi ei leoli.

b) Tynnwch y llinell OQ ar $-\frac{\pi}{3}$ radian i'r echelin-x.

Mae gwerth negatif yr ongl yn golygu bod $\frac{\pi}{3}$ yn cael ei fesur mewn cyfeiriad **clocwedd** o'r echelin-x.
Gwnewch OQ = 2 uned.

Yna bydd y pwynt Q wedi ei leoli.

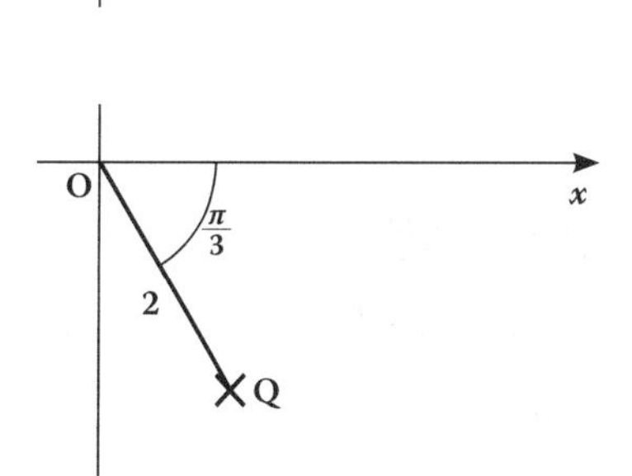

Ymarfer 3A

Plotiwch y pwyntiau sydd â'r cyfesurynnau pegynlinol canlynol.

1 $\left(3, \frac{\pi}{4}\right)$ **2** $\left(2, \frac{2\pi}{3}\right)$ **3** $\left(3, -\frac{\pi}{3}\right)$

4 $\left(2, \frac{3\pi}{2}\right)$ **5** $\left(4, -\frac{\pi}{4}\right)$

Y cysylltiad rhwng cyfesurynnau pegynlinol a Chartesaidd

Yn y diagram ar y dde, cyfesurynnau Cartesaidd y pwynt P yw (x, y) a'i gyfesurynnau pegynlinol yw (r, θ).

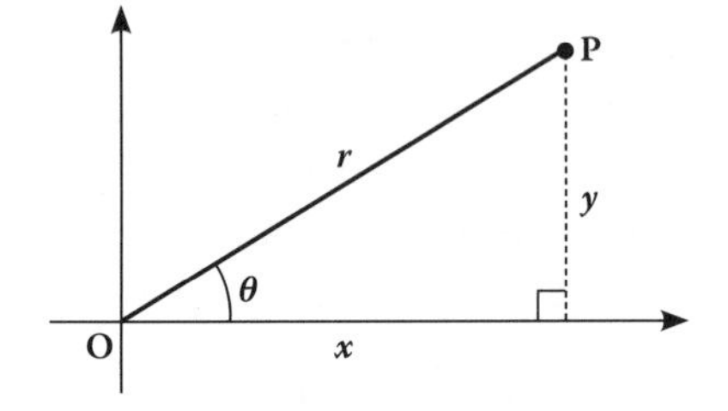

Gwelwn fod

$$x = r\cos\theta \qquad y = r\sin\theta$$

$$r = \sqrt{x^2 + y^2} \qquad \tan\theta = \frac{y}{x}$$

Os yw naill ai x neu y yn negatif, dylid cyfeirio at safle'r pwynt i benderfynu gwerth θ.

Gallwn ddefnyddio'r hafaliadau uchod i newid hafaliad cromlin o'i ffurf Gartesaidd i'w ffurf begynlinol, neu fel arall.

Enghraifft 2 Darganfyddwch hafaliad pegynlinol y gromlin $x^2 + y^2 = 2x$.

DATRYSIAD

Drwy amnewid $x = r\cos\theta$, $y = r\sin\theta$ yn $x^2 + y^2 = 2x$ (a ddangosir ar y dde), cawn

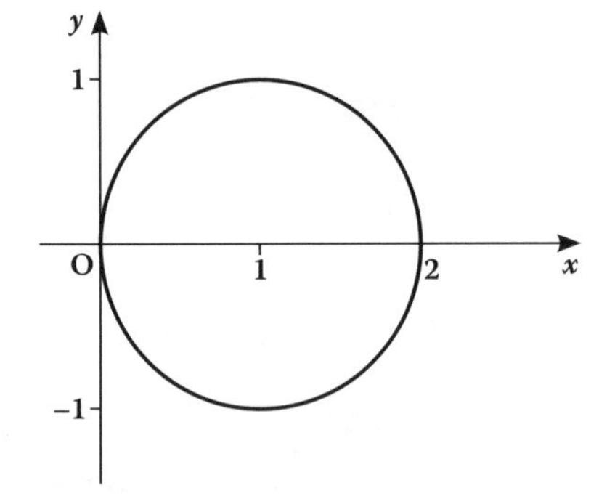

$$r^2\cos^2\theta + r^2\sin^2\theta = 2r\cos\theta$$

$$\Rightarrow \quad r^2(\cos^2\theta + \sin^2\theta) = 2r\cos\theta$$

$$\Rightarrow \quad r^2 = 2r\cos\theta$$

$$\Rightarrow \quad r = 2\cos\theta \quad (\text{gan fod } r \neq 0)$$

Felly, hafaliad pegynlinol y gromlin yw $r = 2\cos\theta$.

Ymarfer 3B

1 Darganfyddwch hafaliad Cartesaidd pob un o'r cromliniau hyn.

a) $r = 4$ **b)** $r\cos\theta = 3$ **c)** $r\sin\theta = 7$

d) $r = a(1 + \cos\theta)$ **e)** $r = a(1 - \cos\theta)$ **f)** $\frac{2}{r} = 1 + \cos\theta$

2 Darganfyddwch hafaliad pegynlinol pob un o'r cromliniau hyn.

a) $x^2 + y^2 = 9$ **b)** $xy = 16$ **c)** $\frac{x^2}{9} + \frac{x^2}{16} = 1$

d) $x^2 + y^2 = 6x$ **e)** $x^2 + y^2 + 8y = 16$ **f)** $(x^2 + y^2)^2 = x^2 - y^2$

Braslunio cromliniau a roddir mewn cyfesurynnau pegynlinol

Y ffordd arferol i fraslunio cromlin a roddir mewn cyfesurynnau pegynlinol yw drwy blotio pwyntiau'n fras gan ddefnyddio gwerthoedd syml o θ.

Enghraifft 3 Brasluniwch $r = a \cos 3\theta$.

DATRYSIAD

Dyma ran o dabl sy'n rhoi gwerthoedd r:

$\boldsymbol{\theta}$	0	$\frac{\pi}{18}$	$\frac{\pi}{9}$	$\frac{\pi}{6}$	$\frac{\pi}{2}$	$\frac{5\pi}{9}$	$\frac{11\pi}{18}$	$\frac{2\pi}{3}$	$\frac{13\pi}{18}$	$\frac{7\pi}{9}$	$\frac{5\pi}{6}$
$\boldsymbol{r}$	a	$\frac{\sqrt{3}}{2}a$	$\frac{1}{2}a$	0	0	$\frac{1}{2}a$	$\frac{\sqrt{3}}{2}a$	a	$\frac{\sqrt{3}}{2}a$	$\frac{1}{2}a$	0

Noder Pan fo $\theta = \frac{2\pi}{9}$, $r = a \cos\left(\frac{2\pi}{3}\right) = -\frac{1}{2}a$.

Felly, gan fod yn rhaid i r fod yn bositif bob amser, nid yw'r gromlin yn bodoli pan fo $\theta = \frac{2\pi}{9}$.

Yr un modd, nid yw'r gromlin yn bodoli am unrhyw werth o θ rhwng

$$\frac{\pi}{6} \text{ a } \frac{\pi}{2}, \frac{5\pi}{6} \text{ a } \frac{7\pi}{6}, \frac{9\pi}{6} \text{ ac } \frac{11\pi}{6}, \frac{13\pi}{6} \text{ a } \frac{15\pi}{6}$$

Wrth blotio'r gwerthoedd a roddir yn y tabl a chysylltu'r pwyntiau cawn gromlin sydd â thair dolen neu labed.

Sylwch fod y llinellau $\theta = \frac{\pi}{6}$, $\theta = \frac{\pi}{2}$ a $\theta = \frac{5\pi}{6}$

i gyd yn **dangiadau** i'r dolenni.
Mae'r tangiadau yn cwrdd yn y tarddbwynt neu'r pegwn.
Mae'r tair dolen yn **gyfath**.

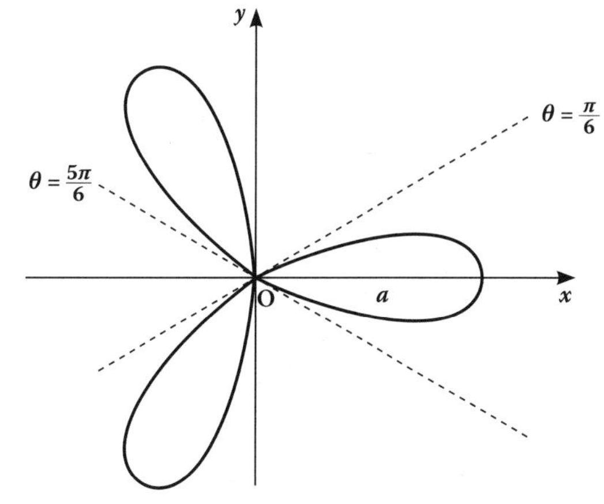

Enghraifft 4 Braslunîwch $r = 1 + 2\cos\theta$.

DATRYSIAD

Dyma ran o dabl sy'n rhoi gwerthoedd r:

θ	0	$\frac{\pi}{6}$	$\frac{\pi}{3}$	$\frac{\pi}{2}$	$\frac{2\pi}{3}$	$-\frac{2\pi}{3}$	$-\frac{\pi}{2}$	$-\frac{\pi}{3}$	$-\frac{\pi}{6}$	0
r	3	$1+\sqrt{3}$	2	1	0	0	1	2	$1+\sqrt{3}$	3

I ddarganfod pryd mae r yn negatif, rydym yn datrys $r = 0$:

$$1 + 2\cos\theta = 0$$

$$\Rightarrow \quad \cos\theta = -\frac{1}{2}$$

$$\Rightarrow \quad \theta = \frac{2\pi}{3}, \frac{4\pi}{3} \left(\text{neu } -\frac{2\pi}{3}\right)$$

Nodwn fod $1 + 2\cos\theta$ yn negatif pan fo $\frac{2\pi}{3} < \theta < \frac{4\pi}{3}$.

Ond mewn arholiadau Safon Uwch **dim ond gwerthoedd positif** r sydd eu hangen, sy'n golygu, o'ch safbwynt chi, nad yw'r gromlin yn bodoli am werthoedd θ rhwng $\frac{2\pi}{3}$ a $\frac{4\pi}{3}$ ac na ddylid ei dangos.

Fel arfer, pan fo cyfrifianellau graffigol yn arddangos y gromlin hon, maen nhw'n cynnwys gwerthoedd negatif r, ac fe ddylech eu hanwybyddu.

Dangosir braslun $r = 1 + 2\cos\theta$ isod.

Mae'r rhan doredig yn cynrychioli gwerthoedd negatif r y mae cyfrifianellau graffigol yn eu harddangos yn aml.

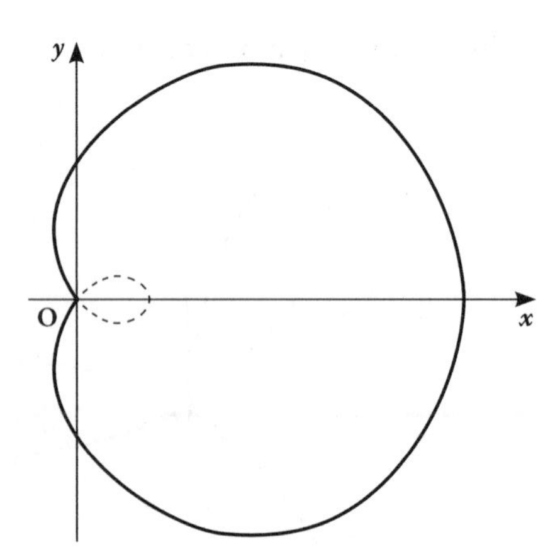

Caiff y rhan fwyaf o gromliniau pegynlinol eu braslunio yn yr un modd.

Dyma dri awgrym i'ch cynorthwyo i fraslunio cromliniau a roddir mewn cyfesurynnau pegynlinol.

- Chwiliwch am unrhyw **gymesuredd**.
  Os yw r yn ffwythiant cos θ yn unig, yna bydd cymesuredd o amgylch y llinell gychwynnol.
  Os yw r yn ffwythiant sin θ yn unig, yna bydd cymesuredd o amgylch y llinell $\theta = \frac{\pi}{2}$.
- Mae'r hafaliadau $r = a \sin \theta$ ac $r = a \cos \theta$ yn **gylchoedd**.

Enghraifft 5 Darganfyddwch hafaliad Cartesaidd y gromlin $r = a \cos \theta$.

DATRYSIAD

Drwy luosi $r = a \cos \theta$ ag r, cawn

$$r^2 = ar \cos \theta$$

Drwy amnewid $r^2 = x^2 + y^2$ ac $x = r \cos \theta$ yn yr hafaliad ucod, cawn

$$x^2 + y^2 = ax$$

sy'n rhoi

$$\left(x - \frac{a}{2}\right)^2 + y^2 = \left(\frac{a}{2}\right)^2$$

Mae hwn yn gylch sydd â chanol $\left(\frac{a}{2}, 0\right)$ a radiws a.

- Pan fo hafaliad pegynlinol yn cynnwys sec θ neu cosec θ, mae'n aml yn haws **defnyddio ei hafaliad Cartesaidd.**

Enghraifft 6 Brasluniwch $r = a \sec \theta$.

DATRYSIAD

$$r = a \sec \theta = \frac{a}{\cos\theta}$$

$$\Rightarrow \quad r \cos \theta = a$$

$$\Rightarrow \quad x = a$$

Dyma'r llinell syth sydd i'w gweld ar y dde.

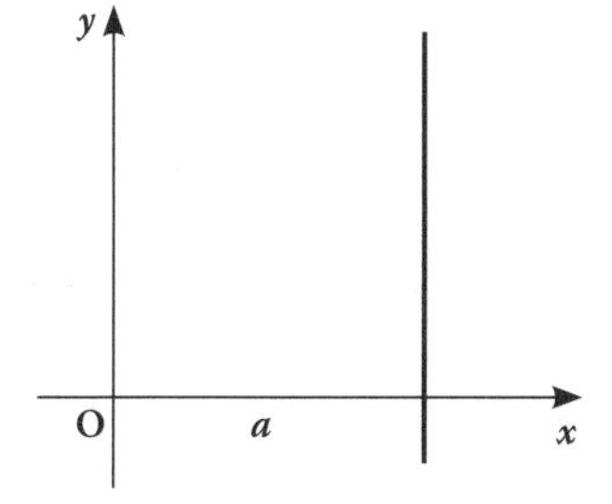

Enghraifft 7 Brasluniwch $r = a \sec (\alpha - \theta)$.

DATRYSIAD

Drwy drawsddodi termau, cawn

$$r \cos (\alpha - \theta) = a$$

sy'n rhoi

$$r \cos \theta \cos \alpha + r \sin \theta \sin \alpha = a$$

Drwy roi $r \cos \theta$ yn lle x ac $r \sin \theta$ yn lle y, cawn

$$x \cos \alpha + y \sin \alpha = a$$

sef y llinell syth sydd i'w gweld ar y dde.

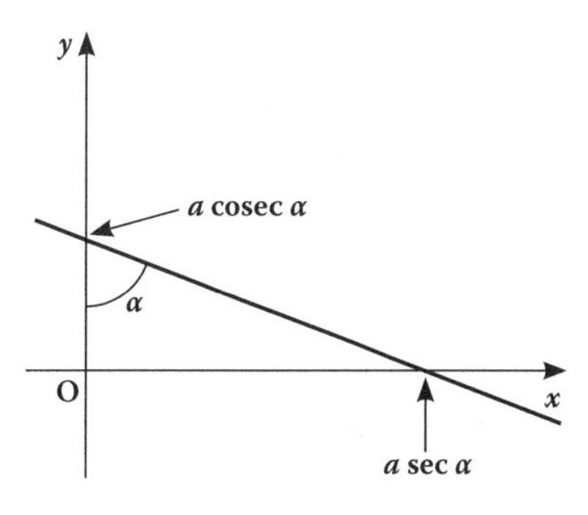

Ymarfer 3C

1 Brasluniwch bob un o'r cromliniau a roddir yng Nghwestiwn **1** Ymarfer 3B.

2 Brasluniwch bob un o'r cromliniau canlynol.

a) $r = a \sin 2\theta, \quad 0 < \theta < 2\pi$

b) $r = a \cos 4\theta, \quad 0 < \theta < 2\pi$

c) $r = 2 + 3 \cos \theta, \quad -\pi < \theta < \pi$

d) $r = a\theta, \quad 0 < \theta < 2\pi$

e) $r = 4 \sec \theta, \quad -\frac{\pi}{2} < \theta < \frac{\pi}{2}$

Arwynebedd sector cromlin

Boed i A fod yr arwynebedd sy'n cael ei ffinio gan y gromlin $r = \mathrm{f}(\theta)$ a'r ddau radiws yn α ac yn θ.

Wrth i θ gynyddu ychydig bach, $\delta\theta$, rhoddir y cynnydd bach, δA, yn yr arwynebedd (sy'n cael ei ddangos wedi'i dywyllu) gan

$$\tfrac{1}{2}r^2\delta\theta \leqslant \delta A \leqslant \tfrac{1}{2}(r + \delta r)^2\delta\theta \quad \text{(drwy ddefnyddio arwynebeddau sectorau)}$$

Drwy rannu'r ddwy ochr â $\delta\theta$, cawn

$$\frac{1}{2}r^2 \leqslant \frac{\delta A}{\delta\theta} \leqslant \frac{1}{2}(r + \delta r)^2$$

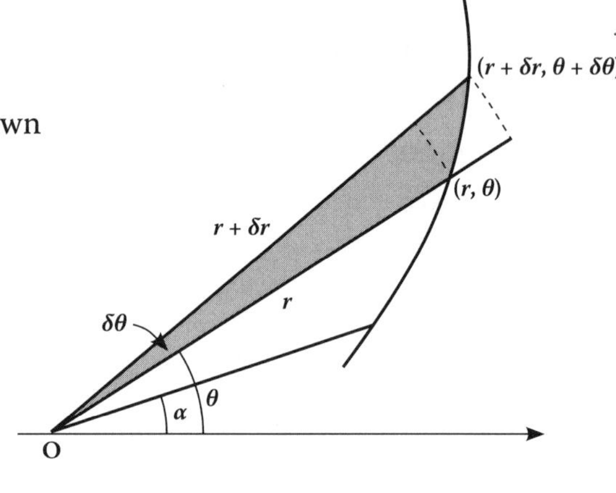

Fel mae $\delta\theta \to 0$, mae $\dfrac{\delta A}{\delta\theta} \to \dfrac{dA}{d\theta}$ ac mae $\delta r \to 0$. Felly, cawn

$$\frac{dA}{d\theta} = \frac{1}{2}r^2$$

Drwy integru'r ddwy ochr mewn perthynas â θ, cawn

$$\int \frac{\mathrm{d}A}{\mathrm{d}\theta}\,\mathrm{d}\theta = \frac{1}{2}\int r^2\,\mathrm{d}\theta$$

$$\Rightarrow \quad A = \frac{1}{2}\int r^2\,\mathrm{d}\theta$$

Felly, yr hafaliad cyffredinol ar gyfer arwynebedd sector cromlin yw

$$A = \frac{1}{2}\int_\alpha^\beta r^2\,\mathrm{d}\theta$$

pan fydd y ddau radiws $\theta = \alpha$ a $\theta = \beta$ yn ffinio'r arwynebedd.

Enghraifft 8 Darganfyddwch arwynebedd un ddolen o'r gromlin $r = a \cos 3\theta$.

DATRYSIAD

Mae un ddolen yn cael ei ffinio gan y llinellau tangiad $\theta = \frac{\pi}{6}$ a $\theta = -\frac{\pi}{6}$ (gweler tudalen 46).

Felly, rhoddir ei arwynebedd, A, gan

$$A = \frac{1}{2}\int_{-\frac{\pi}{6}}^{\frac{\pi}{6}} r^2\,\mathrm{d}\theta \quad \Rightarrow \quad A = \frac{1}{2}\int_{-\frac{\pi}{6}}^{\frac{\pi}{6}} a^2 \cos^2 3\theta\,\mathrm{d}\theta$$

Gan ddefnyddio'r fformiwla ongl-ddwbl i integru, cawn

$$A = \frac{1}{2}a^2\int_{-\frac{\pi}{6}}^{\frac{\pi}{6}} \frac{1}{2}(\cos 6\theta + 1)\,\mathrm{d}\theta$$

$$= \frac{a^2}{4}\left[\frac{\sin 6\theta}{6} + \theta\right]_{-\frac{\pi}{6}}^{\frac{\pi}{6}}$$

$$= \frac{a^2}{4}\left(\frac{\pi}{6} + \frac{\pi}{6}\right) = \frac{a^2\pi}{12}$$

Felly, arwynebedd un ddolen o $r = a\cos 3\theta$ yw $\dfrac{a^2\pi}{12}$.

Noder Mae'n aml yn well defnyddio'r arwynebedd yn y pedrant cyntaf yn unig pan fo cromlin yn gymesur yn y pedrannau eraill. Felly, yn Enghraifft 8, yn hytrach na defnyddio

$\frac{1}{2}\int_{-\frac{\pi}{6}}^{\frac{\pi}{6}} a^2\cos^2 3\theta\,\mathrm{d}\theta$, gallem fod wedi defnyddio $2 \times \frac{1}{2}\int_{0}^{\frac{\pi}{6}} a^2\cos^2 3\theta\,\mathrm{d}\theta$.

Enghraifft 9 Darganfyddwch yr arwynebedd sy'n cael ei ffinio gan y gromlin $r = k\theta$ a'r llinellau $\theta = \frac{\pi}{2}$ a $\theta = \pi$.

DATRYSIAD

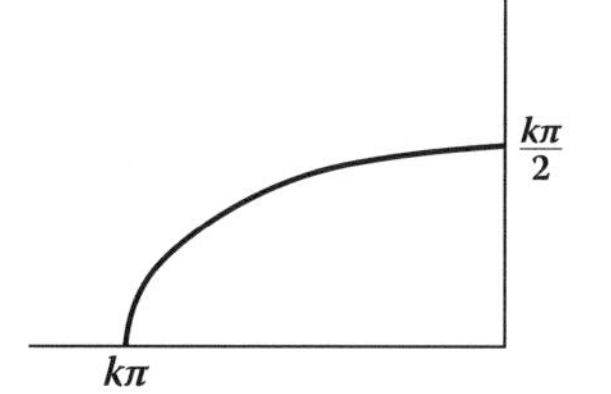

Dangosir y gromlin $r = k\theta$ pan fo $\frac{\pi}{2} \leqslant \theta \leqslant \pi$.

Rhoddir yr arwynebedd sydd ei angen, A, gan

$$A = \frac{1}{2}\int_{\frac{\pi}{2}}^{\pi} k^2\theta^2\,\mathrm{d}\theta$$

$$= \frac{k^2}{2}\left[\frac{\theta^3}{3}\right]_{\frac{\pi}{2}}^{\pi} = \frac{k^2}{2}\left(\frac{\pi^3}{3} - \frac{\pi^3}{24}\right) = \frac{7k^2\pi^3}{48}$$

Felly'r arwynebedd sydd ei angen yw $= \dfrac{7k^2\pi^3}{48}$.

Enghraifft 10 Brasluniwch y cromliniau $r = 1 + \cos\theta$ ac $r = \sqrt{3}\sin\theta$. Darganfyddwch

a) y pwyntiau lle mae'r cromliniau'n cyfarfod

b) yr arwynebedd rhwng y cromliniau.

DATRYSIAD

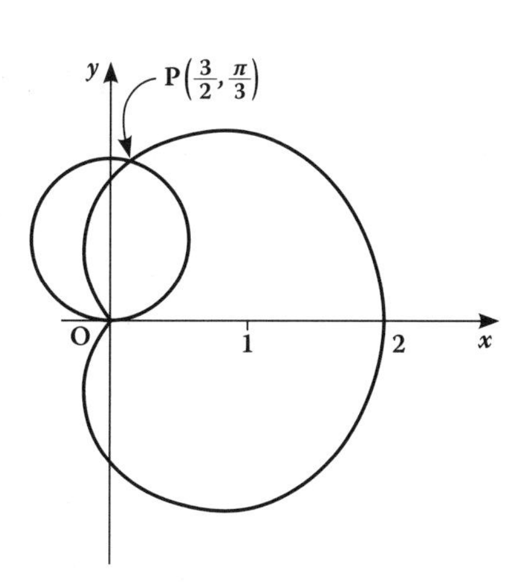

Cyn braslunio'r ddwy gromlin, nodwn fod

- $r = 1 + \cos\theta$ yn debyg i $1 + 2\cos\theta$ (tudalen 46)
- $r = \sqrt{3}\sin\theta$ yn debyg i $r = a\cos\theta$ (tudalen 47).

a) Mae'r ddwy gromlin yn cyfarfod pan fo

$$1 + \cos\theta = \sqrt{3}\sin\theta$$

Gan ddefnyddio

$$\sin\theta \equiv \sin\left(\frac{\theta}{2} + \frac{\theta}{2}\right) \equiv 2\sin\left(\frac{\theta}{2}\right)\cos\left(\frac{\theta}{2}\right)$$

a

$$\cos\theta \equiv 2\cos^2\left(\frac{\theta}{2}\right) - 1$$

gallwn fynegi $1 + \cos\theta = \sqrt{3}\sin\theta$ fel

$$1 + 2\cos^2\left(\frac{\theta}{2}\right) - 1 = 2\sqrt{3}\sin\left(\frac{\theta}{2}\right)\cos\left(\frac{\theta}{2}\right)$$

$$\Rightarrow \quad 2\cos^2\left(\frac{\theta}{2}\right) = 2\sqrt{3}\sin\left(\frac{\theta}{2}\right)\cos\left(\frac{\theta}{2}\right)$$

sy'n rhoi

$$\cos\left(\frac{\theta}{2}\right) = \sqrt{3}\sin\left(\frac{\theta}{2}\right) \quad \text{neu} \quad \cos\left(\frac{\theta}{2}\right) = 0$$

$$\Rightarrow \tan\left(\frac{\theta}{2}\right) = \frac{1}{\sqrt{3}} \qquad\qquad \Rightarrow \theta = \pi$$

$$\Rightarrow \frac{\theta}{2} = \frac{\pi}{6} \quad \Rightarrow \quad \theta = \frac{\pi}{3}$$

Felly, mae'r cromliniau'n cyfarfod yn $\left(\frac{3}{2}, \frac{\pi}{3}\right)$ a $(0, \pi)$

Cofiwch Cyfesurynnau pegynlinol (r, θ) yw'r rhain.

b) I ddarganfod yr arwynebedd sydd wedi'i gynnwys rhwng y cromliniau, tynnwn y llinell OP ac yna ystyried y ddau arwynebedd a ffurfir felly ar wahân.

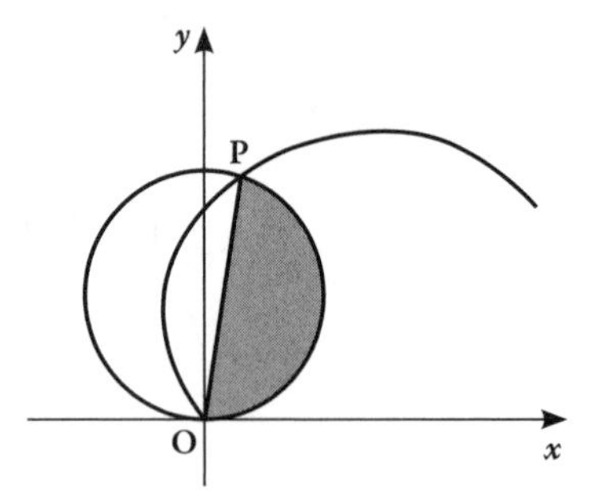

Ffinnir yr arwynebedd sydd wedi'i dywyllu yn y diagram ar y dde gan y gromlin $r = \sqrt{3}\sin\theta$ a'r ddau radiws

$\theta = 0$ a $\theta = \frac{\pi}{3}$.

Felly'r arwynebedd hwn yw $\frac{1}{2}\int_0^{\frac{\pi}{3}}(\sqrt{3}\sin\theta)^2\, d\theta$.

Ffinnir yr arwynebedd yn y diagram isaf ar y dde gan y gromlin $r = 1 + \cos\theta$ a'r ddau radiws

$\theta = \frac{\pi}{3}$ a π.

Felly'r arwynebedd hwn yw $\frac{1}{2}\int_{\frac{\pi}{3}}^{\pi}(1 + \cos\theta)^2\, d\theta$.

Felly rhoddir yr arwynebedd sydd wedi'i gynnwys rhwng y ddwy gromlin gan

$$\frac{1}{2}\int_0^{\frac{\pi}{3}}(\sqrt{3}\sin\theta)^2\, d\theta + \frac{1}{2}\int_{\frac{\pi}{3}}^{\pi}(1 + \cos\theta)^2\, d\theta$$

$$= \frac{1}{2}\int_0^{\frac{\pi}{3}}3\sin^2\theta\, d\theta + \frac{1}{2}\int_{\frac{\pi}{3}}^{\pi}(1 + 2\cos\theta + \cos^2\theta)\, d\theta$$

$$= \frac{3}{2}\int_0^{\frac{\pi}{3}} \frac{1}{2}(1 - \cos 2\theta)\,d\theta + \frac{1}{2}\int_{\frac{\pi}{3}}^{\pi}\left[1 + 2\cos\theta + \frac{1}{2}(\cos 2\theta + 1)\right]d\theta$$

$$= \frac{3}{4}\left[\theta - \frac{1}{2}\sin 2\theta\right]_0^{\frac{\pi}{3}} + \frac{1}{2}\left[\frac{3}{2}\theta + 2\sin\theta + \frac{1}{4}\sin 2\theta\right]_{\frac{\pi}{3}}^{\pi}$$

$$= \frac{3}{4}\left(\frac{\pi}{3} - \frac{\sqrt{3}}{4}\right) + \frac{1}{2}\left(\frac{3\pi}{2} - \frac{3\pi}{6} - \sqrt{3} - \frac{\sqrt{3}}{8}\right)$$

$$= \frac{3\pi}{4} - \frac{3\sqrt{3}}{4}$$

Felly'r arwynebedd sydd wedi'i gynnwys rhwng y cromliniau yw $\frac{3\pi}{4} - \frac{3\sqrt{3}}{4}$.

Ymarfer 3D

1 Darganfyddwch yr arwynebedd a ffinnir gan y gromlin $r = a\theta$ a'r ddau radiws $\theta = \frac{\pi}{2}$, $\theta = \pi$.

2 Ar gyfer pob un o'r cromliniau canlynol, darganfyddwch yr arwynebedd a amgaeir gan un ddolen.

a) $r = a\cos 2\theta$ **b)** $r = a\sin 2\theta$ **c)** $r = a\cos 4\theta$

3 Darganfyddwch yr arwynebedd a amgaeir gan y gromlin $r = a\cos\theta$.

4 Darganfyddwch yr arwynebedd a amgaeir gan y gromlin $r = 2 + 3\cos\theta$.

5 **a)** Darganfyddwch hafaliad pegynlinol y gromlin $(x^2 + y^2)^3 = y^4$.

b) Drwy hynny, **i)** brasluniwch y gromlin,
a **ii)** darganfyddwch yr arwynebedd a amgaeir gan y gromlin.

6 Darganfyddwch lle mae'r ddwy gromlin ganlynol yn croestorri.

$r = 2\sin\theta \qquad 0 \leqslant \theta < \pi$

ac $\quad r = 2(1 - \sin\theta) \qquad -\pi < \theta < \pi$

Drwy hynny, darganfyddwch yr arwynebedd rhwng y ddwy gromlin.

7 Yn y cwestiwn hwn cewch ddefnyddio'r unfathiant $\sin 3\theta \equiv 3\sin\theta - 4\sin^3\theta$.
Hafaliad Cartesaidd cromlin C yw

$(x^2 + y^2)(x^2 + y^2 - 3ay) + 4ay^3 = 0$

lle mae $a > 0$.

a) Dangoswch, yn nhermau cyfesurynnau pegynlinol (r, θ), mai hafaliad C yw $r = a\sin 3\theta$.

b) Tair dolen hafal sy'n ffurfio'r gromlin, fel y gwelir yn y diagram. Y pwynt O yw'r pegwn, ac OL yw'r llinell gychwynnol.

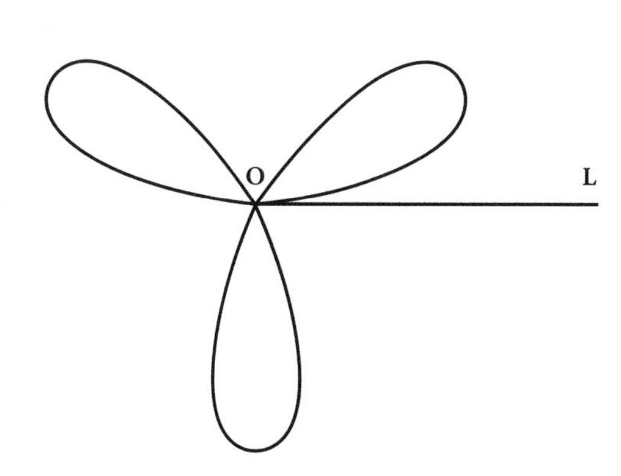

Darganfyddwch union werth arwynebedd un o'r dolenni hyn yn nhermau a. **(NEAB)**

8 **a)** Brasluniwch y gromlin sydd â hafaliad pegynlinol

$$r = a(2 + \cos\theta) \qquad 0 \leqslant \theta < 2\pi$$

ac mae a yn gysonyn positif.

Nodwch ar eich braslun gyfesurynnau pegynlinol y pwyntiau lle mae'r gromlin yn cyfarfod yr hanner-llinellau $\theta = 0$, $\theta = \pi$, $\theta = \frac{\pi}{2}$ a $\theta = \frac{3\pi}{2}$.

b) Darganfyddwch arwynebedd y rhanbarth a amgaeir gan y gromlin hon, gan roi eich ateb yn nhermau π ac a. **(EDEXCEL)**

9 Mae'r diagram yn dangos braslun o'r ddolen sydd â hafaliad pegynlinol

$$r = 2(1 - \sin\theta)\sqrt{(\cos\theta)} \qquad -\frac{1}{2}\pi \leqslant \theta \leqslant \frac{1}{2}\pi$$

O yw'r pegwn.

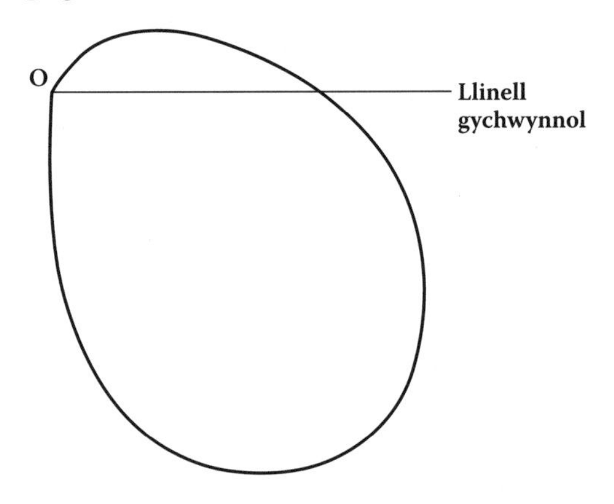

a) Dangoswch mai $\frac{16}{3}$ yw'r arwynebedd a amgaeir gan y ddolen.

b) Dangoswch fod y llinell gychwynnol yn rhannu'r arwynebedd a amgaeir gan y ddolen mewn cymhareb 1 : 7. **(NEAB)**

Hafaliadau tangiadau i gromlin

Dangosir yn y ffigur ar y dde y tangiadau i $r = a \cos 3\theta$, sy'n **berpendicwlar** i'r llinell gychwynnol, ar y dde.

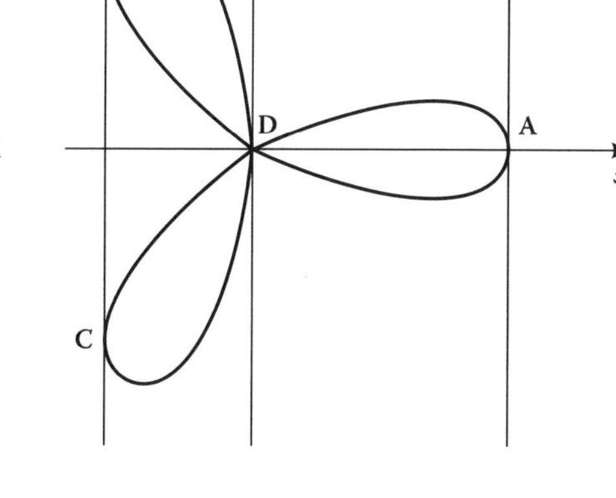

Mae'r rhain yn y pwynt A, lle mae x yn facsimwm, B ac C lle mae x yn finimwm, a D, lle mae gan x bwynt ffurfdro.

Nodwn fod $x = r \cos \theta$. Felly, i ddarganfod gwerthoedd macsimwm a minimwm x, rydym yn darganfod gwerthoedd macsimwm a minimwm $r \cos \theta$.

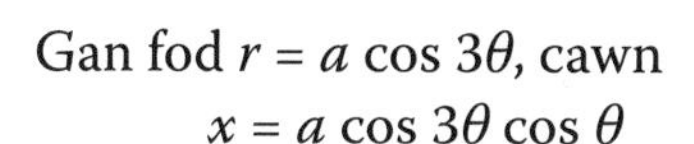

Gan fod $r = a \cos 3\theta$, cawn

$$x = a \cos 3\theta \cos \theta$$

sy'n rhoi

$$\frac{dx}{d\theta} = -3a \sin 3\theta \cos \theta - a \cos 3\theta \sin \theta$$

Mae'r gwerthoedd macsimwm a minimwm yn digwydd pan fo $\frac{dx}{d\theta} = 0$.

Hynny yw, pan fo $-3a \sin 3\theta \cos \theta - a \cos 3\theta \sin \theta = 0$

Gallwn symleiddio'r mynegiad hwn drwy ddefnyddio'r fformiwlâu ffactor:

$$\sin A \cos B = \frac{1}{2}[\sin(A + B) + \sin(A - B)]$$

a

$$\cos A \sin B = \frac{1}{2}[\sin(A + B) - \sin(A - B)]$$

sy'n rhoi $\frac{dx}{d\theta} = 0$ pan fo

$$\frac{3}{2}[\sin 4\theta + \sin 2\theta] + \frac{1}{2}[\sin 4\theta - \sin 2\theta] = 0$$

$$\Rightarrow \quad 2 \sin 4\theta + \sin 2\theta = 0$$

Wrth ddefnyddio'r fformiwla ongl-ddwbl, cawn

$$4 \sin 2\theta \cos 2\theta + \sin 2\theta = 0$$

$$\sin 2\theta (4 \cos 2\theta + 1) = 0$$

sy'n rhoi

$$\sin 2\theta = 0 \qquad \text{neu} \qquad \cos 2\theta = -\frac{1}{4}$$

$$\sin 2\theta = 0 \qquad \Rightarrow \qquad \theta = 0, \frac{\pi}{2}, \pi, \ldots$$

$$\cos 2\theta = -\frac{1}{4} \qquad \Rightarrow \qquad \theta = n\pi \pm 0.912$$

Mae'n rhaid i ni sicrhau bod y gromlin yn bodoli yn y pwyntiau hyn.
Er enghraifft, pan fo $\theta = 0.912$, mae $\cos 3\theta$ yn negatif, felly mae r yn negatif ac nid yw'r gromlin yn bodoli.

Felly, gwerthoedd θ yn y pwyntiau lle mae'r tangiad yn berpendicwlar i'r llinell gychwynnol yw

$\theta = 0$ yn A $\qquad \theta = \pi - 0.912$ yn B

$\theta = -\pi + 0.912$ yn C $\qquad \theta = \dfrac{\pi}{2}$ yn D

Felly, hafaliadau'r tangiadau sy'n **berpendicwlar** i'r llinell gychwynnol yw

$x = a$

$x = 0$

ac

$x = -0.9858a$ neu $a \cos \dfrac{3}{2}\left[\cos^{-1}\left(-\dfrac{1}{4}\right)\right]$

Isod, dangosir y tangiadau i $r = a \cos 3\theta$ sy'n **baralel** i'r llinell gychwynnol.
Mae'r rhain yn y pwyntiau P, Q, R ac S. I ddarganfod y pwyntiau hyn, rydym yn darganfod gwerthoedd macsimwm a minimwm $r \sin \theta$ mewn dull tebyg i'r un a welwyd uchod.

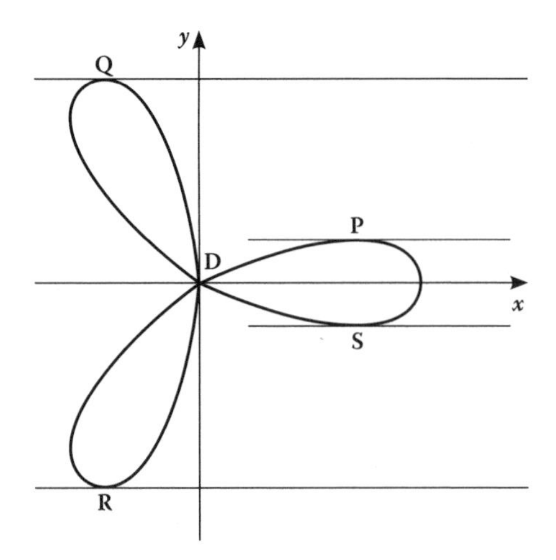

Ymarfer 3E

1 Darganfyddwch hafaliad pob tangiad i'r gromlin $r = a \cos 3\theta$ sy'n baralel i'r llinell gychwynnol.

2 Darganfyddwch hafaliad y tangiad i'r gromlin $r = e^{\theta}$ sy'n

a) baralel i'r llinell gychwynnol

b) berpendicwlar i'r llinell gychwynnol.

3 Rhowch y pwyntiau ar y gromlin $r = a \cos 2\theta$ mewn cyfesurynnau pegynlinol lle mae'r tangiadau yn

a) baralel i'r llinell gychwynnol

b) berpendicwlar i'r llinell gychwynnol.

4 Mae'r diagram (ar ben tudalen 55) yn dangos sgwâr PQRS sydd â'i ochrau'n baralel i'r echelinau Ox ac Oy. Mae'r sgwâr yn amgylchu cromlin C sydd â'r hafaliad Cartesaidd $(x^2 + y^2)^{\frac{3}{2}} = xy$.

a) Dangoswch, yn nhermau cyfesurynnau pegynlinol (r, θ), mai hafaliad C yw

$$r = \frac{1}{2}\sin 2\theta.$$

b) Darganfyddwch yr arwynebedd a ffinnir gan C.

c) Cyfesurynnau pwynt newidiol ar C yw (x, y).

i) Dangoswch fod $x = \sin\theta - \sin^3\theta$.

ii) Dangoswch, fel mae θ yn newid, fod gwerth macsimwm x yn digwydd pan fo

$$\sin\theta = \frac{1}{\sqrt{3}}.$$

iii) Cyfrifwch arwynebedd y sgwâr PQRS. **(NEAB)**

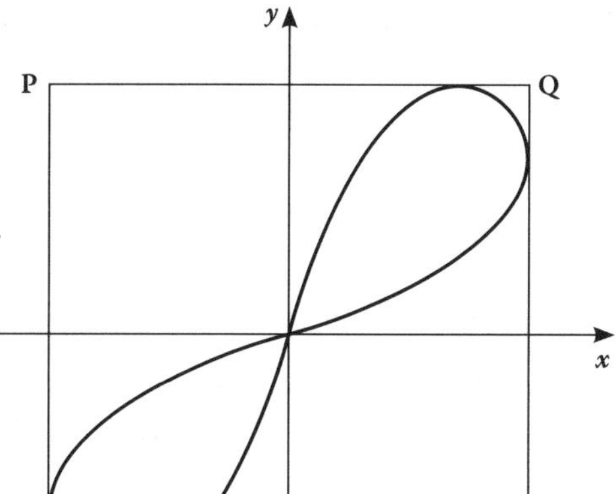

5 Mae'r diagram yn dangos braslun o'r gromlin C sydd â'r hafaliad pegynlinol

$$r = \sqrt{3} - \cos\theta \qquad (-\pi < \theta \leqslant \pi)$$

Mae'r llinell L yn cyffwrdd â'r gromlin yn A a B. Mynegwch gyfesuryn-x pwynt cyffredinol, P, ar C yn nhermau θ a darganfyddwch werthoedd θ pan fo gan y cyfesuryn hwn werth sefydlog.

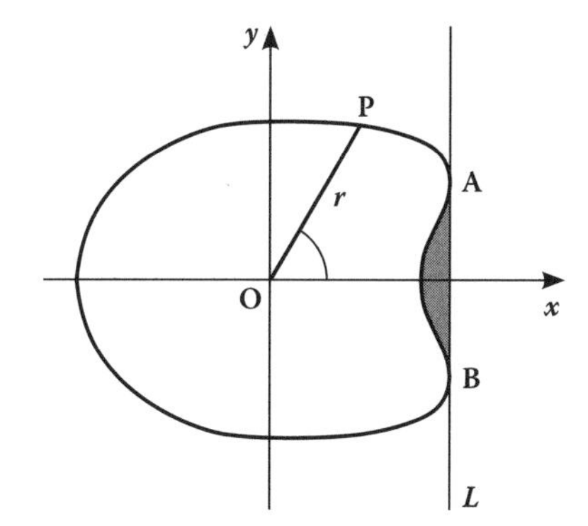

Diddwythwch fod $\theta = \frac{\pi}{6}$ yn A.

Dangoswch mai arwynebedd y rhanbarth a ffinnir gan C ac L, a welir wedi'i dywyllu yn y diagram, yw

$$\frac{17\sqrt{3}}{16} - \frac{7\pi}{12}$$ **(NEAB)**

6 **a)** Brasluniwch y gromlin sydd â'r hafaliad pegynlinol

$$r = \cos 2\theta \qquad -\frac{\pi}{4} \leqslant \theta \leqslant \frac{\pi}{4}$$

Yn y ddau bwynt gwahanol A a B ar y gromlin hon, mae'r tangiadau i'r gromlin yn baralel i'r llinell gychwynnol, $\theta = 0$.

b) Darganfyddwch gyfesurynnau pegynlinol A a B, gan roi eich atebion i dri ffigur ystyrlon. **(EDEXCEL)**

7 Mae'r diagram ar y dde yn dangos braslun o'r cylch sydd â'r hafaliad pegynlinol $r = a$, a'r cardioid sydd â'r hafaliad pegynlinol $r = a(1 - \cos\theta)$, lle mae a yn gysonyn positif.

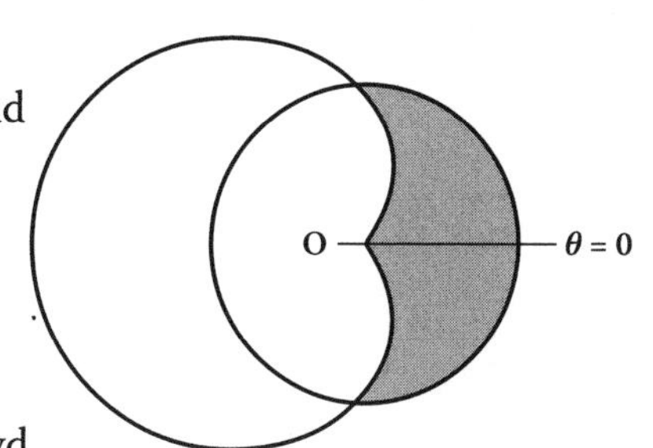

a) Dangoswch fod y cromliniau'n croestorri lle mae

$$\theta = \pm\frac{\pi}{2}.$$

b) Darganfyddwch arwynebedd y rhanbarth a dywyllwyd, gan roi eich ateb yn nhermau a a π. **(EDEXCEL)**

8 Mae gan y cromliniau C_1 ac C_2 hafaliadau pegynlinol

$$C_1: \quad r = 4\sin^2\theta \qquad 0 \leqslant \theta < 2\pi$$

$$C_2: \quad r = (2\sqrt{3})\sin 2\theta \qquad 0 \leqslant \theta < \frac{1}{2}\pi$$

a) Brasluniwch C_1 ac C_2 ar yr un diagram.

b) Darganfyddwch gyfesurynnau pegynlinol pob pwynt croestoriad C_1 ac C_2.

c) Darganfyddwch arwynebedd y rhanbarth R sydd y tu mewn i C_1, yn ogystal ag C_2, i ddau le degol. **(EDEXCEL)**

9 Mewn perthynas â'r tarddbwynt O fel pegwn a'r llinell gychwynnol $\theta = 0$, darganfyddwch hafaliad mewn ffurf cyfesurynnau pegynlinol ar gyfer

a) cylch, canol O a radiws 2

b) llinell sy'n berpendicwlar i'r llinell gychwynnol ac sy'n mynd drwy'r pwynt sydd â chyfesurynnau pegynlinol (3, 0)

c) llinell syth drwy'r pwyntiau sydd â chyfesurynnau pegynlinol (4, 0) a $\left(4, \frac{\pi}{3}\right)$. **(EDEXCEL)**

4 Hafaliadau differol

Change and decay in all around I see.
H.F. LYTE

Rydym eisoes wedi datrys hafaliadau differol trefn un lle gellir gwahanu'r newidynnau (gweler tudalennau 457–60 yn *Introducing Pure Mathematics.*)

Byddwn yn awr yn ystyried tri phrif fath arall o hafaliad differol.

Hafaliadau trefn un sydd angen ffactor integru

Dyma'r prif fath arall o hafaliad differol trefn un.

Mae hafaliadau o'r math yma yn y ffurf

$$\frac{\mathrm{d}y}{\mathrm{d}x} + Py = Q$$

lle mae P a Q yn ffwythiannau x.

Gellir datrys hafaliad o'r fath drwy luosi'r ddwy ochr â'r **ffactor integru** $\mathrm{e}^{\int P\mathrm{d}x}$ yn gyntaf.

Drwy luosi $\frac{\mathrm{d}y}{\mathrm{d}x} + Py = Q$ ag $\mathrm{e}^{\int P\mathrm{d}x}$, cawn

$$\mathrm{e}^{\int P\mathrm{d}x}\frac{\mathrm{d}y}{\mathrm{d}x} + P\mathrm{e}^{\int P\mathrm{d}x}y = Q\mathrm{e}^{\int P\mathrm{d}x}$$

Oherwydd mai differyn $y\mathrm{e}^{\int P\mathrm{d}x}$ yw'r ochr chwith, cawn felly

$$\frac{\mathrm{d}}{\mathrm{d}x}(y\mathrm{e}^{\int P\mathrm{d}x}) = Q\mathrm{e}^{\int P\mathrm{d}x}$$

sy'n rhoi

$$y\mathrm{e}^{\int P\mathrm{d}x} = \int Q\mathrm{e}^{\int P\mathrm{d}x}\,\mathrm{d}x$$

Yn aml iawn caiff yr ochr dde ei hintegru fesul rhan.

Enghraifft 1 Os yw $\frac{\mathrm{d}y}{\mathrm{d}x} + 3y = x$, darganfyddwch y.

DATRYSIAD

Y ffactor integru yw $\mathrm{e}^{\int 3\mathrm{d}x}$, sydd yn e^{3x}.

Drwy luosi'r ddwy ochr ag e^{3x}, cawn

$$\mathrm{e}^{3x}\frac{\mathrm{d}y}{\mathrm{d}x} + \mathrm{e}^{3x}\,3y = x\mathrm{e}^{3x}$$

$$\Rightarrow \quad \frac{d}{dx}(ye^{3x}) = xe^{3x}$$

Drwy integru fesul rhan, cawn

$$ye^{3x} = \int xe^{3x}\,dx$$

$$= \frac{1}{3}e^{3x} \times x - \int \frac{1}{3}e^{3x}\,dx$$

sy'n rhoi

$$ye^{3x} = \frac{1}{3}xe^{3x} - \frac{1}{9}e^{3x} + c$$

Drwy luosi'r ddwy ochr ag e^{-3x}, **gan gynnwys** lluosi c, cawn

$$y = \frac{1}{3}x - \frac{1}{9} + ce^{-3x}$$

Noder Mae'r term cyson, c, yn awr yn ffwythiant o x.

Enghraifft 2 Datryswch yr hafaliad differol $x\dfrac{dy}{dx} - 2y = x^4$.

DATRYSIAD

Drwy rannu'r ddwy ochr ag x i gael y term cyntaf yn $\dfrac{dy}{dx}$, cawn

$$\frac{dy}{dx} - \frac{2y}{x} = x^3$$

Y ffactor integru yw

$$e^{\int -(2/x)dx} = e^{-2\ln x} = e^{\ln x^{-2}}.$$

Defnyddiwn y canlyniad $e^{\ln u} = u$, ac fe gawn $e^{\ln x^{-2}} = \dfrac{1}{x^2}$.

Rydym yn awr yn lluosi'r hafaliad differol â'r ffactor integru, $\dfrac{1}{x^2}$, i gael

$$\frac{1}{x^2}\frac{dy}{dx} - \frac{2}{x^3}y = x$$

a gallwn fynegi hwn fel

$$\frac{d}{dx}\left(\frac{1}{x^2}y\right) = x$$

$$\Rightarrow \quad \frac{1}{x^2}y = \int x\,dx$$

$$\Rightarrow \quad \frac{1}{x^2}y = \frac{x^2}{2} + c$$

Drwy luosi'r ddwy ochr ag x^2, cawn y **datrysiad cyffredinol**

$$y = \frac{1}{2}x^4 + cx^2$$

Noder I gael **datrysiad neilltuol**, mae'n rhaid i ni gael pwynt penodol sy'n gorwedd ar y gromlin. Drwy hynny, gallwn ddarganfod gwerth c. Gelwir y ffaith ychwanegol hon yn **amod ffin**. Mae Enghraifft 3 yn dangos sefyllfa o'r fath.

Enghraifft 3 Datryswch yr hafaliad differol $\frac{dy}{dx} + \frac{1}{x}y = x^2$, o wybod bod $y = 3$ pan fo $x = 2$.

DATRYSIAD

Y ffactor integru yw $e^{\int (1/x)dx} = e^{\ln x} = x$.

Drwy luosi'r hafaliad differol â'r ffactor integru, x, cawn

$$x\frac{dy}{dx} + y = x^3$$

a gallwn fynegi hyn fel

$$\frac{d}{dx}(xy) = x^3$$

$$\Rightarrow \quad xy = \frac{1}{4}x^4 + c$$

Pan fo $x = 2$, $y = 3$, mae hyn yn rhoi

$$6 = 4 + c \quad \Rightarrow \quad c = 2$$

Felly, y datrysiad yw

$$xy = \frac{1}{4}x^4 + 2 \quad \text{neu} \quad y = \frac{1}{4}x^3 + \frac{2}{x}$$

Ymarfer 4A

1 Symleiddiwch bob un o'r canlynol

a) $e^{\ln x^2}$ **b)** $e^{\frac{1}{2}\ln(x^2+1)}$ **c)** $e^{-3\ln x}$

d) $e^{\int \tan x\, dx}$ **e)** $e^{\int x/(x^2-1)\, dx}$ **f)** $e^{3x\ln 2}$

Ym mhob un o Gwestiynau **2** hyd **7**, darganfyddwch y datrysiad cyffredinol.

2 $\frac{dy}{dx} + 3y = x$ **3** $\frac{dy}{dx} - 5y = e^{2x}$ **4** $x\frac{dy}{dx} + y = x^2$

5 $x\frac{dy}{dx} - 2y = x^3$ **6** $\frac{dy}{dx} - \frac{4y}{x-1} = 5(x-1)^3$ **7** $\tan x\frac{dy}{dx} + y = e^{2x}\tan x$

8 Mae cromlin C yn y plân x-y yn mynd drwy'r pwynt $(1, 0)$. Yn unrhyw bwynt (x, y) ar C,

$$\frac{dy}{dx} + y = e^{-x}$$

a) Darganfyddwch ddatrysiad cyffredinol yr hafaliad differol hwn.

b) **i)** Drwy hynny, darganfyddwch hafaliad C gan roi eich ateb yn y ffurf $y = f(x)$.

ii) Ysgrifennwch hafaliad asymptot C. (NEAB)

9 Darganfyddwch ddatrysiad cyffredinol yr hafaliad differol

$$\frac{dy}{dx} - 3x^2y = xe^{x^3}$$

gan roi eich ateb yn y ffurf $y = f(x)$.
Darganfyddwch y datrysiad neilltuol hefyd fel bo $y = 1$ pan fo $x = 0$. (OCR)

10 Darganfyddwch ddatrysiad cyffredinol yr hafaliad differol

$$(\cos x)\frac{dy}{dx} + (\sin x)\,y = \cos^2 x$$

gan fynegi y yn nhermau x. (OCR)

11 Darganfyddwch ddatrysiad cyffredinol yr hafaliad differol

$$x\frac{dy}{dx} + 4y = x$$

gan fynegi y yn echblyg yn nhermau x yn eich ateb.
Darganfyddwch y datrysiad neilltuol hefyd fel bo $y = 1$ pan fo $x = 1$. (OCR)

12 Darganfyddwch ddatrysiad cyffredinol yr hafaliad differol canlynol yn y ffurf $y = f(x)$

$$\frac{dy}{dx} + \frac{4}{x}y = 6x - 5 \qquad x > 0$$ (EDEXCEL)

13 Mae car yn cychwyn o ddisymudedd ar hyd ffordd syth.
Ar ôl t eiliad, ei gyflymder yw v metr yr eiliad. Modelir y mudiant gan

$$\frac{dv}{dt} + \alpha v = e^{\beta t}$$

lle mae α a β yn gysonion positif.

i) Darganfyddwch v yn nhermau α, β a t.

ii) Dangoswch, cyhyd ag y bo'r model uchod yn gymwys, na fydd y car byth yn stopio. (OCR)

14 Mae'r berthynas rhwng y newidynnau v a t yn cael ei disgrifio gan yr hafaliad differol

$$\frac{dv}{dt} = 20 + \frac{1}{10}v\tan\left(\frac{1}{10}t\right)$$

O wybod bod $v = 1$ pan fo $t = 0$, darganfyddwch v pan fo $t = 2$. (OCR)

15 **i)** Darganfyddwch ddatrysiad cyffredinol yr hafaliad differol

$$\frac{dy}{dx} + y\tan x = \cos x$$

ii) Os yw $y = 2$ pan fo $x = 0$, darganfyddwch y datrysiad neilltuol. (NICCEA)

16 O wybod bod

$$\frac{dy}{dx} + (2x+1)y = 12x^3e^{-x^2-x}$$

a bod $y = 5$ pan fo $x = 0$, darganfyddwch y yn nhermau x. (OCR)

17 Mae'r nifer, N, o anifeiliaid o rywogaeth arbennig ar ôl t o flynyddoedd, yn cynyddu ar gyfradd λN y flwyddyn drwy enedigaethau, ond yn lleihau ar gyfradd μt y flwyddyn drwy farwolaethau, lle mae λ a μ yn gysonion positif.

O'u modelu fel newidynnau di-dor, mae N a t yn cael eu cysylltu gan yr hafaliad differol

$$\frac{dN}{dt} = \lambda N - \mu t$$

O wybod bod $N = N_0$ pan fo $t = 0$, darganfyddwch N yn nhermau t, λ, μ ac N_0. (OCR)

18 **i)** Darganfyddwch ddatrysiad cyffredinol yr hafaliad differol

$$\frac{dy}{dx} = k(x + y)$$

lle mae k yn gysonyn, gan roi eich ateb yn y ffurf $y = f(x)$.

ii) Mae'r graddiant yn unrhyw bwynt $P(x, y)$ ar gromlin mewn cyfranedd â swm cyfesurynnau P. Mae'r gromlin yn mynd drwy'r pwynt $(1, -2)$ a'i graddiant yn $(1, -2)$ yw -4.

a) Darganfyddwch hafaliad y gromlin.

b) Dangoswch fod y llinell $y = -x - \frac{1}{4}$ yn asymptot i'r gromlin. (OCR)

19 **i)** Dangoswch mai'r ffactor integru priodol ar gyfer

$$\frac{dy}{dx} + (2 \cot x)\, y = f(x)$$

yw $\sin^2 x$.

ii) Drwy hynny, darganfyddwch ddatrysiad cyffredinol yr hafaliad differol

$$\sin x \frac{dy}{dx} + 2y \cos x = \cos x.$$ (NICCEA)

20 Darganfyddwch ddatrysiad cyffredinol yr hafaliad differol

$$(4 + t^2)\frac{ds}{dt} = 1$$

O wybod bod $s = 0$ pan fo $t = 2$, mynegwch s yn nhermau t. (EDEXCEL)

21 **a)** Darganfyddwch ddatrysiad cyffredinol yr hafaliad differol

$$x\frac{dy}{dx} - y = x^2 e^{-x}$$

gan roi eich ateb yn y ffurf $y = f(x)$.

b) **i)** Gwiriwch fod graffiau pob datrysiad yr hafaliad differol yn mynd drwy'r tarddbwynt, O, a darganfyddwch y datrysiad neilltuol fel bod $\frac{dy}{dx} = -1$ yn O.

ii) Ar gyfer y datrysiad neilltuol hwn, nodwch werth terfannol y fel mae $x \to \infty$. (NEAB)

Hafaliadau differol trefn dau

Gelwir hafaliad yn **drefn dau** os yw'n cynnwys yr ail ddeilliad, $\frac{d^2y}{dx^2}$.

I ddechrau, ystyriwn hafaliadau yn y ffurf

$$a\frac{d^2y}{dx^2} + b\frac{dy}{dx} + cy = 0$$

lle mae a, b ac c yn gysonion.

I ddatrys yr hafaliad $a\dfrac{d^2y}{dx^2} + b\dfrac{dy}{dx} + cy = 0$, rydym yn gwneud yr amnewidiad $y = Ae^{nx}$. Felly, cawn

$$\frac{dy}{dx} = nAe^{nx} \quad \text{a} \quad \frac{d^2y}{dx^2} = n^2 Ae^{nx}$$

sy'n rhoi

$$an^2Ae^{nx} + bnAe^{nx} + cAe^{nx} = 0$$

Hynny yw

$$an^2 + bn + c = 0$$

Yr **hafaliad ategol** yw'r enw a roddir ar yr hafaliad hwn.

Mae datrysiad hafaliad differol trefn dau yn dibynnu ar y math o ddatrysiad sy'n bodloni ei hafaliad ategol. Mae tri math o ddatrysiad i hafaliad cwadratig:

1 Dau wreiddyn real a gwahanol
2 Dau wreiddyn real a hafal
3 Dau wreiddyn cymhlyg.

Datrysiad Math 1

Mae gan yr hafaliad ategol ddau **wreiddyn real, gwahanol,** n_1 ac n_2. Felly datrysiad

$$a\frac{d^2y}{dx^2} + b\frac{dy}{dx} + cy = 0 \quad \text{yw}$$

$$y = Ae^{n_1x} + Be^{n_2x}$$

lle mae A a B yn gysonion mympwyol.

I wirio mai hwn yw'r datrysiad llawn, mae'n rhaid cadarnhau bod y ddau amod canlynol yn cael eu bodloni:

- Mae'n rhaid cael dau gysonyn mympwyol oherwydd ei fod yn hafaliad differol trefn dau.
- Mae'r datrysiad yn bodloni'r hafaliad

$$a\frac{d^2y}{dx^2} + b\frac{dy}{dx} + cy = 0$$

Nodwn fod gan y datrysiad y ddau gysonyn mympwyol sydd eu hangen.

I brofi bod y datrysiad, $y = Ae^{n_1x} + Be^{n_2x}$, yn bodloni'r hafaliad differol, rydym yn ei amnewid, ynghyd â'i ddeilliadau, ar ochr chwith yr hafaliad

$$a\frac{d^2y}{dx^2} + b\frac{dy}{dx} + cy = 0$$

sy'n rhoi

$$\begin{aligned} a\frac{d^2y}{dx^2} + b\frac{dy}{dx} + cy &= a(n_1^2 Ae^{n_1x} + n_2^2 Be^{n_2x}) + b(n_1 Ae^{n_1x} + n_2 Be^{n_2x}) + c(Ae^{n_1x} + Be^{n_2x}) \\ &= Ae^{n_1x}(an_1^2 + bn_1 + c) + Be^{n_2x}(an_2^2 + bn_2 + c) \\ &= 0 \end{aligned}$$

gan fod n_1 ac n_2 yn wreiddiau'r hafaliad $an^2 + bn + c = 0$.

I ddarganfod gwerthoedd A a B, mae angen **dau amod ffin**. Mae'r rhain fel arfer naill ai yn

- werthoedd y ar gyfer dau werth gwahanol o x, neu'n
- werth y a gwerth $\frac{dy}{dx}$ ar gyfer un gwerth o x.

Enghraifft 4 Darganfyddwch y pan fo $2\frac{d^2y}{dx^2} - \frac{dy}{dx} - 3y = 0$,

o wybod bod $x = 0$ pan fo $y = 2$ a bod y yn feidraidd fel mae x yn tueddu at anfeidredd.

DATRYSIAD

Amnewidiwn $y = Ae^{nx}$ a'i ddeilliadau yn $2\frac{d^2y}{dx^2} - \frac{dy}{dx} - 3y = 0$ i gael

$$2n^2 - n - 3 = 0$$

$$\Rightarrow \quad (2n - 3)(n + 1) = 0$$

$$\Rightarrow \quad n = \frac{3}{2} \quad \text{a} \quad -1$$

Felly, cawn

$$y = Ae^{\frac{3}{2}x} + Be^{-x}$$

Pan fo $x = 0$, mae $y = 2$, sy'n rhoi

$$2 = A + B$$

Ac rydym yn gwybod bod y yn feidraidd fel mae x yn tueddu at anfeidredd.
Felly, mae $A = 0$ oherwydd nad yw terfyn $e^{\frac{3}{2}x}$ yn feidraidd fel mae x yn tueddu at anfeidredd.

Felly, mae $B = 2$, sy'n rhoi $y = 2e^{-x}$.

Datrysiad Math 2

Mae gan yr hafaliad ategol ddau wreiddyn **real, hafal**, n. Yn yr achos hwn, ni allwn ddefnyddio $y = Ae^{nx} + Be^{nx}$ yn unig fel a wnaethom gyda Math 1, oherwydd bod hwn yn symleiddio i $y = (A + B)e^{nx}$ neu $y = Ce^{nx}$, sydd ag **un** cysonyn mympwyol yn unig. Y datrysiad felly yw

$$y = (A + Bx)e^{nx}$$

I brofi mai hwn yw'r datrysiad, mae'n rhaid dangos ei fod yn bodloni'r hafaliad

$$a\frac{d^2y}{dx^2} + b\frac{dy}{dx} + cy = 0$$

Drwy ddifferu $y = (A + Bx)e^{nx}$ ddwywaith, cawn

$$\frac{dy}{dx} = Be^{nx} + ne^{nx}(A + Bx)$$

$$\frac{d^2y}{dx^2} = Bne^{nx} + n^2e^{nx}(A + Bx) + ne^{nx}B$$

$$= n^2(A + Bx)e^{nx} + 2nBe^{nx}$$

Drwy amnewid y rhain yn ochr chwith $a\dfrac{d^2y}{dx^2} + b\dfrac{dy}{dx} + cy = 0$, cawn

$$a\frac{d^2y}{dx^2} + b\frac{dy}{dx} + cy = a[n^2(A + Bx)e^{nx} + 2nBe^{nx}] + b[Be^{nx} + ne^{nx}(A + Bx)] + c(A + Bx)e^{nx}$$

$$= (A + Bx)e^{nx}(an^2 + bn + c) + (2na + b)Be^{nx}$$

Oherwydd bod n yn wreiddyn $an^2 + bn + c = 0$, mae'r term cyntaf yn sero.

Ystyriwn yn awr y fformiwla gwadratig $n = \dfrac{-b \pm \sqrt{b^2 - 4ac}}{2a}$.

Pan fo ei gwreiddiau'n hafal mae $b^2 - 4ac = 0$. Felly, cawn

$$n = -\frac{b}{2a} \quad \Rightarrow \quad 2na + b = 0$$

Felly, mae'r ail derm hefyd yn sero.

Felly, mae $a\dfrac{d^2y}{dx^2} + b\dfrac{dy}{dx} + cy$ yn hafal i sero, ac $y = (A + Bx)e^{nx}$ yw'r datrysiad angenrheidiol.

Enghraifft 5 Datryswch $\dfrac{d^2y}{dx^2} + 6\dfrac{dy}{dx} + 9y = 0$

DATRYSIAD

Drwy amnewid y = Ae^{nx} a'i ddeilliadau yn $\dfrac{d^2y}{dx^2} + 6\dfrac{dy}{dx} + 9y = 0$, cawn

$$n^2 + 6n + 9 = 0$$

$$\Rightarrow \quad (n + 3)(n + 3) = 0$$

$$\Rightarrow \quad n = -3$$

Felly, y datrysiad cyffredinol yw

$$y = (A + Bx)e^{-3x}$$

Datrysiad Math 3

Mae gan yr hafaliad ategol ddau **wreiddyn cymhlyg,** $n_1 \pm in_2$.

Felly, datrysiad $a\dfrac{d^2y}{dx^2} + b\dfrac{dy}{dx} + cy = 0$ yw

$$y = Ae^{(n_1 + in_2)x} + Be^{(n_1 - in_2)x}$$

$$= e^{n_1x}(Ae^{in_2x} + Be^{-in_2x})$$

$$= e^{n_1x}[A\cos n_2x + iA\sin n_2x + B\cos(-n_2x) + iB\sin(-n_2x)]$$

$$= e^{n_1x}(A\cos n_2x + iA\sin n_2x + B\cos n_2x - iB\sin n_2x)$$

$$= e^{n_1x}[(A + \mathrm{B})\cos n_2x + i(A - B)\sin n_2x]$$

Gan fod A a B yn gysonion mympwyol, gallwn gyfuno $(A + B)$ i roi cysonyn mympwyol C, a gallwn gyfuno $i(A - B)$ i roi cysonyn mympwyol D. Felly, cawn

$$y = e^{n_1x}(C\cos n_2x + D\sin n_2x)$$

Enghraifft 6 Datryswch $\frac{d^2y}{dx^2} - 2\frac{dy}{dx} + 3y = 0$, o wybod bod $y = 0$ a $\frac{dy}{dx} = 6$, pan fo $x = 0$.

DATRYSIAD

Drwy amnewid $y = Ae^{nx}$ a'i ddeilliadau yn $\frac{d^2y}{dx^2} - 2\frac{dy}{dx} + 3y = 0$, cawn

$$n^2 - 2n + 3 = 0$$

$$\Rightarrow \quad n = \frac{2 \pm \sqrt{4 - 12}}{2} = 1 \pm \sqrt{2}i$$

Felly, y datrysiad cyffredinol yw

$$y = e^x (C \cos \sqrt{2}x + D \sin \sqrt{2}x)$$

I ddarganfod C a D, defnyddiwn yr amodau ffin.

Pan fo $x = 0$, $y = 0$ sy'n rhoi

$$0 = C \cos 0 + D \sin 0 \quad \Rightarrow \quad C = 0$$

Felly, fe gawn

$$y = De^x \sin \sqrt{2}x$$

Oherwydd bod un amod ffin wedi ei roi yn nhermau $\frac{dy}{dx}$, fe ddifferwn yr uchod:

$$\frac{dy}{dx} = De^x \sin \sqrt{2}x + \sqrt{2}De^x \cos \sqrt{2}x$$

Pan fo $x = 0$, $\frac{dy}{dx} = 6$, sy'n rhoi

$$6 = D \sin 0 + \sqrt{2}D \cos 0$$

$$\Rightarrow \quad 6 = \sqrt{2}\,D \quad \Rightarrow \quad D = 3\sqrt{2}$$

Felly, y datrysiad yw $y = 3\sqrt{2}e^x \sin \sqrt{2}x$.

Nodiant gwahanol ar gyfer deilliadau

Weithiau, mae'n fwy cyfleus defnyddio y' neu f' i ddynodi $\frac{dy}{dx}$, ac y'' neu f'' i ddynodi $\frac{d^2y}{dx^2}$, lle mae $y = f(x)$.

Ymarfer 4B

Yng Nghwestiynau **1** i **12**, darganfyddwch ddatrysiad cyffredinol pob hafaliad differol.

1 $\frac{d^2y}{dx^2} - 6\frac{dy}{dx} - 8y = 0$

2 $\frac{d^2y}{dx^2} + 3\frac{dy}{dx} + 2y = 0$

3 $2\frac{d^2y}{dx^2} - \frac{dy}{dx} - 6y = 0$

4 $3\frac{d^2y}{dx^2} + 4\frac{dy}{dx} - 7y = 0$

5 $\frac{d^2x}{dt^2} - 7\frac{dx}{dt} - 8x = 0$

6 $\frac{d^2x}{dt^2} - 11\frac{dx}{dt} + 28x = 0$

7 $\frac{d^2y}{dx^2} + 4\frac{dy}{dx} + 4y = 0$

8 $\frac{d^2y}{dx^2} - 6\frac{dy}{dx} + 9y = 0$

9 $\frac{d^2y}{dx^2} + \frac{dy}{dx} + y = 0$

10 $\frac{d^2y}{dx^2} + 4\frac{dy}{dx} + 8y = 0$

11 $\frac{d^2x}{dt^2} - 6\frac{dx}{dt} + 7x = 0$

12 $\frac{d^2x}{dt^2} + 2\frac{dx}{dt} + 13x = 0$

Hafaliadau differol trefn dau o'r math $a\dfrac{d^2y}{dx^2} + b\dfrac{dy}{dx} + cy = f(x)$

A chymryd bod $y = g(x)$ yn ddatrysiad

$$a\frac{d^2y}{dx^2} + b\frac{dy}{dx} + cy = 0$$

a bod $y = h(x)$ yn ddatrysiad

$$a\frac{d^2y}{dx^2} + b\frac{dy}{dx} + cy = f(x)$$

yna cawn

$$y = h(x) + \lambda g(x)$$

yn **ddatrysiad cyffredinol**

$$a\frac{d^2y}{dx^2} + b\frac{dy}{dx} + cy = f(x)$$

Prawf

Amnewidiwn $y = h + \lambda g$ a'i ddeilliadau ar ochr chwith

$$a\frac{d^2y}{dx^2} + b\frac{dy}{dx} + c\,y = f(x)$$

ac fe gawn

$$\begin{aligned} ay'' + by' + cy &= a(h'' + \lambda g'') + b(h' + \lambda g') + c(h + \lambda g) \\ &= ah'' + bh' + ch + \lambda(ag'' + by' + cy) \\ &= f(x) \end{aligned}$$

oherwydd bod h yn ddatrysiad $ah'' + bh' + ch = f(x)$, a bod g yn ddatrysiad $ag'' + bg' + cg = 0$.

Felly,

$$y = h(x) + \lambda g(x)$$

yw datrysiad cyffredinol $ay'' + by' + cy = f(x)$

Y **ffwythiant cyflenwol (FfC)** yw'r enw a roddir ar $g(x)$,
a'r **integryn neilltuol (IN)** yw'r enw a roddir ar $h(x)$.

Ffurfir y datrysiad neilltuol drwy osod amodau ffin yn y datrysiad cyffredinol.

Mathau o integryn neilltol

Mae'r integryn neilltuol yn dibynnu ar y ffwythiant $f(x)$.

Ystyriwn dri math o ffwythiant $f(x)$:

- polynomaidd
- esbonyddol
- trigonometrig

◆ f(x) yn bolynomial gradd n

Yn yr achos hwn, bydd yr integryn neilltuol hefyd yn bolynomial gradd n.

Enghraifft 7 Drwy ddarganfod **a)** y ffwythiant cyflenwol a **b)** yr integryn neilltuol, datryswch yr hafaliad

$$\frac{d^2x}{dt^2} + 3\frac{dx}{dt} - 4x = 8$$

DATRYSIAD

a) Ar gyfer y ffwythiant cyflenwol, defnyddiwn

$$\frac{d^2x}{dt^2} + 3\frac{dx}{dt} - 4x = 0$$

Drwy amnewid $x = Ae^{nt}$ a'i ddeilliadau yn yr hafaliad uchod, cawn

$$n^2 + 3n - 4 = 0$$

$$\Rightarrow \quad (n + 4)(n - 1) = 0$$

$$\Rightarrow \quad n = 1 \quad \text{neu} \quad -4$$

Felly'r FfC yw $x = Ae^t + Be^{-4t}$.

b) Ar gyfer yr integryn neilltuol, mae f(x) yn bolynomial gradd 0.
Felly, nid oes rhaid ystyried ond $x = c$ yn unig ar gyfer yr integryn neilltuol.

Drwy amnewid $x = c$ yn $\frac{d^2x}{dt^2} + 3\frac{dx}{dt} - 4x = 8$, cawn

$$-4c = 8 \quad \Rightarrow \quad c = -2$$

Felly'r IN yw $x = -2$.

Felly'r datrysiad cyffredinol yw $x = Ae^t + Be^{-4t} - 2$.

Enghraifft 8 Darganfyddwch ddatrysiad $\frac{d^2y}{dx^2} + 3\frac{dy}{dx} - 4y = 2 + 8x^2$,

o wybod, pan fo $x = 0$, bod $y = 0$ a $\frac{dy}{dx} = 1$.

DATRYSIAD

I ddarganfod y FfC, defnyddiwn

$$\frac{d^2y}{dx^2} + 3\frac{dy}{dx} - 4y = 0$$

Drwy amnewid $y = Ae^{nx}$ a'i ddeilliadau yn yr hafaliad uchod, cawn

$$n^2 + 3n - 4 = 0$$

$$\Rightarrow \quad (n + 4)(n - 1) = 0$$

$$\Rightarrow \quad n = 1 \quad \text{neu} \quad -4$$

Felly'r FfC yw $y = Ae^x + Be^{-4x}$.

I ddarganfod yr IN, amnewidiwn $y = a + bx + cx^2$ a'i ddeilliadau yn

$$\frac{d^2y}{dx^2} + 3\frac{dy}{dx} - 4y = 3 + 8x^2$$

sy'n rhoi

$$2c + 3(b + 2cx) - 4(a + bx + cx^2) = 3 + 8x^2$$

Hafalu cyfernodau x^2: $\quad -4c = 8 \quad \Rightarrow \quad c = -2$

Hafalu cyfernodau x: $\quad 6c - 4b = 0 \quad \Rightarrow \quad b = -3$

Drwy roi $x = 0$ yn yr hafaliad uchod, cawn

$$2c + 3b - 4a = 3$$

$$\Rightarrow \quad a = -4$$

Felly'r IN yw $y = -4 - 3x - 2x^2$.

Felly'r datrysiad cyffredinol yw

$$y = Ae^x + Be^{-4x} - 4 - 3x - 2x^2.$$

Mae'n rhaid i ni'n awr ddod o hyd i werthoedd A a B.

Pan fo $x = 0$, mae $y = 0$, sy'n rhoi

$$0 = A + B - 4$$

$$\Rightarrow \quad A + B = 4 \qquad [1]$$

Drwy ddifferu $y = Ae^x + Be^{-4x} - 4 - 3x - 2x^2$, cawn

$$\frac{dy}{dx} = Ae^x - 4Be^{-4x} - 3 - 4x$$

Pan fo $x = 0$, mae $\frac{dy}{dx} = 1$, sy'n rhoi

$$1 = A - 4B - 3$$

$$\Rightarrow \quad A - 4B = 4 \qquad [2]$$

O [1] a [2], cawn fod $A = 4$ a $B = 0$.

Felly'r datrysiad cyffredinol yw $y = 4e^x - 4 - 3x - 2x^2$.

◆ f(x) yn ffwythiant esbonyddol

Cymerwn, fel enghraifft, yr hafaliad

$$\frac{d^2y}{dx^2} + 3\frac{dy}{dx} - 4y = 3e^{7x}$$

Yn yr achos hwn, $f(x) = 3e^{7x}$. Bydd yr IN o'r un ffurf: Ce^{7x}.

Felly, y FfC yw $y = Ae^x + Be^{-4x}$ (gweler Enghraifft 8).

I ddarganfod yr IN, amnewidiwn $y = Ce^{7x}$ a'i ddeilliadau yn

$$\frac{d^2y}{dx^2} + 3\frac{dy}{dx} - 4y = 3e^{7x}$$

sy'n rhoi

$$49Ce^{7x} + 21Ce^{7x} - 4Ce^{7x} = 3e^{7x}$$

$$\Rightarrow \quad 66C = 3 \quad \Rightarrow \quad C = \frac{1}{22}$$

Felly'r IN yw $y = \frac{1}{22}e^{7x}$.

Felly'r datrysiad cyffredinol yw $y = Ae^{x} + Be^{-4x} + \frac{e^{7x}}{22}$.

◆ f(x) yn ffwythiant trigonometrig yn y ffurf a sin nx

Cymerwn, er enghraifft, $f(x) = 4 \sin 2x$. Bydd yr IN yn y ffurf $C \sin 2x + D \cos 2x$.

Enghraifft 9 Datryswch $\frac{d^2y}{dx^2} + 3\frac{dy}{dx} - 4y = 4 \sin 2x$.

DATRYSIAD

Y FfC yw $y = Ae^{x} + Be^{-4x}$ (gweler Enghraifft 8).

Gofal Petaem yn ystyried $y = C \sin 2x$ yn unig fel yr IN,
oherwydd mai ond term sin $2x$ sydd ar yr ochr dde, byddem yn cael

$$\frac{dy}{dx} = 2C \cos 2x \quad \text{a} \quad \frac{d^2y}{dx^2} = -4C \sin 2x$$

Drwy amnewid y rhain yn $\frac{d^2y}{dx^2} + 3\frac{dy}{dx} - 4y = 4 \sin 2x$, byddem yn cael

$$-4C \sin 2x + 3 \times 2C \cos 2x - 4C \sin 2x = 4 \sin 2x$$

sydd ond yn cynnwys un term cos $2x$ $\left(\text{o } \frac{dy}{dx}\right)$.

Mae hyn yn golygu **na ellir datrys** yr hafaliad hwn.

Felly, **mae'n rhaid** i'r IN gynnwys termau sin $2x$ **a hefyd** cos $2x$. Hynny yw,

$$y = C \sin 2x + D \cos 2x$$

Drwy ddifferu hwn, cawn

$$y' = 2C \cos 2x - 2D \sin 2x$$

$$y'' = -4C \sin 2x - 4D \cos 2x$$

Drwy amnewid y' ac y'' yn $\frac{d^2y}{dx^2} + 3\frac{dy}{dx} - 4y = 4 \sin 2x$, cawn

$$-4C \sin 2x - 4D \cos 2x + 6C \cos 2x - 6D \sin 2x - 4C \sin 2x - 4D \cos 2x = 4 \sin 2x$$

Hafalu cyfernodau sin $2x$: $\quad -8C - 6D = 4$

$$\Rightarrow \quad -4C - 3D = 2 \qquad [1]$$

Hafalu cyfernodau cos $2x$: $\quad -8D + 6C = 0$

$$\Rightarrow \quad -4D + 3C = 0 \qquad [2]$$

Drwy ddatrys yr hafaliadau cydamserol [1] a [2], cawn

$$C = -\frac{8}{25} \quad \text{a} \quad D = -\frac{6}{25}$$

Felly, yr IN yw

$$y = -\frac{8}{25}\sin 2x - \frac{6}{25}\cos 2x$$

Felly, y datrysiad cyffredinol yw

$$y = Ae^{x} + Be^{-4x} - \frac{8}{25}\sin 2x - \frac{6}{25}\cos 2x$$

Enghraifft 10 Datryswch $\frac{d^2y}{dx^2} - \frac{dy}{dx} - 2y = 3e^{2x}$, o wybod bod $y = 0$ a $\frac{dy}{dx} = 11$ pan fo $x = 0$.

DATRYSIAD

I ddarganfod y FfC, defnyddiwn

$$\frac{d^2y}{dx^2} - \frac{dy}{dx} - 2y = 0$$

Drwy amnewid $y = Ae^{nx}$ a'i ddeilliadau yn yr hafaliad uchod, cawn

$$n^2 - n - 2 = 0$$

$$\Rightarrow \quad (n-2)(n+1) = 0$$

$$\Rightarrow \quad n = 2 \quad \text{neu} \quad -1$$

Felly'r FfC yw $y = Ae^{2x} + Be^{-x}$.

I ddarganfod yr IN, gadawn i $y = Cxe^{2x}$.

(**Noder** Defnyddir xe^{2x} yma oherwydd bod e^{2x} yn rhan o'r FfC yn barod.)

Wrth ddifferu $y = Cxe^{2x}$, cawn

$$\frac{dy}{dx} = Ce^{2x} + 2Cxe^{2x}$$

$$\frac{d^2y}{dx^2} = 2Ce^{2x} + 2Ce^{2x} + 4Cxe^{2x}$$

Amnewidiwn y rhain yn $\frac{d^2y}{dx^2} - \frac{dy}{dx} - 2y = 3e^{2x}$, i gael

$$4Ce^{2x} + 4Cxe^{2x} - Ce^{2x} - 2Cxe^{2x} - 2Cxe^{2x} = 3e^{2x}$$

(**Noder** Dylai'r termau x ganslo yn y fan hyn.)

$$3Ce^{2x} = 3e^{2x} \quad \Rightarrow \quad C = 1$$

Felly'r IN yw $y = xe^{2x}$.

Felly'r datrysiad cyffredinol yw $y = Ae^{2x} + Be^{-x} + xe^{2x}$.

Yn y fan hyn, ar ôl adio'r FfC a'r IN, rydym yn defnyddio'r amodau ffin:

$$y = 0 \text{ pan fo } x = 0 \quad \Rightarrow \quad 0 = A + B$$

$$\frac{dy}{dx} = 2Ae^{2x} - Be^{-x} + e^{2x} + 2xe^{2x}$$

$$\frac{dy}{dx} = 11 \text{ pan fo } x = 0 \quad \Rightarrow \quad 11 = 2A - B + 1 \quad \Rightarrow \quad 10 = 2A - B$$

Gan fod $0 = A + B$, cawn

$$A = \frac{10}{3} \quad \text{a} \quad B = -\frac{10}{3}$$

Y datrysiad, felly, yw

$$y = \left(\frac{10}{3} + x\right)e^{2x} - \frac{10}{3}e^{-x}$$

Enghraifft 11 Datryswch $y'' - 4y' + 4y = 3e^{2x}$.

DATRYSIAD

I ddarganfod y FfC, amnewidiwn $y = Ae^{nx}$ a'i ddeilliadau yn

$y'' - 4y' + 4y = 0$, sy'n rhoi

$$n^2 - 4n + 4 = 0$$

$$\Rightarrow \quad (n-2)(n-2) = 0$$

$$\Rightarrow \quad n = 2 \quad \text{(gwreiddyn sy'n ailadrodd)}$$

Felly, y FfC yw $y = (A + Bx)e^{2x}$.

I ddarganfod yr IN, mae'n rhaid i ni ddefnyddio term mewn x^2e^{2x}, oherwydd bod e^{2x} **ac** xe^{2x} yn ffurfio termau yn y FfC yn barod. Felly, gadewn i $y = Cx^2e^{2x}$, sy'n rhoi

$$y' = 2Cx^2e^{2x} + 2Cxe^{2x}$$

$$y'' = 4Cx^2e^{2x} + 4Cxe^{2x} + 2Ce^{2x} + 4Cxe^{2x}$$

$$= 4Cx^2e^{2x} + 8Cxe^{2x} + 2Ce^{2x}$$

Drwy amnewid y rhain yn $y'' - 4y' + 4y = 3e^{2x}$, cawn

$$4Cx^2e^{2x} + 8Cxe^{2x} + 2Ce^{2x} - 4(2Cx^2e^{2x} + 2Cxe^{2x}) + 4Cx^2e^{2x} = 3e^{2x}$$

(**Noder** Dylai'r termau x^2 ac x ganslo yn y fan hyn.)

$$2Ce^{2x} = 3e^{2x} \quad \Rightarrow \quad C = \tfrac{3}{2}$$

Felly'r IN yw $y = \frac{3}{2}x^2e^{2x}$.

Ac felly'r datrysiad cyffredinol yw $y = (A + Bx + \frac{3}{2}x^2)e^{2x}$.

Enghraifft 12 Datryswch $y'' + 16y = 2\cos 4x$.

DATRYSIAD

I ddarganfod y FfC, amnewidiwn $y = Ae^{nx}$ a'i ail ddeilliad yn $y'' + 16y = 0$, sy'n rhoi

$$n^2 + 16 = 0 \quad \Rightarrow \quad n = \pm 4\text{i}$$

Y FfC felly yw $y = A\cos 4x + B\sin 4x$.

Sylwch fod rhaid defnyddio termau yn y ffurf $x\cos 4x$ ac $x\sin 4x$ i gael yr IN, gan fod y FfC yn cynnwys y termau $\cos 4x$ a $\sin 4x$ yn barod. Felly, rhoddir yr IN gan

$$y = Cx\cos 4x + Dx\sin 4x$$

Felly, cawn

$$y' = C\cos 4x - 4Cx\sin 4x + D\sin 4x + 4Dx\cos 4x$$

$$y'' = -4C\sin 4x - 4C\sin 4x - 16Cx\cos 4x + 4D\cos 4x + 4D\cos 4x - 16D\sin 4x$$

Drwy amnewid yr uchod yn $y'' + 16y = 2\cos 4x$, cawn

$$-8C\sin 4x - 16Cx\cos 4x + 8D\cos 4x - 16Dx\sin 4x + 16Cx\cos 4x +$$

$$+ 16Dx\sin 4x = 2\cos 4x$$

Wrth symleiddio a hafalu'r termau sin a cos, a chofio y dylai'r termau x ganslo, rydym yn darganfod

$$C = 0 \quad \text{a} \quad D = \frac{1}{4}$$

Felly'r IN yw $y = \frac{1}{4}x\sin 4x$.

Ac felly, y datrysiad yw

$$y = A\sin 4x + \text{B}\cos 4x + \frac{x}{4}\sin 4x$$

Ymarfer 4C

Yng Nghwestiynau **1** hyd **12**, darganfyddwch ddatrysiad cyffredinol pob un o'r hafaliadau differol.

1 $\dfrac{d^2y}{dx^2} + 7\dfrac{dy}{dx} - 8y = 16x$

2 $\dfrac{d^2y}{dx^2} + 4\dfrac{dy}{dx} + 3y = 4e^{-2x}$

3 $2\dfrac{d^2y}{dx^2} - 3\dfrac{dy}{dx} - 5y = 10x^2 + 1$

4 $3\dfrac{d^2y}{dx^2} + 2\dfrac{dy}{dx} - y = 4\sin 5x$

5 $\dfrac{d^2x}{dt^2} - 4\dfrac{dx}{dt} - 5x = 3e^{3t}$

6 $\dfrac{d^2s}{dt^2} - 8\dfrac{ds}{dt} + 15s = 5\cos 2t$

7 $\dfrac{d^2y}{dx^2} + 5\dfrac{dy}{dx} + 4y = 2e^{-x}$

8 $\dfrac{d^2y}{dx^2} - 6\dfrac{dy}{dx} + 9y = 5e^{3x}$

9 $\dfrac{d^2y}{dx^2} - 2\dfrac{dy}{dx} + 3y = 22e^{4x}$

10 $\dfrac{d^2y}{dx^2} + 6\dfrac{dy}{dx} + 10y = 3e^{-4x}$

11 $\dfrac{d^2x}{dt^2} - 2\dfrac{dx}{dt} + x = 4e^t$

12 $\dfrac{d^2x}{dt^2} + 16x = 3\cos 4t$

13 Datryswch yr hafaliad differol

$$\frac{d^2x}{dt^2} - 2\frac{dx}{dt} + 5x = 0$$

os yw $x = -3$ a $\dfrac{dx}{dt} = 1$ pan fo $t = 0$. (NICCEA)

14 **a)** Darganfyddwch ddatrysiad cyffredinol yr hafaliad differol

$$\frac{d^2y}{dx^2} - 4y = 10e^{3x}$$

b) Drwy hynny darganfyddwch y datrysiad fel bod

$$y = -2 \text{ yn } x = 0, \text{ a } \frac{dy}{dx} = -6 \text{ yn } x = 0.$$ (EDEXCEL)

15 Darganfyddwch ddatrysiad cyffredinol yr hafaliad $\frac{d^2y}{dx^2} = e^{2x} + \cos \frac{1}{2}x$.

Nodwch pa wybodaeth ychwanegol fyddai ei hangen i ni allu cael datrysiad neilltuol. (NEAB/SMP 16-19)

16 **i)** Darganfyddwch ddatrysiad yr hafaliad differol

$$\frac{d^2y}{dx^2} + 4\frac{dy}{dx} + 13y = 0$$

fel bod $y = 4$ a $\frac{dy}{dx} = 1$ yn $x = 0$.

ii) O wybod bod

$$\cos x \frac{dy}{dx} + 2y \sin x = \cos^3 x + \sin x \qquad 0 < x < \tfrac{1}{2}\pi$$

a bod $y = 1$ yn $x = \frac{1}{3}\pi$, darganfyddwch werth y yn $x = \frac{1}{4}\pi$. (EDEXCEL)

17 Darganfyddwch ddatrysiad cyffredinol yr hafaliad differol $\frac{d^2y}{dx^2} - 4\frac{dy}{dx} + 5y = \sin 2x$. (EDEXCEL)

18 **i)** Datryswch yr hafaliad differol $\frac{d^2x}{dt^2} + 16x = 0$ i ddarganfod ei ddatrysiad cyffredinol.

ii) Os yw $x = 3$ a $\frac{dx}{dt} = -8$ pan fo $t = 0$,

dangoswch mai datrysiad neilltuol yr hafaliad differol uchod yw

$$x = 3\cos 4t - 2\sin 4t$$

iii) Drwy ysgrifennu'r datrysiad neilltuol fel $R\cos(4t + \alpha)$, darganfyddwch werth positif cyntaf t fel bod x yn facsimwm. (NICCEA)

19 Dewch o hyd i ddatrysiad yr hafaliad differol

$$20\frac{d^2x}{dt^2} + 4\frac{dx}{dt} + x = 2t + 11$$

o wybod, pan fo $t = 0$, fod $x = 3$ a $\frac{dx}{dt} = 2.8$.

Dangoswch fod $x \approx 2t + 3$ pan fo t yn fawr a phositif. (OCR)

20 Darganfyddwch ddatrysiad cyffredinol yr hafaliad differol

$$\frac{d^2x}{dt^2} + 5\frac{dx}{dt} + 4x = 15\cos 3t - 5\sin 3t$$ (OCR)

21 Darganfyddwch ddatrysiad cyffredinol yr hafaliad differol

$$\frac{d^2y}{dx^2} - 3\frac{dy}{dx} - 4y = 50\sin 2x$$

O wybod bod $y = 0$ pan fo $x = 0$ a bod y yn aros yn feidraidd wrth i $x \to \infty$, darganfyddwch y yn nhermau x. (OCR)

22 **i)** Darganfyddwch ddatrysiad cyffredinol yr hafaliad differol

$$\frac{d^2x}{dt^2} - 4\frac{dx}{dt} + 29x = -16\cos 2t + 50\sin 2t$$

ii) Os yw $x = 3$ a $\frac{dx}{dt} = 10$ pan fo $t = 0$, darganfyddwch y datrysiad neilltuol. (NICCEA)

23 **a)** Datryswch yr hafaliad $\frac{dy}{dx} = x + xy$. Nid oes angen i chi wneud y yn destun eich datrysiad.

b) Darganfyddwch y ffwythiant cyflenwol ac integral neilltuol ar gyfer yr hafaliad

$$\frac{dy}{dx} - 3y = 2x + e^{4x}$$

Drwy hynny, ysgrifennwch ddatrysiad cyffredinol yr hafaliad. (NEAB/SMP 16-19)

24 **a)** Darganfyddwch ddatrysiad cyffredinol yr hafaliad differol

$$\frac{d^2y}{dx^2} + 4\frac{dy}{dx} + 13y = 0$$

b) O wybod bod $y = a\cos 3x + b\sin 3x$ yn integryn neilltuol yr hafaliad differol

$$\frac{d^2y}{dx^2} + 4\frac{dy}{dx} + 13y = 6\cos 3x - 8\sin 3x$$

darganfyddwch werthoedd a a b.

c) Dangoswch fod gan yr integryn neilltuol hwn werthoedd macsimwm a minimwm $\frac{\sqrt{10}}{4}$ a $-\frac{\sqrt{10}}{4}$ yn ôl eu trefn.

d) Darganfyddwch ddatrysiad yr hafaliad differol

$$\frac{d^2y}{dx^2} + 4\frac{dy}{dx} + 13y = 6\cos 3x - 8\sin 3x$$

fel bod $y = 0$ a $\frac{dy}{dx} = 0$ yn $x = 0$. (EDEXCEL)

25 **a)** Darganfyddwch ddatrysiad cyffredinol yr hafaliad differol

$$2\frac{d^2y}{dx^2} - 7\frac{dy}{dx} - 4y = 8\sin x - 19\cos x$$

b) Drwy hynny, darganfyddwch y datrysiad fel bod $y=0$ yn $x=0$ a $\frac{dy}{dx} = 11$ yn $x = 0$. (EDEXCEL)

26 Gwerth y stoc a ddelir gan gwmni busnes mawr t blynedd ar ôl 1af Ionawr 1998 yw $(10 + x)$ miliwn doler. Gellir ystyried x yn newidyn di-dor, ac fe fodelir ei amrywiad gan yr hafaliad differol

$$4\frac{d^2x}{dt^2} + 8\frac{dx}{dt} + 5x = 2\cos t - 16\sin t$$

i) Darganfyddwch y datrysiad cyffredinol ar gyfer x yn nhermau t.

ii) O wybod bod $x = 1$ a $\frac{dx}{dt} = 3$ pan fo $t = 0$, darganfyddwch werth disgwyliedig y stoc a ddelir ar 1af Ionawr 2000 yn gywir i bedwar ffigur ystyrlon. (OCR)

27 Darganfyddwch werthoedd y cysonion p a q fel bod $y = px \sin 2x + qx \cos 2x$ yn integryn neilltuol yr hafaliad differol

$$\frac{d^2y}{dx^2} + 4y = \sin 2x$$

Darganfyddwch ddatrysiad cyffredinol yr hafaliad differol hwn.

Dangoswch, pan fo $x = n\pi$, lle mae n yn gyfanrif mawr positif, fod $y \approx -\frac{1}{4}n\pi$, beth bynnag fo'r amodau cychwynnol, a darganfyddwch frasamcan cyfatebol ar gyfer y pan fo $x = (n + \frac{1}{2})\pi$. (OCR)

28 O wybod bod $x = At^2e^{-t}$ yn bodloni'r hafaliad differol

$$\frac{d^2x}{dt^2} + 2\frac{dx}{dt} + x = e^{-t}$$

a) Darganfyddwch werth A.

b) Drwy hynny, darganfyddwch ddatrysiad yr hafaliad differol fel bod $x = 1$ a $\frac{dx}{dt} = 0$ yn $t = 0$.

c) Defnyddiwch eich datrysiad i brofi os yw $t \geqslant 0$ yna mae $x \leqslant 1$. (EDEXCEL)

Datrys hafaliadau differol drwy amnewid

Gallwn yn awr ddatrys y tri math canlynol o hafaliad differol:

- Trefn un lle gellir gwahanu'r newidynnau.
- Trefn un sydd angen ffactor integru.
- Trefn dau yn y ffurf $ay'' + by' + cy = f(x)$, lle mae a, b a c yn gysonion.

Gellir defnyddio amnewidiadau i wneud hafaliad differol, sy'n un o'r tri math hyn, yn haws ei drin.

Er enghraifft, i ddatrys

$$(m + 5kM) + t\frac{dm}{dt} = (m + 5kM)^3$$

gallem wneud yr amnewidiad $p = m + 5kM$, sy'n newid yr hafaliad yn

$$p + t\frac{dp}{dt} = p^3$$

Yn y ffurf hon, mae'r hafaliad yn edrych yn symlach ac mae'n haws ei ddatrys.

Gellir amnewid hefyd i droi ffurf anodd o hafaliad differol yn un o'r tri math uchod. (Mewn arholiad Safon Uwch, bydd y math hwn o amnewidiad yn cael ei roi fel arfer.)

Dau amnewidiad o'r fath a welwch yn aml yw $y = ux$ ac $x = e^u$, lle mae u yn ffwythiant o x. Dangosir enghreifftiau o'u defnydd yn Enghreifftiau 13 ac 14 yn ôl eu trefn.

Enghraifft 13 Datryswch $x^2 \dfrac{dy}{dx} = 4x^2 + xy + y^2$ o wybod, pan fo $x = 1$, fod $y = 2$.

DATRYSIAD

Sylwch mai 2 yw pŵer pob term yn yr hafaliad hwn, o drîn x ac y yr un fath.

Gelwir hafaliadau o'r fath yn **hafaliadau homogenaidd**, a'r amnewidiad arferol yw $y = ux$.

Drwy ddifferu $y = ux$ mewn perthynas ag x, cawn

$$\frac{dy}{dx} = \frac{du}{dx}x + u$$

Amnewidiwn am $\dfrac{dy}{dx}$ ac am y yn $x^2 \dfrac{dy}{dx} = 4x^2 + xy + y^2$ a chawn

$$x^2\left(x\frac{du}{dx} + u\right) = 4x^2 + ux^2 + u^2x^2$$

Wrth rannu ag x^2 ac ail-drefnu'r termau, cawn

$$x\frac{du}{dx} = 4 + u^2$$

$$\Rightarrow \quad \int \frac{du}{4 + u^2} = \int \frac{dx}{x}$$

sy'n rhoi (gweler tudalen 36)

$$\frac{1}{2}\tan^{-1}\left(\frac{u}{2}\right) = \ln x + c$$

$$\Rightarrow \quad \frac{1}{2}\tan^{-1}\left(\frac{y}{2x}\right) = \ln x + c$$

Nawr, pan fo $x = 1$ mae $y = 2$. Felly, $c = \dfrac{\pi}{8}$. Drwy hynny, cawn

$$\frac{1}{2}\tan^{-1}\left(\frac{y}{2x}\right) = \ln x + \frac{\pi}{8}$$

$$\Rightarrow \quad \frac{y}{2x} = \tan\left(\frac{\pi}{4} + 2\ln x\right)$$

$$\Rightarrow \quad y = 2x\tan\left(\frac{\pi}{4} + 2\ln x\right)$$

Enghraifft 14 Datryswch $x^2 \dfrac{d^2y}{dx^2} - 2x\dfrac{dy}{dx} - 10y = 0$

drwy ddefnyddio'r amnewidiad $x = e^u$.

DATRYSIAD

Mae'n rhaid newid $\dfrac{dy}{dx}$ am derm yn $\dfrac{dy}{du}$, a $\dfrac{d^2y}{dx^2}$ am derm yn $\dfrac{d^2y}{du^2}$.

Felly, yn gyntaf, rydym yn differu $x = e^u$ mewn perthynas ag u, sy'n rhoi $\dfrac{dx}{du} = e^u$.

Gan ddefnyddio $\frac{dy}{dx} = \frac{dy}{du}\frac{du}{dx}$, cawn

$$\frac{dy}{dx} = \frac{1}{e^u}\frac{dy}{du}$$

$$\Rightarrow \quad \frac{dy}{dx} = e^{-u}\frac{dy}{du}$$

Rydym yn awr yn differu'r hafaliad hwn mewn perthynas ag x gan nodi bod angen differu'r ochr dde fel lluoswm a chan ddefnyddio

$$\frac{d}{dx}\left(\frac{dy}{du}\right) = \frac{d}{du}\left(\frac{dy}{du}\right)\frac{du}{dx} = \frac{d^2y}{du^2}\frac{du}{dx}$$

Drwy hynny, cawn

$$\frac{d^2y}{dx^2} = -e^{-u}\frac{du}{dx}\frac{dy}{du} + e^{-u}\frac{d^2y}{du^2}\frac{du}{dx}$$

Gan fod $\frac{du}{dx} = e^{-u}$, cawn felly

$$\frac{d^2y}{dx^2} = -e^{-2u}\frac{dy}{du} + e^{-2u}\frac{d^2y}{du^2}$$

Drwy amnewid am $\frac{dy}{dx}$ a $\frac{d^2y}{dx^2}$ yn $x^2\frac{d^2y}{dx^2} - 2x\frac{dy}{dx} - 10y = 0$, cawn

$$e^{2u}\left(-e^{-2u}\frac{dy}{du} + e^{-2u}\frac{d^2y}{du^2}\right) - 2e^u e^{-u}\frac{dy}{du} - 10y = 0$$

$$\Rightarrow \quad \frac{d^2y}{du^2} - 3\frac{dy}{du} - 10y = 0$$

Rydym yn amnewid $y = Ae^{nu}$ a'i ddeilliadau yn yr hafaliad uchod, a chawn

$$n^2 - 3n - 10 = 0$$

$$\Rightarrow \quad n = 5 \quad \text{neu} \quad -2$$

Felly, y datrysiad cyffredinol yw

$$y = Ae^{5u} + Be^{-2u}$$

Gan ddefnyddio $x = e^u$, cawn

$$e^{5u} = (e^u)^5 = x^5 \quad \text{a} \quad e^{-2u} = (e^u)^{-2} = x^{-2}$$

sy'n rhoi

$$y = Ax^5 + \frac{B}{x^2}$$

Ymarfer 4D

1 Gan ddefnyddio'r amnewidiad $y = ux$, darganfyddwch ddatrysiad cyffredinol pob un o'r canlynol.

a) $\frac{dy}{dx} = \frac{x - 3y}{x}$

b) $xy\frac{dy}{dx} = x^2 + y^2$

c) $x^2y\frac{dy}{dx} = x^3 + x^2y - y^3$

d) $3x^3\frac{dy}{dx} = y^3 - x^2y$

2 Gan ddefnyddio'r amnewidiad $p = x + y$, darganfyddwch ddatrysiad cyffredinol

$$\frac{dy}{dx} = \frac{3x + 3y + 4}{x + y + 1}$$

3 Defnyddiwch yr amnewidiad $p = 2x + 3y$ i ddarganfod datrysiad cyffredinol

$$\frac{dy}{dx} = \frac{4x + 6y - 5}{2x + 3y + 1}$$

4 Drwy ddefnyddio'r amnewidiad $x = e^u$, darganfyddwch ddatrysiad cyffredinol

a) $x^2\frac{d^2y}{dx^2} + 2x\frac{dy}{dx} - 2y = 0$ **b)** $x^2\frac{d^2y}{dx^2} - 5x\frac{dy}{dx} - 6y = 0$

c) $x^2\frac{d^2y}{dx^2} - 3x\frac{dy}{dx} + 4y = 0$ **d)** $x^2\frac{d^2y}{dx^2} + 2x\frac{dy}{dx} + y = 0$

5 O wybod bod $x = t^{\frac{1}{2}}, x > 0, t > 0$, a bod y yn ffwythiant x, darganfyddwch $\frac{dy}{dx}$ yn nhermau $\frac{dy}{dt}$ a t.

Drwy gymryd bod $\frac{d^2y}{dx^2} = 4t\frac{d^2y}{dt^2} + 2\frac{dy}{dt}$, dangoswch fod yr amnewidiad $x = t^{\frac{1}{2}}$

yn trawsffurfio'r hafaliad differol

$$\frac{d^2y}{dx^2} + \left(6x - \frac{1}{x}\right)\frac{dy}{dx} - 16x^2y = 4x^2e^{2x^2} \qquad [1]$$

i'r hafaliad differol

$$\frac{d^2y}{dt^2} + 3\frac{dy}{dt} - 4y = e^{2t}$$

Drwy hynny, darganfyddwch ddatrysiad cyffredinol [1], gan roi y yn nhermau x. (EDEXCEL)

6 **a)** Darganfyddwch ddatrysiad cyffredinol yr hafaliad

$$\frac{dz}{dx} + z = e^x$$

b) Gwnewch yr amnewidiad $y = xz$ yn yr hafaliad

$$x\frac{dy}{dx} + (x - 1)y = x^2e^x$$

Drwy hynny, ysgrifennwch ddatrysiad yr hafaliad. (NEAB/SMP 16-19)

7 **a)** Dangoswch fod yr amnewidiad $v = xy$ yn trawsffurfio'r hafaliad differol

$$x\frac{d^2y}{dx^2} + 2(1 + 2x)\frac{dy}{dx} + 4(1 + x)y = 32e^{2x} \qquad x \neq 0$$

i'r hafaliad differol

$$\frac{d^2v}{dx^2} + 4\frac{dv}{dx} + 4v = 32e^{2x}$$

b) O wybod bod $v = ae^{2x}$, lle mae a yn gysonyn, yn integryn neilltuol yr hafaliad hwn a drawsffurfiwyd, darganfyddwch a.

c) Darganfyddwch ddatrysiad yr hafaliad differol

$$x\frac{\mathrm{d}^2y}{\mathrm{d}x^2} + 2(1 + 2x)\frac{\mathrm{d}y}{\mathrm{d}x} + 4(1 + x)y = 32\mathrm{e}^{2x}$$

fel bod $y = 2\mathrm{e}^2$ a $\frac{\mathrm{d}y}{\mathrm{d}x} = 0$ yn $x = 1$.

d) Penderfynwch a yw'r datrysiad hwn yn aros yn feidraidd wrth i $x \to \infty$. **(EDEXCEL)**

8 Mae'r newidynnau x ac y yn ffwythiannau t, ac yn bodloni'r hafaliadau differol

$$\frac{\mathrm{d}x}{\mathrm{d}t} + 2x = y \qquad (*)$$

$$\frac{\mathrm{d}y}{\mathrm{d}t} + x = 0$$

Drwy ddileu y, dangoswch fod

$$\frac{\mathrm{d}^2x}{\mathrm{d}t^2} + 2\frac{\mathrm{d}x}{\mathrm{d}t} + x = 0$$

Darganfyddwch ddatrysiad cyffredinol yr hafaliad differol hwn ar gyfer x a diddwythwch, drwy amnewid yn (*), y datrysiad cyffredinol ar gyfer y.

Drwy hynny, neu fel arall, darganfyddwch x ac y yn nhermau t, o wybod bod $x = 1$ ac $y = 0$ pan fo $t = 0$. **(NEAB)**

9 **a)** Darganfyddwch, yn y ffurf $y = \mathrm{f}(x)$, ddatrysiad cyffredinol yr hafaliad

$$(x^2 - 1)\frac{\mathrm{d}y}{\mathrm{d}x} + xy = 1 \qquad x > 1$$

b) **i)** O wybod bod $y = \frac{u}{x}$, dangoswch fod

$$\frac{\mathrm{d}^2y}{\mathrm{d}x^2} = \frac{1}{x}\frac{\mathrm{d}^2u}{\mathrm{d}x^2} - \frac{2}{x^2}\frac{\mathrm{d}u}{\mathrm{d}x} + \frac{2u}{x^3}$$

ii) Drwy hynny, darganfyddwch ddatrysiad cyffredinol yr hafaliad differol

$$\frac{\mathrm{d}^2y}{\mathrm{d}x^2} + \frac{2}{x}\frac{\mathrm{d}y}{\mathrm{d}x} + 25y = 0 \qquad x > 0$$ **(EDEXCEL)**

5 Determinannau

In algebra, to mention only one thing of many, Jacobi cast the theory of determinants into the simple form now familiar to every student.
E.T.BELL

Diffinio determinant 2 × 2 a determinant 3 × 3

Mae'r determinant 2 × 2 $\begin{vmatrix} a & b \\ c & d \end{vmatrix}$ yn cynrychioli'r mynegiad $ad - bc$.

Er enghraifft, cawn

$$\begin{vmatrix} 3 & 4 \\ 7 & 8 \end{vmatrix} = 3 \times 8 - 4 \times 7 = 24 - 28 = -4$$

Mae'r determinant 3 × 3 $\begin{vmatrix} a & b & c \\ d & e & f \\ g & h & i \end{vmatrix}$ yn cynrychioli'r mynegiad

$$a\begin{vmatrix} e & f \\ h & i \end{vmatrix} - b\begin{vmatrix} d & f \\ g & i \end{vmatrix} + c\begin{vmatrix} d & e \\ g & h \end{vmatrix}$$

sydd yn

$$a(ei - fh) - b(di - fg) + c(dh - eg)$$

Gwelwn fod modd darganfod determinant matrics 3 × 3 drwy ehangu'r matrics ar hyd ei res gyntaf. Rydym yn cymryd pob **elfen**, neu **gofnod**, yn ei thro yn y rhes gyntaf, yn cuddio ei cholofn a'r rhes gyntaf, ac yn darganfod determinant y matrics 2 × 2 sydd ar ôl. Rydym wedyn yn cyfuno'r tri chanlyniad. Sylwch ar yr arwydd minws ar gyfer y term b, sy'n berthnasol i'r ffaith fod b yn nifer **odrif** o leoedd o'r elfen gyntaf, a.

Noder Mae'n llawer haws dysgu'r dull i enrhifo determinant na chofio ei fformiwla.

Enghraifft 1 Enrhifwch $\begin{vmatrix} 3 & 7 & 8 \\ 4 & 2 & 5 \\ 1 & 9 & 15 \end{vmatrix}$

DATRYSIAD

$$\begin{vmatrix} 3 & 7 & 8 \\ 4 & 2 & 5 \\ 1 & 9 & 15 \end{vmatrix} = 3\begin{vmatrix} 2 & 5 \\ 9 & 15 \end{vmatrix} - 7\begin{vmatrix} 4 & 5 \\ 1 & 15 \end{vmatrix} + 8\begin{vmatrix} 4 & 2 \\ 1 & 9 \end{vmatrix}$$

$$= 3(30 - 45) - 7(60 - 5) + 8(36 - 2)$$

$$= -45 - 385 + 272$$

$$= -158$$

Mae determinannau, yn wahanol i fatricsau, **bob amser** yn cynnwys **arae sgwâr** o elfennau.

Dynodir determinant y matrics sgwâr **A** un ai gan |**A**| neu gan det **A**.

Oherwydd bod determinannau bob amser yn sgwâr, gellir defnyddio'r dull ehangu a ddisgrifiwyd yn barod ar gyfer determinant o unrhyw faint. Felly er mwyn enrhifo determinant matrics 4×4, rydym yn ei ehangu ar hyd ei res uchaf yn gyntaf i gael mynegiad sy'n cynnwys pedwar matrics 3×3, gan gofio **gosod yr arwyddion plws a minws bob yn ail**. Er enghraifft,

$$\begin{vmatrix} 1 & 3 & 4 & 2 \\ 5 & -1 & -3 & -4 \\ 2 & -3 & 4 & 7 \\ 1 & 8 & 5 & 6 \end{vmatrix} = 1\begin{vmatrix} -1 & -3 & -4 \\ -3 & 4 & 7 \\ 8 & 5 & 6 \end{vmatrix} - 3\begin{vmatrix} 5 & -3 & -4 \\ 2 & 4 & 7 \\ 1 & 5 & 6 \end{vmatrix} +$$

$$+ 4\begin{vmatrix} 5 & -1 & -4 \\ 2 & -3 & 7 \\ 1 & 8 & 6 \end{vmatrix} - 2\begin{vmatrix} 5 & -1 & -3 \\ 2 & -3 & 4 \\ 1 & 8 & 5 \end{vmatrix}$$

Rydym wedyn yn parhau fel o'r blaen i enrhifo pob matrics 3×3.

Rheolau ar gyfer trin determinannau

Newid determinant heb newid ei werth

Gallwn newid rhesi a cholofnau determinant mewn tair ffordd **heb newid ei werth**.
Rhoddir dwy ffordd isod.

Adio unrhyw res, neu golofn, at unrhyw res, neu golofn, arall

Os ydym yn adio'r elfennau cyfatebol mewn dwy res (neu ddwy golofn), nid yw gwerth y determinant yn newid. Er enghraifft, cawn

$$\begin{vmatrix} a & b & c \\ d & e & f \\ g & h & i \end{vmatrix} = \begin{vmatrix} a+b & b & c \\ d+e & e & f \\ g+h & h & i \end{vmatrix}$$

Mae'r rheol hefyd yn wir wrth **dynnu** elfennau cyfatebol mewn dwy res (neu ddwy golofn).
Felly, cawn

$$\begin{vmatrix} a & b & c \\ d & e & f \\ g & h & i \end{vmatrix} = \begin{vmatrix} a & b & c \\ d-g & e-h & f-i \\ g & h & i \end{vmatrix}$$

Enghraifft 2 Enrhifwch $\begin{vmatrix} 1 & 1 & 1 \\ 0 & -1 & -1 \\ 4 & 6 & 8 \end{vmatrix}$

DATRYSIAD

Y dull mwyaf effeithiol o enrhifo'r determinant hwn yw adio'r ail res at y rhes gyntaf.

Noder Os nad ydych yn gweld ar unwaith sut mae symleiddio determinant, mae'n well ehangu drwy ddefnyddio determinannau 2×2, yn hytrach na threulio amser yn rhoi cynnig ar wahanol ffyrdd posibl o symleiddio.

Felly, cawn

$$\begin{vmatrix} 1 & 1 & 1 \\ 0 & -1 & -1 \\ 4 & 6 & 8 \end{vmatrix} = \begin{vmatrix} 1+0 & 1-1 & 1-1 \\ 0 & -1 & -1 \\ 4 & 6 & 8 \end{vmatrix}$$

$$= \begin{vmatrix} 1 & 0 & 0 \\ 0 & -1 & -1 \\ 4 & 6 & 8 \end{vmatrix}$$

Drwy ehangu'r determinant symlach hwn, cawn

$$\begin{vmatrix} 1 & 0 & 0 \\ 0 & -1 & -1 \\ 4 & 6 & 8 \end{vmatrix} = 1 \times \begin{vmatrix} -1 & -1 \\ 6 & 8 \end{vmatrix} = 1 \times (-8 + 6) = -2$$

Adio lluosrif unrhyw res, neu golofn, at unrhyw res, neu golofn, arall

Os ydym yn adio'r un lluosrif o elfennau colofn (neu res) at yr elfennau cyfatebol mewn colofn (neu res) arall, nid yw gwerth y determinant yn newid. Er enghraifft, cawn

$$\begin{vmatrix} a & b & c \\ d & e & f \\ g & h & i \end{vmatrix} = \begin{vmatrix} a+5b & b & c \\ d+5e & e & f \\ g+5h & h & i \end{vmatrix}$$

Mae'r rheol hefyd yn wir ar gyfer lluosrifau negatif. Felly, cawn

$$\begin{vmatrix} a & b & c \\ d & e & f \\ g & h & i \end{vmatrix} = \begin{vmatrix} a & b & c \\ d-3a & e-3b & f-3c \\ g & h & i \end{vmatrix}$$

Enghraifft 3 Enrhifwch $\begin{vmatrix} 4 & 6 & 8 \\ 0 & 1 & 4 \\ 1 & 3 & 4 \end{vmatrix}$

DATRYSIAD

Y ffordd orau o symleiddio'r determinant hwn yw drwy dynnu 2 × y drydedd res o'r rhes gyntaf.

Eto, os nad ydych yn gweld hyn ar unwaith, mae'n well ehangu drwy ddefnyddio determinannau 2 × 2.

Felly, cawn

$$\begin{vmatrix} 4 & 6 & 8 \\ 0 & 1 & 4 \\ 1 & 3 & 4 \end{vmatrix} = \begin{vmatrix} 4-2 & 6-6 & 8-8 \\ 0 & 1 & 4 \\ 1 & 3 & 4 \end{vmatrix} = \begin{vmatrix} 2 & 0 & 0 \\ 0 & 1 & 4 \\ 1 & 3 & 4 \end{vmatrix}$$

Drwy ehangu'r determinant symlach hwn, cawn

$$\begin{vmatrix} 2 & 0 & 0 \\ 0 & 1 & 4 \\ 1 & 3 & 4 \end{vmatrix} = 2 \times \begin{vmatrix} 1 & 4 \\ 3 & 4 \end{vmatrix} = -16$$

Gellir cydgyfnewid dwy res neu ddwy golofn drwy newid arwydd y determinant

Er enghraifft, drwy gyfnewid colofnau 1 a 2 yn y determinannau ar yr ochr chwith, cawn

$$\begin{vmatrix} a & b & c \\ d & e & f \\ g & h & i \end{vmatrix} = -\begin{vmatrix} b & a & c \\ e & d & f \\ h & g & i \end{vmatrix}$$

a

$$\begin{vmatrix} 2 & 0 & 0 \\ 0 & 1 & 4 \\ 1 & 3 & 4 \end{vmatrix} = -\begin{vmatrix} 0 & 2 & 0 \\ 1 & 0 & 4 \\ 3 & 1 & 4 \end{vmatrix}$$

Pan fo unrhyw ddwy res neu ddwy golofn yn hafal, mae'r determinant yn sero

Dyweder, er enghraifft, fod yr elfennau cyfatebol yng ngholofnau 1 a 3 yn hafal, fel yn y determinant isod. Os ydym yn tynnu colofn 3 o golofn 1, bydd colofn 1 yn golofn o seroau. Felly, mae'n rhaid bod gwerth y determinant yn sero.

$$\begin{vmatrix} 4 & 1 & 4 \\ 2 & 3 & 2 \\ 3 & -5 & 3 \end{vmatrix} = \begin{vmatrix} 0 & 1 & 4 \\ 0 & 3 & 2 \\ 0 & -5 & 3 \end{vmatrix} = 0$$

Enghraifft 4 Enrhifwch $\begin{vmatrix} 2 & 0 & 0 & 7 & 0 \\ 0 & 1 & 4 & 6 & 4 \\ 1 & 3 & 4 & 3 & 4 \\ 14 & 2 & 3 & 3 & 3 \\ 2 & 0 & 2 & 12 & 2 \end{vmatrix}$

DATRYSIAD

Byddai enrhifo'r determinant hwn drwy ehangu fel arfer yn cymryd llawer o amser.
Ond, rydym yn sylwi bod colofnau 3 a 5 yn union yr un fath, felly gwerth y determinant yw 0.

Mae lluosi unrhyw res, neu golofn, â *k* yn lluosi gwerth y determinant â *k*

Os ydym yn lluosi pob elfen mewn rhes (neu golofn) â k, mae hyn yr un fath â lluosi gwerth y determinant â k. Er enghraifft, cawn

$$\begin{vmatrix} a & kb & c \\ d & ke & f \\ g & kh & i \end{vmatrix} = k\begin{vmatrix} a & b & c \\ d & e & f \\ g & h & i \end{vmatrix}$$

Os ydym yn lluosi **pob elfen** yn y determinant â k, cawn

$$\begin{vmatrix} ka & kb & kc \\ kd & ke & kf \\ kg & kh & ki \end{vmatrix}$$

Gallwn dynnu'r ffactor k allan o bob colofn. Felly, cawn

$$\begin{vmatrix} ka & kb & kc \\ kd & ke & kf \\ kg & kh & ki \end{vmatrix} = k^3 \begin{vmatrix} a & b & c \\ d & e & f \\ g & h & i \end{vmatrix}$$

Trawsddodyn determinant

Ffurfir **trawsddodyn** determinant drwy adlewyrchu'r determinant yn ei **groeslin arweiniol**. (Hon yw'r groeslin o'r gornel chwith uchaf i'r gornel dde isaf. Enw arall arni yw'r **brif groeslin.**)

Mae gwerth trawsddodyn determinant **yr un fath** â **gwerth gwreiddiol** y determinant.
Er enghraifft, cawn

$$\begin{vmatrix} a & b & c \\ d & e & f \\ g & h & i \end{vmatrix} = \begin{vmatrix} a & d & g \\ b & e & h \\ c & f & i \end{vmatrix}$$

Enghraifft 5 Enrhifwch $\begin{vmatrix} 2 & 8 & 9 \\ 0 & -1 & 3 \\ 0 & 4 & 1 \end{vmatrix}$

DATRYSIAD

I symleiddio'r gwaith cyfrifo, rydym yn newid y determinant am ei drawsddodyn:

$$\begin{vmatrix} 2 & 8 & 9 \\ 0 & -1 & 3 \\ 0 & 4 & 1 \end{vmatrix} = \begin{vmatrix} 2 & 0 & 0 \\ 8 & -1 & 4 \\ 9 & 3 & 1 \end{vmatrix}$$

sy'n rhoi

$$\begin{vmatrix} 2 & 0 & 0 \\ 8 & -1 & 4 \\ 9 & 3 & 1 \end{vmatrix} = 2\begin{vmatrix} -1 & 4 \\ 3 & 1 \end{vmatrix} = 2(-1 - 12) = -26$$

Ffactorio determinannau

Y ffordd symlaf i ddarganfod ffactorau determinant yw drwy ddefnyddio'r rheolau ar gyfer trin determinannau. Anaml, neu brin byth, y byddwn yn lluosi i ehangu'r determinant ac wedyn yn ffactorio'r canlyniad.

Yn Enghraifft 6, ceir y ffactorau drwy dynnu, yn eu tro, un golofn o golofn arall.
Yn Enghraifft 7, ceir ffactor drwy adio'r tair rhes gyda'i gilydd yn gyntaf.

Enghraifft 6 Ffactoriwch $\begin{vmatrix} a & b & c \\ a^2 & b^2 & c^2 \\ a^3 & b^3 & c^3 \end{vmatrix}$

DATRYSIAD

Yn gyntaf, rhoddwn y ffactorau a, b a c y tu allan, sy'n rhoi

$$\begin{vmatrix} a & b & c \\ a^2 & b^2 & c^2 \\ a^3 & b^3 & c^3 \end{vmatrix} = abc \begin{vmatrix} 1 & 1 & 1 \\ a & b & c \\ a^2 & b^2 & c^2 \end{vmatrix}$$

Yn ail, rydym yn tynnu colofn 1 o golofn 2, ac yn rhoi pedwerydd ffactor y tu allan:

$$abc \begin{vmatrix} 1 & 1 & 1 \\ a & b & c \\ a^2 & b^2 & c^2 \end{vmatrix} = abc \begin{vmatrix} 1 & 0 & 1 \\ a & b-a & c \\ a^2 & b^2-a^2 & c^2 \end{vmatrix}$$

$$=abc(b-a) \begin{vmatrix} 1 & 0 & 1 \\ a & 1 & c \\ a^2 & b+a & c^2 \end{vmatrix}$$

Wedyn, rydym yn tynnu colofn 1 o golofn 3, ac yn cwblhau'r ffactorio:

$$abc(b-a) \begin{vmatrix} 1 & 0 & 0 \\ a & 1 & c-a \\ a^2 & b+a & c^2-a^2 \end{vmatrix} = abc(b-a)(c-a) \begin{vmatrix} 1 & 0 & 0 \\ a & 1 & 1 \\ a^2 & b+a & c+a \end{vmatrix}$$

$$= abc(b-a)(c-a)[(c+a)-(b+a)]$$

$$= abc(b-a)(c-a)(c-b)$$

$$= abc(a-b)(b-c)(c-a)$$

Enghraifft 7

a) Ffactoriwch $\begin{vmatrix} a & b & c \\ b & c & a \\ c & a & b \end{vmatrix}$

b) Drwy hynny, darganfyddwch ffactorau $a^3 + b^3 + c^3 - 3abc$.

DATRYSIAD

a) Yn gyntaf, rydym yn adio rhesi 2 a 3 at res 1, sy'n rhoi

$$\begin{vmatrix} a & b & c \\ b & c & a \\ c & a & b \end{vmatrix} = \begin{vmatrix} a+b+c & a+b+c & a+b+c \\ b & c & a \\ c & a & b \end{vmatrix}$$

Yn ail, rydym yn rhoi'r ffactor $(a + b + c)$ y tu allan, sy'n rhoi

$$(a+b+c) \begin{vmatrix} 1 & 1 & 1 \\ b & c & a \\ c & a & b \end{vmatrix}$$

Yna, rydym yn tynnu colofn 1 o golofnau 2 a 3, a chwblhau'r ffactorio:

$$(a+b+c) \begin{vmatrix} 1 & 1 & 1 \\ b & c & a \\ c & a & b \end{vmatrix} = (a+b+c) \begin{vmatrix} 1 & 0 & 0 \\ b & c-b & a-b \\ c & a-c & b-c \end{vmatrix}$$

$$= (a+b+c)[(c-b)(b-c)-(a-b)(a-c)]$$

$$= (a+b+c)(bc+ac+ab-a^2-b^2-c^2)$$

b) Drwy ehangu'r determinant cawn

$$\begin{vmatrix} a & b & c \\ b & c & a \\ c & a & b \end{vmatrix} = a(cb - a^2) - b(b^2 - ac) + c(ab - c^2)$$

$$= 3abc - a^3 - b^3 - c^3$$

$$= -(a^3 + b^3 + c^3 - 3abc)$$

Felly, cawn

$$a^3 + b^3 + c^3 - 3abc = -\begin{vmatrix} a & b & c \\ b & c & a \\ c & a & b \end{vmatrix}$$

Hynny yw,

$$a^3 + b^3 + c^3 - 3abc = -(a + b + c)(bc + ca + ab - a^2 - b^2 - c^2)$$

$$= (a + b + c)(a^2 + b^2 + c^2 - bc - ca - ab)$$

Ymarfer 5A

1 Darganfyddwch werth pob un o'r determinannau hyn.

a) $\begin{vmatrix} 3 & 8 & 5 \\ 9 & 2 & -2 \\ 2 & 5 & 1 \end{vmatrix}$ **b)** $\begin{vmatrix} 3 & 3 & 3 \\ 1 & -4 & 1 \\ 6 & -7 & 5 \end{vmatrix}$ **c)** $\begin{vmatrix} 2 & 5 & 1 \\ 6 & 3 & 3 \\ 8 & -2 & 4 \end{vmatrix}$ **d)** $\begin{vmatrix} 4 & 3 & 1 \\ 1 & -5 & 2 \\ -5 & -1 & 9 \end{vmatrix}$

2 Ffactoriwch bob un o'r determinannau hyn.

a) $\begin{vmatrix} 1 & a & a^3 \\ 1 & b & b^3 \\ 1 & c & c^3 \end{vmatrix}$ **b)** $\begin{vmatrix} 3p & 3q & 3r \\ 2p & 2q & r \\ 5p & -3q & 2r \end{vmatrix}$ **c)** $\begin{vmatrix} 1 & a^2 & a^3 \\ 1 & b^2 & b^3 \\ 1 & c^2 & c^3 \end{vmatrix}$

d) $\begin{vmatrix} 0 & x - y & x^2 - y^2 \\ x - y & x & x^2 + 2xy + y^2 \\ y - x & y & 0 \end{vmatrix}$

3 Mynegwch y determinant

$$D = \begin{vmatrix} a^3 + a^2 & a & 1 \\ b^3 + b^2 & b & 1 \\ c^3 + c^2 & c & 1 \end{vmatrix}$$

fel lluoswm pedwar ffactor llinol.

O wybod nad yw unrhyw ddau o a, b ac c yn hafal a bod $D = 0$, darganfyddwch werth $a + b + c$. **(NEAB)**

4 Dangoswch fod gan

$$\det \begin{pmatrix} 2 & 2k & 1 \\ 1 & k - 1 & 1 \\ 2 & 1 & k + 1 \end{pmatrix}$$

yr un gwerth am bob gwerth o k. **(SQA/CSYS)**

Datrysiad tri hafaliad mewn tri anhysbysyn

Ystyriwch y tri hafaliad

$$a_1x + b_1y + c_1z + d_1 = 0$$

$$a_2x + b_2y + c_2z + d_2 = 0$$

$$a_3x + b_3y + c_3z + d_3 = 0$$

Gellir dangos drwy ddiddymiad algebraidd mai'r datrysiad cyffredinol yw

$$\frac{x}{\begin{vmatrix} b_1 & c_1 & d_1 \\ b_2 & c_2 & d_2 \\ b_3 & c_3 & d_3 \end{vmatrix}} = -\frac{y}{\begin{vmatrix} a_1 & c_1 & d_1 \\ a_2 & c_2 & d_2 \\ a_3 & c_3 & d_3 \end{vmatrix}} = \frac{z}{\begin{vmatrix} a_1 & b_1 & d_1 \\ a_2 & b_2 & d_2 \\ a_3 & b_3 & d_3 \end{vmatrix}} = -\frac{1}{\begin{vmatrix} a_1 & b_1 & c_1 \\ a_2 & b_2 & c_2 \\ a_3 & b_3 & c_3 \end{vmatrix}}$$

Nodwch y pum ffaith bwysig canlynol:

- Nid oes unrhyw un o gyfernodau x yn y determinant o dan x.
- Nid oes unrhyw un o gyfernodau y yn y determinant o dan y.
- Nid oes unrhyw un o gyfernodau z yn y determinant o dan z.
- Mae gan y ffracsiwn-y a'r ffracsiwn uned arwydd minws.
  (Mae'r arwydd minws yn ymddangos bob yn ail megis yn ehangiad determinant.)
- Os yw un o'r determinannau yn sero, mae'r anhysbysyn cyfatebol hefyd yn sero.
  Er enghraifft,

$$\text{os yw} \begin{vmatrix} b_1 & c_1 & d_1 \\ b_2 & c_2 & d_2 \\ b_3 & c_3 & d_3 \end{vmatrix} = 0, \text{ yna mae } x = 0$$

O'r hafaliadau uchod, cawn

$$x = -\frac{\begin{vmatrix} b_1 & c_1 & d_1 \\ b_2 & c_2 & d_2 \\ b_3 & c_3 & d_3 \end{vmatrix}}{\begin{vmatrix} a_1 & b_1 & c_1 \\ a_2 & b_2 & c_2 \\ a_3 & b_3 & c_3 \end{vmatrix}} \qquad y = \frac{\begin{vmatrix} a_1 & c_1 & d_1 \\ a_2 & c_2 & d_2 \\ a_3 & c_3 & d_3 \end{vmatrix}}{\begin{vmatrix} a_1 & b_1 & c_1 \\ a_2 & b_2 & c_2 \\ a_3 & b_3 & c_3 \end{vmatrix}} \qquad z = \frac{\begin{vmatrix} a_1 & b_1 & d_1 \\ a_2 & b_2 & d_2 \\ a_3 & b_3 & d_3 \end{vmatrix}}{\begin{vmatrix} a_1 & b_1 & c_1 \\ a_2 & b_2 & c_2 \\ a_3 & b_3 & c_3 \end{vmatrix}}$$

Felly, mae gan y tri hafaliad hyn **ddatrysiad unigryw oni bai bod** $\begin{vmatrix} a_1 & b_1 & c_1 \\ a_2 & b_2 & c_2 \\ a_3 & b_3 & c_3 \end{vmatrix} = 0$

Ar y llaw arall, **nid oes ganddynt ddatrysiad unigryw os yw** $\begin{vmatrix} a_1 & b_1 & c_1 \\ a_2 & b_2 & c_2 \\ a_3 & b_3 & c_3 \end{vmatrix} = 0$

Dehongliad geometrig tri hafaliad mewn tri anhysbysyn

Gellir ystyried pob un o'r hafaliadau $a_i x + b_i y + c_i z + d_i = 0$ ($i = 1, 2, 3$) yn hafaliad plân mewn gofod tri dimensiwn.

Gyda thri phlân, mae saith trefniant posibl.

- Mae'r tri phlân yn croestorri mewn un pwynt. Yn yr achos hwn, mae gan y tri hafaliad **ddatrysiad unigryw**.

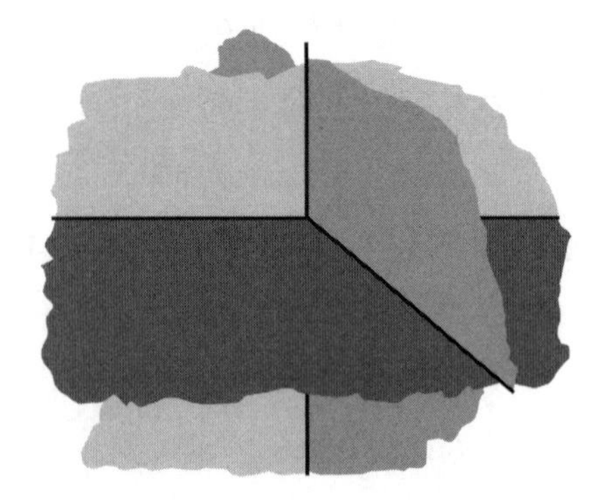

- Mae'r tri phlân yn ffurfio prism trionglaidd. Yn yr achos hwn, nid oes pwynt lle mae'r tri phlân yn croestorri. Oherwydd hyn dywedir bod yr hafaliadau'n **anghyson**, gan nad oes ganddynt ddatrysiadau.

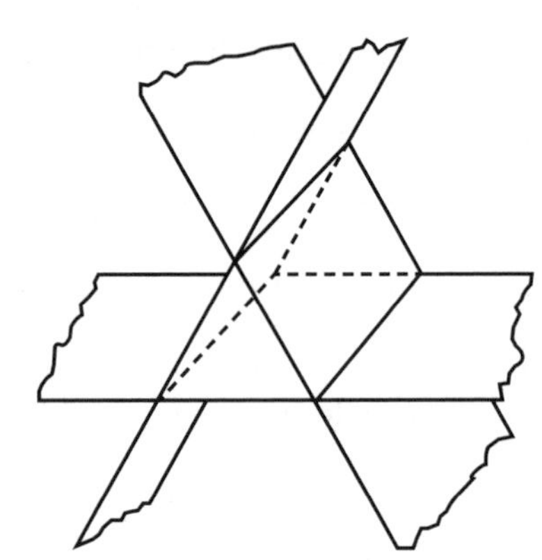

- Mae dau blân yn baralel ac ar wahân, a'r trydydd plân yn eu croestorri. Unwaith eto, nid oes pwynt lle mae'r tri phlân yn croestorri, ac oherwydd hyn mae'r hafaliadau'n anghyson yn yr achos hwn yn ogystal.

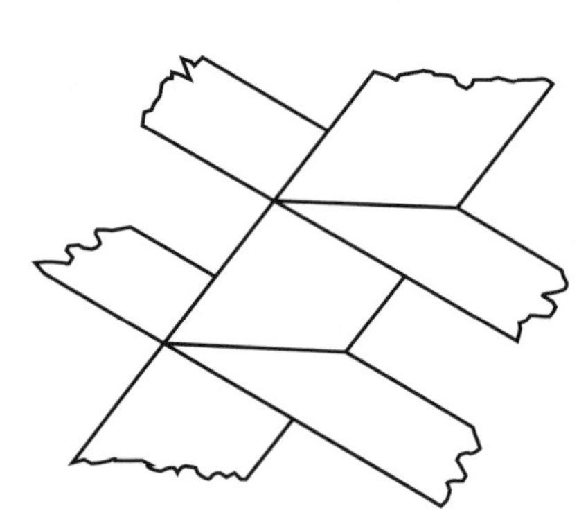

- Dyma ddau drefniant arall lle nad oes gan y planau bwynt cyffredin ac oherwydd hyn mae eu hafaliadau'n anghyson:
  - ◇ Mae'r tri phlân yn baralel ac ar wahân.
  - ◇ Mae dau blân yn gyd-drawol a'r trydydd yn baralel ond ar wahân.

Mae'r ddau drefniant sydd ar ôl yn cyfateb i'r tri hafaliad â nifer anfeidraidd o ddatrysiadau.

- Mae gan y tri phlân linell yn gyffredin, sy'n rhoi nifer anfeidraidd o bwyntiau (x, y, z) sy'n bodloni pob un o'r tri hafaliad. Yn yr achos hwn, dywedir bod yr hafaliadau'n **llinol ddibynnol**, a gelwir y trefniant yn **ysgub o blanau** neu **bensil o blanau**.
- Mae'r tri phlân yn gyd-drawol, sy'n rhoi nifer anfeidraidd o bwyntiau yn bodloni'r tri hafaliad.

Enghraifft 8 Sawl datrysiad sydd i'r tri hafaliad hyn?

$$4x - \lambda y + 6z = 2$$

$$2y + \lambda z = 1$$

$$x - 2y + 4z = 0$$

DATRYSIAD

Yn gyntaf, rydym yn darganfod y determinant

$$\begin{vmatrix} a_1 & b_1 & c_1 \\ a_2 & b_2 & c_2 \\ a_3 & b_3 & c_3 \end{vmatrix} = \begin{vmatrix} 4 & -\lambda & 6 \\ 0 & 2 & \lambda \\ 1 & -2 & 4 \end{vmatrix}$$

$$= 4\begin{vmatrix} 2 & \lambda \\ -2 & 4 \end{vmatrix} + \lambda\begin{vmatrix} 0 & \lambda \\ 1 & 4 \end{vmatrix} + 6\begin{vmatrix} 0 & 2 \\ 1 & -2 \end{vmatrix}$$

$$= 4(8 + 2\lambda) + \lambda(-\lambda) + 6(-2)$$

$$= -\lambda^2 + 8\lambda + 20$$

Felly, mae datrysiad unigryw oni bai bod

$$-\lambda^2 + 8\lambda + 20 = 0$$

$$\Rightarrow \quad \lambda^2 - 8\lambda - 20 = 0$$

$$\Rightarrow \quad (\lambda - 10)(\lambda + 2) = 0$$

Hynny yw, mae datrysiad unigryw oni bai bod $\lambda = 10$ neu $\lambda = -2$.

Os yw $\lambda = 10$, yr hafaliadau yw

$$4x - 10y + 6z = 2 \qquad [1]$$

$$2y + 10z = 1 \qquad [2]$$

$$x - 2y + 4z = 0 \qquad [3]$$

Defnyddiwn hafaliadau [1] a [3] yn awr i gael yr un mynegiad â'r hyn sydd ar ochr chwith hafaliad [2]. Drwy dynnu 4 × hafaliad [3] o hafaliad [1], cawn

$$-2y - 10z = 2$$

$$\Rightarrow \quad 2y + 10z = -2$$

Mae hyn yn croesddweud hafaliad [2], ac felly nid oes gan yr hafaliadau ddatrysiad. Hynny yw, mae'r tri hafaliad yn **anghyson**.

Os yw $\lambda = -2$, yr hafaliadau yw

$$4x + 2y + 6z = 2 \qquad [4]$$

$$2y - 2z = 1 \qquad [5]$$

$$x - 2y + 4z = 0 \qquad [6]$$

Drwy wneud fel ag o'r blaen, rydym yn tynnu hafaliad [4] o 4 × hafaliad [6], sy'n rhoi

$$-10y + 10z = -2$$

$$\Rightarrow \quad 2y - 2z = \frac{1}{5}$$

Mae hyn yn croesddweud hafaliad [5] ac felly nid oes gan yr hafaliadau ddatrysiad. Hynny yw, mae'r tri hafaliad yn **anghyson**.

Enghraifft 9 Datryswch yr hafaliadau

$$2x - 3y + 4z = 1 \qquad [1]$$

$$3x - y = 2 \qquad [2]$$

$$x + 2y - 4z = 1 \qquad [3]$$

DATRYSIAD

Yn gyntaf, rydym yn cyfrifo'r determinant $\begin{vmatrix} 2 & -3 & 4 \\ 3 & -1 & 0 \\ 1 & 2 & -4 \end{vmatrix}$ ac yn darganfod fod ei werth yn sero.

Felly, nid oes datrysiad unigryw i'r tri hafaliad, ac oherwydd hynny, ni allwn ddefnyddio'r fformiwla gyffredinol ar gyfer datrys tri hafaliad.

Wrth adio hafaliadau [1] a [3], cawn

$$3x - y = 2$$

sef hafaliad [2].

Gan fod un hafaliad yn gyfuniad o'r ddau arall, dywedir bod yr hafaliadau'n **llinol ddibynnol**.

Ni allwn ddarganfod datrysiad unigryw ar gyfer dau hafaliad mewn tri anhysbysyn.

I ddatrys yr hafaliadau hyn, gadewn i $x = t$. Felly, nid yw x bellach yn anhysbysyn. Drwy hyn, dau anhysbysyn yn unig sydd gennym yn y ddau hafaliad, ac felly fe allwn eu datrys.

Gan ddefnyddio hafaliad [2], cawn $y = 3t - 2$. Drwy amnewid hwn yn hafaliad [3], cawn

$$4z = t + 2(3t - 2) - 1$$

$$\Rightarrow \quad z = \frac{7t - 5}{4}$$

Felly'r datrysiad yw $\left(t, 3t - 2, \frac{7t - 5}{4}\right)$.

Mae pob gwerth o'r paramedr t yn rhoi pwynt gwahanol.
Gan mai ond un paramedr sydd yma, mae'r datrysiad hwn yn cynrychioli llinell.

Ymarfer 5B

1 Mynegwch y determinant

$$\begin{vmatrix} a & bc & b+c \\ b & ca & c+a \\ c & ab & a+b \end{vmatrix}$$

fel lluoswm pedwar ffactor llinol.

Drwy hynny, neu fel arall, darganfyddwch werthoedd a fel bod gan yr hafaliadau cydamserol

$$ax + 2y + 3z = 0$$
$$2x + ay + (1 + a)z = 0$$
$$x + 2ay + (2 + a)z = 0$$

ddatrysiad heblaw $x = y = z = 0$.
Datryswch yr hafaliadau pan fo $a = -3$. (NEAB)

2 Ystyriwch y system ganlynol o hafaliadau cydamserol

$$x - y + 2z = 6$$
$$2x + 3y - z = 7$$
$$x + 9y - 8z = -4$$

i) Drwy enrhifo determinant priodol, dangoswch nad oes gan y system hon ddatrysiad unigryw.

ii) Datryswch y system hon o hafaliadau cydamserol. (NICCEA)

3 Ystyriwch y system o hafaliadau cydamserol

$$3x + y - 2z = -4$$
$$x + 2y + 3z = 11$$
$$3x - 4y - 13z = -41$$

i) Datryswch y system hon o hafaliadau.

ii) Drwy hynny, dangoswch mewn braslun sut mae'r planau a diffinnir gan yr hafaliadau uchod wedi eu gosod fel bod y datrysiad yn y ffurf a welwyd yn rhan **i**. (NICCEA)

4 Dangoswch fod gan yr hafaliadau

$$x + \lambda y + z = 2a$$
$$x + y + \lambda z = 2b$$
$$\lambda x + y + \lambda z = 2c$$

lle mae a, b ac $c \in \mathbb{R}$, ddatrysiad unigryw ar gyfer x, y a z cyhyd ag y bo $\lambda \neq 1$ a $\lambda \neq -1$.

a) Yn yr achos pan fo $\lambda = 1$, mynegwch yr amod i'w fodloni gan a, b ac c er mwyn i'r hafaliadau fod yn gyson.

b) Yn yr achos pan fo $\lambda = -1$, dangoswch, er mwyn i'r hafaliadau fod yn gyson, fod

$$a + c = 0$$

Datryswch yr hafaliadau yn yr achos hwn.

Rhowch ddisgrifiad geometrig o drefniant y tri phlân a gynrychiolir gan yr hafaliadau yn yr achosion:

i) $\lambda = -1$ ac $a + c = 0$

ii) $\lambda = -1$ ac $a + c \neq 0$. (NEAB)

5 Darganfyddwch werthoedd k fel nad oes gan yr hafaliadau cydamserol

$$kx + 2y + z = 0$$
$$3x - 2z = 4$$
$$3x - 6ky - 4z = 14$$

ddatrysiad unigryw ar gyfer x, y a z.

Dangoswch fod yr hafaliadau'n anghyson pan fo $k = -2$,
a rhowch ddehongliad geometrig o'r sefyllfa yn yr achos hwn. (OCR)

6 Dangoswch os yw $a \neq 3$ yna fod gan y system o hafaliadau

$$x + 3y + 4z = -5$$
$$2x + 5y - z = 5a$$
$$3x + 8y + az = \mathrm{b}$$

ddatrysiad unigryw.

O wybod bod $a = 3$, darganfyddwch werth b fel bod yr hafaliadau'n gyson. (OCR)

7 O wybod bod

$$\mathbf{M} = \begin{pmatrix} 1 & 1 & -1 \\ 1 & 2 & -k \\ 1 & -k & -1 \end{pmatrix}$$

darganfyddwch det **M** yn nhermau k.

Darganfyddwch werthoedd k fel bod gan yr hafaliadau cydamserol

$$x + y - z = 1$$
$$x + 2y - kz = 0$$
$$x - ky - z = 1$$

ddatrysiad unigryw.

i) Datryswch yr hafaliadau hyn yn yr achos pan fo $k = 2$.

ii) Dangoswch nad oes gan yr hafaliadau ddatrysiad pan fo $k = 1$.

iii) Darganfyddwch y datrysiad cyffredinol pan fo $k = -1$.

Rhowch ddehongliad geometrig o'r hafaliadau ym mhob un o'r tri achos
$k = 2$, $k = 1$ a $k = -1$. (NEAB)

8 **a)** Mynegwch y determinant

$$D = \begin{vmatrix} 1 & 1 & 1 \\ a & b & c \\ a^3 & b^3 & c^3 \end{vmatrix}$$

fel lluoswm pedwar ffactor llinol.

b) Mae gan y pwyntiau A a B gyfesurynnau (1, 2, 8) a (1, 3, 27), yn ôl eu trefn.
Mae gan drydydd pwynt, C, sy'n wahanol i A a B, gyfesurynnau $(1, c, c^3)$.
O wybod bod y fectorau $\overrightarrow{OA}$, $\overrightarrow{OB}$ ac $\overrightarrow{OC}$ yn llinol ddibynnol,
darganfyddwch werth c. (NEAB)

9 **i)** Dangoswch fod gan y system hafaliadau

$$x + 4y + 12z = 5$$
$$x + ay + 6z = a - 0.5$$
$$3x + 12y + 4az = b - 3$$

ddatrysiad unigryw cyhyd â bod $a \neq 4$ ac $a \neq 9$.

ii) Darganfyddwch y datrysiad yn yr achos pan fo $a = 3$ a $b = 42$.

iii) Dangoswch, pan fo $a = 9$, nad oes gan yr hafaliadau ddatrysiad oni bai bod $b = 18$.

iv) Rhowch ddehongliad geometrig o'r system yn yr achos lle mae $a = 9$ a $b = 13$. (OCR)

10 O wybod bod

$$\mathbf{A} = \begin{pmatrix} 1 & -1 & 2 \\ 1 & p & -3 \\ 1 & -1 & q \end{pmatrix} \quad \text{a} \quad \mathbf{b} = \begin{pmatrix} 4 \\ -5 \\ 13 \end{pmatrix}$$

i) Darganfyddwch ddeterminant **A** yn nhermau p a q.

ii) Drwy hynny, dangoswch os yw $p \neq -1$ a $q \neq 2$,
yna mae gan y system hafaliadau a ddiffinnir gan $\mathbf{Ax} = \mathbf{b}$ ddatrysiad unigryw.

iii) Dangoswch os yw $p = -1$ yna nid oes gan y system ddatrysiad
oni bai bod gan q werth arbennig, q_1, y mae angen ei ddarganfod.

iv) Rhowch ddehongliad geometrig o'r system yn yr achos pan fo $p = -1$ a $q = q_1$. (OCR)

11 Dangoswch mai unig werth real λ fel bod gan yr hafaliadau cydamserol

$$(2 + \lambda)x - y + z = 0$$
$$x - 2\lambda y - z = 0$$
$$4x - y - (\lambda - 1)z = 0$$

ddatrysiad gwahanol i $x = y = z = 0$ yw -1.

Datryswch yr hafaliadau yn yr achos pan fo $\lambda = -1$,
a rhowch ddehongliad geometrig o'ch canlyniadau. (NEAB)

12 Ystyriwch y system hafaliadau yn x, y a z,

$$2x + 3y - z = p$$
$$x - 2z = -5$$
$$qx + 9y + 5z = 8$$

lle mae p a q yn real.

Darganfyddwch werthoedd p a q fel bod gan y system:

i) ddatrysiad unigryw

ii) nifer anfeidraidd o ddatrysiadau

iii) ddim datrysiad. (NICCEA)

6 Geometreg fectorau

The Great Bear is looking so geometrical.
One would think that something or other could be proved.
CHRISTOPHER FRY

Hafaliad fector llinell

Yn *Introducing Pure Mathematics* (tudalen 506), gwnaethom ddarganfod hafaliad fector llinell, AB.

O hyn, mae'n dilyn mai hafaliad cyffredinol llinell drwy'r pwynt A ac yng nghyfeiriad **b** yw

$$\mathbf{r} = \mathbf{a} + t\mathbf{b}$$

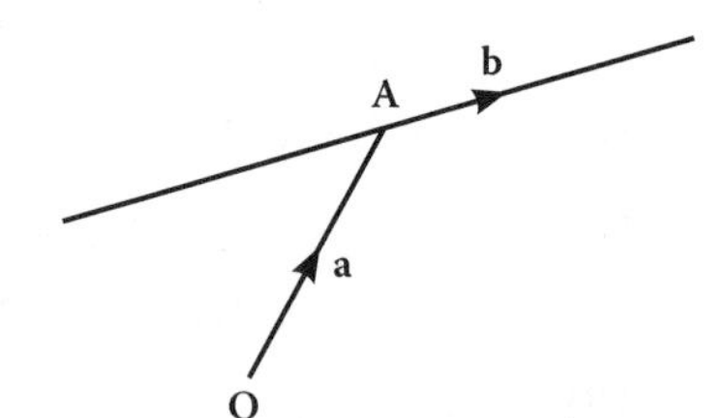

lle mae **a** yn fector safle A, ac mae pob gwerth o'r paramedr t yn cyfateb i bwynt ar y llinell.

Enghraifft 1

a) Darganfyddwch hafaliad y llinell drwy'r pwynt (2, 4, 5) yn y cyfeiriad $-2\mathbf{i} + 3\mathbf{j} + 8\mathbf{k}$.

b) Darganfyddwch p a q fel bod y pwynt $(p, 10, q)$ yn gorwedd ar y llinell hon.

DATRYSIAD

a) Hafaliad y llinell yw $\mathbf{r} = \begin{pmatrix} 2 \\ 4 \\ 5 \end{pmatrix} + t\begin{pmatrix} -2 \\ 3 \\ 8 \end{pmatrix}$

b) Os yw'r pwynt $(p, 10, q)$ yn gorwedd ar y llinell, yna am ryw t cawn

$$\begin{pmatrix} 2 \\ 4 \\ 5 \end{pmatrix} + t\begin{pmatrix} -2 \\ 3 \\ 8 \end{pmatrix} = \begin{pmatrix} p \\ 10 \\ q \end{pmatrix}$$

Drwy ystyried y cyfesurynnau hyn, cawn

Ar gyfer **i**: $2 - 2t = p$ [1]

Ar gyfer **j**: $4 + 3t = 10$ [2]

Ar gyfer **k**: $5 + 8t = q$ [3]

O [2], cawn $t = 2$.

Drwy amnewid $t = 2$ yn [1] a [3], cawn

$$p = -2 \quad \text{a} \quad q = 21$$

Hafaliad Cartesaidd llinell

I ddarganfod hafaliad Cartesaidd tri dimensiwn llinell sy'n mynd drwy'r pwynt (x_1, y_1, z_1)

yn y cyfeiriad $\begin{pmatrix} l \\ m \\ n \end{pmatrix}$, defnyddiwn yr hafaliad fector

$$\mathbf{r} = \mathbf{a} + t\mathbf{b}$$

Drwy hynny, cawn hafaliad fector y llinell hon yn

$$\mathbf{r} = \begin{pmatrix} x_1 \\ y_1 \\ z_1 \end{pmatrix} + t\begin{pmatrix} l \\ m \\ n \end{pmatrix}$$

Boed i'r fector cyffredinol **r** fod yn $\begin{pmatrix} x \\ y \\ z \end{pmatrix}$, sy'n rhoi

$$\begin{pmatrix} x \\ y \\ z \end{pmatrix} = \begin{pmatrix} x_1 \\ y_1 \\ z_1 \end{pmatrix} + t\begin{pmatrix} l \\ m \\ n \end{pmatrix}$$

Gan ddefnyddio'r cydrannau **i**, **j** a **k**, cawn

$$x = x_1 + tl$$

$$y = y_1 + tm$$

$$z = z_1 + tn$$

Wrth ddarganfod t ym mhob un o'r hafaliadau hyn, cawn

$$t = \frac{x - x_1}{l} = \frac{y - y_1}{m} = \frac{z - z_1}{n}$$

Felly, hafaliad Cartesaidd tri dimensiwn llinell syth sy'n mynd drwy'r pwynt (x_1, y_1, z_1)

yn y cyfeiriad $\begin{pmatrix} l \\ m \\ n \end{pmatrix}$ yw

$$\frac{x - x_1}{l} = \frac{y - y_1}{m} = \frac{z - z_1}{n}$$

Enghraifft 2 Darganfyddwch hafaliad Cartesaidd y llinell PQ, lle mae P yn (2, 1, 7) a Q yn (3, 8, 4).

DATRYSIAD

Gadewch i **p** a **q** fod yn fectorau safle P a Q yn ôl eu trefn. Yna, cyfeiriad y llinell PQ yw

$$\overrightarrow{PQ} = \mathbf{q} - \mathbf{p} = \begin{pmatrix} 3 \\ 8 \\ 4 \end{pmatrix} - \begin{pmatrix} 2 \\ 1 \\ 7 \end{pmatrix} = \begin{pmatrix} 1 \\ 7 \\ -3 \end{pmatrix}$$

Felly, o wybod bod y llinell yn mynd drwy P(2, 1, 7), ei hafaliad **fector** yw

$$\mathbf{r} = \begin{pmatrix} 2 \\ 1 \\ 7 \end{pmatrix} + t\begin{pmatrix} 1 \\ 7 \\ -3 \end{pmatrix}$$

Felly, ei hafaliad Cartesaidd yw

$$\frac{x-2}{1} = \frac{y-1}{7} = \frac{z-7}{-3}$$

Noder Yn Enghraifft 2, gallem fod wedi defnyddio Q fel y pwynt ar y llinell, ac yn yr achos hwnnw, byddem wedi cael

$$\mathbf{r} = \begin{pmatrix} 3 \\ 8 \\ 4 \end{pmatrix} + t\begin{pmatrix} 1 \\ 7 \\ -3 \end{pmatrix}$$

yn arwain at

$$\frac{x-3}{1} = \frac{y-8}{7} = \frac{z-4}{-3}$$

Enghraifft 3 Ar gyfer y llinell sy'n mynd drwy (4, 7, –1) yn y cyfeiriad $2\mathbf{i} - 3\mathbf{j} - 5\mathbf{k}$, darganfyddwch

a) ei hafaliad fector

b) ei hafaliad Cartesaidd.

DATRYSIAD

a) Yr hafaliad fector yw

$$\mathbf{r} = \begin{pmatrix} 4 \\ 7 \\ -1 \end{pmatrix} + t\begin{pmatrix} 2 \\ -3 \\ -5 \end{pmatrix}$$

b) Yr hafaliad Cartesaidd yw

$$\frac{x-4}{2} = \frac{y-7}{-3} = \frac{z+1}{-5}$$

y gellir ei ailysgrifennu fel

$$\frac{x-4}{2} = \frac{7-y}{3} = \frac{-(1+z)}{5}$$

Enghraifft 4 Darganfyddwch hafaliad fector y llinell

$$\frac{x-3}{4} = \frac{1-y}{2} = \frac{2z+7}{5}$$

DATRYSIAD

Rydym **bob amser yn cychwyn** drwy aildrefnu'r hafaliad Cartesaidd i'r ffurf

$$\frac{x-x_1}{l} = \frac{y-y_1}{m} = \frac{z-z_1}{n}$$

sydd, yn yr achos hwn, yn rhoi

$$\frac{x-3}{4} = \frac{y-1}{-2} = \frac{z+\frac{7}{2}}{\frac{5}{2}}$$

Felly, hafaliad fector y llinell yw

$$\mathbf{r} = \begin{pmatrix} 3 \\ 1 \\ -\frac{7}{2} \end{pmatrix} + t \begin{pmatrix} 4 \\ -2 \\ \frac{5}{2} \end{pmatrix}$$

Noder

- Mynegir cyfeiriad llinell, fel arfer, yn nhermau cyfanrifau.
  Felly, byddai'r hafaliad fector yn Enghraifft 4 yn cael ei roi fel

$$\mathbf{r} = \begin{pmatrix} 3 \\ 1 \\ -\frac{7}{2} \end{pmatrix} + s \begin{pmatrix} 8 \\ -4 \\ 5 \end{pmatrix}$$

  lle mae $s = \dfrac{t}{2}$ hefyd yn baramedr.

- Mae'n daclusach defnyddio pwynt ar y llinell gyda chyfesurynnau cyfanrifol, ac felly byddai'r hafaliad hwn yn cael ei roi fel

$$\mathbf{r} = \begin{pmatrix} 7 \\ -1 \\ -1 \end{pmatrix} + \lambda \begin{pmatrix} 8 \\ -4 \\ 5 \end{pmatrix}$$

Fodd bynnag, nid oes angen y driniaeth bellach hon mewn arholiad Safon Uwch.

Enghraifft 5 Darganfyddwch yr ongl rhwng y ddwy linell

$$\frac{x-3}{4} = \frac{y-5}{2} = \frac{z-8}{-1} \quad \text{ac} \quad \mathbf{r} = \begin{pmatrix} 3 \\ -1 \\ -2 \end{pmatrix} + t \begin{pmatrix} -7 \\ 4 \\ 3 \end{pmatrix}$$

DATRYSIAD

Lleoliad yr ongl sydd ei hangen yw rhwng **cyfeiriadau'**r ddwy linell, sef

$$\begin{pmatrix} 4 \\ 2 \\ -1 \end{pmatrix} \quad \text{a} \quad \begin{pmatrix} -7 \\ 4 \\ 3 \end{pmatrix}$$

Gan ddefnyddio'r lluoswm sgalar yn y ffurf $\cos\theta = \dfrac{\mathbf{a}\,.\,\mathbf{b}}{|\mathbf{a}|\,|\mathbf{b}|}$,

lle mae θ yn cynrychioli'r ongl sydd ei hangen, cawn

$$\cos\theta = \frac{\begin{pmatrix} 4 \\ 2 \\ -1 \end{pmatrix} . \begin{pmatrix} -7 \\ 4 \\ 3 \end{pmatrix}}{\sqrt{4^2 + 2^2 + (-1)^2} \times \sqrt{(-7)^2 + 4^2 + 3^2}}$$

$$= \frac{-28 + 8 - 3}{\sqrt{21} \times \sqrt{74}} = -\frac{23}{\sqrt{1554}}$$

Mae'r arwydd minws yn dangos bod yr ongl rhwng y ddau gyfeiriad yn ongl aflem.
Ond, fel arfer, cymerir bod yr ongl rhwng y ddwy linell yn ongl lem.
Felly, yr ongl rhwng y ddwy linell yw

$$\cos^{-1}\left(\frac{23}{\sqrt{1554}}\right) = 54.3° \quad \text{neu} \quad 0.95 \text{ radian}$$

Noder Diffinnir lluoswm sgalar dau fector **a** a **b** fel

$$\mathbf{a} \cdot \mathbf{b} = |\mathbf{a}|\ |\mathbf{b}| \cos \theta$$

lle mae θ yn cynrychioli'r ongl rhwng **a** a **b**. (Gweler *Introducing Pure Mathematics*, tudalennau 502–4, lle ceir enghreifftiau o'i gymhwysiad.)

Rhan gydrannol fector

Gellir ystyried bod y fector **a** yn cynnwys dwy ran:
un yng nghyfeiriad fector **b**, a'r llall yn berpendicwlar i gyfeiriad fector **b**.

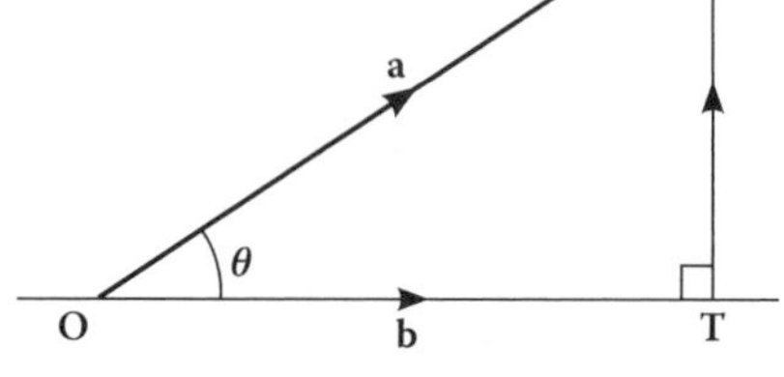

Yn y diagram ar y dde, cawn

$$\overrightarrow{OA} = \overrightarrow{OT} + \overrightarrow{TA}$$

Maint $\overrightarrow{OT}$ yw **rhan gydrannol** fector **a** yng nghyfeiriad fector **b**. Hynny yw,

$$OT = a \cos \theta$$

Gan ddefnyddio'r lluoswm sgalar $\mathbf{a} \cdot \mathbf{b} = ab \cos \theta$, cawn

$$\frac{\mathbf{a} \cdot \mathbf{b}}{b} = a \cos \theta = OT$$

Felly, rhan gydrannol fector **a** yng nghyfeiriad fector **b** yw $\dfrac{\mathbf{a} \cdot \mathbf{b}}{b}$.

Noder Mae'r rhan gydrannol yn **sgalar**. Y fector $\overrightarrow{OT}$ yw

$$\frac{\mathbf{a} \cdot \mathbf{b}}{b} \frac{\mathbf{b}}{b} = \frac{(\mathbf{a} \cdot \mathbf{b})\mathbf{b}}{b^2}$$

Enghraifft 6 Darganfyddwch ran gydrannol y fector $2\mathbf{i} - 3\mathbf{j} + 6\mathbf{k}$ yng nghyfeiriad $3\mathbf{i} + \mathbf{j} - 7\mathbf{k}$.

DATRYSIAD

Y rhan gydrannol yw

$$\frac{\begin{pmatrix} 2 \\ -3 \\ 6 \end{pmatrix} \cdot \begin{pmatrix} 3 \\ 1 \\ -7 \end{pmatrix}}{\sqrt{3^2 + 1^2 + (-7)^2}} = \frac{6 - 3 - 42}{\sqrt{9 + 1 + 49}} = -\frac{39}{\sqrt{59}}$$

Cymarebau cyfeiriad

Pan fo un fector yn lluosrif sgalar fector arall, mae'r ddau fector yn baralel.

Er enghraifft, mae'r fector $\mathbf{a} = \begin{pmatrix} 3 \\ 4 \\ -5 \end{pmatrix}$ yn baralel i'r fector $\mathbf{b} = \begin{pmatrix} -15 \\ -20 \\ 25 \end{pmatrix}$

oherwydd bod $\mathbf{b} = -5\mathbf{a}$.

Mae cyfeiriad fector yn cael ei bennu gan gymarebau'r cydrannau yng nghyfeiriadau **i**, **j** a **k**.

Gelwir y rhain yn **gymarebau cyfeiriad** y fector, ac maent yn cael eu mynegi fel cyfanrifau fel arfer.

Er enghraifft, cymarebau cyfeiriad y fector 28**i** – 21**j** – 14**k** yw 4 : –3 : –2.
Fel arfer, caiff y rhain eu newid yn –4 : 3 : 2.

Noder Os nad yw dwy linell yn croestorri nac yn baralel dywedir eu bod ar **sgiw**.

Cosinau cyfeiriad

Rhoddir yr ongl mae'r fector **a** yn ei ffurfio gyda'r echelin-**i** gan $\cos^{-1}\left(\frac{a_1}{a}\right)$,
lle mae a yn faint y fector **a**, ac a_1 yn gydran **a** yng nghyfeiriad **i**.
Os θ_x yw'r ongl a ffurfir gan y fector **a** gyda'r echelin-**i**, cawn

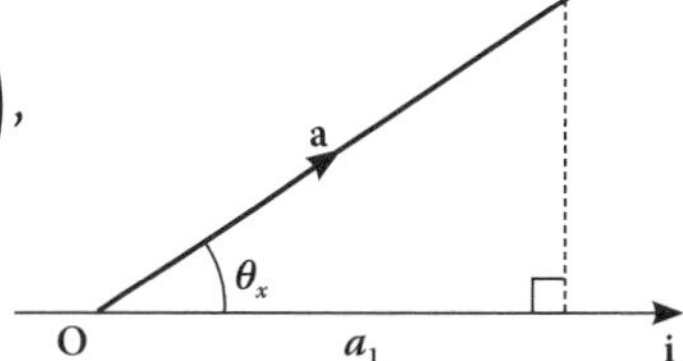

$$\cos\theta_x = \frac{a_1}{a}$$

Yr un modd, ar gyfer θ_y a θ_z, cawn

$$\cos\theta_y = \frac{a_2}{a} \quad \text{a} \quad \cos\theta_z = \frac{a_3}{a}$$

Gelwir y tri gwerth hyn $\frac{a_1}{a}$, $\frac{a_2}{a}$ ac $\frac{a_3}{a}$ yn **gosinau cyfeiriad** fector **a**.

Maent yn cynrychioli ffordd arall o bennu cyfeiriad y fector.

Enghraifft 7 Darganfyddwch gosinau cyfeiriad y fector 3**i** – 4**j** + 5**k**, a darganfyddwch yr ongl mae'r fector yn ei ffurfio gyda'r echelin-z.

DATRYSIAD

Rhoddir y cosinau cyfeiriad gan $\frac{a_1}{a}$, $\frac{a_2}{a}$ ac $\frac{a_3}{a}$,

lle mae $a_1 = 3$, $a_2 = -4$, $a_3 = 5$ ac mae a yn cynrychioli maint y fector.

Maint $\begin{pmatrix} 3 \\ -4 \\ 5 \end{pmatrix}$ yw

$$\sqrt{3^2 + (-4)^2 + 5^2} = \sqrt{50} = 5\sqrt{2}$$

Felly, y cosinau cyfeiriad, yn ôl eu trefn, yw

$$\frac{3}{5\sqrt{2}} \quad -\frac{4}{5\sqrt{2}} \quad \frac{5}{5\sqrt{2}}$$

Os θ yw'r ongl mae'r fector yn ei ffurfio gyda'r echelin-z, cawn

$$\cos\theta = \frac{5}{5\sqrt{2}} = \frac{1}{\sqrt{2}}$$

Felly'r ongl mae'r fector yn ei ffurfio gyda'r echelin-z yw $\frac{\pi}{4}$.

Ymarfer 6A

1 Darganfyddwch hafaliad fector y llinell

a) drwy A(2, –7, 5) yn y cyfeiriad $3\mathbf{i} + 4\mathbf{j} - 7\mathbf{k}$

b) drwy B(4, 8, –6) yn y cyfeiriad $-2\mathbf{i} + 3\mathbf{j} + 6\mathbf{k}$

c) drwy P(7, 4, –1) yn y cyfeiriad $2\mathbf{i} - \mathbf{j} - 3\mathbf{k}$

d) drwy Q(–8, 1, –3) yn y cyfeiriad $\mathbf{i} + 3\mathbf{j} - 7\mathbf{k}$

2 Darganfyddwch hafaliad fector y llinell drwy bob pâr o bwyntiau.

a) A(4, 8, –2) a B(1, –3, 4) **b)** C(–1, 8, 3) a D(2, –3, 9)

c) P(1, 7, –2) a Q(–3, 4, 8) **d)** R(3, –5, –9) ac S(–2, –3, 7)

3 Darganfyddwch hafaliad Cartesaidd pob llinell yng Nghwestiwn **1**.

4 Darganfyddwch hafaliad fector pob un o'r llinellau hyn.

a) $\dfrac{x-3}{4} = \dfrac{y+2}{3} = \dfrac{z-4}{-5}$ **b)** $\dfrac{x+2}{5} = \dfrac{y-1}{-7} = \dfrac{z+3}{-2}$

c) $\dfrac{x+5}{1} = \dfrac{2-y}{3} = \dfrac{z+4}{2}$ **d)** $\dfrac{2x-3}{4} = \dfrac{y-5}{3} = \dfrac{2-z}{1}$

e) $\dfrac{3x-5}{6} = \dfrac{y+2}{4} = \dfrac{2-z}{3}$

5 Darganfyddwch yr onglau llym rhwng y llinellau sydd â'r hafaliadau

a) $\mathbf{r} = 3\mathbf{i} + 4\mathbf{j} - 7\mathrm{k} + t(2\mathbf{i} - \mathbf{j} + 3\mathbf{k})$ ac $\mathbf{r} = -2\mathbf{i} + 7\mathbf{j} + 2\mathbf{k} + t(3\mathbf{i} + 5\mathbf{j} - 3\mathbf{k})$

b) $\mathbf{r} = \begin{pmatrix} 1 \\ 2 \\ 4 \end{pmatrix} + t\begin{pmatrix} 7 \\ -2 \\ 3 \end{pmatrix}$ ac $\mathbf{r} = \begin{pmatrix} -2 \\ 3 \\ 11 \end{pmatrix} + s\begin{pmatrix} 0 \\ 2 \\ 1 \end{pmatrix}$

6 Darganfyddwch hafaliad y llinell AB lle mae:

a) A yn (2, 1, 4) a B yn (4, 7, 5).

b) A yn (–1, –4, 3) a B yn (2, 8, 4).

c) A yn (4, 1, –5) a B yn (3, 2, –6).

7 Darganfyddwch ran gydrannol $3\mathbf{i} - \mathbf{j} + 2\mathbf{k}$ yn y cyfeiriad $5\mathbf{i} + 3\mathbf{j} + 4\mathbf{k}$.

8 Darganfyddwch ran gydrannol $4\mathbf{i} + 5\mathbf{j} - 2\mathbf{k}$ yn y cyfeiriad $\mathbf{j} - 7\mathbf{k}$.

9 Ar gyfer pob fector, rhoddwch **i)** ei gymarebau cyfeiriad **ii)** ei gosinau cyfeiriad.

a) $6\mathbf{i} + 12\mathbf{j} - 12\mathbf{k}$ **b)** $3\mathbf{i} - 4\mathbf{j} - 5\mathbf{k}$

c) $12\mathbf{i} + 8\mathbf{j} - 20\mathbf{k}$ **d)** $9\mathbf{i} - 18\mathbf{j} - 27\mathbf{k}$

10 Mewn perthynas â tharddbwynt sefydlog O, mae gan y tri phwynt P, Q ac R fectorau safle $(2\mathbf{i} + \mathbf{j} + \mathbf{k})$, $(5\mathbf{j} + 3\mathbf{k})$ a $(5\mathbf{i} - 4\mathbf{j} + 2\mathbf{k})$ yn ôl eu trefn.

a) Darganfyddwch, yn y ffurf $\mathbf{r} = \mathbf{a} + t\mathbf{b}$, hafaliad y llinell PQ.

b) Dangoswch fod y pwynt S sydd â fector safle $(4\mathbf{i} - 3\mathbf{j} - \mathbf{k})$ yn gorwedd ar PQ.

c) Dangoswch fod y llinellau PQ ac RS yn berpendicwlar.

d) Darganfyddwch faint ∠PQR, gan roi eich ateb i'r 0.1° agosaf. **(EDEXCEL)**

11 Rhoddir y llinellau l_1, l_2 ac l_3 gan

$$l_1\colon\ \mathbf{r} = 10\mathbf{i} + \mathbf{j} + 9\mathbf{k} + \mu(3\mathbf{i} + \mathbf{j} + 4\mathbf{k})$$

$$l_2\colon\ x = \frac{y+9}{2} = \frac{z-13}{-3}$$

$$l_3\colon\ \mathbf{r} = -3\mathbf{i} - 5\mathbf{j} - 4\mathbf{k} + \lambda(4\mathbf{i} + 3\mathbf{j} + \mathbf{k})$$

lle mae μ a λ yn baramedrau.

a) Dangoswch fod y pwynt A(4, –1, 1) yn gorwedd ar l_1 ac ar l_2.

b) Ailysgrifennwch yr hafaliad ar gyfer l_2 yn y ffurf $\mathbf{r} = \mathbf{a} + \nu\mathbf{b}$, lle mae ν yn baramedr.

c) Dangoswch fod l_2 ac l_3 yn croestorri a darganfyddwch gyfesurynnau B, y pwynt lle maent yn croestorri.

Mae'r llinellau l_1 ac l_3 yn croestorri yn y pwynt C(1, –2, –3).

d) Dangoswch fod AC = BC.

e) Darganfyddwch faint yr ongl ACB, gan roi eich ateb mewn graddau i'r radd agosaf.

f) Nodwch gyfesurynnau'r pwynt D ar AB fel bo CD yn berpendicwlar i AB. **(EDEXCEL)**

12 Mewn perthynas â tharddbwynt sefydlog O, rhoddir y llinellau l_1 ac l_2 gan yr hafaliadau

$$l_1\colon\ \mathbf{r} = (2\mathbf{i} + 3\mathbf{j} - 2\mathbf{k}) + \lambda(-2\mathbf{i} + 4\mathbf{j} + \mathbf{k})$$

$$l_2\colon\ \mathbf{r} = (-6\mathbf{i} - 3\mathbf{j} + \mathbf{k}) + \mu(5\mathbf{i} + \mathbf{j} - 2\mathbf{k})$$

lle mae λ a μ yn baramedrau sgalar.

a) Dangoswch fod l_1 ac l_2 yn cyfarfod a darganfyddwch fector safle pwynt eu croestoriad.

b) Darganfyddwch, i'r 0.1° agosaf, yr ongl lem rhwng l_1 ac l_2. **(EDEXCEL)**

13 Mae'r llinell l yn mynd drwy'r pwyntiau sydd â fectorau safle $\mathbf{i} + 2\mathbf{j} + 3\mathbf{k}$ ac $\mathbf{i} + 6\mathbf{j}$ mewn perthynas â tharddbwynt O.

a) Darganfyddwch hafaliad ar gyfer l mewn ffurf fector.

Hafaliad y llinell m yw $\mathbf{r} = 3\mathbf{i} + 6\mathbf{j} + \mathbf{k} + \lambda(\mathbf{i} - 2\mathbf{j} + 2\mathbf{k})$.

b) Darganfyddwch yr ongl lem rhwng l ac m, gan roi eich ateb i'r radd agosaf. **(EDEXCEL)**

14 Mae gan ddwy linell hafaliadau fector

$$\mathbf{r} = (3\mathbf{i} + 2\mathbf{j} + 7\mathbf{k}) + \lambda(4\mathbf{i} - \mathbf{j} + 5\mathbf{k})$$

ac

$$\mathbf{r} = (2\mathbf{i} + 6\mathbf{j} - 13\mathbf{k}) + \mu(-3\mathbf{i} + \mathbf{j} + a\mathbf{k})$$

lle mae λ a μ yn baramedrau sgalar ac a yn gysonyn.

O wybod bod y ddwy linell yn croestorri, darganfyddwch fector safle pwynt y croestoriad a gwerth a. **(AEB 98)**

15 Mewn perthynas â tharddbwynt O, fectorau safle'r pwyntiau L ac M yw $\mathbf{i} - \mathbf{j} + 3\mathbf{k}$ a $2\mathbf{i} - 4\mathbf{j} + 2\mathbf{k}$ yn ôl eu trefn.

a) Nodwch y fector $\overrightarrow{\mathrm{LM}}$.

b) Dangoswch fod $|\overrightarrow{\mathrm{OL}}| = |\overrightarrow{\mathrm{LM}}|$.

c) Darganfyddwch $\angle$OLM, gan roi eich ateb yn gywir i'r 0.1° agosaf. **(EDEXCEL)**

16 Mae gan ddwy linell hafaliadau

$$\mathbf{r} = (\mathbf{i} + 5\mathbf{j} + 2\mathbf{k}) + s(\mathbf{i} - 2\mathbf{j} + 3\mathbf{k}) \quad \text{ac} \quad \mathbf{r} = (-\mathbf{i} - \mathbf{j} + 10\mathbf{k}) + t(3\mathbf{i} + 4\mathbf{j} - 5\mathbf{k})$$

i) Dangoswch fod y llinellau'n cyfarfod, a darganfyddwch bwynt eu croestoriad.

ii) Cyfrifwch yr ongl lem rhwng y llinellau. (OCR)

17 a) Darganfyddwch yr ongl rhwng y fectorau $2\mathbf{i} + 3\mathbf{j} + 6\mathbf{k}$ a $3\mathbf{i} + 4\mathbf{j} + 12\mathbf{k}$, gan roi eich ateb mewn radianau.

b) Mae'r fectorau **a** a **b** yn ansero.

i) O wybod bod $\mathbf{a} + \mathbf{b}$ yn berpendicwlar i $\mathbf{a} - \mathbf{b}$, profwch fod $|\mathbf{a}| = |\mathbf{b}|$.

ii) O wybod, yn lle hynny, fod $|\mathbf{a} + \mathbf{b}| = |\mathbf{a} - \mathbf{b}|$, profwch fod **a** a **b** yn berpendicwlar. (OCR)

18 Mae'r ddwy linell

$$\frac{x+11}{4} = \frac{y+2}{1} = \frac{z+6}{-2} \quad \text{ac} \quad \frac{x-6}{5} = \frac{y-5}{4} = \frac{z+20}{-8}$$

yn croestorri. Darganfyddwch gyfesurynnau pwynt y croestoriad. (OCR)

19 Fectorau safle'r pwyntiau A a B yw $7\mathbf{i} - 8\mathbf{j} + 7\mathbf{k}$ a $4\mathbf{i} + 7\mathbf{j} + 4\mathbf{k}$ yn ôl eu trefn, ac O yw'r tarddbwynt.

i) Darganfyddwch, mewn ffurf fector, hafaliad y llinell drwy A a B.

ii) Darganfyddwch fector safle'r pwynt P ar y llinell AB fel bod OP yn berpendicwlar i AB.

iii) Dangoswch nad yw'r llinell $\mathbf{r} = (8\mathbf{i} - 5\mathbf{j} + 2\mathbf{k}) + \lambda(\mathbf{i} - 10\mathbf{j} + 4\mathbf{k})$ yn croestorri'r llinell AB. (OCR)

Lluoswm fector

Gellir ffurfio lluoswm dau fector mewn dwy ffordd wahanol. Rydym eisoes wedi dod ar draws un o'r rhain, y **lluoswm sgalar**, yn *Introducing Pure Mathematics* (tudalen 502), ac yn y llyfr hwn ar dudalennau 97 a 98. Gelwir y llall yn **lluoswm fector** (neu weithiau'n **lluoswm croes**).

Dynodir **lluoswm fector** dau fector **a** a **b** gan $\mathbf{a} \times \mathbf{b}$, ac mae'n cael ei ddiffinio fel

$$\mathbf{a} \times \mathbf{b} = |\mathbf{a}|\,|\mathbf{b}| \sin\theta\, \hat{\mathbf{n}}$$

θ yw'r ongl a fesurir yn wrthglocwedd rhwng **a** a **b**, ac mae $\hat{\mathbf{n}}$ yn fector uned, fel bod **a**, **b** ac $\hat{\mathbf{n}}$ (yn y drefn honno) yn ffurfio set llaw dde (gweler y diagram isod).

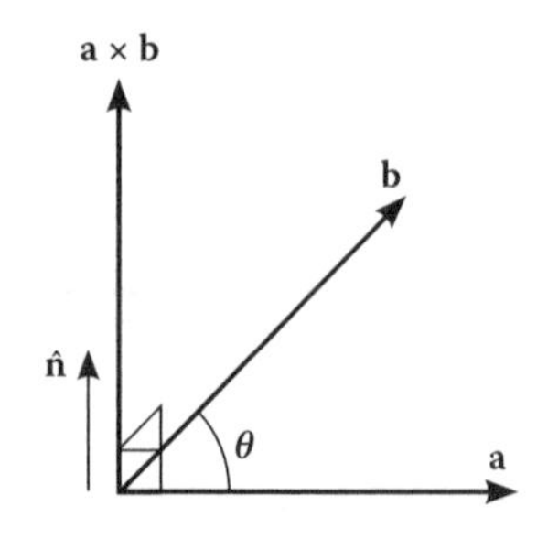

Rhai o briodweddau pwysig y lluoswm fector

Nid yw'r lluoswm fector yn gymudol

Gan fod $\mathbf{a} \times \mathbf{b} = ab \sin\theta\, \hat{\mathbf{n}}$, mae'n dilyn bod

$$\mathbf{b} \times \mathbf{a} = ab \sin(-\theta)\, \hat{\mathbf{n}} = -\, ab \sin\theta\, \hat{\mathbf{n}}$$

Felly, cawn

$$\mathbf{a} \times \mathbf{b} = -\, \mathbf{b} \times \mathbf{a}$$

sy'n cael ei alw'n **ddeddf gwrthgymudol**.

Mae lluoswm fector fectorau paralel yn sero

Yr ongl θ rhwng dau fector paralel, **a** a **b**, yw naill ai 0° neu 180°. Felly, mae $\sin\theta = 0$, sy'n rhoi

$$\mathbf{a} \times \mathbf{b} = \mathbf{0}$$

Gelwir **0** yn **fector sero**. Fe'i cynrychiolir fel arfer gan sero arferol, 0, fel y gwelir isod.

Yn yr un modd, mae $\mathbf{a} \times \mathbf{a} = 0$, gan fod yr ongl rhwng **a** ac **a** yn sero.
Felly, cawn y canlyniad pwysig canlynol:

$$\mathbf{i} \times \mathbf{i} = \mathbf{j} \times \mathbf{j} = \mathbf{k} \times \mathbf{k} = 0$$

Cofiwch Mae'r lluoswm sgalar $\mathbf{a} \,.\, \mathbf{a} = a^2$.

Lluoswm fector fectorau perpendicwlar

Wrth ystyried y fectorau uned **i** a **j**, cawn

$$\mathbf{i} \times \mathbf{j} = 1 \times 1 \sin 90°\, \hat{\mathbf{n}} = \hat{\mathbf{n}}$$

Felly, mae **i**, **j** ac $\hat{\mathbf{n}}$ yn ffurfio set llaw dde.

Ond, drwy ddiffiniad, mae **i**, **j** a **k** yn ffurfio set llaw dde. Felly mae $\hat{\mathbf{n}} = \mathbf{k}$.
Drwy hyn, cawn

$$\mathbf{i} \times \mathbf{j} = \mathbf{k} \qquad \mathbf{j} \times \mathbf{i} = -\, \mathbf{k}$$

Yr un modd, cawn

$$\mathbf{j} \times \mathbf{k} = \mathbf{i} \qquad \mathbf{k} \times \mathbf{j} = -\, \mathbf{i}$$

$$\mathbf{k} \times \mathbf{i} = \mathbf{j} \qquad \mathbf{i} \times \mathbf{k} = -\, \mathbf{j}$$

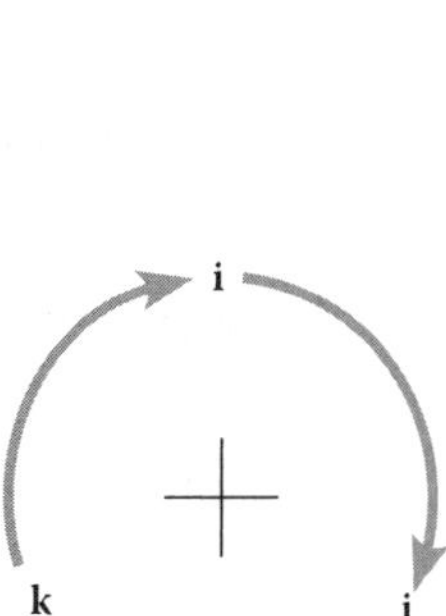

Sylwn (gweler y diagram ar y dde) fod y lluosymiau fector hyn yn **bositif** pan gymerir **i**, **j** a **k** yn nhrefn y wyddor yn **glocwedd**, ond yn **negatif** pan fo'r drefn yn **wrthglocwedd**.

Cofiwch Os yw **a** a **b** yn fectorau perpendicwlar, yna mae'r lluoswm sgalar $\mathbf{a} \,.\, \mathbf{b} = 0$.

Y lluoswm fector mewn dull cydrannol

Wrth fynegi **a** a **b** yn eu ffurf gydrannol, cawn $\mathbf{a} = a_1\mathbf{i} + a_2\mathbf{j} + a_3\mathbf{k}$ a $\mathbf{b} = b_1\mathbf{i} + b_2\mathbf{j} + b_3\mathbf{k}$.
Felly

$$\begin{aligned}\mathbf{a} \times \mathbf{b} &= (a_1\mathbf{i} + a_2\mathbf{j} + a_3\mathbf{k}) \times (b_1\mathbf{i} + b_2\mathbf{j} + b_3\mathbf{k}) \\ &= a_1\mathbf{i} \times b_1\mathbf{i} + a_2\mathbf{j} \times b_1\mathbf{i} + a_3\mathbf{k} \times b_1\mathbf{i} + a_1\mathbf{i} \times b_2\mathbf{j} + a_2\mathbf{j} \times b_2\mathbf{j} + a_3\mathbf{k} \times b_2\mathbf{j} + \\ &\qquad + a_1\mathbf{i} \times b_3\mathbf{k} + a_2\mathbf{j} \times b_3\mathbf{k} + a_3\mathbf{k} \times b_3\mathbf{k}\end{aligned}$$

$$\Rightarrow \quad \mathbf{a}\times\mathbf{b} = a_1b_2\mathbf{k} - a_2b_1\mathbf{k} + a_3b_1\mathbf{j} - a_1b_3\mathbf{j} + a_2b_3\mathbf{i} - a_3b_2\mathbf{i}$$
$$= (a_2b_3 - a_3b_2)\mathbf{i} - (a_1b_3 - b_1a_3)\mathbf{j} + (a_1b_2 - a_2b_1)\mathbf{k} \qquad [1]$$

O'r diffiniad o ddeterminant 3×3 a geir ar dudalen 80, cawn

$$\begin{vmatrix} \mathbf{i} & \mathbf{j} & \mathbf{k} \\ a_1 & a_2 & a_3 \\ b_1 & b_2 & b_3 \end{vmatrix} = \begin{vmatrix} a_2 & a_3 \\ b_2 & b_3 \end{vmatrix}\mathbf{i} - \begin{vmatrix} a_1 & a_3 \\ b_1 & b_3 \end{vmatrix}\mathbf{j} + \begin{vmatrix} a_1 & a_2 \\ b_1 & b_2 \end{vmatrix}\mathbf{k}$$
$$= (a_2b_3 - a_3b_2)\mathbf{i} - (a_1b_3 - b_1a_3)\mathbf{j} + (a_1b_2 - a_2b_1)\mathbf{k} \qquad [2]$$

Nodwn fod ochr dde [1] a [2] yn unfath. Felly, cawn

$$\mathbf{a}\times\mathbf{b} = \begin{vmatrix} \mathbf{i} & \mathbf{j} & \mathbf{k} \\ a_1 & a_2 & a_3 \\ b_1 & b_2 & b_3 \end{vmatrix}$$

Enghraifft 8 Enrhifwch $(2\mathbf{i} + 3\mathbf{j} - \mathbf{k}) \times (7\mathbf{i} + 4\mathbf{j} + 2\mathbf{k})$.

DATRYSIAD

Defnyddiwn y canlyniad

$$\mathbf{a}\times\mathbf{b} = \begin{vmatrix} \mathbf{i} & \mathbf{j} & \mathbf{k} \\ a_1 & a_2 & a_3 \\ b_1 & b_2 & b_3 \end{vmatrix}$$

sy'n rhoi

$$\begin{pmatrix} 2 \\ 3 \\ -1 \end{pmatrix} \times \begin{pmatrix} 7 \\ 4 \\ 2 \end{pmatrix} = \begin{vmatrix} \mathbf{i} & \mathbf{j} & \mathbf{k} \\ 2 & 3 & -1 \\ 7 & 4 & 2 \end{vmatrix}$$
$$= \mathbf{i}\begin{vmatrix} 3 & -1 \\ 4 & 2 \end{vmatrix} - \mathbf{j}\begin{vmatrix} 2 & -1 \\ 7 & 2 \end{vmatrix} + \mathbf{k}\begin{vmatrix} 2 & 3 \\ 7 & 4 \end{vmatrix}$$

Felly, cawn

$$\begin{pmatrix} 2 \\ 3 \\ -1 \end{pmatrix} \times \begin{pmatrix} 7 \\ 4 \\ 2 \end{pmatrix} = 10\mathbf{i} + 11\mathbf{j} + 13\mathbf{k}$$

Enghraifft 9 Enrhifwch $|\overrightarrow{AB} \times \overrightarrow{CD}|$, lle mae A yn (6, −3, 0), B yn (3, −7, 1), C yn (3, 7, −1) a D yn (4, 5, −3). Drwy hynny, darganfyddwch y pellter byrraf rhwng AB ac CD.

DATRYSIAD

Yn gyntaf, darganfyddwn $\overrightarrow{AB}$ ac $\overrightarrow{CD}$:

$$\overrightarrow{AB} = \mathbf{b} - \mathbf{a} = \begin{pmatrix} 3 \\ -7 \\ 1 \end{pmatrix} - \begin{pmatrix} 6 \\ -3 \\ 0 \end{pmatrix} = \begin{pmatrix} -3 \\ -4 \\ 1 \end{pmatrix}$$

$$\overrightarrow{CD} = \mathbf{d} - \mathbf{c} = \begin{pmatrix} 4 \\ 5 \\ -3 \end{pmatrix} - \begin{pmatrix} 3 \\ 7 \\ -1 \end{pmatrix} = \begin{pmatrix} 1 \\ -2 \\ -2 \end{pmatrix}$$

Yna, darganfyddwn eu lluoswm fector:

$$\overrightarrow{AB} \times \overrightarrow{CD} = \begin{pmatrix} -3 \\ -4 \\ 1 \end{pmatrix} \times \begin{pmatrix} 1 \\ -2 \\ -2 \end{pmatrix} = \begin{vmatrix} \mathbf{i} & \mathbf{j} & \mathbf{k} \\ -3 & -4 & 1 \\ 1 & -2 & -2 \end{vmatrix}$$

sy'n rhoi

$$\overrightarrow{AB} \times \overrightarrow{CD} = 10\mathbf{i} - 5\mathbf{j} + 10\mathbf{k}$$

Felly, cawn

$$|\overrightarrow{AB} \times \overrightarrow{CD}| = \sqrt{10^2 + (-5)^2 + 10^2} = \sqrt{15}$$

Mae'r llinell sydd y pellter byrraf rhwng AB ac CD yn berpendicwlar i AB ac yn berpendicwlar i CD. Felly, os yw P a Q yn bwyntiau cyffredinol ar AB ac CD yn ôl eu trefn, ac mae PQ yn berpendicwlar i AB ac yn berpendicwlar i CD, cawn

$$\overrightarrow{PQ} = k(\overrightarrow{AB} \times \overrightarrow{CD})$$

sy'n rhoi

$$\begin{pmatrix} 6 \\ -3 \\ 0 \end{pmatrix} + t\begin{pmatrix} -3 \\ -4 \\ 1 \end{pmatrix} - \left[\begin{pmatrix} 4 \\ 5 \\ -3 \end{pmatrix} + s\begin{pmatrix} 1 \\ -2 \\ -2 \end{pmatrix}\right] = k\begin{pmatrix} 10 \\ -5 \\ 10 \end{pmatrix}$$

Felly, cawn

$$2 - 3t - s = 10k$$

$$-8 - 4t + 2s = 5k$$

$$3 + t + 2s = 10k$$

Drwy ddatrys yr hafaliadau cydamserol hyn, cawn fod $k = 0.4$, $s = 1$ a $t = -1$. Felly, cawn

$$\text{Y pellter byrraf rhwng AB ac CD} = 0.4(\overrightarrow{AB} \times \overrightarrow{CD})$$

$$= 0.4 \times 15 = 6$$

Arwynebedd triongl

Ystyriwch y triongl ABC sydd ag ochrau **a**, **b** ac **c**, fel y dangosir yn y diagram. O ddiffiniad y lluoswm fector, cawn

$$|\mathbf{a} \times \mathbf{b}| = |ab \sin \theta\, \hat{\mathbf{n}}|$$

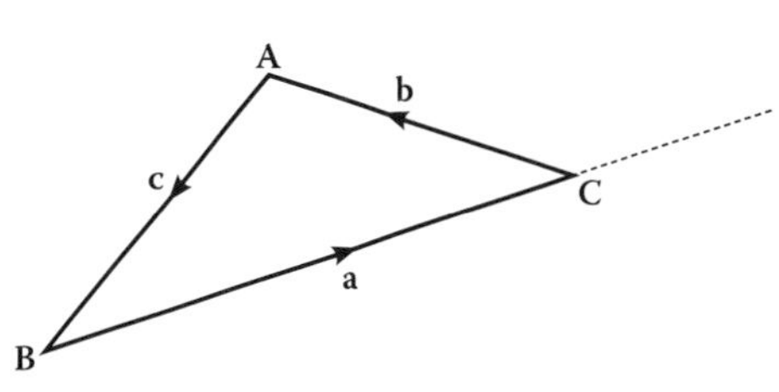

lle mae θ yn cynrychioli'r ongl rhwng **a** a **b**.

Ond, yr ongl rhwng **a** a **b** yw $180° - C$, a $\sin(180° - C) = \sin C$. Felly, cawn

$$|\mathbf{a} \times \mathbf{b}| = |ab \sin(180° - C)\, \hat{\mathbf{n}}| = |ab \sin C\, \hat{\mathbf{n}}|$$

Gan fod $\hat{\mathbf{n}}$ yn fector uned, $|\mathbf{a} \times \mathbf{b}| = ab \sin C$. Felly, cawn

$$\text{Arwynebedd triongl ABC} = \tfrac{1}{2}ab \sin C = \tfrac{1}{2}|\mathbf{a} \times \mathbf{b}|$$

Yr un modd, gallwn ddangos y rhoddir arwynebedd triongl ABC gan

$$\tfrac{1}{2}bc \sin A = \tfrac{1}{2}|\mathbf{b} \times \mathbf{c}| \quad \text{a} \quad \tfrac{1}{2}ac \sin B = \tfrac{1}{2}|\mathbf{a} \times \mathbf{c}|$$

Yn gyffredinol, cawn

$$\text{Arwynebedd triongl} = \frac{1}{2}|\mathbf{a} \times \mathbf{b}| \quad \text{neu} \quad \frac{1}{2}|\mathbf{b} \times \mathbf{c}| \quad \text{neu} \quad \frac{1}{2}|\mathbf{a} \times \mathbf{c}|$$

Enghraifft 10 Darganfyddwch arwynebedd y triongl PQR lle mae P yn (4, 2, 5), Q yn (3, −1, 6) ac R yn (1, 4, 2).

DATRYSIAD

Yn gyntaf, darganfyddwn unrhyw ddwy ochr (gweler y diagram):

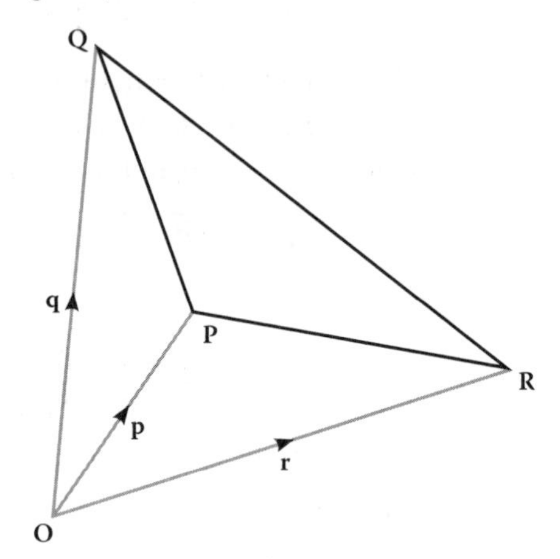

$$\overrightarrow{PR} = \mathbf{r} - \mathbf{p} = \begin{pmatrix} 1 \\ 4 \\ 2 \end{pmatrix} - \begin{pmatrix} 4 \\ 2 \\ 5 \end{pmatrix} = \begin{pmatrix} -3 \\ 2 \\ -3 \end{pmatrix}$$

$$\overrightarrow{PQ} = \mathbf{q} - \mathbf{p} = \begin{pmatrix} 3 \\ -1 \\ 6 \end{pmatrix} - \begin{pmatrix} 4 \\ 2 \\ 5 \end{pmatrix} = \begin{pmatrix} -1 \\ -3 \\ 1 \end{pmatrix}$$

Yna, darganfyddwn eu lluoswm fector:

$$\overrightarrow{PR} \times \overrightarrow{PQ} = \begin{vmatrix} \mathbf{i} & \mathbf{j} & \mathbf{k} \\ -3 & 2 & -3 \\ -1 & -3 & 1 \end{vmatrix}$$

sy'n rhoi

$$\overrightarrow{PR} \times \overrightarrow{PQ} = -7\mathbf{i} + 6\mathbf{j} + 11\mathbf{k}$$

$$\Rightarrow \quad |\overrightarrow{PR} \times \overrightarrow{PQ}| = \sqrt{49 + 36 + 121} = \sqrt{206}$$

Felly, cawn

$$\text{Arwynebedd triongl PQR} = \frac{1}{2}\sqrt{206}$$

Hafaliad plân

Hafaliad yn y ffurf r = a + *t*b + *s*c

Gellir mynegi fector safle **unrhyw** bwynt sydd ar blân yn nhermau:

- **a**, fector safle pwynt ar y plân, a
- **b** ac **c**, sy'n ddau fector **nad ydynt yn baralel ac sydd yn** y plân.

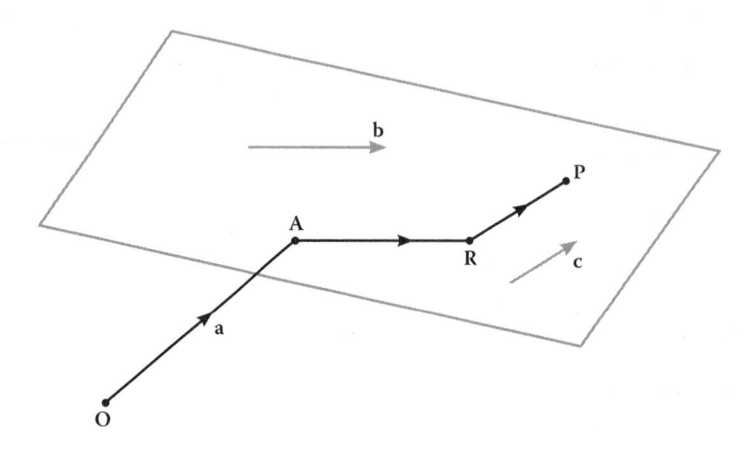

O'r diagram, gwelwn fod fector safle pwynt P ar y plân yn cael ei roi gan

$$\overrightarrow{OP} = \overrightarrow{OA} + \overrightarrow{AR} + \overrightarrow{RP}$$

lle mae $\overrightarrow{AR}$ yn baralel i'r fector **b**, ac mae $\overrightarrow{RP}$ yn baralel i'r fector **c**.

Felly, mae $\overrightarrow{AR} = t\mathbf{b}$ ac $\overrightarrow{RP} = s\mathbf{c}$, ar gyfer rhyw baramedrau t ac s.

Felly, hafaliad fector plân trwy'r pwynt A yw

$$\mathbf{r} = \mathbf{a} + t\mathbf{b} + s\mathbf{c}$$

lle mae **b** ac **c** yn fectorau nad ydynt yn baralel ac sydd yn y plân, a pharamedrau yw t ac s.

Hafaliad yn y ffurf $\mathbf{r} \cdot \mathbf{n} = d$

O wybod bod **n** yn fector perpendicwlar i'r plân, cawn

$$\mathbf{r} \cdot \mathbf{n} = (\mathbf{a} + t\mathbf{b} + s\mathbf{c}) \cdot \mathbf{n}$$

$$= \mathbf{a} \cdot \mathbf{n} + t\mathbf{b} \cdot \mathbf{n} + s\mathbf{c} \cdot \mathbf{n}$$

Gan fod **b** ac **c** yn berpendicwlar i **n**, mae $\mathbf{b} \cdot \mathbf{n} = \mathbf{c} \cdot \mathbf{n} = 0$. Felly, cawn

$$\mathbf{r} \cdot \mathbf{n} = \mathbf{a} \cdot \mathbf{n}$$

Felly, hafaliad fector y plân yw

$$\mathbf{r} \cdot \mathbf{n} = d$$

lle mae d yn gysonyn sy'n pennu safle'r plân.

Noder

- Os yw **n** yn fector uned, yna d yw'r pellter perpendicwlar o'r plân i'r tarddbwynt.
- Pan fo **arwydd d yr un fath** ar gyfer dau blân, yna mae'r ddau blân ar **yr un ochr** i'r tarddbwynt.
- Pan fo **arwydd d yn wahanol** ar gyfer dau blân, yna mae'r ddau blân ar **ochrau gwahanol** i'r tarddbwynt.

Ffurf Gartesaidd

Mewn dull tebyg i ddarganfod hafaliad Cartesaidd llinell,
cymerwn $\mathbf{r} \cdot \mathbf{n} = d$ ac amnewid **r** am $x\mathbf{i} + y\mathbf{j} + z\mathbf{k}$, sy'n rhoi hafaliad y plân yn

$$\begin{pmatrix} x \\ y \\ z \end{pmatrix} \cdot \mathbf{n} = \mathrm{d}$$

Boed i $\mathbf{n} = a\mathbf{i} + b\mathbf{j} + c\mathbf{k}$, yna newidir yr hafaliad Cartesaidd yn

$$\begin{pmatrix} x \\ y \\ z \end{pmatrix} \cdot \begin{pmatrix} a \\ b \\ c \end{pmatrix} = d \quad \text{neu} \quad ax + by + cz = d$$

Enghraifft 11 Darganfyddwch hafaliad y plân drwy (3, 2, 7)

sy'n berpendicwlar i'r fector $\begin{pmatrix} 1 \\ -5 \\ 8 \end{pmatrix}$,

gan roi eich ateb **a)** mewn ffurf fector, a **b)** mewn ffurf Gartesaidd.

DATRYSIAD

a) Drwy ddefnyddio **r . n** = **a . n**, cawn

$$\mathbf{r} \cdot \begin{pmatrix} 1 \\ -5 \\ 8 \end{pmatrix} = \begin{pmatrix} 3 \\ 2 \\ 7 \end{pmatrix} \cdot \begin{pmatrix} 1 \\ -5 \\ 8 \end{pmatrix}$$

Felly, hafaliad y plân yw $\mathbf{r} \cdot \begin{pmatrix} 1 \\ -5 \\ 8 \end{pmatrix} = 49$.

b) Drwy newid **r** am $x\mathbf{i} + y\mathbf{j} + z\mathbf{k}$, cawn

$$\begin{pmatrix} x \\ y \\ z \end{pmatrix} \cdot \begin{pmatrix} 1 \\ -5 \\ 8 \end{pmatrix} = 49$$

Felly, yr hafaliad Cartesaidd yw $x - 5y + 8z = 49$.

Noder Caiff plân ei ddiffinio gan
- fector sy'n berpendicwlar i'r plân, a
- pwynt ar y plân.

Enghraifft 12 Darganfyddwch y fector uned sy'n berpendicwlar i'r plân $2x + 3y - 7z = 11$.

DATRYSIAD

Mae'r fector $\begin{pmatrix} a \\ b \\ c \end{pmatrix}$ yn berpendicwlar i'r plân $ax + by + cz = d$.

Felly, y fector sy'n berpendicwlar i'r plân a roddir yw $\begin{pmatrix} 2 \\ 3 \\ -7 \end{pmatrix}$.

Maint y fector hwn yw $\sqrt{2^2 + 3^2 + (-7)^2} = \sqrt{62}$.

Nawr, mae'n rhaid i faint y fector uned sy'n berpendicwlar i'r plân a roddir fod yn 1.

Felly, y fector uned sy'n berpendicwlar i'r plân a roddir yw $\begin{pmatrix} \frac{2}{\sqrt{62}} \\ \frac{3}{\sqrt{62}} \\ -\frac{7}{\sqrt{62}} \end{pmatrix}$.

Enghraifft 13 Darganfyddwch hafaliad y plân drwy A(1, 4, 6), B(2, 7, 5) ac C(−3, 8, 7).

DATRYSIAD

Yn gyntaf, darganfyddwn ddau fector yn y plân ABC: er enghraifft,

$$\overrightarrow{AB} = \mathbf{b} - \mathbf{a} = \begin{pmatrix} 2 \\ 7 \\ 5 \end{pmatrix} - \begin{pmatrix} 1 \\ 4 \\ 6 \end{pmatrix} = \begin{pmatrix} 1 \\ 3 \\ -1 \end{pmatrix}$$

$$\overrightarrow{AC} = \mathbf{c} - \mathbf{a} = \begin{pmatrix} -3 \\ 8 \\ 7 \end{pmatrix} - \begin{pmatrix} 1 \\ 4 \\ 6 \end{pmatrix} = \begin{pmatrix} -4 \\ 4 \\ 1 \end{pmatrix}$$

Canlyniad 1 I ddarganfod hafaliad y plân yn y ffurf $\mathbf{r} = \mathbf{a} + t\mathbf{b} + s\mathbf{c}$,
mae'n rhaid pennu **un** pwynt ar y plân.

O ddewis A(1, 4, 6), hafaliad y plân ABC yw

$$\mathbf{r} = \begin{pmatrix} 1 \\ 4 \\ 6 \end{pmatrix} + t\begin{pmatrix} 1 \\ 3 \\ -1 \end{pmatrix} + s\begin{pmatrix} -4 \\ 4 \\ 1 \end{pmatrix}$$

Noder

- Yn hytrach na dewis A, gallem fod wedi dewis B(2, 7, 5) neu C(−3, 8, 7).
- Yn hytrach na $\begin{pmatrix} 1 \\ 3 \\ -1 \end{pmatrix}$, gallem fod wedi defnyddio $\begin{pmatrix} -1 \\ -3 \\ 1 \end{pmatrix}$.
- Yn hytrach na $\begin{pmatrix} -4 \\ 4 \\ 1 \end{pmatrix}$, gallem fod wedi defnyddio $\begin{pmatrix} 4 \\ -4 \\ -1 \end{pmatrix}$.

Canlyniad 2 I ddarganfod hafaliad y plân yn y ffurf $\mathbf{r} \, . \, \mathbf{n} = d$,
mae arnom angen darganfod fector sy'n berpendicwlar i'r plân ABC.

Rhoddir fector sy'n berpendicwlar i'r plân ABC gan $\overrightarrow{AB} \times \overrightarrow{AC}$, neu unrhyw luoswm fector dau fector tebyg i hyn **yn** y plân. (Mae hyn yn dilyn o ddiffiniad y lluoswm fector, tudalen 102.)

Felly, cawn

$$\overrightarrow{AB} \times \overrightarrow{AC} = \begin{pmatrix} 1 \\ 3 \\ -1 \end{pmatrix} \times \begin{pmatrix} -4 \\ 4 \\ 1 \end{pmatrix} = \begin{vmatrix} \mathbf{i} & \mathbf{j} & \mathbf{k} \\ 1 & 3 & -1 \\ -4 & 4 & 1 \end{vmatrix}$$

sy'n rhoi'r fector sy'n berpendicwlar i'r plân fel $7\mathbf{i} + 3\mathbf{j} + 16\mathbf{k}$.

Felly, hafaliad fector y plân ABC yw

$$\mathbf{r} \, . \begin{pmatrix} 7 \\ 3 \\ 16 \end{pmatrix} = \begin{pmatrix} 2 \\ 7 \\ 5 \end{pmatrix} . \begin{pmatrix} 7 \\ 3 \\ 16 \end{pmatrix} = 14 + 21 + 80$$

$$\Rightarrow \quad \mathbf{r} \, . \begin{pmatrix} 7 \\ 3 \\ 16 \end{pmatrix} = 115$$

Felly, yr hafaliad Cartesaidd yw $7x + 3y + 16z = 115$.

Enghraifft 14 Darganfyddwch yr ongl rhwng y planau $3x + 4y + 5z = 7$ ac $x + 2y - 2z = 11$.

DATRYSIAD

Yr ongl rhwng y ddau blân yw'r ongl rhwng y fectorau sy'n berpendicwlar i'r planau. Hynny yw, yr ongl rhwng y ddau fector

$$\begin{pmatrix} 3 \\ 4 \\ 5 \end{pmatrix} \text{ a } \begin{pmatrix} 1 \\ 2 \\ -2 \end{pmatrix}$$

Drwy ddefnyddio $\cos\theta = \dfrac{\mathbf{a} \cdot \mathbf{b}}{ab}$, lle mae θ yn cynrychioli'r ongl sydd i'w darganfod, cawn

$$\cos\theta = \frac{3 + 8 - 10}{5\sqrt{2} \times 3}$$

$$\Rightarrow \quad \theta = \cos^{-1}\left(\frac{1}{15\sqrt{2}}\right) = 87.3^\circ \quad \text{(yn gywir i 1 lle degol)}$$

Engraifft 15 Darganfyddwch lle mae'r llinell o A(2, 7, 4), sy'n berpendicwlar i'r plân Π, $3x - 5y + 2z + 2 = 0$, yn cyfarfod â Π.

DATRYSIAD

Boed i T fod y pwynt lle mae'r llinell o A(2, 7, 4), sy'n berpendicwlar i'r plân Π, $3x - 5y + 2z + 2 = 0$, yn cyfarfod â Π.

Hafaliad AT yw

$$\mathbf{r} = \begin{pmatrix} 2 \\ 7 \\ 4 \end{pmatrix} + t\begin{pmatrix} 3 \\ -5 \\ 2 \end{pmatrix}$$

Felly, T yw'r pwynt lle mae $\mathbf{r} = \begin{pmatrix} 2 \\ 7 \\ 4 \end{pmatrix} + t\begin{pmatrix} 3 \\ -5 \\ 2 \end{pmatrix}$ yn cyfarfod â Π.

Felly, drwy roi $x = (2 + 3t)$, $y = (7 - 5t)$ a $z = (4 + 2t)$ yn hafaliad y plân Π, cawn

$$3(2 + 3t) - 5(7 - 5t) + 2(4 + 2t) + 2 = 0$$

$$\Rightarrow \quad 38t = 19 \quad \Rightarrow \quad t = \tfrac{1}{2}$$

Felly, y pwynt T yw $(3\tfrac{1}{2}, 4\tfrac{1}{2}, 5)$

Enghraifft 16 Darganfyddwch yr ongl rhwng y plân $3x + 4y - 5z = 6$ a'r llinell

$$\mathbf{r} = \begin{pmatrix} 2 \\ 4 \\ 8 \end{pmatrix} + t\begin{pmatrix} 1 \\ 5 \\ -3 \end{pmatrix}$$

DATRYSIAD

Yr ongl sydd i'w darganfod yw $90° - \theta$, lle mae θ yn cynrychioli'r ongl rhwng y llinell a'r fector sy'n berpendicwlar i'r plân. Hynny, yw,

Ongl i'w darganfod =

$$90° - \text{Ongl rhwng } \begin{pmatrix} 3 \\ 4 \\ -5 \end{pmatrix} \text{ a } \begin{pmatrix} 1 \\ 5 \\ -3 \end{pmatrix}$$

Drwy ddefnyddio $\cos\theta = \dfrac{\mathbf{a}\,.\,\mathbf{b}}{ab}$, cawn

$$\cos\theta = \frac{3 + 20 + 15}{5\sqrt{2} \times \sqrt{35}}$$

sy'n rhoi

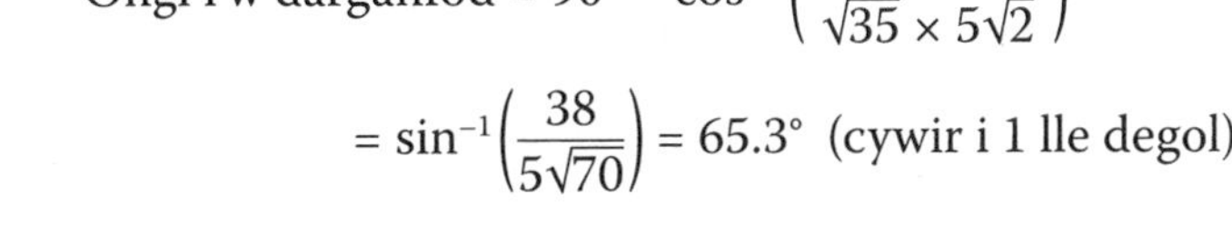

$$\text{Ongl i'w darganfod} = 90° - \cos^{-1}\left(\frac{38}{\sqrt{35} \times 5\sqrt{2}}\right)$$

$$= \sin^{-1}\left(\frac{38}{5\sqrt{70}}\right) = 65.3° \text{ (cywir i 1 lle degol)}$$

Enghraifft 17 Darganfyddwch hafaliad y plân sy'n cynnwys y ddwy linell

$$\mathbf{r} = \begin{pmatrix} 3 \\ 1 \\ 2 \end{pmatrix} + t\begin{pmatrix} -1 \\ 3 \\ -4 \end{pmatrix} \quad \text{ac} \quad \mathbf{r} = \begin{pmatrix} -2 \\ -3 \\ 7 \end{pmatrix} + s\begin{pmatrix} 2 \\ -1 \\ 5 \end{pmatrix}$$

DATRYSIAD

Y ddau fector yn y plân yw cyfeiriadau'r ddwy linell, sef

$$\begin{pmatrix} -1 \\ 3 \\ -4 \end{pmatrix} \text{ a } \begin{pmatrix} 2 \\ -1 \\ 5 \end{pmatrix}$$

Felly, y fector sy'n berpendicwlar i'r plân hwn yw

$$\begin{pmatrix} -1 \\ 3 \\ -4 \end{pmatrix} \times \begin{pmatrix} 2 \\ -1 \\ 5 \end{pmatrix} = \begin{vmatrix} \mathbf{i} & \mathbf{j} & \mathbf{k} \\ -1 & 3 & -4 \\ 2 & -1 & 5 \end{vmatrix} = 11\mathbf{i} - 3\mathbf{j} - 5\mathbf{k}$$

Felly, hafaliad y plân yw $11x - 3y - 5z = d$.

O'r llinell gyntaf, rydym yn gwybod bod y pwynt (3, 1, 2) yn y plân. Drwy hynny, cawn $d = 11 \times 3 - 3 \times 1 - 5 \times 2 = 20$.

Felly, hafaliad y plân sy'n cynnwys y ddwy linell yw $11x - 3y - 5z = 20$.

Enghraifft 18 Darganfyddwch hafaliad llinell gyffredin (llinell croestoriad) y ddau blân

Π_1, $3x - y - 5z = 7$ a Π_2, $2x + 3y - 4z = -2$

DATRYSIAD

Mae'r fectorau $\begin{pmatrix} 3 \\ -1 \\ -5 \end{pmatrix}$ a $\begin{pmatrix} 2 \\ 3 \\ -4 \end{pmatrix}$ yn berpendicwlar i Π_1 a Π_2 yn ôl eu trefn.

Felly, mae $\begin{pmatrix} 3 \\ -1 \\ -5 \end{pmatrix} \times \begin{pmatrix} 2 \\ 3 \\ -4 \end{pmatrix}$ yn berpendicwlar i'r ddau berpendicwlar hyn,

ac felly yng nghyfeiriad y llinell gyffredin.

Felly, cyfeiriad y llinell gyffredin yw

$$\begin{vmatrix} \mathbf{i} & \mathbf{j} & \mathbf{k} \\ 3 & -1 & -5 \\ 2 & 3 & -4 \end{vmatrix} = 19\mathbf{i} + 2\mathbf{j} + 11\mathbf{k}$$

Er mwyn darganfod hafaliad y llinell gyffredin, mae'n rhaid i ni ddarganfod pwynt sydd arni.

Dau hafaliad i'w datrys ar gyfer tri anhysbysyn yn unig a geir wrth geisio datrys Π_1 a Π_2. Felly, rydym yn rhoi $x = 0$ ac yn datrys yr hafaliadau ar gyfer y ddau anhysbysyn sy'n weddill. Ond, os yw rhoi $x = 0$ yn peri trafferth oherwydd natur yr hafaliadau, gellir rhoi $y = 0$ neu $z = 0$.

Π_1 yw $3x - y - 5z = 7$ Pan fo $x = 0$, mae Π_1 yn rhoi $-y - 5z = 7$

Π_2 yw $2x + 3y - 4z = -2$ Pan fo $x = 0$, mae Π_2 yn rhoi $3y - 4z = -2$

Wrth ddatrys yr hafaliadau cydamserol hyn, cawn $z = -1$, $y = -2$.

Felly, mae'r pwynt $(0, -2, -1)$ yn gorwedd ar y llinell gyffredin, sy'n rhoi ei hafaliad yn

$$\mathrm{r} = \begin{pmatrix} 0 \\ -2 \\ -1 \end{pmatrix} + t\begin{pmatrix} 19 \\ 2 \\ 11 \end{pmatrix}$$

Pellter plân o'r tarddbwynt

Ystyriwch hafaliad plân yn y ffurf $\mathbf{r} \cdot \mathbf{n} = d$.

Os yw $\mathbf{n}$ yn fector uned (a ddynodir gan $\hat{\mathbf{n}}$ fel arfer), yna d yw pellter perpendicwlar y plân o'r tarddbwynt.

Enghraifft 19 Darganfyddwch y pellter o'r tarddbwynt i'r plân $3x + 4y - 5z = 21$.

DATRYSIAD

Hafaliad y plân yw

$$\mathbf{r} \cdot \begin{pmatrix} 3 \\ 4 \\ -5 \end{pmatrix} = 21$$

Drwy newid hwn i'r ffurf $\mathbf{r} \cdot \hat{\mathbf{n}} = d$, lle mae $\hat{\mathbf{n}}$ yn fector uned, cawn

$$\mathbf{r} \cdot \begin{pmatrix} \frac{3}{5\sqrt{2}} \\ \frac{4}{5\sqrt{2}} \\ -\frac{5}{5\sqrt{2}} \end{pmatrix} = \frac{21}{5\sqrt{2}}$$

Felly, y pellter o'r tarddbwynt yw $\frac{21}{5\sqrt{2}}$.

Pellter plân o bwynt

Enghraifft 20 Darganfyddwch y pellter o'r pwynt (3, –2, 6) i'r plân $3x + 4y - 5z = 21$.

DATRYSIAD

Dull 1 Yn gyntaf, rydym yn darganfod hafaliad y plân sy'n baralel i $3x + 4y - 5z = 21$ ac sy'n mynd drwy'r pwynt (3, –2, 6). Yna rydym yn darganfod pellter y ddau blân o'r tarddbwynt. Mae'r gwahaniaeth rhwng y ddau bellter hyn yn hafal i bellter y plân $3x + 4y - 5z = 21$ o (3, –2, 6).

Hafaliad y plân drwy (3, –2, 6) ac yn baralel i $3x + 4y - 5z = 21$ yw

$$3x + 4y - 5z = (3 \times 3) - (2 \times 4) + (6 \times -5)$$

$$\Rightarrow \quad 3x + 4y - 5z = -29$$

Wrth newid hwn i'r ffurf $\mathbf{r} \cdot \hat{\mathbf{n}} = d$, cawn

$$\mathbf{r} \cdot \begin{pmatrix} \frac{3}{5\sqrt{2}} \\ \frac{4}{5\sqrt{2}} \\ -\frac{5}{5\sqrt{2}} \end{pmatrix} = -\frac{29}{5\sqrt{2}}$$

Felly, y pellter o'r pwynt (3, –2, 6) i'r plân yw

$$\frac{29}{5\sqrt{2}} + \frac{21}{5\sqrt{2}} = \frac{50}{5\sqrt{2}} = 5\sqrt{2}$$

Dull 2 Wrth ddefnyddio'r ffurf $\mathbf{r} = \mathbf{a} + t\mathbf{b}$,
hafaliad y llinell sy'n berpendicwlar i $3x + 4y - 5z = 21$ drwy (3, –2, 6) yw

$$\mathbf{r} = \begin{pmatrix} 3 \\ -2 \\ 6 \end{pmatrix} + t\begin{pmatrix} 3 \\ 4 \\ -5 \end{pmatrix}$$

Mae'r llinell hon yn cyfarfod â'r plân $3x + 4y - 5z = 21$ pan fo

$$3(3 + 3t) + 4(-2 + 4t) - 5(6 - 5t) = 21$$

$$\Rightarrow \quad 50t = 50 \quad \Rightarrow \quad t = 1$$

Drwy ddefnyddio $\mathbf{r} = \mathbf{a} + t\mathbf{b}$ eto, gwelwn fod y llinell yn cyfarfod â'r plân yn (6, 2, 1).

Y pellter rhwng y ddau bwynt (3, −2, 6) a (6, 2, 1) yw

$$\sqrt{3^2 + 4^2 + 5^2} = 5\sqrt{2}$$

Felly, y pellter o'r pwynt (3, −2, 6) i'r plân yw $5\sqrt{2}$.

Ymarfer 6B

1 Darganfyddwch $\mathbf{a} \times \mathbf{b}$ pan fo

a) $\mathbf{a} = \begin{pmatrix} 1 \\ -4 \\ 3 \end{pmatrix}$ $\mathbf{b} = \begin{pmatrix} 2 \\ 3 \\ -1 \end{pmatrix}$ **b)** $\mathbf{a} = \begin{pmatrix} -3 \\ 4 \\ 5 \end{pmatrix}$ $\mathbf{b} = \begin{pmatrix} 2 \\ -3 \\ 4 \end{pmatrix}$

c) $\mathbf{a} = \begin{pmatrix} 4 \\ -4 \\ 2 \end{pmatrix}$ $\mathbf{b} = \begin{pmatrix} 1 \\ -5 \\ -3 \end{pmatrix}$ **d)** $\mathbf{a} = \begin{pmatrix} 1 \\ 4 \\ 6 \end{pmatrix}$ $\mathbf{b} = \begin{pmatrix} 3 \\ 2 \\ -5 \end{pmatrix}$

2 Darganfyddwch, mewn ffurf fector, hafaliad y plân drwy

a) A(4, 1, −5), B(2, −1, −6), C(−2, 3, 2)

b) P(2, 5, 3), Q(4, 1,−2), R(4, 3, 5)

c) D(4, 1, −3), E(2, 3, 2), F(−1, −3, 1)

3 Darganfyddwch, mewn ffurf Gartesaidd, hafaliad y plân

a) $\mathbf{r} \cdot \begin{pmatrix} 3 \\ 1 \\ 7 \end{pmatrix} = 4$ **b)** $\mathbf{r} \cdot \begin{pmatrix} 2 \\ 4 \\ 3 \end{pmatrix} = 8$ **c)** $\mathbf{r} \cdot \begin{pmatrix} -1 \\ 5 \\ 3 \end{pmatrix} + 7 = 0$

4 Darganfyddwch yr ongl rhwng pob pâr o blanau.

a) $3x - y - 4z = 7,\ 2x + 3y - z = 11$

b) $5x - 3y + z = 10,\ 2x - y - z = 8$

c) $7x + 4y - 2z = 5,\ 6x + 7y + z = 4$

d) $x - 2y - 9z = 1,\ x + 3y + 2z = 0$

5 Darganfyddwch yr ongl rhwng y llinell

$$\mathbf{r} = \begin{pmatrix} 1 \\ 4 \\ 3 \end{pmatrix} + t\begin{pmatrix} 2 \\ -3 \\ 4 \end{pmatrix}$$

a'r plân $2x + 4y - z = 7$.

6 Darganfyddwch yr ongl rhwng y llinell

$$\mathbf{r} = \begin{pmatrix} 2 \\ -3 \\ 1 \end{pmatrix} + t\begin{pmatrix} 4 \\ 2 \\ -5 \end{pmatrix}$$

a'r plân $3x - y + 2z = 11$.

7 Ysgrifennwch hafaliad y llinell $3x - 4y - 5z = 20$ yn y ffurf $\mathbf{r} \cdot \hat{\mathbf{n}} = d$, lle mae $\hat{\mathbf{n}}$ yn fector uned. Drwy hynny, ysgrifennwch y pellter o'r plân i'r tarddbwynt.

8 Safleoedd fector y pwyntiau A, B ac C yw, yn ôl eu trefn,
$\mathbf{a} = \mathbf{i} + \mathbf{j} + 2\mathbf{k}$, $\mathbf{b} = 3\mathbf{i} + 2\mathbf{j} + 4\mathbf{k}$ ac $\mathbf{c} = -\mathbf{i} + 4\mathbf{j} - 4\mathbf{k}$.

a) Ysgrifennwch y fectorau $\mathbf{b} - \mathbf{a}$ ac $\mathbf{c} - \mathbf{a}$, a thrwy hynny darganfyddwch

i) $(\mathbf{b} - \mathbf{a}) \cdot (\mathbf{c} - \mathbf{a})$

ii) $(\mathbf{b} - \mathbf{a}) \times (\mathbf{c} - \mathbf{a})$.

b) Gan ddefnyddio canlyniadau rhan **a**, neu fel arall, darganfyddwch

i) gosin yr ongl lem rhwng y llinell AB a'r llinell AC,
gan roi eich ateb mewn ffurf union

ii) arwynebedd triongl ABC, gan roi eich ateb ar ffurf swrd union

iii) hafaliad fector y plân drwy A, B ac C,
gan roi eich ateb yn y ffurf $\mathbf{r} \cdot \mathbf{n} = d$. (AEB 98)

9 Hafaliad fector y plân Π_1 yw

$$\mathbf{r} = (5\mathbf{i} + \mathbf{j}) + u(-4\mathbf{i} + \mathbf{j} + 3\mathbf{k}) + v(\mathbf{j} + 2\mathbf{k})$$

lle mae u a v yn baramedrau.

a) Darganfyddwch fector $\mathbf{n}_1$ sy'n normal i Π_1.

Hafaliad y plân Π_2 yw $3x + y - z = 3$.

b) Nodwch fector $\mathbf{n}_2$ sy'n normal i Π_2.

c) Dangoswch fod $4\mathbf{i} + 13\mathbf{j} + 25\mathbf{k}$ yn normal i $\mathbf{n}_1$ ac yn normal i $\mathbf{n}_2$.

O wybod bod y pwynt (1, 1, 1) yn gorwedd ar Π_1 a Π_2,

d) ysgrifennwch hafaliad llinell croestoriad Π_1 a Π_2 yn y ffurf $\mathbf{r} = \mathbf{a} + t\mathbf{b}$,
lle mae t yn baramedr. (EDEXCEL)

10 Tarddbwynt O ac echelinau Cartesaidd sydd i'r pwyntiau A(24, 6, 0), B(30, 12, 12)
ac C(18, 6, 36).

a) Darganfyddwch hafaliad fector ar gyfer y llinell sy'n mynd drwy bwyntiau A a B.

Mae'r pwynt P yn gorwedd ar y llinell sy'n mynd drwy A a B.

b) Dangoswch y gellir mynegi $\overrightarrow{CP}$ fel

$$(6 + t)\mathbf{i} + t\mathbf{j} + (2t - 36)\mathbf{k}$$

lle mae t yn baramedr.

c) O wybod bod $\overrightarrow{CP}$ yn berpendicwlar i $\overrightarrow{AB}$, darganfyddwch gyfesurynnau P.

d) Drwy hynny, neu fel arall, darganfyddwch arwynebedd triongl ABC,
gan roi eich ateb i dri ffigur ystyrlon. (EDEXCEL)

11 Mae'r plân Π yn mynd drwy'r pwyntiau A(−2, 3, 5), B(1, −3, 1) ac C(4, −6, −7).

a) Darganfyddwch $\overrightarrow{AC} \times \overrightarrow{BC}$.

b) Drwy hynny, neu fel arall, darganfyddwch hafaliad y plân Π yn y ffurf $\mathbf{r} \cdot \mathbf{n} = p$.

Mae'r perpendicwlar o'r pwynt (25, 5, 7) i Π yn cyfarfod â'r plân yn y pwynt F.

c) Darganfyddwch gyfesurynnau F. (EDEXCEL)

12 Hafaliad y plân p yw

$$\mathbf{r} = \mathbf{i} - \mathbf{j} + s(\mathbf{i} + \mathbf{k}) + t(\mathbf{j} - \mathbf{k})$$

a hafaliad y llinell l yw

$$\mathbf{r} = (\mathbf{i} - 2\mathbf{j} + \mathbf{k}) + \lambda(2\mathbf{i} - \mathbf{j})$$

i) Darganfyddwch fector sy'n normal i p.

ii) Dangoswch mai'r ongl lem rhwng p ac l yw $\sin^{-1}(\frac{1}{5}\sqrt{15})$. (OCR)

13 Hafaliadau'r planau P_1 a P_2 yw

$$\mathbf{r} \cdot (2\mathbf{i} - 3\mathbf{j} + \mathbf{k}) = 4 \quad \text{ac} \quad \mathbf{r} \cdot (\mathbf{i} + 2\mathbf{j} + 3\mathbf{k}) = 5$$

yn ôl eu trefn. Darganfyddwch, yn y ffurf $\mathbf{r} \cdot \mathbf{n} = d$, hafaliad y plân sy'n berpendicwlar i P_1 ac i P_2 ac sy'n mynd drwy'r pwynt sydd â fector safle $3\mathbf{i} - \mathbf{j} + 2\mathbf{k}$. (OCR)

14 Mae'r llinell l yn mynd drwy'r pwyntiau sydd â fectorau safle $\mathbf{i} - 8\mathbf{j} + 7\mathbf{k}$ a $7\mathbf{i} + 4\mathbf{j} + \mathbf{k}$. Darganfyddwch hafaliad ar gyfer l mewn ffurf fector.

Fectorau safle'r pwyntiau A, B ac C yw $3\mathbf{i} + 5\mathbf{j} + 8\mathbf{k}$, $5\mathbf{i} + 6\mathbf{j} + 7\mathbf{k}$ a $4\mathbf{i} + 7\mathbf{j} + 5\mathbf{k}$ yn ôl eu trefn.

i) Darganfyddwch y lluoswm fector $\overrightarrow{AB} \times \overrightarrow{AC}$.
Drwy hynny, neu fel arall, darganfyddwch hafaliad y plân ABC.

ii) Dangoswch fod yr ongl rhwng l a'r plân ABC yn 24.5°, yn gywir i'r 0.1° agosaf.

iii) Darganfyddwch fector safle pwynt croestoriad l a'r plân ABC. (OCR)

15 Fector safle'r pwynt A yw $2\mathbf{i} + 3\mathbf{j} + 5\mathbf{k}$ a hafaliad y llinell l yw

$$\mathbf{r} = -5\mathbf{i} + 6\mathbf{j} + 3\mathbf{k} + \lambda(2\mathbf{i} - 2\mathbf{j} - \mathbf{k})$$

i) Darganfyddwch fector safle'r pwynt N ar l fel bod AN yn berpendicwlar i l.

ii) Dangoswch mai'r pellter perpendicwlar o A i l yw $\sqrt{26}$.

Fectorau safle'r pwyntiau B ac C yw $-5\mathbf{i} + 6\mathbf{j} + 3\mathbf{k}$ a $6\mathbf{i} + 13\mathbf{j} - 7\mathbf{k}$ yn ôl eu trefn, a chanolbwynt BN yw'r pwynt D.

iii) Dangoswch fod y plân ANC yn berpendicwlar i l.

iv) Darganfyddwch yr ongl lem rhwng y planau ANC ac ACD. (OCR)

16 Hafaliad y llinell l yw

$$\mathbf{r} = 5\mathbf{i} + 8\mathbf{j} + \mathbf{k} + t(\mathbf{i} + 8\mathbf{k})$$

a hafaliad y plân P yw

$$2x - 2y - z - 5 = 0$$

Darganfyddwch fector safle'r pwynt lle mae l a P yn croestorri.
Darganfyddwch yr ongl lem rhwng l a P hefyd, gan roi eich ateb i'r radd agosaf. (OCR)

17 Ystyriwch y plân P_1, y llinell L_1 a'r llinell L_2, a roddir gan yr hafaliadau

$$P_1\colon\ x + 2y - z = 5$$

$$L_1\colon\ \frac{x-11}{4} = \frac{y+2}{2} = \frac{z+8}{5}$$

$$L_2\colon\ \frac{x-1}{1} = \frac{y+2}{-3},\ z = 7$$

i) Dangoswch fod L_1 ac L_2 yn gymhlan.

ii) Darganfyddwch hafaliad y plân, P_2, sy'n cynnwys L_1 ac L_2.

iii) Darganfyddwch hafaliad llinell croestoriad y planau P_1 a P_2. (NICCEA)

18 Fectorau safle'r pwyntiau A, B ac C yw ($\mathbf{j} + 2\mathbf{k}$), ($2\mathbf{i} + 3\mathbf{j} + \mathbf{k}$) a ($\mathbf{i} + \mathbf{j} + 3\mathbf{k}$), yn ôl eu trefn, mewn perthynas â'r tarddbwynt O. Mae'r plân Π yn cynnwys y pwyntiau A, B ac C.

a) Darganfyddwch fector sy'n berpendicwlar i Π.

b) Darganfyddwch arwynebedd Δ ABC.

c) Darganfyddwch hafaliad fector Π yn y ffurf $\mathbf{r} \cdot \mathbf{n} = p$.

d) Drwy hynny, neu fel arall, darganfyddwch hafaliad Cartesaidd Π.

e) Darganfyddwch bellter y tarddbwynt O o Π.

Fector safle'r pwynt D yw ($3\mathbf{i} + 4\mathbf{j} + \mathbf{k}$). Pellter D o Π yw $\frac{1}{\sqrt{17}}$.

f) Gan ddefnyddio'r pellter hwn, neu fel arall, cyfrifwch yr ongl lem rhwng y llinell AD a Π, gan roi eich ateb mewn graddau i un lle degol. (EDEXCEL)

19 O wybod bod

$$\mathbf{a} \times \mathbf{b} = \mathbf{i} \qquad \mathbf{b} \times \mathbf{c} = \mathbf{j} \qquad \mathbf{c} \times \mathbf{a} = \mathbf{k}$$

mynegwch

$$(\mathbf{a} + \mathbf{b}) \times (\mathbf{a} + 2\mathbf{b} + 3\mathbf{c})$$

yn nhermau **i**, **j** a **k**. (NEAB)

20

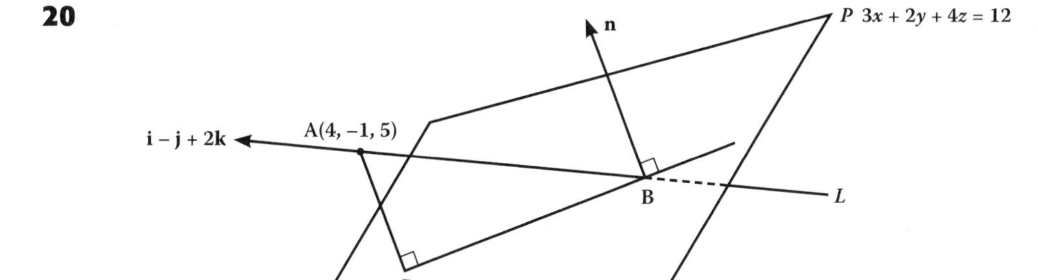

Mae'r ffigur uchod yn cynrychioli'r llinell L a'r plân P a roddir gan

$$L: \; \mathbf{r} = 4\mathbf{i} - \mathbf{j} + 5\mathbf{k} + \lambda(\mathbf{i} - \mathbf{j} + 2\mathbf{k})$$

$$P: \; 3x + 2y + 4z = 12$$

i) Darganfyddwch gyfesurynnau B, pwynt croestoriad y llinell L a'r plân P.

ii) Nodwch fector **n** sy'n berpendicwlar i'r plân P.

iii) Cyfrifwch y fector **q** a roddir gan

$$\mathbf{q} = \mathbf{n} \times (\mathbf{i} - \mathbf{j} + 2\mathbf{k})$$

a dangoswch **q** ar gopi o'r ffigur gan ddechrau yn B.

iv) Gan ddefnyddio **q**, neu fel arall, darganfyddwch hafaliad fector y llinell BC sy'n dafluniad o'r llinell L ar y plân P. (NICCEA)

21 Symleiddiwch

$$(\mathbf{a} + \mathbf{b}) \times (\mathbf{a} - \mathbf{b})$$

O wybod bod **a** a **b** yn fectorau ansero a bod

$$(\mathbf{a} + \mathbf{b}) \times (\mathbf{a} - \mathbf{b}) = \mathbf{0}$$

ysgrifennwch werthoedd posibl yr ongl rhwng **a** a **b**. (NEAB)

22 Fectorau safle'r pwyntiau A a B yw $\mathbf{a} = \begin{pmatrix} -5 \\ 1 \\ 3 \end{pmatrix}$ a $\mathbf{b} = \begin{pmatrix} 2 \\ 4 \\ -1 \end{pmatrix}$ yn ôl eu trefn,

a hafaliad y plân Π yw $\mathbf{r} \cdot \mathbf{n} = 1$, lle mae $\mathbf{n} = \begin{pmatrix} 4 \\ -1 \\ 3 \end{pmatrix}$.

a) Dangoswch fod B yn gorwedd yn Π ac nad yw A yn gorwedd yn Π.

b) Ysgrifennwch y fector $\overrightarrow{AB}$.

c) Yr ongl rhwng $\overrightarrow{AB}$ ac $\mathbf{n}$ yw θ. Darganfyddwch werth θ, gan roi eich ateb yn gywir i'r 0.1° agosaf.

d) Mae'r pwynt C yn gorwedd yn y plân Π fel bod $\overrightarrow{AC}$ yn berpendicwlar i Π.
Esboniwch pam mae $\overrightarrow{AC} = \lambda\mathbf{n}$ am ryw baramedr sgalar λ.
Drwy ddarganfod gwerth λ, neu fel arall, darganfyddwch fector safle C.

e) Darganfyddwch bellter byrraf y pwynt A o Π. **(AEB 96)**

23 Hafaliadau Cartesaidd y planau Π_1 a Π_2 yw

$$x + 2y - z = 7 \quad \text{a} \quad 2x + y + z = -1$$

yn ôl eu trefn.

a) Darganfyddwch hafaliadau Cartesaidd llinell croestoriad y planau Π_1 a Π_2 yn y ffurf

$$\frac{x-a}{l} = \frac{y-b}{m} = \frac{z-c}{n}$$

b) Darganfyddwch hafaliad Cartesaidd i'r plân Π_3 sy'n cynnwys yr echelin-y ac sy'n croestorri Π_1 a Π_2 i ffurfio prism. **(NEAB)**

24 Hafaliadau'r llinellau l_1 ac l_2, mewn perthynas â tharddbwynt O, yw

l_1: $\mathbf{r} = p\mathbf{i} - 2\mathbf{j} + 2\mathbf{k} + \lambda(\mathbf{i} - \mathbf{k})$

l_2: $\mathbf{r} = 3\mathbf{i} - \mathbf{j} + \mu(2\mathbf{i} + \mathbf{j} - 3\mathbf{k})$

lle mae λ a μ yn baramedrau sgalar a p yn gysonyn sgalar.
Mae'r llinellau yn croestorri yn y pwynt A.

a) Darganfyddwch gyfesurynnau A a dangoswch fod $p = 2$.

Mae'r plân Π yn mynd drwy A ac yn berpendicwlar i l_2.

b) Darganfyddwch hafaliad Cartesaidd ar gyfer Π.

c) Darganfyddwch yr ongl lem rhwng y plân Π a'r llinell l_1, gan roi eich ateb mewn graddau i un lle degol. **(EDEXCEL)**

25 Cyfesurynnau'r pwynt P yw $(4, k, 5)$ lle mae k yn gysonyn. Hafaliad y llinell L yw

$\mathbf{r} = \begin{pmatrix} 1 \\ 0 \\ -4 \end{pmatrix} + t\begin{pmatrix} 1 \\ 2 \\ -2 \end{pmatrix}$. Hafaliad y llinell M yw $\mathbf{r} = \begin{pmatrix} 4 \\ k \\ 5 \end{pmatrix} + t\begin{pmatrix} 7 \\ 3 \\ -4 \end{pmatrix}$.

i) Dangoswch mai'r pellter byrraf o'r pwynt P i'r llinell L yw $\frac{1}{3}\sqrt{5(k^2 + 12k + 117)}$.

ii) Darganfyddwch (yn nhermau k) y pellter byrraf rhwng y llinellau L ac M.

iii) Darganfyddwch werth k sy'n peri i L ac M groestorri.

iv) Pan fo $k = 12$, dangoswch fod y pellteroedd yn rhannau **i** a **ii** yn hafal.
Yn yr achos hwn, darganfyddwch hafaliad y llinell sy'n berpendicwlar i L ac M hefyd, ac yn eu croestorri. **(MEI)**

26 Hafaliadau'r planau Π_1 a Π_2 yw

$$x + 2y - z = 3 \quad \text{a} \quad 3x + 4y - z = 1$$

yn ôl eu trefn. Darganfyddwch

i) fector sy'n baralel i Π_1 ac i Π_2

ii) hafaliad y plân sy'n berpendicwlar i Π_1 a hefyd i Π_2 ac yn mynd drwy'r pwynt (3, –4, –5). **(NEAB)**

27 Hafaliadau fector y llinellau l_1 ac l_2 yw

$$\mathbf{r} = (2\lambda - 3)\mathbf{i} + \lambda\mathbf{j} + (1 - \lambda)\mathbf{k} \quad \text{ac} \quad \mathbf{r} = (2 + 5\mu)\mathbf{i} + (1 + \mu)\mathbf{j} + (3 + 2\mu)\mathbf{k}$$

yn ôl eu trefn, lle mae λ a μ yn baramedrau sgalar.

a) Dangoswch fod l_1 ac l_2 yn croestorri, gan nodi fector safle pwynt y croestoriad.

b) Mae'r fector $\mathbf{i} + a\mathbf{j} + b\mathbf{k}$ yn berpendicwlar i'r ddwy linell. Penderfynwch werth y cysonion a a b.

c) Darganfyddwch hafaliad Cartesaidd ar gyfer y plân sy'n cynnwys l_1 ac l_2. **(AEB 98)**

28 Hafaliadau'r llinellau L_1 ac L_2 yw

$$\mathbf{r} = \begin{pmatrix} -3 \\ 0 \\ -15 \end{pmatrix} + s\begin{pmatrix} 0 \\ 2 \\ 1 \end{pmatrix}$$

ac $$\mathbf{r} = \begin{pmatrix} 4 \\ -1 \\ 9 \end{pmatrix} + t\begin{pmatrix} 2 \\ 3 \\ 1 \end{pmatrix}$$

yn ôl eu trefn. Darganfyddwch gymarebau cyfeiriad llinell sy'n berpendicwlar i L_1 a hefyd i L_2.
Gwiriwch fod y plân Π_1, drwy'r tarddbwynt O, sydd â'r hafaliad

$$10x + y - 2z = 0$$

yn cynnwys L_1. Darganfyddwch hafaliad y plân Π_2 sy'n cynnwys O ac L_2.
Dangoswch mai hafaliad Cartesaidd y llinell L lle mae Π_1 a Π_2 yn croestorri, yw

$$x = -\frac{y}{2} = \frac{z}{4}$$

Esboniwch pam mai L yw perpendicwlar cyffredin L_1 ac L_2. **(NEAB)**

29 Mae plân Π yn cynnwys y pwyntiau A(1, –2, 1), B(4, 0, 1) ac C(1, 0, 2).

a) **i)** Cyfrifwch y fector $\mathbf{n} = \overrightarrow{AB} \times \overrightarrow{AC}$.

ii) Esboniwch pam mae $\mathbf{n}$ yn berpendicwlar i Π.

iii) Mynegwch hafaliad Π yn y ffurf

$$\mathbf{r} \cdot \mathbf{n} = p$$

lle mae p yn gysonyn.

iv) Mae'r plân Π yn rhannu gofod tri-dimensiwn yn ddau ranbarth. Dangoswch, gyda chymorth diagram, nad yw'r rhanbarth yng nghyfeiriad $\mathbf{n}$ yn cynnwys y tarddbwynt.

b) Mae llinell syth L yn mynd drwy'r pwynt D(3, –1, 2) ac mae ganddi gymarebau cyfeiriad 2 : 1 : 1.

i) Nodwch hafaliad fector ar gyfer L a gwiriwch fod L yn mynd drwy A.

ii) Dangoswch mai rhan gydrannol y fector $\overrightarrow{DA}$ yng nghyfeiriad $\mathbf{n}$ yw –1.

iii) Nodwch ddau gasgliad y gellir dod iddynt o'r canlyniad hwn ynglŷn â safle D mewn perthynas â'r plân Π. **(NEAB)**

30 Mae'r planau Π_1 a Π_2 sydd â'r hafaliadau

$$x + 2y + z + 2 = 0 \quad \text{a} \quad 2x + 3y + 2z - 1 = 0$$

yn ôl eu trefn, yn cyfarfod mewn llinell L. Cyfesurynnau'r pwynt A yw (2, –2, 1).

a) **i)** Esboniwch pam mae'r fector

$$\begin{pmatrix} 1 \\ 2 \\ 1 \end{pmatrix} \times \begin{pmatrix} 2 \\ 3 \\ 2 \end{pmatrix}$$

yng nghyfeiriad L.

ii) Drwy hynny, darganfyddwch yn y ffurf $\mathbf{r} \cdot \mathbf{n} = a$ hafaliad y plân sy'n berpendicwlar i L ac yn cynnwys A.

b) **i)** Esboniwch pam mae'r plân Π_3 sydd â'r hafaliad

$$(x + 2y + z + 2) + \lambda(2x + 3y + 2z - 1) = 0$$

ar gyfer unrhyw gysonyn λ, yn cynnwys L.

ii) Drwy hynny, neu fel arall, darganfyddwch hafaliad Cartesaidd y plân sy'n cynnwys L a'r pwynt A. (NEAB)

31 Hafaliad y plân Π yw $2x + y + 3z = 21$ a'r tarddbwynt yw O.
Mae'r llinell l yn mynd drwy'r pwynt P(1, 2, 1) ac yn berpendicwlar i Π.

a) Darganfyddwch hafaliad fector ar gyfer l.

Mae'r llinell l yn cyfarfod â'r plân Π yn y pwynt M.

b) Darganfyddwch gyfesurynnau M.

c) Darganfyddwch $\overrightarrow{OP} \times \overrightarrow{OM}$.

d) Drwy hynny, neu fel arall, darganfyddwch y pellter o P i'r llinell OM, gan roi eich ateb mewn ffurf swrd.

Pwynt Q yw adlewyrchiad P yn Π.

e) Darganfyddwch gyfesurynnau Q. (EDEXCEL)

32 Fectorau safle'r pwyntiau A, B ac C, mewn perthynas â tharddbwynt O, yw $2\mathbf{i}$, $4\mathbf{j}$ a $6\mathbf{k}$ yn ôl eu trefn. Pwyntiau P a Q yw canolbwyntiau AB a BC yn ôl eu trefn, a fector safle'r pwynt N yw $5\mathbf{i} + 6\mathbf{j} - 2\mathbf{k}$. Mae'r llinell l yn mynd drwy P ac N.

i) Darganfyddwch hafaliad fector ar gyfer l a darganfyddwch y pellter perpendicwlar o'r pwynt Q i l.

ii) Darganfyddwch hafaliad fector ar gyfer llinell croestoriad y planau ABC ac OPQ, a darganfyddwch yr ongl lem rhwng y ddau blân hyn.

iii) Darganfyddwch y pellter byrraf rhwng y llinellau OB a PQ. (OCR)

33 Mae'r llinell l_1 yn mynd drwy'r pwynt A sydd â fector safle $\mathbf{i} - \mathbf{j} - 5\mathbf{k}$, ac mae'n baralel i'r fector $\mathbf{i} - \mathbf{j} - 4\mathbf{k}$. Mae'r llinell l_2 yn mynd drwy'r pwynt B sydd â fector safle $2\mathbf{i} - 9\mathbf{j} - 14\mathbf{k}$, ac mae'n baralel i'r fector $2\mathbf{i} + 5\mathbf{j} + 6\mathbf{k}$. Mae pwyntiau P ar l_1 a Q ar l_2 fel bod PQ yn berpendicwlar i l_1 a hefyd l_2.

i) Darganfyddwch hyd PQ.

ii) Darganfyddwch fector sy'n berpendicwlar i'r plân Π ac sy'n cynnwys PQ ac l_2.

iii) Darganfyddwch y pellter perpendicwlar o A i Π. (OCR)

34 Boed i A, B ac C fod y pwyntiau (2, 1, 0), (3, 3, –1), (5, 0, 2) yn ôl eu trefn.
Darganfyddwch $\overrightarrow{AB} \times \overrightarrow{AC}$. Drwy hynny, neu fel arall, darganfyddwch hafaliad ar gyfer y plân sy'n cynnwys A, B ac C. (SQA/CSYS)

35 Hafaliad y plân π yw $\mathbf{r} \,.\, (2\mathbf{i} - 3\mathbf{j} + 6\mathbf{k}) = 0$ a fectorau safle'r pwyntiau P a Q yw $7\mathbf{i} + 6\mathbf{j} + 5\mathbf{k}$ ac $\mathbf{i} + 3\mathbf{j} - \mathbf{k}$ yn ôl eu trefn. Darganfyddwch fector safle'r pwynt lle mae'r llinell sy'n mynd drwy P a Q yn cyfarfod â'r plân π.

Darganfyddwch, yn y ffurf $ax + by + cz = d$, hafaliad y plân sy'n cynnwys y llinell PQ ac sy'n berpendicwlar i π. (OCR)

36 **a)** Gyda chymorth **Ffig. 1** isod a chan ddefnyddio'r un nodiant â'r ffigur, lle bo hynny'n addas, dangoswch mai cyfaint y tetrahedron OABC yw

$$\frac{1}{6}\,|\mathbf{n} \,.\, \mathbf{c}|$$

lle mae $\mathbf{n} = \mathbf{a} \times \mathbf{b}$.

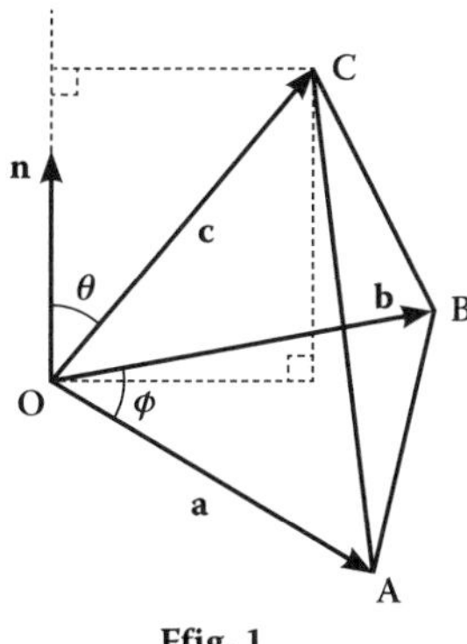

Ffig. 1

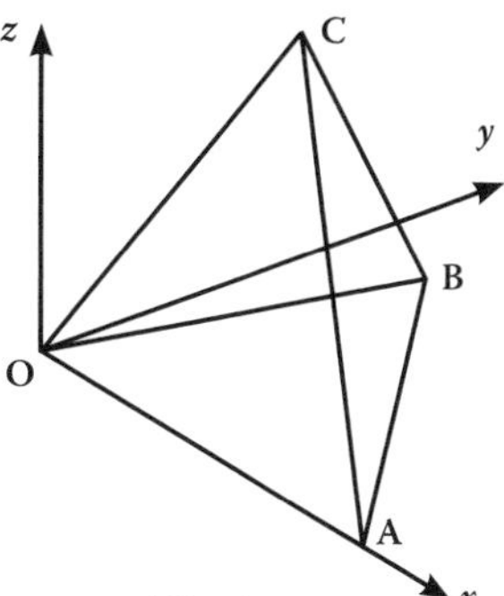

Ffig. 1

b) Yn y tetrahedron OABC a welir yn **Ffig. 2** uchod, hafaliad y plân ABC yw

$$12x + 4y + 5z = 48$$

i) Darganfyddwch gyfesurynnau A o wybod ei fod ar yr echelin-x.

Hafaliad y plân OBC yw $-4x + 4y + z = 0$.

ii) Dangoswch mai hafaliad BC yw

$$\mathbf{r} = \begin{pmatrix} 0 \\ -3 \\ 12 \end{pmatrix} + \lambda \begin{pmatrix} 1 \\ 2 \\ -4 \end{pmatrix}$$

iii) Dangoswch mai B yw'r pwynt (3, 3, 0) o wybod ei fod yn y plân-xy.

Hafaliad Cartesaidd AC yw $\dfrac{x}{2} = \dfrac{2-y}{1} = \dfrac{8-z}{4}$.

iv) Darganfyddwch gyfesurynnau C.

v) Darganfyddwch gyfaint y tetrahedron hwn. (NICCEA)

Lluoswm triphlyg sgalar a'i gymwysiadau

Diffinnir lluoswm triphlyg sgalar **a**, **b** ac **c** fel $\mathbf{a} \,.\, \mathbf{b} \times \mathbf{c}$.

Noder Mae'n rhaid cyfrifo $\mathbf{a} \,.\, \mathbf{b} \times \mathbf{c}$ fel $\mathbf{a} \,.\, (\mathbf{b} \times \mathbf{c})$. Petaem yn ceisio ei gyfrifo fel $(\mathbf{a} \,.\, \mathbf{b}) \times \mathbf{c}$, byddai gennym luoswm fector sgalar a fector, sydd, drwy ddiffiniad, yn amhosibl.

Enghraifft 21 Cyfrifwch $\begin{pmatrix}3\\4\\7\end{pmatrix}.\begin{pmatrix}2\\3\\-1\end{pmatrix}\times\begin{pmatrix}7\\4\\2\end{pmatrix}$.

DATRYSIAD

Mae'n rhaid cyfrifo'r **lluoswm fector yn gyntaf**:

$$\begin{pmatrix}3\\4\\7\end{pmatrix}.\begin{pmatrix}2\\3\\-1\end{pmatrix}\times\begin{pmatrix}7\\4\\2\end{pmatrix}=\begin{pmatrix}3\\4\\7\end{pmatrix}.\left(\begin{pmatrix}2\\3\\-1\end{pmatrix}\times\begin{pmatrix}7\\4\\2\end{pmatrix}\right)$$
$$=\begin{pmatrix}3\\4\\7\end{pmatrix}.\begin{pmatrix}10\\-11\\-13\end{pmatrix}$$

Wedyn rydym yn cyfrifo'r lluoswm sgalar:

$$\begin{pmatrix}3\\4\\7\end{pmatrix}.\begin{pmatrix}10\\-11\\-13\end{pmatrix}=30-44-91=-105$$

Felly, cawn

$$\begin{pmatrix}3\\4\\7\end{pmatrix}.\begin{pmatrix}2\\3\\-1\end{pmatrix}\times\begin{pmatrix}7\\4\\2\end{pmatrix}=-105$$

Ffordd gyflymach o ddarganfod $\mathbf{a}\,.\,\mathbf{b}\times\mathbf{c}$ yw fel a ganlyn.

Rhoddir y lluoswm fector $\mathbf{b}\times\mathbf{c}$ gan (gweler tudalen 104)

$$\mathbf{b}\times\mathbf{c}=\begin{vmatrix}\mathbf{i} & \mathbf{j} & \mathbf{k}\\ b_1 & b_2 & b_3\\ c_1 & c_2 & c_3\end{vmatrix}$$

$$=\mathbf{i}(b_2c_3-b_3c_2)-\mathbf{j}(b_1c_3-b_3c_1)+\mathbf{k}(b_1c_2-b_2c_1)$$

Felly, rhoddir y lluoswm triphlyg sgalar $\mathbf{a}\,.\,\mathbf{b}\times\mathbf{c}$ gan (gweler *Introducing Pure Mathematics*, tudalen 503)

$$\mathbf{a}\,.\,\mathbf{b}\times\mathbf{c}=a_1(b_2c_3-b_3c_2)-a_2(b_1c_3-b_3c_1)+a_3(b_1c_2-b_2c_1)$$

Hynny yw,

$$\mathbf{a}\,.\,\mathbf{b}\times\mathbf{c}=\begin{vmatrix}a_1 & a_2 & a_3\\ b_1 & b_2 & b_3\\ c_1 & c_2 & c_3\end{vmatrix}$$

Drwy ddefnyddio'r canlyniad hwn yn Enghraifft 21, cawn

$$\begin{pmatrix}3\\4\\7\end{pmatrix}.\begin{pmatrix}2\\3\\-1\end{pmatrix}\times\begin{pmatrix}7\\4\\2\end{pmatrix}=\begin{vmatrix}3 & 4 & 7\\ 2 & 3 & -1\\ 7 & 4 & 2\end{vmatrix}$$
$$=3\times10-4\times11+7\times-13$$
$$=-105$$

Fectorau cymhlan

Cawn

$$\mathbf{a} \,.\, \mathbf{b} \times \mathbf{c} = \mathbf{a} \,.\, (bc \sin\theta \,\hat{\mathbf{n}})$$

$$= abc \sin\theta \cos\phi$$

gyda θ yr ongl rhwng **b** ac **c**, ϕ yr ongl rhwng **a** ac $\hat{\mathbf{n}}$, sy'n berpendicwlar i'r plân sy'n cynnwys **b** ac **c**.
Felly, cawn

$$\mathbf{a} \,.\, \mathbf{b} \times \mathbf{c} = abc \sin\theta \sin\psi$$

gyda $\psi = (90° - \phi)$ yr ongl rhwng **a** a'r plân sy'n cynnwys **b** ac **c**.

Felly, pan fo **a, b** ac **c** yn **gymhlan** (**a, b** ac **c** yn gorwedd yn yr un plân), cawn

$$\mathbf{a} \,.\, \mathbf{b} \times \mathbf{c} = 0$$

Cyfaint ciwboid

Ystyriwch giwboid OBDCAQRS sydd ag ochrau cyfagos $\overrightarrow{OA} = \mathbf{a}$, $\overrightarrow{OB} = \mathbf{b}$ ac $\overrightarrow{OC} = \mathbf{c}$.

Rhoddir cyfaint ciwboid gan

Cyfaint = Arwynebedd y sylfaen × Uchder perpendicwlar

Felly, cyfaint, C, y ciwboid OBDCAQRS yw

$$C = (b \times c) \times a = abc$$

Nawr, mae **b** ac **c** yn berpendicwlar i'w gilydd
ac mae **a** yn berpendicwlar i'r plân sy'n eu cynnwys.
Felly, cawn

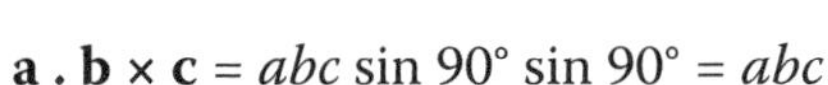

$$\mathbf{a} \,.\, \mathbf{b} \times \mathbf{c} = abc \sin 90° \sin 90° = abc$$

Felly, rhoddir cyfaint y ciwboid gan

$$C = \mathbf{a} \,.\, \mathbf{b} \times \mathbf{c}$$

lle mae'r fectorau **a**, **b** ac **c** yn cynrychioli tair ochr gyfagos y ciwboid.

Noder Gan fod cyfaint unrhyw siâp yn **bositif** o reidrwydd,
rydym bob amser yn defnyddio **maint a . b × c** wrth gyfrifo cyfaint.

Cyfaint paralelepiped

Polyhedron sydd â chwe wyneb yw paralelepiped,
a phob un o'r wynebau hynny'n baralelogram.

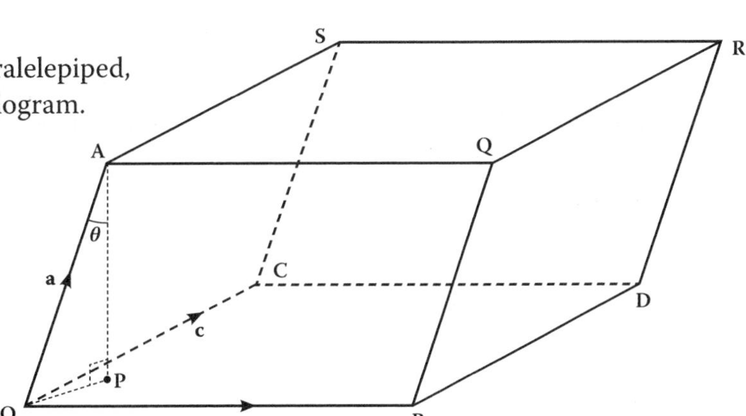

Ystyriwch y paralelepiped OBDCAQRS, sydd ag ochrau cyfagos $\overrightarrow{OA} = \mathbf{a}$, $\overrightarrow{OB} = \mathbf{b}$ ac $\overrightarrow{OC} = \mathbf{c}$.

Rhoddir cyfaint paralelepiped gan

Cyfaint = Arwynebedd sylfaen × Uchder perpendicwlar

Felly, cyfaint, C, y paralelepiped OBDCAQRS yw

$$C = |\mathbf{b} \times \mathbf{c}| \times \text{Uchder perpendicwlar}$$

Nawr, yr uchder perpendicwlar, AP, yw $|\mathbf{a}| \cos \theta$. Felly, cawn

$$C = |\mathbf{b} \times \mathbf{c}| \times |\mathbf{a}| \cos \theta$$

$$= |\mathbf{a}|\,|\mathbf{b} \times \mathbf{c}| \cos \theta$$

Nodwn fod hyn yn union yr un fath â'r lluoswm sgalar $\mathbf{x} \cdot \mathbf{y} = |\mathbf{x}|\,|\mathbf{y}| \cos \theta$, gyda $|\mathbf{x}| = |\mathbf{a}|$, $|\mathbf{y}| = |\mathbf{b} \times \mathbf{c}|$ a $\mathbf{b} \times \mathbf{c}$ yn yr un cyfeiriad â PA. Felly, rhoddir cyfaint paralelepiped gan

$$C = \mathbf{a} \cdot \mathbf{b} \times \mathbf{c}$$

lle mae'r fectorau **a**, **b** ac **c** yn cynrychioli tri ymyl cyfagos y paralelepiped.

Enghraifft 22 Darganfyddwch arwynebedd y paralelogram ABCD, lle mae A yn (3, 1, 7), B yn (2, 0, 4) a D yn (7, 2, –1).

DATRYSIAD

Mae gennym yr ochrau cyfagos

$$\overrightarrow{AB} = \mathbf{b} - \mathbf{a} = \begin{pmatrix} 2 \\ 0 \\ 4 \end{pmatrix} - \begin{pmatrix} 3 \\ 1 \\ 7 \end{pmatrix} = \begin{pmatrix} -1 \\ -1 \\ -3 \end{pmatrix}$$

$$\overrightarrow{AD} = \mathbf{d} - \mathbf{a} = \begin{pmatrix} 7 \\ 2 \\ -1 \end{pmatrix} - \begin{pmatrix} 3 \\ 1 \\ 7 \end{pmatrix} = \begin{pmatrix} 4 \\ 1 \\ -8 \end{pmatrix}$$

Arwynebedd y paralelogram ABCD yw $|\overrightarrow{AB} \times \overrightarrow{AD}|$, sy'n rhoi

$$\text{Arwynebedd} = \begin{vmatrix} \mathbf{i} & \mathbf{j} & \mathbf{k} \\ -1 & -1 & -3 \\ 4 & 1 & -8 \end{vmatrix}$$

$$= |11\mathbf{i} - 20\mathbf{j} + 3\mathbf{k}|$$

$$= \sqrt{11^2 + 20^2 + 3^2} = \sqrt{530}$$

Enghraifft 23 Darganfyddwch gyfaint paralelepiped ABCDPQRS, lle mae A yn (3, 1, 7), B yn (2, 0, 4), D yn (7, 2, –1) a P yn (8, 3, 11).

DATRYSIAD

Rhoddir cyfaint, C, y paralelepiped ABCDPQRS, gan

$$C = \overrightarrow{AP} \cdot \overrightarrow{AB} \times \overrightarrow{AD}$$

Mae gennym

$$\overrightarrow{AP} = \mathbf{p} - \mathbf{a} = \begin{pmatrix} 8 \\ 3 \\ 11 \end{pmatrix} - \begin{pmatrix} 3 \\ 1 \\ 7 \end{pmatrix} = \begin{pmatrix} 5 \\ 2 \\ 4 \end{pmatrix}$$

Gan ddefnyddio $\overrightarrow{AB} \times \overrightarrow{AD} = \begin{pmatrix} 11 \\ -20 \\ 3 \end{pmatrix}$ o Enghraifft 22, cawn

$$C = \overrightarrow{AP} \,.\, \overrightarrow{AB} \times \overrightarrow{AD}$$

$$= \begin{pmatrix} 5 \\ 2 \\ 4 \end{pmatrix} . \begin{pmatrix} 11 \\ -20 \\ 3 \end{pmatrix} = 55 - 40 + 12 = 27$$

Neu gallwn ddefnyddio (gweler tudalennau 122 ac 124)

$$C = \begin{vmatrix} 5 & 2 & 4 \\ -1 & -1 & -3 \\ 4 & 1 & -8 \end{vmatrix} = 5(8 + 3) - 2(8 + 12) + 4(-1 + 4) = 27$$

Noder Gellid defnyddio $\overrightarrow{AB} \,.\, \overrightarrow{AD} \times \overrightarrow{AP}$, gan nad yw'r drefn y dewisir y tri ymyl cyfagos yn berthnasol, ond mae'n rhaid i bob fector naill ai bod **yn mynd i ffwrdd oddi wrth, neu yn dod tuag at, yr un pwynt** yn y paralelepiped.

Cyfaint tetrahedron

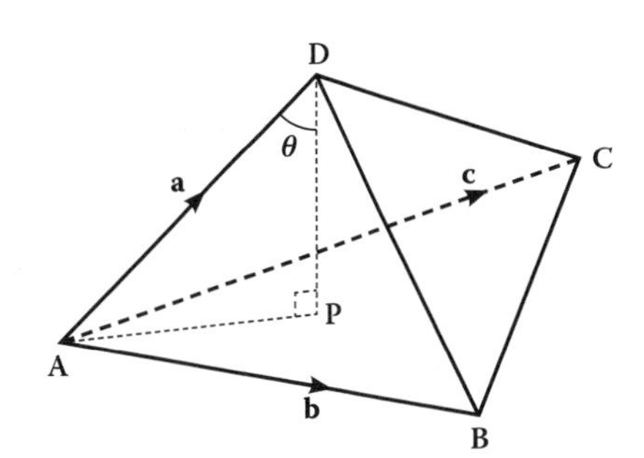

Polyhedron sydd â phedwar wyneb yw tetrahedron a phob un o'r wynebau hynny'n driongl. Hynny yw, mae'n byramid â sylfaen trionglog.

Ystyriwn yr ochrau cyfagos AD, AB ac AC, a gynrychiolir gan y fectorau **a**, **b** ac **c** yn ôl eu trefn.

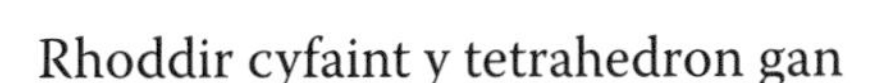

Rhoddir cyfaint y tetrahedron gan

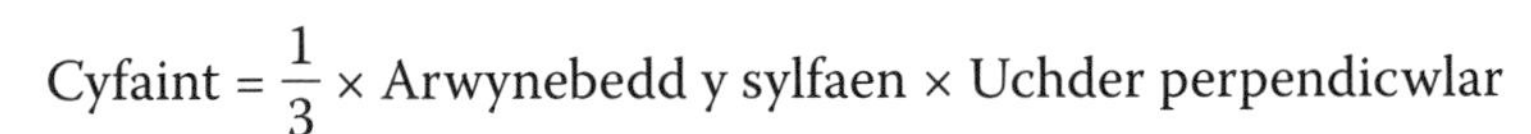

$$\text{Cyfaint} = \frac{1}{3} \times \text{Arwynebedd y sylfaen} \times \text{Uchder perpendicwlar}$$

Felly, cyfaint, C, y tetrahedron ABCD, yw

$$C = \frac{1}{3} \times \frac{1}{2} \, |\mathbf{b} \times \mathbf{c}| \times \text{Uchder perpendicwlar}$$

Nawr, yr uchder perpendicwlar, DP, yw $|\mathbf{a}| \cos \theta$. Felly,

$$C = \frac{1}{6} \, |\mathbf{b} \times \mathbf{c}| \times |\mathbf{a}| \cos \theta = \frac{1}{6} \, |\mathbf{a}| \, |\mathbf{b} \times \mathbf{c}| \cos \theta$$

Oherwydd bod $\mathbf{b} \times \mathbf{c}$ yn yr un cyfeiriad â PD, cawn

$$C = \frac{1}{6} \, \mathbf{a} \,.\, \mathbf{b} \times \mathbf{c}$$

lle mae **a**, **b** ac **c** yn fectorau sy'n cynrychioli tri ymyl cyfagos y tetrahedron.

Felly, mae cyfaint tetrahedron yn un chweched cyfaint paralelepiped.

Enghraifft 24 Darganfyddwch gyfaint y tetrahedron PQRS, lle mae P yn (3, 4, 7), Q yn (–2, 1, 5), R yn (1, 3, –1) ac S yn (–3, 6, 8).

DATRYSIAD

Cawn

$$\overrightarrow{PQ} = \mathbf{q} - \mathbf{p} = \begin{pmatrix} -5 \\ -3 \\ -2 \end{pmatrix} \qquad \overrightarrow{PR} = \mathbf{r} - \mathbf{p} = \begin{pmatrix} -2 \\ -1 \\ -8 \end{pmatrix} \qquad \overrightarrow{PS} = \mathbf{s} - \mathbf{p} = \begin{pmatrix} -6 \\ 2 \\ 1 \end{pmatrix}$$

Felly, rhoddir cyfaint, *C*, y tetrahedron PQRS, gan

$$\begin{aligned} C &= \frac{1}{6} \times \overrightarrow{PQ} \,.\, \overrightarrow{PR} \times \overrightarrow{PS} \\ &= \frac{1}{6} \begin{vmatrix} -5 & -3 & -2 \\ -2 & -1 & -8 \\ -6 & 2 & 1 \end{vmatrix} \\ &= \frac{1}{6}(-5 \times 15 + 3 \times -50 - 2 \times -10) \\ &= -\frac{205}{6} \end{aligned}$$

Felly, cyfaint y tetrahaedron PQRS yw $\frac{205}{6}$.

Cyfaint prism trionglog

Rhoddir cyfaint prism trionglog gan

Cyfaint = Arwynebedd y sylfaen × Uchder perpendicwlar

Drwy ddiffiniad, mae'r sylfaen yn driongl. Felly, cawn

$$\text{Arwynebedd y sylfaen} = \frac{1}{2}|\mathbf{b} \times \mathbf{c}|$$

Felly, cyfaint, C, y prism yw

$$\begin{aligned} C &= \frac{1}{2}|\mathbf{b} \times \mathbf{c}| \times \text{Uchder perpendicwlar} \\ &= \frac{1}{2}|\mathbf{a}|\,|\mathbf{b} \times \mathbf{c}| \end{aligned}$$

sy'n rhoi

$$C = \frac{1}{2}\mathbf{a} \,.\, \mathbf{b} \times \mathbf{c}$$

lle mae **a** yn fector sy'n cynrychioli ymyl y prism a **b** ac **c** yn fectorau sy'n cynrychioli dwy ochr o'i sylfaen trionglog, yn gyfagos i **a**.

Cyfaint pyramid

Rhoddir cyfaint pyramid gan

$$\text{Cyfaint} = \frac{1}{3} \times \text{Arwynebedd y sylfaen} \times \text{Uchder perpendicwlar}$$

Cymerwn achos sylfaen petryal (neu baralelogram), a chawn

$$C = \frac{1}{3}\,|\mathbf{b} \times \mathbf{c}| \times \text{Uchder perpendicwlar}$$

lle mae **b** ac **c** yn cynrychioli dwy ochr gyfagos y sylfaen, fel y gwelir yn y diagram ar y dde.

O'r diagram, gwelwn mai'r uchder perpendicwlar yw $|\mathbf{a}| \cos \theta$. Felly, cawn

$$C = \frac{1}{3}\,|\mathbf{a}|\,|\mathbf{b} \times \mathbf{c}| \cos \theta$$

Oherwydd bod $\mathbf{b} \times \mathbf{c}$ yn yr un cyfeiriad â PV, mae hyn yn rhoi

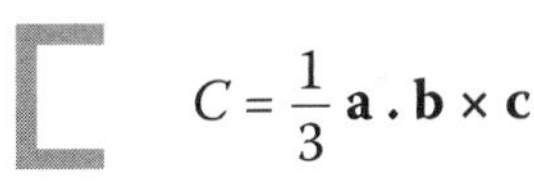

$$C = \frac{1}{3}\,\mathbf{a} \,.\, \mathbf{b} \times \mathbf{c}$$

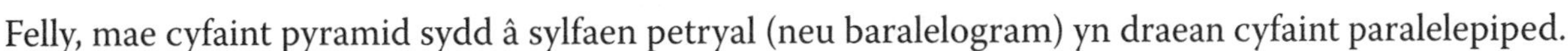

Felly, mae cyfaint pyramid sydd â sylfaen petryal (neu baralelogram) yn draean cyfaint paralelepiped.

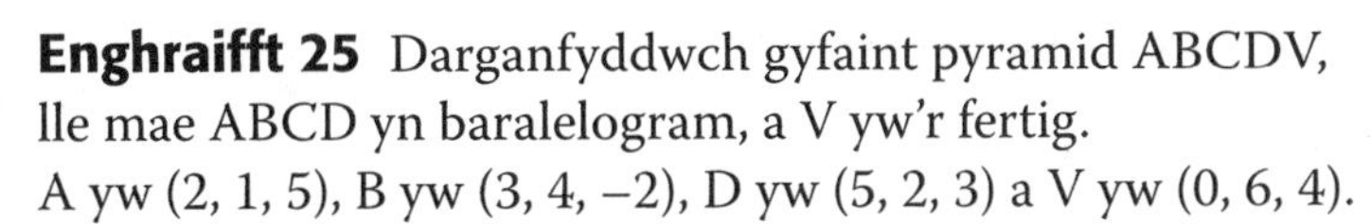

Enghraifft 25 Darganfyddwch gyfaint pyramid ABCDV, lle mae ABCD yn baralelogram, a V yw'r fertig.
A yw (2, 1, 5), B yw (3, 4, –2), D yw (5, 2, 3) a V yw (0, 6, 4).

DATRYSIAD

Cawn

$$\overrightarrow{AB} = \mathbf{b} - \mathbf{a} = \begin{pmatrix} 1 \\ 3 \\ -7 \end{pmatrix} \qquad \overrightarrow{AD} = \mathbf{d} - \mathbf{a} = \begin{pmatrix} 3 \\ 1 \\ -2 \end{pmatrix} \qquad \overrightarrow{AV} = \mathbf{v} - \mathbf{a} = \begin{pmatrix} -2 \\ 5 \\ -1 \end{pmatrix}$$

Felly, cyfaint y pyramid ABCDV yw

$$\frac{1}{3}\overrightarrow{AV} \,.\, \overrightarrow{AB} \times \overrightarrow{AD} = \frac{1}{3}\begin{pmatrix} -2 \\ 5 \\ -1 \end{pmatrix} . \left(\begin{pmatrix} 1 \\ 3 \\ -7 \end{pmatrix} \times \begin{pmatrix} 3 \\ 1 \\ -2 \end{pmatrix}\right)$$

$$= \frac{1}{3}\begin{vmatrix} -2 & 5 & -1 \\ 1 & 3 & -7 \\ 3 & 1 & -2 \end{vmatrix}$$

$$= \frac{1}{3}\,[-2(-6 + 7) - 5(-2 + 21) - 1(1 - 9)]$$

$$= \frac{1}{3}\,(-2 \times 1 + -5 \times 19 - 1 \times -8)$$

$$= \frac{1}{3}\,(-2 - 95 + 8)$$

Felly, cyfaint y pyramid ABCDV yw $\frac{89}{3}$.

Ymarfer 6C

1 Darganfyddwch werth $\begin{pmatrix} 3 \\ -2 \\ 1 \end{pmatrix} . \begin{pmatrix} 2 \\ 1 \\ 4 \end{pmatrix} \times \begin{pmatrix} 1 \\ 5 \\ -2 \end{pmatrix}$.

2 Darganfyddwch werth $\begin{pmatrix} 2 \\ 4 \\ -5 \end{pmatrix} . \begin{pmatrix} 3 \\ 8 \\ 2 \end{pmatrix} \times \begin{pmatrix} 2 \\ -3 \\ 6 \end{pmatrix}$.

3 Darganfyddwch werth $\begin{pmatrix} -1 \\ 2 \\ 5 \end{pmatrix} . \begin{pmatrix} 2 \\ 3 \\ 1 \end{pmatrix} \times \begin{pmatrix} 3 \\ 8 \\ 4 \end{pmatrix}$.

4 Darganfyddwch gyfaint y paralelepiped ABCDEFGH,

$$\overrightarrow{AB} = \begin{pmatrix} 1 \\ 3 \\ 2 \end{pmatrix} \qquad \overrightarrow{AD} = \begin{pmatrix} -2 \\ 1 \\ -3 \end{pmatrix} \qquad \overrightarrow{AE} = \begin{pmatrix} 5 \\ 2 \\ 7 \end{pmatrix}$$

5 Mae'r ffigur ar y dde yn cynrychioli ciwb â'i ochrau yn uned o hyd.

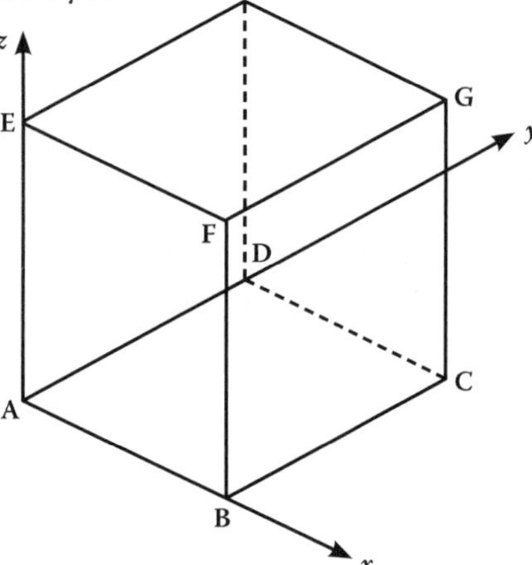

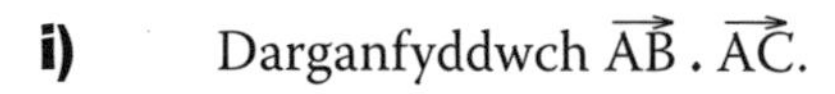

i) Darganfyddwch $\overrightarrow{AB} . \overrightarrow{AC}$.

ii) Darganfyddwch fector sy'n hafal i $\overrightarrow{EA} \times \overrightarrow{EH}$ gan ddefnyddio'r llythrennau sydd yn y diagram.

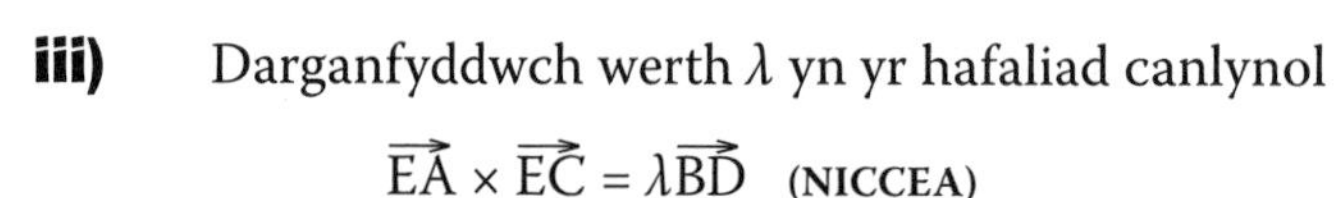

iii) Darganfyddwch werth λ yn yr hafaliad canlynol

$$\overrightarrow{EA} \times \overrightarrow{EC} = \lambda\overrightarrow{BD}$$ **(NICCEA)**

6 Cyfesurynnau'r pwyntiau A, B, C a D yw (3, 1, 2), (5, 2, –1), (6, 4, 5) a (–7, 6, –3) yn ôl eu trefn.

a) Darganfyddwch $\overrightarrow{AC} \times \overrightarrow{AD}$.

b) Darganfyddwch hafaliad fector y llinell drwy A sy'n berpendicwlar i $\overrightarrow{AC}$ ac i $\overrightarrow{AD}$.

c) Gwiriwch fod B yn gorwedd ar y llinell hon.

d) Darganfyddwch gyfaint y tetrahedron ABCD. **(EDEXCEL)**

7 Mae'r ffigur ar y dde yn dangos prism union sydd â dau ben trionglog ABC a DEF, ac ymylon paralel AD, BE, CF. O wybod bod A yn (2, 7, –1), B yn (5, 8, 2), C yn (6, 7, 4) a D yn (12, 1, –9),

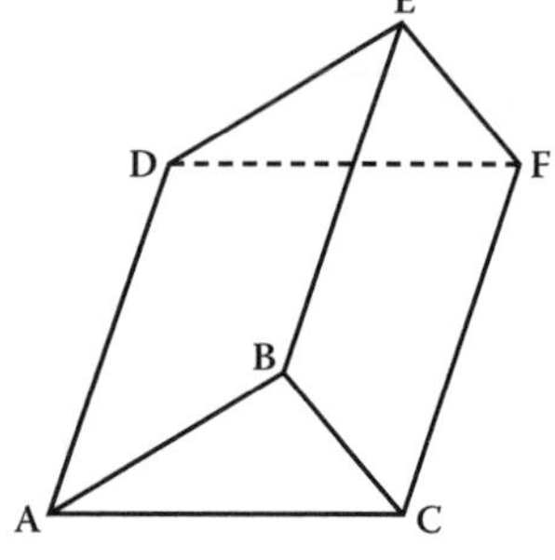

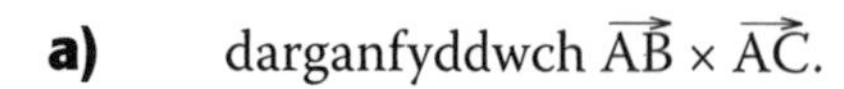

a) darganfyddwch $\overrightarrow{AB} \times \overrightarrow{AC}$.

b) darganfyddwch $\overrightarrow{AD} . (\overrightarrow{AB} \times \overrightarrow{AC})$.

c) Cyfrifwch gyfaint y prism. **(EDEXCEL)**

8 Fectorau safle'r pwyntiau A, B ac C yw **a** m, **b** m ac **c** m, yn ôl eu trefn, mewn perthynas â tharddbwynt O, lle mae

$$\mathbf{a} = 3\mathbf{i} + 4\mathbf{j} + 5\mathbf{k} \qquad \mathbf{b} = 4\mathbf{i} + 6\mathbf{j} + 7\mathbf{k} \qquad \mathbf{c} = \mathbf{i} + 5\mathbf{j} + 3\mathbf{k}$$

a) Darganfyddwch $(\mathbf{b} - \mathbf{a}) \times (\mathbf{c} - \mathbf{a})$.

b) Drwy hynny, neu fel arall, darganfyddwch arwynebedd Δ ABC a chyfaint y tetrahedron OABC.

c) Darganfyddwch hafaliad y plân ABC yn y ffurf $\mathbf{r} \cdot \mathbf{n} = p$.

O wybod mai fector safle'r pwynt D yw $(2\mathbf{i} + \mathbf{j} + 2\mathbf{k})$ m,

d) darganfyddwch gyfesurynnau pwynt croestoriad, E, y llinell OD gyda'r plân ABC

e) darganfyddwch yr ongl lem rhwng ED a'r plân ABC. (EDEXCEL)

7 Braslunio cromliniau ac anhafaleddau

And of the curveship lend a myth to God.
HART CRANE

Braslunio cromliniau

Ar dudalen 306 o *Introducing Pure Mathematics*, mae cyflwyniad byr i'r defnydd o asymptotau mewn braslunio cromliniau. Rydym am estyn y dull gweithredu i gromliniau mwy cymhleth nawr.

Cofiwch Llinell yw asymptot sy'n dod yn dangiad i gromlin fel mae x neu y yn tueddu at anfeidredd.

Mae'n rhaid i ni allu dod o hyd i asymptotau os ydym am fraslunio ffwythiannau nad ydynt yn drigonometrig nac yn bolynomaidd.

Ystyriwn, er enghraifft, y gromlin

$$y = \frac{4x - 8}{x + 3}$$

Wrth i $y \to \pm\infty$, mae'n rhaid bod enwadur y ffwythiant yn tueddu at sero.
Hynny yw, wrth i $x + 3 \to 0$, $x \to -3$. Felly, mae $x = -3$ yn asymptot.

I ddarganfod yr asymptot wrth i $x \to \pm\infty$, mynegwn y ffwythiant fel

$$y = \frac{4 - \dfrac{8}{x}}{1 + \dfrac{3}{x}}$$

Wrth i $x \to \pm\infty$, mae $\dfrac{3}{x} \to 0$, ac mae $\dfrac{8}{x} \to 0$. Felly, mae $y \to \dfrac{4}{1} = 4$.
Felly, mae $y = 4$ hefyd yn asymptot.

Sylwch, wrth i $x \to \pm\infty$, mai'r termau mwyaf yn y rhifiadur a'r enwadur yw $4x$ ac x yn y drefn honno, ac felly $y \approx 4x \div x = 4$.

Mae $x = -3$ yn **asymptot fertigol**, gan ei fod yn baralel i'r echelin-y, ac mae $y = 4$ yn **asymptot llorweddol**, gan ei fod yn baralel i'r echelin-x.

Er mwyn gallu braslunio $y = \dfrac{4x - 8}{x + 3}$, mae'n rhaid i ni hefyd ddarganfod lle mae'n croesi'r echelinau-x ac -y:

Pan fo $x = 0$: $\quad y = -\dfrac{8}{3}$

Pan fo $y = 0$: $\quad 4x - 8 = 0 \quad \Rightarrow \quad x = 2$

I fraslunio'r gromlin, awn ymlaen fel a ganlyn (gweler y diagram ar y dde):

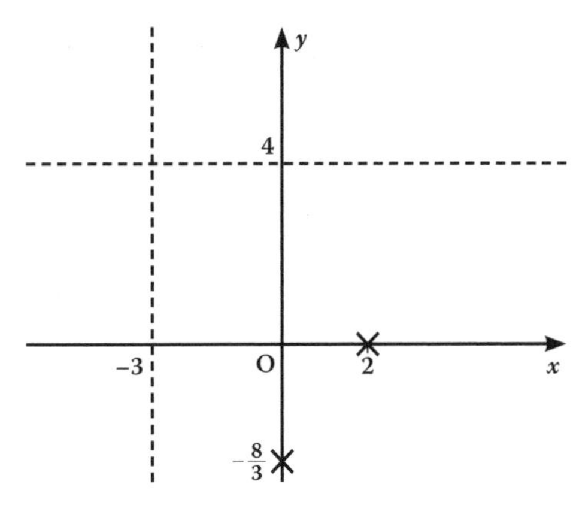

- Yn gyntaf, lluniadwch yr asymptotau gan ddefnyddio llinellau toredig.

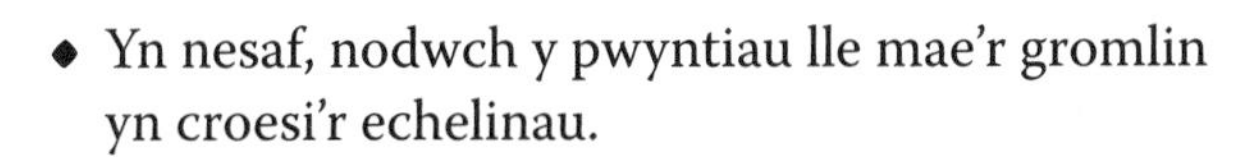

- Yn nesaf, nodwch y pwyntiau lle mae'r gromlin yn croesi'r echelinau.
- Oherwydd bod rhifiadur **ac** enwadur y ffwythiant ill dau yn cynnwys term llinol yn unig yn x, ni all y gromlin groesi yr un o'r ddau asymptot.
- O ystyried y gromlin pan fo $x > -3$, gwelwn ei bod yn tueddu at $-\infty$ wrth i x agosáu at −3 o werthoedd x sy'n fwy na −3. Felly, mae'r gromlin yn tueddu at $+\infty$ wrth i x agosáu at −3 o werthoedd x sy'n llai na −3.
- Gallwn nawr gwblhau cromlin $y = \dfrac{4x-8}{x+3}$.

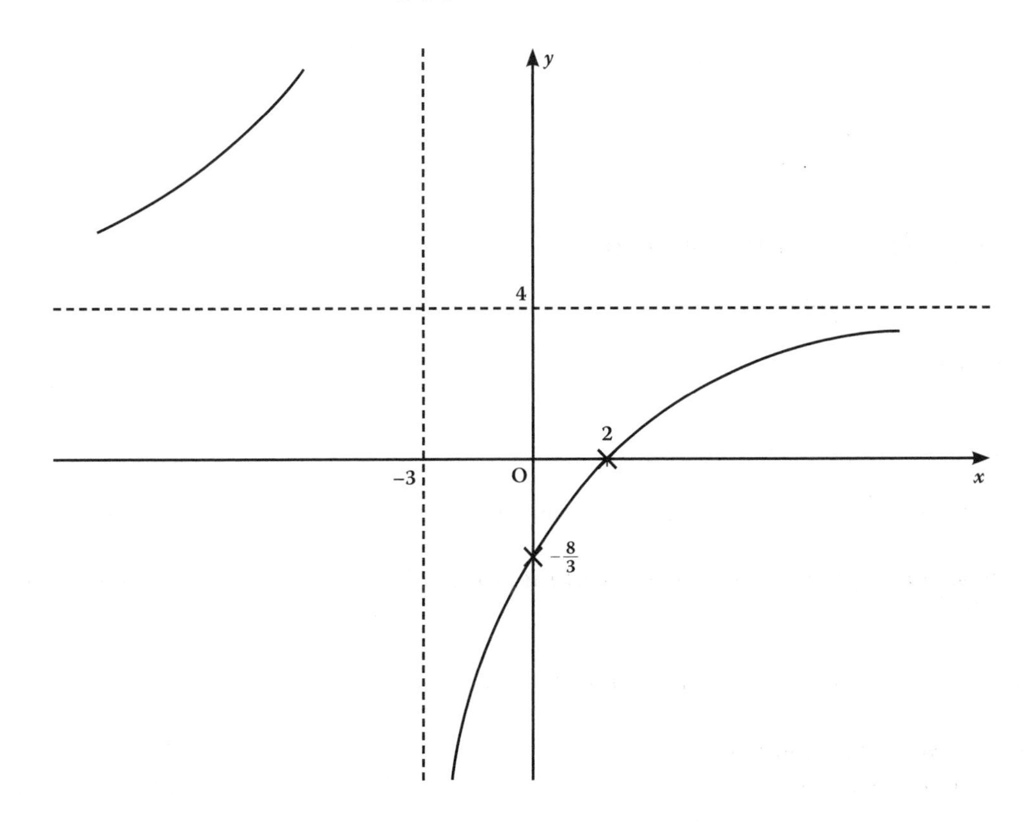

Enghraifft 1 Brasluniwch $y = \dfrac{2x-6}{x-5}$

DATRYSIAD

Yn gyntaf, rydym yn darganfod yr asymptotau.

Wrth i $x \to \pm\infty$, mae $y \to 2$. Hynny yw, yr asymptot llorweddol yw $y = 2$.

Wrth i $y \to \pm\infty$, mae $x - 5 \to 0$. Felly, $x = 5$ yw'r asymptot fertigol.

Wedyn, rydym yn darganfod lle mae'r gromlin yn croesi'r echelinau:

Pan fo $x = 0$: $\quad y = \dfrac{-6}{-5} = \dfrac{6}{5}$

Pan fo $y = 0$: $\quad 2x - 6 = 0 \quad \Rightarrow \quad x = 3$

Gallwn yn awr gwblhau braslun $y = \dfrac{2x-6}{x-5}$, a welir isod.

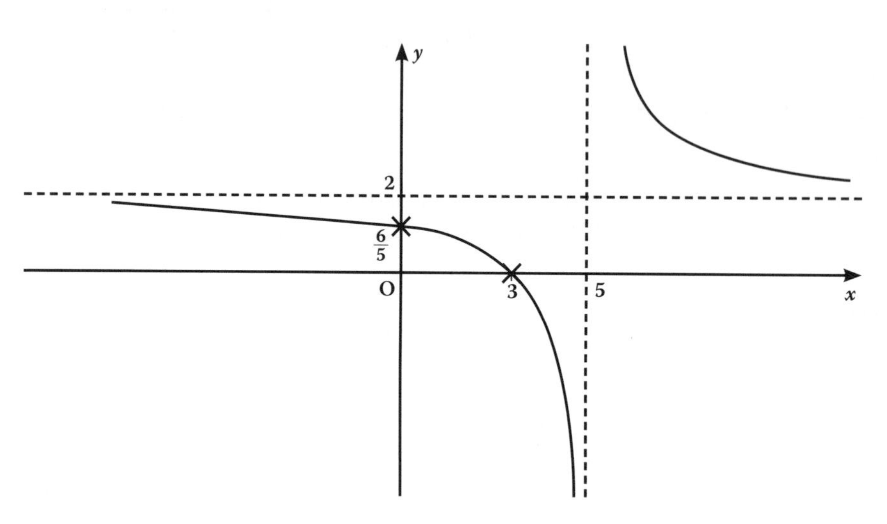

Cromliniau gydag asymptot arosgo

Ar gyfer y rhan fwyaf o gromliniau, wrth i $x \to \pm\infty$ ni fydd gwerth y yn feidraidd.

Ystyriwn, er enghraifft, y gromlin

$$y = x + \frac{1}{x}$$

Wrth i $x \to \pm\infty$, mae $\dfrac{1}{x} \to 0$, ac felly mae $y \to x$. Felly mae $y = x$ yn asymptot i'r gromlin.

Gelwir hwn yn **asymptot arosgo** (weithiau **asymptot ar oledd**), gan nad yw $y = x$ yn baralel i'r naill echelin na'r llall.

Yr asymptot arall yw $x = 0$ (yr echelin-y), gan fod $\dfrac{1}{x} \to \infty$, pan fo $x \to 0$.

Pan fo $x = 0$, nid yw y wedi'i ddiffinio,
felly nid yw'r gromlin yn croesi'r echelin-y.
Oherwydd hyn, mae'r echelin-y yn asymptot fertigol, fel y dangoswyd yn barod.

Gallwn nawr fraslunio cromlin $y = x + \dfrac{1}{x}$, fel y dangosir ar y dde.

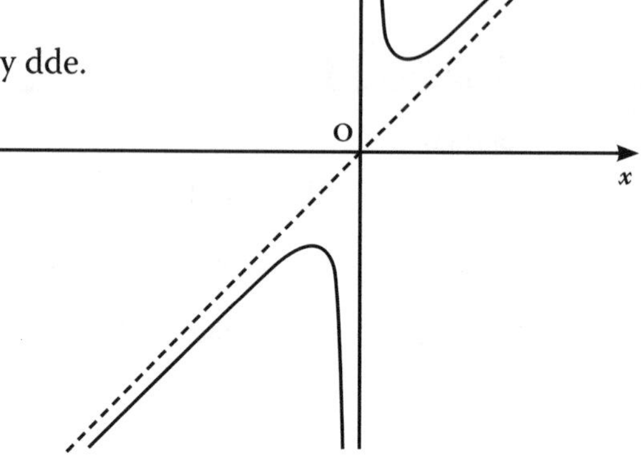

Enghraifft 2 Brasluniwch $y = \dfrac{x^2 - 3x}{x + 1}$.

DATRYSIAD

Drwy rannu $x^2 + 3x$ ag $x + 1$, cawn

$$y = x + 2 - \frac{2}{x + 1}$$

sy'n rhoi i ni'r asymptotau yn $x = -1$ ac $y = x + 2$.

Rydym nawr yn darganfod lle mae'r gromlin yn croesi'r echelinau:

Pan fo $y = 0$: $x^2 + 3x = 0 \quad \Rightarrow \quad x = 0$ a -3
Pan fo $x = 0$: $y = 0$

Rydym nawr yn cwblhau braslun $y = \dfrac{x^2 - 3x}{x + 1}$.

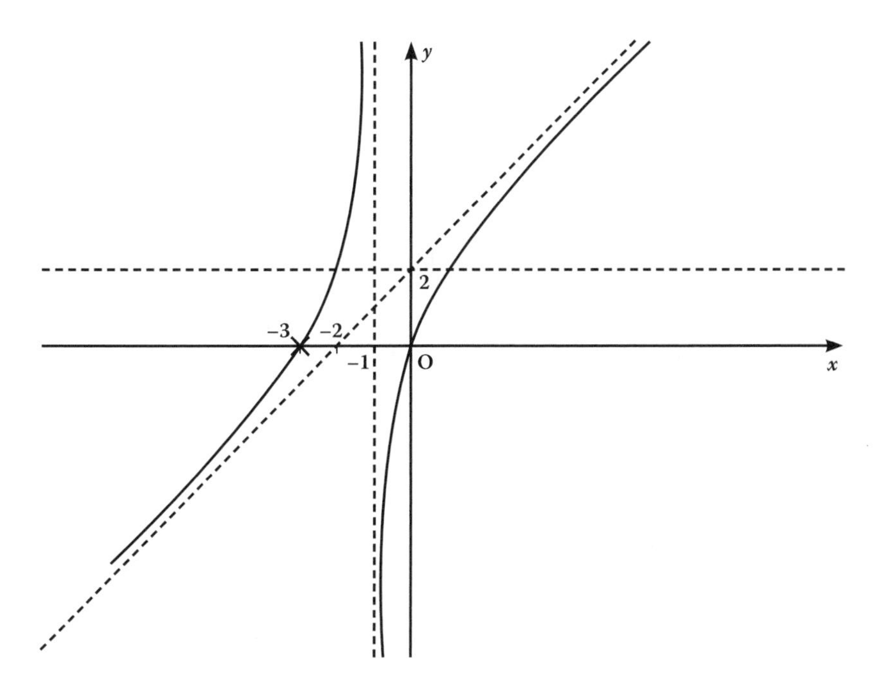

Braslunio ffwythiannau cymarebol sydd ag enwadur cwadratig

Cromliniau sydd â dau asymptot fertigol

Cymerwn, er enghraifft, y gromlin $y = \dfrac{(x - 3)(2x - 5)}{(x + 1)(x + 2)}$.

Pan fo'r enwadur yn fynegiad cwadratig,
- mae yna **bob amser** ddau asymptot fertigol, a
- bydd y gromlin fel arfer yn croesi'r asymptot llorweddol.

Felly, yn ogystal â darganfod yr asymptotau a'r pwyntiau lle mae'r gromlin yn croesi'r echelinau, mae'n rhaid darganfod lle mae'r gromlin yn croesi'r asymptot llorweddol.

Noder Gallai'r ddau asymptot fertigol fod yn cyd-daro, fel yn Enghraifft 4, ar dudalen 135.

Felly mae pedwar cam i fraslunio'r ffwythiant a roddir.

1 I ddarganfod asymptot llorweddol $y = \dfrac{(x-3)(2x-5)}{(x+1)(x+2)}$, rydym yn mynegi'r ffwythiant fel

$$y = \frac{\left(1 - \frac{3}{x}\right)\left(2 - \frac{5}{x}\right)}{\left(1 + \frac{1}{x}\right)\left(1 + \frac{2}{x}\right)}$$

Wrth i $x \to \pm\infty$, mae $\dfrac{1}{x} \to 0$, ac mae $y \to 2$. Felly'r asymptot llorweddol yw $y = 2$.

2 I ddarganfod yr asymptotau fertigol, rydym yn rhoi'r enwadur yn sero, sy'n rhoi

$$(x+1)(x+2) = 0$$

Felly, yr asymptotau fertigol yw $x = -1$ ac $x = -2$.

3 I ddarganfod lle mae'r gromlin yn croesi'r echelinau, cawn

Pan fo $x = 0$: $y = \dfrac{15}{2}$

Pan fo $y = 0$: $x = 3$ ac $x = \dfrac{5}{2}$

4 I ddarganfod lle mae'r gromlin yn croesi'r asymptot llorweddol, $y = 2$, cawn

$$2 = \frac{(x-3)(2x-5)}{(x+1)(x+2)}$$

$$2(x^2 + 3x + 2) = 2x^2 - 11x + 15$$

$$\Rightarrow \quad x = \frac{11}{17}$$

I fraslunio'r gromlin, mae'n rhaid nodi'r pedwar pwynt i gyd, yn ogystal â'r tri asymptot.

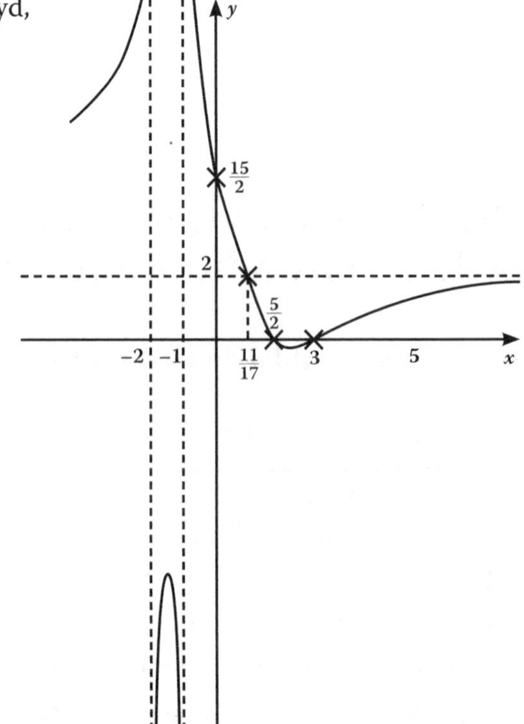

Noder

- Ni all y gromlin groesi echelin neu asymptot **ond yn unig** yn y pwyntiau a ddarganfuwyd.
- Os yw un gangen o'r gromlin y mynd at $+\infty$, mae'n rhaid i'r gangen nesaf ddychwelyd o $-\infty$. Yr eithriad i hyn yw pan fo'r ddau asymptot fertigol yn cyd-daro o ganlyniad i ffactor wedi'i sgwario yn yr enwadur. Gweler Enghraifft 4 ar dudalen 135.

Enghraifft 3 Brasluniwch $y = \frac{(x+1)(x-4)}{(x-2)(x-5)}$.

DATRYSIAD

Yr asymptot llorweddol yw $y = 1$.

Yr asymptotau fertigol yw $x = 2$ ac $x = 5$.

Mae'r gromlin yn croesi'r echelinau yn $x = 0$, $y = -\frac{4}{10}$, ac yn $y = 0$, $x = -1, 4$.

Mae'r gromlin yn croesi'r asymptot llorweddol pan fo $y = 1$, sy'n rhoi

$$x^2 - 7x + 10 = x^2 - 3x - 4$$

$$\Rightarrow \quad x = \frac{7}{2}$$

Gallwn yn awr fraslunio'r gromlin.

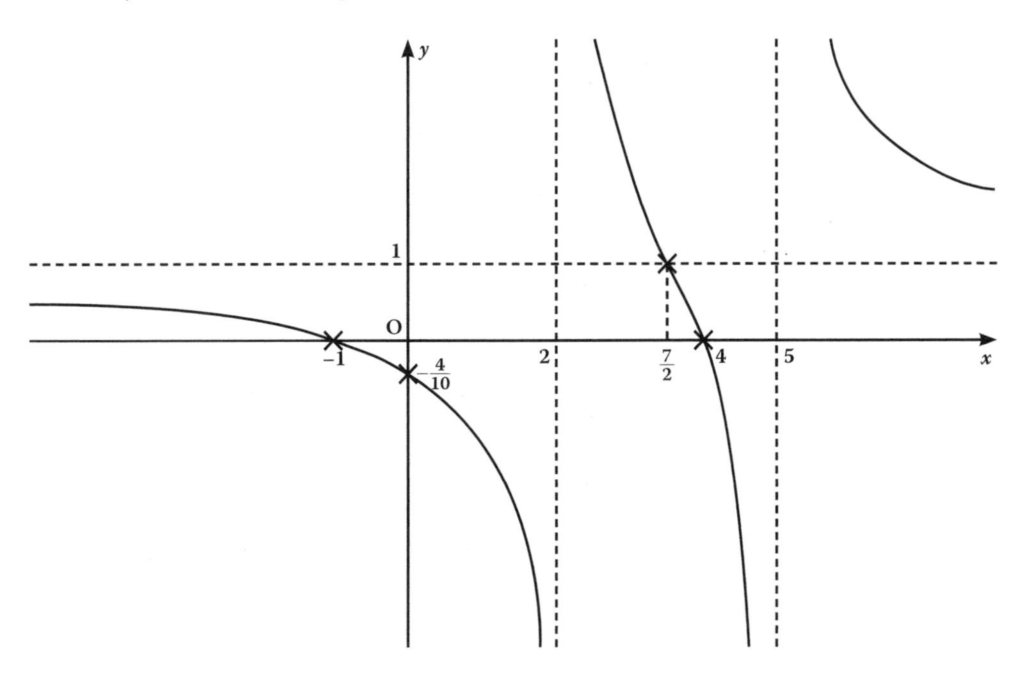

Enghraifft 4 Brasluniwch y gromlin $y = \frac{(x-1)(3x+2)}{(x+1)^2}$.

DATRYSIAD

Yr asymptot llorweddol yw $y = 3$.

Yr asymptotau fertigol yw $x = -1$ (dwy waith).

Mae'r gromlin yn croesi'r echelinau yn $x = 0$, $y = -2$, ac yn $y = 0$, $x = 1, -\frac{2}{3}$.

Mae'r gromlin yn croesi'r asymptot llorweddol pan fo $y = 3$, sy'n rhoi

$$3 = \frac{3x^2 - x - 2}{x^2 + 2x + 1}$$

$$3(x^2 + 2x + 1) = 3x^2 - x - 2$$

$$\Rightarrow \quad x = -\frac{5}{7}$$

Noder Gan fod $x = -1$ yn asymptot sy'n ailadrodd, a'r gromlin yn tueddu at $+\infty$ wrth i x agosáu at -1 o'r dde (hynny yw, mae x yn tueddu at -1 o'r ochr uchaf), mae hefyd yn tueddu at $+\infty$ wrth i x agosáu at -1 o'r chwith (hynny yw, o'r ochr isaf).

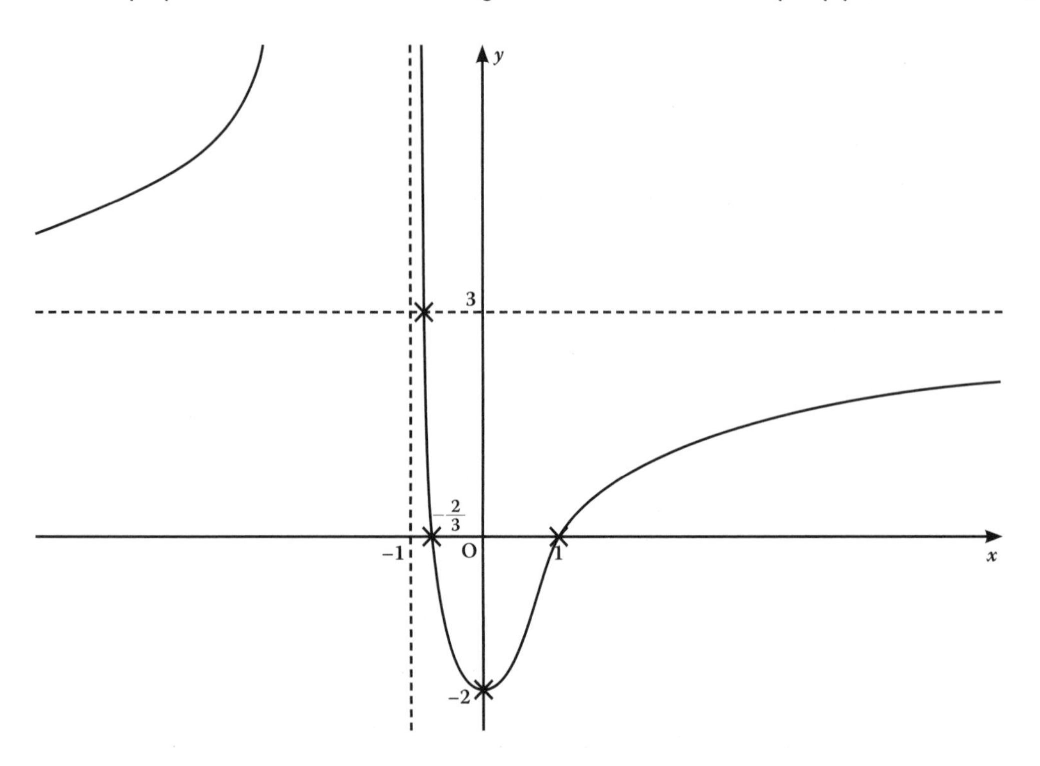

Cromliniau heb asymptotau fertigol

Nid oes asymptotau fertigol gan bob ffwythiant o'r ffurf $y = \dfrac{ax^2 + bx + c}{px^2 + qx + r}$.

Os nad yw gwreiddiau $px^2 + qx + r = 0$ yn real, ni fydd gan y gromlin asymptot fertigol.

Enghraifft 5 Brasluniwch y gromlin $y = \dfrac{2x^2 + 5x + 3}{4x^2 + 5x + 3}$,

a darganfyddwch amrediad gwerthoedd posibl y.

DATRYSIAD

I ddarganfod asymptot llorweddol $y = \dfrac{2x^2 + 5x + 3}{4x^2 + 5x + 3}$, rydym yn mynegi'r ffwythiant fel

$$y = \frac{2 + \dfrac{5}{x} + \dfrac{3}{x^2}}{4 + \dfrac{5}{x} + \dfrac{3}{x^2}}$$

Wrth i $x \to \infty$, mae $y \to \frac{1}{2}$. Felly, $y = \frac{1}{2}$ yw'r asymptot llorweddol.

Ar gyfer yr asymptotau fertigol, cawn $4x^2 + 5x + 3 = 0$, sy'n rhoi

$$x = \frac{-5 \pm \sqrt{-23}}{8}$$

Nid yw'r rhain yn real. Felly, nid oes gan y gromlin asymptot fertigol.

I ddarganfod lle mae'r gromlin yn torri'r echelinau, cawn

Pan fo $y = 0$: $2x^2 + 5x + 3 = 0$

$$(2x + 3)(x + 1) = 0$$

$$\Rightarrow \quad x = -1 \quad \text{a} \quad -\frac{3}{2}$$

Pan fo $x = 0$: $y = 1$

Mae'r gromlin yn croesi'r asymptot llorweddol $y = \frac{1}{2}$ pan fo

$$\frac{1}{2} = \frac{2x^2 + 5x + 3}{4x^2 + 5x + 3}$$

sy'n rhoi

$$4x^2 + 5x + 3 = 4x^2 + 10x + 6$$

$$\Rightarrow \quad x = -\frac{3}{5}$$

Gallwn nawr fraslunio'r gromlin.

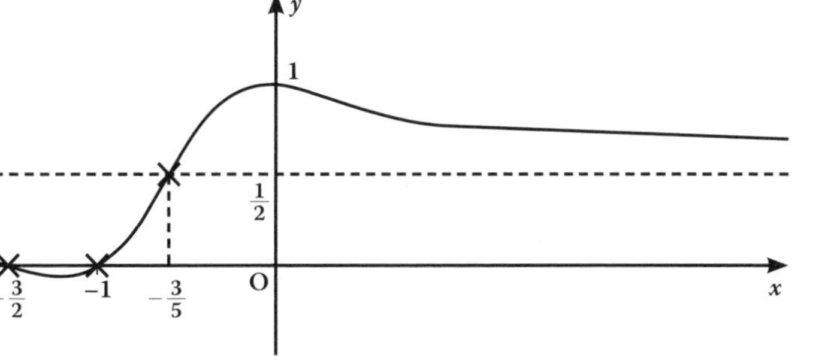

I ddarganfod amrediad gwerthoedd y, mae'n rhaid i ni ddarganfod y gwerthoedd hynny fel bod gan $y = \dfrac{2x^2 + 5x + 3}{4x^2 + 5x + 3}$ wreiddiau real ar gyfer x.

Wrth drawsluosi $y = \dfrac{2x^2 + 5x + 3}{4x^2 + 5x + 3}$, cawn

$$4yx^2 + 5xy + 3y = 2x^2 + 5x + 3$$

$$\Rightarrow \quad (4y - 2)x^2 + (5y - 5)x + 3y - 3 = 0$$

O'r fformiwla gwadratig, rydym yn gwybod bod $b^2 - 4ac \geqslant 0$ os yw gwreiddiau x yn real. Felly, cawn

$$(5y - 5)^2 - 4(4y - 2)(3y - 3) \geqslant 0$$

$$\Rightarrow \quad 23y^2 - 22y - 1 \leqslant 0$$

$$\Rightarrow \quad (23y + 1)(y - 1) \leqslant 0$$

$$\Rightarrow \quad -\frac{1}{23} \leqslant y \leqslant 1$$

Felly, amrediad gwerthoedd posibl y yw $-\frac{1}{23} \leqslant y \leqslant 1$.

Felly, gwerth macsimwm y yw 1, a'r gwerth minimwm yw $-\frac{1}{23}$.

Noder Gallem fod wedi defnyddio calcwlws i ddarganfod y ddau bwynt sefydlog hyn.

Ymarfer 7A

Brasluniwch graff pob un o'r ffwythiannau canlynol.

1 $y = \dfrac{(x-3)(x-1)}{(x+2)(x-2)}$

2 $y = \dfrac{(2x-1)(x+4)}{(x-1)(x-2)}$

3 $y = \dfrac{(x+4)(x-5)}{(x-2)(x-3)}$

4 $y = \dfrac{(x+1)(2x+5)}{(x+2)(x-5)}$

5 $y = \dfrac{2x^2+3x-5}{x^2-x-2}$

6 $y = \dfrac{3x^2+4x+4}{x^2-2x-3}$

7 Darganfyddwch amrediad gwerthoedd

a) $y = \dfrac{4x^2-x-3}{2x^2-x-3}$

b) $y = \dfrac{x^2+x-1}{x^2+x-3}$

8 Darganfyddwch hafaliadau tri asymptot y gromlin

$$y = \frac{4x^2-5x+7}{21x^2-x-10}$$ **(OCR)**

9 Darganfyddwch hafaliadau asymptotau'r gromlin

$$y = \frac{x^2-x+1}{x+1}$$ **(OCR)**

10 Un o ddau asymptotau'r gromlin

$$y = \frac{x^2+\lambda x+1}{x+2}$$

lle mae λ yn gysonyn, yw $y = x + 5$.

i) Nodwch hafaliad yr asymptot arall.

ii) Darganfyddwch werth λ. **(OCR)**

11 Hafaliad y gromlin C yw

$$y = 10 + \frac{8}{x-2} - \frac{27}{x+2}$$

i) Nodwch hafaliadau asymptotau C.

ii) Darganfyddwch $\dfrac{d^2y}{dx^2}$.

iii) Dangoswch fod gan C un pwynt ffurfdro, a darganfyddwch gyfesurynnau'r pwynt hwn. **(OCR)**

12 Hafaliad cromlin yw $y = \dfrac{x^2-5}{x^2+2x-11}$.

a) Darganfyddwch hafaliadau tri asymptot y gromlin, gan roi pob ateb mewn ffurf union.

b) Profwch yn algebraidd nad oes gwerthoedd x pan fo $\frac{1}{2} < y < \frac{5}{6}$.

Drwy hynny, neu fel arall, cyfrifwch gyfesurynnau trobwyntiau'r gromlin. **(AEB 98)**

13 Hafaliad cromlin yw $y = \dfrac{x^2}{2x+1}$.

a) i) Nodwch hafaliad asymptot fertigol y gromlin, a darganfyddwch hafaliad yr asymptot arosgo.

ii) Darganfyddwch gyfesurynnau'r pwyntiau sefydlog ar y gromlin drwy ddifferu.

b) Cylchdroir y rhanbarth a ffinnir gan y gromlin, yr echelin-x rhwng $x = 0$ ac $x = 1$, a'r llinell $x = 1$, drwy un cylchdro o amgylch yr echelin-x i ffurfio solid sydd â chyfaint C. Drwy ddefnyddio'r amnewidiad $u = 2x + 1$, neu fel arall, dangoswch fod

$$C = \frac{\pi}{24}\,(4 - 3\ln 3)$$ **(AEB 98)**

14 Gadewch i'r ffwythiant f gael ei roi gan

$$f(x) = \frac{2x^3 - 7x^2 + 4x + 5}{(x-2)^2} \qquad x \neq 2$$

a) Mae graff $y = f(x)$ yn croesi'r echelin-y yn $(0, a)$. Ysgrifennwch werth a.

b) Ar gyfer graff $f(x)$

i) ysgrifennwch hafaliad yr asymptot fertigol,

ii) dangoswch yn algebraidd fod asymptot anfertigol yn bodoli a nodwch ei hafaliad.

c) Darganfyddwch gyfesurynnau a natur pwynt sefydlog $f(x)$.

d) Dangoswch fod gan $f(x) = 0$ wreiddyn yn y cyfwng $-2 < x < 0$.

e) Brasluniwch graff $y = f(x)$. (Mae'n rhaid i chi gynnwys canlyniadau pedair rhan gyntaf y cwestiwn hwn ar eich braslun.) **(SQA/CSYS)**

15 Hafaliad y gromlin C yw

$$y = \frac{2x^2 + 6x + 1}{(x-1)(x+2)}$$

i) Mynegwch y mewn ffracsiynau rhannol.

ii) Diddwythwch fod

a) y graddiant yn negatif ar bob pwynt yn C

b) $y > 2$ am bob $x > 1$.

iii) Ysgrifennwch hafaliadau asymptotau C.

iv) Mae gan un o'r asymptotau bwynt yn gyffredin ag C. Darganfyddwch gyfesurynnau'r pwynt hwn. **(OCR)**

16 Diffinnir cromlin C gan yr hafaliadau

$$x = \frac{1+t}{1-t} \qquad y = \frac{1+t^2}{1-t^2}$$

lle mae t yn baramedr real, $t \neq \pm 1$.

a) Darganfyddwch fynegiad ar gyfer $\dfrac{dy}{dx}$ yn nhermau t, gan symleiddio eich ateb cymaint â phosibl.

b) Drwy ddiddymu t, profwch mai hafaliad Cartesaidd C yw $y = \dfrac{x^2+1}{2x}$.

c) Ysgrifennwch hafaliadau ddau asymptot C.

d) i) Profwch yn algebraidd nad oes gwerthoedd x pan fo $-1 < y < 1$.

ii) Drwy hynny, neu fel arall, darganfyddwch gyfesurynnau trobwyntiau C. **(AEB 96)**

Anhafaleddau

Yn *Introducing Pure Mathematics (*tudalennau 6 a 36), gwelsom sut i ddatrys anhafaleddau syml megis

$$4x + 7 > 3(x - 4) \quad \text{ac} \quad x^2 - 7x + 10 \geqslant 0$$

Daethom i'r casgliad ein bod yn gallu adio a thynnu fel arfer gyda symbol anhafaledd, fel petai yn hafalnod. **Ond**, i luosi neu rannu gyda rhif negatif, mae'n rhaid **newid arwydd yr anhafaledd**. Er enghraifft, cawn

$$3 > 2 \quad \text{ond} \quad -3 < -2$$

$$-2x > 4 \quad \Rightarrow \quad x < -2$$

Felly, **ni ellir** datrys anhafaledd megis $\dfrac{ax + b}{cx + d} > 2$ yn syml drwy luosi dwy ochr yr anhafaledd ag $cx + d$, gan nad ydym yn gwybod a yw $cx + d$ yn bositif, sy'n rhoi

$$ax + b > 2(cx + d)$$

neu'n negatif, sy'n rhoi

$$ax + b < 2(cx + d)$$

I ddatrys anhafaleddau megis $\dfrac{ax + b}{cx + d} > k$, gallwn ddefnyddio un o'r ddau ddull canlynol.

1 Lluosi dwy ochr yr hafaliad ag $(cx + d)^2$, sydd, o anghenraid yn bositif.

2 Braslunio $y = \dfrac{ax + b}{cx + d}$, datrys $\dfrac{ax + b}{cx + d} = k$ ac yna,

drwy gymharu'r ddau ganlyniad hyn, ysgrifennu datrysiad i'r anhafaledd.

Dylech allu defnyddio'r ddau ddull, ond mae'r un a ddewiswch chi o bosibl yn dibynnu ar ba un yw'r gorau, eich sgiliau algebraidd neu eich sgiliau graffigol.

Enghraifft 6 Datryswch yr anhafaledd $\dfrac{5x - 9}{x + 3} > 2$.

DATRYSIAD

Dull 1

Drwy luosi ag $(x + 3)^2$, cawn

$$\frac{5x - 9}{x + 3}(x + 3)^2 > 2(x + 3)^2$$

$$\Rightarrow \quad (5x - 9)(x + 3) > 2(x + 3)^2$$

$$\Rightarrow \quad (5x - 9)(x + 3) - 2(x + 3)^2 > 0$$

Wrth sylwi bod $(x + 3)$ yn ffactor, rydym yn ffactorio i gael

$$(x + 3)[5x - 9 - 2(x + 3)] > 0$$

$$\Rightarrow \quad (x + 3)(3x - 15) > 0$$

$$\Rightarrow \quad (x + 3)(x - 5) > 0$$

$$\Rightarrow \quad x > 5 \quad \text{neu} \quad x < -3$$

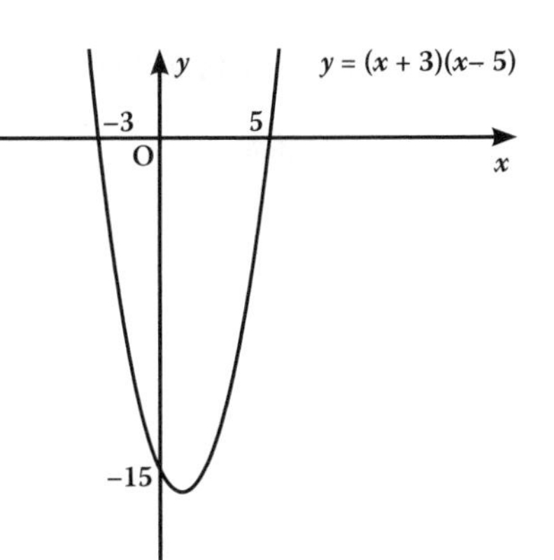

Dull 2

Ystyriwch y gromlin $y = \dfrac{5x - 9}{x + 3}$.

Yr asymptotau yw $x = -3$ ac $y = 5$.

Mae'r gromlin yn torri'r echelinau yn $\left(\dfrac{9}{5}, 0\right)$ a $(0, -3)$.

Gallwn yn awr fraslunio cromlin $y = \dfrac{5x - 9}{x + 3}$.

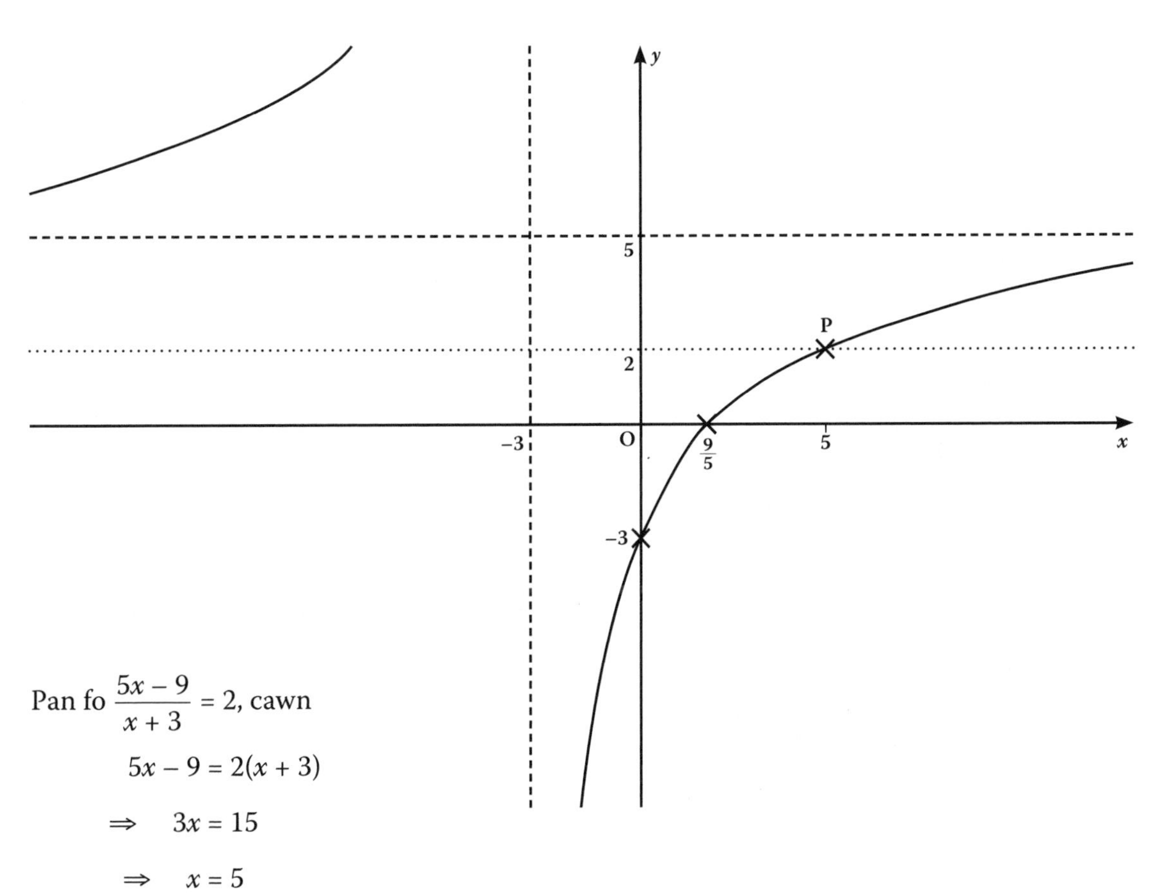

Pan fo $\dfrac{5x - 9}{x + 3} = 2$, cawn

$$5x - 9 = 2(x + 3)$$

$$\Rightarrow \quad 3x = 15$$

$$\Rightarrow \quad x = 5$$

Rhoddwn y pwynt P (5, 2) ar y gromlin. Felly, gallwn weld bod

$$\frac{5x - 9}{x + 3} > 2$$

yn cael ei fodloni gan y rhan honno o'r graff uwchben y llinell doredig $y = 2$. Hynny yw, lle mae $x > 5$ neu $x < -3$.

Enghraifft 7 Datryswch yr anhafaledd $\dfrac{(x+1)(x+4)}{(x-1)(x-2)} < 2$.

DATRYSIAD

Dull 1

Lluoswn ag $(x-1)^2(x-2)^2$ i gael

$$\frac{(x+1)(x+4)}{(x-1)(x-2)}(x-1)^2(x-2)^2 < 2(x-1)^2(x-2)^2$$

$$\Rightarrow \quad (x+1)(x+4)(x-1)(x-2) < 2(x-1)^2(x-2)^2$$

$$\Rightarrow \quad (x+1)(x+4)(x-1)(x-2) - 2(x-1)^2(x-2)^2 < 0$$

Gan nodi bod $(x-1)$ ac $(x-2)$ yn ffactorau, ffactoriwn i gael

$$(x-1)(x-2)[(x+1)(x+4) - 2(x-1)(x-2)] < 0$$

$$\Rightarrow \quad (x-1)(x-2)[x^2+5x+4-2x^2+6x-4] < 0$$

$$\Rightarrow \quad (x-1)(x-2)(-x^2+11x) < 0$$

$$\Rightarrow \quad (x-1)(x-2)(x^2-11x) > 0$$

$$\Rightarrow \quad (x-1)(x-2)x(x-11) > 0$$

Felly, cawn

$$\frac{(x+1)(x+4)}{(x-1)(x-2)} < 2$$

pan fo $x > 11$, $1 < x < 2$, $x < 0$.

Dull 2

Ystyriwch gromlin $y = \dfrac{(x+1)(x+4)}{(x-1)(x-2)}$.

Yr asymptot llorweddol yw $y = 1$.

Yr asymptotau fertigol yw $x = 1$ ac $x = 2$.

Mae'r gromlin yn croesi'r echelinau pan fo $y = 0$, $x = -1, -4$, a phan fo $x = 0$, $y = 2$.

Pan fo $y = 1$, cawn

$$\frac{(x+1)(x+4)}{(x-1)(x-2)} = 1$$

$$\Rightarrow \quad x^2+5x+4 = x^2-3x+2$$

$$\Rightarrow \quad 8x = -2$$

$$\Rightarrow \quad x = -\frac{1}{4}$$

Pan fo $y = 2$, cawn

$$\frac{(x+1)(x+4)}{(x-1)(x-2)} = 2$$

$$\Rightarrow \quad x^2+5x+4 = 2(x^2-3x+2)$$

$$\Rightarrow \quad 0 = x^2-11x$$

$$\Rightarrow \quad x = 0 \quad \text{ac} \quad 11$$

Felly, cawn

$$\frac{(x+1)(x+4)}{(x-1)(x-2)} < 2$$

pan fo $x > 11$, $1 < x < 2$, $x < 0$.

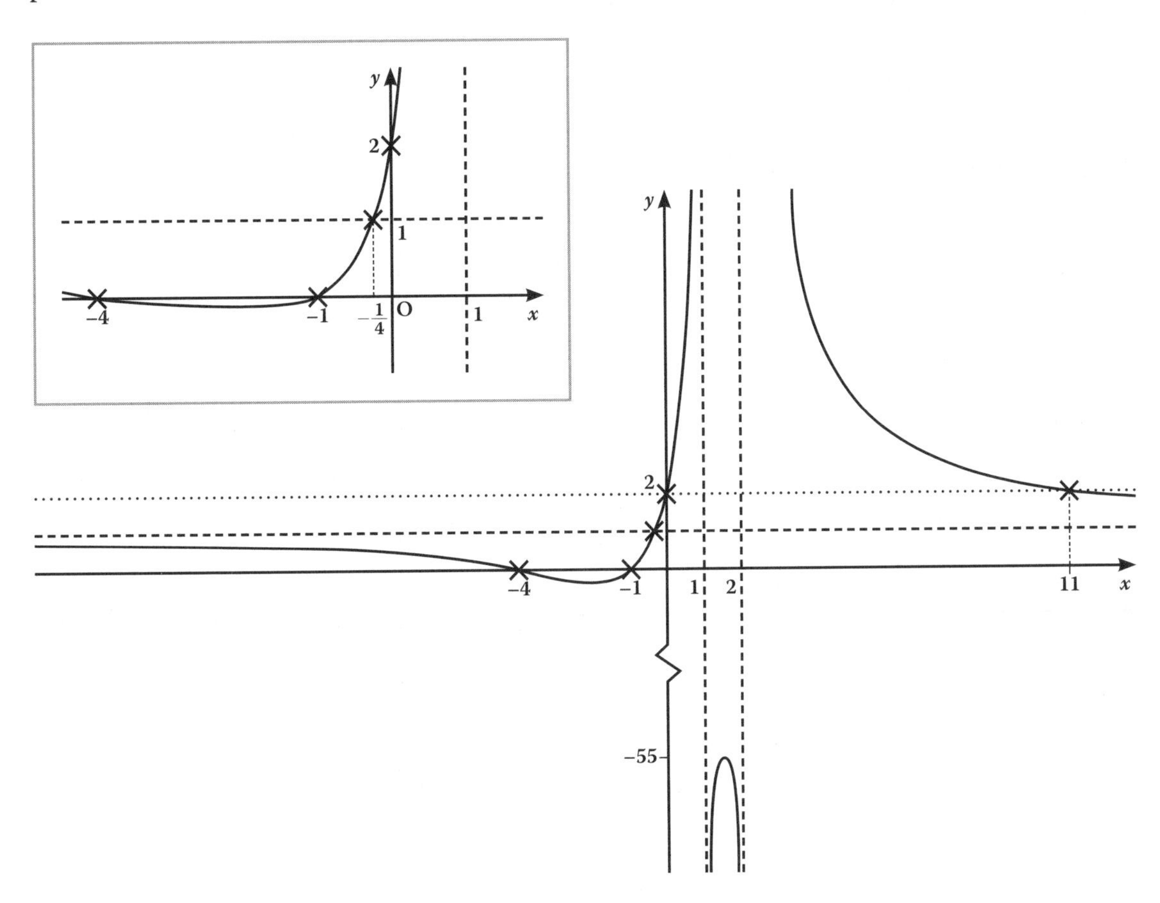

Anhafaleddau sy'n cynnwys cromliniau modwlws

Yn *Introducing Pure Mathematics* (tudalen 95), gwelsom sut i ddatrys anhafaleddau modwlws syml. Yma, rydym yn ystyried anhafaleddau modwlws sy'n cynnwys ffracsiynau algebraidd.

Cymerwn, er enghraifft, yr anhafaledd modwlws

$$\left|\frac{5x-9}{x+3}\right| > 2$$

Datryswn hwn drwy ddatrys yn gyntaf

$$\frac{5x-9}{x+3} = +2 \quad \text{a} \quad \frac{5x-9}{x+3} = -2$$

ac wedyn diddwytho gwerthoedd angenrheidiol x o fraslun y gromlin

$$y = \left|\frac{5x-9}{x+3}\right|$$

Ceir braslun $y = \left|\frac{5x-9}{x+3}\right|$ drwy fraslunio $y = \frac{5x-9}{x+3}$

ac adlewyrchu yn yr echelin-x y rhan o'r gromlin sydd o dan yr echelin-x.

Felly, i ddatrys $\left|\dfrac{5x-9}{x+3}\right| > 2$, awn ymlaen fel a ganlyn.

Yn gyntaf, rydym yn datrys $\dfrac{5x-9}{x+3} = 2$, sy'n rhoi $x = 5$ (fel yn Enghraifft 6, tudalennau 140–1).

Wedyn, rydym yn datrys $\dfrac{5x-9}{x+3} = -2$, sy'n rhoi

$$5x - 9 = -2(x+3) \quad \Rightarrow \quad x = \frac{3}{7}$$

Yna, rydym yn braslunio $y = \dfrac{5x-9}{x+3}$.

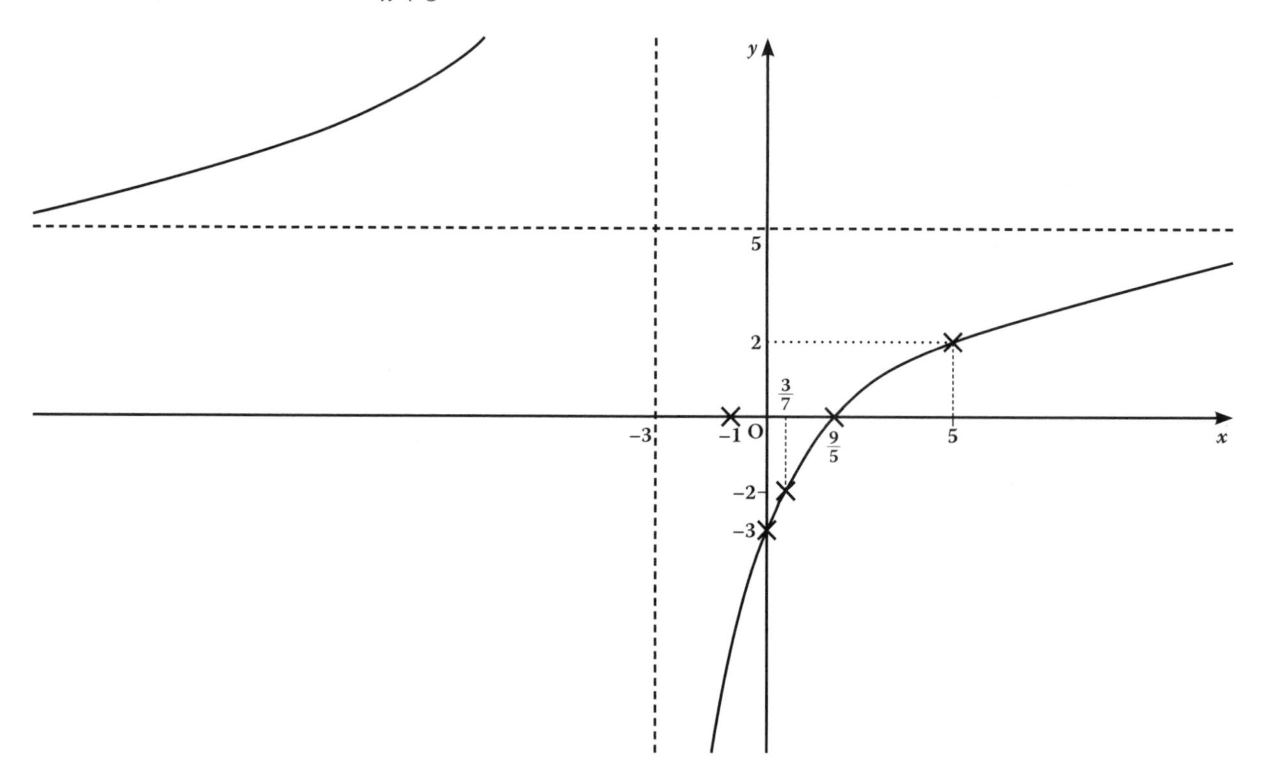

Yn olaf, brasluniwn $y = \left|\dfrac{5x-9}{x+3}\right|$. (Gweler pen tudalen 145.)

Nodwn y pwynt P lle mae $\dfrac{5x-9}{x+3} = +2$, a'r pwynt Q lle mae $\dfrac{5x-9}{x+3} = -2$.

Felly, cawn

$$\left|\frac{5x-9}{x+3}\right| > 2$$

pan fo $x > 5$ ac $x < \frac{3}{7}$, **ac eithrio** $x = -3$, lle nad yw'r gromlin wedi'i diffinio.

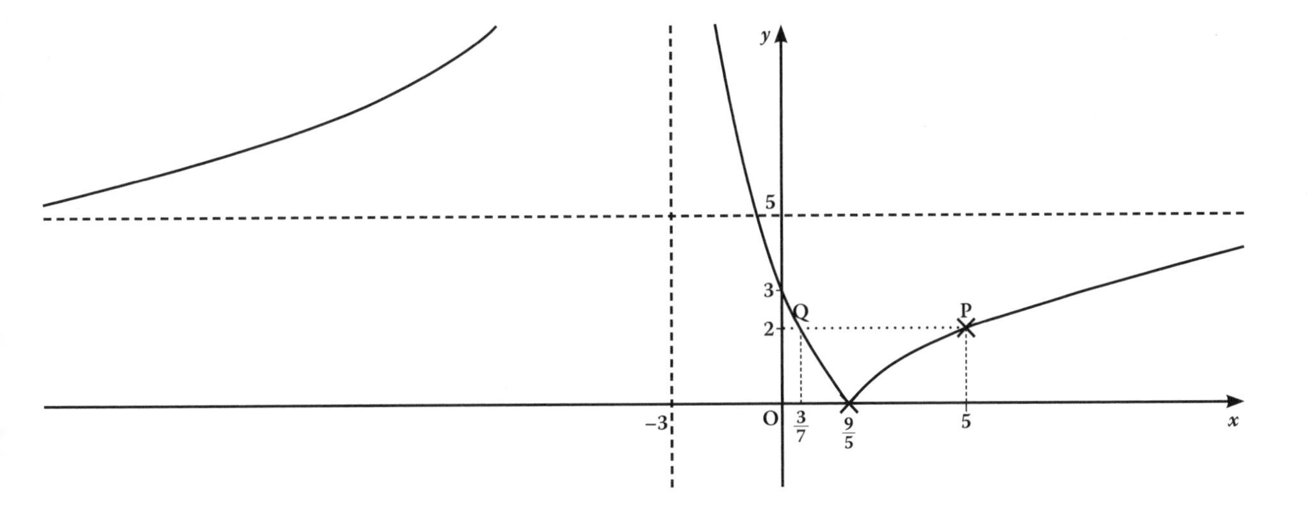

Ymarfer 7B

Yng Nghwestiynau **1** i **4**, datryswch bob un o'r anhafaleddau ar gyfer x.

1 **a)** $\dfrac{x+3}{x+2} < 2$ **b)** $\dfrac{x+5}{x-3} > 1$ **c)** $\dfrac{2x-1}{x+3} > 3$

d) $\dfrac{3x+4}{x-5} > 2$ **e)** $\dfrac{1-2x}{4x+2} > 2$ **f)** $\dfrac{3+4x}{5x-1} > 3$

2 **a)** $\dfrac{(x-1)(x-2)}{(x+1)(x+2)} > 1$ **b)** $\dfrac{(x+2)(x-5)}{(x-3)(x-2)} > 1$ **c)** $\dfrac{(x-1)(x-4)}{(x+1)(x-5)} > 2$

d) $\dfrac{(2x-1)(x-2)}{(x-3)(x+7)} > 2$ **e)** $\dfrac{(x+1)(x+5)}{(x+2)(2x+3)} > 3$

3 **a)** $\left|\dfrac{x+3}{x+2}\right| > 1$ **b)** $\left|\dfrac{x-1}{x+2}\right| > 2$ **c)** $\left|\dfrac{x+3}{x-4}\right| > 2$

d) $\left|\dfrac{2x-1}{x+5}\right| > 1$ **e)** $\left|\dfrac{3x-1}{x+2}\right| > 2$ **f)** $\left|\dfrac{x+2}{x+3}\right| \leqslant 1$

4 **a)** $\dfrac{x^2+x-3}{x^3+x-2} > 1$ **b)** $\dfrac{2x^2+x-5}{2x^2+x-3} < 1$ **c)** $\dfrac{x^2-x-2}{x^2+3x+2} > 1$

5 Darganfyddwch y set gyflawn o werthoedd x fel bod $\dfrac{x^2-12}{x} > 1$. (EDEXCEL)

6 O wybod bod $|x| \neq 1$, darganfyddwch y set gyflawn o werthoedd x fel bod $\dfrac{x}{x-1} > \dfrac{1}{x+1}$. (EDEXCEL)

7 Darganfyddwch y set o werthoedd x fel bod $x+2 > \dfrac{3}{2-x}$. (EDEXCEL)

8 Darganfyddwch y set o werthoedd x fel bod $\dfrac{x}{x+2} < \dfrac{2}{x-1}$. (EDEXCEL)

9 Darganfyddwch y set o werthoedd x fel bod $x < \dfrac{2x+5}{x-2}$. (EDEXCEL)

10 Ar gyfer y gromlin sydd â'r hafaliad $y = \dfrac{2x^2 - x - 7}{x - 3}$,

profwch yn **algebraidd** nad oes gwerthoedd real x pan fo $3 < y < 19$. (AEB 98)

11 $$f(x) = \frac{3x-6}{x(x+6)} \qquad x \in \mathbb{R}, x \neq 0, x \neq -6$$

a) Darganfyddwch amrediad gwerthoedd $f(x)$.

Drwy hynny, neu fel arall, brasluniwch y gromlin sydd â'r hafaliad $y = f(x)$.
Nodwch hafaliadau unrhyw asymptotau a chyfesurynnau unrhyw drobwyntiau.

b) Defnyddiwch eich graff i ddarganfod nifer gwreiddiau real yr hafaliad
$$x^3 + 6x^2 - 3x + 6 = 0$$

c) Ar ddiagram ar wahân, brasluniwch y gromlin sydd â'r hafaliad $y = |f(x)|$. (EDEXCEL)

12 Ar yr un diagram, brasluniwch graffiau

$$y = |x - 5| \quad \text{ac} \quad y = |3x - 2|$$

gan wahaniaethu'n glir rhwng y ddau.

Darganfyddwch y set o werthoedd x fel bod $|x - 5| < |3x - 2|$. (EDEXCEL)

13 Darganfyddwch y set gyflawn o werthoedd x fel bod $\dfrac{x-2}{x+1} < 3$. (EDEXCEL)

14 Darganfyddwch y cysonion P, Q ac R yn yr unfathiant

$$\frac{x^2 + x + 2}{x - 1} \equiv Px + Q + \frac{R}{x-1}$$

Drwy hynny, ysgrifennwch hafaliad asymptot arosgo'r gromlin C sydd â'r hafaliad

$$y = \frac{x^2 + x + 2}{x - 1}$$

Dangoswch nad yw C yn croestorri'r asymptot hwn.

Mae'r pwyntiau $(-1, -1)$ a $(3, 7)$ yn bwyntiau sefydlog C.
Brasluniwch C, gan ddangos yr asymptotau. (NEAB)

15 **a)** Brasluniwch graff $y = |2x + 3|$, gan nodi cyfesurynnau'r pwyntiau lle mae'r graff yn cyfarfod â'r echelinau.

b) Drwy hynny, neu fel arall, darganfyddwch y set o werthoedd x fel bod $4x + 10 > |2x + 3|$. (EDEXCEL)

8 Gwreiddiau hafaliadau polynomaidd

And the equation will come at last.
LOUIS MACNEICE

Gwreiddiau hafaliad cwadratig

Os α a β yw gwreiddiau hafaliad cwadratig, $f(x) \equiv ax^2 + bx + c = 0$, yna mae'n rhaid i'r hafaliad fod yn y ffurf

$$f(x) = k(x - \alpha)(x - \beta) \text{ ar gyfer rhyw gysonyn } k$$

Felly, cawn

$$k(x - \alpha)(x - \beta) \equiv ax^2 + bx + c$$

$$\Rightarrow \quad k(x^2 - [\alpha + \beta]x + \alpha\beta) \equiv ax^2 + bx + c$$

Mae hafalu cyfernodau x^2 yn rhoi: $k = a$

Mae hafalu cyfernodau x yn rhoi: $-k(\alpha + \beta) = b$

Ac mae hafalu'r cysonion yn rhoi: $k\alpha\beta = c$

Felly, cawn

$$\alpha + \beta = -\frac{b}{a} \quad \text{ac} \quad \alpha\beta = \frac{c}{a}$$

Neu

Swm y gwreiddiau yw $-\frac{b}{a}$ a **lluoswm** y gwreiddiau yw $\frac{c}{a}$.

Enghraifft 1 Yn yr hafaliad $3x^2 - 7x + 11 = 0$, darganfyddwch

a) swm y gwreiddiau

b) lluoswm y gwreiddiau.

DATRYSIAD

a) Gan ddefnyddio $\alpha + \beta = -\frac{b}{a}$, cawn

$$\text{Swm y gwreiddiau, } \alpha + \beta = -\frac{-7}{3} = +\frac{7}{3}$$

b) Gan ddefnyddio $\alpha\beta = \frac{c}{a}$, cawn

$$\text{Lluoswm y gwreiddiau, } \alpha\beta = \frac{11}{3}$$

Yn gyfdro i hyn, gallwn ysgrifennu'r hafaliad cwadratig fel

$$x^2 - (\textbf{swm y gwreiddiau})x + (\textbf{lluoswm y gwreiddiau}) = 0$$

Enghraifft 2 Darganfyddwch yr hafaliad sydd â swm ei wreiddiau yn $\frac{1}{2}$ a'u lluoswm yn $-\frac{5}{2}$.

DATRYSIAD

Gan ddefnyddio x^2 – (swm y gwreiddiau) x + (lluoswm y gwreiddiau) = 0, cawn

$$x^2 - \frac{1}{2}x - \frac{5}{2} = 0 \quad \text{neu} \quad 2x^2 - x - 5 = 0$$

Enghraifft 3 Gwreiddiau'r hafaliad $3x^2 + 9x - 11 = 0$ yw α a β.
Darganfyddwch yr hafaliad sydd â'r gwreiddiau $\alpha + \beta$ ac $\alpha\beta$.

DATRYSIAD

O $3x^2 + 9x - 11 = 0$, cawn

$$\alpha + \beta = -3 \quad \text{ac} \quad \alpha\beta = -\frac{11}{3}$$

Swm y **gwreiddiau newydd** yw: $\alpha + \beta + \alpha\beta = -3 - \frac{11}{3} = -\frac{20}{3}$

Lluoswm y **gwreiddiau newydd** yw: $(\alpha + \beta) \times \alpha\beta = -3 \times -\frac{11}{3} = 11$

Felly, yr hafaliad newydd yw

$$x^2 + \frac{20}{3}x + 11 = 0 \quad \text{neu} \quad 3x^2 + 20x + 33 = 0$$

Enghraifft 4 Gwreiddiau'r hafaliad $4x^2 + 7x - 5 = 0$ yw α a β.
Darganfyddwch yr hafaliad sydd â'r gwreiddiau α^2 a β^2.

DATRYSIAD

O $4x^2 + 7x - 5 = 0$, cawn

$$\alpha + \beta = -\frac{7}{4} \quad \text{ac} \quad \alpha\beta = -\frac{5}{4}$$

Swm y gwreiddiau newydd yw

$$\alpha^2 + \beta^2 = (\alpha + \beta)^2 - 2\alpha\beta$$

Gan amnewid y gwerthoedd uchod ar yr ochr dde, cawn

$$\alpha^2 + \beta^2 = \left(-\frac{7}{4}\right)^2 - 2 \times -\frac{5}{4} = \frac{89}{16}$$

Lluoswm y gwreiddiau newydd yw $\alpha^2\beta^2 = (\alpha\beta)^2$. Gan amnewid y gwerth ar gyfer $\alpha\beta$, cawn

$$(\alpha\beta)^2 = \left(-\frac{5}{4}\right)^2 = \frac{25}{16}$$

Felly, yr hafaliad newydd yw

$$x^2 - \frac{89}{16}x + \frac{25}{16} = 0 \quad \text{neu} \quad 16x^2 - 89x + 25 = 0$$

Gwreiddiau hafaliad ciwbig

Mewn modd tebyg, os α, β a γ yw gwreiddiau hafaliad ciwbig, $ax^3 + bx^2 + cx + d = 0$, yna cawn

$$ax^3 + bx^2 + cx + d \equiv k(x - \alpha)(x - \beta)(x - \gamma)$$

$$\Rightarrow \quad ax^3 + bx^2 + cx + d \equiv k[x^3 - (\alpha + \beta + \gamma)x^2 + (\alpha\beta + \beta\gamma + \gamma\alpha)x - \alpha\beta\gamma]$$

Mae hafalu cyfernodau x^2 yn rhoi: $\alpha + \beta + \gamma = -\dfrac{b}{a}$

Mae hafalu cyfernodau x yn rhoi: $\alpha\beta + \beta\gamma + \gamma\alpha = \dfrac{c}{a}$

Ac mae hafalu'r cysonion yn rhoi: $\alpha\beta\gamma = -\dfrac{d}{a}$

Enghraifft 5 Darganfyddwch yr hafaliad ciwbig yn x sydd â'r gwreiddiau 4, 3 a –2.

DATRYSIAD

Swm y gwreiddiau yw

$$\alpha + \beta + \gamma = 4 + 3 + (-2) = 5$$

Swm y gwreiddiau o'u cymryd fesul dau yw

$$\alpha\beta + \beta\gamma + \gamma\alpha = 4 \times 3 + 3 \times -2 + (-2 \times 4) = -2$$

Lluoswm y gwreiddiau yw

$$\alpha\beta\gamma = 4 \times 3 \times -2 = -24$$

Felly, yr hafaliad yw

$$x^3 - 5x^2 - 2x + 24 = 0$$

Enghraifft 6 Gwreiddiau'r hafaliad ciwbig $x^3 + 3x^2 - 7x + 2 = 0$ yw α, β, γ. Darganfyddwch werth $\alpha^2 + \beta^2 + \gamma^2$.

DATRYSIAD

O'r hafaliad ciwbig, cawn

$$\alpha + \beta + \gamma = -3$$

$$\alpha\beta + \beta\gamma + \gamma\alpha = -7$$

$$\alpha\beta\gamma = -2$$

Rydym yn awr yn ehangu $(\alpha + \beta + \gamma)^2$ i gael

$$\alpha^2 + \beta^2 + \gamma^2 = (\alpha + \beta + \gamma)^2 - 2(\alpha\beta + \beta\gamma + \gamma\alpha)$$

Drwy amnewid y gwerthoedd, cawn

$$\alpha^2 + \beta^2 + \gamma^2 = (-3)^2 - 2 \times -7 = 23$$

Felly, cawn

$$\alpha^2 + \beta^2 + \gamma^2 = 23$$

Gwreiddiau hafaliad polynomaidd gradd *n*

Wrth edrych ar briodweddau gwreiddiau hafaliad cwadratig a hafaliad ciwbig, gwelwn, mewn hafaliad polynomaidd gradd n, $ax^n + bx^{n-1} + cx^{n-2} + \ldots = 0$,

fod swm y gwreiddiau yn $-\frac{b}{a}$ ac y rhoddir lluoswm y gwreiddiau gan

$$(-1)^n \frac{\text{Term olaf}}{\text{Term cyntaf}}$$

gan fod y term olaf yn lluoswm $-\alpha, -\beta, -\gamma, -\delta, \ldots$.

Enghraifft 7 Gwreiddiau $f(x) \equiv 4x^5 + 6x^4 - 3x^3 + 7x^2 - 11x - 3 = 0$ yw $\alpha, \beta, \gamma, \delta$ ac ε.

a) Darganfyddwch swm y pum gwreiddyn.

b) **i)** Dangoswch fod $x = 1$ yn wreiddyn yr hafaliad.

ii) Drwy hynny, dangoswch mai swm y gwreiddiau eraill, heblaw 1, yw $-\frac{5}{2}$.

DATRYSIAD

a) Swm y pum gwreiddyn $\alpha, \beta, \gamma, \delta$ ac ε yw $-\frac{b}{a} = -\frac{6}{4} = -\frac{3}{2}$.

b) **i)** Pan fo $x = 1$, cawn

$$f(1) = 4 + 6 - 3 + 7 - 11 - 3 = 0$$

Felly, o'r theorem ffactorau, mae $x = 1$ yn un gwreiddyn i'r hafaliad.

ii) Swm y pum gwreiddyn yw $-\frac{3}{2}$ (o ran **a**). Hynny yw,

$$\alpha + \beta + \gamma + \delta + \varepsilon = -\frac{3}{2}$$

Wrth roi $\varepsilon = 1$, cawn

$$\alpha + \beta + \gamma + \delta + 1 = -\frac{3}{2} \quad \Rightarrow \quad \alpha + \beta + \gamma + \delta = -\frac{5}{2}$$

Felly, swm y pedwar gwreiddyn arall yw $-\frac{5}{2}$.

Enghraifft 8 Un gwreiddyn yr hafaliad $z^2 + (3 + \mathrm{i})z + p = 0$ yw $2 - \mathrm{i}$. Darganfyddwch werth p a gwreiddyn arall yr hafaliad.

DATRYSIAD

Gan fod $2 - \mathrm{i}$ yn wreiddyn, bydd $z = 2 - \mathrm{i}$ yn bodloni'r hafaliad. Felly, cawn

$$(2 - \mathrm{i})^2 + (3 + \mathrm{i})(2 - \mathrm{i}) + p = 0$$

$$\Rightarrow \quad p = -10 + 5\mathrm{i}$$

Swm y gwreiddiau, $\alpha + \beta = -\frac{b}{a}$, yw $-(3 + \mathrm{i})$. Felly, y gwreiddyn arall yw

$$-(3 + \mathrm{i}) - (2 - \mathrm{i}) = -5$$

Ymarfer 8A

1 Nodwch swm a lluoswm gwreiddiau pob un o'r hafaliadau canlynol.

a) $x^2 + 3x - 7 = 0$ **b)** $x^2 - 11x + 5 = 0$ **c)** $x^2 + 5x - 4 = 0$

d) $3x^2 + 11x + 2 = 0$ **e)** $x + 2 = \dfrac{5}{x}$ **f)** $2x^2 = 7 - 4x$

2 Nodwch yr hafaliad y mae swm a lluoswm ei wreiddiau fel y gwelir isod.

a) Swm 7; lluoswm 15 **b)** Swm −3; lluoswm +5

c) Swm −2; lluoswm −4 **d)** Swm −5; lluoswm −11

3 Os α, β a γ yw gwreiddiau'r hafaliad $x^3 - 5x + 3 = 0$, darganfyddwch werthoedd

a) $\alpha + \beta + \gamma$ **b)** $\alpha^2 + \beta^2 + \gamma^2$ **c)** $\alpha^3 + \beta^3 + \gamma^3$

4 Un gwreiddyn yr hafaliad $2z^2 - (7 - 2\text{i})z + q = 0$ yw $1 + \text{i}$.
Darganfyddwch **i)** werth q a **ii)** gwreiddyn arall yr hafaliad.

5 Un gwreiddyn yr hafaliad $3z^2 - (1 - \text{i})z + t = 0$ yw $3 + 2\text{i}$.
Darganfyddwch **i)** werth t a **ii)** gwreiddyn arall yr hafaliad.

6 O wybod mai gwreiddiau'r hafaliad $x^3 + x^2 + 4x - 5 = 0$ yw α, β a γ, darganfyddwch yr hafaliad ciwbig sydd â'r gwreiddiau $\beta\gamma$, $\gamma\alpha$ ac $\alpha\beta$. **(CBAC)**

7 O wybod mai gwreiddiau'r hafaliad ciwbig $x^3 - 7x + q = 0$ yw α, 2α a β, darganfyddwch werthoedd posibl q. **(CBAC)**

8 Gwreiddiau'r hafaliad $3x^2 - 5x + 6 = 0$ yw α a β.
Heb ddatrys yr hafaliad hwn, darganfyddwch hafaliad, â chyfernodau cyfanrifol, sydd â'i wreiddiau yn $(\alpha + \beta)$ ac $\alpha\beta$. **(EDEXCEL)**

9 Gwreiddiau'r hafaliad $x^3 - 3x^2 - 3x - 7 = 0$ yw α, β a γ.

a) Darganfyddwch werth $\alpha^2 + \beta^2 + \gamma^2$.

b) Dangoswch fod

$$\begin{vmatrix} 1 & \alpha & \beta \\ \alpha & 1 & \gamma \\ \beta & \gamma & 1 \end{vmatrix} = 0$$ **(NEAB)**

Hafaliadau â gwreiddiau cysylltiedig

Os α a β yw gwreiddiau $ax^2 + bx + c = 0$, yna gallwn ffurfio'r hafaliad â'r gwreiddiau 2α a 2β drwy amnewid x.

Yn gyntaf, mynegwn $ax^2 + bx + c = 0$ fel

$$a(x - \alpha)(x - \beta) = 0$$

sy'n rhoi

$$a(2x - 2\alpha)(2x - 2\beta) = 0$$

Rydym yn ffurfio'r hafaliad angenrheidiol, sydd â'i wreiddiau yn 2α a 2β, drwy roi $y = 2x$, sy'n rhoi

$$a(y - 2\alpha)(y - 2\beta) = 0$$

Felly, mae amnewid drwy ddefnyddio $\frac{y}{2}$ yn lle x yn rhoi hafaliad y mae ei wreiddiau'n ddwywaith rhai'r hafaliad gwreiddiol.

Enghraifft 9 Darganfyddwch yr hafaliad sydd â'r gwreiddiau 3α a 3β, lle mae α a β yn wreiddiau'r hafaliad $2x^2 - 5x + 3 = 0$.

DATRYSIAD

Drwy roi $\frac{y}{3}$ yn lle x yn $2x^2 - 5x + 3 = 0$, cawn hafaliad yn y sydd â'i wreiddiau ar gyfer $\frac{y}{3}$ yr un fath â'r gwreiddiau ar gyfer x: hynny yw, α a β. Felly, y gwreiddiau ar gyfer y fydd 3α a 3β.

Felly, yr hafaliad angenrheidiol yw

$$2\left(\frac{y}{3}\right)^2 - 5\left(\frac{y}{3}\right) + 3 = 0$$

$$\Rightarrow \quad 2y^2 - 15y + 27 = 0$$

Os oes angen mynegi'r hafaliad yn nhermau x, gallwn ysgrifennu

$$2x^2 - 15x + 27 = 0$$

Enghraifft 10 Darganfyddwch yr hafaliad sydd â'r gwreiddiau $\alpha^2, \beta^2, \gamma^2$, lle mae α, β, γ yn wreiddiau $3x^3 - 7x^2 + 11x - 5 = 0$.

DATRYSIAD

Drwy roi $\sqrt{y}$ yn lle x yn $3x^3 - 7x^2 + 11x - 5 = 0$, cawn α, β, γ fel y gwreiddiau ar gyfer $\sqrt{y}$. Felly'r gwreiddiau ar gyfer y yw $\alpha^2, \beta^2, \gamma^2$

Felly, yr hafaliad yn $\sqrt{y}$ yw

$$3(\sqrt{y})^3 - 7(\sqrt{y})^2 + 11(\sqrt{y}) - 5 = 0$$

$$\Rightarrow \quad 3y\sqrt{y} + 11\sqrt{y} = 7y + 5$$

Drwy sgwario'r ddwy ochr, cawn

$$9y^3 + 66y^2 + 121y = 49y^2 + 70y + 25$$

Felly'r hafaliad angenrheidiol yw

$$9y^3 + 17y^2 + 51y - 25 = 0$$

Ymarfer 8B

1 Gwreiddiau'r hafaliad $x^2 + 7x + 11 = 0$ yw α a β.
Darganfyddwch yr hafaliad sydd â'r gwreiddiau 2α a 2β.

2 Gwreiddiau'r hafaliad $x^2 - 15x + 7 = 0$ yw α a β.
Darganfyddwch yr hafaliad sydd â'r gwreiddiau 3α a 3β.

3 Gwreiddiau'r hafaliad $3x^3 - 4x^2 + 8x - 7 = 0$ yw α, β a γ.
Darganfyddwch yr hafaliad sydd â'r gwreiddiau 2α, 2β a 2γ.

4 Gwreiddiau'r hafaliad $x^3 - 3x^2 - 11x + 5 = 0$ yw α, β a γ.
Darganfyddwch yr hafaliad sydd â'r gwreiddiau $\frac{\alpha}{2}$, $\frac{\beta}{2}$ a $\frac{\gamma}{2}$.

5 Gwreiddiau'r hafaliad $2x^2 + 3x + 17 = 0$ yw α a β.
Darganfyddwch yr hafaliad sydd â'r gwreiddiau α^2 a β^2.

6 Gwreiddiau'r hafaliad $3x^2 - 7x + 15 = 0$ yw α a β.
Darganfyddwch yr hafaliad sydd â'r gwreiddiau α^2 a β^2.

7 Gwreiddiau'r hafaliad $2x^2 + 7x + 3 = 0$ yw α a β. Darganfyddwch yr hafaliad sydd â'r gwreiddiau

a) $2\alpha, 2\beta$ **b)** $\frac{\alpha}{3}, \frac{\beta}{3}$ **c)** α^2, β^2 **d)** $\alpha + 2, \beta + 2$

8 Gwreiddiau'r hafaliad $3x^2 + 9x - 2 = 0$ yw α a β. Darganfyddwch yr hafaliad sydd â'r gwreiddiau

a) $4\alpha, 4\beta$ **b)** $\frac{\alpha}{2}, \frac{\beta}{2}$ **c)** α^2, β^2 **d)** $\alpha - 3, \beta - 3$

9 Gwreiddiau'r hafaliad $x^3 + 3x^2 + 5x + 7 = 0$ yw α, β a γ.
Darganfyddwch yr hafaliad sydd â'r gwreiddiau

a) $3\alpha, 3\beta, 3\gamma$ **b)** $\alpha^2, \beta^2, \gamma^2$ **c)** $\alpha + 3, \beta + 3, \gamma + 3$

10 Gwreiddiau'r hafaliad $x^4 + 3x^3 + 7x^2 - 11x + 1 = 0$ yw α, β, γ a δ.
Darganfyddwch yr hafaliad sydd â'r gwreiddiau 3α, 3β, 3γ a 3δ.

11 Gwreiddiau'r hafaliad $x + 2 + \frac{3}{x} = 0$ yw α a β.

Darganfyddwch yr hafaliad sydd â'r gwreiddiau 5α a 5β.

12 Gwreiddiau'r hafaliad cwadratig $x^2 - 3x + 4 = 0$ yw α a β.
Heb ddatrys yr hafaliad, darganfyddwch hafaliad cwadratig, â chyfernodau cyfanrifol, sydd â'r gwreiddiau $\frac{1}{\alpha}$ ac $\frac{1}{\beta}$. (EDEXCEL)

Gwreiddiau cymhlyg hafaliad polynomaidd

Os yw $z \equiv x + iy$ yn wreiddyn hafaliad polynomaidd sydd â **chyfernodau real**, yna mae $\bar{z} \equiv x - iy$ hefyd yn wreiddyn yr hafaliad polynomaidd, lle mae $\bar{z}$ yn gyfiau z (gweler tudalen 3).

Prawf

Tybiwn fod z yn wreiddyn yr hafaliad polynomaidd

$$a_n z^n + a_{n-1} z^{n-1} + a_{n-2} z^{n-2} + \ldots + a_0 = 0$$

Yna, drwy gymryd cyfiau'r ddwy ochr, cawn

$$\overline{a_n z^n + a_{n-1} z^{n-1} + a_{n-2} z^{n-2} + \ldots + a_0} = 0$$

Gan ddefnyddio $\overline{z_1 + z_2} = \overline{z_1} + \overline{z_2}$, cawn

$$\overline{a_n z^n} + \overline{a_{n-1} z^{n-1}} + \overline{a_{n-2} z^{n-2}} + \ldots + \overline{a_0} = 0$$

A chan ddefnyddio $\overline{z_1 z_2} = \overline{z_1}\,\overline{z_2}$, cawn

$$\overline{a_n}\,\overline{z^n} + \overline{a_{n-1}}\,\overline{z^{n-1}} + \overline{a_{n-2}}\,\overline{z^{n-2}} + \ldots + \overline{a_0} = 0$$

sy'n rhoi

$$\overline{a_n}(\bar{z})^n + \overline{a_{n-1}}(\bar{z})^{n-1} + \overline{a_{n-2}}(\bar{z})^{n-2} + \ldots + \overline{a_0} = 0$$

Oherwydd bod pob a_i yn real, mae $\overline{a_i} = a_i$. Felly, cawn

$$a_n(\bar{z})^n + a_{n-1}(\bar{z})^{n-1} + a_{n-2}(\bar{z})^{n-2} + \ldots + a_0 = 0$$

Felly, mae $\bar{z}$ hefyd yn wreiddyn yr hafaliad polynomaidd.

Mae gwreiddiau cymhlyg hafaliad polynomaidd sydd â **chyfernodau real**, bob amser mewn **parau o gyfiau cymhlyg**.

Noder Gwelsom yn Enghraifft 8 (tudalen 150) : os **nad oes** gan hafaliad cwadratig **gyfernodau real** yna **nid yw**'r gwreiddiau yn **barau o gyfiau cymhlyg**. (Yn Enghraifft 8, maent yn 2 – i a –5.)

Enghraifft 11 Dangoswch fod 4 – i yn wreiddyn yr hafaliad polynomaidd

$$f(z) \equiv z^3 - 6z^2 + z + 34 = 0$$

Drwy hynny, darganfyddwch y gwreiddiau eraill.

DATRYSIAD

I brofi bod $z = 4 - i$ yn wreiddyn, rydym yn profi bod $f(4 - i) = 0$.
Os yw $z = 4 - i$ yn wreiddyn, yna mae $z = 4 + i$ hefyd yn wreiddyn, gan fod y gwreiddiau yn digwydd fel parau o gyfiau cymhlyg.

Wedyn, rydym yn darganfod cwadratig â chyfernodau **real** sy'n ffactor.
Ar ôl hynny, rydym yn rhannu $f(z)$ â'r cwadratig hwn i ddarganfod y ffactor arall.

Drwy amnewid $z = 4 - i$ yn $f(z) \equiv z^3 - 6z^2 + z + 34 = 0$, cawn

$$\begin{aligned} f(4 - i) &= (4 - i)^3 - 6(4 - i)^2 + (4 - i) + 34 \\ &= 52 - 47i - 90 + 48i + 4 - i + 34 \\ &= 0 \end{aligned}$$

Felly mae $4 - i$ yn wreiddyn $f(z) \equiv z^3 - 6z^2 + z + 34 = 0$.
Oherwydd hyn, mae $4 + i$ hefyd yn wreiddyn.

Os yw $z - (4 + i)$ a $z - (4 - i)$ yn ffactorau'r hafaliad polynomaidd, yna ffactor arall yw

$$[z - (4 + i)][z - (4 - i)] = z^2 - 8z + 17$$

Wrth rannu $z^3 - 6z^2 + z + 34 = 0$ â $z^2 - 8z + 17$, cawn

$$f(z) = (z^2 - 8z + 17)(z + 2)$$

Felly, tri gwreiddyn $f(z) \equiv z^3 - 6z^2 + z + 34 = 0$ yw $4 + i$, $4 - i$ a -2.

Enghraifft 12 Dangoswch fod $2 + i$ yn wreiddyn yr hafaliad polynomaidd

$$f(z) \equiv z^4 - 12z^3 + 62z^2 - 140z + 125 = 0$$

Drwy hynny, darganfyddwch y gwreiddiau eraill.

DATRYSIAD

Fel yn Enghraifft 11, i brofi bod $z = 2 + i$ yn wreiddyn, rydym yn profi bod $f(2 + i) = 0$.
Os yw $z = 2 + i$ yn wreiddyn, yna mae $z = 2 - i$ hefyd yn wreiddyn.

Wedyn, rydym yn darganfod y cwadratig â chyfernodau **real** sy'n ffactor.
Ar ôl hynny, rydym yn rhannu $f(z)$ â'r cwadratig hwn i ddarganfod y ffactorau eraill.

Drwy amnewid $z = 2 + i$ yn $f(z) \equiv z^4 - 12z^3 + 62z^2 - 140z + 125 = 0$, cawn

$$\begin{aligned} f(2 + i) &= (2 + i)^4 - 12(2 + i)^3 + 62(2 + i)^2 - 140(2 + i) + 125 \\ &= -7 + 24i - 24 - 132i + 186 + 248i - 280 - 140i + 125 \\ &= 0 \end{aligned}$$

Felly mae $(2 + i)$ yn wreiddyn $f(z) \equiv z^4 - 12z^3 + 62z^2 - 140z + 125 = 0$.
Felly, mae $(2 - i)$ hefyd yn wreiddyn.

Os yw $z - (2 + i)$ a $z - (2 - i)$ yn ffactorau, yna ffactor arall yw

$$[z - (2 + i)][z - (2 - i)] = z^2 - 4z + 5$$

Drwy rannu $z^4 - 12z^3 + 62z^2 - 140z + 125$ â $z^2 - 4z + 5$, cawn

$$f(z) = (z^2 - 4z + 5)(z^2 - 8z + 25)$$

Gan ddefnyddio'r fformiwla gwadratig, rydym yn darganfod mai gwreiddiau $z^2 - 8z + 25 = 0$ yw $4 \pm 3i$.

Felly, pedwar gwreiddyn $f(z) \equiv z^4 - 12z^3 + 62z^2 - 140z + 125 = 0$ yw $2 + i$, $2 - i$, $4 + 3i$ a $4 - 3i$.

Enghraifft 13 Gwreiddiau'r hafaliad $f(x) \equiv 2x^3 - 3x^2 + 7x - 19 = 0$ yw α, β a γ.

Dangoswch

a) nad oes ond un gwreiddyn real

b) fod y gwreiddyn real yn gorwedd rhwng $x = 2$ ac $x = 3$

c) fod rhan real y ddau wreiddyn cymhlyg yn gorwedd rhwng $-\frac{1}{4}$ a $-\frac{3}{4}$

DATRYSIAD

I ddangos nad oes gan hafaliad ciwbig ond un gwreiddyn real, rydym yn darganfod gwerthoedd $f(x)$ yn ei drobwyntiau.
Drwy hynny, byddwn yn gallu gweld pa un o'r cromliniau canlynol yw $f(x)$.

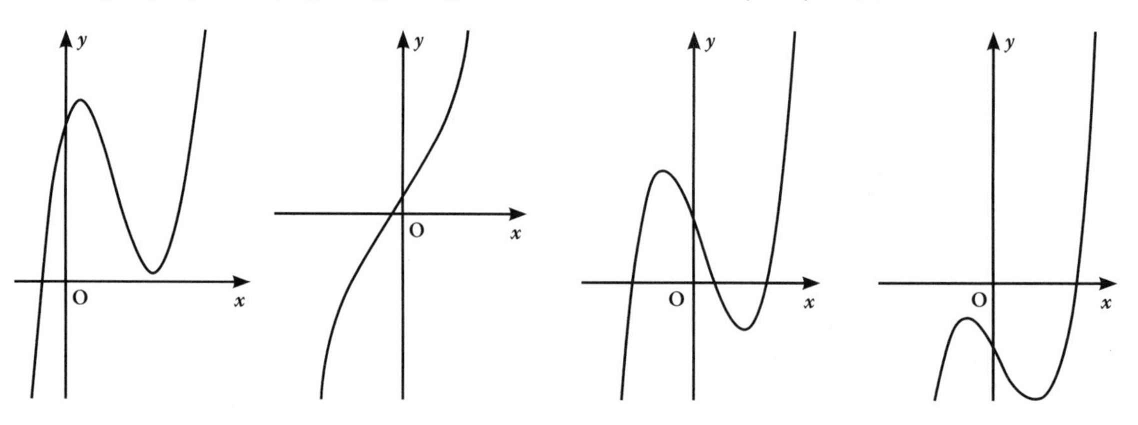

Noder Pan fo arwyddion positif a negatif gan werthoedd $f(x)$ yn ei drobwyntiau, yna bydd gan $f(x)$ dri gwreiddyn real.

a) I ddarganfod gwerthoedd $f(x)$ yn ei drobwyntiau, rydym yn differu $f(x)$:

$$f(x) \equiv 2x^3 - 3x^2 + 7x - 19$$

$$f'(x) = 6x^2 - 6x + 7$$

Felly, cawn

$$6x^2 - 6x + 7 = 0$$

$$\Rightarrow \quad x = \frac{6 \pm \sqrt{36 - 168}}{12}$$

Hynny yw, nid oes gan $f'(x) = 0$ wreiddiau real. Felly, nid oes gan y ciwbig $f(x)$ unrhyw drobwyntiau, sy'n golygu nad oes gan $f(x) = 0$ ond un gwreiddyn real.

b) Darganfyddwn fod

$$f(2) = -1 \quad \text{ac} \quad f(3) = +29$$

Felly, mae arwydd $f(x)$ yn $x = 2$ yn wahanol i arwydd $f(x)$ yn $x = 3$ ac mae'n ddi-dor yn $2 \leqslant x \leqslant 3$. Felly mae gwreiddyn real $f(x) = 0$ yn gorwedd rhwng $x = 2$ ac $x = 3$.

c) Boed i wreiddiau'r hafaliad fod yn α, β a γ lle mae α yn rhif real rhwng 2 a 3, ac mae β a γ yn rhifau cymhlyg.

Oherwydd bod gwreiddiau hafaliad polynomaidd â chyfernodau real yn ymddangos mewn parau o gyfiau cymhlyg, bydd β a γ yn gyfiau rhifau cymhlyg, y gallwn eu cynrychioli â $p + \mathrm{i}q$ a $p - \mathrm{i}q$.

Wrth ddefnyddio $\alpha + \beta + \gamma = -\dfrac{b}{a}$, rydym yn darganfod

$$\alpha + \beta + \gamma = \frac{3}{2}$$

sy'n rhoi

$$\alpha + p + \mathrm{i}q + p - \mathrm{i}q = \frac{3}{2}$$

$$\Rightarrow \quad 2p = \frac{3}{2} - \alpha$$

Gan fod $2 < \alpha < 3$, cawn

$$\frac{3}{2} - 3 < 2p < \frac{3}{2} - 2$$

$$\Rightarrow \quad -\frac{3}{2} < 2p < \frac{1}{2}$$

$$\Rightarrow \quad -\frac{3}{4} < p < \frac{1}{4}$$

Felly, mae rhan real y ddau wreiddyn cymhlyg yn gorwedd rhwng $-\frac{1}{4}$ a $-\frac{3}{4}$.

Ymarfer 8C

1 Datryswch yr hafaliad $x^4 - 5x^3 + 2x^2 - 5x + 1 = 0$, o wybod bod i yn wreiddyn.

2 Datryswch yr hafaliad $3x^4 - x^3 + 2x^2 - 4x - 40 = 0$, o wybod bod 2i yn wreiddyn.

3 Penderfynwch sawl gwreiddyn real sydd gan yr hafaliad $2x^3 + x^2 = 3$.

4 Penderfynwch sawl gwreiddyn real sydd gan yr hafaliad $2x^3 - 7x + 2 = 0$.

5 Penderfynwch ar amrediad gwerthoedd posibl k os oes gan yr hafaliad $x^3 + 3x^2 = k$ dri gwreiddyn real.

6 $1 + \mathrm{i}$ yw un o wreiddiau'r hafaliad $z^4 - 5z^3 + 13z^2 - 16z + 10 = 0$. Darganfyddwch y gwreiddiau eraill.

7 **a)** Dangoswch fod $3 + \mathrm{i}$ yn un gwreiddyn yr hafaliad $z^3 + 5z^2 - 56z + 110 = 0$.

b) Darganfyddwch wreiddiau eraill yr hafaliad.

8 **a)** Dangoswch fod $2 - 3\mathrm{i}$ yn un o wreiddiau'r hafaliad $z^4 - 2z^3 + 6z^2 + 22z + 13 = 0$.

b) **i)** Darganfyddwch wreiddiau eraill yr hafaliad.

ii) Drwy hynny, ffactoriwch $z^4 - 2z^3 + 6z^2 + 22z + 13 = 0$ yn ddau gwadratig, y naill a'r llall â chyfernodau real.

9 Diffinnir yr hafaliad bolynomaidd $\mathrm{f}(z)$ gan

$$\mathrm{f}(z) \equiv z^4 - 2z^3 + 3z^2 - 2z + 2$$

a) Gwiriwch fod i yn wreiddyn yr hafaliad $\mathrm{f}(z) = 0$.

b) Darganfyddwch holl wreiddiau eraill yr hafaliad $\mathrm{f}(z) = 0$. (EDEXCEL)

10 O wybod bod $2 + \mathrm{i}$ yn wreiddyn yr hafaliad $3x^3 - 14x^2 + 23x - 10 = 0$, darganfyddwch wreiddiau eraill yr hafaliad. (CBAC)

11 $(1 - 3i)$ yw un o wreiddiau cymhlyg $2z^4 - 13z^3 + 33z^2 - 80z - 50 = 0$, lle mae $i^2 = -1$.

i) Nodwch un gwreiddyn cymhlyg arall

ii) Darganfyddwch y ddau wreiddyn arall a phlotiwch y pedwar ar ddiagram Argand. (NICCEA)

12 O wybod bod 3i yn wreiddyn yr hafaliad $3z^3 - 5z^2 + 27z - 45 = 0$, darganfyddwch y ddau wreiddyn arall. (OCR)

13 a) Gwiriwch fod $z = 2$ yn ddatrysiad i'r hafaliad $z^3 - 8z^2 + 22z - 20 = 0$.

b) Mynegwch $z^3 - 8z^2 + 22z - 20$ fel lluoswm ffactor llinol a ffactor cwadratig â chyfernodau real.
Drwy hynny, darganfyddwch **bob** datrysiad i $z^3 - 8z^2 + 22z - 20 = 0$. (SQA/CSYS)

14 Dau o wreiddiau hafaliad ciwbig, â'i holl gyfernodau yn real, yw 2 ac $1 + 3i$.

i) Nodwch y trydydd gwreiddyn.

ii) Darganfyddwch yr hafaliad ciwbig gan ei roi yn y ffurf $z^3 + az^2 + bz + c = 0$. (OCR)

15 Gwiriwch fod $z = 1 + i$ yn ddatrysiad i'r hafaliad $z^3 + 16z^2 - 34z + 36 = 0$.

Nodwch ail ddatrysiad i'r hafaliad.

Drwy hynny darganfyddwch gysonion α a β fel bod

$$z^3 + 16z^2 - 34z + 36 = (z^2 - \alpha z + \alpha)(z + \beta)$$ (SQA/CSYS)

16 Gwreiddiau'r hafaliad $7x^3 - 8x^2 + 23x + 30 = 0$ yw α, β a γ.

a Nodwch werth $\alpha + \beta + \gamma$.

b) O wybod bod $1 + 2i$ yn wreiddyn yr hafaliad, darganfyddwch y ddau wreiddyn arall. (NEAB)

17 Deilliwch fynegiadau ar gyfer tri thrydydd isradd un yn y ffurf $re^{i\theta}$.
Dangoswch y gwreiddiau ar ddiagram Argand.

Boed i ω ddynodi un o'r gwreiddiau an-real. Dangoswch mai'r gwreiddyn an-real arall yw ω^2.
Dangoswch hefyd fod

$$1 + \omega + \omega^2 = 0$$

O wybod bod

$$\alpha = p + q \qquad \beta = p + q\omega \qquad \gamma = p + q\omega^2$$

lle mae p a q yn real,

i) darganfyddwch, yn nhermau p, $\alpha\beta + \beta\gamma + \gamma\alpha$

ii) dangoswch fod $\alpha\beta\gamma = p^3 + q^3$

iii) darganfyddwch hafaliad ciwbig â chyfernodau yn nhermau p a q, sydd â'i wreiddiau yn α, β a γ. (NEAB)

18 Mae gan yr hafaliad polynomaidd $f(z)$ gyfernodau real ac un gwreiddyn yr hafaliad $f(z) = 0$ yw $5 + 4i$. Dangoswch fod $z^2 - 10z + 41$ yn ffactor $f(z)$.

O wybod yn awr fod

$$f(z) = z^6 - 10z^5 + 41z^4 + 16z^2 - 160z + 656,$$

datryswch yr hafaliad $f(z) = 0$, gan roi pob gwreiddyn yn union yn y ffurf $a + ib$. (OCR)

9 Prawf, dilyniannau a chyfresi

We must never assume that which is incapable of proof.
G. H. LEWES

Rydym eisoes wedi astudio rhai agweddau o brawf yn *Introducing Pure Mathematics* (tudalennau 515–22). Yma, rydym am astudio **prawf drwy anwytho**, gan gynnwys ei ddefnyddio i ddangos rhanadwyedd rhifau, a byddwn yn edrych eto ar **brawf drwy wrthddywediad**.

Prawf drwy anwytho

Defnyddir prawf drwy anwytho pan gawn osodiad y gallwn ei gymhwyso i unrhyw rif naturiol, n.

I brofi gosodiad drwy anwytho, rydym yn dilyn dau gam:

1 Rydym yn cymryd bod y gosodiad yn wir pan fo $n = k$,
ac yna'n defnyddio'r dybiaeth hon i brofi ei fod yn wir pan fo $n = k + 1$.

2 Rydym wedyn yn profi'r gosodiad pan fo $n = 1$.

Mae cam 2 yn dweud wrthym fod y gosodiad yn wir pan fo $n = 1$.

Mae cam 1 wedyn yn dweud wrthym, pan fo $k = 1$, yna mae'r gosodiad yn wir pan fo $n = 2$.

Wrth ddefnyddio cam 1 eto, pan fo $k = 2$, mae'n rhaid fod y gosodiad yn wir pan fo $n = 3$.

Wrth ddefnyddio cam 1 unwaith eto, mae'r gosodiad yn wir pan fo $n = 4$.

Yn yr un modd, gellir ailadrodd cam 1 pan fo $n = 5$, $n = 6$, ac yn y blaen.

Felly, mae'r gosodiad yn wir ar gyfer pob gwerth cyfanrifol n ($\geqslant 1$).

Enghraifft 1 Profwch fod $\sum_{r=1}^{n} r = \frac{1}{2}n(n+1)$.

DATRYSIAD

Cymerwn fod y fformiwla yn wir pan fo $n = k$. Felly, cawn

$$\sum_{r=1}^{k} r = \frac{1}{2}k(k+1)$$

Rydym yn ceisio profi bod $\sum_{r=1}^{n} r = \frac{1}{2}n(n+1)$ yn wir pan fo $n = k + 1$.

Hynny yw, rydym yn ceisio profi bod $\sum_{r=1}^{k+1} r = \frac{1}{2}(k+1)(k+2)$.

Mae gennym

$$\sum_{r=1}^{k+1} r = \sum_{r=1}^{k} r + (k+1)\text{fed term}$$

sy'n rhoi

$$\sum_{r=1}^{k+1} r = \frac{1}{2}k(k+1) + k + 1$$

$$= \frac{1}{2}[k(k+1) + 2(k+1)]$$

$$= \frac{1}{2}(k+1)(k+2)$$

Felly, mae $\sum_{r=1}^{n} r = \frac{1}{2}n(n+1)$ yn wir pan fo $n = k + 1$.

Pan fo $n = 1$: Ochr chwith y fformiwla = 1

Ochr dde'r fformiwla = $\frac{1}{2} \times 1 \times 2 = 1$

Felly, mae'r fformiwla yn wir pan fo $n = 1$.

Felly, mae $\sum_{r=1}^{n} r = \frac{1}{2}n(n+1)$ yn wir am bob $n \geqslant 1$.

Noder Mewn prawf drwy anwytho mathemategol,
mae'n hanfodol ein bod **yn ysgrifennu'r pedair llinell olaf hyn yn llawn.**

Enghraifft 2 Profwch fod $\sum_{r=1}^{n} r.r! = (n+1)! - 1$.

DATRYSIAD

Cymerwn fod y fformiwla yn wir pan fo $n = k$, sy'n rhoi

$$\sum_{r=1}^{k} r.r! = (k+1)! - 1$$

Felly, cawn

$$\sum_{r=1}^{k+1} r.r! = (k+1)! - 1 + (k+1)\text{fed term}$$

$$= (k+1)! - 1 + (k+1)(k+1)!$$

$$= (k+1)!(1 + k + 1) - 1$$

$$= (k+2)(k+1)! - 1$$

$$= (k+2)! - 1$$

Felly, mae'r fformiwla yn wir pan fo $n = k + 1$.

Pan fo $n = 1$: Ochr chwith $\sum_{r=1}^{n} r.r! = 1$

Ochr dde $\sum_{r=1}^{n} r.r! = (n+1)! - 1 = 2! - 1 = 1$

Felly, mae'r fformiwla yn wir pan fo $n = 1$.

Felly, mae $\sum_{r=1}^{n} r.r! = (n+1)! - 1$ yn wir am bob $n \geqslant 1$.

Enghraifft 3 Profwch fod $\frac{d^n}{dx^n}(e^x \sin x) = 2^{\frac{n}{2}} e^x \sin(x + \frac{1}{4}n\pi)$.

DATRYSIAD

Cymerwn fod y fformiwla'n wir pan fo $n = k$, sy'n rhoi

$$\frac{d^k}{dx^k}(e^x \sin x) = 2^{\frac{k}{2}} e^x \sin(x + \tfrac{1}{4}k\pi)$$

Felly, cawn

$$\frac{d^{k+1}}{dx^{k+1}}(e^x \sin x) = \frac{d}{dx}\left(\frac{d^k}{dx^k}(e^x \sin x)\right) = \frac{d}{dx}[2^{\frac{k}{2}} e^x \sin(x + \tfrac{1}{4}k\pi)]$$

$$= 2^{\frac{k}{2}} e^x \sin(x + \tfrac{1}{4}k\pi) + 2^{\frac{k}{2}} e^x \cos(x + \tfrac{1}{4}k\pi)$$

$$= 2^{\frac{k}{2}} e^x [\sin(x + \tfrac{1}{4}k\pi) + \cos(x + \tfrac{1}{4}k\pi)]$$

Gan ddefnyddio $a \sin\theta + b\cos\theta = R\sin(\theta + \alpha)$, cawn

$$\frac{d^{k+1}}{dx^{k+1}}(e^x \sin x) = 2^{\frac{k}{2}} e^x \sqrt{2} \sin[(x + \tfrac{1}{4}k\pi) + \tfrac{1}{4}\pi]$$

$$= 2^{\frac{1}{2}(k+1)} e^x \sin[x + \tfrac{1}{4}(k+1)\pi]$$

Felly, mae $\frac{d^n}{dx^n}(e^x \sin x) = 2^{\frac{n}{2}} e^x \sin(x + \frac{1}{4}n\pi)$ yn wir pan fo $n = k + 1$.

Pan fo $n = 1$: $\frac{d}{dx}(e^x \sin x) = e^x \sin x + e^x \cos x$

$$= \sqrt{2}\, e^x \sin(x + \tfrac{1}{4}\pi)$$

Felly, mae'r fformiwla yn wir pan fo $n = 1$.

Felly, mae $\frac{d^n}{dx^n}(e^x \sin x) = 2^{\frac{n}{2}} e^x \sin(x + \frac{1}{4}n\pi)$ yn wir am bob $n \geqslant 1$.

Enghraifft 4 Os yw $A = \begin{pmatrix} 2 & 1 \\ 0 & 1 \end{pmatrix}$, profwch fod $A^n = \begin{pmatrix} 2^n & 2^n - 1 \\ 0 & 1 \end{pmatrix}$.

DATRYSIAD

Cymerwn fod y gosodiad yn wir pan fo $n = k$, sy'n rhoi

$$A^k = \begin{pmatrix} 2^k & 2^k - 1 \\ 0 & 1 \end{pmatrix}$$

Felly, cawn

$$A^{k+1} = A^k \times A = \begin{pmatrix} 2^k & 2^k - 1 \\ 0 & 1 \end{pmatrix} \times \begin{pmatrix} 2 & 1 \\ 0 & 1 \end{pmatrix}$$

$$= \begin{pmatrix} 2^{k+1} & 2^k + 2^k - 1 \\ 0 & 1 \end{pmatrix}$$

$$\Rightarrow \quad A^{k+1} = \begin{pmatrix} 2^{k+1} & 2^{k+1} - 1 \\ 0 & 1 \end{pmatrix}$$

Felly, mae'r gosodiad yn wir pan fo $n = k + 1$.

Pan fo $n = 1$, mae'r gosodiad yn wir.

Felly, os yw $A = \begin{pmatrix} 2 & 1 \\ 0 & 1 \end{pmatrix}$, yna mae $A^n = \begin{pmatrix} 2^n & 2^n - 1 \\ 0 & 1 \end{pmatrix}$ am bob $n \geqslant 1$.

Rhanadwyedd

Gellir defnyddio prawf drwy anwytho i brofi bod term yn rhanadwy â rhyw gyfanrif.

Enghraifft 5 Profwch fod $5^{2n} + 2^{2n-2}\,3^{n-1}$ yn rhanadwy â 13.

DATRYSIAD

Boed i $u_n = 5^{2n} + 2^{2n-2}\,3^{n-1}$. Felly, cawn

$$u_{n+1} = 5^{2(n+1)} + 2^{2(n+1)-2}\,3^{(n+1)-1}$$

Gan fynegi u_{n+1} yn nhermau pwerau u_n, cawn

$$u_{n+1} = 5^2\,5^{2n} + 2^2\,2^{2n-2}\,3^1\,3^{n-1}$$

$$= 25 \times 5^{2n} + 12 \times 2^{2n-2}\,3^{n-1}$$

Drwy adio u_n ac u_{n+1}, cawn

$$u_n + u_{n+1} = 26 \times 5^{2n} + 13 \times 2^{2n-2}\,3^{n-1}$$

Mae 26 a 13 yn rhanadwy â 13. Felly, gan fod swm u_n ac u_{n+1} yn rhanadwy â 13, naill ai

mae u_n a hefyd u_{n+1} **ill dau** yn rhanadwy â 13, neu

nid yw'r naill na'r llall, u_n nac u_{n+1}, yn rhanadwy â 13.

Pan fo n = 1, $u_1 = 5^2 + 2^0\,3^0 = 26$, sy'n rhanadwy â 13.

Felly mae u_n yn rhanadwy â 13 am bob cyfanrif $n \geqslant 1$.

Nid yw'n angenrheidiol defnyddio $u_{n+1} + u_n$ yn syml fel y term i fod yn rhanadwy â'r rhannydd cyfanrifol angenrheidiol. Gallwn adio, neu dynnu, unrhyw luosrif o $u_{n+1} + u_n$, cyn belled nad yw'r lluosrif yr un rhif â'r rhannydd, nac yn ffactor o'r rhannydd.

Yn Enghraifft 5, gallem fod wedi defnyddio $u_{n+1} - 12u_n = 13 \times 5^{2n}$. Ond mae'n amlwg na ellid defnyddio $13u_{n+1} - 13u_n$, sy'n rhanadwy â 13, i brofi unrhyw beth am ranadwyedd u_{n+1} nac u_n.

Enghraifft 6 Profwch fod $3^{4n+2} + 5^{2n+1}$ yn rhanadwy â 14.

DATRYSIAD

Boed i $u_n = 3^{4n+2} + 5^{2n+1}$. Felly, cawn

$$u_{n+1} = 3^{4(n+1)+2} + 5^{2(n+1)+1}$$
$$= 3^4 3^{4n+2} + 5^2 5^{2n+1}$$
$$= 81 \times 3^{4n+2} + 25 \times 5^{2n+1}$$

Noder Rydym yn ceisio profi rhanadwyedd â 14. Ond, ar gyfer y term yn 5^{2n+1},

mae $u_{n+1} + u_n$ yn rhoi $(25 + 1)\, 5^{2n+1}$ ac $u_{n+1} - u_n$ yn rhoi $(25 - 1)\, 5^{2n+1}$

Nid yw $25 + 1 = 26$, na $25 - 1 = 24$ yn rhanadwy â 14, ac felly nid yw'r rhain o ddim cymorth.
Er hynny, gallwn weld bod $u_{n+1} + 3u_n$ **a hefyd** $u_{n+1} - 11\, u_n$ yn gwneud y term yn 5^{2n+1} yn rhanadwy â 14, gan roi, yn ôl eu trefn $(25 + 3) = 28$ a $(25 - 11) = 14$.

Mae'n rhaid gwirio bod y term yn 3^{4n+2} hefyd yn bodloni'r rhanadwyedd hwn:

$$u_{n+1} - 11u_n = 81 \times 3^{4n+2} + 25 \times 5^{2n+1} - 11\,(3^{4n+2} + 5^{2n+1})$$
$$= 81 \times 3^{4n+2} + 25 \times 5^{2n+1} - 11 \times 3^{4n+2} - 11 \times 5^{2n+1}$$
$$= 70 \times 3^{4n+2} + 14 \times 5^{2n+1}$$

sy'n rhanadwy â 14.

Felly, mae naill ai u_{n+1} a hefyd u_n **yn rhanadwy** â 14, neu **nid yw'r** naill na'r llall, u_{n+1} nac u_n, **yn rhanadwy** â 14.

Pan fo $n = 1$, $3^{4n+2} + 5^{2n+1} = 3^6 + 5^3 = 854$, sydd **yn rhanadwy** â 14.

Felly, mae pob u_n yn rhanadwy â 14.

Felly, mae $3^{4n+2} + 5^{2n+1}$ yn rhanadwy â 14 am bob $n \geqslant 1$.

Enghraifft 7 Profwch fod $7^n + 4^n + 1$ yn rhanadwy â 6.

DATRYSIAD

Gadawn i $u_n = 7^n + 4^n + 1$. Felly, cawn

$$u_{n+1} = 7^{n+1} + 4^{n+1} + 1$$
$$= 7 \times 7^n + 4 \times 4^n + 1$$

I ddiddymu'r +1, mae'n rhaid tynnu u_n o u_{n+1}, sy'n rhoi

$$u_{n+1} - u_n = 6 \times 7^n + 3 \times 4^n$$

Ni allwn ddefnyddio $2u_{n+1} - 2u_n$, gan y byddai hyn yn golygu lluosi â 2, sy'n ffactor o 6, sef y rhif rydym yn ceisio profi ei fod yn ffactor o'r mynegiad a roddwyd.
Felly, mae'n rhaid dangos bod 3×4^n, yn ogystal â 6×7^n, yn rhanadwy â 6:

$$u_{n+1} - u_n = 6 \times 7^n + 3 \times 4^n$$
$$= 6 \times 7^n + 3 \times 2^{2n}$$
$$= 6 \times 7^n + 6 \times 2^{2n-1}$$

sy'n rhanadwy â 6.

Felly, mae naill ai u_{n+1} a hefyd u_n **yn rhanadwy** â 6,
neu **nid yw'r** naill na'r llall, u_{n+1} nac u_n, **yn rhanadwy** â 6.

Pan fo n = 1, $7^n + 4^n + 1 = 7 + 4 + 1 = 12$, sy'n rhanadwy â 6.

Felly, mae pob u_n yn rhanadwy â 6.

Felly, mae $7^n + 4^n + 1$ yn rhanadwy â 6 am bob $n \geqslant 1$.

Prawf drwy wrthddywediad

Ffordd arall o brofi bod rhywbeth yw wir yw drwy gymryd ei fod yn anwir ac yna dod i wrthddywediad. (Gweler yn ogystal, *Introducing Pure Mathematics*, tudalennau 521–23.)

Cymerwn, er enghraifft, fod arnom eisiau profi'r datganiad hwn:

Nid oes cyfanrif mwyaf.

Mae'n ymddangos yn amlwg nad oes cyfanrif mwyaf, ond nid yw 'mae'n ymddangos yn amlwg' yn brawf mathemategol derbyniol. Un ffordd o brofi'r datganiad hwn yw drwy dybio **bod** cyfanrif mwyaf.

Galwn y cyfanrif mwyaf yn M. Yna mae'n rhaid fod $M + 1$ hefyd yn gyfanrif. Ond mae $M + 1 > M$. Ond M oedd i fod y cyfanrif **mwyaf**. Felly, mae gennym wrthddywediad.

Felly mae'n rhaid fod y dybiaeth wreiddiol yn anghywir: nid oes cyfanrif mwyaf.

Mae un o'r profion harddaf mewn mathemateg yn ymwneud â'r gosodiad:

Mae nifer anfeidraidd o rifau cysefin

Tybiwn **nad oes** nifer anfeidraidd o rifau cysefin, a phrofi nad yw hynny'n wir.

Cymerwn fod nifer meidraidd o rifau cysefin. Yna gallwn eu hysgrifennu fel $\{p_1, p_2, \ldots, p_n\}$.
Nid yw'r rhif $p_1 \times p_2 \times \ldots \times p_n + 1$ yn rhanadwy ag unrhyw un o'r rhifau cysefin $\{p_1, p_2, \ldots, p_n\}$.
Mae'r gosodiad hwn yn ffwlbri gan fod $\{p_1, p_2, \ldots, p_n\}$ i fod yn rhestr o'r holl rifau cysefin.
Mae'r gwrthddywediad hwn yn dweud wrthym fod ein tybiaeth wreiddiol yn anghywir.
Felly, mae nifer anfeidraidd o rifau cysefin.

Ymarfer 9A

1 Defnyddiwch brawf drwy anwytho i brofi bod $\sum_{r=1}^{n} r^2 = \frac{1}{6} n(n+1)(2n+1)$.

2 Defnyddiwch brawf drwy anwytho i brofi bod $\sum_{r=1}^{n} r^3 = \frac{1}{4} n^2(n+1)^2$.

3 Profwch fod $13^n - 6^{n-2}$ yn rhanadwy â 7.

4 Profwch fod $2^{6n} + 3^{2n-2}$ yn rhanadwy â 5.

5 O wybod bod $\phi(n) = 7^n(6n + 1) - 1$, pan fo $n = 1, 2, 3, \ldots$

i) Dangoswch fod

$$\phi(n + 1) - \phi(n) = 7^n(36n + 48)$$

ii) Drwy hynny, profwch drwy anwytho fod $\phi(n)$ yn rhanadwy â 12 am bob cyfanrif positif n. **(OCR)**

6 Gwiriwch fod $5^5 \equiv 1 \pmod{11}$.
Drwy hynny, darganfyddwch y gweddill wrth rannu 5^{1998} ag 11. **(OCR)**

7 Defnyddiwch anwytho mathemategol i brofi bod

$$\sum_{r=1}^{n}(r - 1)(3r - 2) = n^2(n - 1)$$

am bob cyfanrif positif n. **(AEB 97)**

8 $f(n) \equiv 24 \times 2^{4n} + 3^{4n}$, lle mae n yn gyfanrif annegatif.

a) Darganfyddwch $f(n + 1) - f(n)$.

b) Profwch, drwy anwytho, fod $f(n)$ yn rhanadwy â 5. **(EDEXCEL)**

9 Profwch, drwy anwytho mathemategol, fod $5^{2n} - 1$ yn rhanadwy â 24 am bob cyfanrif positif n. **(CBAC)**

10 Profwch, drwy anwytho, fod $\sum_{r=1}^{n} r(r + 3) = \frac{1}{3}n(n + 1)(n + 5), n \in \mathbb{N}$. **(EDEXCEL)**

11 Profwch, drwy anwytho, fod $\sum_{r=1}^{n} r^2 = \frac{1}{6}n(n + 1)(2n + 1)$.

Darganfyddwch swm sgwariau'r n odrif positif cyntaf. **(OCR)**

12 Defnyddiwch anwytho i brofi bod

$$\sum_{r=1}^{n} r(r + 1) = \frac{1}{3}n(n + 1)(n + 2)$$

am bob cyfanrif positif n. **(SQA/CSYS)**

13 Profwch, drwy anwytho, fod

$$\sum_{r=1}^{n} r(r + 1)(r + 2) = \frac{1}{4}n(n + 1)(n + 2)(n + 3)$$ **(NICCEA)**

14 **a)** Ysgrifennwch fynegiad ar gyfer $n$fed term y gyfres

$$\frac{1^2}{1 \times 3} + \frac{2^2}{3 \times 5} + \frac{3^2}{5 \times 7} + \frac{4^2}{7 \times 9} + \ldots$$

b) Profwch, drwy anwytho, neu fel arall, y rhoddir swm, S_n, termau n cynta'r gyfres uchod gan

$$S_n = \frac{n(n + 1)}{2(2n + 1)}$$ **(NEAB)**

15 Dangoswch drwy anwytho mathemategol fod

$$1 + 2.2 + 3.2^2 + \ldots + n2^{n-1} = (n - 1)2^n + 1$$

am bob gwerth cyfanrifol positif n. **(CBAC)**

16 **a)** Defnyddiwch y canlyniadau $\sum_{r=1}^{n} r = \frac{1}{2}n(n+1)$ a $\sum_{r=1}^{n} r^3 = \frac{1}{4}n^2(n+1)^2$

i ddarganfod mynegiad, yn nhermau n, ar gyfer $\sum_{r=1}^{n} r(r-1)(r+1)$,

gan ffactorio eich ateb mor gyflawn â phosibl.

b) Defnyddiwch anwytho mathemategol i brofi bod

$$\sum_{r=1}^{n} \frac{1}{r(r-1)(r+1)} = \frac{1}{4} - \frac{1}{2n(n+1)}$$

am bob cyfanrif positif $n \geqslant 2$. **(AEB 97)**

17 Defnyddiwch anwytho mathemategol i brofi bod

$$\sum_{r=1}^{n} r(r+1)(r+5) = \frac{1}{4}n(n+1)(n+2)(n+7)$$

am bob cyfanrif positif n. **(AEB 98)**

18 Dangoswch, drwy ddefnyddio gwrth-enghraifft, fod y gosodiad

$\mathbf{a} \times \mathbf{b} = \mathbf{0}$ yn ymhlygu $\mathbf{a} = \mathbf{0}$ neu $\mathbf{b} = \mathbf{0}$

yn anwir.

Darganfyddwch fector uned **n** fel bod $\mathbf{n} \times \begin{pmatrix} 2 \\ -2 \\ 1 \end{pmatrix} = \mathbf{0}$. **(NEAB)**

19 Profwch, drwy anwytho, fod

$$\sum_{r=1}^{n} \frac{2r+1}{r^2(r+1)^2} = 1 - \frac{1}{(n+1)^2}$$ **(OCR)**

20 Profwch nad oes rhif cymarebol positif lleiaf. [**Awgrym** Profwch hyn drwy wrthddywediad.]

21 Profwch, drwy anwytho, fod

$$\sum_{r=1}^{n} r^2(r-1) = \frac{1}{12}n(n-1)(n+1)(3n+2)$$ **(EDEXCEL)**

22 **i)** Dangoswch, os yw $n = k + 1$, yna

$$\frac{(3n+2)(n-1)}{n(n+1)} = \frac{3k^3 + 5k^2}{k(k+1)(k+2)}$$

cyhyd ag y bo $k > 0$.

ii) Profwch drwy anwytho

$$\sum_{r=2}^{n} \frac{4}{r^2-1} \equiv \frac{(3n+2)(n-1)}{n(n+1)}$$ **(NICCEA)**

23 Dangoswch fod $\sum_{r=1}^{n} r(r+2) = \frac{n}{6}(n+1)(2n+7)$.

Gan ddefnyddio'r canlyniad hwn, neu fel arall, darganfyddwch yn nhermau n, swm y gyfres

$3 \ln 2 + 4 \ln 2^2 + 5 \ln 2^3 + \ldots + (n+2) \ln 2^n$

Mynegwch eich ateb yn ei ffurf symlaf. **(EDEXCEL)**

24 Ystyriwch y dilyniant a ddiffinnir gan y berthynas $u_{n+1} = 5u_n + 2$ sydd â'i therm cyntaf yn $u_1 = 1$.

i) Dangoswch mai'r pedwar term cyntaf yw 1, 7, 37, 187, . .

ii) Defnyddiwch ddull anwytho i brofi bod $u_n = \frac{1}{2}[3(5^{n-1}) - 1]$. (NICCEA)

25 Diffinnir dilyniant $u_0, u_1, u_2, \ldots$ gan

$$u_0 = 2 \text{ ac } u_{n+1} = 1 - 2u_n \quad (n \geqslant 0)$$

a) Profwch drwy anwytho, ar gyfer pob $n \geqslant 0$, fod

$$u_n = \frac{1}{3}\{1 + 5(-2)^n\}$$

b) Nodwch, gan roi rheswm byr dros eich ateb, a yw'r dilyniant yn gydgyfeiriol ai peidio. (NEAB)

26 Profwch drwy wrthddywediad, os yw swm dau rif yn fwy na 50, yna bod yn rhaid i o leiaf un o'r rhifau gwreiddiol fod yn fwy na 25.

27 Boed i

$$A = \begin{pmatrix} 1 & 0 \\ -1 & 2 \end{pmatrix}$$

Defnyddiwch anwytho i brofi, ar gyfer pob cyfanrif positif n, fod

$$A^n = \begin{pmatrix} 1 & 0 \\ 1 - 2^n & 2^n \end{pmatrix}$$

Penderfynwch a yw'r fformiwla hon ar gyfer A^n yn ddilys pan fo $n = -1$. (SQA/CSYS)

28 Profwch drwy anwytho, ar gyfer pob cyfanrif positif N, fod

$$\sum_{n=1}^{N} \frac{n4^n}{(n+4)!} = \frac{1}{6} - \frac{4^{N+1}}{(N+4)!}$$

O wybod, ar gyfer pob cyfanrif positif N, fod

$$\frac{4^{N+1}}{(N+4)!} \leqslant \frac{1}{6}\left(\frac{4}{5}\right)^N$$

dangoswch fod y gyfres anfeidraidd

$$\frac{1 \times 4^1}{5!} + \frac{2 \times 4^2}{6!} + \frac{3 \times 4^3}{7!} + \ldots$$

yn gydgyfeiriol, a nodwch y swm i anfeidredd. (OCR)

29 Boed i u, v, w fod yn gyfanrifau positif. Ym mhob un o'r canlynol, penderfynwch a yw'r gosodiad yw wir neu'n anwir. Pan fo'n anwir, rhowch wrth-enghraifft; pan fo'n wir, rhowch brawf.

i) Os yw u a hefyd v yn rhannu w yna mae $u + v$ yn rhannu w.

ii) Os yw u yn rhannu v a hefyd w yna mae u yn rhannu $v + w$.

iii) Os yw u yn rhannu v, a v yn rhannu w, yna mae u yn rhannu $v + w$.

Ysgrifennwch gyfdro gosodiad **ii**, a phenderfynwch a yw'r cyfdro hwn yn wir ai peidio. (SQA/CSYS)

Symiant cyfresi

Gwelwyd eisoes ar dudalennau 159–161 fod modd defnyddio prawf drwy anwytho i brofi bod gan gyfres swm gwybyddus. Yn anffodus, nid yw o unrhyw werth os nad ydym yn gwybod y swm hwnnw ymlaen llaw. Felly, cyflwynwn yn awr ddau ddull arall o gyfansymu cyfres: **cymhwyso fformiwlâu safonol** a **gwahaniaethu**.

Cymhwyso fformiwlâu safonol

Ar dudalennau 159 ac 164, gwelsom fod

$$\sum_{r=1}^{n} r = \frac{1}{2}n(n+1)$$

$$\sum_{r=1}^{n} r^2 = \frac{1}{6}n(n+1)(2n+1)$$

$$\sum_{r=1}^{n} r^3 = \frac{1}{4}n^2(n+1)^2$$

Mae gennym hefyd

$$\sum_{r=1}^{n} r^3 = \left(\sum_{r=1}^{n} r\right)^2$$

Gellir defnyddio'r fformiwlâu hyn i ddarganfod symiau llawer o gyfresi.

Noder Mynegir $\sum_{r=1}^{n} r$ yn aml fel $\sum_{1}^{n} r$.

Enghraifft 8 Darganfyddwch swm $\sum_{r=1}^{n}(4r^2+1)$.

DATRYSIAD

Yn gyntaf, holltwn y term a roddir i'w rannau, ac wedyn defnyddio'r fformiwlâu uchod, fel sy'n addas.

Noder $\sum_{r=1}^{n} 1 = 1 + 1 + 1 + \ldots + 1 = n$ (cyfanswm o n term, pob un yn 1)

Wrth hollti'r term a roddir, cawn

$$\sum_{r=1}^{n}(4r^2+1) = 4\sum_{r=1}^{n} r^2 + \sum_{r=1}^{n} 1$$

sy'n rhoi

$$\sum_{r=1}^{n}(4r^2+1) = 4 \times \frac{1}{6}n(n+1)(2n+1) + n$$

$$= \frac{2}{3}n(n+1)(2n+1) + n$$

$$= \frac{1}{3}[2n(n+1)(2n+1) + 3n]$$

$$\Rightarrow \quad \sum_{r=1}^{n}(4r^2+1) = \frac{1}{3}n[2(n+1)(2n+1)+3]$$

Felly, cawn

$$\sum_{r=1}^{n}(4r^2+1) = \frac{1}{3}n(4n^2+6n+5)$$

Enghraifft 9 Darganfyddwch swm $\sum_{r=1}^{n}(2r^3+3r^2+1)$.

DATRYSIAD

Wrth hollti'r term a roddir, cawn

$$\sum_{r=1}^{n}(2r^3+3r^2+1) = \sum_{r=1}^{n}2r^3 + \sum_{r=1}^{n}3r^2 + \sum_{r=1}^{n}1$$
$$= 2\sum_{r=1}^{n}r^3 + 3\sum_{r=1}^{n}r^2 + \sum_{r=1}^{n}1$$

sy'n rhoi

$$\sum_{r=1}^{n}(2r^3+3r^2+1) = 2\times\frac{1}{4}n^2(n+1)^2 + 3\times\frac{1}{6}n(n+1)(2n+1) + n$$
$$= \frac{n}{2}[n(n+1)^2 + (n+1)(2n+1) + 2]$$

Felly, cawn

$$\sum_{r=1}^{n}(2r^3+3r^2+1) = \frac{n}{2}(n^3+4n^2+4n+3)$$

Enghraifft 10 Darganfyddwch swm $\sum_{r=n+1}^{2n}(4r^3-3)$.

DATRYSIAD

Wrth hollti'r term a roddir, cawn

$$\sum_{r=n+1}^{2n}(4r^3-3) = \sum_{r=1}^{2n}(4r^3-3) - \sum_{r=1}^{n}(4r^3-3)$$

sy'n rhoi

$$\sum_{r=n+1}^{2n}(4r^3-3) = 4\sum_{1}^{2n}r^3 - 3\sum_{1}^{2n}1 - \left(4\sum_{1}^{n}r^3 - 3\sum_{1}^{n}1\right)$$
$$= 4\times\frac{1}{4}(2n)^2(2n+1)^2 - 3\times 2n - \left[4\times\frac{1}{4}n^2(n+1)^2 - 3n\right]$$
$$= 4n^2(2n+1)^2 - 6n - n^2(n+1)^2 + 3n$$
$$= 4n^2(4n^2+4n+1) - n^2(n^2+2n+1) - 3n$$
$$= n^2(15n^2+14n+3) - 3n$$

Felly, cawn

$$\sum_{r=n+1}^{2n} (4r^3 - 3) = 15n^4 + 14n^3 + 3n^2 - 3n$$

Enghraifft 11 Darganfyddwch $\sum_{r=1}^{8} (r^2 + 2)$.

DATRYSIAD

Wrth hollti'r term a roddir, cawn

$$\sum_{r=1}^{8} (r^2 + 2) = \sum_{1}^{8} r^2 + \sum_{1}^{8} 2$$

Gan ddefnyddio

$$\sum_{r=1}^{n} r^2 = \frac{1}{6} n(n+1)(2n+1)$$

a chan gofio bod $\sum_{r=1}^{n} 1 = n$, ac felly fod $\sum_{r=1}^{n} 2 = 2n$, cawn

$$\sum_{r=1}^{n} (r^2 + 2) = \frac{1}{6} n(n+1)(2n+1) + 2n$$

Nawr, $n = 8$, felly

$$\sum_{r=1}^{8} (r^2 + 2) = \frac{1}{6} \times 8 \times 9 \times 17 + 16 = 220$$

Felly, cawn

$$\sum_{r=1}^{8} (r^2 + 2) = 220$$

Ymarfer 9B

1 Darganfyddwch $\sum_{r=1}^{n} (2r^2 + 2r)$.

2 Darganfyddwch $\sum_{r=1}^{n} (2r^3 + r)$.

3 Darganfyddwch $\sum_{r=1}^{n} (r+1)(r-2)$.

4 Darganfyddwch $\sum_{r=1}^{n} (2r-1)(r+5)$.

5 **a)** Dangoswch fod $\sum_{r=1}^{n} (2r-1)(2r+3) = \frac{1}{3} n(4n^2 + 12n - 1)$.

b) Drwy hynny, darganfyddwch $\sum_{r=5}^{35} (2r-1)(2r+3)$. (EDEXCEL)

6 O wybod bod n yn gyfanrif positif, darganfyddwch $\sum_{r=1}^{n} (2r-1)^3$, gan roi eich ateb yn ei ffurf symlaf. (EDEXCEL)

7 Dangoswch fod $\sum_{r=1}^{n} r(2r+1) = \frac{1}{6} n(n+1)(4n+5)$.

Drwy hynny, enrhifwch $\sum_{r=10}^{30} r(2r+1)$. (EDEXCEL)

8 Ysgrifennwch swm

$$\sum_{n=1}^{2N} n^3$$

yn nhermau N, a thrwy hynny darganfyddwch

$$1^3 - 2^3 + 3^3 - 4^3 + \ldots - (2N)^3$$

yn nhermau N, gan symleiddio eich ateb. (OCR)

Gwahaniaethu

Gellir cyfansymu rhai cyfresi drwy ddefnyddio ffracsiynau rhannol (gweler *Introducing Pure Mathematics*, tudalennau 280–9). Sail y dull hwn yw fod y rhan fwyaf o'r termau yn canslo ei gilydd.

Enghraifft 12 Darganfyddwch $\sum_{r=1}^{n} \frac{1}{r(r-1)}$.

DATRYSIAD

Yn gyntaf, ysgrifennwn $\frac{1}{r(r-1)}$ fel swm ffracsiynau rhannol:

$$\frac{1}{r(r-1)} = \frac{1}{r} - \frac{1}{r+1}$$

Felly, cawn

$$\sum_{r=1}^{n} \frac{1}{r(r-1)} = \sum_{r=1}^{n} \left(\frac{1}{r} - \frac{1}{r+1}\right)$$

$$= \left(\frac{1}{1} - \frac{1}{2}\right) + \left(\frac{1}{2} - \frac{1}{3}\right) + \left(\frac{1}{3} - \frac{1}{4}\right) + \ldots + \left(\frac{1}{n-1} - \frac{1}{n}\right) + \left(\frac{1}{n} - \frac{1}{n+1}\right)$$

Sylwn fod pob term heblaw am y cyntaf a'r olaf yn canslo ei gilydd. Felly, cawn

$$\sum_{r=1}^{n} \frac{1}{r(r-1)} = \frac{1}{1} - \frac{1}{n+1} = \frac{n}{n+1}$$

Enghraifft 13 Darganfyddwch $\sum_{r=1}^{n} \frac{2}{r(r+1)(r+2)}$.

DATRYSIAD

Yn gyntaf, ysgrifennwn $\frac{2}{r(r+1)(r+2)}$ fel swm ffracsiynau rhannol:

$$\frac{2}{r(r+1)(r+2)} = \frac{1}{r} - \frac{2}{r+1} + \frac{1}{r+2}$$

Felly, cawn

$$\sum_{r=1}^{n} \frac{2}{r(r+1)(r+2)} = \sum_{r=1}^{n}\left(\frac{1}{r} - \frac{2}{r+1} + \frac{1}{r+2}\right)$$

$$= \left(1 - \frac{2}{2} + \frac{1}{3}\right) + \left(\frac{1}{2} - \frac{2}{3} + \frac{1}{4}\right) + \left(\frac{1}{3} - \frac{2}{4} + \frac{1}{5}\right) +$$

$$+ \left(\frac{1}{4} - \frac{2}{5} + \frac{1}{6}\right) + \ldots + \left(\frac{1}{n-2} - \frac{2}{n-1} + \frac{1}{n}\right) +$$

$$+ \left(\frac{1}{n-1} - \frac{2}{n} + \frac{1}{n+1}\right) + \left(\frac{1}{n} - \frac{2}{n+1} + \frac{1}{n+2}\right)$$

Noder Peidiwch â symleiddio'r ffracsiynau i'w ffurfiau symlaf, gan y bydd hyn yn gwneud y canslo a ddylai ddigwydd yn aneglur.

Sylwn fod bron y cyfan o'r termau yn canslo'i gilydd. Ar y diwedd, mae gennym

$$\sum_{r=1}^{n} \frac{2}{r(r+1)(r+2)} = 1 - \frac{2}{2} + \frac{1}{2} + \frac{1}{n+1} - \frac{2}{n+1} + \frac{1}{n+2}$$

$$= \frac{1}{2} - \frac{1}{n+1} + \frac{1}{n+2}$$

Enghraifft 14 Defnyddiwch yr unfathiant $r \equiv \frac{1}{2}[r(r+1) - (r-1)r]$

i ddarganfod y swm $\sum_{r=1}^{n} r$.

DATRYSIAD

Drwy ddefnyddio'r amnewid a roddir, cawn

$$\sum_{r=1}^{n} r = \sum_{r=1}^{n} \frac{1}{2}[r(r+1) - (r-1)r]$$

$$= \frac{1}{2}(1 \times 2 - 0 \times 1) + \frac{1}{2}(2 \times 3 - 1 \times 2) + \frac{1}{2}(3 \times 4 - 2 \times 3) + \ldots$$

$$+ \frac{1}{2}[(n-1)n - (n-2)(n-1)] + \frac{1}{2}[n(n+1) - (n-1)n]$$

Sylwn fod bron y cyfan o'r termau yn canslo'i gilydd. Ar y diwedd, mae gennym

$$\sum_{r=1}^{n} r = \frac{1}{2}[-0 \times 1 + n(n+1)]$$

$$= \frac{1}{2}n(n+1)$$

Noder Darganfuwyd y canlyniad hwn ar dudalennau 159–160 hefyd drwy ddefnyddio dull gwahanol.

Ymarfer 9C

1 Gwiriwch yr unfathiant

$$\frac{2r-1}{r(r-1)} - \frac{2r+1}{r(r+1)} \equiv \frac{2}{(r-1)(r+1)}$$

Drwy hynny, gan ddefnyddio'r dull gwahaniaethu, profwch fod

$$\sum_{r=2}^{n} \frac{2}{(r-1)(r+1)} = \frac{3}{2} - \frac{2n+1}{n(n+1)}$$

Diddwythwch swm y gyfres anfeidraidd

$$\frac{1}{1.3} + \frac{1}{2.4} + \frac{1}{3.5} + \ldots \frac{1}{(n-1)(n+1)} + \ldots$$ **(AEB 98)**

2 Dangoswch fod

$$\frac{1}{r(r+1)} - \frac{1}{(r+1)(r+2)} \equiv \frac{2}{r(r+1)(r+1)}$$

Drwy hynny, neu fel arall, darganfyddwch fynegiad wedi'i symleiddio ar gyfer

$$\sum_{r=1}^{n} \frac{1}{r(r+1)(r+1)}$$ **(CBAC)**

3 **a)** Mynegwch $\dfrac{1}{(2r-1)(2r+1)}$ mewn ffracsiynau rhannol.

b) Drwy hynny, neu fel arall, dangoswch fod

$$\sum_{r=n}^{r=2n} \frac{1}{(2r-1)(2r+1)} = \frac{an+b}{(2n-1)(4n+1)}$$

lle mae a a b yn gyfanrifau i'w darganfod.

c) Darganfyddwch derfyn $\displaystyle\sum_{r=n}^{r=2n} \frac{1}{(2r-1)(2r+1)}$ wrth i $n \to \infty$. **(NEAB)**

4 Darganfyddwch werth y cysonyn A fel bod $(2r+1)^2 - (2r-1)^2 \equiv Ar$.

Defnyddiwch y canlyniad hwn, a'r dull gwahaniaethu, i brofi bod

$$\sum_{r=2}^{n} r = \frac{1}{2}n(n+1)$$ **(AEB 96)**

5 Mynegwch $\dfrac{1}{(2r+1)(2r+3)}$ mewn ffracsiynau rhannol.

Drwy hynny, darganfyddwch swm y gyfres

$$\frac{1}{3\times 5} + \frac{1}{5\times 7} + \ldots + \frac{1}{(2n+1)(2n+3)}$$

Dangoswch fod y gyfres

$$\frac{1}{3\times 5} + \frac{1}{5\times 7} + \ldots + \frac{1}{(2n+1)(2n+3)} + \ldots$$

yn gydgyfeiriol a nodwch ei swm i anfeidredd. **(OCR)**

6 Gwiriwch fod

$$\frac{1}{1+(n-1)x} - \frac{1}{1+nx} = \frac{x}{\{1+(n-1)x\}(1+nx)}$$

Drwy hynny, dangoswch, os yw $x \neq 0$,

$$\sum_{n=1}^{N} \frac{1}{\{1+(n-1)x\}(1+nx)} = \frac{N}{1+Nx}$$

Diddwythwch fod y gyfres anfeidraidd

$$\frac{1}{1 \times \frac{3}{2}} + \frac{1}{\frac{3}{2} \times 2} + \frac{1}{2 \times \frac{5}{2}} + \ldots$$

yn gydgyfeiriol a darganfyddwch ei swm i anfeidredd. **(OCR)**

7 Boed i $a_n = e^{-(n-1)x} - e^{-nx}$, lle mae $x \neq 0$.

i) Darganfyddwch $\sum_{n=1}^{N} a_n$ yn nhermau N ac x.

ii) Darganfyddwch y set o werthoedd x fel bod y gyfres anfeidraidd

$$a_1 + a_2 + a_3 + \ldots$$

yn cydgyfeirio, a nodwch y swm i anfeidredd. **(OCR)**

8 O wybod bod

$$u_n = \frac{1}{\sqrt{(2n-1)}} - \frac{1}{\sqrt{(2n-1)}}$$

mynegwch $\sum_{n=25}^{N} u_n$ yn nhermau N.

Diddwythwch werth $\sum_{n=25}^{\infty} u_n$. **(OCR)**

9 Dangoswch fod

$$\frac{r}{(r+1)!} = \frac{1}{r!} - \frac{1}{(r+1)!} \qquad (r \in \mathbb{N})$$

Drwy hynny, neu fel arall, enrhifwch

i) $\sum_{r=1}^{n} \frac{r}{(r+1)!}$ **ii)** $\sum_{r=1}^{\infty} \frac{r+2}{(r+1)!}$

gan roi eich ateb i ran **ii** yn nhermau e. **(NEAB)**

10 **a)** Dangoswch fod

$$\frac{r+1}{r+2} - \frac{r}{r+1} \equiv \frac{1}{(r+1)(r+2)} \qquad r \in \mathbb{Z}^+$$

b) Drwy hynny, neu fel arall, darganfyddwch

$$\sum_{r=1}^{n} \frac{1}{(r+1)(r+2)}$$

gan roi eich ateb fel ffracsiwn sengl yn nhermau n. **(EDEXCEL)**

Cydgyfeiriant

Fel y gwelsom wrth drin dilyniannau geometrig, mae cyfres anfeidraidd yn swm dilyniant anfeidraidd o rifau (gweler *Introducing Pure Mathematics*, tudalennau 248–50). Er enghraifft, mae gennym y dilyniant geometrig anfeidraidd

$$\frac{1}{2} + \frac{1}{2^2} + \ldots + \frac{1}{2^k} + \ldots$$

Pan ddywedwn fod cyfres anfeidraidd $\sum_{k=0}^{\infty} a_k$ yn **cydgyfeirio**, yr hyn a olygwn yw fod y symiau

$S_n = \sum_{k=0}^{n} a_k$ yn berchen ar **derfyn** wrth i $n \to \infty$.

Dywedwn fod cyfres anfeidraidd yn **dargyfeirio** os nad yw'n cydgyfeirio.

Pan fo cyfres yn dargyfeirio, mae'n gallu ymddwyn yn un o'r ffyrdd canlynol.

- Dargyfeirio i $+\infty$; er enghraifft: $1 + 2 + 4 + 8 + 16 + \ldots$
- Dargyfeirio i $-\infty$; er enghraifft: $-1 - 2 - 4 - 8 - 16 - \ldots$
- Osgiliadu'n feidraidd; er enghraifft: $1 - 1 + 1 - 1 + 1 - \ldots$
- Osgiliadu'n anfeidraidd; er enghraifft: $1 - 2 + 4 - 8 + 16 - \ldots$

Prawf cymhareb D'Alembert

Mae prawf cymhareb D'Alembert yn datgan bod cyfres yn y ffurf $\sum_{n=0}^{\infty} a_n$ yn cydgyfeirio pan fo

$$\lim_{n \to \infty} \left| \frac{a_{n+1}}{a_n} \right| < 1$$

Mae'r prawf hefyd yn datgan bod y gyfres yn dargyfeirio pan fo $\lim_{n \to \infty} \left| \frac{a_{n+1}}{a_n} \right|$ yn fwy nag 1.

Nid yw'n ymhlygu unrhyw beth pan fo $\lim_{n \to \infty} \left| \frac{a_{n+1}}{a_n} \right| = 1$.

Enghraifft 15 Profwch fod y gyfres $\sum_{n=0}^{\infty} \frac{x^n}{n!}$ yn cydgyfeirio am bob gwerth real x.

DATRYSIAD

Yn gyntaf, rydym yn darganfod y gymhareb $\left| \frac{a_{n+1}}{a_n} \right|$.

Wedyn, rydym yn darganfod ei therfyn wrth i $n \to \infty$.

Felly, cawn

$$\left| \frac{a_{n+1}}{a_n} \right| = \left| \frac{\frac{x^{n+1}}{(n+1)!}}{\frac{x^n}{n!}} \right|$$

$$= \left| \frac{x}{n+1} \right|$$

Wrth i $n \to \infty$, mae gan y gymhareb derfyn sy'n sero beth bynnag fo gwerth (real) x.

Felly, mae'r prawf cymhareb yn ymhlygu bod y gyfres yn cydgyfeirio am bob gwerth real x.

Noder Y gyfres $\sum_{k=0}^{\infty} \frac{x^k}{k!}$ yw ehangiad Maclaurin ar gyfer e^x (gweler tudalen 178)

ac oherwydd hyn fe'i gelwir y **gyfres esbonyddol**. Hynny yw,

$$e^x \equiv \sum_{k=0}^{\infty} \frac{x^k}{k!}$$

Enghraifft 16 Profwch nad yw'r gyfres $\sum_{n=1}^{\infty} \frac{1}{n}$ yn gydgyfeiriol.

DATRYSIAD

Defnyddiwn brawf d'Alembert i gael

$$\left|\frac{a_{n+1}}{a_n}\right| = \left|\frac{\frac{1}{n+1}}{\frac{1}{n}}\right| = \frac{n}{n+1}$$

sy'n rhoi

$$\lim_{n\to\infty}\left|\frac{a_{n+1}}{a_n}\right| = \lim_{n\to\infty}\left|\frac{n}{n+1}\right| = 1$$

Felly, yn yr achos hwn, mae prawf cymhareb d'Alembert **yn methu**, oherwydd **nad yw'n** gallu sefydlu p'run a yw'r gyfres yn cydgyfeirio neu'n dargyfeirio.

I brofi nad yw'r gyfres yn cydgyfeirio, ysgrifennwn yr ychydig dermau cyntaf:

$$\sum_{n=1}^{\infty} \frac{1}{n} = 1 + \frac{1}{2} + \frac{1}{3} + \frac{1}{4} + \frac{1}{5} + \frac{1}{6} + \frac{1}{7} + \frac{1}{8} + \ldots$$

Nawr mae'r term cyntaf yn fwy na $\frac{1}{2}$.

Yr ail derm yw $\frac{1}{2}$.

Mae swm y ddau derm nesaf yn fwy na $\frac{1}{4} + \frac{1}{4} = \frac{1}{2}$.

Mae swm y pedwar term nesaf yn fwy nag $\frac{1}{8} + \frac{1}{8} + \frac{1}{8} + \frac{1}{8} = \frac{1}{2}$.

Yr un modd, mae swm yr wyth term nesaf yn fwy nag wyth gwaith $\frac{1}{16}$, sy'n $\frac{1}{2}$.

Mae'r patrwm hwn yn ailadrodd. Gallwn bob amser gynyddu'r swm fwy na $\frac{1}{2}$ drwy adio'r

2^k term nesaf. Felly, mae $\sum_{n=1}^{\infty} \frac{1}{n}$ yn fwy nag unrhyw rif real L a benodwyd ymlaen llaw.

Felly, nid yw'n gallu cydgyfeirio at L, ac felly mae'n dargyfeirio.

Er bod pob term yn llai na'r term blaenorol, a bod y termau'n tueddu at sero, nid yw'r swm yn feidraidd.

Cyfres Maclaurin

O dybio bod modd ehangu f(x) ar ffurf cyfres mewn pwerau cyfanrifol positif esgynnol x, gallwn ddiddwytho termau'r gyfres, fel y gwelir isod ar gyfer sin x, cos x, e^x ac $\ln(1 + x)$. Mae arnom angen y pedwar ehangiad hyn yn aml ac felly dylech eu dysgu.

Cyfres bŵer ar gyfer sin x

Boed i $\sin x = a_0 + a_1x + a_2x^2 + a_3x^3 + \ldots$ lle mae pob a yn gysonyn.

Pan fo $x = 0$, mae $\sin 0 = a_0$. Ond mae $\sin 0 = 0$, felly mae $a_0 = 0$.

Differwn $\sin x = a_1x + a_2x^2 + a_3x^3 + \ldots$ i gael

$$\cos x = a_1 + 2a_2x + 3a_3x^2 + 4a_4x^3 + \ldots$$

Pan fo $x = 0$, mae $\cos 0 = a_1$. Ond mae $\cos 0 = 1$, felly mae $a_1 = 1$.

Differwn eto a chawn

$$-\sin x = 2a_2 + 3 \times 2a_3x + 4 \times 3a_4x^2 + 5 \times 4a_5x^3 + \ldots$$

Pan fo $x = 0$, mae $\sin 0 = 2a_2 \quad \Rightarrow \quad a_2 = 0$.

Differwn unwaith eto i gael

$$-\cos x = 3 \times 2a_3 + 4 \times 3 \times 2a_4x + 5 \times 4 \times 3a_5x^2 + \ldots$$

Pan fo $x = 0$, mae $-\cos 0 = 3 \times 2a_3 \quad \Rightarrow \quad a_3 = -\dfrac{1}{3 \times 2 \times 1} = -\dfrac{1}{3!}$.

Wrth ailadrodd y differu, cawn

$$a_4 = 0 \qquad a_5 = \frac{1}{5!} \qquad a_6 = 0 \qquad a_7 = -\frac{1}{7!}$$

Felly, cawn

$$\sin x = x - \frac{x^3}{3!} + \frac{x^5}{5!} - \frac{x^7}{7!} + \ldots + \frac{(-1)^n x^{2n+1}}{(2n+1)!} + \ldots$$

Mae prawf cymhareb d'Alembert yn dangos bod y gyfres hon yn cydgyfeirio am bob gwerth real x.

Cyfres bŵer ar gyfer cos x

Gallwn ddefnyddio'r drefn ar gyfer sin x i ddarganfod y gyfres bŵer ar gyfer cos x. Ond mae'n llawer haws cychwyn o'r ehangiad ar gyfer sin x. Felly, cawn

$$\cos x = \frac{d}{dx}\sin x = \frac{d}{dx}\left(x - \frac{x^3}{3!} + \frac{x^5}{5!} - \frac{x^7}{7!} + \ldots\right)$$

sy'n rhoi

$$\cos x = 1 - \frac{x^2}{2!} + \frac{x^4}{4!} - \frac{x^6}{6!} + \ldots + \frac{(-1)^n x^{2n}}{(2n)!} + \ldots$$

Mae prawf cymhareb d'Alembert yn dangos bod y gyfres hon yn cydgyfeirio am bob gwerth real x.

Cyfres bŵer ar gyfer e^x

Boed i $e^x = a_0 + a_1x + a_2x^2 + a_3x^3 + \ldots$ lle mae pob a yn gysonyn.

Pan fo $x = 0$, mae $e^0 = a_0$. Ond mae $e^0 = 1$, felly mae $a_0 = 1$.

Differwn $e^x = a_0 + a_1x + a_2x^2 + a_3x^3 + \ldots$ i gael

$$e^x = a_1 + 2a_2x + 3a_3x^2 + 4a_4x^4 + \ldots$$

Pan fo $x = 0$, mae $e^0 = a_1 \quad \Rightarrow \quad a_1 = 1$.

Differwn eto i gael

$$e^x = 2a_2 + 3 \times 2a_3x + 4 \times 3a_4x^2 + 5 \times 4a_5x^3 + \ldots$$

Pan fo $x = 0$, mae $e^0 = 2a_2 \quad \Rightarrow \quad a_2 = \frac{1}{2}$.

Differwn unwaith eto i gael

$$e^x = 3 \times 2a_3 + 4 \times 3 \times 2a_4x + 5 \times 4 \times 3a_5x^2 + \ldots$$

Pan fo $x = 0$, $e^0 = 3 \times 2a_3 \quad \Rightarrow \quad a_3 = \frac{1}{3 \times 2 \times 1} = \frac{1}{3!}$.

Wrth ailadrodd y differu, cawn

$$a_4 = \frac{1}{4!} \qquad a_5 = \frac{1}{5!} \qquad a_6 = \frac{1}{6!} \qquad a_7 = \frac{1}{7!}$$

Felly, cawn

$$e^x = 1 + x + \frac{x^2}{2!} + \frac{x^3}{3!} + \frac{x^4}{4!} + \frac{x^5}{5!} + \ldots$$

Mae prawf cymhareb d'Alembert yn dangos bod y gyfres hon yn cydgyfeirio am bob gwerth real x.

Cyfres bŵer ar gyfer $\ln(1 + x)$

Gan nad yw ln 0 yn feidraidd, nid oes modd cael cyfres bŵer ar gyfer $\ln x$.
Yn lle hyn, rydym yn defnyddio cyfres bŵer ar gyfer $\ln(1 + x)$.

Boed i $\ln(1 + x) = a_0 + a_1x + a_2x^2 + a_3x^3 + \ldots$

Pan fo $x = 0$, mae $\ln 1 = a_0$. Ond mae $\log 1 = 0$, felly mae $a_0 = 0$.

Differwn $\ln(1 + x) = a_1x + a_2x^2 + a_3x^3 + \ldots$ i gael

$$\frac{1}{1 + x} = a_1 + 2a_2x + 3a_3x^2 + 4a_4x^3 + \ldots$$

Ond, gan ddefnyddio'r theorem binomial, gallwn ehangu $\frac{1}{1 + x}$ yn y ffurf $(1 + x)^{-1}$

i roi $1 - x + x^2 - x^3 + x^4 - x^5 + \ldots$ Felly, cawn

$$1 - x + x^2 - x^3 + x^4 - x^5 + \ldots \equiv a_1 + 2a_2x + 3a_3x^2 + 4a_4x^3 + \ldots$$

Drwy hafalu'r cyfernodau, cawn $a_1 = 1, a_2 = -\frac{1}{2}, a_3 = \frac{1}{3}, a_4 = -\frac{1}{4}, \ldots$

Felly, cawn

$$\ln(1 + x) = x - \frac{x^2}{2} + \frac{x^3}{3} - \frac{x^4}{4} + \frac{x^5}{5} - \ldots$$

Gan ddefnyddio prawf cymhareb d'Alembert, cawn

$$\lim_{n\to\infty} \left| \frac{a_{n+1}}{a_n} \right| = \lim_{n\to\infty} \left| \frac{\frac{x^{n+1}}{n+1}}{\frac{x^n}{n}} \right| = \lim_{n\to\infty} \left| \frac{nx}{n+1} \right| = |x|$$

Hynny yw, pan fo $|x| < 1$ mae'r gyfres yn cydgyfeirio. Drwy archwilio, gwelwn fod yr ehangiad yn ddilys pan fo $x = 1$, ond nid pan fo $x = -1$. Felly, cawn

$$\ln(1 + x) = x - \frac{x^2}{2} + \frac{x^3}{3} - \frac{x^4}{4} + \frac{x^5}{5} - \ldots \quad \text{pan fo } -1 < x \leqslant 1$$

Yr un modd, cawn

$$\ln(1 - x) = -x - \frac{x^2}{2} - \frac{x^3}{3} - \frac{x^4}{4} - \frac{x^5}{5} - \ldots \quad \text{pan fo } -1 \leqslant x < 1$$

Crynodeb

Cyfres Maclaurin yw'r enw a roddir ar ganlyniad cyffredinol y dull hwn o ddarganfod cyfresi pŵer ffwythiannau, ac mae'n cael ei fynegi fel

$$f(x) = f(0) + x\,f'(0) + \frac{x^2}{2!}f''(0) + \frac{x^3}{3!}f'''(0) + \ldots$$

Ymarfer 9D

1 **a)** Dangoswch mai dau derm ansero cyntaf ehangiad Maclaurin ar gyfer $\sin^{-1} x$ yw

$$\sin^{-1} x = x + \frac{x^3}{6!} + \ldots$$

b) Drwy roi $x = \frac{1}{2}$, diddwythwch frasamcan ar gyfer π fel ffracsiwn cymarebol yn ei dermau symlaf.

c) Bodlonir yr hafaliad $\sin^{-1} x = 1.002x$ gan werth positif bychan o x. Darganfyddwch frasamcan ar gyfer y gwerth hwn, gan roi eich ateb yn gywir i dri lle degol. (CBAC)

2 **i)** Defnyddiwch theorem Maclaurin i ddeillio'r ehangiad cyfres ar gyfer $\log_e(1 + x)$, lle mae $-1 < x \leqslant 1$, gan roi'r tri therm ansero cyntaf.

ii) Os yw $\log_e(1 + x) \approx x(1 + ax)^b$ ar gyfer x bychan, darganfyddwch werthoedd a a b fel bod tri therm ansero cynta'r ddwy ochr yr un fath. (NICCEA)

3 **a)** Darganfyddwch dri deilliad cyntaf $(1 + x)^2 \cos x$.

b) Drwy hynny, neu fel arall, darganfyddwch ehangiad $(1 + x)^2 \cos x$ mewn pwerau esgynnol x hyd at, ac yn cynnwys, y term yn x^3. (EDEXCEL)

4 **i)** Defnyddiwch theorem Maclaurin i ddeillio tri therm ansero cyntaf yr ehangiad cyfres ar gyfer sin x.

ii) Dangoswch, os yw x yn ddigon bach, fod

$$\sin x \approx x\left(1 - \frac{x^2}{15}\right)^{\frac{5}{2}}$$

iii) Dangoswch, wrth ddefnyddio $x = \frac{\pi}{2}$, fod y cyfeiliornad o ddefnyddio brasamcanu yn rhan **ii** tua 0.2%. **(NICCEA)**

5 Dangoswch mai'r ddau derm ansero cyntaf yng nghyfres Maclaurin ar gyfer ln(1 + x) yw

$$\ln(1 + x) = x - \frac{x^2}{2} + \ldots$$

a) Defnyddiwch y gyfres i ddangos bod $x = 0.03$ yn ddatrysiad bras i'r hafaliad $3\ln(1 + x) = 100x^2$.

b) Gan gymryd $x = 0.03$ fel brasamcan cyntaf, darganfyddwch werth gwell ar gyfer y gwreiddyn drwy ddefnyddio dull Newton-Raphson ddwywaith. Rhowch eich ateb yn gywir i chwe lle degol. **(CBAC)**

6 O wybod bod $y = (1 + \sin x)e^x$, darganfyddwch $\frac{dy}{dx}$ a dangoswch fod $\frac{d^2y}{dx^2} = (1 + 2\cos x)e^x$.

Drwy hyn, neu fel arall, profwch mai'r gyfres Maclaurin ar gyfer y, mewn termau esgynnol x, hyd at, ac yn cynnwys y term yn x^2, yw

$$1 + 2x + \frac{3}{2}x^2$$

Mae ehangiad binomaidd $(1 + ax)^n$ hefyd yn dechrau ag $1 + 2x + \frac{3}{2}x^2$.

Darganfyddwch werth y cysonion a ac n. **(AEB 97)**

7 **i)** Defnyddiwch theorem Maclaurin i ddarganfod gwerthoedd A, B, C a D yn yr ehangiad cyfres

$$\tan^{-1} x = A + Bx + Cx^2 + Dx^3 + \frac{x^5}{5} - \frac{x^7}{7} \ldots$$

lle mae $-1 < x < 1$.

ii) Gan ddefnyddio'r ehangiad binomaidd, darganfyddwch dri therm ansero cyntaf, mewn pwerau esgynnol u, yr ehangiad cyfres ar gyfer $\frac{1}{1 + u^2}$.

iii) Gan ddefnyddio'r gyfres yn rhan **ii**, enrhifwch

$$\int_0^x \frac{1}{1 + u^2}\, du$$

fel ehangiad cyfres mewn pwerau esgynnol x.

iv) Esboniwch yn fyr sut mae modd deillio'r ehangiad cyfres yn rhan **i** o'r canlyniad yn rhan **iii**. **(NICCEA)**

8 O wybod bod

$$y^2 = \sec x + \tan x \qquad -\frac{\pi}{2} < x < \frac{\pi}{2}, \qquad y > 0$$

dangoswch fod

a) $\dfrac{dy}{dx} = \dfrac{1}{2} y \sec x$

b) $\dfrac{d^2y}{dx^2} = \dfrac{1}{4} y \sec x (\sec x + 2 \tan x)$

O wybod bod x yn fach ac y gellir anwybyddu termau yn x^3 a phwerau uwch x, defnyddiwch ehangiad Maclaurin i fynegi y yn y ffurf $A + Bx + Cx^2$, gan nodi gwerthoedd A, B ac C. (EDEXCEL)

9 O wybod bod $f(x) = (1 + x) \ln (1 + x)$,

a) darganfyddwch bumed deilliad $f(x)$

b) dangoswch mai'r pum term ansero cyntaf yn ehangiad Maclaurin ar gyfer $f(x)$ yw

$$x + \frac{x^2}{2} - \frac{x^3}{6} + \frac{x^4}{12} - \frac{x^5}{20}$$

c) darganfyddwch, yn nhermau r, fynegiad ar gyfer $r$fed term ($r \geqslant 2$) ehangiad Maclaurin ar gyfer $f(x)$. (CBAC)

10 a) i) O wybod bod $y = \ln(2 + x^2)$, darganfyddwch $\dfrac{dy}{dx}$ a dangoswch fod

$$\frac{d^2y}{dx^2} = \frac{4 - 2x^2}{(2 + x^2)^2}$$

ii) Diddwythwch gyfres Maclaurin ar gyfer $\ln(2 + x^2)$ mewn pwerau esgynnol x, hyd at, ac yn cynnwys, y term yn x^2.

b) Drwy ysgrifennu $2 + x^2$ fel $2(1 + \frac{1}{2}x^2)$ a defnyddio'r ehangiad cyfres

$$\ln(1 + t) = t - \frac{t^2}{2} + \frac{t^3}{3} - \dots$$

gwiriwch eich canlyniad o ran **a** a darganfyddwch y term ansero nesaf yn y gyfres ar gyfer $\ln(2 + x^2)$. (AEB 97)

11 i) Defnyddiwch theorem Maclaurin i ddeillio pum term cyntaf yr ehangiad cyfres ar gyfer $(1 + x)^r$, lle mae $-1 < x < 1$.

ii) Gan gymryd bod y gyfres a gafwyd uchod yn parhau â'r un patrwm, darganfyddwch swm y gyfres anfeidraidd ganlynol:

$$1 + \frac{1}{6} - \frac{1.2}{6.12} + \frac{1.2.5}{6.12.18} - \frac{1.2.5.8}{6.12.18.24} + \dots$$ (NICCEA)

12 i) Defnyddiwch theorem Maclaurin i ddeillio pum term cyntaf yr ehangiad cyfres ar gyfer e^x.

Ystyriwch y gyfres anfeidraidd

$$\frac{1}{1!} + \frac{4}{2!} + \frac{7}{3!} + \frac{10}{4!} + \dots$$

ii) Os yw'r gyfres yn parhau â'r un patrwm, darganfyddwch fynegiad ar gyfer yr $n$fed term.

iii) Darganfyddwch swm y gyfres anfeidraidd. (NICCEA)

Defnyddio cyfresi pŵer

Defnyddir y cyfresi a astudiwyd ar dudalennau 177–9 mewn amryw o sefyllfaoedd, gan gynnwys dwy a drafodir isod.

Darganfod terfan $\frac{f(x)}{g(x)}$ wrth i $x \to 0$, pan fo $f(0) = g(0) = 0$

Yn syml drwy roi $x = 0$, rydym yn cael $\frac{f(0)}{g(0)} = \frac{0}{0}$, sy'n golygu ein bod wedi cymryd cam gwag.

Enghraifft 17 Darganfyddwch derfan $\frac{x - \sin x}{x^2(e^x - 1)}$ wrth i $x \to 0$.

DATRYSIAD

I ddarganfod y math hwn o derfan, rydym yn ehangu rhifiadur ac enwadur y mynegiad ar ffurf cyfres bŵer yn x ac yn rhannu'r ddau â'r pŵer isaf x sy'n bresennol. Yna rhown $x = 0$.

Felly, cawn

$$\frac{x - \sin x}{x^2(e^x - 1)} = \frac{x - \left(x - \frac{x^3}{3!} + \frac{x^5}{5!} - \ldots\right)}{x^2\left(1 + x + \frac{x^2}{2!} + \ldots - 1\right)} = \frac{\frac{x^3}{3!} - \frac{x^5}{5!} + \ldots}{x^3 + \frac{x^4}{2!} + \ldots}$$

Drwy rannu'r rhifiadur a'r enwadur ag x^3, cawn

$$\frac{x - \sin x}{x^2(e^x - 1)} = \frac{\frac{1}{3!} - \frac{x^2}{5!} + \ldots}{1 + \frac{x}{2!} + \frac{x^2}{3!} \ldots}$$

Felly, cawn

$$\lim_{n \to \infty} \frac{x - \sin x}{x^2(e^x - 1)} = \frac{\frac{1}{3!}}{1} = \frac{1}{6}$$

Enghraifft 18 Darganfyddwch derfan $\frac{1 - \cos x}{\sin^2 x}$ wrth i $x \to 0$.

DATRYSIAD

Drwy ehangu'r rhifiadur a'r enwadur ar ffurf cyfres bŵer, cawn

$$\frac{1 - \cos x}{\sin^2 x} = \frac{1 - \left(1 - \frac{x^2}{2!} + \frac{x^4}{4!} - \ldots\right)}{\left(x - \frac{x^3}{3!} + \frac{x^5}{5!} - \ldots\right)^2} = \frac{\frac{x^2}{2!} - \frac{x^4}{4!} + \ldots}{x^2 - \frac{2x^4}{3!} + \ldots}$$

Rhannwn y rhifiadur a'r enwadur ag x^2 i gael

$$\frac{1-\cos x}{\sin^2 x} = \frac{\frac{1}{2!} - \frac{x^2}{4!} + \ldots}{1 - \frac{2x^2}{3!} + \ldots}$$

Felly, cawn

$$\lim_{x\to 0} \frac{1-\cos x}{\sin^2 x} = \frac{\frac{1}{2!}}{1} = \frac{1}{2}$$

Rheol L'Hôpital

Wrth enrhifo terfannau rhai ffurfiau o $\frac{f(x)}{g(x)}$, nid yw defnyddio cyfresi pŵer yn addas ac felly rydym yn defnyddio rheol l'Hôpital, sy'n datgan: os yw $f(a) = g(a) = 0$, a $g'(a) \neq 0$ yna

$$\lim_{x\to a} \frac{f(x)}{g(x)} = \frac{f'(a)}{g'(a)}$$

Os yw $g'(a) = 0$, rydym yn ailadrodd y drefn hyd nes y deuwn o hyd i ddeilliad $g(x)$ nad yw'n sero pan fo $x = a$.

Felly, os yw $f(a) = g(a) = 0$ ac $g'(a) = 0$, ond $g''(a) \neq 0$, yna

$$\lim_{x\to a} \frac{f(x)}{g(x)} = \lim_{x\to a} \frac{f'(x)}{g'(x)} = \frac{f''(a)}{g''(a)}$$

Enghraifft 19 Darganfyddwch $\lim_{x\to 1} \frac{x^4 - 7x^3 + 8x^2 - 2}{x^3 + 5x - 6}$.

DATRYSIAD

Sylwn fod y rhifiadur a'r enwadur yn sero pan fo $x = 1$.
Felly, ar ôl differu'r rhifiadur a hefyd yr enwadur ill dau, cawn

$$\lim_{x\to 1} \frac{x^4 - 7x^3 + 8x^2 - 2}{x^3 + 5x - 6} = \lim_{x\to 1} \frac{4x^3 - 21x^2 + 16x}{3x^2 + 5}$$

$$\Rightarrow \lim_{x\to 1} \frac{x^4 - 7x^3 + 8x^2 - 2}{x^3 + 5x - 6} = -\frac{1}{8} = -0.125$$

Darganfod f(x) pan fo x yn fach

Enghraifft 20 Ehangwch tan x ar ffurf cyfres bŵer yn x cyn belled â'r term yn x^5. Drwy hynny darganfyddwch werth tan 0.001 i 15 lle degol.

DATRYSIAD

Mynegwn tan x yn nhermau sin x a cos x, ac ehangu'r ddau ar ffurf cyfres bŵer. Felly, cawn

$$\tan x = \frac{\sin x}{\cos x} = \frac{x - \frac{x^3}{3!} + \frac{x^5}{5!} - \ldots}{1 - \frac{x^2}{2!} + \frac{x^4}{4!} - \ldots}$$

$$= \frac{x - \frac{x^3}{6} + \frac{x^5}{120} - \ldots}{1 - \frac{x^2}{2} + \frac{x^4}{24} - \ldots}$$

Aildrefnwn yr uchod i roi

$$\tan x = \left[x - \frac{x^3}{6} + \frac{x^5}{120} - \ldots\right]\left[1 - \left(\frac{x^2}{2} - \frac{x^4}{24} + \ldots\right)\right]^{-1}$$

ac yna ehangu'r ail gromfach gan ddefnyddio'r theorem binomial
ac anwybyddu termau yn x^5 ac uwch, i gael

$$\tan x = \left[x - \frac{x^3}{6} + \frac{x^5}{120} - \ldots\right]\left[1 + \frac{x^2}{2} - \frac{x^4}{24} + \ldots + \left(\frac{x^2}{2} - \frac{x^4}{24} + \ldots\right)^2 + \ldots\right]$$

$$= \left(x - \frac{x^3}{6} + \frac{x^5}{120} - \ldots\right)\left(1 + \frac{x^2}{2} - \frac{x^4}{24} + \frac{x^4}{4} - \ldots\right)$$

$$= \left(x - \frac{x^3}{6} + \frac{x^5}{120} - \ldots\right)\left(1 + \frac{x^2}{2} - \frac{5x^4}{24} + \ldots\right)$$

$$= x + \frac{x^3}{2} + \frac{5x^5}{24} - \frac{x^3}{6} - \frac{x^5}{12} + \frac{x^5}{120} + \ldots$$

Felly, cawn

$$\tan x = x + \frac{1}{3}x^3 + \frac{2}{15}x^5 + \ldots$$

Felly, rhoddir tan 0.001 gan

$$\tan 0.001 = 0.001 + \frac{1}{3} \times 0.000\,000\,001 + \frac{2}{15} \times 0.000\,000\,000\,000\,001 + \ldots$$

Hynny yw,

$$\tan 0.001 = 0.001\,000\,000\,333\,333 \text{ i 15 lle degol.}$$

Cyfresi pŵer ar gyfer ffwythiannau mwy cymhleth

Gallwn gyfuno cyfresi pŵer ar gyfer ffwythiannau syml i greu cyfresi pŵer ar gyfer ffwythiannau mwy cymhleth, fel y gwelir yn Enghreifftiau 21 at 24.

Enghraifft 21 Darganfyddwch y gyfres bŵer ar gyfer cos x^2.

DATRYSIAD

Y gyfres bŵer ar gyfer cos x yw

$$\cos x = 1 - \frac{x^2}{2!} + \frac{x^4}{4!} - \ldots + \frac{(-1)^n}{(2n)!} x^{2n} + \ldots$$

I gael y gyfres bŵer ar gyfer cos x^2, rydym yn rhoi x^2 yn lle pob x yn y gyfres uchod i gael

$$\cos x^2 = 1 - \frac{(x^2)^2}{2!} + \frac{(x^2)^4}{4!} - \ldots + \frac{(-1)^n}{(2n)!} (x^2)^{2n} + \ldots$$

$$= 1 - \frac{x^4}{2!} + \frac{x^8}{4!} - \ldots + \frac{(-1)^n}{(2n)!} x^{4n} + \ldots$$

Gan fod y gyfres bŵer ar gyfer cos x yn ddilys ar gyfer pob gwerth real x, rydym yn gwybod bod y gyfres bŵer ar gyfer cos x^2 yn ddilys ar gyfer pob gwerth x^2, h.y. ar gyfer pob gwerth real x.

Enghraifft 22 Darganfyddwch y gyfres bŵer ar gyfer $\ln(1 + 3x)$, gan nodi pryd mae'r ehangiad yn ddilys.

DATRYSIAD

Yn yr ehangiad ar gyfer $\ln(1 + x)$,

$$\ln(1 + x) = x - \frac{x^2}{2} + \frac{x^3}{3} - \ldots$$

rydym yn rhoi $3x$ yn lle x, i gael

$$\ln(1 + 3x) = (3x) - \frac{(3x)^3}{2} + \frac{(3x)^3}{3} - \ldots$$

$$= 3x - \frac{9}{2}x^2 + 9x^3 - \ldots$$

Gan fod yr ehangiad ar gyfer $\ln(1 + x)$ yn ddilys ar gyfer $-1 < x \leqslant 1$,

mae'r ehangiad ar gyfer $\ln(1 + 3x)$ yn ddilys ar gyfer $-1 < 3x \leqslant 1$, h.y. $-\frac{1}{3} < x \leqslant \frac{1}{3}$.

Felly, cawn

$$\ln(1 + 3x) = 3x - \tfrac{9}{2}x^2 + 9x^3 - \ldots \quad \text{pan fo } -\tfrac{1}{3} < x \leqslant \tfrac{1}{3}$$

Enghraifft 23 Darganfyddwch y gyfres bŵer ar gyfer $e^{4x}\sin 3x$, hyd at, ac yn cynnwys, y term yn x^4.

DATRYSIAD

Gan nad oes ond gofyn am dermau hyd at x^4, nid oes angen ystyried termau mewn pwerau uwch x.

Y gyfres bŵer ar gyfer e^x yw

$$e^x = 1 + x + \frac{x^2}{2!} + \frac{x^3}{3!} + \frac{x^4}{4!} + \ldots$$

Felly, y gyfres bŵer ar gyfer e^{4x} yw

$$e^{4x} = 1 + (4x) + \frac{(4x)^2}{2!} + \frac{(4x)^3}{3!} + \frac{(4x)^4}{4!} + \ldots$$

Yr un modd, drwy ddefnyddio'r gyfres bŵer ar gyfer $\sin x$, a thrwy roi x yn lle $3x$ bob tro, cawn y gyfres bŵer ar gyfer $\sin 3x$:

$$\sin 3x = (3x) - \frac{(3x)^3}{3!} + \frac{(3x)^5}{5!} - \ldots$$

Felly, y gyfres bŵer ar gyfer $e^{4x}\sin 3x$ yw

$$e^{4x}\sin 3x = \left[1 + (4x) + \frac{(4x)^2}{2!} + \frac{(4x)^3}{3!} + \frac{(4x)^4}{4!} + \ldots\right]\left[(3x) - \frac{(3x)^3}{3!} + \frac{(3x)^5}{5!} - \ldots\right]$$

$$= \left(1 + 4x + 8x^2 + \frac{32}{3}x^3 + \frac{32}{3}x^4 + \ldots\right)\left(3x - \frac{9}{2}x^3 + \ldots\right)$$

Gan anwybyddu termau yn x^5 a phwerau uwch, cawn

$$e^{4x}\sin 3x = 3x + 12x^2 + 24x^3 - \frac{9}{2}x^3 + 32x^4 - 18x^4$$

Felly, cawn

$$e^{4x}\sin 3x = 3x + 12x^2 + \frac{39}{2}x^3 + 14\,x^4$$

Enghraifft 24 Darganfyddwch yr holl dermau hyd at, ac yn cynnwys, x^4 yn y gyfres bŵer ar gyfer $e^{\sin x}$.

DATRYSIAD

Gan ddefnyddio'r gyfres bŵer ar gyfer e^x, cawn

$$e^{\sin x} = 1 + \frac{\sin x}{1!} + \frac{\sin^2 x}{2!} + \frac{\sin^3 x}{3!} + \ldots$$

Rydym yn awr yn defnyddio'r gyfres bŵer ar gyfer $\sin x$. Gan nad oes ond gofyn am dermau hyd at x^4, gallwn anwybyddu termau mewn pwerau uwch x. Felly, cawn

$$e^{\sin x} = 1 + \frac{x - \frac{x^3}{3!} + \ldots}{1!} + \frac{\left(x - \frac{x^3}{3!} + \ldots\right)^2}{2!} + \frac{\left(x - \frac{x^3}{3!} + \ldots\right)^3}{3!} + \ldots$$

$$\Rightarrow \quad e^{\sin x} = 1 + x - \frac{x^3}{3!} + \frac{x^2 - \dfrac{2x^4}{3!}}{2!} + \frac{x^3}{3!} + \frac{x^4}{4!} + \dots$$

sy'n rhoi

$$e^{\sin x} = 1 + x + \frac{x^2}{2} - \frac{x^4}{8}$$

Ymarfer 9E

1 Darganfyddwch gyfres bŵer pob un o'r canlynol.

a) $\sin 2x$ **b)** $\cos 5x$ **c)** e^{8x}

d) $\ln(1 + x^2)$ **e)** $\ln(1 - 2x)$

2 Darganfyddwch gyfres bŵer pob un o'r canlynol, hyd at, ach yn cynnwys, y term yn x^4.

a) $\sin x^2$ **b)** $(1 + x)e^{3x}$ **c)** $(2 + x^2) \cos 3x$

d) $e^{\cos x}$ **e)** $\ln(1 + \cos x)$

3 Darganfyddwch a yw'r cyfresi anfeidraidd canlynol yn cydgyfeirio neu'n dargyfeirio.

a) $\displaystyle\sum_{n=1}^{\infty} \frac{5^n}{n!}$ **b)** $\displaystyle\sum_{n=2}^{\infty} \frac{1}{2^n - 1}$ **c)** $\displaystyle\sum_{n=1}^{\infty} \frac{n^2}{2^n}$

4 Darganfyddwch ehangiad cyfres bŵer $\cos x^3$. Ar gyfer pa werthoedd x mae hwn yn ddilys?

5 Darganfyddwch ehangiad cyfres bŵer e^{2x^2}

6 Pa bryd mae'r gyfres $y = \displaystyle\sum_{n=0}^{\infty} \frac{nx^n}{3^n}$ yn cydgyfeirio?

7 O wybod bod $|x| < 4$, darganfyddwch ehangiad cyfres y canlynol, mewn pwerau esgynnol x hyd at, ac yn cynnwys, y term yn x^3.

a) $(4 - x)^{\frac{1}{2}}$ **b)** $(4 - x)^{\frac{1}{2}} \sin 3x$ (EDEXCEL)

8 **a)** Mewn pwerau esgynnol x, darganfyddwch bedwar term cyntaf ehangiad

$$(2 + 3x)^{-1} \qquad |x| < \frac{2}{3}$$

b) Drwy hynny, neu fel arall, darganfyddwch mewn pwerau esgynnol x, bedwar term ansero cyntaf, ehangiad

$$\frac{\sin 2x}{2 + 3x} \qquad |x| < \frac{2}{3}$$ (EDEXCEL)

9 $\cos\left(2x + \dfrac{\pi}{3}\right) \equiv p \cos 2x + q \sin 2x$

a) Darganfyddwch werthoedd union y cysonion p a q.

O wybod bod x mor fach fel y gellir anwybyddu termau yn x^3 a phwerau uwch x,

b) dangoswch fod $\cos\left(2x + \dfrac{\pi}{3}\right) = \dfrac{1}{2} - \sqrt{3}x - x^2$. (EDEXCEL)

10 Diffinnir y ffwythiant f gan

$$f(x) = e^{ax} - (1 + bx)^{\frac{1}{3}}$$

lle mae a a b yn gysonion positif a $|bx| < 1$.

a) Darganfyddwch, yn nhermau a a b, gyfernodau x, x^2 ac x^3 yn ehangiad f(x) mewn pwerau esgynnol x.

b) O wybod bod cyfernod x yn sero ac mai cyfernod x^2 yw $\frac{3}{2}$,

i) darganfyddwch werthoedd a a b

ii) dangoswch mai cyfernod x^3 yw $-\frac{3}{2}$. **(NEAB)**

10 Ffwythiannau hyperbolig

In the 1760s Johann Heinrich Lambert gave a very nice presentation in terms of the parametrization of the hyperbola, by analogy with such a treatment of the sine and cosine on the circle.
IVOR GRATTAN-GUINNESS

Diffiniadau

Rhoddwyd yr enw ffwythiannau hyperbolig ar y ffwythiannau hyn oherwydd bod ganddynt berthynas â'r hafaliadau parametrig ar gyfer hyperbola. Mae chwech ohonynt.

Cychwynnwn â'r ddau ffwythiant, sin hyperbolig x a cosin hyperbolig x, ac ysgrifennir y ddau yn y ffurf

$$\sinh x \quad \text{a} \quad \cosh x$$

Fe'u diffinnir gan y canlynol

$$\sinh x = \frac{1}{2}(e^x - e^{-x})$$

$$\cosh x = \frac{1}{2}(e^x + e^{-x})$$

Yn yr un modd ag â ffwythiannau trigonometrig cyffredin, cawn

$$\tanh x = \frac{\sinh x}{\cosh x} = \frac{e^x - e^{-x}}{e^x + e^{-x}}$$

$$\operatorname{cosech} x = \frac{1}{\sinh x}$$

$$\operatorname{sech} x = \frac{1}{\cosh x}$$

$$\coth x = \frac{1}{\tanh x}$$

Yn draddodiadol, ynganwn sinh fel 'shin', tanh fel 'than', (co)sech fel '(co)shec' a coth fel 'coth'.

Enghraifft 1 Darganfyddwch **a)** sinh 2 a **b)** sech 3.

DATRYSIAD

a) Fel arfer, byddech yn defnyddio cyfrifiannell i ddarganfod gwerthoedd sinh.
Nid yw pob cyfrifiannell yn gweithio yn yr un ffordd, felly dylech yn gyntaf ddarllen y cyfarwyddiadau ar gyfer eich cyfrifiannell chi i ddysgu'r **drefn gywir** i bwyso'r botwm hyperbolig (hyp), y botwm sin, ac yn yr achos hwn, y botwm 2.
Yr ateb y dylech ei gael yw 3.6268 . . .

Heb wneud hyn, byddai'n rhaid i chi gyfrifo sinh 2 drwy ddefnyddio'r berthynas

$$\sinh 2 = \frac{1}{2}(e^2 - e^{-2})$$

a defnyddio gwerthoedd e^2 ac e^{-2} o dablau neu eu cyfrifo drwy ddefnyddio'r gyfres esbonyddol.

b) Unwaith eto, byddech fel arfer yn defnyddio cyfrifiannell gyda'r berthynas

$$\text{sech } 3 = \frac{1}{\cosh 3} = \frac{1}{10.0677} \quad \text{(i 4 lle degol)}$$

Felly, sech 3 = 0.0993, i bedwar lle degol.

Graffiau cosh *x*, sinh *x* a tanh *x*

$y = \cosh x$

Rydym yn llunio graff $y = \cosh x$ (a welir ar y dde) drwy ddarganfod gwerthoedd cymedrig rhai parau cyfatebol o werthoedd ar gyfer $y = e^x$ ac $y = e^{-x}$, ac wedyn plotio'r gwerthoedd cymedrig hyn.

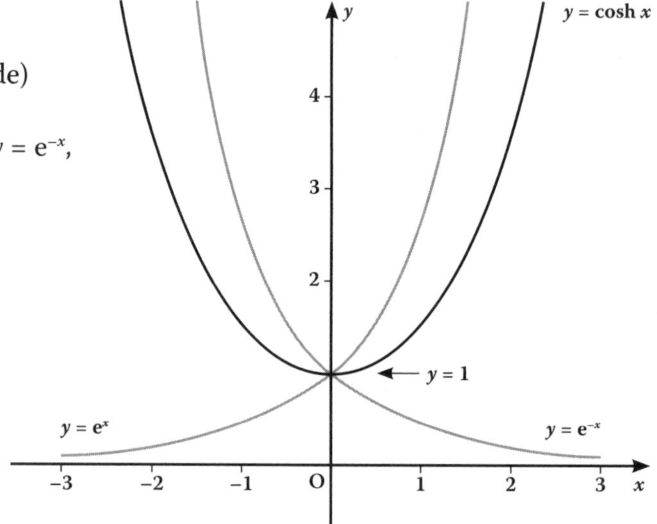

$y = \sinh x$

I gynhyrchu graff $y = \sinh x$ (a welir ar y dde), rydym yn darganfod hanner y gwahaniaeth rhwng rhai parau cyfatebol o werthoedd ar gyfer $y = e^x$ ac $y = e^{-x}$, ac wedyn yn plotio'r gwerthoedd hyn.

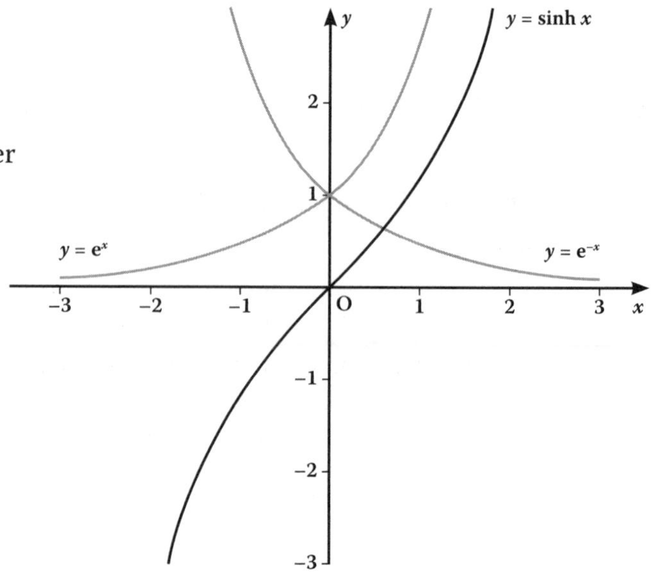

$y = \tanh x$

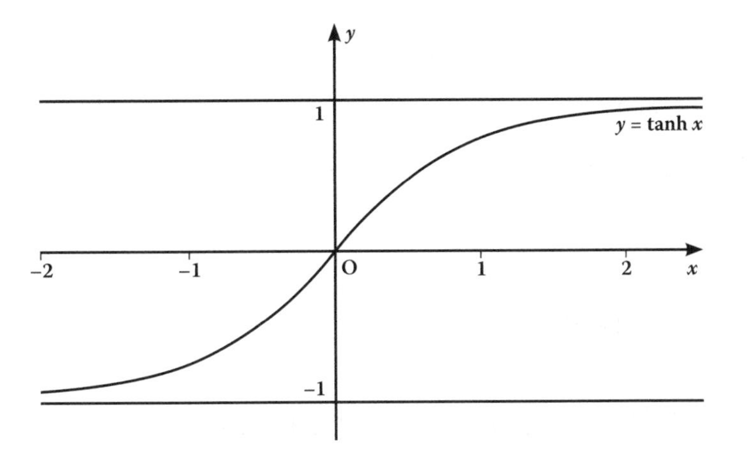

Mae gennym $\tanh x = \dfrac{\sinh x}{\cosh x}$, sy'n rhoi

$$\tanh x = \frac{(e^x - e^{-x})}{(e^x + e^{-x})}$$

$$\Rightarrow \quad \tanh x = \frac{1 - e^{-2x}}{1 + e^{-2x}}$$

Felly, mae $\tanh x < 1$ am bob gwerth x, ac wrth i $x \to +\infty$, mae $\tanh x \to 1$.

Oherwydd bod $\tanh x = \dfrac{1 - e^{2x}}{1 + e^{2x}}$,

mae $\tanh x > -1$ am bob gwerth x, ac wrth i $x \to -\infty$, mae $\tanh x \to -1$.

Felly, mae graff $y = \tanh x$ yn gorwedd rhwng yr asymptotau $y = 1$ ac $y = -1$.

Unfathiannau hyperbolig safonol

O'r diffiniadau esbonyddol ar gyfer $\cosh x$ a $\sinh x$, cawn

$$\cosh^2 x = \left[\frac{1}{2}(e^x + e^{-x})\right]^2$$

$$= \frac{1}{4}(e^{2x} + 2 + e^{-2x}) \qquad [1]$$

a

$$\sinh^2 x = \left[\frac{1}{2}(e^x - e^{-x})\right]^2$$

$$= \frac{1}{4}(e^{2x} - 2 + e^{-2x}) \qquad [2]$$

Felly, wrth dynnu [2] o [1], cawn

$$\cosh^2 x - \sinh^2 x = \frac{1}{4}(e^{2x} + 2 + e^{-2x}) - \frac{1}{4}(e^{2x} - 2 + e^{-2x}) = 1$$

Felly, cawn

$$\cosh^2 x - \sinh^2 x \equiv 1$$

Sylwch ar y tebygrwydd rhwng yr unfathiant hyperbolig hwn a'r unfathiant trigonometrig arferol $\cos^2 x + \sin^2 x \equiv 1$. Gweler rheol Osborn ar dudalen 213, fydd o gymorth i chi ddwyn i gof yr unfathiannau hyperbolig safonol.

Drwy rannu $\cosh^2 x - \sinh^2 x \equiv 1$ â $\sinh^2 x$, cawn

$$\frac{\cosh^2 x}{\sinh^2 x} - \frac{\sinh^2 x}{\sinh^2 x} \equiv \frac{1}{\sinh^2 x}$$

sy'n rhoi

$$\coth^2 x - 1 \equiv \operatorname{cosech}^2 x$$

Yr un modd, drwy rannu $\cosh^2 x - \sinh^2 x \equiv 1$ â $\cosh^2 x$, cawn

$$\frac{\cosh^2 x}{\cosh^2 x} - \frac{\sinh^2 x}{\cosh^2 x} \equiv \frac{1}{\cosh^2 x}$$

sy'n rhoi

$$1 - \tanh^2 x \equiv \operatorname{sech}^2 x$$

Differu ffwythiannau hyperbolig

I ddifferu $\sinh x$ a $\cosh x$, defnyddiwn eu diffiniadau esbonyddol. Felly, ar gyfer $\sinh x$, cawn

$$\frac{d}{dx}\sinh x = \frac{d}{dx}\left[\frac{1}{2}(e^x - e^{-x})\right] = \frac{1}{2}(e^x + e^{-x})$$

O'r diffiniadau, rydym yn gwybod bod

$$\frac{1}{2}(e^x + e^{-x}) = \cosh x$$

Felly, cawn

$$\frac{d}{dx}\sinh x = \cosh x$$

$$\frac{d}{dx}\cosh x = \frac{d}{dx}\left[\frac{1}{2}(e^x + e^{-x})\right] = \frac{1}{2}(e^x - e^{-x})$$

O'r diffiniadau, rydym yn gwybod bod

$$\frac{1}{2}(e^x - e^{-x}) = \sinh x$$

Felly, cawn

$$\frac{d}{dx}\cosh x = \sinh x$$

I ddifferu $\tanh x$, defnyddiwn yr unfathiant

$$\tanh x \equiv \frac{\sinh x}{\cosh x}$$

sy'n rhoi

$$\frac{d}{dx}\tanh x = \frac{d}{dx}\frac{\sinh x}{\cosh x}$$

$$= \frac{\cosh x \cosh x - \sinh x \sinh x}{\cosh^2 x} \quad \text{(gan ddefnyddio'r rheol cyniferydd)}$$

$$= \frac{\cosh^2 x - \sinh^2 x}{\cosh^2 x}$$

$$= \frac{1}{\cosh^2 x} = \operatorname{sech}^2 x$$

Felly, cawn

$$\frac{\mathrm{d}}{\mathrm{d}x}\tanh x = \mathrm{sech}^2 x$$

I ddifferu ffwythiannau megis cosh ax, defnyddiwn y diffiniadau esbonyddol unwaith eto. Felly, cawn

$$\begin{aligned}\frac{\mathrm{d}}{\mathrm{d}x}\cosh ax &= \frac{\mathrm{d}}{\mathrm{d}x}\left[\frac{1}{2}(\mathrm{e}^{ax} + \mathrm{e}^{-ax})\right]\\ &= \frac{1}{2}(ae^{ax} - ae^{-ax})\end{aligned}$$

O'r diffiniadau esbonyddol, nodwn fod

$$a\left[\frac{1}{2}(\mathrm{e}^{ax} - \mathrm{e}^{-ax})\right] = a\sinh ax$$

Felly, cawn

$$\frac{\mathrm{d}}{\mathrm{d}x}\cosh ax = a\sinh ax$$

Yr un modd, cawn

$$\frac{\mathrm{d}}{\mathrm{d}x}\sinh ax = a\cosh ax$$

$$\frac{\mathrm{d}}{\mathrm{d}x}\tanh ax = a\,\mathrm{sech}^2 ax$$

Enghraifft 2 Darganfyddwch $\frac{\mathrm{d}y}{\mathrm{d}x}$ pan fo $y = 3\cosh 3x + 5\sinh 4x + 2\cosh^4 7x$.

DATRYSIAD

I ddifferu $\cosh^4 7x$, fe'i mynegwn yn y ffurf $(\cosh 7x)^4$ a defnyddio'r rheol cadwyn. Felly, cawn

$$\begin{aligned}\frac{\mathrm{d}y}{\mathrm{d}x} &= 9\sinh 3x + 20\cosh 4x + 2\times 4\times 7\sinh 7x\cosh^3 7x\\ &= 9\sinh 3x + 20\cosh 4x + 56\sinh 7x\cosh^3 7x\end{aligned}$$

Integru ffwythiannau hyperbolig

O'r fformiwlâu differu a roddir ar dudalennau 192–3, gallwn ddiddwytho bod

$$\int \cosh ax\,\mathrm{d}x = \frac{1}{a}\sinh ax + c$$

$$\int \sinh ax\,\mathrm{d}x = \frac{1}{a}\cosh ax + c$$

$$\int \mathrm{sech}^2 ax\,\mathrm{d}x = \frac{1}{a}\tanh ax + c$$

Enghraifft 3 Darganfyddwch $\int (2 \sinh 4x + 9 \operatorname{sech}^2 3x)\, dx$.

DATRYSIAD

Drwy hollti'r integryn yn ddwy ran, cawn

$$\int 2 \sinh 4x \, dx + \int 9 \operatorname{sech}^2 3x \, dx = \frac{2}{4} \cosh 4x + \frac{9}{3} \tanh 3x + c$$

$$= \frac{1}{2} \cosh 4x + 3 \tanh 3x + c$$

Ffwythiannau hyperbolig gwrthdro

Diffiniwn wrthdroeon y ffwythiannau hyperbolig mewn ffordd debyg i wrthdroeon y ffwythiannau trigonometrig cyffredin. Felly, er enghraifft, os yw $y = \sinh^{-1} x$, yna mae $\sinh y = x$.
Yr un modd ar gyfer $\cosh^{-1} x$, $\tanh^{-1} x$, $\operatorname{cosech}^{-1} x$, $\operatorname{sech}^{-1} x$ a $\coth^{-1} x$.

Weithiau ysgrifennir y ffwythiannau hyn fel arsinh x, arcosh x, ac yn y blaen.

Braslunio ffwythiannau hyperbolig gwrthdro

Cawn gromlin $y = \sinh^{-1} x$ drwy adlewyrchu cromlin $y = \sinh x$ yn y llinell $y = x$.

I lunio'r gromlin gyda chywirdeb derbyniol, mae'n rhaid darganfod graddiant $y = \sinh x$ yn y tarddbwynt. Rydym felly yn differu $y = \sinh x$ i gael

$$\frac{dy}{dx} = \cosh x$$

Felly, yn y tarddbwynt, lle mae $x = 0$, cawn

$$\frac{dy}{dx} = \cosh 0 = 1$$

Hynny yw, graddiant $y = \sinh x$ yn y tarddbwynt yw 1.

Rydym nawr yn dilyn y camau a ganlyn:

- Tynnwn y llinell $y = x$ fel llinell doredig.
- Brasluniwn yn ofalus graff $y = \sinh x$, gan gofio bod $y = x$ yn dangiad i $y = \sinh x$ yn y tarddbwynt.
- Adlewyrchwn y gromlin sinh hon yn y llinell $y = x$.

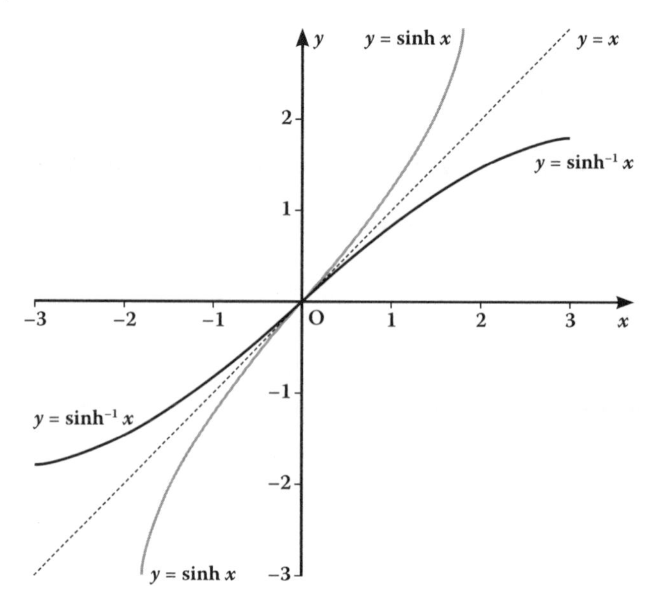

Yr un modd, gallwn fraslunio unrhyw ffwythiant hyperbolig gwrthdro arall:
hynny yw, drwy adlewyrchu cromlin y ffwythiant hyperbolig perthnasol yn y llinell $y = x$.
Ym mhob achos, mae'n rhaid i ni ddarganfod graddiant y gromlin hyperbolig yn y tarddbwynt.

Cymerwn, er enghraifft, $y = \tanh x$, sy'n rhoi

$$\frac{dy}{dx} = \operatorname{sech}^2 x$$

Yn y tarddbwynt, lle mae $x = 0$, cawn

$$\frac{dy}{dx} = \operatorname{sech}^2 0 = \frac{1}{\cosh^2 0} = 1$$

Hynny yw, graddiant $y = \tanh x$ yn y tarddbwynt yw 1.

Yn ogystal â hyn, rydym yn gwybod bod gan $y = \tanh x$ asymptotau $y = 1$ ac $y = -1$.
Felly, oherwydd bod $y = \tanh^{-1} x$ yn adlewyrchiad $y = \tanh x$ yn $y = x$,
mae gan $y = \tanh^{-1} x$ asymptotau $x = 1$ ac $x = -1$.

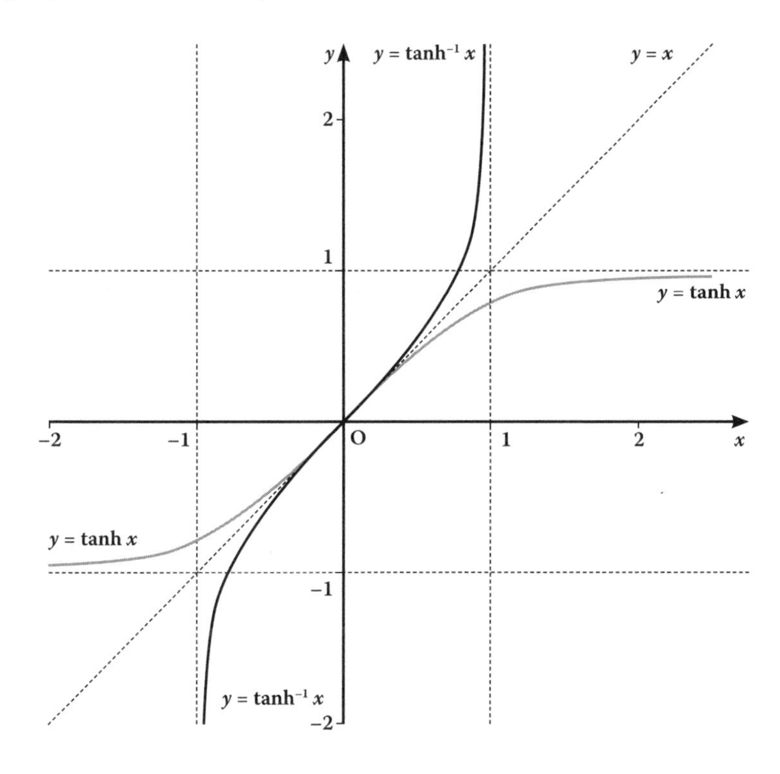

Enghraifft 4 Datryswch yr hafaliad $2\cosh^2 x - \sinh x = 3$.

DATRYSIAD

Gan ddefnyddio'r unfathiant $\cosh^2 x - \sinh^2 x \equiv 1$, cawn

$$2(1 + \sinh^2 x) - \sinh x - 3 = 0$$

$$\Rightarrow \quad 2\sinh^2 x - \sinh x - 1 = 0$$

Ffactoriwn hwn nawr i gael

$$(2\sinh x + 1)(\sinh x - 1) = 0$$

$$\Rightarrow \quad \sinh x = 1 \quad \text{neu} \quad -\tfrac{1}{2}$$

$$\Rightarrow \quad x = 0.8814 \quad \text{neu} \quad -0.4812$$

Ymarfer 10A

1 Enrhifwch bob un o'r canlynol gan roi eich ateb
i) yn nhermau e a **ii)** yn gywir i dri ffigur ystyrlon.

a) $\cosh 2$ **b)** $\sinh 3$ **c)** $\tanh 4$

2 Gan gychwyn â diffiniadau $\sinh x$ a $\cosh x$, profwch bob un o'r unfathiannau canlynol.

a) $\cosh (A + B) \equiv \cosh A \cosh B + \sinh A \sinh B$

b) $\sinh (A - B) \equiv \sinh A \cosh B - \cosh A \sinh B$

c) $\sinh A + \sinh B \equiv 2 \sinh \left(\frac{A+B}{2}\right) \cosh \left(\frac{A-B}{2}\right)$

3 Differwch bob un o'r canlynol.

a) $\cosh 2x$ **b)** $\sinh 5x$ **c)** $\tanh 3x$

d) $2 \cosh 4x - 5 \sinh 3x$ **e)** $3 \cosh 2x + 6 \sinh 5x$ **f)** $\coth x$

g) $\operatorname{sech} x$ **h)** $3 \cosh^5 3x$ **i)** $2 \sinh^4 8x$

j) $\ln \cosh x$ **k)** $e^{\sinh 2x}$ **l)** $\ln \tanh 5x$

4 Integrwch bob un o'r canlynol mewn perthynas ag x.

a) $\sinh 3x$ **b)** $\cosh 4x$ **c)** $\sinh \left(\frac{x}{3}\right)$

d) $2 \cosh \left(\frac{x}{5}\right)$ **e)** $3 \cosh 5x - 2 \sinh \left(\frac{x}{2}\right)$ **f)** $\tanh 4x$

5 Datryswch bob un o'r hafaliadau hyn, gan roi eich atebion i dri ffigur ystyrlon.

a) $3 \sinh x + 2 \cosh x = 4$ **b)** $4 \cosh x - 8 \sinh x + 1 = 0$

c) $\cosh x + 4 \sinh x = 3$ **d)** $3 \operatorname{sech} x - 2 = 5 \tanh x$

e) $9 \cosh^2 x - 6 \sinh x = 17$ **f)** $3 \sinh^2 x + \cosh x - 2 = 0$

6 Darganfyddwch werthoedd x fel bod $8 \cosh x + 4 \sinh x = 7$,
gan roi eich atebion ar ffurf logarithmau naturiol. (EDEXCEL)

7 **a)** **i)** Ysgrifennwch fynegiad ar gyfer $\tanh x$ yn nhermau e^x ac e^{-x}.

ii) Drwy hynny, dangoswch

$$1 - \tanh x = \frac{2e^{-2x}}{1 + e^{-2x}}$$

b) Gan ddefnyddio'r canlyniad yn rhan **a ii**, enrhifwch

$$\int_0^{\infty} (1 - \tanh x) \, dx$$ (NEAB)

8 Hafaliad y gromlin C yw $y = 5 \cosh x + 3 \sinh x$. Darganfyddwch werthoedd union gyfesurynnau'r trobwynt ar C a phenderfynwch ei natur. (EDEXCEL)

9 Dangoswch, os yw x yn real, fod $1 + \frac{1}{2}x^2 > x$.

Diddwythwch fod $\cosh x > x$.

Mae'r pwynt P ar y gromlin $y = \cosh x$ fel bod ei bellter perpendicwlar o'r llinell $y = x$ yn finimwm. Dangoswch mai cyfesurynnau P yw $(\ln (1 + \sqrt{2}), \sqrt{2})$. (NEAB)

10 Boed i $y = x \sinh x$.

i) Dangoswch fod $\dfrac{d^2y}{dx^2} = x \sinh x + 2 \cosh x$, a darganfyddwch $\dfrac{d^4y}{dx^4}$.

ii) Ysgrifennwch ddyfaliad ar gyfer $\dfrac{d^{2n}y}{dx^{2n}}$.

iii) Defnyddiwch ddiddwythiad i sefydlu fformiwla ar gyfer $\dfrac{d^{2n}y}{dx^{2n}}$. **(OCR)**

11 Darganfyddwch ddatrysiad union yr hafaliad $2 \cosh x + \sinh x = 2$. **(OCR)**

12 Diffinnir y gromlin C yn barametrigol gan

$$x = t + \ln(\cosh t) \qquad y = \sinh t$$

i) Dangoswch fod $\dfrac{dy}{dx} = e^{-t} \cosh^2 t$.

ii) Drwy hynny, dangoswch fod $\dfrac{d^2y}{dx^2} = e^{-2t} \cosh^2 t\,(2 \sinh t - \cosh t)$.

iii) Diddwythwch fod gan C bwynt ffurfdro lle mae $t = \frac{1}{2} \ln 3$. **(OCR)**

13 **i)** Dangoswch fod

$$\frac{d}{dy}\left(\frac{1}{2} \sinh 4y + 4 \sinh 2y + 6y\right) = 16 \cosh^4 y$$

ii) O wybod bod $x = 2 \sinh y$, dangoswch fod

$$\sinh 2y = \frac{1}{2} x \sqrt{(x^2 + 4)}$$

a hefyd fod

$$\sinh 4y = \frac{1}{2} x(x^2 + 2)\sqrt{(x^2 + 4)}$$

iii) Defnyddiwch ganlyniadau rhannau **i** a **ii** i ddangos bod

$$\int (x^2 + 4)^{\frac{3}{2}}\, dx = \frac{1}{4} x(x^2 + 10)\sqrt{(x^2 + 4)} + 6 \sinh^{-1}\left(\frac{1}{2}x\right) + \text{cysonyn} \quad \textbf{(OCR)}$$

14 Ystyriwch y ffwythiannau $y_1 = 7 + \sinh x$ ac $y_2 = 5 \cosh x$ y gwelir eu graffiau yn y ffigur ar y dde.

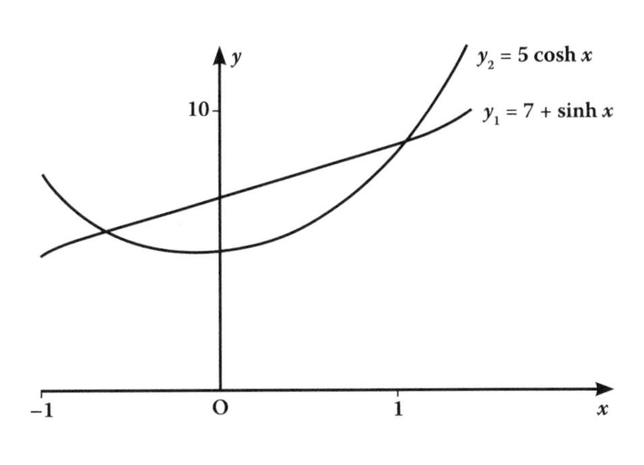

i) Dangoswch, drwy ddatrys yr hafaliad, mai datrysiadau $7 + \sinh x = 5 \cosh x$ yw $-\log_e 2$ a $\log_e 3$.

ii) Dangoswch mai'r arwynebedd sydd wedi'i ffinio gan y ddau graff yn y ffigur yw $7 \log_e 6 - 10$. **(NICCEA)**

15 Boed i $I_n = \int \cosh^n x \, dx$. Dangoswch fod

$$nI_n = \sinh x \cosh^{n-1} x + (n-1)I_{n-2}$$

Drwy hynny, dangoswch fod

$$\int_0^{\ln 2} \cosh^4 x \, dx = \frac{3}{8}\left(\frac{245}{128} + \ln 2\right)$$ **(OCR)**

16 a) Dangoswch fod $\frac{d}{dx}(\tanh x) = \text{sech}^2 x$.

b) Mae'r diagram ar y dde yn dangos braslun o ran o'r gromlin sydd â'r hafaliad

$$y = 4 \tanh x - x \quad x \geqslant 0$$

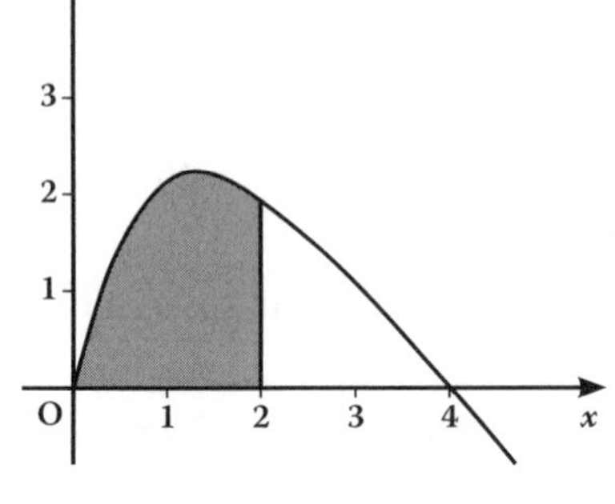

i) Darganfyddwch gyfesurynnau'r pwynt sefydlog ar y gromlin, yn gywir i ddau le degol.

ii) Darganfyddwch arwynebedd y rhanbarth a dywyllwyd ac a ffinnir gan y gromlin, yr echelin-x a'r mesuryn $x = 2$, yn gywir i bedwar lle degol.

c) Ar gyfer gwerthoedd mawr x, mae'r gromlin yn asymptotig i'r llinell $y = mx + c$, lle mae m ac c yn gysonion. Nodwch werthoedd m ac c, a rhowch reswm dros eich ateb. **(NEAB)**

Ffurf logarithmig

Mae modd mynegi pob un o'r ffwythiannau hyperbolig gwrthdro $\cosh^{-1} x$, $\sinh^{-1} x$ a $\tanh^{-1} x$ ar ffurf ffwythiannau logarithmig.

Mynegi $\cosh^{-1} x$ ar ffurf ffwythiant logarithmig

Boed i $\cosh^{-1} x = y$. Cawn felly

$$x = \cosh y$$

$$\Rightarrow \quad x = \frac{1}{2}(e^y + e^{-y})$$

Lluoswn bob term â $2e^y$ i roi

$$2xe^y = e^{2y} + 1$$

$$\Rightarrow \quad e^{2y} - 2xe^y + 1 = 0$$

I ddatrys yr hafaliad hwn, rydym yn ei drin fel cwadratig yn e^y, sy'n rhoi

$$e^y = \frac{2x \pm \sqrt{4x^2 - 4}}{2}$$

$$\Rightarrow \quad e^y = x \pm \sqrt{x^2 - 1}$$

Gan gymryd logarithmau'r ddwy ochr cawn

$$y = \ln(x \pm \sqrt{x^2 - 1})$$

Hynny yw, **prif werth** $\cosh^{-1} x$ yw $\ln(x + \sqrt{x^2 - 1})$.

Drwy fynegi'r prif werth mewn ffurf wahanol, cawn

$$\ln(x + \sqrt{x^2 - 1}) = \ln\left[\frac{(x + \sqrt{x^2 - 1})(x - \sqrt{x^2 - 1})}{x - \sqrt{x^2 - 1}}\right]$$

$$= \ln\left[\frac{x^2 - (x^2 - 1)}{x - \sqrt{x^2 - 1}}\right]$$

$$= \ln\left[\frac{1}{x - \sqrt{x^2 - 1}}\right]$$

$$= -\ln(x - \sqrt{x^2 - 1})$$

Felly, cawn

$$\ln(x \pm \sqrt{x^2 - 1}) = \pm \ln(x + \sqrt{x^2 - 1})$$

sy'n cyd-fynd â chymesuredd graff cosh x.

Enghraifft 5 Darganfyddwch werth $\cosh^{-1} 2$ mewn ffurf logarithmig.

DATRYSIAD

Gan ddefnyddio $\cosh^{-1} x = \ln(x + \sqrt{x^2 - 1})$, cawn

$$\cosh^{-1} 2 = \ln(2 + \sqrt{3})$$

Enghraifft 6 Darganfyddwch gyfesurynnau union y pwyntiau, lle mae'r llinell $y = 3$ yn torri graff $y = \cosh x$.

DATRYSIAD

Pan fo $y = 3$, cawn

$$x = \cosh^{-1} 3$$

$$\Rightarrow \quad x = \ln(3 + \sqrt{8}) = \ln(3 + 2\sqrt{2})$$

Drwy gymesuredd, gwerth arall x yw $-\ln(3 + 2\sqrt{2})$.

Felly'r ddau bwynt yw

$$(\ln(3 + 2\sqrt{2}), 3) \quad \text{a} \quad (-\ln(3 + 2\sqrt{2}), 3)$$

Mynegi $\sinh^{-1} x$ ar ffurf ffwythiant logarithmig

Boed i $y = \sinh^{-1} x$. Cawn felly

$$x = \sinh y \quad \Rightarrow \quad x = \frac{1}{2}(e^y - e^{-y})$$

Lluoswn bob term â $2e^y$ i roi

$$2xe^y = e^{2y} - 1$$

$$\Rightarrow \quad e^{2y} - 2xe^y - 1 = 0$$

Ystyriwn yr hafaliad hwn fel cwadratig mewn e^y, a chawn

$$e^y = \frac{2x \pm \sqrt{4x^2 + 4}}{2} \quad \Rightarrow \quad e^y = x \pm \sqrt{x^2 + 1}$$

Gan gymryd logarithmau'r ddwy ochr, cawn

$$y = \ln(x \pm \sqrt{x^2 + 1})$$

Unig werth posibl $\sinh^{-1} x$ yw $\ln(x + \sqrt{x^2 + 1})$. Ni allwn gael $\sinh^{-1} x = \ln(x - \sqrt{x^2 + 1})$, oherwydd bod $x < \sqrt{x^2 + 1}$, ac y byddai hyn yn rhoi logarithm rhif negatif, sy'n rhif cymhlyg.

Felly, cawn

$$\sinh^{-1} x = \ln(x + \sqrt{x^2 + 1})$$

Enghraifft 7 Darganfyddwch werth $\sinh^{-1} 3$ mewn ffurf logarithmig.

DATRYSIAD

Gan ddefnyddio $\sinh^{-1} x = \ln(x + \sqrt{x^2 + 1})$, cawn

$$\sinh^{-1} 3 = \ln(3 + \sqrt{10})$$

Mynegi $\tanh^{-1} x$ ar ffurf ffwythiant logarithmig

Boed i $y = \tanh^{-1} x$. Cawn felly

$$x = \tanh y = \frac{\sinh y}{\cosh y}$$

$$\Rightarrow \quad x = \frac{\frac{1}{2}(e^y - e^{-y})}{\frac{1}{2}(e^y + e^{-y})}$$

Lluoswn y rhifiadur a'r enwadur â $2e^y$ i roi

$$x = \frac{e^{2y} - 1}{e^{2y} + 1}$$

$$\Rightarrow \quad e^{2y}x + x = e^{2y} - 1$$

Felly, cawn

$$e^{2y} = \frac{1 + x}{1 - x} \quad \Rightarrow \quad y = \frac{1}{2}\ln\left(\frac{1 + x}{1 - x}\right)$$

Ac felly, gwerth $\tanh^{-1} x$ yw $\frac{1}{2}\ln\left(\frac{1 + x}{1 - x}\right)$, lle mae $-1 < x < 1$.

Enghraifft 8 Darganfyddwch werth $\tanh^{-1} \frac{1}{2}$ mewn ffurf logarithmig.

DATRYSIAD

Gan ddefnyddio $\tanh^{-1} x = \frac{1}{2}\ln\left(\frac{1 + x}{1 - x}\right)$, cawn

$$\tanh^{-1}\frac{1}{2} = \frac{1}{2}\ln\left(\frac{\frac{3}{2}}{\frac{1}{2}}\right)$$

sy'n rhoi $\tanh^{-1}\frac{1}{2} = \frac{1}{2}\ln 3$.

Enghraifft 9 Darganfyddwch werth $\text{sech}^{-1}\frac{1}{2}$ mewn ffurf logarithmig.

DATRYSIAD

Gan fod $y = \text{sech}^{-1}\frac{1}{2}$, cawn

$$\text{sech}\, y = \frac{1}{2}$$

$$\Rightarrow \quad \frac{1}{\cosh y} = \frac{1}{2}$$

$$\Rightarrow \quad \cosh y = 2$$

$$\Rightarrow \quad y = \cosh^{-1} 2$$

Gan ddefnyddio $\cosh^{-1} x = \ln(x + \sqrt{x^2 - 1})$, cawn

$$\cosh^{-1} 2 = \ln(2 + \sqrt{3})$$

sy'n rhoi $\text{sech}^{-1}\frac{1}{2} = \ln(2 + \sqrt{3})$.

Crynodeb

$\cosh^{-1} x = \ln(x \pm \sqrt{x^2 - 1}) \quad x \geqslant 1$ Mae'r arwydd plws yn rhoi'r **prif werth**.

$\sinh^{-1} x = \ln(x + \sqrt{x^2 + 1})$

$\tanh^{-1} x = \frac{1}{2}\ln\left(\frac{1+x}{1-x}\right) \quad -1 < x < 1$

Differu ffwythiannau hyperbolig gwrthdro

$\sinh^{-1} x$

Mae gennym $y = \sinh^{-1} x$, felly $\sinh y = x$.

Wrth ddifferu $\sinh y = x$, cawn

$$\cosh y \frac{dy}{dx} = 1$$

$$\Rightarrow \quad \frac{dy}{dx} = \frac{1}{\cosh y} = \frac{1}{\sqrt{1 + \sinh^2 y}} = \frac{1}{\sqrt{1 + x^2}}$$

sy'n rhoi

$$\frac{d}{dx}\sinh^{-1} x = \frac{1}{\sqrt{1 + x^2}}$$

Felly, cawn

$$\int \frac{dx}{\sqrt{1 + x^2}} = \sinh^{-1} x + c$$

Rydym nawr yn cymryd $y = \sinh^{-1}\left(\frac{x}{a}\right)$, sy'n rhoi $\sinh y = \frac{x}{a}$.

Differwn $\sinh y = \frac{x}{a}$ i roi

$$\cosh y \frac{dy}{dx} = \frac{1}{a}$$

$$\Rightarrow \quad \frac{dy}{dx} = \frac{1}{a \cosh y} = \frac{1}{a\sqrt{1 + \sinh^2 y}}$$

sy'n rhoi

$$\frac{dy}{dx} = \frac{1}{a\sqrt{1 + \left(\frac{x}{a}\right)^2}} = \frac{1}{\sqrt{a^2 + x^2}}$$

Hynny yw, cawn

$$\frac{d}{dx} \sinh^{-1}\left(\frac{x}{a}\right) = \frac{1}{\sqrt{a^2 + x^2}}$$

ac o hyn mae'n dilyn bod

$$\int \frac{dx}{\sqrt{a^2 + x^2}} = \sinh^{-1}\left(\frac{x}{a}\right) + c$$

$\cosh^{-1} x$

Mae gennym $y = \cosh^{-1} x$, felly mae $\cosh y = x$.

Wrth ddifferu $\cosh y = x$, cawn

$$\sinh y \frac{dy}{dx} = 1$$

$$\Rightarrow \quad \frac{dy}{dx} = \frac{1}{\sinh y} = \frac{1}{\sqrt{\cosh^2 y - 1}} = \frac{1}{\sqrt{x^2 - 1}}$$

sy'n rhoi

$$\frac{d}{dx} \cosh^{-1} x = \frac{1}{\sqrt{x^2 - 1}}$$

Felly, cawn

$$\int \frac{dx}{\sqrt{x^2 - 1}} = \cosh^{-1} x + c$$

Rydym nawr yn cymryd $y = \cosh^{-1}\left(\frac{x}{a}\right)$, sy'n rhoi $\cosh y = \frac{x}{a}$.

Differwn $\cosh y = \frac{x}{a}$ i roi

$$\sinh y \frac{dy}{dx} = \frac{1}{a}$$

$$\Rightarrow \quad \frac{dy}{dx} = \frac{1}{a \sinh y} = \frac{1}{a\sqrt{\cosh^2 y - 1}}$$

sy'n rhoi

$$\frac{dy}{dx} = \frac{1}{a\sqrt{\left(\frac{x}{a}\right)^2 - 1}} = \frac{1}{\sqrt{x^2 - a^2}}$$

Hynny yw, cawn

$$\frac{d}{dx}\cosh^{-1}\left(\frac{x}{a}\right) = \frac{1}{\sqrt{x^2 - a^2}}$$

ac o hyn mae'n dilyn bod

$$\int \frac{dx}{\sqrt{x^2 - a^2}} = \cosh^{-1}\left(\frac{x}{a}\right) + c$$

$\tanh^{-1} x$

Mae gennym $y = \tanh^{-1}\left(\frac{x}{a}\right)$, felly $\tanh y = \frac{x}{a}$.

Wrth ddifferu $\tanh y = \frac{x}{a}$, cawn

$$\text{sech}^2 y \frac{dy}{dx} = \frac{1}{a}$$

$$\Rightarrow \quad \frac{dy}{dx} = \frac{1}{a\,\text{sech}^2 y} = \frac{1}{a(1 - \tanh^2 y)}$$

sy'n rhoi

$$\frac{dy}{dx} = \frac{1}{a\left[1 - \left(\frac{x}{a}\right)^2\right]} = \frac{a}{a^2 - x^2}$$

Hynny yw, cawn

$$\frac{d}{dx}\tanh^{-1}\left(\frac{x}{a}\right) = \frac{a}{a^2 - x^2}$$

ac o hyn mae'n dilyn bod

$$\int \frac{dx}{a^2 - x^2} = \frac{1}{a}\tanh^{-1}\left(\frac{x}{a}\right) + c$$

Noder Gallwn integru $\frac{1}{a^2 - x^2}$ drwy ddefnyddio ffracsiynau rhannol:

$$\int \frac{dx}{a^2 - x^2} = \frac{1}{2a}\int\left(\frac{1}{a + x} + \frac{1}{a - x}\right)dx = \frac{1}{2a}\ln\left(\frac{a + x}{a - x}\right) + c$$

Ffurf logarithmig $\tanh^{-1}\left(\frac{x}{a}\right)$ yw'r canlyniad hwn.

Felly, mae'n anarferol defnyddio ffwythiant yn y ffurf $\tanh^{-1} x$ wrth ddifferu neu integru.

Enghraifft 10 Differwch

a) **i)** $\sinh^{-1}\left(\frac{x}{3}\right)$ **ii)** $\sinh^{-1} 4x$ **b)** $\cosh^{-1}\left(\frac{x}{5}\right)$

DATRYSIAD

a) Defnyddiwn $\frac{\mathrm{d}}{\mathrm{d}x}\sinh^{-1}\left(\frac{x}{a}\right) = \frac{1}{\sqrt{a^2 + x^2}}$ i roi

i) $\frac{\mathrm{d}}{\mathrm{d}x}\sinh^{-1}\left(\frac{x}{3}\right) = \frac{1}{\sqrt{9 + x^2}}$

ii) $\frac{\mathrm{d}}{\mathrm{d}x}\sinh^{-1} 4x = \frac{\mathrm{d}}{\mathrm{d}x}\sinh^{-1}\left(\frac{x}{\frac{1}{4}}\right) = \frac{1}{\sqrt{\frac{1}{16} + x^2}}$

sy'n rhoi

$$\frac{\mathrm{d}}{\mathrm{d}x}\sinh^{-1} 4x = \frac{4}{\sqrt{1 + 16x^2}}$$

b) Defnyddiwn $\frac{\mathrm{d}}{\mathrm{d}x}\cosh^{-1}\left(\frac{x}{a}\right) = \frac{1}{\sqrt{x^2 - a^2}}$ i roi

$$\frac{\mathrm{d}}{\mathrm{d}x}\cosh^{-1}\left(\frac{x}{5}\right) = \frac{1}{\sqrt{x^2 - 25}}$$

Enghraifft 11 Darganfyddwch

a) $\int_0^2 \frac{1}{\sqrt{4 + x^2}}\,\mathrm{d}x$ **b)** $\int_0^1 \frac{1}{\sqrt{4 + 3x^2}}\,\mathrm{d}x$

DATRYSIAD

a) Gan ddefnyddio'r fformiwla integru gyntaf ar dudalen 202, cawn

$$\int_0^2 \frac{1}{\sqrt{4 + x^2}}\,\mathrm{d}x = \left[\sinh^{-1}\left(\frac{x}{2}\right)\right]_0^2$$

$$= \sinh^{-1} 1 - \sinh^{-1} 0 = \sinh^{-1} 1 = \ln(1 + \sqrt{2})$$

Felly, cawn

$$\int_0^2 \frac{1}{\sqrt{4 + x^2}}\,\mathrm{d}x = \ln(1 + \sqrt{2})$$

b) Cyn integru, mae'n rhaid gostwng cyfernod x^2 i un
(fel a wnawn wrth drin ffwythiannau trigonometrig gwrthdro), sy'n rhoi

$$\int_0^1 \frac{1}{\sqrt{4 + 3x^2}}\,\mathrm{d}x = \frac{1}{\sqrt{3}}\int_0^1 \frac{1}{\sqrt{\frac{4}{3} + x^2}}\,\mathrm{d}x$$

$$= \frac{1}{\sqrt{3}}\int_0^1 \frac{1}{\sqrt{\left(\frac{2}{\sqrt{3}}\right)^2 + x^2}}$$

$$\Rightarrow \quad \int_0^1 \frac{1}{\sqrt{4+3x^2}}\,dx = \frac{1}{\sqrt{3}}\left[\sinh^{-1}\left(\frac{\sqrt{3}x}{2}\right)\right]_0^1$$
$$= \frac{1}{\sqrt{3}}\left[\sinh^{-1}\left(\frac{\sqrt{3}}{2}\right) - \sinh^{-1} 0\right]$$
$$= \frac{1}{\sqrt{3}}\left[\ln\left(\frac{\sqrt{3}}{2} + \sqrt{\frac{3}{4}+1}\right)\right]$$
$$= \frac{1}{\sqrt{3}}\ln\left(\frac{\sqrt{3}+\sqrt{7}}{2}\right)$$

Felly, cawn

$$\int_0^1 \frac{1}{\sqrt{4+3x^2}}\,dx = \frac{1}{\sqrt{3}}\ln\left(\frac{\sqrt{3}+\sqrt{7}}{2}\right)$$

Enghraifft 12 Darganfyddwch $\int_3^6 \frac{1}{\sqrt{x^2-9}}\,dx$.

DATRYSIAD

Gan ddefnyddio'r fformiwla integru gyntaf ar dudalen 203, cawn

$$\int_3^6 \frac{1}{\sqrt{x^2-9}}\,dx = \left[\cosh^{-1}\left(\frac{x}{3}\right)\right]_3^6$$
$$= \cosh^{-1}2 - \cosh^{-1}1 = \ln(2+\sqrt{3}) - 0$$

Felly, cawn

$$\int_3^6 \frac{1}{\sqrt{x^2-9}}\,dx = \ln(2+\sqrt{3})$$

Enghraifft 13 Darganfyddwch $\int \frac{1}{\sqrt{4x^2-8x-16}}\,dx$.

DATRYSIAD

Cyn integru, mae'n rhaid i ni

- Gwblhau'r sgwâr (fel a wnawn wrth drin ffwythiannau trigonometrig gwrthdro).
- Ostwng cyfernod x^2 i un.

Felly, cawn

$$\sqrt{4x^2-8x-16} = \sqrt{4}\,\sqrt{x^2-2x-4}$$
$$= 2\sqrt{(x-1)^2-5}$$

sy'n rhoi

$$\int \frac{1}{\sqrt{4x^2-8x-16}}\,dx = \frac{1}{2}\int \frac{dx}{\sqrt{(x-1)^2-5}}$$
$$= \frac{1}{2}\cosh^{-1}\left(\frac{x-1}{\sqrt{5}}\right) + c$$

Gallwn fynegi'r canlyniad hwn fel

$$\frac{1}{2}\ln\left(\frac{x-1}{\sqrt{5}}+\sqrt{\frac{(x-1)^2}{5}-1}\right)+c$$

sy'n rhoi

$$\int \frac{1}{\sqrt{4x^2-8x-16}}\,\mathrm{d}x = \frac{1}{2}\ln\left(\sqrt{(x-1)^2-5}+x-1\right)-\frac{1}{2}\ln\sqrt{5}+c$$

$$= \frac{1}{2}\ln\left(\sqrt{x^2-2x-4}+x-1\right)+c'$$

Ymarfer 10B

1 Differwch bob un o'r canlynol mewn perthynas ag x.

a) $\sinh^{-1} 5x$ **b)** $\cosh^{-1} 3x$ **c)** $\sinh^{-1} \sqrt{2}x$ **d)** $\cosh^{-1} \frac{3}{4}x$

e) $\sinh^{-1} x^2$ **f)** $\operatorname{sech}^{-1} x$ **g)** $\coth^{-1} x$

2 Darganfyddwch bob un o'r integrynnau canlynol.

a) $\int \frac{\mathrm{d}x}{\sqrt{x^2-4}}$ **b)** $\int \frac{\mathrm{d}x}{\sqrt{x^2-9}}$ **c)** $\int \frac{\mathrm{d}x}{\sqrt{4x^2-25}}$

d) $\int \frac{\mathrm{d}x}{\sqrt{9x^2-16}}$ **e)** $\int \frac{\mathrm{d}x}{\sqrt{9+x^2}}$ **f)** $\int \frac{\mathrm{d}x}{\sqrt{16+x^2}}$

g) $\int \frac{\mathrm{d}x}{\sqrt{25+16x^2}}$ **h)** $\int \frac{\mathrm{d}x}{\sqrt{9+25x^2}}$

3 Enrhifwch bob un o'r integrynnau pendant canlynol, gan roi gwerth union eich ateb.

a) $\int_0^1 \frac{\mathrm{d}x}{\sqrt{1+x^2}}$ **b)** $\int_0^2 \frac{\mathrm{d}x}{\sqrt{4+x^2}}$ **c)** $\int_4^8 \frac{\mathrm{d}x}{\sqrt{x^2-16}}$

d) $\int_0^2 \frac{\mathrm{d}x}{\sqrt{4+3x^2}}$ **e)** $\int_{\frac{1}{5}}^1 \frac{\mathrm{d}x}{\sqrt{25x^2-1}}$

4 Enrhifwch bob un o'r integrynnau canlynol, gan roi eich ateb yn nhermau logarithmau.

a) $\int_1^2 \frac{\mathrm{d}x}{\sqrt{25x^2-4}}$ **b)** $\int_1^2 \frac{\mathrm{d}x}{\sqrt{4+9x^2}}$ **c)** $\int_3^4 \frac{\mathrm{d}x}{\sqrt{(x-1)^2-3}}$

d) $\int_0^1 \frac{\mathrm{d}x}{\sqrt{4(x+1)^2+5}}$ **e)** $\int_0^2 \frac{\mathrm{d}x}{\sqrt{4+8x+x^2}}$ **f)** $\int_0^1 \frac{\mathrm{d}x}{\sqrt{16x^2+20x+35}}$

5 O wybod bod $\mathrm{f}(x) \equiv \dfrac{1}{\sqrt{x^2 + 4x - 12}}$,

a) darganfyddwch $\int \mathrm{f}(x)\mathrm{d}x$.

b) Drwy hynny darganfyddwch werth union $\int_6^{10} \mathrm{f}(x)\mathrm{d}x$, gan roi eich ateb ar ffurf un logarithm sengl. **(EDEXCEL)**

6 **a)** Dangoswch fod $\sinh^{-1} x = \ln(x + \sqrt{x^2 + 1})$.

b) Enrhifwch $\displaystyle\int_{-1}^{0} \frac{\mathrm{d}x}{\sqrt{x^2 + 2x + 2}}$. **(CBAC)**

7 **a)** Darganfyddwch $\int x \operatorname{sech}^2 x \,\mathrm{d}x$.

b) Darganfyddwch ddatrysiad cyffredinol yr hafaliad differol

$$\cosh x \frac{\mathrm{d}y}{\mathrm{d}x} - y \sinh x = x$$

gan roi eich ateb yn y ffurf $y = \mathrm{f}(x)$. **(EDEXCEL)**

8 $4x^2 + 4x + 5 \equiv (px + q)^2 + r$

a) Darganfyddwch werthoedd y cysonion p, q ac r.

b) Drwy hynny, neu fel arall, darganfyddwch $\displaystyle\int \frac{1}{4x^2 + 4x + 5}\mathrm{d}x$.

c) Dangoswch fod

$$\int \frac{2}{\sqrt{(4x^2 + 4x + 5)}}\,\mathrm{d}x = \ln[(2x + 1) + \sqrt{(4x^2 + 4x + 5)}] + k$$

lle mae k yn gysonyn mympwyol. **(EDEXCEL)**

9 **a)** Dangoswch fod $\sinh^{-1} x = \ln(x + \sqrt{1 + x^2})$.

b) Enrhifwch $\displaystyle\int_0^1 \frac{\mathrm{d}x}{\sqrt{x^2 + 6x + 10}}$, gan roi eich ateb yn gywir i bedwar lle degol. **(CBAC)**

10 **a)** Mynegwch $4x^2 + 4x + 26$ yn y ffurf $(px + q)^2 + r$, lle mae p, q ac r yn gysonion.

b) Drwy hynny darganfyddwch $\displaystyle\int \frac{1}{\sqrt{(4x^2 + 4x + 26)}}\,\mathrm{d}x$. **(EDEXCEL)**

11 **i)** Darganfyddwch A, B ac C fel bod

$$3x^2 + 24x + 23 \equiv A(x + B)^2 + C$$

ii) Dangoswch fod

$$\int \frac{\mathrm{d}x}{\sqrt{3x^2 + 24x + 23}} = \frac{1}{\sqrt{3}} \cosh^{-1}\left(\frac{\sqrt{3}(x + 4)}{5}\right) + c.$$ **(NICCEA)**

12 Mynegwch $x^2 - 6x + 8$ yn y ffurf $(x - p)^2 - q^2$, lle mae p a q yn gyfanrifau positif.

Drwy hynny, enrhifwch $\displaystyle\int_4^5 \frac{\mathrm{d}x}{\sqrt{(x^2 - 6x + 8)}}$ gan roi eich ateb yn nhermau logarithmau naturiol. **(AEB 97)**

13 **a)** Symleiddiwch $(e^x + e^{-x})^2 - (e^x - e^{-x})^2$
a thrwy hynny diddwythwch fod $\cosh^2 x - \sinh^2 x = 1$.

b) O wybod bod $y = \text{arsinh}\, x$, dangoswch fod $\dfrac{dy}{dx} = \dfrac{1}{\sqrt{(x^2 + 1)}}$.

c) Darganfyddwch $\int \text{arsinh}\, x \, dx$. (EDEXCEL)

14 Hafaliad cromlin yw $y = x \sinh^{-1} x$.

i) Dangoswch fod

$$\frac{d^2y}{dx^2} = \frac{2 + x^2}{(1 + x^2)^{\frac{3}{2}}}$$

ii) Diddwythwch nad oes gan y gromlin bwynt ffurfdro. (OCR)

15 Gan gychwyn o ddiffiniad cosh yn nhermau esbonyddion, dangoswch fod

$$\cosh^{-1} x = \ln[x + \sqrt{(x^2 - 1)}]$$

Dangoswch fod

$$\int_1^2 \frac{1}{\sqrt{(4x^2 - 1)}} \, dx = \frac{1}{2} \ln\left(\frac{4 + \sqrt{15}}{2 + \sqrt{3}}\right) \quad \text{(OCR)}$$

16 O wybod bod $y = \tanh^{-1} x$, deilliwch y canlyniad $\dfrac{dy}{dx} = \dfrac{1}{1 - x^2}$.

[Ni roddir marc am ddyfynnu'r canlyniad o'r *Rhestr Fformiwlâu* yn unig.]

Dangoswch fod $\displaystyle\int_0^{\frac{1}{4}} \tanh^{-1} 2x \, dx = \frac{1}{8} \ln \frac{27}{16}$. (OCR)

17 **i)** Boed i $x = \sinh u$. Drwy'n gyntaf fynegi x yn nhermau esbonyddion, dangoswch fod

$$\sinh^{-1} x = \ln[x + \sqrt{(x^2 + 1)}]$$

ii) Drwy ddefnyddio amnewid pwrpasol, dangoswch fod

$$\int \frac{1}{\sqrt{(x^2 + a^2)}} \, dx = \sinh^{-1}\left(\frac{x}{a}\right) + c$$

lle mae a ac c yn gysonion ($a > 0$).

iii) Enrhifwch

$$\int_0^4 \frac{1}{\sqrt{(9x^2 + 4)}} \, dx$$

gan roi eich ateb yn nhermau logarithm naturiol. (OCR)

18 **a)** Nodwch ar gyfer pa werthoedd x mae $\cosh^{-1} x$ wedi'i ddiffinio.

b) Diffinnir cromlin C ar gyfer y gwerthoedd x hyn gan yr hafaliad $y = x - \cosh^{-1} x$.

i) Dangoswch mai ond un pwynt sefydlog sydd gan C.

ii) Enrhifwch y yn y pwynt sefydlog, gan roi eich ateb yn y ffurf $p - \ln q$, lle mae p a q yn rhifau i'w darganfod. (NEAB)

19 **a)** Drwy ddefnyddio'r amnewid $u = e^x$, darganfyddwch $\int \operatorname{sech} x \, dx$.

b) Brasluniwch y gromlin sydd â'r hafaliad $y = \operatorname{sech} x$.

Ffinnir y rhanbarth meidraidd R gan y gromlin sydd â'r hafaliad $y = \operatorname{sech} x$, y llinellau $x = 2$, $x = -2$ a'r echelin-x.

c) Gan ddefnyddio'r canlyniad o ran **a**, darganfyddwch arwynebedd R, gan roi eich ateb i dri lle degol. **(EDEXCEL)**

20 Mae'r diagram yn dangos y gromlin sydd â'r hafaliad $y = \dfrac{1}{(x^2 + 4)^{\frac{1}{4}}}$.

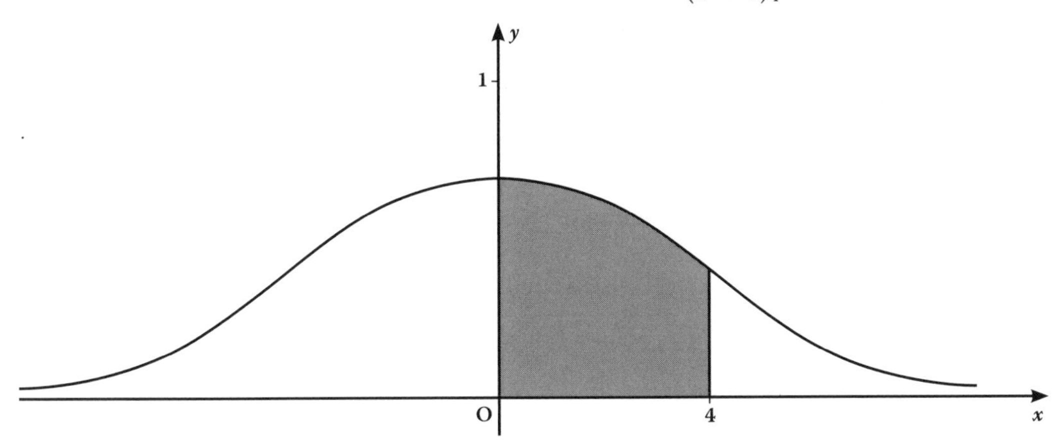

Mae'r rhanbarth meidraidd a ffinnir gan y gromlin, yr echelin-x, yr echelin-y a'r llinell $x = 4$ yn cael ei gylchdroi drwy un tro cyflawn o amgylch yr echelin-x i ffurfio solid cylchdro.

Darganfyddwch gyfaint y solid hwn drwy ddefnyddio integru, gan roi eich ateb yn nhermau π a logarithm naturiol. **(AEB 98)**

21 **a)** Defnyddiwch ddiffiniad coth x yn nhermau ffwythiannau esbonyddol i brofi bod

$$\operatorname{arcoth} x = \frac{1}{2} \ln \left(\frac{x+1}{x-1} \right)$$

Diffinnir y ffwythiant f gan $f(x) = \operatorname{arcoth} \left(\frac{x}{3} \right)$, $x^2 > 9$.

b) Dangoswch fod f yn odrif.

c) Darganfyddwch $f'(x)$.

d) Ehangwch $f(x)$ mewn cyfres o bwerau esgynnol $\dfrac{1}{x}$

cyn belled â'r term yn $\dfrac{1}{x^7}$ a nodwch gyfernod $\dfrac{1}{x^{2n+1}}$.

e) Drwy hynny, neu fel arall, deilliwch ehangiad $\dfrac{1}{9 - x^2}$ mewn cyfres o bwerau esgynnol $\dfrac{1}{x}$

cyn belled â'r term yn $\dfrac{1}{x^8}$ a nodwch gyfernod $\dfrac{1}{x^{2n}}$. **(EDEXCEL)**

22 Gan gychwyn â diffiniadau sinh x a cosh x yn nhermau esbonyddion, dangoswch, os yw $|x| < 1$, fod

$$\text{artanh}\, x = \frac{1}{2}\ln\left(\frac{1+x}{1-x}\right)$$

a) Ehangwch artanh x mewn cyfres o bwerau esgynnol x, cyn belled â'r term yn x^5 a nodwch gyfernod x^{2n+1} yn yr ehangiad hwn.

b) Datryswch yr hafaliad

$$3\,\text{sech}^2 x + 4\tanh x + 1 = 0$$

gan roi unrhyw atebion yn nhermau logarithmau naturiol.

c) Brasluniwch graff $y = \text{artanh}\, x$ ac enrhifwch arwynebedd y rhanbarth meidraidd a ffinnir gan y gromlin sydd â'r hafaliad $y = \text{artanh}\, x$ a'r llinellau $x = \frac{1}{2}$ ac $y = 0$. **(EDEXCEL)**

23 a) Defnyddiwch integru fesul rhan i ddangos bod

$$\int x^2 \cosh x \, dx = x^2 \sinh x - 2x\cosh x + 2\sinh x + c$$

b) Ystyriwch y ddwy gromlin sydd â'r hafaliadau

$$y_1 = \sinh x \qquad y_2 = 2 - \cosh x$$

a ddangosir yn y ffigur ar y dde.

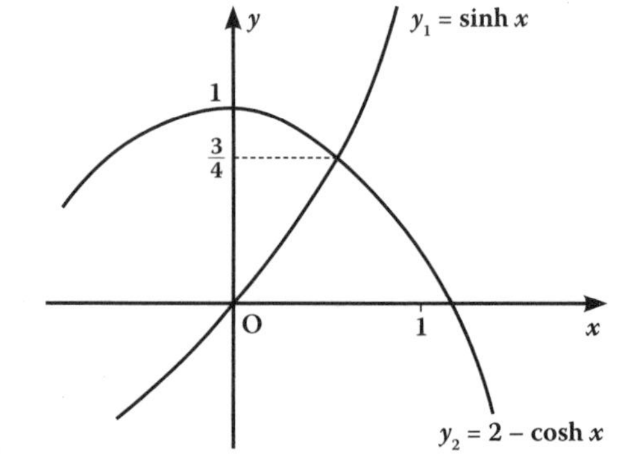

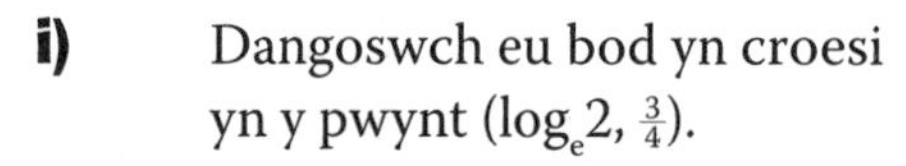

i) Dangoswch eu bod yn croesi yn y pwynt $(\log_e 2, \frac{3}{4})$.

ii) Darganfyddwch yr arwynebedd a ffinnir gan yr echelin-y, y gromlin y_1 a'r gromlin y_2.

iii) Mae'r arwynebedd a ffinnir gan yr echelin-y, y llinell $y = \frac{3}{4}$ a'r gromlin y_1 yn cael ei gylchdroi o amgylch yr echelin-y i ffurfio solid cylchdro. Dangoswch mai'r cyfaint union yw

$$\frac{\pi}{4}[3(\log_e 2)^2 - 10\log_e 2 + 6]$$

[Rhoddir y cyfaint cylchdro o amgylch yr echelin-y gan $\pi\int x^2\, dy$.] **(NICCEA)**

Fformiwlâu 'ongl-ddwbl'

Er mwyn integru $\cosh^2 x$ a $\sinh^2 x$, mae'n rhaid mynegi'r naill a'r llall mewn ffurf sy'n cynnwys cosh $2x$, yn debyg i'r dull o integru $\cos^2 x$ a $\sin^2 x$ (gweler *Introducing Pure Mathematics*, tudalennau 451–2).

I gael yr unfathiant sy'n cysylltu cosh $2x$ â $\cosh^2 x$, mae gennym

$$\cosh 2x = \frac{1}{2}(e^{2x} + e^{-2x}) = \frac{1}{2}[(e^x + e^{-x})^2 - 2]$$

$$= \frac{1}{2}[4\cosh^2 x - 2]$$

sy'n rhoi

$$\cosh 2x = 2\cosh^2 x - 1$$

I gael yr unfathiant sy'n cysylltu cosh $2x$ â $\sinh^2 x$, cymerwn

$$\cosh 2x = 2\cosh^2 x - 1$$

a defnyddio'r amnewid $\cosh^2 x = 1 + \sinh^2 x$ i gael

$$\cosh 2x = 2(1 + \sinh^2 x) - 1$$

sy'n rhoi

$$\cosh 2x = 2\sinh^2 x + 1$$

Yr un modd, cawn

$$\sinh 2x = \frac{1}{2}(e^{2x} - e^{-2x}) = \frac{1}{2}(e^{x} - e^{-x})(e^{x} + e^{-x})$$

sy'n rhoi

$$\sinh 2x = 2\sinh x \cosh x$$

Felly, gwelwn fod $\int \cosh^2 ax \, dx$ yn cael ei roi gan

$$\int \cosh^2 ax \, dx = \int \frac{1}{2}(\cosh 2ax + 1) dx$$

sy'n rhoi

$$\int \cosh^2 ax \, dx = \frac{1}{4a}\sinh 2ax + \frac{x}{2} + c$$

Enghraifft 14 Gan ddefnyddio'r amnewid $x = 3\sinh u$, darganfyddwch werth $\int \sqrt{9 + x^2}\, dx$.

DATRYSIAD

Wrth ddifferu'r amnewid $x = 3\sinh u$, cawn

$$\frac{dx}{du} = 3\cosh u$$

$$\Rightarrow \quad dx = 3\cosh u \, du$$

Drwy amnewid x a dx yn $\int \sqrt{9 + x^2}\, dx$, cawn

$$\begin{aligned}\int \sqrt{9 + x^2}\, dx &= \int \sqrt{9 + 9\sinh^2 u}\,(3\cosh u)\, du \\ &= \int 9\cosh^2 u \, du \\ &= \frac{9}{2}\int (\cosh 2u + 1)\, du \\ &= \frac{9}{2}\left(\frac{1}{2}\sinh 2u + u\right) + c\end{aligned}$$

Defnyddiwn $\sinh 2u = 2 \sinh u \cosh u$ i gael

$$\int \sqrt{9 + x^2}\, dx = \frac{9}{2} \sinh u \cosh u + \frac{9}{2} u + c$$

Gan fod y cwestiwn yn ymwneud ag integryn yn nhermau x, mae'n rhaid rhoi'r ateb yn nhermau x.

Defnyddiwn $\cosh u = \sqrt{\sinh^2 u + 1}$ a $\sinh u = \frac{x}{3}$ i gael

$$\int \sqrt{9 + x^2}\, dx = \frac{9}{2} \frac{x}{3} \sqrt{1 + \frac{x^2}{9}} + \frac{9}{2} \sinh^{-1}\left(\frac{x}{3}\right) + c$$

$$= \frac{1}{2} x \sqrt{9 + x^2} + \frac{9}{2} \ln\left(\frac{x}{3} + \sqrt{\frac{x^2}{9} + 1}\right) + c$$

Felly, cawn

$$\int \sqrt{9 + x^2}\, dx = \frac{x}{2} \sqrt{x^2 + 9} + \frac{9}{2} \ln(\sqrt{x^2 + 9} + x) + c'$$

Cyfresi pŵer

Ar dudalen 177, defnyddiwyd cyfres Maclaurin i ddarganfod y cyfresi pŵer ar gyfer $\sin x$ a $\cos x$.

Mewn ffordd debyg, gallwn ddarganfod y cyfresi pŵer ar gyfer $\sinh x$ a $\cosh x$.

Cyfres bŵer ar gyfer sinh x

Boed i $\sinh x = a_0 + a_1 x + a_2 x^2 + a_3 x^3 + \ldots$, lle mae pob a yn gysonyn.

Pan fo $x = 0$, mae $\sinh 0 = a_0$. Ond mae $\sinh 0 = 0$, felly mae $a_0 = 0$.

Wrth ddifferu $\sinh x = a_0 + a_1 x + a_2 x^2 + a_3 x^3 + \ldots$, cawn

$$\cosh x = a_1 + 2a_2 x + 3a_3 x^2 + 4a_4 x^3 + \ldots$$

Pan fo $x = 0$, mae $\cosh 0 = a_1$. Ond mae $\cosh 0 = 1$, felly mae $a_1 = 1$.

Differwn eto a chawn

$$\sinh x = 2a_2 + 3 \times 2a_3 x + 4 \times 3a_4 x^2 + 5 \times 4a_5 x^3 + \ldots$$

Pan fo $x = 0$, mae $\sinh 0 = 2a_2 \quad \Rightarrow \quad a_2 = 0$.

Differwn eto a chawn

$$\cosh x = 3 \times 2a_3 + 4 \times 3 \times 2a_4 x + 5 \times 4 \times 3a_5 x^2 + \ldots$$

Pan fo $x = 0$, mae $\cosh 0 = 3 \times 2a_3 \quad \Rightarrow \quad a_3 = \frac{1}{3!}$.

Wrth ailadrodd y differu cawn

$$a_4 = 0 \qquad a_5 = \frac{1}{5!} \qquad a_6 = 0 \qquad a_7 = \frac{1}{7!}$$

Felly, cawn

$$\sinh x = x + \frac{1}{3!}x^3 + \frac{1}{5!}x^5 + \frac{1}{7!}x^7 + \ldots$$

Mae prawf cymhareb d'Alembert yn dangos bod y gyfres hon yn cydgyfeirio ar gyfer pob gwerth real x.

Cyfres bŵer ar gyfer cosh x

Gallwn ddefnyddio'r drefn ar gyfer sinh x i ddarganfod y gyfres bŵer ar gyfer cosh x.
Ond, mae'n llawer haws cychwyn o'r ehangiad ar gyfer sinh x. Felly cawn

$$\cosh x = \frac{d}{dx}\sinh x = \frac{d}{dx}\left(x + \frac{1}{3!}x^3 + \frac{1}{5!}x^5 + \frac{1}{7!}x^7 + \ldots\right)$$

sy'n rhoi

$$\cosh x = 1 + \frac{1}{2!}x^2 + \frac{1}{4!}x^4 + \frac{1}{6!}x^6 + \ldots$$

Mae prawf cymhareb d'Alembert yn dangos bod y gyfres hon yn cydgyfeirio ar gyfer pob gwerth real x.

Rheol Osborn

Wrth ystyried y gyfres bŵer ar gyfer cos ix, cawn

$$\begin{aligned}\cos ix &= 1 - \frac{1}{2!}(ix)^2 + \frac{1}{4!}(ix)^4 - \ldots \\ &= 1 + \frac{1}{2!}x^2 + \frac{1}{4!}x^4 + \ldots\end{aligned}$$

sef y gyfres bŵer ar gyfer cosh x. Felly, cawn

$$\cos ix \equiv \cosh x$$

Ar gyfer sin ix, cawn

$$\begin{aligned}\sin ix &= (ix) - \frac{1}{3!}(ix)^3 + \frac{1}{5!}(ix)^5 - \ldots \\ &= i\left(x + \frac{x^3}{3!} + \frac{x^5}{5!} + \ldots\right)\end{aligned}$$

sef y gyfres bŵer ar gyfer i sinh x. Felly, cawn

$$\sin ix \equiv i \sinh x$$

Gan fod $\cos^2\theta + \sin^2\theta \equiv 1$ ar gyfer unrhyw ongl θ, rydym yn gwybod bod

$$\cos^2 ix + \sin^2 ix \equiv 1$$

sy'n rhoi

$$\cosh^2 x + (i \sinh x)^2 \equiv 1$$

Felly, cawn

$$\cosh^2 x - \sinh^2 x \equiv 1$$

Mae'r ddau unfathiant

$$\cos^2 \theta + \sin^2 \theta \equiv 1 \quad \text{a} \quad \cosh^2 x - \sinh^2 x \equiv 1$$

yn nodweddiadol o'r tebygrwydd rhwng yr unfathiannau trigonometrig cyffredin safonol a'r unfathiannau hyperbolig safonol (gweler tudalennau 191–2). Mae Rheol Osborn yn cynnig arweiniad i ni ar y tebygrwydd rhwng unfathiannau o'r fath, yn seiliedig ar y ffaith fod sin ix yn gywerth ag i sinh x.

I newid unfathiant trigonometrig cyffredin safonol i'r unfathiant hyperbolig safonol cyfatebol, mae Rheol Osborn yn dweud bod angen **newid arwydd** y term sy'n **lluoswm dau sin** ac **amnewid y ffwythiannau hyperbolig cyfatebol.**

Felly, er enghraifft, mae

$$\cos 2x \equiv 1 - 2\sin^2 x \quad \text{yn rhoi} \quad \cosh 2x \equiv 1 + 2\sinh^2 x$$

Wrth ddefnyddio'r rheol gydag $1 + \tan^2 x = \sec^2 x$, rydym yn trin $\tan^2 x$ fel $\dfrac{\sin^2 x}{\cos^2 x}$.

Felly, yr unfathiant hyperbolig cyfatebol yw

$$1 - \tanh^2 x \equiv \operatorname{sech}^2 x$$

Ymarfer 10C

1 Ehangwch bob un o'r mynegiadau canlynol hyd at, ac yn cynnwys, y term yn x^4.

a) $\cosh 2x$ **b)** $\sinh 3x$

c) $(1 + x)\cosh 5x$ **d)** $(1 + 2x)\sinh 6x$

2 Gan ddefnyddio'r amnewid $x = 3\cosh \theta$, darganfyddwch $\int \sqrt{x^2 - 9}\, dx$.

3 Gan ddefnyddio'r amnewid $x = 4\sinh \theta$, darganfyddwch $\int \sqrt{16 + x^2}\, dx$.

4 Darganfyddwch $\int \sqrt{25 + x^2}\, dx$.

5 Darganfyddwch $\int \sqrt{x^2 - 25}\, dx$.

6 Darganfyddwch $\int \dfrac{x^2}{\sqrt{x^2 - 4}}\, dx$.

7 Darganfyddwch $\int \dfrac{x^2 + 2}{\sqrt{x^2 + 9}}\, dx$.

8 Defnyddiwch yr amnewid $x = 2\sinh u$ i ddarganfod $\int \sqrt{(x^2 + 4)}\, dx$. **(OCR)**

9 Defnyddiwch y diffiniad $\cosh x = \frac{1}{2}(e^x + e^{-x})$ i brofi bod

$$\cosh A + \cosh B = 2\cosh \tfrac{1}{2}(A + B)\cosh \tfrac{1}{2}(A - B)$$

Ar gyfer $n \geqslant 0$, diffinnir y ffwythiant P_n gan

$$P_n(x) = 1 - (n + 1)\cosh nx + n\cosh (n + 1)x$$

i) Enrhifwch $P_0(x)$.

ii) Dangoswch fod

$$P_r(x) - P_{r-1}(x) = 2r \cosh rx (\cosh x - 1)$$

lle mae $r \geqslant 1$.

Drwy hynny, neu fel arall, darganfyddwch $\sum_{r=1}^{n} r \cosh rx$ ar gyfer $x \neq 0$. **(NEAB)**

10 **i)** Profwch fod

$$\sinh \{\log_e (x + \sqrt{x^2 + 1})\} \equiv x$$

ii) Dangoswch fod

$$\int \frac{dx}{\sqrt{16x^2 + 9}} = \frac{1}{4} \log_e \{4x + \sqrt{16x^2 + 9}\} + c$$

iii) Dangoswch fod

$$\frac{d}{dx} (x \sqrt{16x^2 + 9}) \equiv 2 \sqrt{16x^2 + 9} - \frac{9}{\sqrt{16x^2 + 9}}$$

iv) Drwy hynny, dangoswch fod

$$\int_0^1 \sqrt{16x^2 + 9}\, dx = \frac{5}{2} + \frac{9}{8} \log_e 3 \quad \textbf{(NICCEA)}$$

11 **i)** Dangoswch fod

$$\int \frac{x^2}{\sqrt{16 - 9x^2}}\, dx = \frac{16}{27} \int \sin^2 \theta \, d\theta$$

ii) Os yw $g(x)$ yn ffwythiant di-dor, dangoswch fod

$$\int_0^{12} \frac{g(x)}{\sqrt{49 + 4x^2}}\, dx = \frac{1}{2} \int_0^{\log_e 7} g\left(\frac{7}{2} \sinh u\right) du \quad \textbf{(NICCEA)}$$

12 Darganfyddwch ddatrysiad cyffredinol yr hafaliad differol

$$(\sinh x) \frac{dy}{dx} + (2 \cosh x)y = \sinh x \quad \textbf{(NEAB)}$$

13 **a)** Yn y diagram, dangosir locws pwynt (x, y) a ddiffinnir gan yr hafaliadau parametrig

$$x = \cosh v$$

$$y = \sinh v$$

ynghyd â'r pwynt P lle mae $v = u$, ac $u > 0$.

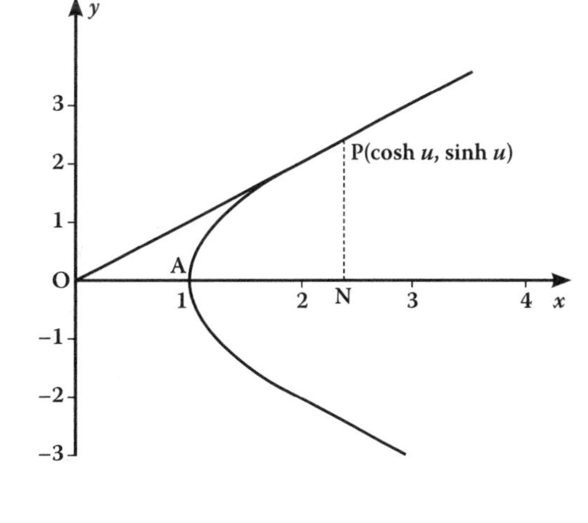

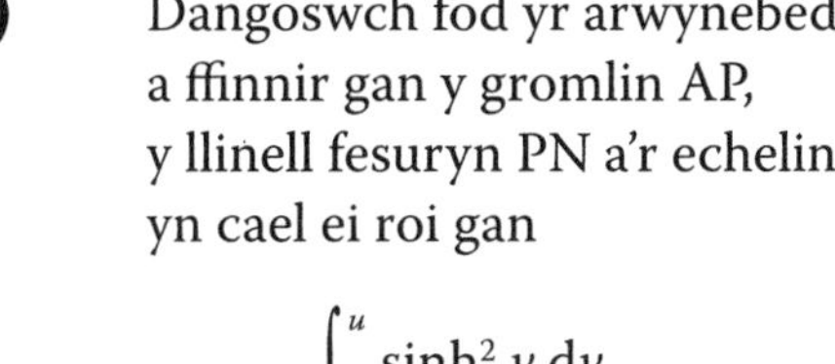

i) Dangoswch fod yr arwynebedd a ffinnir gan y gromlin AP, y llinell fesuryn PN a'r echelin-x yn cael ei roi gan

$$\int_0^u \sinh^2 v \, dv$$

ii) Dangoswch mai $\frac{1}{2}u$ yw'r arwynebedd a ffinnir gan y gromlin AP, y llinell syth OP a'r echelin-x.

b) Brasluniwch y gromlin a ddiffinnir gan $x = \cos\theta$, $y = \sin\theta$.

Os $(\cos\phi, \sin\phi)$ yw cyfesurynnau P′, tywyllwch ranbarth sydd ag arwynebedd $\frac{1}{2}\phi$.

Ysgrifennwch sylwadau ar y nodweddion tebyg sydd gan y diagram ar dudalen 215 a'ch braslun. (NICCEA)

14 Differwch $\sqrt{(x^2 - 1)}$.

Dangoswch fod

$$\int_1^{\frac{5}{4}} \cosh^{-1} x \, dx = a \ln 2 + b$$

lle mae a a b yn rhifau cymarebol sydd i'w darganfod. (NEAB)

15 Mae'r diagram ar y dde yn dangos rhanbarth R yn y plân x-y a ffinnir gan y gromlin $y = \sinh x$, yr echelin-x a'r llinell AB sy'n berpendicwlar i'r echelin-x.

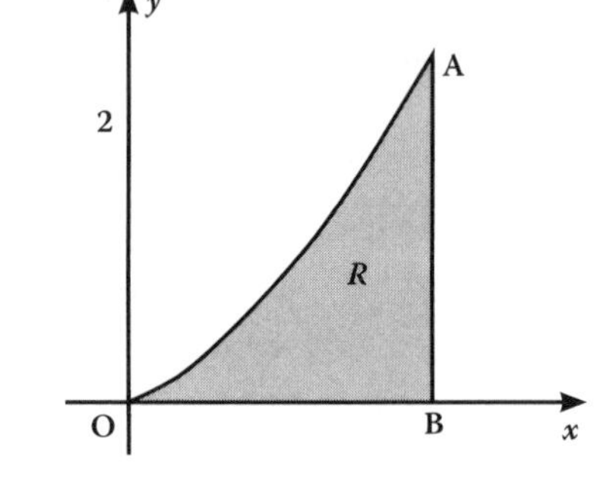

a) O wybod bod AB $= \frac{4}{3}$, dangoswch fod OB $= \ln 3$.

b) **i)** Dangoswch fod

$$\cosh(\ln k) = \frac{k^2 + 1}{2k}$$

ii) Dangoswch mai $\frac{2}{3}$ yw arwynebedd y rhanbarth R.

c) **i)** Dangoswch fod

$$\int_0^{\ln 3} \sinh^2 x \, dx = \frac{1}{4}[\sinh(\ln 9) - \ln 9]$$

ii) Drwy hynny, darganfyddwch, yn gywir i dri ffigur ystyrlon, y cyfaint a gynhyrchir pan fo'r rhanbarth R yn cael ei gylchdroi drwy ongl 2π radian o amgylch yr echelin-x. (NEAB)

16 **a)** O wybod bod $u = \frac{1}{2}(e^y - e^{-y})$, profwch fod $y = \ln(u + \sqrt{(u^2 + 1)})$.

b) Defnyddiwch yr amnewid $x = \sinh\theta$ i ddangos

$$\int \frac{x^2}{\sqrt{(1 + x^2)}} \, dx = \frac{1}{2}[x\sqrt{(1 + x^2)} - \ln(x + \sqrt{(1 + x^2)})] + k$$

lle mae k yn gysonyn mympwyol. (EDEXCEL)

17 Mae'r diagram yn dangos braslun o'r gromlin a ddiffinnir gan yr hafaliadau parametrig

$$x = \sinh t \quad y = \cosh t \quad t \geqslant 0$$

ynghyd â'r tangiad i'r gromlin yn y pwynt P $(\sinh p, \cosh p)$. Mae'r gromlin yn cyfarfod â'r echelin-y yn y pwynt Q ac mae'r tangiad yn P yn cyfarfod â'r echelin-y yn y pwynt R.

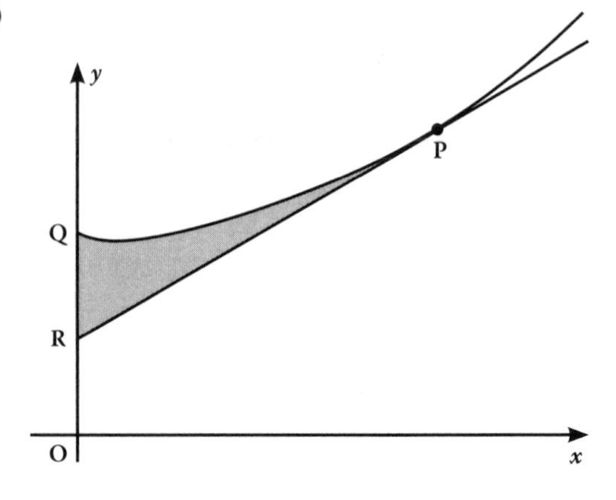

a) Dangoswch mai hafaliad y tangiad i'r gromlin yn P yw

$$y \cosh p - x \sinh p = 1$$

b) O wybod mai $(0, \frac{1}{2})$ yw'r pwynt R, dangoswch fod

$$p = \ln(2 + \sqrt{3})$$

c) Dangoswch fod yr arwynebedd A (a ddangosir yn y diagram) a ffinnir gan QR, RP a'r arc PQ, yn cael ei roi gan

$$A = \int_0^p \cosh^2 t \, dt - \frac{5\sqrt{3}}{4}$$

d) Drwy hynny, darganfyddwch werth A yn y ffurf

$$a \ln(2 + \sqrt{3}) + b\sqrt{3}$$

lle mae a a b yn rhifau cymarebol i'w darganfod. **(NEAB)**

18 **a)** Defnyddiwch y gyfres bŵer ar gyfer $\sin x$ i ddangos, ar gyfer gwerthoedd bach x, fod

$$\sin^3 x \approx x^3\left(1 - \frac{x^2}{6} + \frac{x^4}{120}\right)^3$$

b) Drwy hynny, neu fel arall, darganfyddwch y cysonion a, b ac c yn y brasamcan

$$\sin^3 x \approx ax^3 + bx^5 + cx^7$$

c) Darganfyddwch frasamcan tebyg ar gyfer $x^2 \sinh x$ pan fo gan x werthoedd bach.

d) Dangoswch fod

$$\lim_{x \to 0} \frac{x^2 \sinh x - \sin^3 x}{x^5} = \frac{2}{3}$$ **(NEAB)**

11 Trychiadau conig

That an extensive theory of the conics was obtained is eloquent testimony to the brilliance of Archimedes and Apollonius.
JEREMY J. GRAY

Cynhyrchu trychiadau conig

Petaem yn cymryd côn crwn union, solet, ac yn torri trychiad plân drwyddo, mewn unrhyw gyfeiriad, rydym yn cael cromlin sy'n aelod o'r dosbarth o gromliniau a elwir yn **drychiadau conig**.

Mae'n dilyn fod siâp y gromlin a gynhyrchir felly'n ddibynnol ar y cyfeiriad y gwneir y toriad: hynny yw, ar oledd, θ, y trychiad plân i'r echelin, fel y gwelir yn y ffigurau isod.

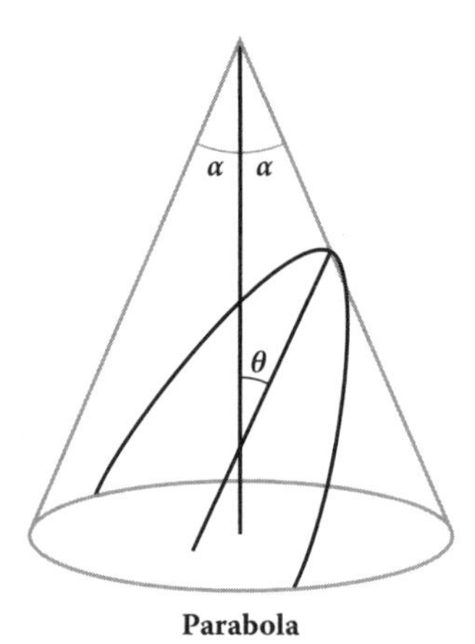

Parabola

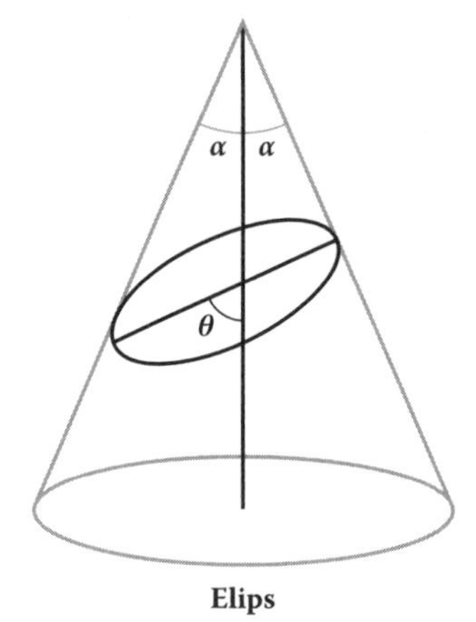

Elips

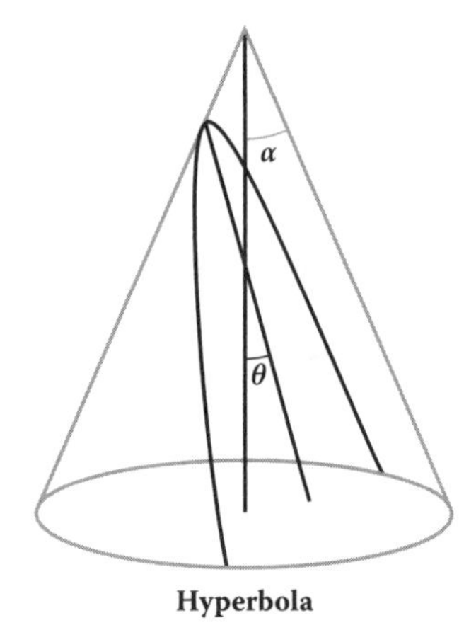

Hyperbola

Felly, gyda'r côn yn sefyll ar blân llorweddol, petaem yn torri mewn cyfeiriad sy'n baralel i uchder goledd y côn, gyda $\theta = \alpha$, rydym yn cael **parabola**.

Os ydym yn torri mewn cyfeiriad fel bo $\alpha < \theta < \frac{\pi}{2}$ rydym yn cael **elips**.

Os ydym yn torri mewn cyfeiriad, heb fod drwy'r fertig, gyda $\theta < \alpha$ rydym yn cael **hyperbola**.

Os ydym yn torri'n llorweddol drwy'r côn $\left(\text{hynny yw, } \theta = \frac{\pi}{2}\right)$, rydym yn cael **cylch**.

Apollonius, geometregwr o Wlad Groeg, a flodeuai tua 280 CC, oedd y cyntaf i astudio'r parabola, yr elips a'r hyperbola fel trychiadau o'r un côn. Ni chawsant eu diffinio'n ddadansoddiadol fel locysau tan yr ail ganrif ar bymtheg, yn bennaf yn sgil gwaith y mathemategwr enwog o Ffrainc, René Descartes (1596–1650) a'r mathemategydd o Loegr, John Wallis (1616–1703).

Trychiadau conig fel locysau

Yn ddadansoddiadol, rydym yn diffinio conig fel locws pwynt sy'n symud fel bod cymhareb ei bellter o bwynt sefydlog i'w bellter o linell sefydlog yn gyson.

Gelwir y pwynt sefydlog yn **ffocws**, a'r llinell sefydlog yn **gyfeirlin**.
Gelwir y gymhareb gyson yn **echreiddiad** y conig ac fe'i dynodir gan e.

Felly, yn y diagram ar y dde, lle mae'r pwynt P yn cynhyrchu conig, cawn

$$PF = ePT$$

Pan fo $e = 1$, mae'r conig yn **barabola**.
Pan fo $0 < e < 1$, mae'r conig yn **elips**.
Pan fo $e > 1$, mae'r conig yn **hyperbola**.

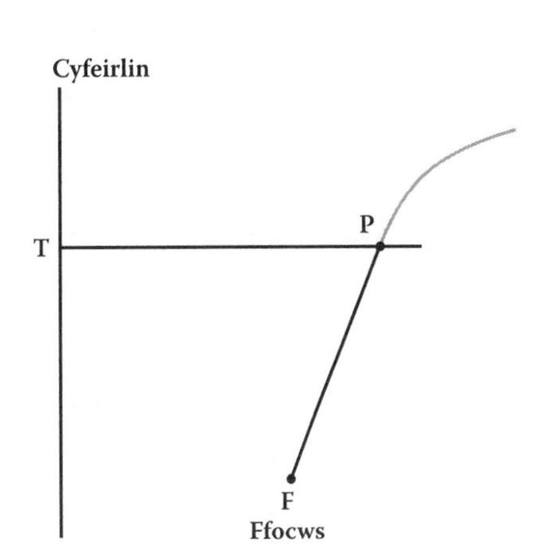

Gellir trin y cylch (a welwyd yn *Introducing Pure Mathematics*, tudalennau 220–7) fel achos terfannol elips, lle mae $e = 0$ (gweler tudalennau 222–6).

Parabola

Boed y ffocws, F, yn $(a, 0)$ a'r gyfeirlin yn $x = -a$.
Yna, ar gyfer y pwynt $P(x, y)$, cawn

$$PT = x + a \qquad PF = \sqrt{(x-a)^2 + y^2}$$

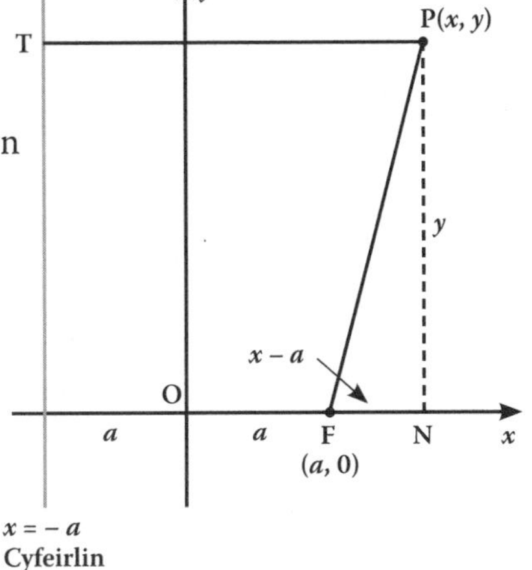

Ond mae PT = PF, oherwydd ar gyfer parabola mae $e = 1$. Felly, cawn

$$(x-a)^2 + y^2 = (x+a)^2$$

sy'n rhoi

$$y^2 = 4ax$$

Dyma'r **hafaliad safonol** ar gyfer parabola, a gwelir enghraifft o barabola ar waelod dde'r tudalen.

Hafaliadau parametrig cyffredin ar gyfer y parabola $y^2 = 4ax$ yw

$$x = at^2 \qquad \text{a} \qquad y = 2at$$

lle mae t yn baramedr.

Gelwir cord parabola drwy ei ffocws, ac yn berpendicwlar i'w echelin, yn **latws-rectwm**. Felly, yn y diagram ar y dde, y latws-rectwm yw CD.

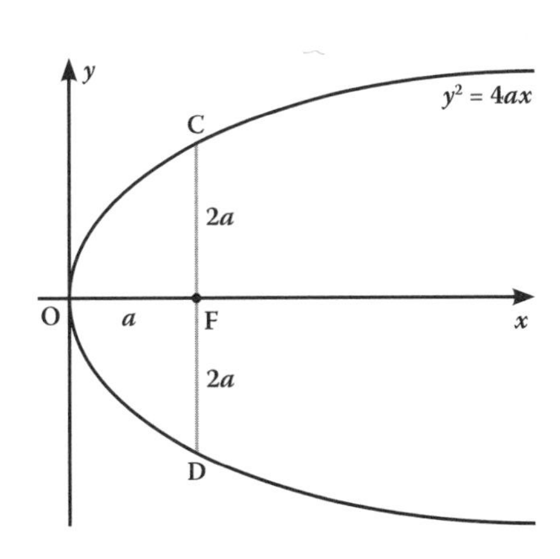

Gelwir hanner hyd y cord hwn (FC neu FD) yn **hanner latws-rectwm**.

Gwelwn, o'r hafaliad $y^2 = 4ax$, mai cyfesurynnau C yw $(a, 2a)$ a rhai D yw $(a, -2a)$. Felly, hyd y latws-rectwm yw $4a$ a hyd yr hanner latws-rectwm yw $2a$.
(Gweler tudalennau 223 a 231 hefyd.)

Noder

- Mae pob cromlin gwadratig yn barabola.
- Mae pob cromlin gwadratig yn gyflun.

Enghraifft 1 Darganfyddwch ffocws a chyfeirlin y ddau barabola

a) $y^2 = 32x$ **b)** $x^2 = 16(y + 1)$

DATRYSIAD

Ar gyfer parabola cyffredinol $y^2 = 4ax$, mae'r ffocws yn $(a, 0)$ a'r gyfeirlin yw $x = -a$.

a) Ar gyfer y parabola $y^2 = 32x$, mae $a = 8$.

Felly, y ffocws yw (8, 0), a'r gyfeirlin yw $x = -8$.

b) Ar gyfer y parabola $x^2 = 16(y + 1)$, mae'r echelinau-x ac -y wedi eu cyfnewid ac y wedi'i drawsfudo yn $y + 1$.

O'r hafaliad, cawn $a = 4$. Felly ffocws y parabola $x^2 = 16y$ fyddai (0, 4), sydd, ar ôl ei drawsfudo, yn newid yn (0, 3) ar gyfer y parabola $x^2 = 16(y + 1)$.

Yr un modd, mae'r gyfeirlin ar gyfer $x^2 = 16y$, a fyddai'n $y = -4$, yn newid yn $y = -5$ ar ôl trawsfudo.

Enghraifft 2 Darganfyddwch lle mae'r tangiad i'r parabola $y^2 = 8x$ yn y pwynt $(2t^2, 4t)$ yn cyfarfod â'r gyfeirlin.

DATRYSIAD

Mae gennym

$$x = 2t^2 \quad \Rightarrow \quad \frac{dx}{dt} = 4t$$

$$y = 4t \quad \Rightarrow \quad \frac{dy}{dt} = 4$$

sy'n rhoi

$$\frac{dy}{dx} = \frac{dy}{dt} \div \frac{dx}{dt} = \frac{1}{t}$$

Gan ddefnyddio $y - y_1 = m(x - x_1)$, darganfyddwn hafaliad y tangiad yn $(2t^2, 4t)$:

$$y - 4t = \frac{1}{t}(x - 2t^2)$$

$$\Rightarrow \quad yt = x + 2t^2 \qquad [1]$$

Cyfeirlin y parabola safonol $y^2 = 4ax$ yw $x = -a$. Felly, ar gyfer y parabola $y^2 = 8x$, mae $a = 2$. Felly'r gyfeirlin yw $x = -2$.

Drwy amnewid $x = -2$ yn [1], cawn

$$y = 2t - \frac{2}{t}$$

Felly, mae'r tangiad yn cyfarfod â'r gyfeirlin yn $\left(-2, 2t - \frac{2}{t}\right)$.

Enghraifft 3

a) Darganfyddwch hafaliad y normal i'r parabola $y^2 = 8x$ yn y pwynt $T(2t^2, 4t)$.

b) Darganfyddwch lle mae'r normalau i'r parabolâu yn y pwyntiau $P(2p^2, 4p)$ a $Q(2q^2, 4q)$ yn croestorri.

Noder Pan roddir hafaliadau parametrig y parabola, mae'n llawer haws cadw at yr hafaliadau hyn. Felly, **peidiwch** â newid yn ôl i'r hafaliad Cartesaidd.

DATRYSIAD

a) Mae gennym

$$x = 2t^2 \quad \Rightarrow \quad \frac{dx}{dt} = 4t$$

$$y = 4t \quad \Rightarrow \quad \frac{dy}{dt} = 4$$

sy'n rhoi

$$\frac{dy}{dx} = \frac{dy}{dt} \div \frac{dx}{dt} = \frac{1}{t}$$

Felly, graddiant y normal yw $-t$.

Gan ddefnyddio $y - y_1 = m(x - x_1)$, darganfyddwn hafaliad y normal yn $(2t^2, 4t)$:

$$y - 4t = -\,t(x - 2t^2)$$

$$\Rightarrow \quad y + tx = 4t + 2t^3$$

b) I ddarganfod hafaliad y normal yn y pwynt P, rydym, yn syml, yn rhoi p yn lle t. Felly, hafaliad y normal yn y pwynt P yw

$$y + px = 4p + 2p^3 \qquad [1]$$

Yn yr un modd, hafaliad y normal yn Q yw

$$y + qx = 4q + 2q^3 \qquad [2]$$

Wrth dynnu [2] o [1], rydym yn darganfod bod y normalau hyn yn croestorri pan fo

$$px - qx = 4p + 2p^3 - 4q - 2q^3$$

Noder Ym mhob sefyllfa o'r fath, pan ystyrir p a q yn yr un ffordd, bydd $(p - q)$ yn ffactor. Felly, chwiliwn am y ffactor hwn, ei ddiddymu, a gwirio bod yr ateb yn gymesur yn p a q.

Gan ddefnyddio $p^3 - q^3 = (p - q)(p^2 + pq + q^2)$, cawn

$$(p - q)x = 4(p - q) + 2(p - q)(p^2 + pq + q^2)$$

$$\Rightarrow \quad x = 2(p^2 + pq + q^2 + 2) \qquad [3]$$

Drwy amnewid [3] yn [1], cawn

$$y = 4p + 2p^3 - 2p(p^2 + pq + q^2 + 2)$$

$$\Rightarrow \quad y = -2pq(p + q)$$

Felly, mae'r normalau'n croestorri yn $(2(p^2 + pq + q^2 + 2), -2pq(p + q))$.

Ymarfer 11A

1 Darganfyddwch ffocws a chyfeirlin pob un o'r parabolâu canlynol.

a) $y^2 = 16x$ **b)** $y^2 = 28x$ **c)** $x^2 = 8y$ **d)** $x^2 = -16y$

e) $y^2 + 12x = 0$ **f)** $(y + 1)^2 = 32x$ **g)** $(y - 2)^2 - 8(x - 3) = 0$

2 Darganfyddwch, yn y ffurf Gartesaidd, hafaliad y parabola sydd â'u ffocws a'u cyfeirlin fel a ganlyn.

a) $(3, 0)$, $x + 3 = 0$ **b)** $(4, 0)$, $x = -4$

c) $(0, 2)$, $y = -2$ **d)** $(0, -5)$, $y = 5$

3 Darganfyddwch hafaliad y tangiad i'r parabola $y^2 = 20x$ yn

a) y pwynt $T(5t^2, 10t)$ **b)** y pwynt $P(5p^2, 10p)$

c) y pwynt $S(5, 10)$ **d)** y pwynt $R(20, 20)$

4 a) Darganfyddwch hafaliad y normal i'r parabola $y^2 = 8x$ yn y pwynt $(2, 4)$.

b) Darganfyddwch lle mae'r normal hwn yn cyfarfod â'r parabola eto.

Elips

Boed i'r ffocws fod yn $(ae, 0)$

a'r gyfeirlin fod yn $x = \frac{a}{e}$.

Oherwydd bod e yn llai nag 1 ar gyfer elips, mae'r gyfeirlin yn bellach o'r tarddbwynt na'r ffocws.

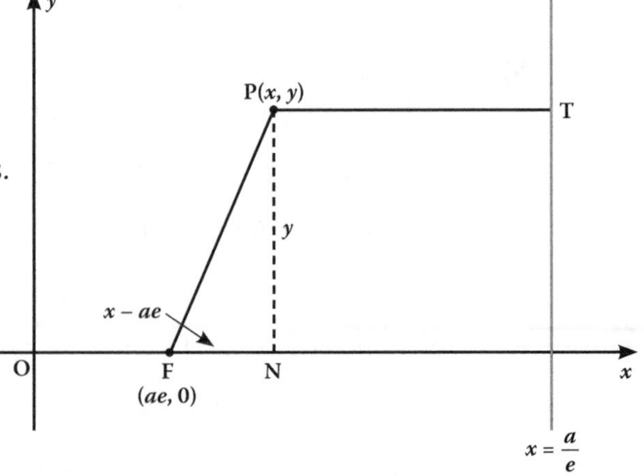

Ar gyfer y pwynt $P(x, y)$, cawn

$$PF = \sqrt{(x - ae)^2 + y^2} \qquad PT = \frac{a}{e} - x$$

Gan fod cymhareb pellter P o'r ffocws i bellter P o'r gyfeirlin yn e, cawn

$$\frac{PF}{PT} = e \quad \Rightarrow \quad PF = ePT$$

sy'n rhoi

$$\sqrt{(x - ae)^2 + y^2} = a - ex$$

Sgwariwn y ddwy ochr a chael

$$(x - ae)^2 + y^2 = (a - ex)^2$$

$$\Rightarrow \quad x^2 - 2aex + a^2e^2 + y^2 = a^2 - 2aex + e^2x^2$$

$$\Rightarrow \quad x^2(1 - e^2) + y^2 = a^2(1 - e^2)$$

$$\Rightarrow \quad \frac{x^2}{a^2} + \frac{y^2}{a^2(1 - e^2)} = 1$$

Mynegwn hyn yn y ffurf

$$\frac{x^2}{a^2} + \frac{y^2}{b^2} = 1$$

lle mae

$$b^2 = a^2(1 - e^2) \quad \Rightarrow \quad e^2 = 1 - \frac{b^2}{a^2}$$

Felly, yr **hafaliad safonol** ar gyfer elips yw

$$\frac{x^2}{a^2} + \frac{y^2}{b^2} = 1$$

lle mae

$$e^2 = 1 - \frac{b^2}{a^2}.$$

Noder Mae elips yn gymesur mewn perthynas â'i echelinau. Felly, mae ganddo ddau ffocws, y naill yn $(ae, 0)$ a'r llall yn $(-ae, 0)$, a dwy gyfeirlin, $x = \frac{a}{e}$ ac $x = -\frac{a}{e}$.

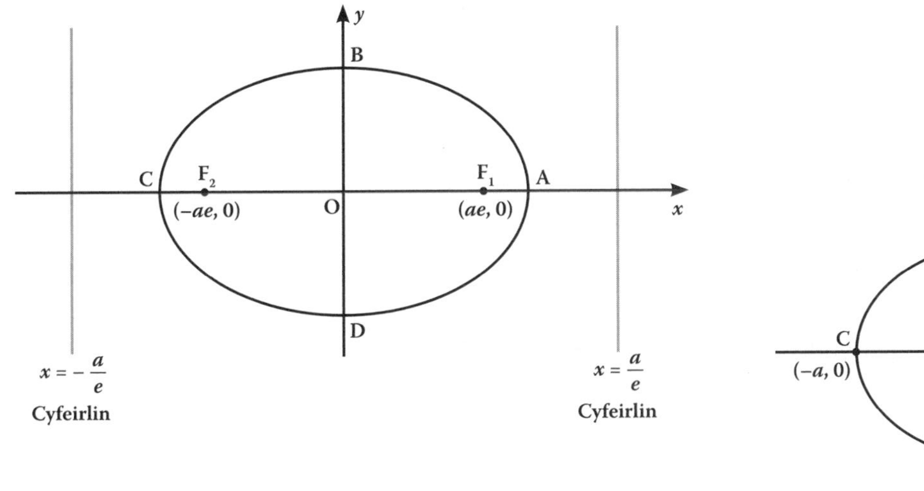

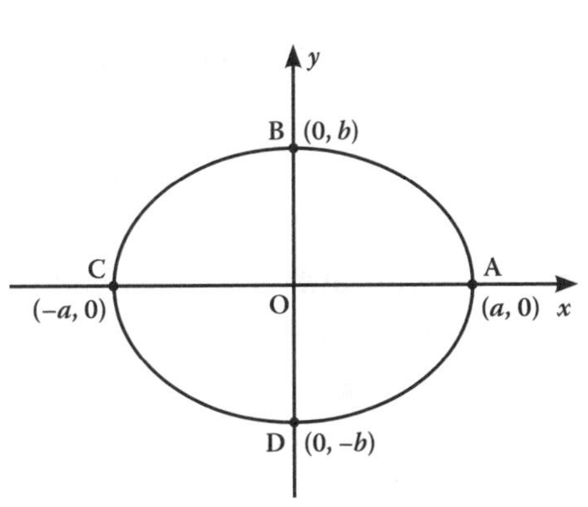

Gelwir yr echelin hiraf, AC, yn **echelin fwyaf** a'r echelin fyrraf, BD, yn **echelin leiaf**. Gwelwn mai $2a$ yw hyd yr echelin fwyaf a $2b$ yw hyd yr echelin leiaf.

Gelwir cord sy'n mynd drwy'r naill ffocws neu'r llall ac sy'n berpendicwlar i'r echelin fwyaf yn **latws-rectwm**. Gelwir hanner hyd y cord hwn yn **hanner latws-rectwm**.
(Gweler tudalennau 219 a 231 hefyd.)

Yr hafaliadau parametrig ar gyfer yr elips $\frac{x^2}{a} + \frac{y^2}{b} = 1$ yw

$$x = a\cos\theta \quad \text{ac} \quad y = b\sin\theta$$

lle mae θ yn **ongl echreiddig** yr elips. (Mae trafodaeth bellach am y paramedr hwn a'i ddefnydd mewn geometreg dafluniol y tu hwnt i ffiniau'r llyfr hwn.)

Enghraifft 4

a) Darganfyddwch echreiddiad yr elips $\frac{x^2}{9} + \frac{y^2}{4} = 1$.

b) Nodwch gyfesurynnau ei ffocysau.

c) Nodwch hafaliadau ei gyfeirlinau.

DATRYSIAD

a) Hafaliad cyffredinol elips yw $\frac{x^2}{a^2} + \frac{y^2}{b^2} = 1$.

Felly, ar gyfer yr elips $\frac{x^2}{9} + \frac{y^2}{4} = 1$, cawn $a = 3$, $b = 2$.

Ar gyfer elips, mae $e^2 = 1 - \frac{b^2}{a^2}$, sy'n rhoi, yn yr achos hwn

$$e^2 = 1 - \frac{4}{9} = \frac{5}{9}$$

Felly'r echreiddiad yw $\frac{\sqrt{5}}{3}$.

b) Y ffocysau yw $(\pm\, ae, 0)$, sydd yn yr achos hwn yn rhoi $(\sqrt{5}, 0)$ a $(-\sqrt{5}, 0)$.

c) Y cyfeirlinau yw $x = \pm\frac{a}{e}$, sydd yn yr achos hwn yn rhoi

$$x = \pm\frac{3}{\frac{\sqrt{5}}{3}}$$

Felly, ei gyfeirlinau yw

$$x = \frac{9}{\sqrt{5}} \quad \text{ac} \quad x = -\frac{9}{\sqrt{5}}$$

Enghraifft 5 Darganfyddwch y tangiad a'r normal i'r elips $\frac{x^2}{a^2} + \frac{y^2}{b^2} = 1$ yn y pwynt $(a\cos\theta, b\sin\theta)$.

DATRYSIAD

Mae gennym

$$x = a\cos\theta \quad \Rightarrow \quad \frac{dx}{d\theta} = -a\sin\theta$$

$$y = b\sin\theta \quad \Rightarrow \quad \frac{dy}{d\theta} = b\cos\theta$$

sy'n rhoi

$$\frac{dy}{dx} = \frac{-b\cos\theta}{a\sin\theta}$$

Gan ddefnyddio $y - y_1 = m(x - x_1)$, darganfyddwn hafaliad y tangiad yn:

$$y - b\sin\theta = \frac{-b\cos\theta}{a\sin\theta}(x - a\cos\theta)$$

$$\Rightarrow \quad a\sin\theta\, y + b\cos\theta\, x = ab(\cos^2\theta + \sin^2\theta)$$

$$\Rightarrow \quad a\sin\theta\, y + b\cos\theta\, x = ab$$

Noder Gallwn wirio hyn drwy gymryd $\frac{x^2}{a^2} + \frac{y^2}{b^2} = 1$,

a rhoi (x × absgisa) yn lle x^2 ac (y × mesuryn) yn lle y^2 i gael hafaliad y tangiad.

Felly, cawn

$$\frac{xa\cos\theta}{a^2} + \frac{yb\sin\theta}{b^2} = 1$$

$$\Rightarrow \quad xb\cos\theta + ya\sin\theta = ab$$

fel uchod.

I ddarganfod hafaliad y normal, mae arnom angen ei raddiant, a roddir gan

$$\text{Graddiant y normal} = -\frac{1}{\text{Graddiant y tangiad}}$$

$$= -\frac{1}{\frac{-b\cos\theta}{a\sin\theta}} = \frac{a\sin\theta}{b\cos\theta}$$

Felly, hafaliad y normal yw

$$y - b\sin\theta = \frac{a\sin\theta}{b\cos\theta}(x - a\cos\theta)$$

$$\Rightarrow \quad yb\cos\theta = xa\sin\theta - a^2\sin\theta\cos\theta + b^2\sin\theta\cos\theta$$

$$\Rightarrow \quad yb\cos\theta = xa\sin\theta + (b^2 - a^2)\sin\theta\cos\theta$$

Enghraifft 6 Darganfyddwch arwynebedd yr elips sydd ag echelin fwyaf $2a$ ac echelin leiaf $2b$.

DATRYSIAD

Mae gennym

$$\text{Arwynebedd} = \int y\, dx$$

I wneud yr integru'n haws, defnyddiwn yr hafaliad parametrig ar gyfer y, sy'n rhoi

$$\int y\, dx = \int b\sin\theta\, dx$$

Nid yw'n bosibl integru ffwythiant yn θ mewn perthynas ag x. Felly, mae'n rhaid newid yr integryn mewn perthynas ag x yn integryn mewn perthynas â θ. Felly, cawn

$$\text{Arwynebedd elips} = \int_{-a}^{a} y\,\mathrm{d}x = \int_{0}^{2\pi} b \sin\theta \frac{\mathrm{d}x}{\mathrm{d}\theta}\,\mathrm{d}\theta$$

Mae defnyddio $x = a\cos\theta$ yn rhoi

$$\text{Arwynebedd} = \int_{0}^{2\pi} b \sin\theta\,(-a\sin\theta)\,\mathrm{d}\theta$$

Oherwydd bod yr elips yn gymesur o amgylch ei echelinau, gallwn fynegi'r integryn fel

$$\text{Arwynebedd} = 4\int_{0}^{\frac{\pi}{2}} ab\sin^2\theta\,\mathrm{d}\theta$$

Gan ddefnyddio $\cos 2\theta = 1 - 2\sin^2\theta$, cawn

$$\text{Arwynebedd} = 4ab\int_{0}^{\frac{\pi}{2}} \frac{1}{2}(1-\cos 2\theta)\,\mathrm{d}\theta$$

$$= 4ab\left[\frac{1}{2}\theta - \frac{1}{4}\sin 2\theta\right]_{0}^{\frac{\pi}{2}}$$

Felly, arwynebedd elips yw πab.

Ymarfer 11B

1 Darganfyddwch echreiddiad, ffocysau a chyfeirlinau pob un o'r elipsau canlynol.

a) $\dfrac{x^2}{16} + \dfrac{y^2}{9} = 1$ **b)** $\dfrac{x^2}{49} + \dfrac{y^2}{16} = 1$ **c)** $\dfrac{x^2}{25} + \dfrac{y^2}{16} = 1$

d) $\dfrac{x^2}{4} + \dfrac{y^2}{9} = 4$ **e)** $\dfrac{(x-1)^2}{25} + \dfrac{(y+2)^2}{9} = 1$

2 Darganfyddwch, yn y ffurf Gartesaidd, hafaliadau'r elipsau canlynol sydd â'u ffocws a'u cyfeirlin fel a ganlyn.

a) $(3, 0),\ x = 12$ **b)** $(2, 0),\ x = 18$ **c)** $(0, 4),\ y = 8$ **d)** $(0, 3),\ y = 15$

3 Darganfyddwch hafaliad **a)** y tangiad a **b)** y normal i'r elips

$\dfrac{x^2}{25} + \dfrac{y^2}{16} = 1$ yn y pwynt $(5\cos\theta, 4\sin\theta)$.

4 Brasluniwch y gromlin a roddir mewn cyfesurynnau pegynlinol gan yr hafaliad

$$r = \frac{2a}{3 + 2\cos\theta}$$

Profwch mai elips yw'r gromlin hon a darganfyddwch ei ffocysau.

Hyperbola

Boed i'r ffocws fod yn $(ae, 0)$ a'r gyfeirlin yn $x = \frac{a}{e}$.

Oherwydd bod e yn fwy nag 1 ar gyfer hyperbola, mae'r gyfeirlin i'w chanfod rhwng y tarddbwynt a'r ffocws.

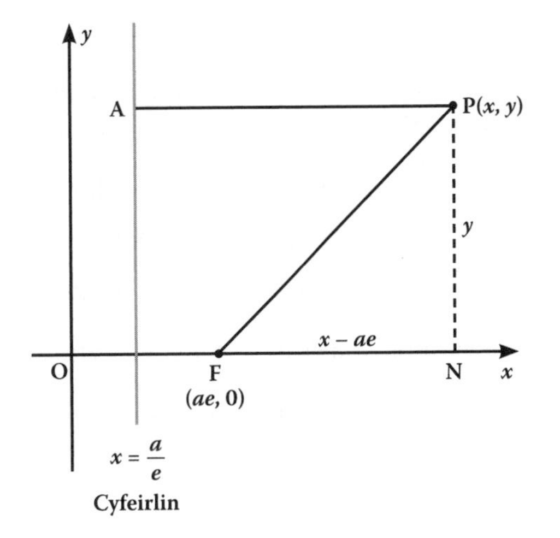

Ar gyfer y pwynt $P(x, y)$, cawn

$$PF = \sqrt{(x - ae)^2 + y^2} \qquad PT = x - \frac{a}{e}$$

Gan fod $\frac{PF}{PT} = e \quad \Rightarrow \quad PF = ePT$, cawn

$$\sqrt{(x - ae)^2 + y^2} = e\left(x - \frac{a}{e}\right)$$

$$= ex - a$$

Wrth sgwario'r ddwy ochr, cawn

$$(x - ae)^2 + y^2 = (ex - a)^2$$

$$\Rightarrow \quad x^2 - 2aex + a^2e^2 + y^2 = e^2x^2 - 2aex + a^2$$

$$\Rightarrow \quad x^2(1 - e^2) + y^2 = a^2(1 - e^2)$$

sy'n rhoi

$$\frac{x^2}{a^2} + \frac{y^2}{a^2(1 - e^2)} = 1$$

Ond mae $e > 1$, felly mae $a^2(1 - e^2)$ yn negatif.

Felly, yr **hafaliad safonol** ar gyfer hyperbola yw

$$\frac{x^2}{a^2} - \frac{y^2}{b^2} = 1$$

lle mae

$$b^2 = a^2(e^2 - 1) \quad \text{neu} \quad e^2 = 1 + \frac{b^2}{a^2}$$

Wrth i x ac y fynd yn fawr, cawn

$$\frac{x^2}{a^2} \to \frac{y^2}{b^2} \quad \Rightarrow \quad y \to \pm\frac{bx}{a}$$

Felly, asymptotau hyperbola yw $y = \pm\frac{b}{a}x$

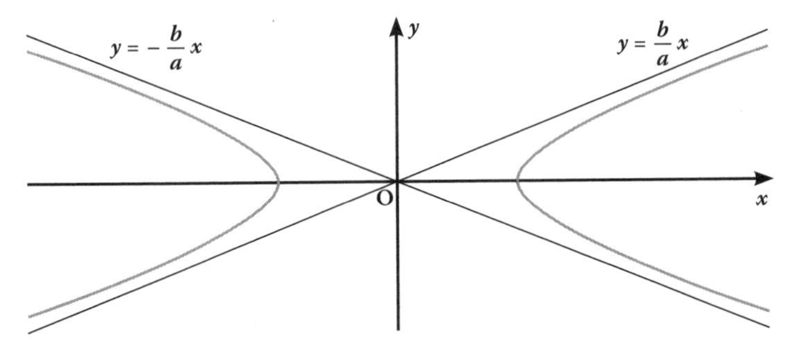

Hafaliadau parametrig cyffredin ar gyfer yr hyperbola $\frac{x^2}{a^2} - \frac{y^2}{b^2} = 1$ yw

$$x = a \sec \theta \quad \text{ac} \quad y = b \tan \theta$$

lle mae θ yn **ongl echreiddig** yr hyperbola.
(Mae trafodaeth bellach am y paramedr hwn y tu hwnt i ffiniau'r llyfr hwn.)

Yn hytrach na hyn, gellir defnyddio ffwythiannau hyperbolig (gweler tudalennau 189–91). Yn yr achos hwn, yr hafaliadau parametrig yw

$$x = a \cosh \phi \quad \text{ac} \quad y = b \sinh \phi$$

Fel yr elips, mae'r hyperbola yn gymesur mewn perthynas â'i echelinau.

Felly eto mae dau ffocws, y naill yn $(ae, 0)$ a'r llall yn $(-ae, 0)$, a dwy gyfeirlin, $x = \frac{a}{e}$ ac $x = -\frac{a}{e}$.

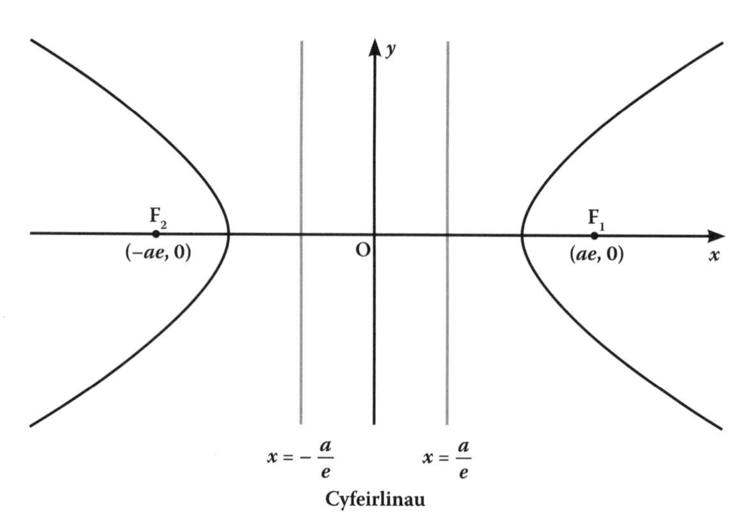

Hyperbola petryal

Pan fo $a = b$, asymptotau'r hyperbola yw $y = x$ ac $y = -x$, sy'n berpendicwlar i'w gilydd. Felly, gelwir hyperbola o'r fath (a welir ar y dde) yn **hyperbola petryal**.

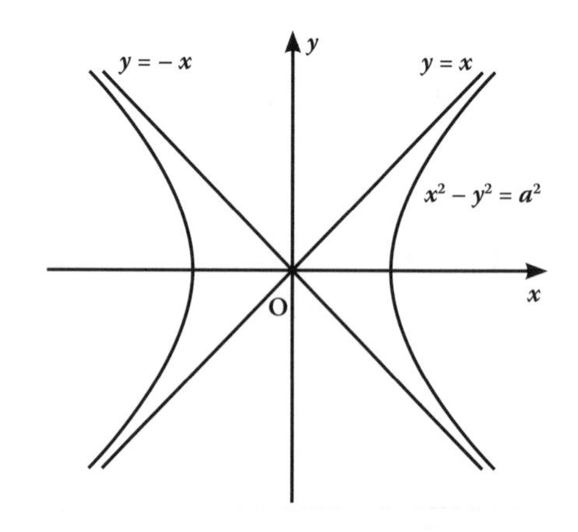

Mae hafaliad cyffredinol hyperbola, $\frac{x^2}{a^2} - \frac{y^2}{b^2} = 1$,

yn newid yn

$$x^2 - y^2 = a^2$$

ar gyfer hyperbola petryal, oherwydd bod $a = b$. Hynny yw,

$$(x + y)(x - y) = a^2$$

Drwy gylchdroi'r echelinau drwy 45° a galw'r echelinau newydd (sef yr asymptotau) yn X ac Y, trawsnewidiwn yr hafaliad hwn yn

$$XY = \frac{a^2}{2}$$

lle mae

$$X = \frac{1}{\sqrt{2}}(x - y) \quad \text{ac} \quad Y = \frac{1}{\sqrt{2}}(x + y).$$

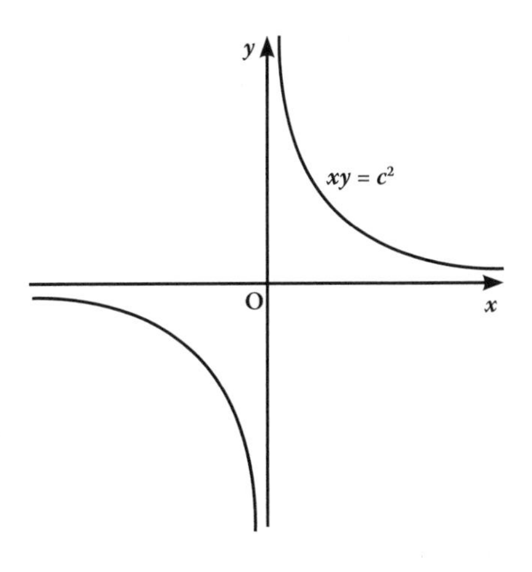

Felly, ar gyfer hyperbola petryal, cawn yr hafaliad

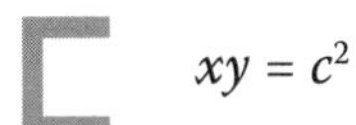

$$xy = c^2$$

lle mae $c^2 = \frac{a^2}{2}$.

Hafaliadau parametrig cyffredin ar gyfer yr hyperbola petryal yw

$$x = ct \quad \text{ac} \quad y = \frac{c}{t}$$

Enghraifft 7 Darganfyddwch echreiddiad yr hyperbola $\frac{x^2}{16} - \frac{y^2}{9} = 1$, a chyfesurynnau ei ffocysau.

DATRYSIAD

Ar gyfer hyperbola $\frac{x^2}{a^2} - \frac{y^2}{b^2} = 1$, mae gennym $e^2 = 1 + \frac{b^2}{a^2}$.

Felly, ar gyfer yr hyperbola $\frac{x^2}{16} - \frac{y^2}{9} = 1$ cawn

$$e^2 = 1 + \frac{9}{16} = \frac{25}{16}$$

Felly, yr echreiddiad yw $\frac{5}{4}$.

Pan fo $\frac{x^2}{a^2} - \frac{y^2}{b^2} = 1$, y ffocysau yw $(\pm\, ae, 0)$. Felly, ar gyfer $\frac{x^2}{16} - \frac{y^2}{9} = 1$,

y ffocysau yw $\left(\pm\frac{5}{4} \times 4, 0\right)$, sy'n rhoi $(\pm 5, 0)$.

Enghraifft 8 Darganfyddwch hafaliad y tangiad i $xy = c^2$ yn y pwynt $\left(ct, \frac{c}{t}\right)$.

Drwy hynny, darganfyddwch hafaliad y tangiad i $xy = 16$ yn y pwyntiau

a) $(8, 2)$ **b)** $\left(-12, -\frac{4}{3}\right)$.

DATRYSIAD

I ddarganfod hafaliad y tangiad, mae arnom angen ei raddiant. Felly, cawn

$$x = ct \quad \Rightarrow \quad \frac{dx}{dt} = c$$

$$x = \frac{c}{t} \quad \Rightarrow \quad \frac{dy}{dt} = -\frac{c}{t^2}$$

sy'n rhoi

$$\frac{dy}{dx} = -\frac{1}{t^2}$$

Felly, hafaliad y tangiad yw

$$y - \frac{c}{t} = -\frac{1}{t^2}(x - ct)$$

$$\Rightarrow \quad t^2y + x = 2ct$$

Ar gyfer yr hyperbola $xy = 16$, mae $c = 4$. Felly, hafaliad y tangiad yn $\left(4t, \frac{4}{t}\right)$ yw

$$t^2y + x = 8t$$

a) Yn y pwynt (8, 2), mae $4t = 8$, sy'n rhoi $t = 2$.

Felly, hafaliad y tangiad yn y pwynt hwn yw

$$4y + x = 16$$

b) Yn y pwynt $\left(-12, -\frac{4}{3}\right)$, mae $4t = -12$, sy'n rhoi $t = -3$.

Felly, hafaliad y tangiad yn y pwynt hwn yw

$$9y - x + 24 = 0$$

Hafaliad pegynlinol conig

Llunnir hafaliad pegynlinol (gweler tudalennau 45–7) conig drwy osod y pegwn yn y ffocws a chadw'r gyfeirlin yn $x = \frac{a}{e}$.

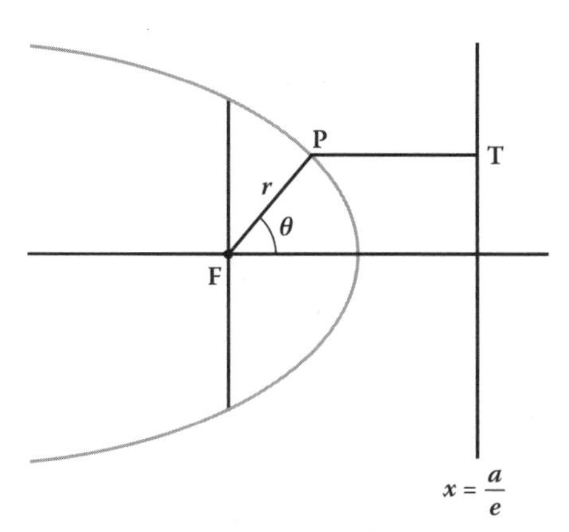

Gan gyfeirio at y diagram ar y dde, mae locws pwynt cyffredinol, P, sydd wedi'i fynegi mewn cyfesurynnau pegynlinol (r, θ), yn bodloni'r amod (gweler tudalen 219).

$$PF = ePT$$

lle mae $PF = r$ a $PT = \frac{a}{e} - r\cos\theta$.

Felly, cawn

$$r = e\left(\frac{a}{e} - r\cos\theta\right)$$

$$\Rightarrow \quad r(1 + e\cos\theta) = a$$

sy'n rhoi hafaliad pegynlinol conig fel

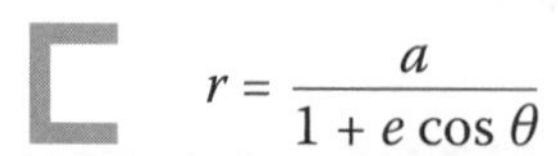

$$r = \frac{a}{1 + e\cos\theta}$$

Mae'r hafaliad hwn yn ddilys ar gyfer **pob** conig sydd â phegwn a chyfeirlin fel a ddisgrifiwyd uchod.

Pan fo $e = 0$, mae'r conig yn gylch.
Pan fo $0 < e < 1$, mae'r conig yn elips.
Pan fo $e = 1$, mae'r conig yn barabola.
Pan fo $e > 1$, mae'r conig yn hyperbola.

Gallwn fynegi'r hafaliad hwn mewn sawl ffordd wahanol.

Er enghraifft, pan ddefnyddiwn $x = d$ yn hafaliad y gyfeirlin, cawn

$$r = \frac{ed}{1 + \cos\theta}$$

Pan fo'r ffocws yn $(ae, 0)$ a'r gyfeirlin yn $x = \frac{a}{e}$, cawn hafaliad y conig cyffredinol yn y ffurf

$$r = \frac{b^2}{a(1 + e\cos\theta)}$$

sy'n rhoi

$$r = \frac{a(1 - e^2)}{1 + e\cos\theta} \text{ ar gyfer elips}$$

$$r = \frac{a(e^2 - 1)}{1 + e\cos\theta} \text{ ar gyfer hyperbola}$$

Gallwn, yn ogystal, ddeillio hafaliad pegynlinol tebyg yn nhermau l, hyd yr hanner latws-rectwm (gweler tudalennau 219 a 223 hefyd).

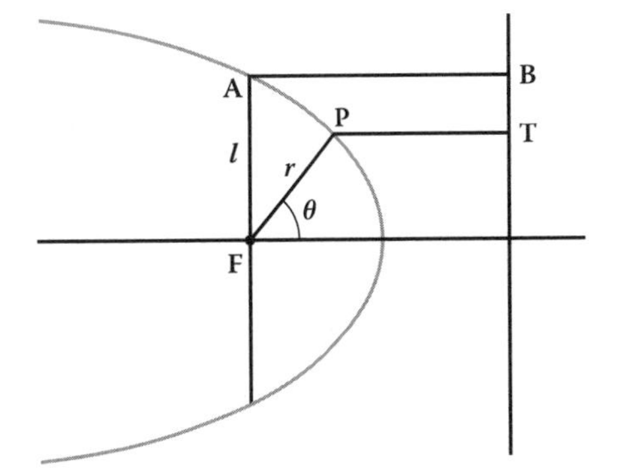

Drwy gyfeirio at y diagram ar y dde, cawn

$$\text{PT} = e\text{PT} \quad \Rightarrow \quad r = e(\text{AB} - r\cos\theta)$$

Mae'r pwynt A ar y conig, felly cawn

$$\text{FA} = e\text{AB}$$

FA yw'r hanner latws-rectwm, felly cawn

$$l = e\text{AB} \quad \Rightarrow \quad \text{AB} = \frac{l}{e}$$

sy'n rhoi

$$r = e\left(\frac{l}{e} - r\cos\theta\right)$$

$$\Rightarrow \quad r(1 + e\cos\theta) = l$$

Hynny yw, cawn

$$r = \frac{l}{1 + e\cos\theta}$$

Noder Y pellter rhwng y gyfeirlin a'r ffocws yw $\frac{l}{e}$.

Ymarfer 11C

1 Darganfyddwch echreiddiad, ffocysau a chyfeirlinau pob un o'r hyperbolâu canlynol.

a) $\frac{x^2}{16} - \frac{y^2}{9} = 1$ **b)** $\frac{x^2}{49} - \frac{y^2}{16} = 1$ **c)** $\frac{x^2}{25} - \frac{y^2}{16} = 1$

d) $\frac{x^2}{4} - \frac{y^2}{9} = 4$ **e)** $\frac{(x-1)^2}{25} - \frac{(y+2)^2}{9} = 1$

2 Darganfyddwch, yn y ffurf Gartesaidd, hafaliadau'r hyperbolâu canlynol sydd â ffocws a chyfeirlin fel a ganlyn

a) $(12, 0)$, $x = 3$ **b)** $(18, 0)$, $x = 2$ **c)** $(0, 8)$, $y = 4$ **d)** $(0, 15)$, $y = 3$

3 Darganfyddwch hafaliad **a)** y tangiad a **b)** y normal i'r hyperbola

$$\frac{x^2}{25} - \frac{y^2}{16} = 1 \text{ yn y pwynt } (5 \sec \theta, 4 \tan \theta).$$

Ymarfer 11 D

1 Ystyriwch y parabola $y^2 = 4ax$.

i) Dangoswch fod yr hafaliadau parametrig canlynol yn diffinio pwynt ar y parabola hwn

$$x = at^2 \quad y = 2at$$

ii) Dangoswch mai hafaliad y tangiad a dynnir i'r parabola yn y pwynt $(at^2, 2at)$ yw

$$ty = x + at^2$$

Ystyriwch y pwyntiau $\text{P}(ap^2, 2ap)$ a $\text{Q}(aq^2, 2aq)$, lle mae $p \neq q$.
Boed i M fod yn ganolbwynt PQ, a H yn bwynt croestoriad y tangiadau yn P a Q.

iii) Dangoswch fod y llinell MH yn baralel i'r echelin-x. **(NICCEA)**

2 Hafaliad y gromlin C yw $y^2 = 8x$. Mae'r pwynt $\text{P}(2t^2, 4t)$ yn gorwedd ar C.
Mae'r llinell drwy'r pwynt $(2, 0)$ sy'n berpendicwlar i'r tangiad i C yn P yn croestorri'r tangiad hwn yn y pwynt Q.

a) Darganfyddwch gyfesurynnau Q.

b) O wybod mai R yw canolbwynt PQ, darganfyddwch hafaliad locws R yn y ffurf Gartesaidd. **(CBAC)**

3 Mae'r pwynt P yn gorwedd ar y parabola sydd â'r hafaliad $y^2 = 4ax$, lle mae a yn gysonyn positif.

a) Dangoswch fod $py = x + ap^2$ yn hafaliad tangiad i'r parabola yn $\text{P}(ap^2, 2ap)$.

Mae'r tangiadau yn y pwyntiau $\text{P}(ap^2, 2ap)$ a $\text{Q}(aq^2, 2aq)$ $(p \neq q, p \neq 0, q \neq 0)$ yn cyfarfod yn y pwynt N.

b) Darganfyddwch gyfesurynnau N.

O wybod ymhellach fod N yn gorwedd ar gyfeirlin y parabola,

c) ysgrifennwch berthynas rhwng p a q. **(EDEXCEL)**

4 Mae'r llinell sydd â'r hafaliad $y = mx + c$ yn dangiad i'r elips sydd â'r hafaliad $\frac{x^2}{a^2} + \frac{y^2}{b^2} = 1$.

a) Dangoswch fod $c^2 = a^2m^2 + b^2$.

b) Drwy hynny, neu fel arall, darganfyddwch hafaliadau'r tangiadau o'r pwynt $(3, 4)$ i'r elips sydd â'r hafaliad $\frac{x^2}{16} + \frac{y^2}{25} = 1$. **(EDEXCEL)**

5 Hafaliad elips yw $\frac{x^2}{a^2} + \frac{y^2}{b^2} = 1$, lle mae a a b yn gysonion positif ac mae $a > b$.

a) Darganfyddwch hafaliad y tangiad yn y pwynt $\text{P}(a \cos t, b \sin t)$.

b) Darganfyddwch hafaliad y normal yn y pwynt $\text{P}(a \cos t, b \sin t)$.

Mae'r normal yn y pwynt P yn cyfarfod â'r echelin-x yn y pwynt Q.
Mae'r tangiad yn P yn cyfarfod â'r echelin-y yn y pwynt R.

c) Darganfyddwch, yn nhermau a, b a t, gyfesurynnau M, canolbwynt QR.

O wybod bod $0 < t < \frac{\pi}{2}$,

d) dangoswch mai hafaliad locws M, wrth i t amrywio, yw $\left(\frac{2ax}{a^2 - b^2}\right)^2 + \left(\frac{b}{2y}\right)^2 = 1$.
(EDEXCEL)

6 Mae'r pwynt P($2 \cos \theta$, $3 \sin \theta$) yn gorwedd ar yr elips $\frac{x^2}{4} + \frac{y^2}{9} = 1$.

a) Darganfyddwch hafaliad y tangiad i'r elips yn y pwynt P($2 \cos \theta$, $3 \sin \theta$), lle mae $\theta \neq 0$.

b) O wybod bod y tangiad yn rhan **a** yn mynd drwy'r pwynt (2, –6), dangoswch fod

$$\cos \theta - 2 \sin \theta = 1$$

c) Datryswch yr hafaliad yn rhan **b** ar gyfer $0° \leqslant \theta \leqslant 360°$ a diddwythwch gyfesurynnau P.
(CBAC)

7 Hafaliadau cromlin C yw

$$x = ct \quad y = \frac{c}{t} \quad t \neq 0$$

lle mae c yn gysonyn ac mae t yn baramedr.

a) Dangoswch y rhoddir hafaliad normal i C yn y pwynt lle mae $t = p$ gan

$$py + cp^4 = p^3x + c$$

b) Gwiriwch fod y normal hwn yn cyfarfod ag C eto yn y pwynt pan fo $t = q$, lle mae

$qp^3 + 1 = 0$ (EDEXCEL)

8 Hafaliad yr hyperbola petryal C yw $xy = c^2$, lle mae c yn gysonyn positif.

a) Dangoswch mai hafaliad y tangiad i C yn y pwynt $P\left(cp, \frac{c}{p}\right)$ yw

$$p^2y = -x + 2cp$$

Cyfesurynnau'r pwynt Q yw $Q\left(cq, \frac{c}{q}\right)$, lle mae $q \neq p$. Mae'r tangiadau i C yn P a Q yn cyfarfod yn N.

O wybod bod $p + q \neq 0$,

b) dangoswch mai cyfesuryn-y N yw $\frac{2c}{p + q}$.

Mae'r llinell sy'n cysylltu N â'r tarddbwynt O yn berpendicwlar i'r cord PQ.

c) Darganfyddwch werth rhifyddol p^2q^2. (EDEXCEL)

9 Hafaliadau parametrig yr elips C yw

$$x = 2 + 3 \cos \theta \quad y = 2 \sin \theta$$

a) Darganfyddwch hafaliad Cartesaidd C a darganfyddwch echreiddiad yr elips.

b) Ysgrifennwch gyfesurynnau'r ffocysau.

c) Brasluniwch C gan nodi cyfesurynnau ei groestoriadau â'r echelinau.

Mae arc y gromlin C rhwng $\theta = 0$ a $\theta = \frac{1}{2}\pi$ yn cael ei chylchdroi drwy 2π o amgylch yr echelin-x.

d) Dangoswch y rhoddir arwynebedd S, yr arwyneb cylchdro a ffurfir, gan

$$S = 4\pi \int_0^{\frac{\pi}{2}} \sin\theta(9 - 5\cos^2\theta)^{\frac{1}{2}} d\theta$$

Gan ddefnyddio'r amnewid $(\sqrt{5})\cos\theta = 3\sin u$, neu fel arall, darganfyddwch werth S, i ddau le degol. **(EDEXCEL)**

10 Arc o'r hyperbola sydd â'r hafaliad

$$\frac{x^2}{9a^2} - \frac{y^2}{a^2} = 1 \quad a > 0$$

ac sy'n cynnwys y pwynt P($3a\cosh\theta$, $a\sinh\theta$), yw'r gromlin C_1.

a) Dangoswch y gellir ysgrifennu hafaliad y normal i C_1 yn y pwynt P yn y ffurf

$$y\cosh\theta + 3x\sinh\theta \doteq 10a\sinh\theta\cosh\theta$$

Mae'r normal hwn yn cyfarfod â'r echelinau cyfesurynnol yn A a B.

b) Dangoswch, wrth i θ amrywio, fod locws C_2, canolbwynt AB, yn arc hyperbola.

Ar gyfer pob un o'r arcau C_1 ac C_2

c) rhowch gyfesurynnau unrhyw bwyntiau croestoriad â'r echelinau cyfesurynnol a hafaliadau unrhyw asymptotau

d) darganfyddwch echreiddiad yr hyperbola a nodwch gyfesurynnau'r ffocws a hafaliad y gyfeirlin gyfatebol. **(EDEXCEL)**

11 Mae'r pwyntiau $S\left(s, \frac{1}{s}\right)$ a $T\left(t, \frac{1}{t}\right)$ yn gorwedd ar y gromlin $xy = 1$

ac mae'r llinell ST yn mynd drwy'r pwynt (1, 2).

a) Dangoswch fod $s + t = 1 + 2st$.

b) Mae'r tangiadau i'r gromlin yn S a T yn cyfarfod yn y pwynt P.
Dangoswch y rhoddir locws y pwynt P gan $y = 2 - 2x$. **(CBAC)**

12 Yn y diagram ar y dde gwelir parabola a chylch. Mae'r cylch yn mynd drwy ffocws, S, y parabola, pwynt P ar y parabola a Q, pwynt croestoriad y gyfeirlin a'r tangiad yn P.

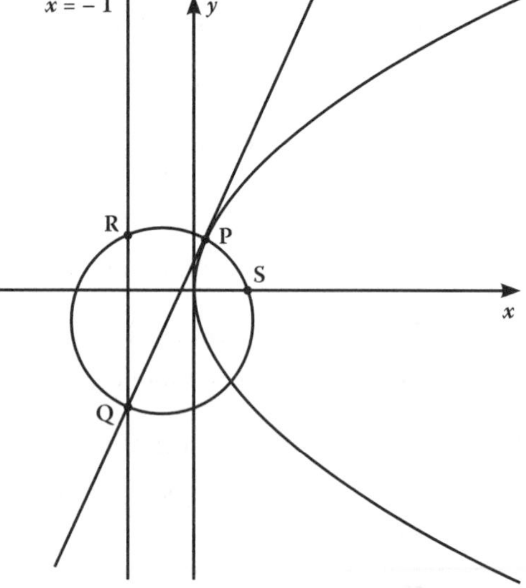

i) Os ffocws y parabola yw S(1, 0)
a'r gyfeirlin yw $x = -1$,
dangoswch mai ei hafaliad yw $y^2 = 4x$.

Boed i'r pwynt P fod yn $(t^2, 2t)$, lle mae $t \neq 0$.

ii) Dangoswch mai Q yw'r pwynt

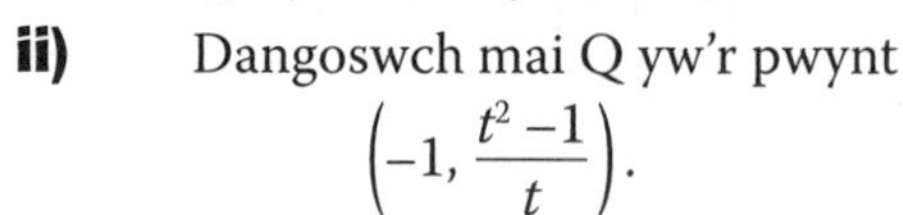

$$\left(-1, \frac{t^2 - 1}{t}\right).$$

iii) Gwiriwch fod y ffocws S,
y pwynt P a'r pwynt Q yn gorwedd
ar y cylch sydd â'r hafaliad

$$tx^2 - t(t^2 - 1)x + ty^2 - (3t^2 - 1)y + t^3 - 2t = 0$$

iv) Mae'r cylch yn croestorri'r gyfeirlin eto yn y pwynt R.
Darganfyddwch gyfesurynnau R.

v) Dangoswch fod PR yn baralel i'r echelin-x. **(NICCEA)**

12 Integru pellach

Many a smale maketh a grate.
GEOFFREY CHAUCER

Yn *Introducing Pure Mathematics* (tudalennau 433–8 a 445–57) gwelsom integrynnau

megis $\int x(x^2 + 1)^7 \, dx$, lle defnyddiwyd yr amnewid $x^2 + 1 = u$,

a $\int xe^{2x} \, dx$, lle defnyddiwyd integru fesul rhan.

Gallwn estyn y dulliau hyn drwy ddefnyddio rhagor o wahanol fathau o amnewidiadau, gan gynnwys ffwythiannau hyperbolig, i'n galluogi i gyfrifo integrynnau megis

$$\int \sqrt{9 + x^2} \, dx.$$

Er mwyn integru mynegiadau mwy cymhleth, rydym fel arfer yn defnyddio rheol ffwythiant gwrthdro ffwythiant a roddwyd ar dudalen 294 yn *Introducing Pure Mathematics.*

Rheol ffwythiant gwrthdro ffwythiant

$$\int f'(x)[f(x)]^n \, dx = \frac{1}{n+1} [f(x)]^{n+1} + c$$

Mae fel arfer yn gynt differu'r mynegiad newydd drwy archwilio na darganfod $f'(x)$ yn yr integrand, fel y gwelir yn Enghreifftiau 1 a 2.

Enghraifft 1 Darganfyddwch y cysonyn k yn

$$\int x(x^2 + 1)^7 \, dx = k(x^2 + 1)^8 + c$$

DATRYSIAD

Wrth ddifferu $(x^2 + 1)^8$, cawn

$$\frac{d}{dx}(x^2 + 1)^8 = 8 \times 2x(x^2 + 1)^7 = 16x(x^2 + 1)^7$$

Felly, cawn

$$16 \int x(x^2 + 1)^7 \, dx = (x^2 + 1)^8 + c'$$

$$\Rightarrow \quad \int x(x^2 + 1)^7 \, dx = \frac{1}{16}(x^2 + 1)^8 + c'$$

sy'n rhoi $k = \frac{1}{16}$.

Enghraifft 2 Darganfyddwch y cysonyn k yn

$$\int \sin 2x \cos^7 2x \, dx = k \cos^8 2x + c$$

DATRYSIAD

Wrth ddifferu $\cos^8 2x$, cawn

$$8 \times -2 \sin 2x \cos^7 2x = -16 \sin 2x \cos^7 2x$$

sy'n rhoi $k = -\frac{1}{16}$.

Felly, cawn

$$\int \sin 2x \cos^7 2x \, dx = -\frac{1}{16} \cos^8 2x + c$$

Noder Yn yr achosion hynny lle cewch drafferth adnabod yr integryn, gallwch ddefnyddio dull integru drwy amnewid.

Integru fesul rhan

Enghraifft 3 Enrhifwch $\int e^{3x} \cos 4x \, dx$.

DATRYSIAD

Pan ydym yn wynebu lluoswm lle nad yw'r naill derm na'r llall yn diflannu ar ôl differu droeon, rydym fel arfer yn defnyddio integru fesul rhan hyd nes i ni gael yr integryn oedd gennym ar y dechrau yn ymddangos fel un o'r termau ar yr ochr dde.

Felly, cawn

$$\begin{aligned}\int e^{3x} \cos 4x \, dx &= \frac{1}{3} e^{3x} \cos 4x - \int \frac{1}{3} e^{3x} \times -4 \sin 4x \, dx \\ &= \frac{1}{3} e^{3x} \cos 4x + \frac{4}{3} \int e^{3x} \sin 4x \, dx \\ &= \frac{1}{3} e^{3x} \cos 4x + \frac{4}{3} \left(\frac{1}{3} e^{3x} \sin 4x - \int \frac{1}{3} e^{3x} \times 4 \cos 4x \, dx \right) \\ &= \frac{1}{3} e^{3x} \cos 4x + \frac{4}{9} e^{3x} \sin 4x - \frac{16}{9} \int e^{3x} \cos 4x \, dx\end{aligned}$$

Rydym nawr yn symud yr integryn (gwreiddiol) sydd ar yr ochr dde i'r ochr chwith:

$$\int e^{3x} \cos 4x \, dx + \frac{16}{9} \int e^{3x} \cos 4x \, dx = \frac{1}{3} e^{3x} \cos 4x + \frac{4}{9} e^{3x} \sin 4x + c$$

$$\Rightarrow \quad \frac{25}{9} \int e^{3x} \cos 4x \, dx = \frac{1}{3} e^{3x} \cos 4x + \frac{4}{9} e^{3x} \sin 4x + c$$

$$\Rightarrow \quad \int e^{3x} \cos 4x \, dx = \frac{9}{25} \left(\frac{1}{3} e^{3x} \cos 4x + \frac{4}{9} e^{3x} \sin 4x \right) + c'$$

Felly, cawn

$$\int e^{3x} \cos 4x \, dx = \frac{3}{25} e^{3x} \cos 4x + \frac{4}{25} e^{3x} \sin 4x + c'$$

Integru ffracsiynau

Enghraifft 4 Darganfyddwch $\int \frac{x^2+5}{x^2+9}\,dx$.

DATRYSIAD

Pan fo pŵer y rhifiadur yn uwch na phŵer yr enwadur neu'n hafal iddo, rydym yn gyntaf yn rhannu'r rhifiadur â'r enwadur.

Felly, cawn

$$\int \frac{x^2+5}{x^2+9}\,dx = \int \left(1 - \frac{4}{x^2+9}\right) dx$$

$$= x - \frac{4}{3}\tan^{-1}\left(\frac{x}{3}\right) + c$$

Enghraifft 5 Darganfyddwch $\int \frac{x^2+3x+7}{x^2+2x+4}\,dx$.

DATRYSIAD

Wrth rannu, cawn

$$\frac{x^2+3x+7}{x^2+2x+4} = 1 + \frac{x+3}{x^2+2x+4}$$

I integru $\frac{x+3}{x^2+2x+4}$, defnyddiwn

$$\int \frac{f'(x)}{f(x)}\,dx = \ln f(x) + c$$

(a ddeilliwyd ar dudalen 422 yn *Introducing Pure Mathematics*).

Felly, mae arnom angen cael lluosrif o ddifferyn $x^2 + 2x + 4$ yn y rhifiadur. Felly, rydym yn newid

$$\frac{x+3}{x^2+2x+4} \quad \text{i gael} \quad \frac{\frac{1}{2}(2x+2)+2}{x^2+2x+4}$$

sy'n rhoi

$$\int \frac{x^2+3x+7}{x^2+2x+4}\,dx = \int \left(1 + \frac{x+3}{x^2+2x+4}\right) dx$$

$$= \int \left(1 + \frac{\frac{1}{2}(2x+2)}{x^2+2x+4} + \frac{2}{x^2+2x+4}\right) dx$$

$$= \int 1\,dx + \int \frac{\frac{1}{2}(2x+2)}{x^2+2x+4}\,dx + 2\int \frac{dx}{(x+1)^2+3}$$

Felly, cawn

$$\int \frac{x^2+3x+7}{x^2+2x+4}\,dx = x + \frac{1}{2}\ln(x^2+2x+4) + \frac{2}{\sqrt{3}}\tan^{-1}\left(\frac{x+1}{\sqrt{3}}\right) + c$$

Noder Pan fo'r enwadur yn ail isradd ffwythiant llinol neu gwadratig, rydym yn defnyddio dull tebyg.

Enghraifft 6 Darganfyddwch $\int \frac{x+3}{\sqrt{x^2+9}}\,dx$.

DATRYSIAD

Anwybyddwn yr arwydd ail isradd, a nodi mai differyn $x^2 + 9$ yw $2x$. Felly, holltwn yr integryn i gael

$$\int \left(\frac{x}{\sqrt{x^2+9}} + \frac{3}{\sqrt{x^2+9}} \right) dx$$

sy'n rhoi

$$\sqrt{x^2+9} + 3\sinh^{-1}\left(\frac{x}{3}\right) + c$$

Felly, cawn

$$\int \frac{x+3}{\sqrt{x^2+9}}\,dx = \sqrt{x^2+9} + 3\sinh^{-1}\left(\frac{x}{3}\right) + c$$

Enghraifft 7 Darganfyddwch $\int \frac{3x+8}{\sqrt{x^2+4x+9}}\,dx$.

DATRYSIAD

Anwybyddwn yr arwydd ail isradd a nodi mai differyn $x^2 + 4x + 9$ yw $2x + 4$. Felly, gallwn fynegi'r integryn fel

$$\int \frac{3x+8}{\sqrt{x^2+4x+9}}\,dx = \frac{3}{2}\int \frac{2x+4}{\sqrt{x^2+4x+9}}\,dx + \int \frac{2}{\sqrt{(x+2)^2+5}}\,dx$$

$$= 3\sqrt{x^2+4x+9} + 2\sinh^{-1}\left(\frac{x+2}{\sqrt{5}}\right) + c$$

$$= 3\sqrt{x^2+4x+9} + 2\left[\ln(\sqrt{x^2+4x+9} + x + 2) - \ln\sqrt{5}\right] + c$$

sy'n rhoi

$$\int \frac{3x+8}{\sqrt{x^2+4x+9}} = 3\sqrt{x^2+4x+9} + 2\ln(\sqrt{x^2+4x+9} + x + 2) + c'$$

Enghraifft 8 Darganfyddwch $\int \frac{x^2+3x+7}{\sqrt{x^2+2x+9}}\,dx$.

DATRYSIAD

Gan ddilyn yr un camau ag yn Enghreifftiau 4 a 6, cawn

$$\int \frac{x^2+3x+7}{\sqrt{x^2+2x+9}}\,dx = \int \left(\frac{x^2+2x+9}{\sqrt{x^2+2x+9}} + \frac{x-2}{\sqrt{x^2+2x+9}} \right) dx$$

$$= \int \sqrt{x^2+2x+9}\,dx + \int \frac{x-2}{\sqrt{x^2+2x+9}}\,dx$$

Ystyriwn yr integryn cyntaf ar yr ochr dde, a chawn

$$\int \sqrt{x^2 + 2x + 9}\, dx = \int 1 \times \sqrt{x^2 + 2x + 9}\, dx$$

$$= x\sqrt{x^2 + 2x + 9} - \int x \times \frac{\frac{1}{2}(2x + 2)}{\sqrt{x^2 + 2x + 9}}\, dx$$

$$= x\sqrt{x^2 + 2x + 9} - \int \frac{x^2 + x}{\sqrt{x^2 + 2x + 9}}\, dx$$

$$= x\sqrt{x^2 + 2x + 9} - \int \frac{x^2 + 2x + 9 - x - 9}{\sqrt{x^2 + 2x + 9}}\, dx$$

$$= x\sqrt{x^2 + 2x + 9} - \int \sqrt{x^2 + 2x + 9}\, dx + \int \frac{x + 9}{\sqrt{x^2 + 2x + 9}}\, dx$$

sy'n rhoi

$$2\int \sqrt{x^2 + 2x + 9}\, dx = x\sqrt{x^2 + 2x + 9} + \int \frac{x + 9}{\sqrt{x^2 + 2x + 9}}\, dx$$

$$\Rightarrow \quad \int \sqrt{x^2 + 2x + 9}\, dx = \frac{1}{2}x\sqrt{x^2 + 2x + 9} + \frac{1}{2}\int \frac{x + 9}{\sqrt{x^2 + 2x + 9}}\, dx$$

Felly, cawn

$$\int \frac{x^2 + 3x + 7}{\sqrt{x^2 + 2x + 9}}\, dx = \frac{1}{2}x\sqrt{x^2 + 2x + 9} + \frac{1}{2}\int \left(\frac{x + 9}{\sqrt{x^2 + 2x + 9}} + \frac{2(x - 2)}{\sqrt{x^2 + 2x + 9}} \right) dx$$

$$= \frac{1}{2}x\sqrt{x^2 + 2x + 9} + \frac{1}{2}\int \left(\frac{\frac{3}{2}(2x + 2)}{\sqrt{x^2 + 2x + 9}} + \frac{2}{\sqrt{x^2 + 2x + 9}} \right) dx$$

$$= \frac{1}{2}x\sqrt{x^2 + 2x + 9} + \frac{3}{2}\sqrt{x^2 + 2x + 9} + \sinh^{-1}\left(\frac{x + 1}{2\sqrt{2}} \right) + c$$

$$= \frac{\sqrt{x^2 + 2x + 9}}{2}(3 + x) + \ln\left(\frac{\sqrt{x^2 + 2x + 9}}{2\sqrt{2}} + \frac{x + 1}{2\sqrt{2}} \right) + c$$

sy'n rhoi

$$\int \frac{x^2 + 3x + 7}{\sqrt{x^2 + 2x + 9}}\, dx = \frac{1}{2}(3 + x)\sqrt{x^2 + 2x + 9} + \ln(\sqrt{x^2 + 2x + 9} + x + 1) + c'$$

Ymarfer 12A

1 Darganfyddwch bob un o'r integrynnau hyn.

a) $\int 2x(x^2 + 1)^5\, dx$ **b)** $\int x(x^2 - 1)^4\, dx$ **c)** $\int x^3(x^4 - 1)^7\, dx$

d) $\int x^2(1 - x^3)^4\, dx$ **e)** $\int \sin x \cos^5 x\, dx$ **f)** $\int \cosh x \sinh^4 x\, dx$

g) $\int \sinh 3x \cosh^4 3x\, dx$ **h)** $\int \sin^5 2x \cos 2x\, dx$

2 Darganfyddwch bob un o'r integrynnau hyn.

a) $\int e^x \cos x \, dx$ **b)** $\int e^x \sin 2x \, dx$ **c)** $\int e^{2x} \cos x \, dx$

d) $\int e^{3x} \cos 5x \, dx$ **e)** $\int e^{4x} \cosh 2x \, dx$ **f)** $\int e^{-7x} \sinh 3x \, dx$

3 Integrwch bob un o'r canlynol mewn perthynas ag x.

a) $\dfrac{x^2}{1 + x^2}$ **b)** $\dfrac{x^2 - 4}{x^2 + 16}$ **c)** $\dfrac{2x - 5}{8x + 3}$ **d)** $\dfrac{3 + 7x}{5 - 4x}$

e) $\dfrac{2x - 1}{x^2 + 2x + 3}$ **f)** $\dfrac{x + 1}{x^2 + x + 1}$ **g)** $\dfrac{x - 1}{\sqrt{x^2 + x - 1}}$ **h)** $\dfrac{2x - 7}{\sqrt{2x^2 - 4x + 5}}$

i) $\dfrac{2x + 5}{\sqrt{1 - 4x - x^2}}$ **j)** $\dfrac{3x - 7}{\sqrt{2 - 5x - 3x^2}}$

4 **a)** Darganfyddwch $\displaystyle\int \frac{x + 1}{\sqrt{(1 - x^2)}} \, dx$.

b) Drwy hynny, darganfyddwch werth union $\displaystyle\int_0^{\frac{1}{2}} \frac{x + 1}{\sqrt{(1 - x^2)}} \, dx$,

gan roi eich ateb yn y ffurf $p + q\pi$, lle mae $p, q \in \mathbb{R}$. **(EDEXCEL)**

5 Os yw $x = 5 \sin \theta - 3$, dangoswch fod $16 - 6x - x^2 = 25 \cos^2 \theta$.
Drwy hynny, neu fel arall, darganfyddwch

$$\int \frac{1}{\sqrt{(16 - 6x - x^2)}} \, dx \quad \textbf{(OCR)}$$

6 **i)** Mynegwch

$$f(x) \equiv \frac{x^3 + 3x^2 + 8x + 26}{(x + 1)(x^2 + 9)}$$

mewn ffracsiynau rhannol yn y ffurf

$$a + \frac{b}{x + 1} + \frac{cx + d}{x^2 + 9}$$

ii) Drwy hynny, dangoswch fod

$$\int_0^3 f(x) \, dx = 3 + 4 \ln 2 - \frac{\pi}{12} \quad \textbf{(OCR)}$$

7 Mynegwch $y = \dfrac{7x^2 + 11x + 13}{(3x + 4)(x^2 + 9)}$ mewn ffracsiynau rhannol.

Drwy hynny, dangoswch fod

$$\int_0^3 y \, dx = \frac{1}{3} \ln 26 + \frac{\pi}{12} \quad \textbf{(OCR)}$$

Fformiwlâu gostwng

Mae arnom angen fformiwlâu gostwng i hwyluso integru ffwythiannau nad oes modd darganfod eu hintegrynnau yn uniongyrchol drwy ddull arall.

Enghraifft o fformiwla gostwng yw

$$\int_0^{\frac{\pi}{2}} \sin^n x \, dx = \frac{n-1}{n} \int_0^{\frac{\pi}{2}} \sin^{n-2} x \, dx$$

sy'n ein galluogi i newid, er enghraifft, $\int_0^{\frac{\pi}{2}} \sin^6 x \, dx$ yn $\int_0^{\frac{\pi}{2}} \sin^4 x \, dx$.

Gallwn ostwng hwn ymhellach i $\int_0^{\frac{\pi}{2}} \sin^2 x \, dx$, ac felly i $\int_0^{\frac{\pi}{2}} \sin^0 x \, dx$, sy'n $\int_0^{\frac{\pi}{2}} 1 \, dx$ ac sy'n hawdd i'w integru.

Rydym fel arfer yn creu fformiwla gostwng drwy newid ffurf yr integrand yn lluoswm ac wedyn yn integru fesul rhan. Ond mae'n rhaid bod yn ofalus.

Er enghraifft, lluoswm posibl $\int \sin^n x \, dx$ yw $\int 1 \times \sin^n x \, dx$.

Ond nid yw hyn o gymorth, gan fod $\int 1 \, dx$ yn x ac mae $x \frac{d}{dx} \sin^n x$ yn integrand trafferthus.

Felly, mae'n rhaid i ni ddefnyddio

$$\int_0^{\frac{\pi}{2}} \sin^n x \, dx = \int_0^{\frac{\pi}{2}} \sin x \sin^{n-1} x \, dx$$

oherwydd ei bod yn hawdd integru $\sin x$.

Felly, cawn

$$\begin{aligned}\int_0^{\frac{\pi}{2}} \sin x \sin^{n-1} x \, dx &= \Big[-\cos x \sin^{n-1} x \Big]_0^{\frac{\pi}{2}} - \int_0^{\frac{\pi}{2}} -\cos x \times (n-1) \sin^{n-2} x \cos x \, dx \\ &= 0 + (n-1) \int_0^{\frac{\pi}{2}} \sin^{n-2} x \cos^2 x \, dx \\ &= (n-1) \int_0^{\frac{\pi}{2}} \sin^{n-2} x \, (1 - \sin^2 x) \, dx \\ &= (n-1) \left(\int_0^{\frac{\pi}{2}} \sin^{n-2} x \, dx - \int_0^{\frac{\pi}{2}} \sin^n x \, dx \right)\end{aligned}$$

Rydym fel arfer yn cael yr integryn oedd gennym ar y dechrau fel un o'r termau ar yr ochr dde. Felly, rydym yn symud yr integryn hwn i'r ochr chwith, sy'n rhoi

$$n \int_0^{\frac{\pi}{2}} \sin^n x \, dx = (n-1) \int_0^{\frac{\pi}{2}} \sin^{n-2} x \, dx$$

$$\Rightarrow \quad \int_0^{\frac{\pi}{2}} \sin^n x \, dx = \frac{n-1}{n} \int_0^{\frac{\pi}{2}} \sin^{n-2} x \, dx$$

Drwy ddynodi $\int_0^{\frac{\pi}{2}} \sin^n x \, dx$ yn I_n, gallwn fynegi'r fformiwla gostwng hon fel

$$I_n = \left(\frac{n-1}{n} \right) I_{n-2}$$

Enghraifft 9 Defnyddiwch y fformiwla gostwng ar gyfer $\int_0^{\frac{\pi}{2}} \sin^n x \, dx$ i enrhifo $\int_0^{\frac{\pi}{2}} \sin^7 x \, dx$.

DATRYSIAD

Yn y fformiwla gostwng $I_n = \left(\frac{n-1}{n}\right) I_{n-2}$, rhown $n = 7$, sy'n rhoi

$$I_7 = \int_0^{\frac{\pi}{2}} \sin^7 x \, dx = \frac{6}{7} \int_0^{\frac{\pi}{2}} \sin^5 x \, dx$$

Defnyddiwn y fformiwla eto gydag $n = 5$ i gael

$$I_5 = \frac{4}{5} \int_0^{\frac{\pi}{2}} \sin^3 x \, dx$$

sy'n rhoi

$$I_7 = \frac{6}{7} \times \frac{4}{5} \int_0^{\frac{\pi}{2}} \sin^3 x \, dx$$

Gwnawn hyn unwaith eto gydag $n = 3$, a chawn

$$\begin{aligned} I_7 &= \frac{6}{7} \times \frac{4}{5} \times \frac{2}{3} \int_0^{\frac{\pi}{2}} \sin x \, dx \\ &= \frac{6}{7} \times \frac{4}{5} \times \frac{2}{3} \Big[-\cos x \Big]_0^{\frac{\pi}{2}} \\ &= \frac{6}{7} \times \frac{4}{5} \times \frac{2}{3} = \frac{16}{35} \end{aligned}$$

Felly, darganfyddwn fod $\int_0^{\frac{\pi}{2}} \sin^7 x \, dx = \frac{16}{35}$.

Yr un modd, gallwn ddarganfod y fformiwla gostwng ar gyfer $\int_0^{\frac{\pi}{2}} e^{ax} \cos^n x \, dx$, pan nad yw a yn hafal i 0. Yn yr achos hwn, mae'r integrand yn lluoswm yn barod, ac mae e^{ax} yn derm hawdd ei integru. Felly, rydym yn differu'r term $\cos^n x$, sy'n rhoi

$$\int_0^{\frac{\pi}{2}} e^{ax} \cos^n x \, dx = \left[\frac{1}{a} e^{ax} \cos^n x \right]_0^{\frac{\pi}{2}} - \int_0^{\frac{\pi}{2}} -\frac{1}{a} e^{ax} \, n \cos^{n-1} x \sin dx$$

Nid yw'r integrand newydd yn y ffurf $\int_0^{\frac{\pi}{2}} e^{ax} \cos^n x \, dx$,

ac felly mae'n rhaid ailadrodd yr integru fesul rhan, sy'n rhoi

$$\begin{aligned} \int_0^{\frac{\pi}{2}} e^{ax} \cos^n x \, dx &= \left[\frac{1}{a} e^{ax} \cos^n x \right]_0^{\frac{\pi}{2}} - \frac{n}{a} \int_0^{\frac{\pi}{2}} - e^{ax} \cos^{n-1} x \sin x \, dx \\ &= -\frac{1}{a} + \frac{n}{a} \left\{ 0 - \frac{1}{a} \int_0^{\frac{\pi}{2}} \left[-(n-1) e^{ax} \cos^{n-2} x (1 - \cos^2 x) + e^{ax} \cos^n x \right] dx \right\} \\ &= -\frac{1}{a} - \frac{n}{a^2} \int_0^{\frac{\pi}{2}} [-(n-1) e^{ax} (\cos^{n-2} x - \cos^n x) + e^{ax} \cos^n x] \, dx \\ &= -\frac{1}{a} - \frac{n}{a^2} \int_0^{\frac{\pi}{2}} [n e^{ax} \cos^n x - (n-1) e^{ax} \cos^{n-2} x] \, dx \end{aligned}$$

Felly, cawn

$$(n^2 + a^2)\int_0^{\frac{\pi}{2}} e^{ax} \cos^n x \, dx = -a + n(n-1)\int_0^{\frac{\pi}{2}} e^{ax} \cos^{n-2} x \, dx$$

Enghraifft 10 Os yw $I_n = \int_0^2 x^n e^{4x} \, dx$, dangoswch fod

$$I_n = 2^{n-2} e^8 - \frac{n}{4} I_{n-1}$$

Drwy hynny, darganfyddwch $\int_0^2 x^3 e^{4x} \, dx$.

DATRYSIAD

Mae angen gostwng pŵer x ar gyfer y fformiwla gostwng.
Felly rydym yn differu'r term yn x^n ac yn integru'r term e^{4x}, i gael

$$\int_0^2 x^n e^{4x} \, dx = \left[x^n \times \frac{e^{4x}}{4} \right]_0^2 - \int_0^2 nx^{n-1} \times \frac{e^{4x}}{4} \, dx$$

$$= \frac{2^n e^8}{4} - \frac{n}{4}\int_0^2 x^{n-1} e^{4x} \, dx$$

Hynny yw, mae gennym

$$I_n = 2^{n-2} e^8 - \frac{n}{4} I_{n-1}$$

fel sydd angen.

I ddarganfod $\int_0^2 x^3 e^{4x} \, dx$, rhown $n = 3$ yn gyntaf, sy'n rhoi

$$\int_0^2 x^3 e^{4x} \, dx = 2e^8 - \frac{3}{4} I_2$$

Yna, rhown $n = 2$, sy'n rhoi

$$\int_0^2 x^3 e^{4x} \, dx = 2e^8 - \frac{3}{4}\left(e^8 - \frac{2}{4} I_1 \right) = 2e^8 - \frac{3}{4} e^8 + \frac{3}{8} I_1$$

Yn olaf, rhown $n = 1$, sy'n rhoi

$$\int_0^2 x^3 e^{4x} \, dx = \frac{5}{4} e^8 + \frac{3}{8}\left(\frac{1}{2} e^8 - \frac{1}{4} I_0 \right)$$

$$= \frac{5}{4} e^8 + \frac{3}{16} e^8 - \frac{3}{32}\int_0^2 e^{4x} \, dx$$

$$= \frac{5}{4} e^8 + \frac{3}{16} e^8 - \frac{3}{128}\left[e^{4x} \right]_0^2$$

Felly, darganfyddwn fod

$$\int_0^2 x^3 e^{4x} \, dx = \frac{181}{128} e^8 - \frac{3}{128}$$

Enghraifft 11 Os yw $I_n = \int_0^1 \frac{x^n}{\sqrt{x^2-1}}\,dx$, dangoswch fod $I_n = \left(\frac{n-1}{n}\right) I_{n-2}$

DATRYSIAD

Wrth wahanu I_n yn un rhan i'w hintegru a'r llall i'w differu, rhaid cymryd y canlynol i ystyriaeth:

- $\int \frac{1}{\sqrt{x^2-1}}\,dx = \cosh^{-1} x$ Go brin y bydd y canlyniad hwn o gymorth.
- $\frac{d}{dx}\left(\frac{1}{\sqrt{x^2-1}}\right) = \frac{x}{(x^2-1)^{\frac{3}{2}}}$ Mae'r canlyniad hwn yn cynyddu pŵer yr enwadur, felly nid yw hwn chwaith yn debygol o fod o gymorth.

Felly, rydym yn osgoi gorfod integru neu ddifferu $\frac{1}{\sqrt{x^2-1}}$ ar ei ben ei hun.

Rydym felly yn gwahanu $\frac{x^n}{\sqrt{x^2-1}}$ er mwyn cael $\frac{x}{\sqrt{x^2-1}} \times x^{n-1}$

oherwydd ein bod yn gallu integru $\frac{x}{\sqrt{x^2-1}}$ i roi $\sqrt{x^2-1}$.

Felly, cawn

$$\begin{aligned}
I_n = \int_0^1 \frac{x^n}{\sqrt{x^2-1}}\,dx &= \int_0^1 \frac{x}{\sqrt{x^2-1}} \times x^{n-1}\,dx \\
&= \left[\sqrt{x^2-1} \times x^{n-1}\right]_0^1 - \int_0^1 \sqrt{x^2-1}(n-1)\,x^{n-2}\,dx \\
&= -(n-1)\int_0^1 \frac{(x^2-1) \times x^{n-2}}{\sqrt{x^2-1}}\,dx \\
&= -(n-1)\int_0^1 \left(\frac{x^n}{\sqrt{x^2-1}} - \frac{x^{n-2}}{\sqrt{x^2-1}}\right)dx \\
&= -(n-1)(I_n - I_{n-2})
\end{aligned}$$

sy'n rhoi

$$nI_n = (n-1)I_{n-2} \quad \Rightarrow \quad I_n = \left(\frac{n-1}{n}\right)I_{n-2}$$

fel sydd ei angen.

Ymarfer 12B

1 Os yw $\int_0^{\frac{\pi}{2}} \cos^n x\,dx = I_n$, profwch fod $nI_n = (n-1)I_{n-2}$, $(n > 1)$.

Enrhifwch

a) $\int_0^{\frac{\pi}{2}} \cos^6 x\,dx$ **b)** $\int_0^{\frac{\pi}{2}} \cos^7 x\,dx$

2 Darganfyddwch y fformiwla gostwng ar gyfer $\int x^n \, e^x \, dx$.

3 Os yw $I_n = \int_0^1 x^n \, e^x \, dx$, profwch fod

$$I_n = nI_{n-1} - e^{-1} \quad (n \geqslant 1)$$

Drwy hynny, enrhifwch $\int_0^1 x^5 \, e^{-x} \, dx$.

4 Os yw $I_n = \int_0^{\frac{\pi}{4}} \tan^n \theta \, d\theta$, profwch fod

$$I_n = \frac{1}{n-1} - I_{n-2} \quad (n > 1)$$

Drwy hynny, enrhifwch

a) $\int_0^{\frac{\pi}{4}} \tan^4 \theta \, d\theta$ **b)** $\int_0^{\frac{\pi}{4}} \tan^7 \theta \, d\theta$

5 Os yw $I_n = \int_0^1 (\ln x)^n \, dx$, **a)** profwch fod $I_n = -nI_{n-1}$, a **b)** diddwythwch fod $I_n = (-1)^n n!$

6 Profwch fod

$$n \int \cosh^n x \, dx = \cosh^{n-1} x \sinh x + (n-1) \int \cosh^{n-2} x \, dx$$

Drwy hynny, darganfyddwch $\int_0^1 \cosh^5 x \, dx$.

7 Os yw $I_n = \int_0^1 x^n \, e^{x^2} \, dx$, profwch fod $I_n = \frac{1}{2}e - \frac{1}{2}(n-1)I_{n-2}$

8 Os yw $I_{m,n} = \int \frac{x^m}{(\ln x)^n} \, dx$, profwch fod

$$(n-1)I_{m,n} = -\frac{x^{m+1}}{(\ln x)^{n-1}} + (m+1)I_{m,n-1}$$

9 Os yw $I_{m,n} = \int x^m (\ln x)^n \, dx$, profwch fod

$$(m+1)I_{m,n} = x^{(m+1)} (\ln x)^n - nI_{m,n-1}$$

10 O wybod bod $I_n = \int_0^{\frac{\pi}{4}} \tan^n x \, dx$, dangoswch fod

$$I_n = \frac{1}{n-1} - I_{n-2} \quad (n \geqslant 2)$$

Drwy hynny, dangoswch fod $I_4 = \frac{3\pi - 8}{12}$. **(CBAC)**

11 **a)** O wybod bod $I_n = \int \cosh^n x \, dx \; (n \geqslant 0)$, dangoswch fod

$$nI_n = \sinh x \cosh^{n-1} x + (n-1)I_{n-2} \quad (n \geqslant 2)$$

b) Profwch yr unfathiant

$$\cosh x - \operatorname{sech} x \equiv \sinh x \tanh x$$

Drwy hynny, enrhifwch

$$\int_0^{\ln 3} (\operatorname{sech} x + \sinh x \tanh x)^3 \, dx. \quad \text{(AEB 98)}$$

12 O wybod bod $I_n = \int_0^{\frac{\pi}{2}} x^n \cos x \, dx$, dangoswch, ar gyfer $n \geqslant 2$, fod

$$I_n = \left(\frac{\pi}{2}\right)^n - n(n-1)I_{n-2}$$

Drwy hynny, darganfyddwch arwynebedd y rhanbarth a amgaeir gan y gromlin

$y = x^4 \cos x$, yr echelin-x a'r llinellau $x = 0$ ac $x = \frac{\pi}{2}$. (CBAC)

13 O wybod bod $I_n = \int_0^{\frac{\pi}{2}} \sin^n \theta \, d\theta$, dangoswch, ar gyfer $n \geqslant 2$, fod

$$I_n = \left(\frac{n-1}{n}\right) I_{n-2}$$

Drwy hynny, enrhifwch $\int_0^{\frac{\pi}{2}} \sin^5 \theta \, d\theta$. (CBAC)

14 $$I_n = \int_0^1 x^{\frac{1}{2}n} e^{-\frac{1}{2}x} \, dx \qquad n \geqslant 0$$

a) Dangoswch fod $I_n = nI_{n-2} - e^{-\frac{1}{2}}$, $n \geqslant 2$.

b) Enrhifwch I_0 yn nhermau e.

c) Gan ddefnyddio canlyniadau rhan **a** a rhan **b**, darganfyddwch werth I_4 yn nhermau e.

d) Dangoswch mai'r gwerth bras ar gyfer I drwy ddefnyddio rheol Simpson gyda thri mesuryn wedi'u gwahanu'n gyfartal yw

$$\frac{1}{6}\left(2\sqrt{2}e^{-\frac{1}{4}} + e^{-\frac{1}{2}}\right) \quad \text{(EDEXCEL)}$$

15 Ystyriwch $I_n = \int_0^{\frac{\pi}{2}} \frac{\sin 2n\theta}{\sin \theta} \, d\theta$, lle mae n yn gyfanrif annegyddol.

i) Gan ddefnyddio $\sin A - \sin B \equiv 2 \cos \frac{A+B}{2} \sin \frac{A-B}{2}$, deilliwch y fformiwla gostwng

$$I_n - I_{n-1} = \frac{2(-1)^{n-1}}{2n-1}$$

ii) Darganfyddwch $\int_0^{\frac{\pi}{2}} \frac{\sin 6\theta}{\sin \theta} \, d\theta$. (NICCEA)

16 Gan gymryd bod y fformiwla gostwng ganlynol yn wir

$$\int \tan^n x \, dx = \frac{1}{n-1} \tan^{n-1} x - \int \tan^{n-2} x \, dx$$

lle mae $n \geqslant 2$, darganfyddwch werth union $\int_0^{\frac{\pi}{4}} \tan^5 x \, dx$. (NICCEA)

17 O wybod bod $I_n = \int \sec^n x \, dx$,

a) dangoswch fod

$$(n-1)I_n = \tan x \sec^{n-2} x + (n-2)I_{n-2} \qquad n \geqslant 2$$

b) Drwy hynny, darganfyddwch werth union $\int_0^{\frac{\pi}{3}} \sec^3 x \, dx$,

gan roi eich ateb yn nhermau logarithmau naturiol a syrdiau. **(EDEXCEL)**

18 Darganfyddwch werth pob un o'r cysonion A, B ac C fel bod

$$\frac{1}{1+x^3} \equiv \frac{A}{(1+x)} + \frac{Bx+C}{(1-x+x^2)}$$

Drwy hynny, enrhifwch $\int_0^1 \frac{1}{(1+x^3)} \, dx$.

O wybod bod $I_n = \int_0^1 (1+x^3)^n \, dx$, lle mae n yn gyfanrif, dangoswch fod

$$(3n+1)I_n = 2^n + 3nI_{n-1}$$

Drwy hynny, enrhifwch $\int_0^1 (1+x^3)^{-2} \, dx$. **(EDEXCEL)**

19 **i)** Os yw $I_n = \int_0^1 x^n(1-x)^{\frac{1}{2}} \, dx$, profwch fod $(2n+3)I_n = 2nI_{n-1}$

lle mae n yn gyfanrif positif.

ii) Dangoswch fod $\int_0^1 x^3(1-x)^{\frac{1}{2}} \, dx = \frac{32}{315}$. **(NICCEA)**

20 O wybod bod $I_n = \int_0^1 x^n \cos \pi x \, dx$ ar gyfer $n \geqslant 0$, dangoswch fod

$$\pi^2 I_n + n(n-1)I_{n-2} + n = 0 \qquad \text{ar gyfer } n \geqslant 2$$

Drwy hynny, dangoswch fod

$$\int_0^1 x^4 \cos \pi x \, dx = \frac{4(6-\pi^2)}{\pi^4} \qquad \textbf{(OCR)}$$

21 Dangoswch fod

$$\frac{d}{dx}[x^{n-1}\sqrt{(16-x^2)}] = \frac{16(n-1)x^{n-2}}{\sqrt{(16-x^2)}} - \frac{nx^n}{\sqrt{(16-x^2)}}$$

Diddwythwch, neu profwch fel arall, os yw

$$I_n = \int_0^2 \frac{x^n}{\sqrt{(16-x^2)}} \, dx$$

yna, ar gyfer $n \geqslant 2$,

$$nI_n = 16(n-1)I_{n-2} - 2^n\sqrt{3}$$

Drwy hynny, darganfyddwch werth union I_2 **(OCR)**

22 Dangoswch fod

$$\frac{d}{dt}[t(1+t^4)^n] = (4n+1)(1+t^4)^n - 4n(1+t^4)^{n-1}$$

Diffinnir yr integryn I_n gan $I_n = \int_0^1 (1+t^4)^n \, dt$.

Dangoswch fod $(4n+1)I_n = 4nI_{n-1} + 2^n$. **(OCR)**

23 Boed i $I_n = \int_0^1 \cosh^n x \, dx$.

i) Drwy ystyried

$$\frac{d}{dx}(\sinh x \cosh^{n-1} x)$$

neu fel arall, dangoswch fod

$$nI_n = ab^{n-1} + (n-1)I_{n-2}$$

lle mae $a = \sinh(1)$ a $b = \cosh(1)$.

ii) Dangoswch fod $I_4 = \frac{1}{8}(2ab^3 + 3ab + 3)$. **(OCR)**

24 Mae'n wybyddus fod

$$I_n = \int_0^e x(\ln x)^n \, dx \quad (n \geqslant 0)$$

Drwy ystyried $\frac{d}{dx}[x^2(\ln x)^n]$, neu fel arall, dangoswch, ar gyfer $n \geqslant 1$, fod

$$I_n = \frac{1}{2}e^2 - \frac{1}{2}nI_{n-1}$$

Drwy hynny, darganfyddwch I_3, gan adael eich ateb yn nhermau e. **(OCR)**

25 Ar gyfer pob cyfanrif annegyddol n, boed i $I_n = \int \cos^n \theta \, d\theta$.

i) Dangoswch, os yw $n \geqslant 2$, fod

$$nI_n = \sin\theta \cos^{n-1}\theta + (n-1)I_{n-2}$$

ii) Dangoswch fod $\int_0^{\frac{\pi}{3}} \cos^3\theta \, d\theta = \frac{3\sqrt{3}}{8}$. **(NICCEA)**

26 $$I_n = \int \frac{\sin nx}{\sin x} \, dx \quad n > 0, n \in \mathbb{Z}$$

a) Drwy ystyried $I_{n+2} - I_n$, neu fel arall, dangoswch fod

$$I_{n+2} = \frac{2\sin(n+1)x}{n+1} + I_n$$

b) Drwy hynny, enrhifwch $\int_{\frac{\pi}{4}}^{\frac{\pi}{3}} \frac{\sin 6x}{\sin x} \, dx$,

gan roi eich ateb yn y ffurf $p\sqrt{2} + q\sqrt{3}$, lle mae p a q yn rhifau cymarebol i'w darganfod. **(EDEXCEL)**

27 **a)** Ysgrifennwch werthoedd cosh(ln2) a sinh(ln2).

b) Ar gyfer $n \geqslant 0$, rhoddir yr integryn I_n gan $I_n = \int_0^{\ln 2} \cosh^n x \, dx$.

i) Drwy ysgrifennu $\cosh^n x$ fel $\cosh^{n-1} x \cosh x$, profwch ar gyfer $n \geqslant 2$, fod

$$nI_n = \frac{3 \times 5^{n-1}}{4^n} + (n-1)I_{n-2}$$

ii) Enrhifwch I_3 **(AEB 96)**

28 $I_n = \int_0^{\pi} \sin^{2n} x \, dx \quad n \in \mathbb{N}$

a) Cyfrifwch I_0 yn nhermau π.

b) Dangoswch fod $I_n = \frac{(2n-1)}{2n} I_{n-1}, n \geqslant 1$.

c) Darganfyddwch I_3 yn nhermau π.

Mae'r diagram ar y dde'n dangos y gromlin sydd â'r hafaliad pegynlinol $r = a \sin^3 \theta, 0 \leqslant \theta \leqslant \pi$, lle mae a yn gysonyn positif.

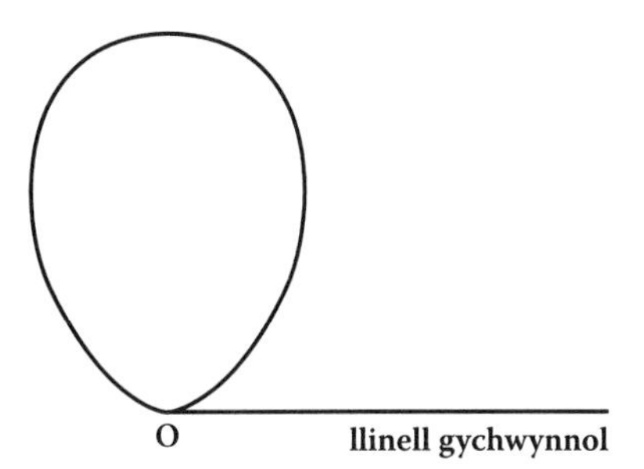

d) Gan ddefnyddio eich ateb i ran **c**, neu fel arall, cyfrifwch yn union yr arwynebedd a amgaeir gan y gromlin hon. **(EDEXCEL)**

29 **a)** Gan gymryd eich bod yn gwybod deilliadau $\sinh \theta$ a $\cosh \theta$, profwch fod

$$\frac{d}{d\theta}(\tanh \theta) = \operatorname{sech}^2 \theta$$

b) Boed i I_r ddynodi'r integryn $\int_0^{\ln 2} \tanh^{2r} \theta \, d\theta$ ar gyfer cyfanrifau $r \geqslant 0$.

i) Enrhifwch I_0

ii) Dangoswch fod $I_{r-1} - I_r = \frac{1}{2r-1}\left(\frac{3}{5}\right)^{2r-1}$

iii) Drwy hynny, profwch fod

$$\int_0^{\ln 2} \tanh^{2r} \theta \, d\theta = \ln 2 - \frac{5}{3} \sum_{r=1}^{n} \frac{1}{(2r-1)} \left(\frac{9}{25}\right)^r$$

iv) **Diddwythwch** swm y gyfres anfeidraidd

$$\sum_{r=1}^{\infty} \frac{1}{(2r-1)} \left(\frac{9}{25}\right)^r$$ **(AEB 98)**

30 Boed i m ac n fod yn gyfanrifau annegyddol.

i) Cyfrifwch $\int \sin \theta \cos^n \theta \, d\theta$.

ii) Dangoswch fod

$$\int \sin^m \theta \cos^n \theta \, d\theta = -\frac{\sin^{m-1} \theta \cos^{n+1} \theta}{n+1} + \frac{m-1}{n+1} \int \sin^{m-2} \theta \cos^{n+2} \theta \, d\theta$$

lle mae $m \geqslant 2$.

iii) Os yw $I_{m,n} = \int_0^{\frac{\pi}{2}} \sin^m \theta \cos^n \theta \, d\theta$, dangoswch fod

$$I_{m,n} = \frac{m-1}{m+n} I_{m-2,n}$$

lle mae $m \geqslant 2$.

iv) Gan ddefnyddio'r canlyniad yn rhan **iii** a'r canlyniad tebyg,

$$I_{m,n} = \frac{n-1}{m+n} I_{m,n-2}$$

lle mae $n \geqslant 2$, dangoswch fod

$$\int_0^{\frac{\pi}{2}} \sin^6 \theta \cos^4 \theta \, d\theta = \frac{3\pi}{512} \quad \textbf{(NICCEA)}$$

31 $I_n = \int \frac{x^n}{\sqrt{(1+x^2)}} dx$

a) Dangoswch fod $nI_n = x^{n-1}\sqrt{(1+x^2)} - (n-1)I_{n-2}$, $n \geqslant 2$.

Hafaliad y gromlin C yw

$$y^2 = \frac{x^2}{\sqrt{(1+x^2)}} \qquad y \geqslant 0$$

Mae'r rhanbarth meidraidd R wedi ei ffinio gan C, yr echelin-x a'r llinellau sydd â'r hafaliadau $x = 0$ ac $x = 2$. Mae'r rhanbarth R yn cael ei gylchdroi drwy 2π radian o amgylch yr echelin-x.

b) Darganfyddwch gyfaint y solid a gynhyrchir, gan roi eich ateb yn nhermau π, syrdiau a logarithmau naturiol.

Gallwch gael amcangyfrif ar gyfer y cyfaint yn rhan **b** drwy ddefnyddio rheol Simpson gyda thri mesuryn.

c) Darganfyddwch y cyfeiliornad canrannol sy'n deillio o ddefnyddio'r brasamcan hwn, gan roi eich ateb i dri lle degol. **(EDEXCEL)**

Hyd arc

Y ffurf Gartesaidd

Ystyriwch ddau bwynt, P a Q, ar gromlin.
P yw'r pwynt (x, y) a Q yw'r pwynt $(x + \delta x, y + \delta y)$.

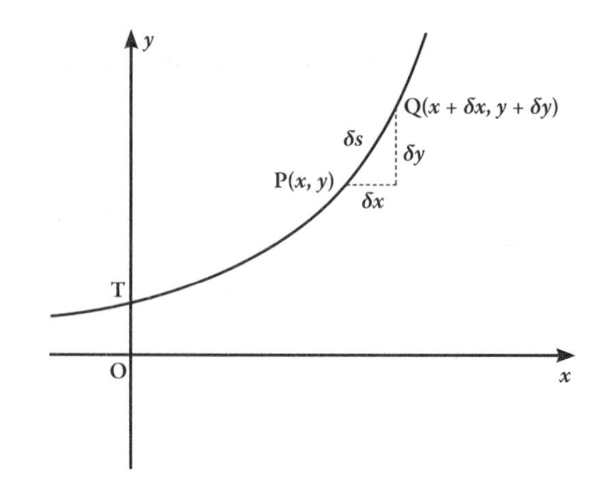

Boed i s fod yn hyd yr arc o bwynt T, a δs yn hyd yr arc PQ.

Gan fod δs yn fach iawn, gallwn gymryd yn fras fod yr arc PQ yn llinell syth.
Felly, gan ddefnyddio theorem Pythagoras, cawn

$$(\delta x)^2 + (\delta y)^2 = (\delta s)^2$$

Rhannwn â $(\delta x)^2$ i gael

$$1 + \left(\frac{\delta y}{\delta x}\right)^2 = \left(\frac{\delta s}{\delta x}\right)^2$$

Wrth i $\delta x \to 0$, mae hyn yn rhoi

$$1 + \left(\frac{dy}{dx}\right)^2 = \left(\frac{ds}{dx}\right)^2$$

$$\Rightarrow \quad \frac{ds}{dx} = \sqrt{1 + \left(\frac{dy}{dx}\right)^2}$$

Felly, cawn

$$s = \int \sqrt{1 + \left(\frac{dy}{dx}\right)^2}\, dx$$

Enghraifft 12 Darganfyddwch hyd arc y gromlin $x^3 = 3y^2$ o $x = 1$ hyd $x = 4$.

DATRYSIAD

Drwy ddifferu mewn perthynas ag x, cawn

$$3x^2 = 6y\frac{dy}{dx}$$

$$\Rightarrow \quad \frac{dy}{dx} = \frac{x^2}{2y}$$

sy'n rhoi

$$\text{Hyd arc} = \int_1^4 \sqrt{1 + \left(\frac{dy}{dx}\right)^2}\, dx$$

$$= \int_1^4 \sqrt{1 + \left(\frac{x^2}{2y}\right)^2}\, dx$$

$$= \int_1^4 \sqrt{1 + \frac{x^4}{4y^2}}\, dx$$

Drwy amnewid $y^2 = \frac{x^3}{3}$, cawn

$$\text{Hyd arc} = \int_1^4 \sqrt{1 + \frac{3x^4}{4x^3}}\, dx = \int_1^4 \sqrt{1 + \frac{3x}{4}}\, dx$$

Wrth roi $1 + \frac{3x}{4} = u^2$ a differu, cawn

$$2u\frac{du}{dx} = \frac{3}{4} \quad \Rightarrow \quad \frac{8}{3}u\, du = dx$$

Wrth amnewid y rhain yn yr integryn gwreiddiol a newid y terfannau i fod yn $u = 2$ (o $x = 4$) ac $u = \sqrt{\frac{7}{4}}$ (o $x = 1$), cawn

$$\text{Hyd arc} = \int_{\sqrt{\frac{7}{4}}}^{2} \frac{8}{3}u^2\, du = \left[\frac{8}{3}u^3\right]_{\sqrt{\frac{7}{4}}}^{2}$$

sy'n rhoi

$$\text{Hyd arc} = \frac{64}{9} - \frac{8}{9}\left(\frac{7}{4}\right)^{\frac{3}{2}} = \frac{1}{9}(64 - 7\sqrt{7})$$

Y ffurf barametrig

I gael y ffurf barametrig rydym yn rhannu $(\delta x)^2 + (\delta y)^2 = (\delta s)^2$ â $(\delta t)^2$, gyda t yn baramedr, sy'n rhoi

$$\left(\frac{\delta x}{\delta t}\right)^2 + \left(\frac{\delta y}{\delta t}\right)^2 = \left(\frac{\delta s}{\delta t}\right)^2$$

Wrth i $\delta x \to 0$, ac felly $\delta t \to 0$, cawn

$$\left(\frac{\mathrm{d}x}{\mathrm{d}t}\right)^2 + \left(\frac{\mathrm{d}y}{\mathrm{d}t}\right)^2 = \left(\frac{\mathrm{d}s}{\mathrm{d}t}\right)^2$$

$$\Rightarrow \quad \frac{\mathrm{d}s}{\mathrm{d}t} = \sqrt{\left(\frac{\mathrm{d}x}{\mathrm{d}t}\right)^2 = \left(\frac{\mathrm{d}y}{\mathrm{d}t}\right)^2}$$

sy'n rhoi

$$s = \int \sqrt{\left(\frac{\mathrm{d}x}{\mathrm{d}t}\right)^2 + \left(\frac{\mathrm{d}y}{\mathrm{d}t}\right)^2}\,\mathrm{d}t$$

Ambell dro mynegwn hyn fel

$$s = \int \sqrt{\dot{x}^2 + \dot{y}^2\,\mathrm{d}t}$$

lle mae $\dot{x} = \dfrac{\mathrm{d}x}{\mathrm{d}t}$ ac $\dot{y} = \dfrac{\mathrm{d}y}{\mathrm{d}x}$

Noder Dim ond pan fo'r newidyn annibynnol yn t y defnyddiwn y nodiant dot, ac fel arfer pan fo t yn cynrychioli amser. Felly, mae $\dot{x}$ fel arfer yn cynrychioli buanedd ac $\ddot{x}$ yn cynrychioli cyflymiad.

Enghraifft 13 Darganfyddwch gylchedd y cylch $x^2 + y^2 = r^2$.

DATRYSIAD

Yr hafaliadau parametrig ar gyfer cylch yw $x = r\cos\theta$, $y = r\sin\theta$. Felly, cawn

$$s = \int_0^{2\pi} \sqrt{\left(\frac{\mathrm{d}x}{\mathrm{d}\theta}\right)^2 + \left(\frac{\mathrm{d}y}{\mathrm{d}\theta}\right)^2}\,\mathrm{d}\theta$$

Gan ddefnyddio'r rhan honno o'r cylch yn y pedrant cyntaf yn unig ac yna lluosi â 4, cawn

$$s = 4\int_0^{\frac{\pi}{2}} \sqrt{\left(\frac{\mathrm{d}x}{\mathrm{d}\theta}\right)^2 + \left(\frac{\mathrm{d}y}{\mathrm{d}\theta}\right)^2}\,\mathrm{d}\theta$$

sy'n rhoi

$$s = 4\int_0^{\frac{\pi}{2}} \sqrt{r^2\sin^2\theta + r^2\cos^2\theta}\,\mathrm{d}\theta$$

$$= 4\int_0^{\frac{\pi}{2}} r\,\mathrm{d}\theta = 4\Big[r\theta\Big]_0^{\frac{\pi}{2}} = 2\pi r$$

Y ffurf begynlinol

I gael y ffurf begynlinol, ystyriwn ddau bwynt, P a Q, ar gromlin a fynegir gan ei hafaliad pegynlinol. P yw'r pwynt (r, θ) a Q yw'r pwynt $(r + \delta r, \theta + \delta\theta)$.

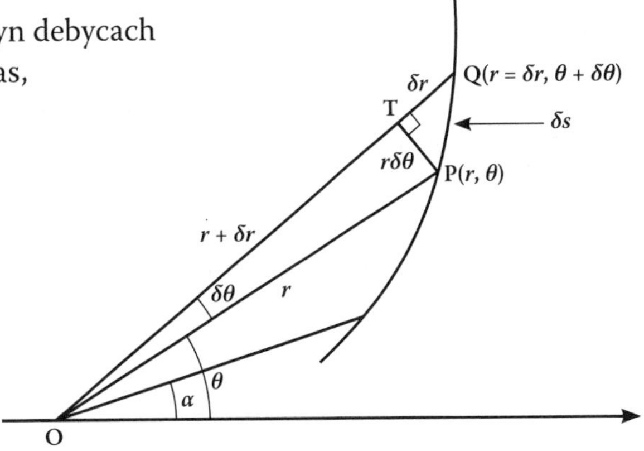

Wrth i $\delta\theta \rightarrow 0$, gallwn ddweud bod TP yn mynd yn debycach i arc cylch radiws r, ac felly o hyd $r\delta\theta$.
Yn ogystal â hyn, gallwn ddweud bod TPQ yn mynd yn debycach i driongl ongl sgwâr, ac felly, yn ôl theorem Pythagoras,

$$PQ^2 = TP^2 + TQ^2$$

Felly, cawn

$$(r\delta\theta)^2 + (\delta r)^2 = (\delta s)^2$$

Rhannwn bob term â $(\delta\theta)^2$ i gael

$$\left(\frac{\delta s}{\delta\theta}\right)^2 = \left(\frac{\delta r}{\delta\theta}\right)^2 + r^2$$

Felly, wrth i $\delta\theta \rightarrow 0$, cawn

$$\frac{ds}{d\theta} = \sqrt{\left(\frac{dr}{d\theta}\right)^2 + r^2}$$

Drwy hynny, rhoddir hyd arc cromlin sydd rhwng yr hanner llinellau $\theta = \alpha$ a $\theta = \beta$ gan

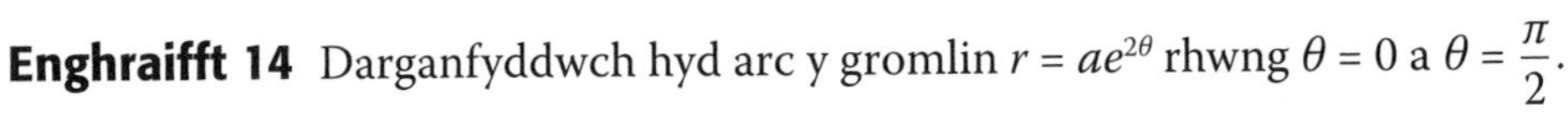

$$s = \int_\alpha^\beta \sqrt{r^2 + \left(\frac{dr}{d\theta}\right)^2}\, d\theta$$

Enghraifft 14 Darganfyddwch hyd arc y gromlin $r = ae^{2\theta}$ rhwng $\theta = 0$ a $\theta = \frac{\pi}{2}$.

DATRYSIAD

Wrth ddifferu $r = ae^{2\theta}$ mewn perthynas â θ, cawn

$$\frac{dr}{d\theta} = 2ae^{2\theta}$$

Felly, rhoddir yr hyd arc sydd ei angen gan

$$s = \int_0^{\frac{\pi}{2}} \sqrt{(ae^{2\theta})^2 + (2ae^{2\theta})^2}\, d\theta$$

$$= \sqrt{5}a \int_0^{\frac{\pi}{2}} e^{2\theta}\, d\theta$$

$$= \sqrt{5}a \int \left[\frac{1}{2}\, e^{2\theta}\right]_0^{\frac{\pi}{2}}$$

$$\Rightarrow \quad s = \frac{\sqrt{5}a}{2}(e^\pi - 1)$$

Arwynebedd arwyneb cylchdro

Boed i A fod yn arwynebedd yr arwyneb a ffurfir drwy gylchdroi'r gromlin $y = \mathrm{f}(x)$, rhwng y llinellau $x = a$ ac $x = b$, o amgylch yr echelin-x.

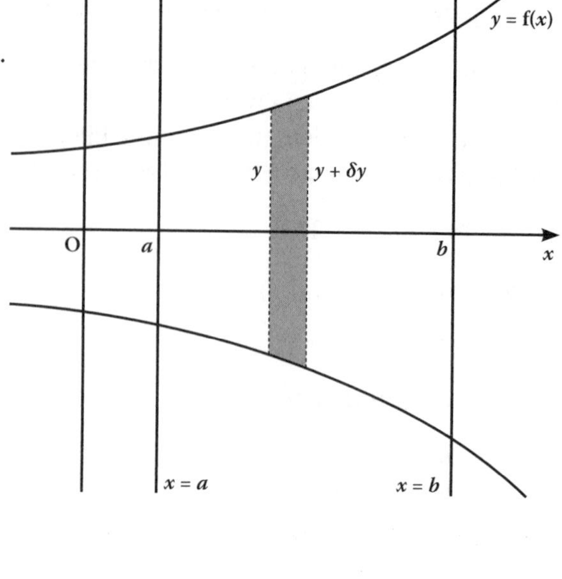

Boed i arwynebedd arwyneb crwm y stribed a ddangosir wedi'i dywyllu fod yn δA.

Gan gymryd bod y stribed wedi'i ffinio gan ddau silindr, cawn

$$2\pi y\delta s \leqslant \delta A \leqslant 2\pi(y + \delta y)\delta s$$

Wrth i $\delta x \to 0$, mae $\delta s \to 0$, felly cawn

$$\frac{\mathrm{d}A}{\mathrm{d}s} = 2\pi y$$

$$\Rightarrow \quad A = \int 2\pi y \,\mathrm{d}s$$

$$\Rightarrow \quad A = \int 2\pi y \frac{\mathrm{d}s}{\mathrm{d}x}\,\mathrm{d}x$$

sy'n rhoi

$$A = \int 2\pi y\sqrt{1 + \left(\frac{\mathrm{d}y}{\mathrm{d}x}\right)^2}\,\mathrm{d}x$$

neu, yn y ffurf barametrig

$$A = \int 2\pi y\sqrt{\left(\frac{\mathrm{d}x}{\mathrm{d}t}\right)^2 + \left(\frac{\mathrm{d}y}{\mathrm{d}t}\right)^2}\,\mathrm{d}t \quad \text{neu} \quad A = \int 2\pi y\sqrt{\dot{x}^2 + \dot{y}^2}\,\mathrm{d}t$$

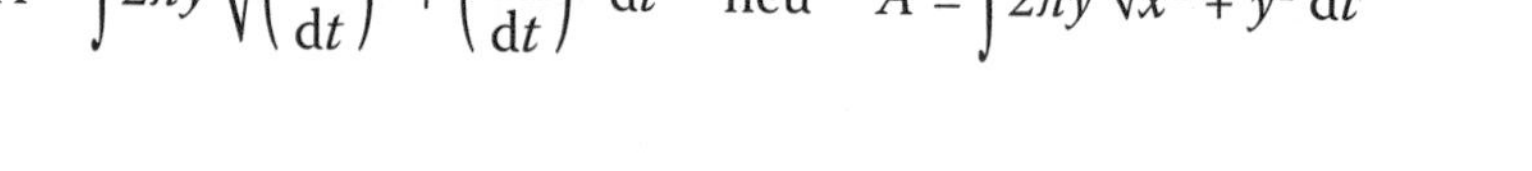

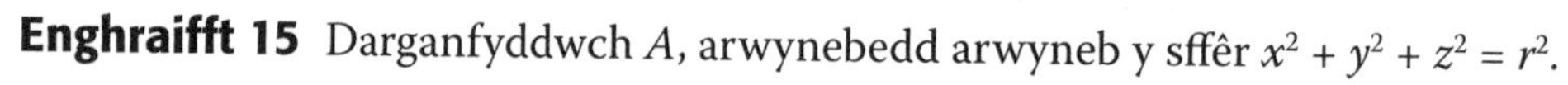

Enghraifft 15 Darganfyddwch A, arwynebedd arwyneb y sffêr $x^2 + y^2 + z^2 = r^2$.

DATRYSIAD

Ffurfir y sffêr $x^2 + y^2 + z^2 = r^2$ drwy gylchdroi'r cylch $x^2 + y^2 = r^2$ o amgylch yr echelin-x. Felly, cawn

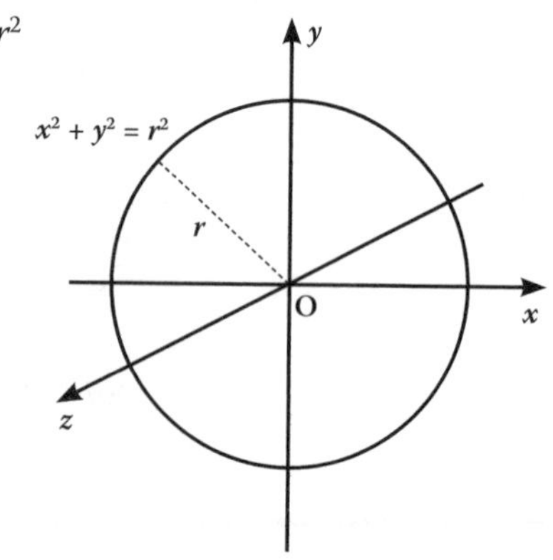

$$A = \int 2\pi y\sqrt{1 + \left(\frac{\mathrm{d}y}{\mathrm{d}x}\right)^2}\,\mathrm{d}x$$

Drwy ddifferu $x^2 + y^2 = r^2$, cawn

$$2x + 2y\frac{\mathrm{d}y}{\mathrm{d}x} = 0$$

sy'n rhoi

$$A = \int_{-r}^{r} 2\pi\sqrt{r^2 - x^2} \times \sqrt{1 + \frac{x^2}{y^2}}\,\mathrm{d}x$$

$$= \int_{-r}^{r} 2\pi\sqrt{r^2 - x^2}\sqrt{\frac{y^2 + x^2}{y^2}}\,\mathrm{d}x = \int_{-r}^{r} 2\pi r\,\mathrm{d}x$$

Drwy gymesuredd, mae'r integryn o $x = -r$ hyd $x = r$ yn ddwywaith yr integryn o $x = 0$ hyd $x = r$. Felly, cawn

$$A = 2\int_0^r 2\pi r \, dx = \Big[4\pi r x\Big]_0^r = 4\pi r^2$$

Drwy hynny, arwynebedd arwyneb sffêr yw $4\pi r^2$.

Gan ddefnyddio'r ffurf barametrig $x = r\cos\theta$, $y = r\sin\theta$, ar gyfer y cylch wedi'i gylchdroi, cawn

$$A = \int_{-\frac{\pi}{2}}^{\frac{\pi}{2}} 2\pi r \sin\theta \sqrt{r^2\sin^2\theta + r^2\cos^2\theta} \, d\theta$$

$$= 2\int_0^{\frac{\pi}{2}} 2\pi r^2 \sin\theta \, d\theta = -4\pi r^2 \Big[\cos\theta\Big]_0^{\frac{\pi}{2}} = 4\pi r^2$$

Felly, arwynebedd arwyneb y sffêr yw $4\pi r^2$.

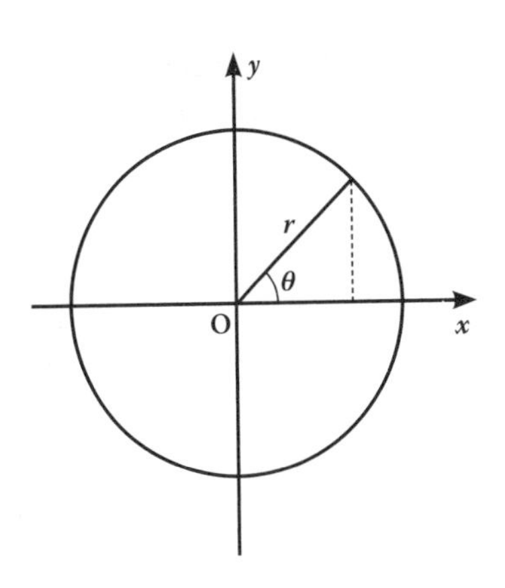

Ymarfer 12C

1 Darganfyddwch hyd arc $x^3 = y^2$ o $x = 0$ hyd $x = 3$.

2 Darganfyddwch hyd arc $x^3 = 6y^2$ o $x = 1$ hyd $x = 2$.

3 Darganfyddwch hyd arc y parabola $x = at^2$, $y = 2at$, rhwng y pwyntiau $(0, 0)$ ac $(ap^2, 2ap)$.

4 Darganfyddwch hyd arc y cylchoid $x = a(t + \sin t)$, $y = a(1 - \cos t)$, rhwng y pwyntiau $t = 0$ a $t = \pi$.

5 Darganfyddwch hyd arc y catena $y = c\cosh\left(\dfrac{x}{c}\right)$, rhwng y pwyntiau lle mae $x = 0$ ac $x = c$.

6 Darganfyddwch arwynebedd yr arwyneb a gynhyrchir drwy gylchdroi pob un o'r canlynol o amgylch yr echelin-x.

a) Arc y gromlin $x = 2t^3$, $y = 3t^2$, rhwng y pwyntiau lle mae $t = 0$ a $t = 4$.

b) Arc y gromlin $x = t^2$, $y = 2t$, rhwng y pwyntiau lle mae $t = 0$ a $t = 2$.

c) Rhan o'r asteroid $x = a\cos^3 t$, $y = a\sin^3 t$, sydd uwchben yr echelin-x.

d) Y gromlin $y = 5x^{\frac{1}{2}}$, o $x = 4$ hyd $x = 9$.

e) Y gromlin $y = \cosh x$, rhwng $x = 0$ ac $x = 1$.

f) Y gromlin $y = e^{3x}$, o $x = 1$ hyd $x = 4$.

7 Mae'r diagram yn dangos olwyn, radiws a, sy'n rholio ar hyd y llinell Ox. Canol yr olwyn yw C ac mae P yn bwynt sefydlog ar ymyl yr olwyn. Ar y dechrau mae P yn O. Pan fo CP wedi cylchdroi drwy ongl θ, dangoswch mai cyfesurynnau P yw

$$x = a(\theta - \sin\theta) \quad y = a(1 - \cos\theta)$$

Drwy hynny darganfyddwch hyd llwybr P pan fo'r olwyn yn rholio drwy un tro cyfan.
(NEAB)

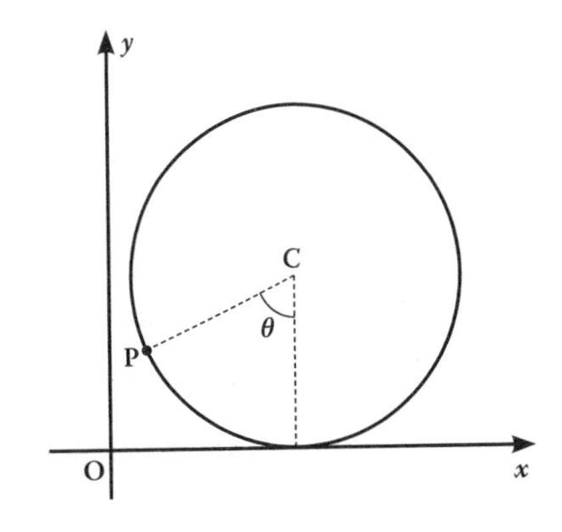

8 **a)** Darganfyddwch werthoedd y cysonion A a B fel bod

$$\frac{1+x^2}{1-x^2} \equiv A + \frac{B}{1-x^2}$$

b) Diffinnir y ffwythiant f ar gyfer $-1 < x < 1$ gan $f(x) = -\ln(1 - x^2)$. Dangosir graff y gromlin sydd â'r hafaliad $y = f(x)$.

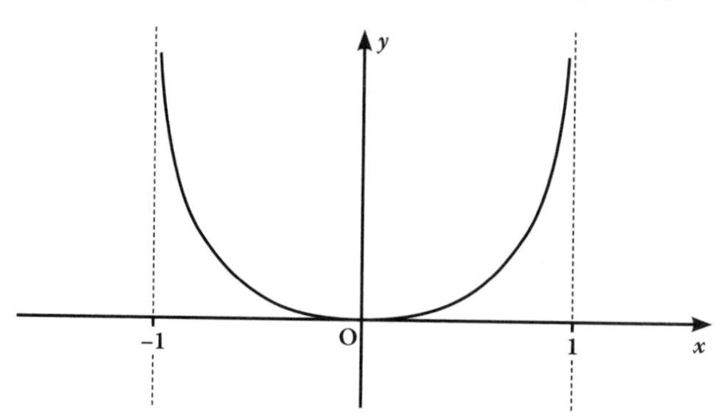

i) Darganfyddwch $\dfrac{dy}{dx}$ yn nhermau x. Drwy hynny, dangoswch

$$1 + \left(\frac{dy}{dx}\right)^2 = \left(\frac{1+x^2}{1-x^2}\right)^2$$

ii) Profwch mai hyd arc y gromlin o $x = 0$ hyd $x = \frac{3}{4}$ yw $\ln 7 - \frac{3}{4}$. **(AEB 96)**

9 **a)** Gan ddefnyddio diffiniadau'r ffwythiannau hyperbolig $\cosh x$ a $\sinh x$ a roddir yn y llyfryn gwybodaeth, dangoswch fod

i) $\cosh^2 x - \sinh^2 x = 1$ **ii)** $2\cosh^2 x - 1 = \cosh 2x$

iii) $2 \sinh x \cosh x = \sinh 2x$

b) Dangoswch fod hyd arc y gromlin $y = x^2$ rhwng y tarddbwynt a'r pwynt $(1, 1)$ yn $\frac{1}{4}(2\sqrt{5} + \sinh^{-1} 2)$. **(CBAC)**

10 Rhoddir cromlin C yn barametrig gan

$$x = e^t \cos t \quad y = e^t \sin t \quad (0 \leqslant t \leqslant \pi)$$

Dangoswch mai hyd C yw $\sqrt{2}(e^{\pi} - 1)$.

Dangoswch hefyd mai hafaliad C mewn cyfesurynnau pegynlinol yw $r = e^{\theta}$ $(0 \leqslant \theta \leqslant \pi)$, a thrwy hynny, brasluniwch C.

Darganfyddwch arwynebedd y rhanbarth sydd wedi'i ffinio gan C a'r echelin-x. **(NEAB)**

11 Diffinnir cromlin yn barametrig gan

$$x = \frac{8}{3}t^{\frac{3}{2}} \quad y = t^2 - 2t + 4$$

Diffinnir y pwyntiau A a B ar y gromlin gan $t = 0$ a $t = 1$ yn ôl eu trefn.

i) Darganfyddwch hyd yr arc AB.

ii) Dangoswch mai arwynebedd yr arwyneb sy'n cael ei gynhyrchu wrth gylchdroi'r arc AB drwy un tro cyfan o amgylch yr echelin-y yw $\frac{256}{35}\pi$. **(OCR)**

12 Hafaliadau parametrig cromlin yw

$$x = a(t - \sin t) \quad y = a(1 - \cos t)$$

lle mae a yn gysonyn positif. Dangoswch fod

$$\left(\frac{dx}{dt}\right)^2 + \left(\frac{dy}{dt}\right)^2 = 4a^2 \sin^2\left(\frac{1}{2}t\right)$$

Mae arc y gromlin hon yn cael ei chylchdroi'n gyflawn rhwng $t = 0$ a $t = 2\pi$ yn llwyr o amgylch yr echelin-x. Dangoswch mai arwynebedd yr arwyneb cylchdro a ffurfir yw

$$8\pi a^2 \int_0^{2\pi} [1 - \cos^2\left(\frac{1}{2}t\right)] \sin\left(\frac{1}{2}t\right) dt$$

a thrwy hynny darganfyddwch yr arwynebedd hwn. **(OCR)**

13 Diffinnir y gromlin C yn barametrig gan

$$x = 3 + e^{-t}(\cos t + \sin t) \quad y = 4 + e^{-t}(\cos t - \sin t)$$

Darganfyddwch werth union hyd arc C, yn nhermau π ac e, o'r pwynt lle mae $t = 0$ hyd y pwynt lle mae $t = \frac{1}{2}\pi$.

Mae'r arc hon yn cael ei chylchdroi drwy un tro cyfan o amgylch yr echelin-x. Mynegwch arwynebedd yr arwyneb sy'n cael ei gynhyrchu ar ffurf integryn pendant. (Nid oes angen enrhifo'r integryn hwn.) **(OCR)**

14 Hafaliadau parametrig cromlin yw

$$x = 3\cos\theta - \cos 3\theta \quad y = 3\sin\theta - \sin 3\theta$$

Dangoswch fod

$$\left(\frac{dx}{d\theta}\right)^2 + \left(\frac{dy}{d\theta}\right)^2 = 36\sin^2\theta$$

Drwy hynny darganfyddwch hyd arc y gromlin rhwng y pwyntiau a roddir gan $\theta = 0$ a $\theta = \frac{1}{2}\pi$. **(OCR)**

15 Cylchdroir arc y gromlin $y = e^x$ o'r pwynt lle mae $y = \frac{3}{4}$ hyd y pwynt lle mae $y = \frac{4}{3}$ drwy un cylchdro o amgylch yr echelin-x. Dangoswch y rhoddir arwynebedd, S, yr arwyneb sy'n cael ei gynhyrchu gan

$$S = 2\pi \int_{\frac{3}{4}}^{\frac{4}{3}} \sqrt{(1 + y^2)}\, dy$$

Gan ddefnyddio'r amnewid $y = \sinh u$, dangoswch fod

$$S = \pi\left[\frac{185}{144} + \ln\left(\frac{3}{2}\right)\right]$$ **(OCR)**

16 Diffinnir cromlin C yn barametrig gan

$$x = 2(1 + t)^{\frac{3}{2}} \quad y = 2(1 - t)^{\frac{3}{2}}$$

lle mae $0 \leqslant t \leqslant 1$. Darganfyddwch

i) hyd C

ii) arwynebedd yr arwyneb sy'n cael ei gynhyrchu wrth gylchdroi C drwy un tro cyfan o amgylch yr echelin-x. **(OCR)**

17 Diffinnir y gromlin C yn barametrig gan yr hafaliadau $x = \frac{1}{3}t^3 - t, y = t^2$, lle mae t yn baramedr.

a) Dangoswch fod $\left(\frac{dx}{dt}\right)^2 + \left(\frac{dy}{dt}\right)^2 = (t^2 + 1)^2$.

b) Dynodir arc C rhwng y pwyntiau lle mae $t = 0$ a $t = 3$ gan L. Darganfyddwch

i) hyd L

ii) arwynebedd yr arwyneb sy'n cael ei gynhyrchu wrth gylchdroi L drwy 2π radian o amgylch yr echelin-x. **(AEB 98)**

18

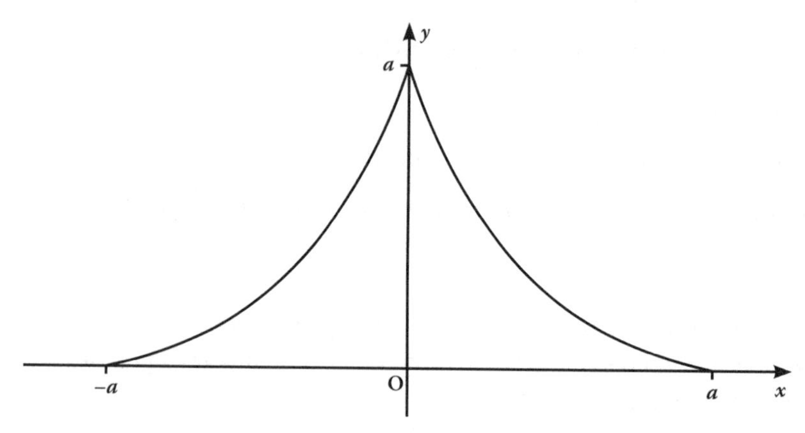

Mae'r diagram uchod yn dangos cromlin C sydd â'r hafaliadau parametrig

$$x = a\cos^3 t \quad y = a\sin^3 t \quad 0 \leqslant t \leqslant \pi$$

lle mae a yn gysonyn positif.

Cylchdroir y gromlin C drwy 2π radian o amgylch yr echelin-x.

Dangoswch mai arwynebedd yr arwyneb cylchdro sy'n cael ei gynhyrchu yw $\frac{12\pi a^2}{5}$. **(EDEXCEL)**

19 Cylchdroir arc y gromlin $y = x^3$, rhwng $x = 0$ ac $x = 1$, drwy 2π radian o amgylch yr echelin-x. Darganfyddwch werth union arwynebedd yr arwyneb sy'n cael ei gynhyrchu. **(AEB 98)**

20 Hafaliadau parametrig y gromlin C yw

$$x = e^\theta \sin\theta \quad y = e^\theta \cos\theta \quad \text{ar gyfer } 0 \leqslant \theta \leqslant \frac{\pi}{2}$$

a) Dangoswch mai arwynebedd, S, yr arwyneb sy'n cael ei gynhyrchu wrth gylchdroi C drwy bedair ongl sgwâr o amgylch yr echelin-x yw

$$S = 2\sqrt{2}\pi\int_0^{\frac{\pi}{2}} e^{2\theta}\cos\theta \, d\theta$$

b) Darganfyddwch werth S. **(CBAC)**

21 a) i) Gan ddefnyddio'r diffiniadau $\cosh\theta = \frac{1}{2}(e^\theta + e^{-\theta})$ a $\sinh\theta = \frac{1}{2}(e^\theta - e^{-\theta})$ yn unig, profwch yr unfathiant

$$\cosh^2\theta - \sinh^2\theta = 1$$

ii) Diddwythwch berthynas rhwng $\operatorname{sech}\theta$ a $\tanh\theta$.

b) Cynrychiolir cromlin C yn barametrig gan $x = \operatorname{sech}\theta$, $y = \tanh\theta$.

i) Dangoswch fod $\left(\frac{dx}{d\theta}\right)^2 + \left(\frac{dy}{d\theta}\right)^2 = \operatorname{sech}^2\theta$.

ii) Mae'r arc sydd rhwng y pwyntiau $\theta = 0$ a $\theta = \ln 7$ ar y gromlin yn cael ei chylchdroi drwy un tro cyfan o amgylch yr echelin-x.

Dangoswch mai arwynebedd yr arwyneb sy'n cael ei gynhyrchu yw $\frac{36}{25}\pi$ uned sgwâr. **(AEB 97)**

22 **a)** Darganfyddwch $\int \cosh^2 t \sinh t \, dt$.

Hafaliadau parametrig y gromlin C yw

$$x = \cosh^2 t \quad y = 2\sinh t \quad 0 \leqslant t \leqslant 2$$

Cylchdroir y gromlin C drwy 2π radian o amgylch yr echelin-x.

b) Dangoswch mai arwynebedd, S, yr arwyneb crwm sy'n cael ei gynhyrchu yw

$$S = 8\pi \int_0^2 \cosh^2 t \sinh t \, dt$$

c) Enrhifwch S i dri ffigur ystyrlon. **(EDEXCEL)**

Integrynnau afreolaidd

Integryn afreolaidd yw un sydd â naill ai

- terfan integru $\pm\infty$, neu
- integrand sy'n anfeidraidd yn y naill neu'r llall o'i derfannau integru neu rhwng y terfannau hyn.

Yn yr achos cyntaf, rydym yn defnyddio n, dyweder, yn lle $\pm\infty$ ac yna'n darganfod terfan yr integryn wrth i $n \to \pm\infty$. Pan fo'r terfan hwn yn **feidraidd, gellir darganfod** yr integryn (gweler Enghraifft 16). Pan **nad** yw'r terfan hwn yn **feidraidd, ni ellir darganfod** yr integryn (gweler Enghraifft 17).

Yn yr ail achos, rydym yn defnyddio p, dyweder, yn lle y naill derfan integru neu'r llall, ac yna'n darganfod terfan yr integryn wrth i p dueddu at werth y terfan y mae wedi cymryd ei le (gweler Enghreifftiau 18 ac 19).

Enghraifft 16 Darganfyddwch $\int_1^\infty \frac{1}{x^2} \, dx$.

DATRYSIAD

Y terfan uchaf yw ∞, felly rydym yn ei newid i fod yn n, sy'n rhoi

$$\int_1^\infty \frac{1}{x^2} \, dx = \lim_{n\to\infty} \int_1^n \frac{1}{x^2} \, dx$$

$$= \lim_{n\to\infty} \left[-\frac{1}{x}\right]_1^n = \lim_{n\to\infty} \left(-\frac{1}{n} + 1\right)$$

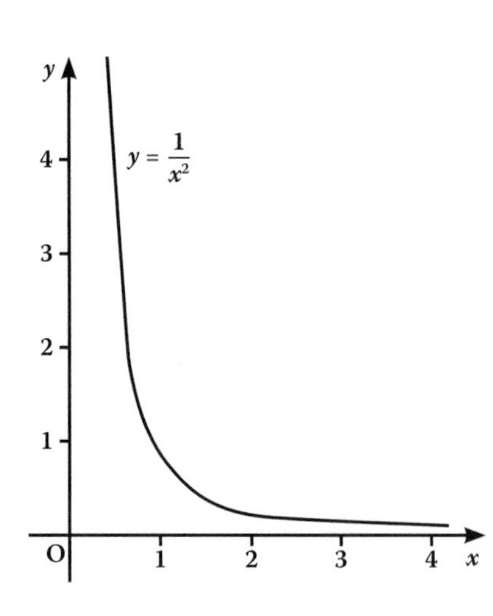

Wrth i $n \to \infty$, mae $\frac{1}{n} \to 0$ sy'n rhoi

$$\lim_{n\to\infty}\left(-\frac{1}{n}+1\right)=1$$

Hynny yw, mae gennym

$$\int_1^\infty \frac{1}{x^2}\,dx = 1$$

Mae hyn yn dangos bod yr arwynebedd

o dan y gromlin $y = \frac{1}{x^2}$

yn feidraidd er bod hyd y ffin yn anfeidraidd.

Enghraifft 17 Darganfyddwch $\int_1^\infty \frac{1}{x}\,dx$.

DATRYSIAD

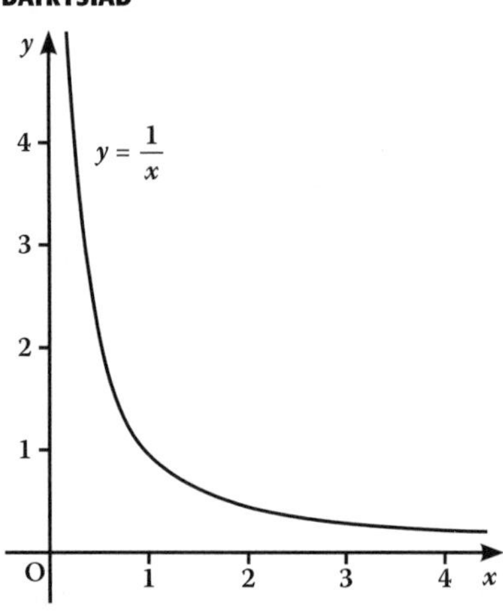

Mae gennym

$$\int_1^\infty \frac{1}{x}\,dx = \lim_{n\to\infty}\int_1^n \frac{1}{x}\,dx$$
$$= \lim_{n\to\infty}\Big[\ln x\Big]_1^n$$
$$= \lim_{n\to\infty}(\ln n - \ln 1)$$

nad yw'n feidraidd oherwydd $\lim_{n\to\infty} \ln n$ yw ∞.

Mae hyn yn dangos nad yw'r arwynebedd o dan $y = \frac{1}{x}$

yn feidraidd er bod y gromlin yn edrych yn debyg iawn

i $y = \frac{1}{x^2}$, sydd ag arwynebedd meidraidd.

Enghraifft 18 Darganfyddwch $\int_0^1 \frac{1}{\sqrt{x}}\,dx$.

DATRYSIAD

Mae hwn yn integryn afreolaidd gan fod yr integrand, $\frac{1}{\sqrt{x}}$, yn anfeidraidd pan fo $x = 0$.

Felly, rydym yn rhoi p yn lle'r terfan isaf, sy'n rhoi

$$\int_0^1 \frac{1}{\sqrt{x}}\,dx = \lim_{p\to 0}\int_p^1 \frac{1}{\sqrt{x}}\,dx$$
$$= \lim_{p\to 0}\Big[2x^{\frac{1}{2}}\Big]_p^1 = \lim_{p\to 0}(2 - 2\sqrt{p})$$

Gan fod $\lim_{p\to 0} 2\sqrt{p} = 0$, cawn

$$\lim_{p\to 0}(2-2\sqrt{p}) = 2$$

Hynny yw, cawn

$$\int_0^1 \frac{1}{\sqrt{x}}\,dx = 2$$

Enghraifft 19 Darganfyddwch $\int_b^a \frac{dx}{\sqrt{(a-x)(x-b)}}$.

DATRYSIAD

Mae'r integrand yn anfeidraidd yn y ddau derfan, felly rhown p yn lle'r terfan uchaf a q yn lle'r terfan isaf, ac wedyn darganfod terfan yr integryn wrth i $p \to a$ a $q \to b$. Felly, cawn

$$\int_b^a \frac{dx}{\sqrt{(a-x)(x-b)}} = \lim_{p\to a} \lim_{q\to b} \int_q^p \frac{dx}{\sqrt{-ab+(a+b)x-x^2}}$$

$$= \lim_{p\to a} \lim_{q\to b} \int_q^p \frac{dx}{\sqrt{-[ab+(a+b)x-x^2]}}$$

$$= \lim_{p\to a} \lim_{q\to b} \int_q^p \frac{dx}{\sqrt{-\left[\left(x-\frac{a+b}{2}\right)^2-\left(\frac{a-b}{2}\right)^2\right]}}$$

$$= \lim_{p\to a} \lim_{q\to b} \int_q^p \frac{dx}{\sqrt{\left(\frac{a-b}{2}\right)^2-\left(x-\frac{a+b}{2}\right)^2}}$$

sy'n rhoi

$$\int_a^b \frac{dx}{\sqrt{(a-x)(x-b)}} = \lim_{p\to a} \lim_{q\to b} \left[\sin^{-1}\frac{x-\frac{a+b}{2}}{\frac{a-b}{2}}\right]_q^p$$

$$= \lim_{p\to a} \lim_{q\to b} \left[\sin^{-1}\frac{2x-(a+b)}{a-b}\right]_q^p$$

$$= \lim_{p\to a} \lim_{q\to b} \left\{\sin^{-1}\left[\frac{2p-(a+b)}{a-b}\right] - \sin^{-1}\left[\frac{2q-(a+b)}{a-b}\right]\right\}$$

$$= \sin^{-1} 1 - \sin^{-1}(-1) = \frac{\pi}{2} + \frac{\pi}{2}$$

Hynny yw, cawn

$$\int_a^b \frac{dx}{\sqrt{(a-x)(x-b)}} = \pi$$

Symiant cyfresi

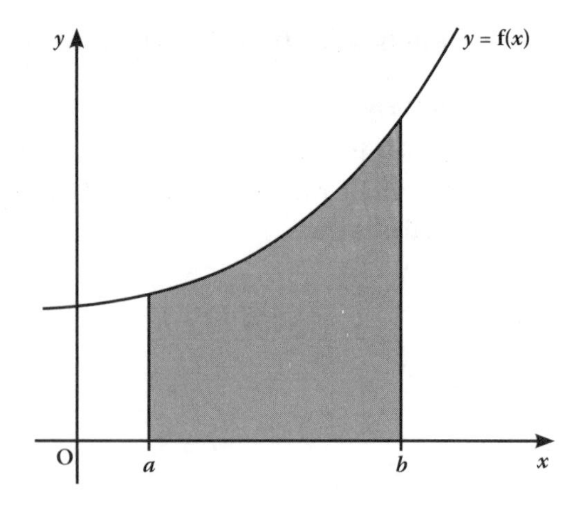

Ar dudalennau 196–7 yn *Introducing Pure Mathematics*,

nodwyd bod yr integryn pendant $\int_a^b \mathrm{f}(x)\,\mathrm{d}x$

yn arwynebedd wedi'i ffinio gan y gromlin $y = \mathrm{f}(x)$, yr echelin-x a'r llinellau $x = a$ ac $x = b$.

Daethom i'r canlyniad hwn drwy rannu'r arwynebedd a roddwyd yn gyfres o stribedi 'petryalog' gorfychanol o gul o'r un lled, δx, a chyfansymu eu harwynebedd, $y\delta x$: hynny yw, $\mathrm{f}(x)\delta x$.

O rannu'r cyfwng $a \leqslant x \leqslant b$ yn n stribed hafal, cyfesurynnau-x y stribedi yw

$$a, \quad a + \frac{b-a}{n}, \quad a + 2\left(\frac{b-a}{n}\right), \quad a + 3\left(\frac{b-a}{n}\right), \ \ldots, \quad b$$

Drwy hynny, cyfanswm arwynebedd yr n petryal sydd i gyd 'tu mewn' i'r integryn, a ddangosir yn Ffigur A, yw

$$\mathrm{f}(a)\,\frac{b-a}{n} + \mathrm{f}\left(a + \frac{b-a}{n}\right)\frac{b-a}{n} + \mathrm{f}\left(a + 2\,\frac{b-a}{n}\right)\frac{b-a}{n} + \ldots$$
$$+ \mathrm{f}\left(a + [n-1]\,\frac{b-a}{n}\right)\frac{b-a}{n}$$

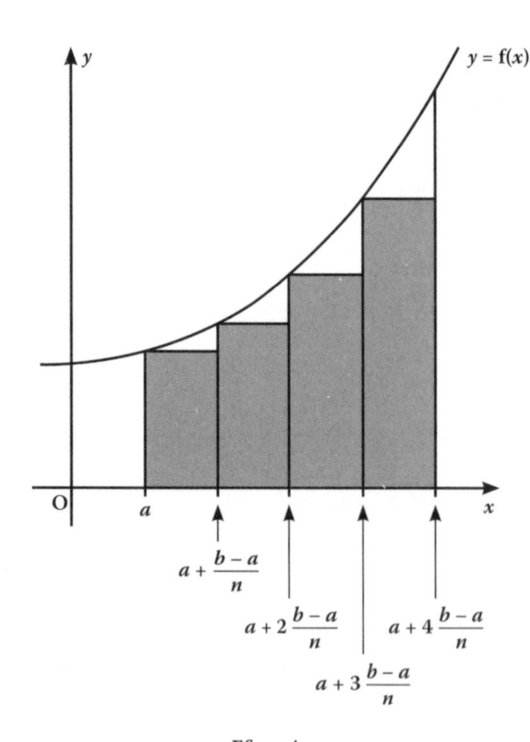

Ffigur A

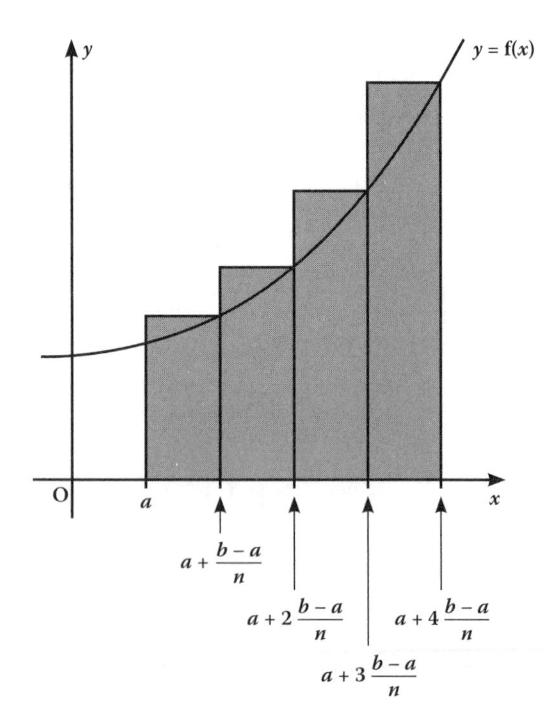

Ffigur B

A chyfanswm arwynebedd yr n petryal sydd i gyd 'tu allan' i'r integryn, a ddangosir yn ffigur B, yw

$$\mathrm{f}\left(a+\frac{b-a}{n}\right)\frac{b-a}{n}+\mathrm{f}\left(a+2\,\frac{b-a}{n}\right)\frac{b-a}{n}+\mathrm{f}\left(a+3\,\frac{b-a}{n}\right)\frac{b-a}{n}+\ldots$$
$$+\,\mathrm{f}\left(a+[n-1]\,\frac{b-a}{n}\right)\frac{b-a}{n}+\mathrm{f}(b)\,\frac{b-a}{n}$$

Mae gwir werth yr integryn pendant rhwng y ddau werth yma.
Wrth i n dueddu at anfeidredd, mae'r ddau swm hyn yn tueddu at yr un gwerth.

Felly, cawn

$$\int_a^b \mathrm{f}(x)\,\mathrm{d}x=\lim_{n\to\infty}\left[\mathrm{f}(a)\,\frac{b-a}{n}+\mathrm{f}\left(a+\frac{b-a}{n}\right)\frac{b-a}{n}+f\left(a+2\,\frac{b-a}{n}\right)\frac{b-a}{n}+\ldots\right]$$

sy'n rhoi

$$\int_a^b \mathrm{f}(x)\,\mathrm{d}x=\lim_{n\to\infty}\sum_{r=0}^{n-1}\mathrm{f}\left(a+r\,\frac{b-a}{n}\right)\frac{b-a}{n}$$

Hynny yw, yr integryn yw terfan cyfanswm y gyfres wrth i n dueddu at anfeidredd.

Gallwch ddefnyddio'r dull hwn i ddarganfod **ffiniau uchaf** a **ffiniau isaf** integrynnau a chyfresi.

Ystyriwn, er enghraifft, y gromlin $y=\dfrac{1}{x^2}$.

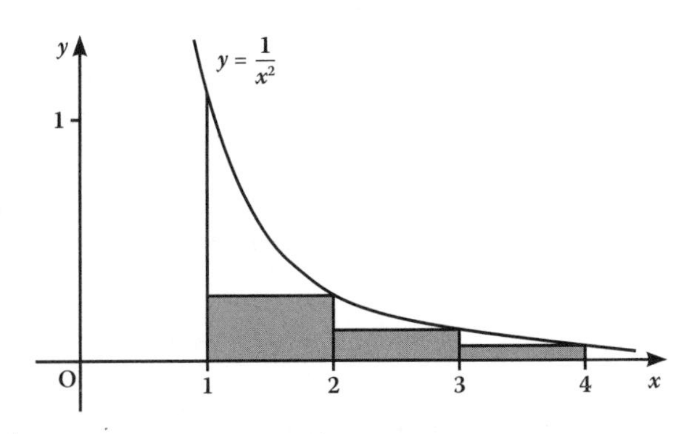

Arwynebeddau'r petryalau 'tu mewn' i $\displaystyle\int_1^\infty \frac{1}{x^2}\,\mathrm{d}x$ yw

$$\frac{1}{2^2},\quad \frac{1}{3^2},\quad \frac{1}{4^2},\quad \frac{1}{5^2},\quad \ldots$$

Arwynebeddau'r petryalau 'tu allan' i'r integryn yw

$$\frac{1}{1^2},\quad \frac{1}{2^2},\quad \frac{1}{3^2},\quad \frac{1}{4^2},\quad \ldots$$

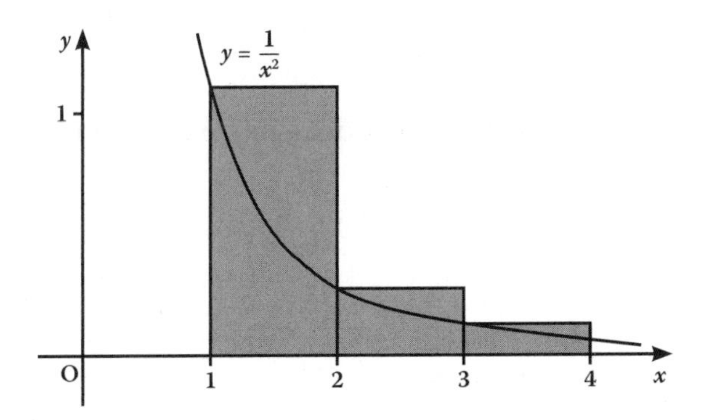

Felly, cawn

$$\frac{1}{1^2}+\frac{1}{2^2}+\frac{1}{3^2}+\frac{1}{4^2}+\ldots \quad > \quad \int_1^\infty \frac{1}{x^2}\,\mathrm{d}x$$
$$>\frac{1}{2^2}+\frac{1}{3^2}+\frac{1}{4^2}+\frac{1}{5^2}+\ldots$$

Oherwydd bod $\displaystyle\int_1^\infty \frac{1}{x^2}\,\mathrm{d}x=1$ (gweler tudalen 260),

mae hyn yn rhoi

$$\sum_{r=1}^{\infty}\frac{1}{r^2}>1>\sum_{r=2}^{\infty}\frac{1}{r^2}$$

Enghraifft 20 Profwch fod

$$\frac{4}{441} < \frac{1}{7^3} + \frac{1}{8^3} + \ldots + \frac{1}{20^3} < \frac{91}{7200}$$

DATRYSIAD

Gan fod arnom angen termau $\frac{1}{r^3}$, cymerwn y gromlin $y = \frac{1}{x^3}$.

Mae Ffigur C yn dangos y ddau betryal cyntaf sydd 'tu allan' i'r gromlin sydd ag arwynebedd $\frac{1}{7^3}$ ac $\frac{1}{8^3}$.

Gallem barhau mewn ffordd debyg hyd nes cael

$$\frac{1}{7^3} + \frac{1}{8^3} + \ldots + \frac{1}{20^3} > \int_7^{21} \frac{1}{x^3}\,dx$$

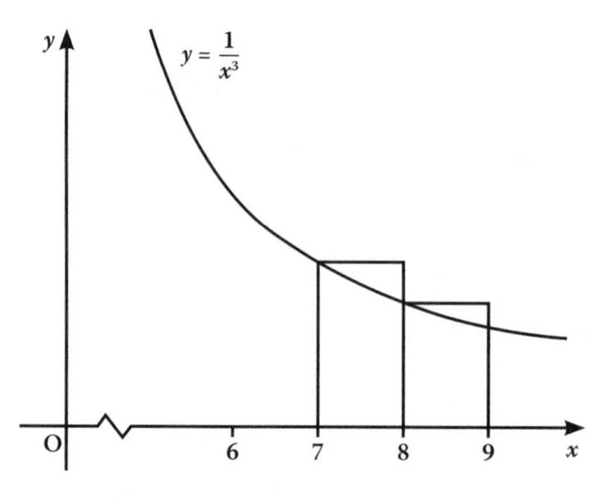

Ffigur C

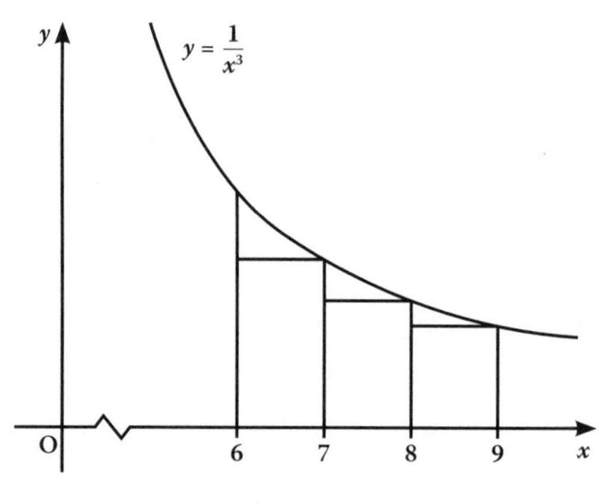

Ffigur Ch

Wrth ddefnyddio'r petryalau 'tu mewn' i'r gromlin, fel y gwelir yn Ffigur Ch, cawn

$$\frac{1}{7^3} + \ldots + \frac{1}{20^3} < \int_6^{20} \frac{1}{x^3}\,dx$$

Wrth enrhifo'r ddau integryn, cawn

$$\int_7^{21} \frac{1}{x^3}\,dx = \left[-\frac{1}{2x^2}\right]_7^{21} = -\frac{1}{2 \times 21^2} + \frac{1}{98} = \frac{4}{441}$$

$$\int_6^{20} \frac{1}{x^3}\,dx = \left[-\frac{1}{2x^2}\right]_6^{20} = -\frac{1}{800} + \frac{1}{72} = \frac{91}{7200}$$

Felly, cawn

$$\frac{4}{441} < \frac{1}{7^3} + \frac{1}{8^3} + \ldots + \frac{1}{20^3} < \frac{91}{7200}$$

fel sydd angen.

Ymarfer 12D

Lle mae'n bodoli, darganfyddwch werth pob un o'r canlynol.

1 $\displaystyle\int_0^1 \frac{1}{x^{\frac{1}{3}}}\,\mathrm{d}x$

2 $\displaystyle\int_0^1 \frac{1}{x^{\frac{3}{2}}}\,\mathrm{d}x$

3 $\displaystyle\int_1^2 \frac{1}{(1-x)^2}\,\mathrm{d}x$

4 $\displaystyle\int_0^\infty \frac{x}{1+x^2}\,\mathrm{d}x$

5 $\displaystyle\int_0^\infty \frac{1}{x^{\frac{1}{2}}}\,\mathrm{d}x$

6 $\displaystyle\int_0^\infty \frac{x}{x^{\frac{4}{3}}}\,\mathrm{d}x$

7 $\displaystyle\int_{-a}^\infty \frac{x}{x^2-a^2}\,\mathrm{d}x$

8 $\displaystyle\int_0^\infty \frac{1}{x^2+a^2}\,\mathrm{d}x$

9 $\displaystyle\int_{-2}^2 \frac{1}{x+2}\,\mathrm{d}x$

10 $\displaystyle\int_0^{\frac{\pi}{2}} \tan x\,\mathrm{d}x$

11 **a)** Defnyddiwch integru fesul rhan i ddarganfod $\int x \ln x\,\mathrm{d}x$.

b) Esboniwch pam mae $\displaystyle\int_0^1 x \ln x\,\mathrm{d}x$ yn bodoli,

a darganfyddwch werth yr integryn hwn. **(NEAB)**

12 **a)** Ysgrifennwch werth $\displaystyle\lim_{x\to\infty} \frac{x}{2x+1}$.

b) Enrhifwch

$$\int_1^\infty \left(\frac{1}{x} - \frac{2}{2x+1}\right)\mathrm{d}x$$

gan roi eich ateb yn y ffurf $\ln k$, lle mae k yn gysonyn sydd i'w ddarganfod. **(NEAB)**

13 **a)** Darganfyddwch (yn nhermau'r cysonyn k) derfan $\dfrac{\cos(\frac{1}{2}\pi x^k)}{\ln x}$ wrth i $x \to 1$.

b) **i)** Esboniwch yn fanwl berthynas $\displaystyle\sum_{r=1}^{n} \frac{r}{n^2+r^2}$

â'r arwynebedd dan y gromlin $y = \dfrac{x}{1+x^2}$ rhwng $x = 0$ ac $x = 1$.

(Dylech gynnwys diagram. Cewch gymryd yn ganiataol fod $\dfrac{x}{1+x^2}$

yn ffwythiant esgynnol pan fo $0 \leqslant x \leqslant 1$.)

ii) Enrhifwch y terfan $L = \displaystyle\lim_{n\to\infty} \sum_{r=1}^{n} \frac{r}{n^2+r^2}$.

iii) Dangoswch fod $L < \displaystyle\sum_{r=1}^{n} \frac{r}{n^2+r^2} < L + \frac{1}{2n}$. **(MEI)**

14 **i)** Darganfyddwch werth union $\int_0^1 \frac{1}{1+x}\,dx$

ii)

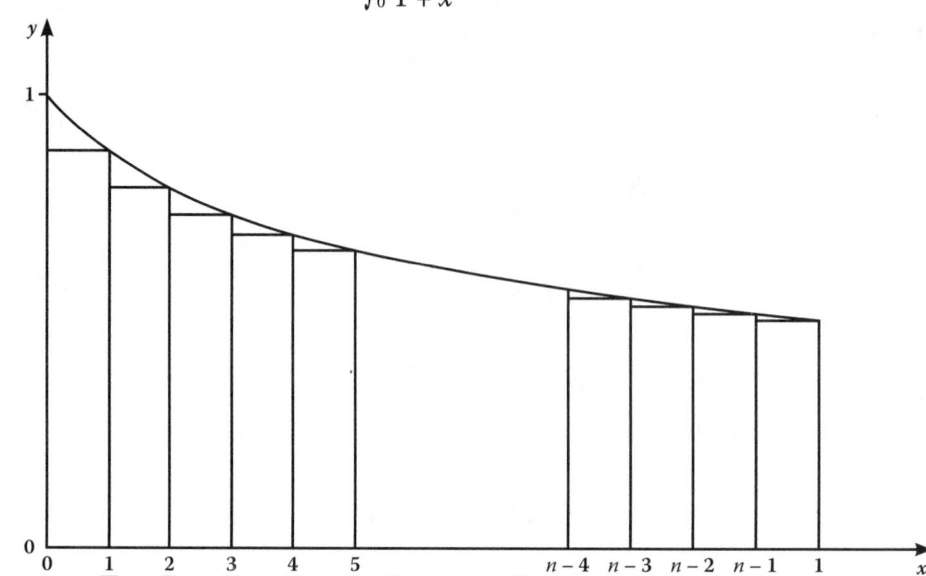

Mae'r diagram yn dangos graff $y = \frac{1}{1+x}$, ar gyfer $0 \leqslant x \leqslant 1$, ynghyd ag n petryal, pob un â'i led yn $\frac{1}{n}$. Dangoswch mai cyfanswm arwynebedd yr n petryal yw

$$\frac{1}{n}\left\{\frac{1}{1+\frac{1}{n}} + \frac{1}{1+\frac{2}{n}} + \frac{1}{1+\frac{3}{n}} + \ldots + \frac{1}{2}\right\}$$

iii) Nodwch derfan y mynegiad yn rhan **ii**, wrth i $n \to \infty$.

iv) Drwy ystyried graff addas, darganfyddwch derfan y canlynol wrth i $n \to \infty$,

$$\frac{1}{n}\left\{\frac{1}{1+\left(\frac{1}{n}\right)^2} + \frac{1}{1+\left(\frac{2}{n}\right)^2} + \frac{1}{1+\left(\frac{3}{n}\right)^2} + \ldots + \frac{1}{2}\right\}$$ **(OCR)**

15 Profwch drwy anwytho, neu fel arall, fod

$$\sum_{r=1}^{n} r^3 = \frac{1}{4} n^2 (n+1)^2$$

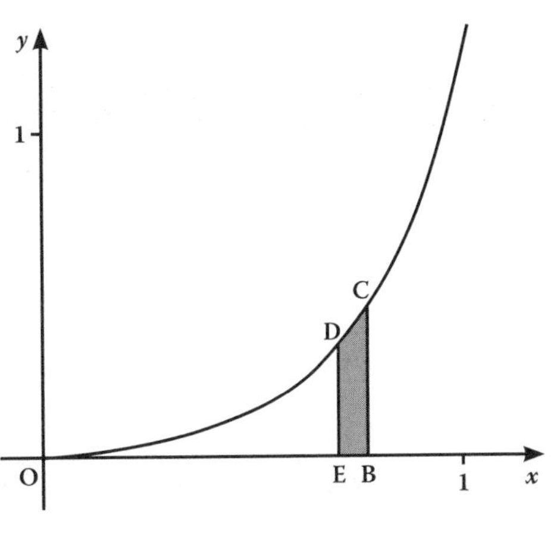

Mae'r diagram yn dangos braslun graff

$$y = x^3 \quad (0 \leqslant x \leqslant 1)$$

Mae arwynebedd y rhanbarth rhwng y gromlin a'r echelin-x wedi ei rannu yn n stribed, pob un â lled $\frac{1}{n}$, gan linellau a dynnwyd yn baralel i'r echelin-y. Dangoswch fod arwynebedd, A, yr $r$fed stribed BCDE, a welir yn y diagram, yn bodloni'r anhafaleddau

$$\frac{(r-1)^3}{n^4} < A_r < \frac{r^3}{n^4}$$

Drwy hynny, dangoswch fod cyfanswm, S, arwynebedd yr n stribed, yn bodloni

$$\frac{1}{4}\left(\frac{n-1}{n}\right)^2 < S < \frac{1}{4}\left(\frac{n+1}{n}\right)^2$$

Diddwythwch werth yr integryn $\int_0^1 x^3 \, dx$. **(NEAB)**

16 Yn y cwestiwn hwn, cewch gymryd y tri chanlyniad canlynol yn ganiataol:

A) Mae $\frac{\ln w}{w} \to 0$ wrth i $w \to \infty$.

B) Mae $y = \frac{\ln x}{x^{\frac{3}{2}}}$ yn ffwythiant disgynnol pan fo $x > 2$.

C) Mae $\int_a^b x^k \ln x \, dx = \frac{b^{k+1} \ln b - a^{k+1} \ln a}{k+1} - \frac{b^{k+1} - a^{k+1}}{(k+1)^2}$, lle mae $0 < a < b$ a $k \neq -1$.

i) Drwy amnewid $w = \frac{\ln x}{\sqrt{x}}$ yn y canlyniad yn A,

dangoswch fod $\sqrt{x} \ln x \to 0$ wrth i $x \to 0$.

ii) Dangoswch fod $\frac{\ln x}{\sqrt{x}} \to 0$ wrth i $w \to \infty$.

iii) Esboniwch pam mae $\int_0^1 \frac{1}{\sqrt{x}} \, dx$ yn integryn afreolaidd, ac enrhifwch yr integryn hwn.

iv) Lluniwch ddiagram i ddangos bod $\sum_{r=3}^{n} \frac{\ln r}{r^{\frac{3}{2}}} < \int_2^n \frac{\ln x}{x^{\frac{3}{2}}} dx$,

ac ysgrifennwch integryn tebyg I fel bod $\sum_{r=3}^{n} \frac{\ln r}{r^{\frac{3}{2}}} > I$.

v) Diddwythwch fod y gyfres anfeidraidd $\sum_{r=3}^{\infty} \frac{\ln r}{r^{\frac{3}{2}}}$ yn gydgyfeiriol, a dangoswch fod

$$3.57 < \sum_{r=3}^{\infty} \frac{\ln r}{r^{\frac{3}{2}}} < 3.81$$ **(MEI)**

13 Dulliau rhifiadol

Which is so small that it scarcely admits of calculation.
DAVID HUME

Datrys hafaliadau polynomaidd

Nid yw'n bosibl datrys y rhan fwyaf o hafaliadau drwy ddefnyddio dulliau algebraidd sy'n rhoi datrysiadau union, ac felly mae'n rhaid troi at ddulliau rhifiadol i'w datrys.

Er bod nifer o ddulliau rhifiadol gwahanol ar gael i'w defnyddio, mae ganddynt i gyd un briodwedd yn gyffredin: drwy ailddefnyddio unrhyw un o'r dulliau hyn, drosodd a throsodd mewn problem, byddwn fel arfer yn llwyddo i gael y datrysiad i unrhyw fanwl gywirdeb a fynnwn.

I ddechrau, mae'n rhaid penderfynu ym mha gyfwng mae'r gwreiddyn yn gorwedd. Drwy hynny, fel arfer, i ddarganfod $f(x) = 0$, rydym yn darganfod $f(\alpha)$ ac $f(\beta)$. Os yw arwyddion y rhain yn ddirgroes, a bod $f(x)$ yn ddi-dor rhwng α a β, yna mae gan $f(x) = 0$ wreïddyn ar gyfer rhyw x sy'n bodloni $\alpha < x < \beta$.

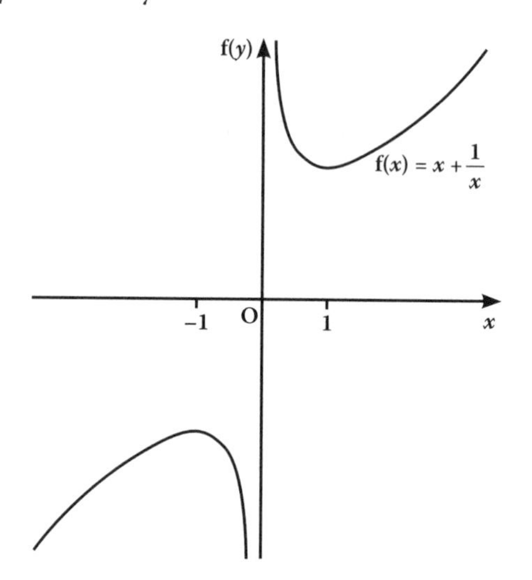

Os nad yw $f(x)$ yn ddi-dor, mae'n bosibl ei fod yn debyg i'r graff ar y dde, lle mae gan $f(1)$ ac $f(-1)$ arwyddion dirgroes, ac $f(x) \neq 0$ am unrhyw werth rhwng -1 ac 1.

Enghraifft 1 Darganfyddwch frasamcan ar gyfer gwerth gwreiddyn $f(x) \equiv x^3 + 5x - 9 = 0$

DATRYSIAD

Cawn

$$f(1) = 1 + 5 - 9 = -3$$

$$f(2) = 8 + 10 - 9 = 9$$

Rydym yn gwybod bod $f(x)$ yn ddi-dor ar gyfer $1 < x < 2$.
Felly, mae gan $f(x) = 0$ wreiddyn ar gyfer rhyw werth x rhwng 1 a 2.

I ddarganfod gwerth y gwreiddyn yn fwy cywir, gallem ailadrodd y dull hwn, drwy ddarganfod $f(1.1)$, $f(1.2)$, $f(1.3)$ ac yn y blaen, gan nodi bod gwerthoedd $f(x)$ yn newid arwydd rhwng 1.3 ac 1.4, ac yna darganfod $f(1.31)$, $f(1.32)$, ac yn y blaen.

Mae'r dull a ddefnyddir yn Enghraifft 1 yn hirwyntog, er, drwy ddewis gwerthoedd x yn ofalus, gall fod yn eithaf effeithiol wrth ddarganfod datrysiad heb ormod o waith cyfrifo diangen.

Y dulliau sy'n cael eu defnyddio fel arfer i ddatrys hafaliadau polynomaidd fel y rhai yn Enghraifft 1 yw **haneru cyfwng**, **rhyngosod llinol**, **dull Newton–Raphson** ac **iteru**.

Haneru cyfwng

Fel mae'r enw'n awgrymu, o wybod bod gwreiddyn $f(x) = 0$ rhwng $x = \alpha$ ac $x = \beta$, rydym yn rhoi cynnig ar $x = \frac{(\alpha + \beta)}{2}$. Mae arwydd $f(x)$ yn penderfynu pa ochr i $\frac{(\alpha + \beta)}{2}$ mae'r gwreiddyn yn gorwedd.

Rydym yn ailadrodd y dull hyd nes i ni gael yr un ateb i'r manwl gywirdeb sydd ei hangen.

Enghraifft 2 Darganfyddwch, drwy haneru cyfwng, frasamcan o werth gwreiddyn $f(x) \equiv x^3 + 5x - 9 = 0$, yn gywir i ddau ffigur ystyrlon.

DATRYSIAD

$$f(1) = 1 + 5 - 9 = -3$$

$$f(2) = 8 + 10 - 9 = 9$$

Felly, mae'r gwreiddyn yn gorwedd rhwng $x = 1$ ac $x = 2$.

Nawr rhown $x = 1.5$, sy'n rhoi

$$f(1.5) = 1.875$$

Nodwn fod gan $f(1.5)$ ac $f(1)$ arwyddion gwahanol.
Felly, mae'r gwreiddyn yn gorwedd rhwng $x = 1$ ac $x = 1.5$.

Rydym yn parhau i haneru'r cyfwng lle y gwyddom fod y gwreiddyn yn gorwedd, hyd nes y cyrhaeddwn y manwl gywirdeb sydd ei angen. Felly, cawn y canlyniadau canlynol.

$f(1.25) = -0.796\,875$
$f(1.25)$ ac $f(1.5)$ â'u harwyddion yn ddirgroes: gwreiddyn rhwng $x = 1.25$ ac 1.5

$f(1.375) = 0.474\,609\,375$
$f(1.25)$ ac $f(1.375)$ â'u harwyddion yn ddirgroes: gwreiddyn rhwng $x = 1.25$ ac 1.375

$f(1.3125) = -0.176\,513\,67$
$f(1.3125)$ ac $f(1.375)$ â'u harwyddion yn ddirgroes:
gwreiddyn rhwng $x = 1.3125$ ac 1.375

$f(1.34375) = 0.145\,111$
$f(1.34375)$ ac $f(1.3125)$ â'u harwyddion yn ddirgroes:
gwreiddyn rhwng $x = 1.3125$ ac $1.343\,75$

Rydym o'r diwedd yn gallu dweud bod gwreiddyn $f(x) = 0$ yn 1.3 i ddau ffigur ystyrlon.

Mae haneru cyfwng yn ddull hirwyntog ac araf fel arfer.
Yn ogystal â hyn, mae'n methu os nad yw graff $f(x)$ yn ddi-dor yn y cyfwng angenrheidiol, fel yn achos graff $f(x) = x + \frac{1}{x}$ ar dudalen 268.

(Union werth y datrysiad yw 1.329 744 122 i ddeg ffigur ystyrlon.)

Rhyngosodiad llinol

Dull mwy effeithlon o barhau o f(1) = –3 ac f(2) = 9 yw drwy ddiddwytho bod gwreiddyn $f(x) \equiv x^3 + 5x - 9$ yn debycach o fod llawer agosach at 1 nag at 2, oherwydd bod $|f(2)| > |f(1)|$.

Caiff y dull hwn ei ffurfioli mewn **rhyngosodiad llinol**, lle cysylltir y ddau bwynt (1, –3) a (2, 9) gan linell syth, gyda gwerth-x yn cael ei gyfrifo ar y llinell hon.

Gan ddefnyddio trionglau cyflun gyda'r gwreiddyn yn $x = 1 + p_1$, cawn

$$\frac{p_1}{3} = \frac{1 - p_1}{9} \quad \Rightarrow \quad p_1 = \frac{1}{4}$$

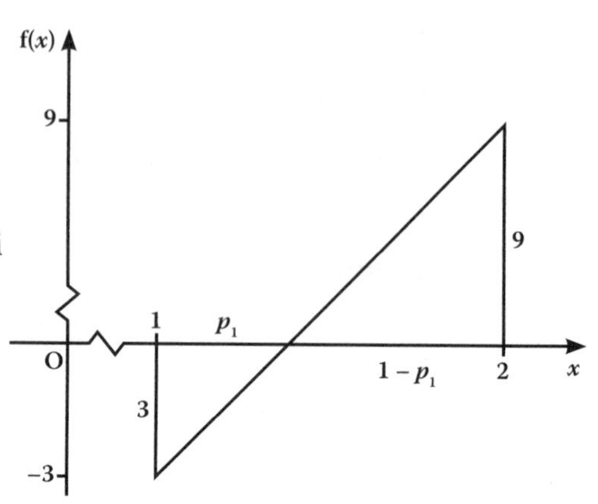

Felly, brasamcan gwell o wreiddyn f(x) = 0 yw 1.25, sy'n rhoi

$$f(1.25) = -\ 0.796\ 875$$

Felly mae'r gwreiddyn rhwng 1.25 a 2.

Gan ddefnyddio trionglau cyflun unwaith eto, cawn

$$\frac{p_2}{0.796\ 875} = \frac{0.75 - p_2}{9}$$

$$\Rightarrow \quad 9.796\ 875p_2 = 0.75 \times 0.796\ 875$$

$$\Rightarrow \quad p_2 = 0.061\ 004\ 784$$

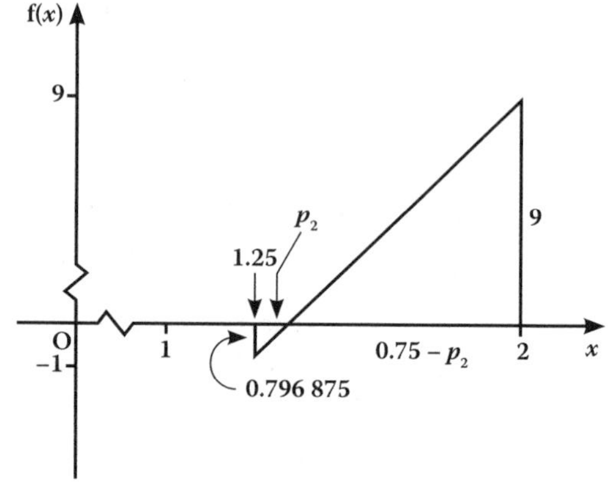

Felly, yr ail frasamcan o wreiddyn f(x) = 0 yw 1.311 004 784 sy'n rhoi

$$f(1.311\ 004\ 784) = -0.191\ 708\ 181$$

Felly, mae'r gwreiddyn rhwng 1.311 004 784 a 2.

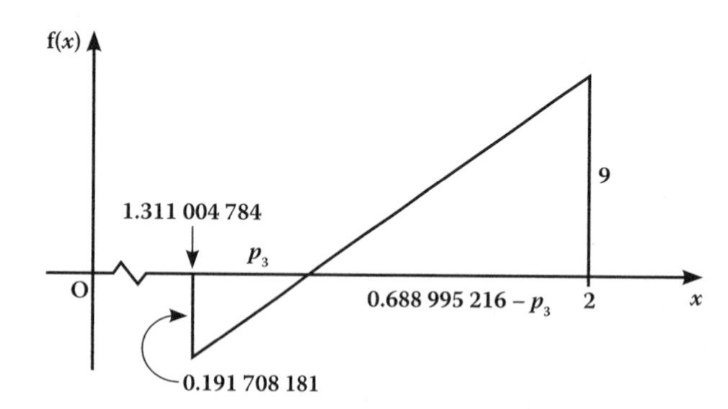

Ailadroddwn y dull unwaith eto (gweler y ffigur uchod) a chawn

$$\frac{p_3}{0.191\ 708\ 181} = \frac{0.688\ 995\ 216 - p_3}{9}$$

$$\Rightarrow \quad 9.191\ 708\ 181p_3 = 0.688\ 995\ 216 \times 0.191\ 708\ 181$$

$$\Rightarrow \quad p_3 = 0.014\ 370\ 127$$

Felly, trydydd brasamcan y gwreiddyn yw 1.325 374 912, sy'n rhoi

$$f(1.325\ 374\ 912) = -0.044\ 947\ 145$$

Felly mae'r gwreiddyn rhwng 1.325 374 912 a 2.

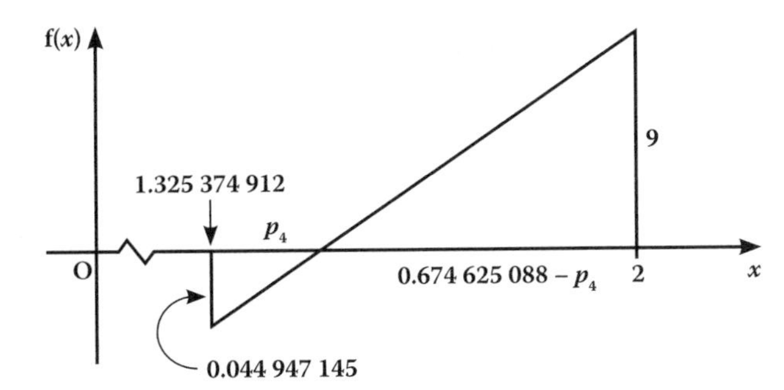

Ailadroddwn y dull unwaith eto (gweler y ffigur uchod) a chawn

$$\frac{p_4}{0.044\ 947\ 145} = \frac{0.674\ 625\ 088 - p_4}{9}$$

$$\Rightarrow \quad 9.044\ 947\ 145 p_4 = 0.674\ 625\ 088 \times 0.044\ 947\ 145$$

$$\Rightarrow \quad p_4 = 0.003\ 352\ 421\ 099$$

Felly, pedwerydd brasamcan y gwreiddyn yw 1.328 727 333.

Mae'r pedwerydd a'r trydydd brasamcan yn 1.33, yn gywir i ddau le degol.
I wirio mai hwn yw'r ateb cywir i ddau le degol, darganfyddwn f(1.355):

$$f(1.335) = 0.054\ 27$$

sydd ag arwydd dirgroes i f(1.326).

Felly, y gwreiddyn yw 1.33, yn gywir i ddau le degol.

Er bod rhyngosodiad llinol yn llawer cyflymach na haneru cyfwng,
nid yw'n cymryd i ystyriaeth siâp graff $f(x)$ rhwng y pwyntiau cychwynnol.

Y dull sy'n gwneud hyn yw dull Newton–Raphson.

Dull Newton–Raphson

Os yw α yn frasamcan o werth gwreiddyn $f(x) = 0$,

yna mae $\alpha - \dfrac{f(\alpha)}{f'(\alpha)}$ fel arfer yn well brasamcan.

Ystyriwch graff $y = f(x)$.
Lluniwch y tangiad yn P, lle mae $x = \alpha$,
a gadewch i'r tangiad gyfarfod â'r echelin-x yn T.

Gwelwn fod y gwerth-x yn T
yn agosach nag α at y gwerth-x yn N,
lle mae'r graff yn torri'r echelin.

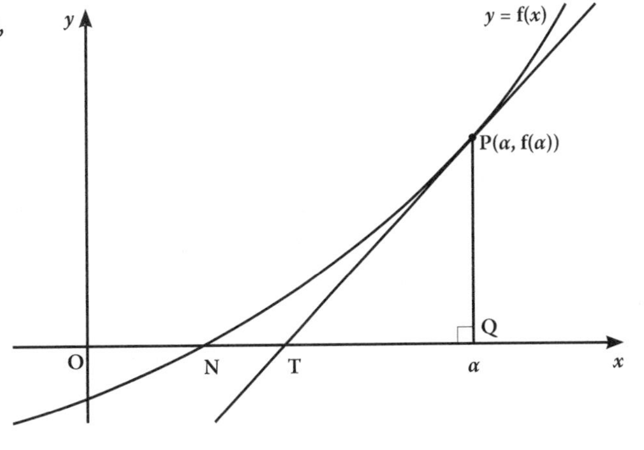

Gan ddefnyddio triongl PTQ, cawn

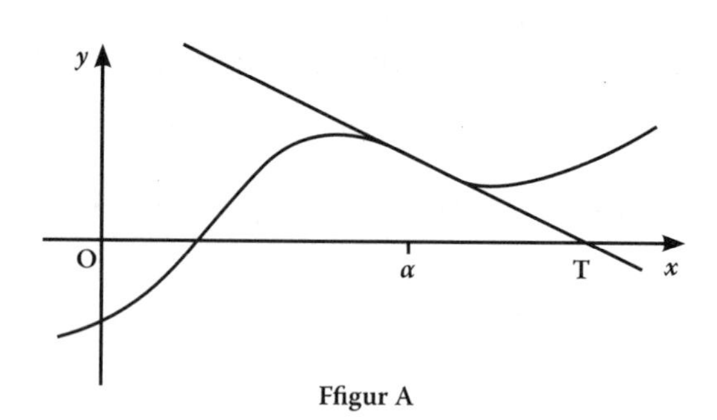

Ffigur A

$$\text{Graddiant y tangiad} = \frac{PQ}{QT}$$

$$\Rightarrow \quad f'(\alpha) = \frac{f(\alpha)}{QT}$$

$$\Rightarrow \quad QT = \frac{f(\alpha)}{f'(\alpha)}$$

Gwerth-x y pwynt T yw

$$\alpha - QT = \alpha - \frac{f(\alpha)}{f'(\alpha)}$$

sy'n well brasamcan o wreiddyn $f(x) = 0$.
Pan nad yw gwreiddyn $f(x) = 0$ yn agos at α, mae'r dull yn gallu methu. Er enghraifft, yn Ffigur A, mae'r gwerth-x nesaf yn T, sydd ymhellach o'r gwreiddyn nag α. Ac yn Ffigur B, mae $f'(\alpha) = 0$, nad yw o ddim cymorth.

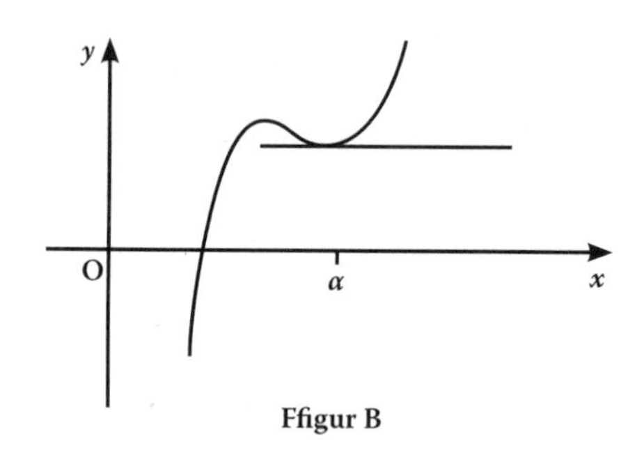

Ffigur B

Yn ei ffurf iterus, mae dull Newton–Raphson yn rhoi

$$\alpha_{n+1} = \alpha_n - \frac{f(\alpha_n)}{f'(\alpha_n)}$$

Enghraifft 3 Defnyddiwch ddull Newton–Raphson, gyda gwerth cychwynnol $x = 1$, i ddarganfod gwreiddyn $f(x) \equiv x^3 + 5x - 9$ i dri ffigur ystyrlon.

DATRYSIAD

Boed i'r gwreiddyn angenrheidiol fod yn α.

Drwy ddifferu $f(x) \equiv x^3 + 5x - 9$, cawn

$$f'(x) = 3x^2 + 5$$

Gan roi $\alpha_1 = 1$, cawn

$$f(\alpha_1) = 1 + 5 - 9 = -3$$

$$f'(\alpha_1) = 3 + 5 = 8$$

Drwy ddefnyddio dull Newton–Raphson, mae gennym

$$\alpha_{n+1} = \alpha_n - \frac{f(\alpha_n)}{f'(\alpha_n)}$$

sy'n rhoi

$$\alpha_2 = \alpha_1 - \frac{f(\alpha_1)}{f'(\alpha_1)} = 1 + \frac{3}{8} = 1.375$$

Felly, cawn

$$\alpha_3 = 1.375 - \frac{f(1.375)}{f'(1.375)} = 1.375 - \frac{0.474\,609\,375}{10.671\,875} = 1.330\,5271$$

sydd wedyn yn rhoi

$$\alpha_4 = 1.330\,5271 - \frac{f(1.330\,5271)}{f'(1.330}$$

$$= 1.330\,5271 - \frac{0.008\,070\,770\,27}{10.310\,907} = 1.329\,744\,36$$

Mae α_3 ac α_4 mor agos at ei gilydd fel ein bod yn gallu dweud mai'r gwreiddyn yw 1.33, i dri ffigur ystyrlon. (Mewn gwirionedd y gwreiddyn yw 1.329 744, i saith ffigur ystyrlon. Petaem yn ailadrodd y dull hwn sawl tro eto, byddem yn darganfod mai'r gwreiddyn yw 1.329 744 122, yn gywir i ddeg ffigur ystyrlon.)

Felly, gwreiddyn $f(x) = x^3 + 5x - 9$ yw 1.33, yn gywir i dri ffigur ystyrlon.

Iteru

Dull iterus yw dull a ailadroddir nifer o weithiau, gan ddilyn yn union yr un broses bob tro.

Mae'n cynnig dull arall eto o ddarganfod datrysiad i hafaliad $f(x) = 0$,
lle rydym yn aildrefnu'r hafaliad i greu **fformiwla iterus** yn y ffurf

$$x_{n+1} = g(x_n)$$

lle mae x_{n+1} yn frasamcan agosach nag x_n i ddatrysiad $f(x) = 0$.

Er enghraifft, gallwn aildrefnu $x^3 + 5x - 9 = 0$ fel

$$x^3 = 9 - 5x \quad \Rightarrow \quad x = \sqrt[3]{9 - 5x}$$

sy'n ein galluogi i gael y fformiwla iterus

$$x_{n+1} = (9 - 5x_n)^{\frac{1}{3}}$$

Neu, gallwn aildrefnu $x^3 + 5x - 9 = 0$ i gael

$$x^3 = 9 - 5x \quad \Rightarrow \quad x^2 = \frac{9}{x} - 5 \quad \Rightarrow \quad x = \sqrt{\frac{9}{x} - 5}$$

sy'n ein galluogi i gael y fformiwla iterus

$$x_{n+1} = \sqrt{\frac{9}{x_n} - 5}$$

Yn naturiol, mae rhai dulliau gweithredu iterus yn cynhyrchu ateb manwl gywir yn gynt nag eraill, ac mae rhai dulliau'n methu'n gyflym.

Er enghraifft, drwy ddefnyddio $x_{n+1} = \sqrt{\frac{9}{x_n} - 5}$ gydag $x = 1$, cawn

$$x_2 = \sqrt{\frac{9}{1} - 5} = 2$$

$$x_3 = \sqrt{\frac{9}{2} - 5} = \sqrt{-0.5} \quad \text{nad yw'n bodoli.}$$

Mae penderfynu pa fformiwla iterus i'w defnyddio y tu hwnt i ofynion manylebau Safon Uwch a'r llyfr hwn. Bydd pob iteriad y dewch ar ei draws ar y lefel hon yn arwain at un o'r patrymau a welwch nesaf.

Enghraifft 4 Defnyddiwch $x_{n+1} = \frac{1}{6}(x_n^3 + 1)$ i ddarganfod datrysiad ar gyfer $f(x) = x^3 - 6x + 1 = 0$.

DATRYSIAD

Mae'n rhaid darganfod cyfwng sy'n cynnwys y gwreiddyn, fel y gwnaethom â'r dulliau eraill.

Wrth roi $x = 2$ ac $x = 3$ yn $f(x) \equiv x^3 - 6x + 1$, cawn

$$f(2) = -3 \quad \text{ac} \quad f(3) = 10$$

Felly, mae gan $f(x) = 0$ wreiddyn am ryw werth x sydd rhwng 2 a 3.

(Hefyd, gan fod $f(0) = 1$ ac $f(1) = -4$, mae gan $f(x) = 0$ wreiddyn arall am ryw werth x sydd rhwng 0 ac 1.)

Wrth ddefnyddio $x_{n+1} = \frac{1}{6}(x_n^3 + 1)$ gydag $x_1 = 2$, cawn

$$x_2 = \frac{1}{6}(2^3 + 1) = 1.5$$

sy'n rhoi

$$x_3 = \frac{1}{6}(1.5^3 + 1) = 0.729\,1666$$

$$x_4 = 0.231\,28$$

Gwelwn nad yw'r gwerthoedd x hyn yn cydgyfeirio at y gwreiddyn angenrheidiol.

Yn hytrach na gwneud hyn, gallwn gychwyn gydag $x_1 = 3$, a chawn

$$x_2 = \frac{1}{6}(3^3 + 1) = \frac{28}{6} = 4\tfrac{2}{3}$$

$$x_3 = \frac{1}{6}[(4\tfrac{2}{3})^3 + 1] = 17.1049$$

Gwelwn nad yw'r gwerthoedd hyn yn cydgyfeirio at y gwreiddyn chwaith.

Yn Enghraifft 4, nodwn fod cychwyn o dan y gwreiddyn yn gyrru'r iteriad at y gwreiddyn lleiaf, a bod cychwyn uwchben y gwreiddyn yn gyrru'r iteriad at anfeidredd. Gallwn gynrychioli'r canlyniadau hyn yn graffigol ar ffurf **diagram grisiau**, fel y dangosir ar y dde.

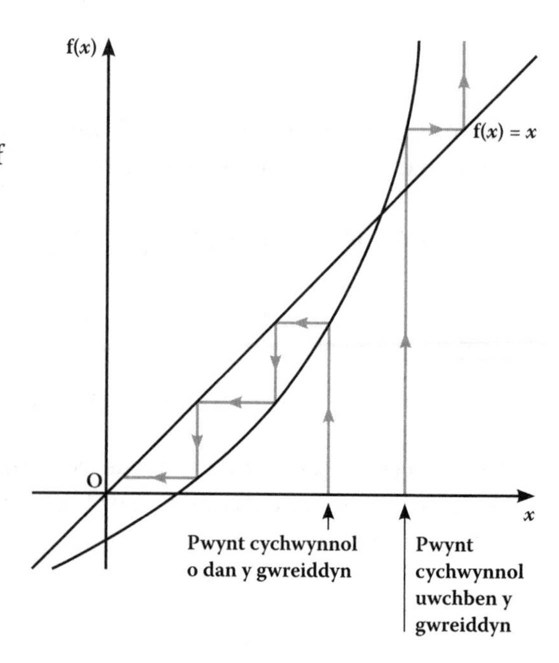

Enghraifft 5 Gan gychwyn gydag $x = -1$, defnyddiwch yr iteriad $x_{n+1} = \frac{1}{6}x_n^2 - 2$ i ddarganfod y gwreiddyn i dri ffigur ystyrlon.

DATRYSIAD

Wrth ddefnyddio $x_{n+1} = \frac{1}{6}x_n^2 - 2$ gydag $x_1 = -1$, cawn

$$x_2 = \frac{1}{6} - 2 = -1\frac{5}{6} = -1.833\,33$$

$$x_3 = \frac{1}{6}(-1.833\,33)^2 - 2 = -1\frac{95}{216} = -1.4398$$

$x_4 = -1.654\,488\,883 \quad x_5 = -1.543\,777\,756$

$x_6 = -1.602\,791\,707 \quad x_7 = -1.571\,843\,124$

$x_8 = -1.588\,218\,199 \quad x_9 = -1.579\,593\,825$

Felly, y gwreiddyn yw −1.58, yn gywir i dri ffigur ystyrlon.

Yn y pen draw, byddem yn darganfod mai −1.582 575 695 yw'r gwreiddyn.

Gellir dangos canlyniad Enghraifft 5 yn graffigol ar ffurf patrwm sy'n troelli **i mewn i'r** gwreiddyn, fel y gwelwn ar y dde. Oherwydd hyn, yr enw a roddir arno yw **diagram gwe pryf copyn**.

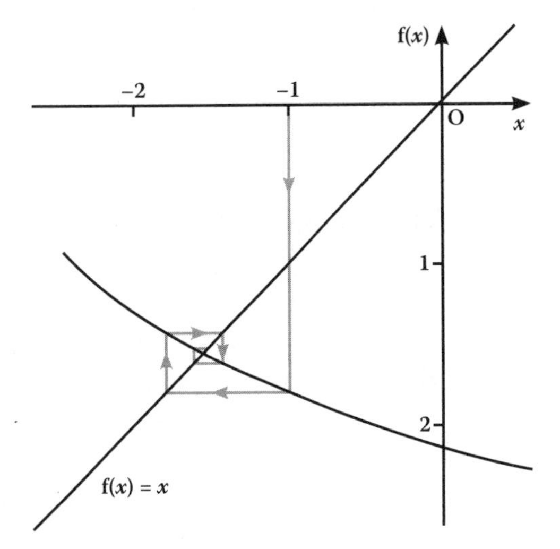

Isod mae dau batrwm arall yr ydych yn debygol o ddod ar eu traws.

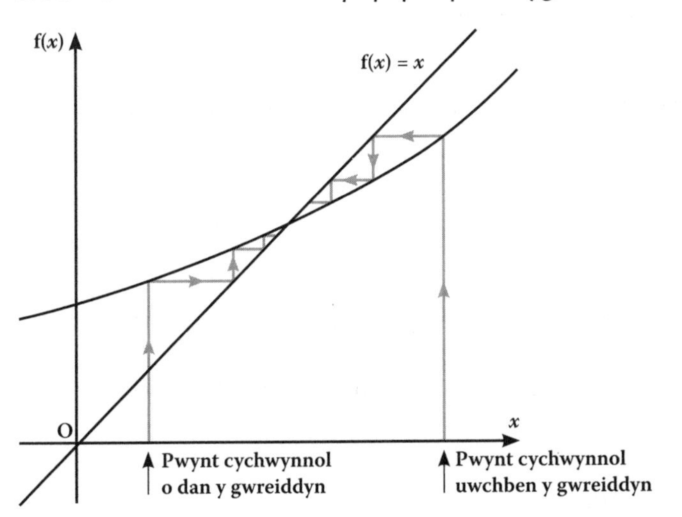

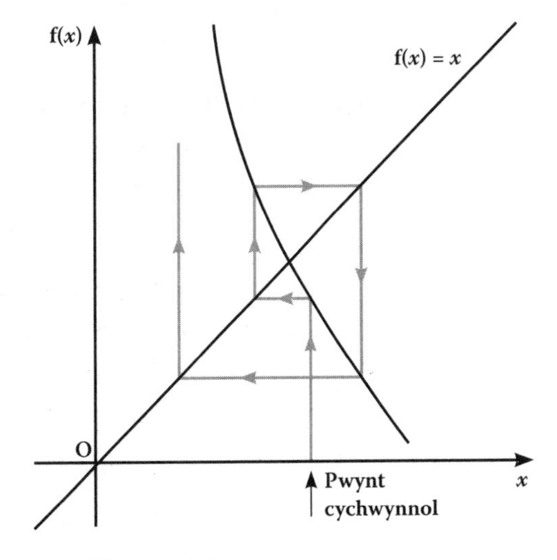

Yn y patrwm ar y chwith, mae'r gwerthoedd iterus yn camu'n syth **i'r** gwreiddyn oddi uchod (neu oddi isod). Mae'r patrwm ar y dde yn troelli **allan o'r** gwreiddyn.

Ymarfer 13A

1 Dangoswch fod gwreiddyn i'r hafaliad $x^3 = 7 - 5x$ yn gorwedd yn y cyfwng $1 < x < 2$.
Defnyddiwch ryngosodiad llinol i ddarganfod y gwreiddyn hwn yn gywir i ddau le degol.

2 Dangoswch fod gwreiddyn i'r hafaliad $xe^{3x} = 12$ yn gorwedd yn y cyfwng $0 < x < 1$.
Defnyddiwch ryngosodiad llinol i ddarganfod y gwreiddyn hwn yn gywir i ddau le degol.

3 Dangoswch fod gwreiddyn i'r hafaliad $x^3 - 4x = 5$ yn gorwedd yn y cyfwng $2 < x < 3$.
Defnyddiwch haneru cyfwng i ddarganfod y gwreiddyn hwn yn gywir i ddau le degol.

4 Dangoswch fod gwreiddyn i'r hafaliad $3x^3 - e^x = 0$ yn gorwedd yn y cyfwng $0 < x < 1$.
Defnyddiwch haneru cyfwng i ddarganfod y gwreiddyn hwn yn gywir i ddau le degol.

5 Dangoswch fod gwreiddyn i'r hafaliad $2x^3 - e^{\frac{1}{2}x} = 0$ yn gorwedd yn y cyfwng $0 < x < 1$.
Defnyddiwch ryngosodiad llinol i ddarganfod y gwreiddyn hwn yn gywir i ddau le degol.

6 Dangoswch fod gwreiddyn i'r hafaliad $\sin \frac{\pi x}{2} = 3x - 1$ yn gorwedd yn y cyfwng $0 < x < 1$.
Defnyddiwch ryngosodiad llinol i ddarganfod y gwreiddyn hwn yn gywir i ddau le degol.

7 Gan ddefnyddio dull Newton–Raphson,
darganfyddwch wreiddyn real $x^3 + 3x - 7 = 0$ yn gywir i ddau le degol.

8 Fformiwla iterus ar gyfer datrys hafaliad ciwbig yw

$$x_{n+1} = \frac{3}{x_n^2} - 4$$

a) Cymerwch $x_1 = 4$ a chyfrifwch $x_2, x_3, x_4, x_5, x_6, x_7$ ac x_8.
Ar gyfer pob iteriad, ysgrifennwch y pum digid cyntaf.
b) Beth yw'r datrysiad, yn gywir i dri lle degol?
c) Sawl iteriad sydd ei angen i ddarganfod y datrysiad hwn?
d) Drwy roi x yn lle x_{n+1} ac x_n, dangoswch fod y gwerth hwn yn ddatrysiad i'r hafaliad

$$x^3 + 4x^2 - 3 = 0$$

9 Rydym yn gwybod bod gan yr hafaliad $e^{0.5x} + x^2 - 3.5x = 0$
un gwreiddyn **yn union** yn y cyfwng [0, 1].

Defnyddiwch y dull haneru dair gwaith i gael gwell amcan o'r cyfwng
sy'n cynnwys y gwreiddyn.

Cyfrifwch y nifer lleiaf o weithiau yn **ychwanegol** y mae angen defnyddio'r dull haneru
i wneud hyd y cyfwng yn llai na 10^{-5}. (SQA/CSYS)

10

$$f(x) \equiv \tan x + 1 - 4x^2 \qquad -\frac{\pi}{2} < x < \frac{\pi}{2}$$

a) Dangoswch fod gan yr hafaliad $f(x) = 0$ wreiddyn α yn y cyfwng [1.42, 1.44].
b) Defnyddiwch ryngosodiad llinol un waith yn y cyfwng [1.42, 1.44] i amcangyfrif α,
gan roi eich ateb i dri lle degol.
c) Dangoswch fod gan yr hafaliad $f(x) = 0$ wreiddyn arall β yn y cyfwng [0.6, 0.7].
d) Defnyddiwch yr iteriad

$$x_{n+1} = \frac{1}{2}(1 + \tan x_n)^{\frac{1}{2}} \qquad x_0 = 0.65$$

i ddarganfod β i dri lle degol. (EDEXCEL)

11 $$f(x) \equiv 2^x - x^3$$

a) Dangoswch fod gwreiddyn, α, yr hafaliad $f(x) = 0$ yn gorwedd yn y cyfwng $1.3 < \alpha < 1.4$.

b) Gan gymryd 1.37 fel gwerth cychwynnol, defnyddiwch ddull Newton–Raphson un waith gydag $f(x)$ i gael ail frasamcan i'r gwreiddyn hwn.
Rhowch eich ateb i dri lle degol. (EDEXCEL)

12 Dangoswch fod gan yr hafaliad

$$e^x + x - 3 = 0$$

wreiddyn rhwng 0 ac 1. Defnyddiwch ddull Newton–Raphson i ddatrys yr hafaliad, gan roi eich ateb yn gywir i bum lle degol. Cofnodwch werthoedd $x_0, x_1, x_2, \ldots$ i gynifer o leoedd degol ag a ganiateir gan eich cyfrifiannell. (CBAC)

13 O wybod bod x wedi'i fesur mewn radianau a bod $f(x) \equiv \sin x - 0.4x$,

a) darganfyddwch werthoedd $f(2)$ ac $f(2.5)$ a diddwythwch fod gan yr hafaliad $f(x) = 0$ wreiddyn α yn y cyfwng $[2, 2.5]$

b) defnyddiwch ryngosodiad llinol un waith yn y cyfwng $[2, 2.5]$ i amcangyfrif gwerth α, gan roi eich ateb i ddau le degol

c) gan ddefnyddio 2.1 fel brasamcan cychwynnol ar gyfer α, defnyddiwch ddull Newton–Raphson un waith i ddarganfod ail frasamcan ar gyfer α, gan roi eich ateb i ddau le degol. (EDEXCEL)

14 Mae gan yr hafaliad $x^3 + 3x^2 - 1 = 0$ wreiddyn rhwng 0 ac 1.
Defnyddiwch ddull Newton–Raphson, gyda brasamcan cychwynnol yn 0.5, i ddarganfod y gwreiddyn hwn yn gywir i ddau le degol.

Rhowch reswm clir pam y byddai'n amhosibl defnyddio dull Newton–Raphson gyda brasamcan cychwynnol 0. (OCR)

15 Defnyddiwch ddull Newton–Raphson i ddarganfod, yn gywir i dri lle degol, wreiddyn yr hafaliad $x^3 - 10x = 25$ sydd yn agos at 4. (OCR)

16 $$f(x) \equiv \cosh x - x^3$$

a) Dangoswch fod gan yr hafaliad $f(x) = 0$ un gwreiddyn α, rhwng 1 a 2.

Mae gwreiddyn arall, β, i'r hafaliad $f(x) = 0$ yn gorwedd yn agos at 6.14.

b) Defnyddiwch ddull Newton–Raphson un waith i gael ail frasamcan ar gyfer β, gan roi eich ateb i dri lle degol. (EDEXCEL)

17 $$f(x) \equiv e^x - 2x^2$$

a) Dangoswch fod gan yr hafaliad $f(x) = 0$ wreiddyn, α, yn y cyfwng $[-1, 0]$ a gwreiddyn β yn y cyfwng $[1, 2]$.

b) Defnyddiwch ryngosodiad llinol un waith yn y cyfwng $[1, 2]$ i ddarganfod brasamcan ar gyfer β, gan roi eich ateb i ddau le degol.

c) Defnyddiwch ddull Newton–Raphson ddwy waith gydag $f(x)$, gan gychwyn â -0.5 i ddarganfod brasamcan ar gyfer α, gan roi eich ateb terfynol mor fanwl gywir ag sy'n addas, yn eich barn chi. (EDEXCEL)

18 **a)** Datryswch $x = 0.5 + \sin x$ drwy ddefnyddio'r **ddau** ddull canlynol.

i) Dull iterus, ond nid dull Newton–Raphson, gan gychwyn gydag $x_1 = 1.5$. Rhowch eich ateb yn gywir i bum lle degol.

ii) Dull Newton–Raphson, a'i ddefnyddio **un waith un unig**, gan gychwyn gydag $x_1 = 1.5$.

b) Cyfrifwch raddiant $0.5 + \sin x$ lle mae $x = 1.5$. Nodwch pa mor berthnasol yw'r graddiant i **un** o'r dulliau a ddefnyddiwyd yn rhan **a**. (NEAB/SMP 16-19)

19 O wybod bod $f(\theta) = \theta - \sqrt{(\sin \theta)}, 0 < \theta < \frac{1}{2}\pi$, dangoswch fod

a) gan yr hafaliad $f(\theta) = 0$ wreiddyn yn gorwedd rhwng $\frac{1}{4}\pi$ a $\frac{3}{10}\pi$

b) $f'(\theta) = 1 - \dfrac{\cos \theta}{2\sqrt{(\sin \theta)}}$

c) Gan gymryd $\frac{3}{10}\pi$ fel brasamcan cyntaf i'r gwreiddyn hwn ar gyfer yr hafaliad $f(\theta) = 0$,

defnyddiwch ddull Newton–Raphson un waith i ddarganfod ail frasamcan, gan roi eich ateb i ddau le degol.

d) Dangoswch fod $f'(\theta) = 0$ pan fo $\sin \theta = \sqrt{5} - 2$. (EDEXCEL)

20 Mae'r diagram yn dangos y llinell sydd â'r hafaliad $y = 5x$ a'r gromlin sydd â'r hafaliad $y = e^x$. Maent yn cyfarfod pan fo $x = \alpha$ ac $x = \beta$. Brasamcanion ar gyfer gwerthoedd α a β yw 0.2 a 2.5 yn ôl eu trefn.

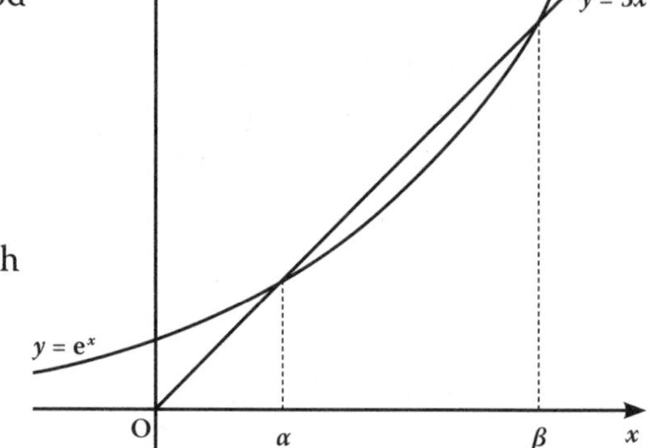

a) Defnyddir y fformiwla iterus $a_{n+1} = \frac{1}{5}e^{a_n}$ i ddarganfod gwell brasamcan ar gyfer α. Gan gymryd $a_1 = 0.2$, defnyddiwch y fformiwla iterus i gael a_2, a_3, a_4 ac a_5, gan roi eich atebion i bedwar lle degol.

Defnyddir dull Newton–Raphson i ddarganfod gwell brasamcan ar gyfer β.

b) Gan gymryd $f(x) \equiv e^x - 5x$ a brasamcan cychwynnol 2.5 ar gyfer β, defnyddiwch ddull Newton–Raphson un waith i gael ail frasamcan, gan roi eich ateb i dri lle degol.

c) Esboniwch, gyda chymorth diagram, pam mae dull Newton–Raphson yn methu os defnyddir ln 5 fel brasamcan cychwynnol ar gyfer β. (EDEXCEL)

21 **a)** Mae gan yr hafaliad ciwbig

$$x^3 - 9x + 3 = 0$$

wreiddyn sy'n gorwedd rhwng 0 ac 1. Defnyddiwch ddull Newton–Raphson gyda gwerth cychwynnol $x_0 = 0.5$ i ddarganfod y gwreiddyn hwn, gan roi eich ateb yn gywir i chwe lle degol.

b) Mae aildrefnu'r hafaliad

$$x + 3 = 2 \tan x$$

yn rhoi'r fformiwla iterus

$$x_{n+1} = \tan^{-1}\left(\frac{x_n + 3}{2}\right)$$

Drwy ystyried yr amod ar gyfer cydgyfeirio, dangoswch fod modd defnyddio'r fformiwla iterus hon i ddarganfod unrhyw wreiddyn i'r hafaliad. (CBAC)

22 Mae'r diagram isod yn dangos rhan o graff y ffwythiant f, lle mae

$$f(x) = \frac{6}{4x^3 - 12x^2 + 9x + 3}$$

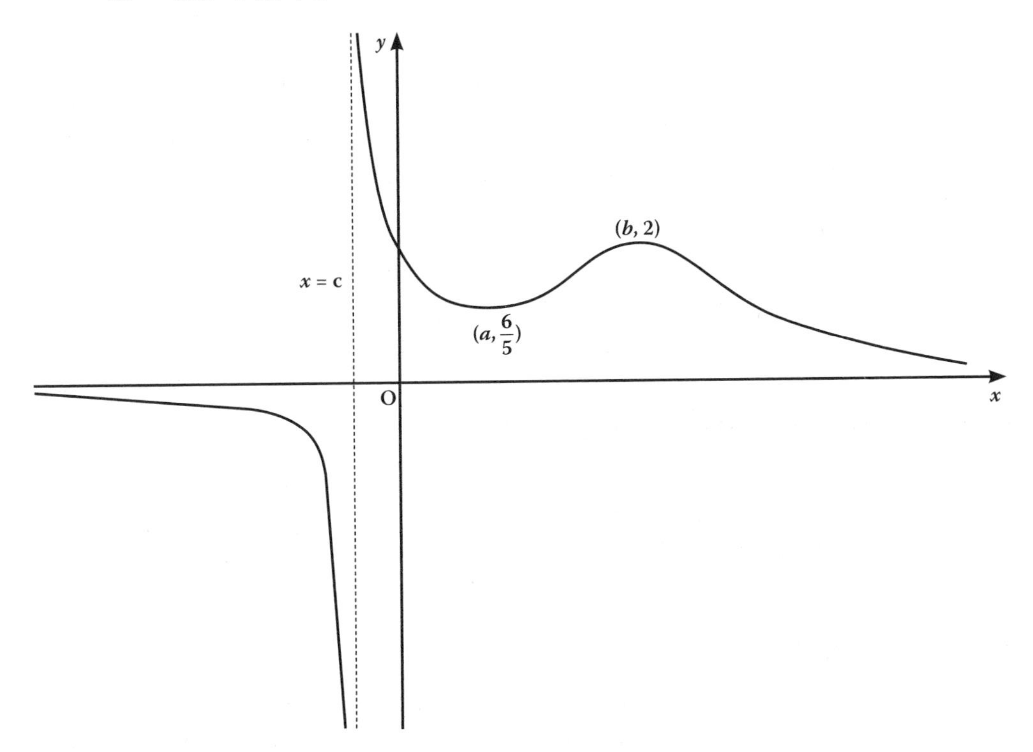

a) Mae gan graff f drobwynt minimwm yn $(a, \frac{6}{5})$ a throbwynt macsimwm yn $(b, 2)$. Defnyddiwch galcwlws i gael gwerthoedd a a b.

b) Mae'r llinell $x = c$ yn asymptot fertigol i graff f.

i) Ysgrifennwch hafaliad mae'n rhaid i c ei fodloni.

ii) Defnyddiwch ddull Newton, gydag $x_0 = -0.2$, i ddarganfod brasamcan ar gyfer gwerth c yn gywir i bedwar lle degol.

[Mae dull Newton yn defnyddio'r iteriad $x_{n+1} = x_n - \frac{p(x_n)}{p'(x_n)}$

i gynhyrchu brasamcanion olynol ar gyfer datrysiad i'r hafaliad $p(x) = 0$.] **(SQA/CSYS)**

23 Mae gan yr hafaliad $f(x) = 0$ wreiddyn yn $x = a$, y gwyddom ei fod yn agos at $x = x_0$. Drwy lunio graff addas i ddangos y sefyllfa, deilliwch y fformiwla ar gyfer yr iteriad cyntaf o ddull Newton–Raphson i ddatrys $f(x) = 0$.
Drwy hynny esboniwch sut mae cael y fformiwla gyffredinol.

Gwyddom fod gan yr hafaliad $f(x) = 0$, lle mae

$$f(x) = 3x^5 - 8x^2 + 4,$$

dri gwreiddyn real gwahanol gyda dau ohonynt yn bositif.

Defnyddiwch ddull Newton–Raphson gyda gwerth cychwynnol -1 i ddarganfod y gwreiddyn negatif yn gywir i dri lle degol.

Mae'n wybyddys fod y ddau wreiddyn arall yn gorwedd yn y cyfwng cul [0.75, 1.25]. Defnyddiwch ddiagram i esbonio pam y byddai dull Newton–Raphson, o bosibl, yn anodd ei ddefnyddio i ddarganfod y gwreiddiau hyn.

Awgrymir y gellir darganfod y gwreiddyn sy'n agos at $x = 0.75$ drwy iteru syml gan ddefnyddio'r iteriad

$$x_{n+1} = \frac{3x_n^4}{8} + \frac{1}{2x_n}$$

Dangoswch fod hwn, **o bosibl**, yn addas i ddarganfod datrysiad yng nghyffiniau $x = 0.75$.

Gan ddefnyddio $x = 0.75$ fel gwerth cychwynnol a chan gofnodi iteriadau olynol i dri lle degol, defnyddiwch iteru syml i ddarganfod y gwreiddyn hwn i ddau le degol.

Mae'n wybyddus fod y trydydd gwreiddyn yn gorwedd yn y cyfwng [1.2, 1.25]. Defnyddiwch dri chymhwysiad o'r dull haneru i ddarganfod amcangyfrif mwy manwl gywir ar gyfer y cyfwng lle mae'r gwreiddyn yn gorwedd. (SQA/CSYS)

Enrhifo arwynebedd dan gromlin

Pan fo arnom angen darganfod yr arwynebedd o dan gromlin ond nad ydym yn gallu integru'r ffwythiant, mae'n rhaid defnyddio dull rhifiadol. Y ddwy dechneg rifiadol fwyaf cyffredin yw y **rheol trapesiwm** a **rheol Simpson**.

Y rheol trapesiwm

Gallwn ddarganfod yr arwynebedd o dan gromlin drwy dynnu llinellau'n baralel i'r echelin-y, yr un pellter oddi wrth ei gilydd. Bydd y rhain yn ffurfio nifer o drapesiymau o'r un lled, fel y gwelir yn y diagram.

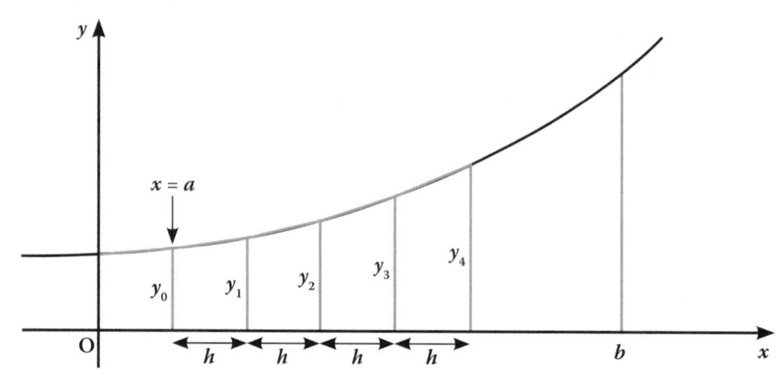

Drwy rannu'r echelin-x yn n cyfwng hafal o $x = a$ hyd $x = b$ byddwn yn ffurfio n trapesiwm.

Boed i werthoedd-y y gromlin yn y gwerthoedd-x hyn fod yn $y_0, y_1, \ldots, y_n$, fel mae'r diagram yn ddangos.

Arwynebedd y trapesiwm cyntaf yw $\frac{1}{2}h(y_0 + y_1)$, lle mae h yn cynrychioli lled pob stribed.

Arwynebedd yr ail drapesiwm yw $\frac{1}{2}h(y_1 + y_2)$.

Felly, cyfanswm arwynebedd yr holl drapesiymau yw

$$\frac{1}{2}h(y_0 + y_1) + \frac{1}{2}h(y_1 + y_2) + \ldots + \frac{1}{2}h(y_{n-1} + y_n)$$

Drwy gasglu termau tebyg, cawn **y rheol trapesiwm**, sef

$$\text{Arwynebedd} \approx \frac{h}{2}[y_0 + y_n + 2(y_1 + y_2 + \ldots + y_{n-1})]$$

lle mae h yn lled stribed, ac y_0 ac y_n yw'r mesurynnau cyntaf ac olaf.

Enghraifft 6 Defnyddiwch y rheol trapesiwm i gael bras werth ar gyfer $\int_1^7 e^x \, dx$.

Defnyddiwch chwe chyfwng.

DATRYSIAD

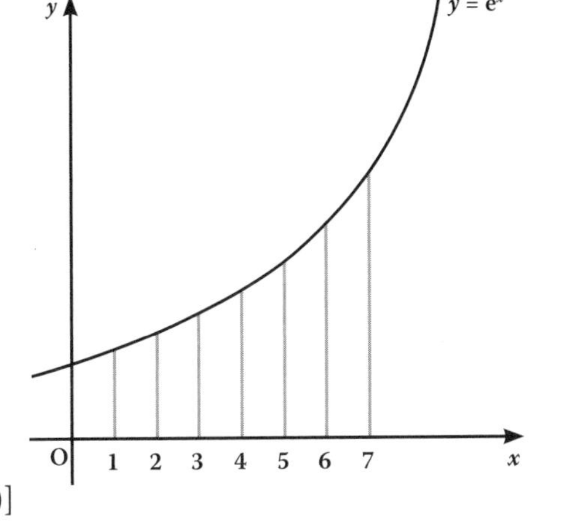

Yn gyntaf, rydym yn rhannu'r echelin-x o $x = 1$ hyd $x = 7$ (terfannau'r integryn) yn chwe stribed (fel sydd angen).

Felly, gwerthoedd-x y pwyntiau hyn yw $x = 1, 2, 3, 4, 5, 6, 7$, fel y gwelir yn y diagram.

Y gwerthoedd-y cyfatebol yw $e^1, e^2, e^3, e^4, e^5, e^6, e^7$.

Felly, gan ddefnyddio'r rheol trapesiwm, cawn

$$\text{Arwynebedd} \approx \frac{h}{2}\,[y_0 + y_n + 2(y + y_2 + \ldots + y_{n-1})]$$

$$\approx \frac{1}{2}\,[e^1 + e^7 + 2(e^2 + e^3 + e^4 + e^5 + e^6)]$$

sy'n rhoi

$$\text{Arwynebedd} = 1183.590\,416 \quad \text{neu} \quad 1183.6 \text{ i 1 lle degol}$$

Noder

- Yr ateb manwl gywir i Enghraifft 6 yw $e^7 - e^1$, sy'n 1093.914 877 neu 1093.9 i un lle degol.
- Gellir cael yr ateb yn fwy manwl gywir wrth ddefnyddio'r rheol trapesiwm gan ddefnyddio mwy o stribedi â'r lled yn gulach.

Rheol Simpson

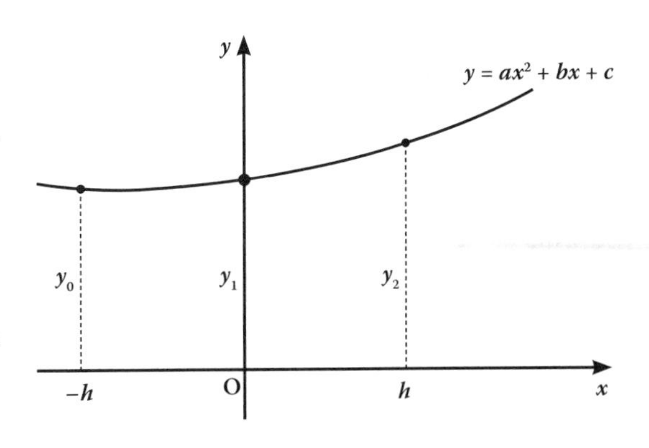

Nid yw'r rheol trapesiwm byth bron yn fanwl gywir am ein bod yn defnyddio rhy ychydig o drapesiymau i frasamcanu'r arwynebedd y mae angen ei ddarganfod.

Cawn well brasamcan drwy osod cromlin gwadratig wybyddus, y gallwn ei hintegru ac sy'n mynd drwy bwyntiau ar y gromlin wreiddiol.

Mae rheol Simpson wedi'i seilio ar y defnydd o gromlin gwadratig sy'n mynd drwy dri phwynt olynol. Felly mae rheol Simpson yn darganfod bras werth ar gyfer **pâr** o stribedi.

Ystyriwch y gromlin gwadratig $y = ax^2 + bx + c$, sy'n mynd drwy dri phwynt olynol, (h, y_2), $(0, y_1)$ a $(-h, y_0)$, fel y gwelir uchod.

Pan fo $x = 0$, mae $y = y_1 \quad \Rightarrow \quad c = y_1 \qquad [1]$

Pan fo $x = h$, mae $y = y_2 \quad \Rightarrow \quad y_2 = ah^2 + bh + y_1 \qquad [2]$

Pan fo $x = -h$, mae $y = y_0 \quad \Rightarrow \quad y_0 = ah^2 - bh + y_1 \qquad [3]$

Drwy adio [2] a [3], cawn

$$y_0 + y_2 = 2ah^2 + 2y_1 \qquad [4]$$

Wrth ddefnyddio integru i ddarganfod yr arwynebedd o dan y gromlin gwadratig rydym yn cael

$$\text{Arwynebedd pâr o stribedi} = \int_{-h}^{h} (ax^2 + bx + c)\,dx$$

$$= \left[\frac{ax^3}{3} + \frac{bx^2}{2} + cx\right]_{-h}^{h}$$

$$= \frac{ah^3}{3} + \frac{bh^2}{2} + ch - \left(-\frac{ah^3}{3} + \frac{bh^2}{2} - ch\right)$$

$$= \frac{2ah^3}{3} + 2ch$$

Drwy amnewid o [1] a [4], cawn

$$\text{Arwynebedd pâr o stribedi} = \frac{h(y_0 + y_2 - 2y_1)}{3} + 2y_1h$$

$$= \frac{h}{3}(y_0 + 4y_1 + y_2)$$

Gan ddefnyddio nifer o barau fel hyn o stribedi, cawn

$$\text{Cyfanswm yr arwynebedd} \approx \frac{h}{3}(y_0 + 4y_1 + y_2) + \frac{h}{3}(y_2 + 4y_3 + y_4) + \frac{h}{3}(y_4 + 4y_5 + y_6) + \ldots$$

$$\approx \frac{h}{3}(y_0 + 4y_1 + y_2 + y_2 + 4y_3 + y_4 + y_4 + 4y_5 + y_6 + \ldots)$$

Drwy ffactorio, cawn reol Simpson, sef

$$\text{Arwynebedd} \approx \frac{h}{3}[y_0 + y_n + 4(y_1 + y_3 + y_5 + \ldots) + 2(y_2 + y_4 + y_6 + \ldots)]$$

Neu

$$\text{Arwynebedd} \approx \frac{1}{3} \times \text{Lled stribed (Cyntaf + Olaf + 4} \times \text{Cyfanswm y rhai odrif + 2} \times \text{Cyfanswm y rhai eilrif)}$$

Noder Mae'n **rhaid** cael nifer **eilrif** o stribedi bob tro. Hynny yw, **mae'n rhaid i *n* fod yn eilrif**.

Enghraifft 7 Defnyddiwch reol Simpson i ddarganfod brasamcan o werth $\int_1^7 e^x\,dx$.

Defnyddiwch chwe chyfwng.

DATRYSIAD

Yn gyntaf, rydym yn rhannu'r echelin-x o $x = 1$ hyd $x = 7$ (terfannau'r integryn) yn chwe stribed (fel sydd ei angen).

Noder Gan ein bod yn defnyddio rheol Simpson, rydym yn sicrhau ein bod yn defnyddio nifer **eilrif** o stribedi.

Felly, gwerthoedd-x y pwyntiau hyn yw $x = 1, 2, 3, 4, 5, 6, 7$.
(Gweler y diagram uchaf ar dudalen 281.)

Y gwerthoedd-y cyfatebol yw $e^1, e^2, e^3, e^4, e^5, e^6, e^7$.

Felly, gan ddefnyddio rheol Simpson, cawn

$$\text{Arwynebedd} \approx \frac{1}{3}\,[e^1 + e^7 + 4(e^2 + e^4 + e^6) + 2(e^3 + e^5)]$$

sy'n rhoi

$$\text{Arwynebedd} = 1099.337\,61 \quad \text{neu} \quad 1099.3 \text{ i 1 lle degol}$$

Noder Ar dudalen 281, rhoddwyd gwir werth yr arwynebedd hwn yn 1093.9 (i 1 lle degol). Felly, mae'r gwerth a gafwyd gan reol Simpson yn rhoi gwell brasamcan na'r un a gafwyd drwy ddefnyddio'r rheol trapesiwm.

Ymarfer 13B

1 Gan ddefnyddio pum mesuryn yr un pellter oddi wrth ei gilydd, amcangyfrifwch werth pob un o'r canlynol i bedwar lle degol gan ddefnyddio **i)** y rheol trapesiwm a **ii)** rheol Simpson.

a) $\int_1^5 x^2\,dx$ **b)** $\int_2^6 x^3\,dx$ **c)** $\int_0^6 \sin\frac{x}{4}\,dx$ **d)** $\int_1^4 e^{\sin x}\,dx$

2 Gan ddefnyddio chwe stribed, darganfyddwch amcangyfrif o $\int_2^5 x^x\,dx$ gan ddefnyddio **i)** rheol Simpson, a **ii)** y rheol trapesiwm.

3 **a)** Dangoswch y rhoddir hyd arc, s, y gromlin sydd â hafaliad $y = \cosh x$ rhwng $x = 0$ ac $x = 2$ gan

$$s = \int_0^2 \cosh x\,dx$$

b) Amcangyfrifwch werth yr integryn hwn drwy ddefnyddio rheol Simpson gyda phum mesuryn yr un pellter oddi wrth ei gilydd, gan roi eich ateb i bedwar lle degol.

c) Darganfyddwch werth union s.

d) Darganfyddwch y cyfeiliornad canrannol sy'n deillio o ddefnyddio'r brasamcan ar gyfer s yn rhan **b** yn hytrach na'r gwerth union a gafwyd yn rhan **c**, gan roi eich ateb i un ffigur ystyrlon. (EDEXCEL)

4

$$I_n = \int_0^1 x^{\frac{1}{2}n}\,e^{-\frac{1}{2}x}\,dx \qquad n \geqslant 0$$

a) Dangoswch fod $I_n = nI_{n-2} - 2e^{-\frac{1}{2}},\ n \geqslant 2$

b) Enrhifwch I_0 yn nhermau e.

c) Gan ddefnyddio'r canlyniadau yn rhannau **a** a **b**, darganfyddwch werth I_4 yn nhermau e.

d) Dangoswch mai'r brasamcan o werth I_1 a geir drwy ddefnyddio rheol Simpson, gyda thri mesuryn yr un pellter oddi wrth ei gilydd, yw

$$\frac{1}{6}(2\sqrt{2}e^{-\frac{1}{4}} + e^{-\frac{1}{2}}) \quad \text{(EDEXCEL)}$$

5
$$A = \int_2^4 \frac{1}{\sqrt{(4x^2 - 9)}}\,dx$$

a) Drwy ddefnyddio pum mesuryn yr un pellter oddi wrth ei gilydd, darganfyddwch amcangyfrifon ar gyfer A, i bedwar lle degol, gan ddefnyddio

i) y rheol trapesiwm

ii) rheol Simpson.

b) Darganfyddwch

$$\int \frac{1}{\sqrt{(4x^2 - 9)}}\,dx$$

a thrwy hynny enrhifwch A, gan roi eich ateb i bedwar lle degol.

c) Pa un o'ch amcangyfrifon yn rhan **a** yw'r mwyaf manwl gywir? Rhowch reswm dros eich ateb. (EDEXCEL)

6
$$I_n = \int \frac{x^n}{\sqrt{(1 + x^2)}}\,dx$$

a) Dangoswch fod $nI_n = x^{n-1}\sqrt{(1 + x^2)} - (n - 1)\,I_{n-2}$, $n \geqslant 2$.

Hafaliad y gromlin C yw

$$y^2 = \frac{x^2}{\sqrt{(1 + x^2)}} \qquad y \geqslant 0$$

Mae'r rhanbarth meidraidd R wedi'i ffinio gan C, yr echelin-x a'r llinellau sydd â'r hafaliadau $x = 0$ ac $x = 2$. Mae'r rhanbarth R yn cael ei gylchdroi drwy 2π radian o amgylch yr echelin-x.

b) Darganfyddwch gyfaint y solid a ffurfir, gan roi eich ateb yn nhermau π, syrdiau a logarithmau naturiol.

Ceir amcangyfrif ar gyfer y cyfaint yn rhan **b** drwy ddefnyddio rheol Simpson gyda thri mesuryn.

c) Darganfyddwch y cyfeiliornad canrannol sy'n deillio o ddefnyddio'r brasamcan hwn, gan roi eich ateb i dri lle degol. (EDEXCEL)

7 Hafaliad y gromlin C yw $y = \ln(\sin x)$ ar gyfer $0 < x < \pi$. Mae rhanbarth y plân a ffinnir gan C, yr echelin-x a'r llinellau $x = \frac{\pi}{4}$ ac $x = \frac{\pi}{2}$ yn cael ei gylchdroi drwy 2π radian o amgylch yr echelin-x.

Dangoswch y rhoddir arwynebedd arwyneb y solid a gynhyrchir yn y dull hwn gan S, lle mae

$$S = 2\pi \int_{\frac{\pi}{4}}^{\frac{\pi}{2}} \left| \frac{\ln(\sin x)}{\sin x} \right| dx$$

Defnyddiwch y rheol trapesiwm gyda phedwar mesuryn (tri stribed) i ddarganfod brasamcan o werth S, gan roi eich ateb i dri lle degol. (AEB 97)

8 Defnyddiwch y rheol trapesiwm, gyda chwe chyfwng, i amcangyfrif gwerth

$$\int_0^3 \ln(1 + x)\,dx$$

gan ddangos eich gwaith cyfrifo. Rhowch eich ateb yn gywir i dri ffigur ystyrlon.

Drwy hynny, darganfyddwch frasamcan ar gyfer gwerth

$$\int_0^3 \ln\sqrt{(1 + x)}\,dx \qquad \text{(OCR)}$$

9 Defnyddiwch y rheol trapesiwm gyda phum cyfwng i amcangyfrif gwerth

$$\int_0^{0.5} \sqrt{(1 + x^2)}\, dx$$

gan ddangos eich gwaith cyfrifo. Rhowch eich ateb yn gywir i ddau le degol.

Drwy ehangu $(1 + x^2)^{\frac{1}{2}}$ mewn pwerau x cyn belled â'r term yn x^4, ac integru fesul term, darganfyddwch ail frasamcan ar gyfer gwerth

$$\int_0^{0.5} \sqrt{(1 + x^2)}\, dx$$

gan roi'r ateb hwn hefyd yn gywir i ddau le degol. **(OCR)**

10 Deilliwch reol Simpson gyda dau stribed er mwyn enrhifo brasamcan ar gyfer $\int_{-h}^{h} f(x)\, dx$.

Defnyddiwch reol gyfansawdd Simpson gyda **phedwar** stribed i gael brasamcan o

$$\int_2^3 \cos(x - 2)\ln x\, dx$$

(Defnyddiwch bum lle degol yn eich cyfrifo.) **(SQA/CSYS)**

11 Defnyddiwch y rheol trapesiwm gyfansawdd gyda **phedwar** is-gyfwng i gael brasamcan ar gyfer yr integryn pendant

$$\int_0^{\frac{1}{2}} x \sin(\pi x)\, dx$$

(Rhown eich ateb terfynol i bedwar lle degol.) **(SQA/CSYS)**

12 Defnyddiwch y rheol trapesiwm, gyda phedwar cyfwng, i amcangyfrif gwerth

$$\int_1^2 \sqrt{\left(x - \frac{1}{x}\right)}\, dx$$

gan ddangos eich gwaith cyfrifo a rhoi eich ateb yn gywir i ddau le degol.

Mae'r diagram yn dangos rhan o graff $y = \sqrt{\left(x - \frac{1}{x}\right)}$.

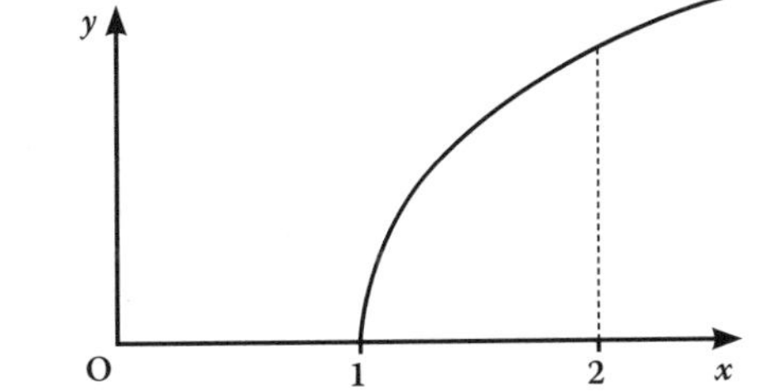

i) Nodwch, gyda rheswm, a yw'r defnydd hwn o'r rheol trapesiwm yn tanamcangyfrif neu'n goramcangyfrif gwerth $\int_1^2 \sqrt{\left(x - \frac{1}{x}\right)}\, dx$.

ii) Nodwch, heb gyfrifo ymhellach, a fyddai cynyddu nifer y cyfyngau yn y rheol trapesium o bedwar i wyth yn arwain at amcangyfrif mwy neu lai ar gyfer $\int_1^2 \sqrt{\left(x - \frac{1}{x}\right)}\, dx$.

Rhowch reswm dros eich ateb. **(OCR)**

Datrys hafaliadau differol gam wrth gam

Hafaliadau differol trefn un

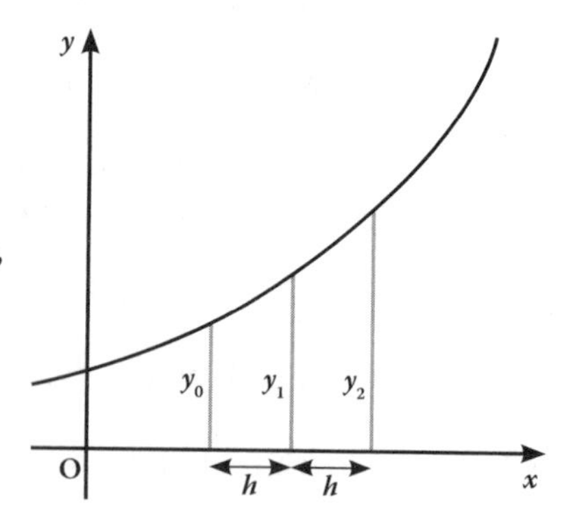

Nid oes modd datrys y rhan fwyaf o hafaliadau differol yn union, ac felly mae angen dull cam wrth gam.

Mae'r dulliau hyn yn dibynnu ar lunio llinellau'n baralel i'r echelin-y, ar bellter h oddi wrth ei gilydd.

Gelwir h yn **hyd cam**.

Brasamcan cam sengl

Defnyddir y brasamcan llinol

$$\left(\frac{dy}{dx}\right)_0 \approx \frac{y_1 - y_0}{h}$$

yn gyffredin wrth ddatrys hafaliadau differol trefn un gam wrth gam.
Fe'i gelwir yn **ddull Euler**, ar ôl Léonard Euler (1707–1783), mathemategydd toreithiog o'r Swistir.
Mae'r amcangyfrif yn cael ei ddeillio fel a ganlyn.

Gan gyfeirio at y diagram ar y dde, mae $P(x_0, y_0)$ yn bwynt ar y gromlin $y = f(x)$ a $Q(x_1, y_1)$ yn bwynt arall ar y gromlin yn agos at P, lle mae $x_1 - x_0 = h$ yn fach.

Gwelwn fod graddiant y cord PQ yn fras yr un fath â graddiant y tangiad yn P. Felly, cawn

$$\text{Graddiant PQ} = \frac{y_1 - y_0}{h}$$

sy'n rhoi

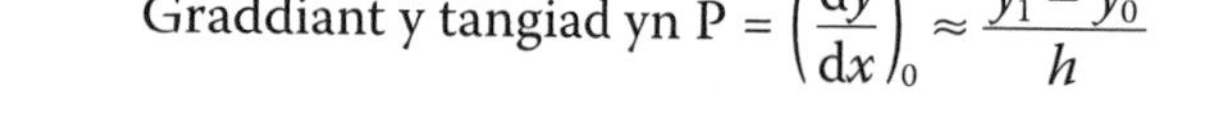

$$\text{Graddiant y tangiad yn P} = \left(\frac{dy}{dx}\right)_0 \approx \frac{y_1 - y_0}{h}$$

Yn naturiol, mae manwl gywirdeb y dull hwn yn dibynnu ar faint yr hyd cam, h.

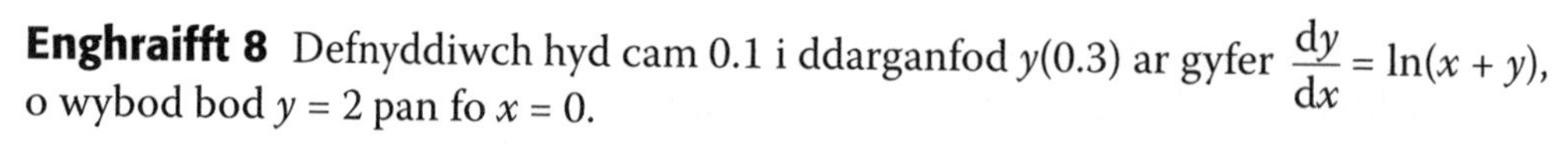

Enghraifft 8 Defnyddiwch hyd cam 0.1 i ddarganfod $y(0.3)$ ar gyfer $\frac{dy}{dx} = \ln(x + y)$, o wybod bod $y = 2$ pan fo $x = 0$.

DATRYSIAD

Gan ddefnyddio $\left(\frac{dy}{dx}\right)_0 \approx \frac{y_1 - y_0}{h}$, cawn

$$y_1 \approx y_0 + h\left(\frac{dy}{dx}\right)_0$$

sy'n golygu bod

y yng ngwerth newydd x (h.y. pan fo x yn 0.1) =

= y yng ngwerth gwreiddiol $x + h \times \frac{dy}{dx}$ yng ngwerth gwreiddiol x.

Felly, cawn

$$y(0.1) \approx 2 + 0.1 \ln (0 + 2)$$

$$\Rightarrow \quad y(0.1) \approx 2.0693$$

Rydym yn ailadrodd y broses hon, ond y tro hwn mae'r gwerthoedd a gafwyd ar gyfer y a $\frac{dy}{dx}$ pan fo $x = 0.1$ yn cael eu trin fel y gwerthoedd gwreiddiol,
a gwerth newydd y yn cael ei ddarganfod ar gyfer $x = 0.2$. Felly, cawn

$$y(0.2) \approx y(0.1) + h\left(\frac{dy}{dx}\right)_{x=0.1}$$

$$\Rightarrow \quad y(0.2) \approx 2.0693 + 0.1 \ln (0.1 + 2.0693)$$

$$\Rightarrow \quad y(0.2) \approx 2.1467$$

Gan ailadrodd eto, cawn

$$y(0.3) \approx y(0.2) + h\left(\frac{dy}{dx}\right)_{x=0.2}$$

$$\Rightarrow \quad y(0.3) \approx 2.1467 + 0.1 \ln (0.2 + 2.1467)$$

$$\Rightarrow \quad y(0.3) \approx 2.2320$$

Enghraifft 9 Defnyddiwch hyd cam 0.2 i ddarganfod $y(1.4)$ ar gyfer $\frac{dy}{dx} = e^{\cos x}$ o wybod bod $y = 3$ pan fo $x = 1$.

DATRYSIAD

Gan ddefnyddio $\left(\frac{dy}{dx}\right)_0 \approx \frac{y_1 - y_0}{h}$ cawn

$$y_1 \approx y_0 + h\left(\frac{dy}{dx}\right)_0$$

sy'n golygu bod

y yng ngwerth newydd x (h.y. pan fo x yn 1.2) =

= y yng ngwerth gwreiddiol x + $h \times \frac{dy}{dx}$ yng ngwerth gwreiddiol x

Felly, cawn

$$y(1.2) \approx 3 + 0.2\,e^{\cos 1}$$

$$\Rightarrow \quad y(1.2) \approx 3.3433$$

Rydym yn ailadrodd y broses, ond y tro hwn mae'r gwerthoedd a gafwyd ar gyfer y a $\frac{dy}{dx}$ pan fo $x = 1.2$ yn awr yn cael eu trin fel y gwerthoedd gwreiddiol,
a gwerth newydd y yn cael ei ddarganfod ar gyfer $x = 1.4$. Felly, cawn

$$y(1.4) \approx y(1.2) + h\left(\frac{dy}{dx}\right)_{x=1.2}$$

$$\Rightarrow \quad y(1.4) \approx 3.3433 + 0.2\,e^{\cos 1.2}$$

$$\Rightarrow \quad y(1.4) \approx 3.6307$$

Brasamcan cam dwbl

Ceir gwell brasamcan gan

$$\left(\frac{dy}{dx}\right)_0 \approx \frac{y_1 - y_{-1}}{2h}$$

sy'n defnyddio cam dwbl, fel y mae'r diagram ar y dde yn ei ddangos.

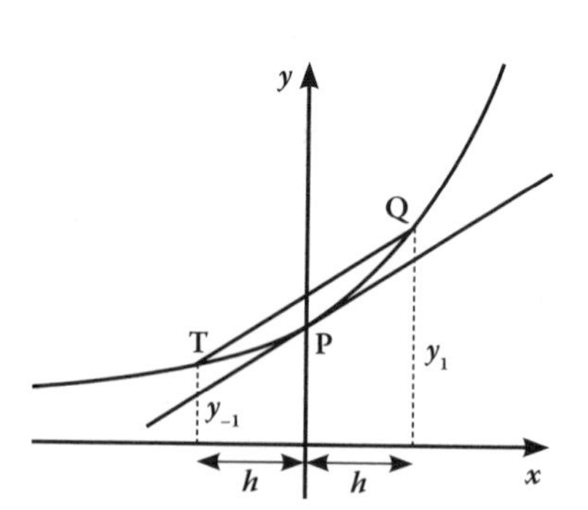

Gwelwn fod graddiant y cord TQ yn frasamcan gwell
o raddiant y tangiad yn P na'r un a gafwyd gyda cham sengl.

Mae gennym

$$\text{Graddiant cord TQ} = \frac{y_1 - y_{-1}}{2h}$$

sy'n rhoi

$$\text{Graddiant y tangiad yn P} = \left(\frac{dy}{dx}\right)_0 \approx \frac{y_1 - y_{-1}}{2h}$$

Enghraifft 10 Gan ddefnyddio $\left(\frac{dy}{dx}\right)_0 \approx \frac{y_1 - y_{-1}}{2h}$ a defnyddio hyd cam 0.1, darganfyddwch y pan fo $x = 1.2$ ar gyfer

$$\frac{dy}{dx} = \frac{3x^2 - y^2}{2xy}$$

o wybod bod $y = 2$ pan fo $x = 1$.

DATRYSIAD

Gan fod angen i ni ddefnyddio'r brasamcan cam dwbl,
mae'n rhaid i ni wybod gwerthoedd y mewn dau werth x.

I ddarganfod ail werth y, defnyddiwn y dull cam sengl.
Gan ein bod yn gwybod gwerth-y pan fo $x = 1$, gwerth gwreiddiol x yw 1,
a gwerth newydd x yw 1.1. Felly, cawn

$$\left(\frac{dy}{dx}\right)_0 \approx \frac{y_1 - y_0}{h} \quad \Rightarrow \quad y_1 \approx y_0 + h\left(\frac{dy}{dx}\right)_0$$

sy'n rhoi

$$y(1.1) \approx y(1) + 0.1\left(\frac{dy}{dx}\right)_{x=1}$$

Pan fo $x = 1$ ac $y = 2$, cawn

$$\frac{dy}{dx} = \frac{3x^2 - y^2}{2xy} = \frac{3 - 4}{2 \times 1 \times 2} = -\frac{1}{4}$$

sy'n rhoi

$$y(1.1) \approx 2 + 0.1 \times -\frac{1}{4}$$

$$\Rightarrow \quad y(1.1) \approx 1.975$$

Nawr fod gennym ddau werth ar gyfer y, gallwn ddefnyddio'r brasamcan cam dwbl

$$\left(\frac{\mathrm{d}y}{\mathrm{d}x}\right)_0 \approx \frac{y_1 - y_{-1}}{2h}$$

$$\Rightarrow \quad y_1 \approx y_{-1} + 2h\left(\frac{\mathrm{d}y}{\mathrm{d}x}\right)_0$$

sy'n rhoi

$$y(1.2) \approx y(1) + 2h\left(\frac{\mathrm{d}y}{\mathrm{d}x}\right)_{x=1.1}$$

$$\Rightarrow \quad y(1.2) \approx 2 + 2 \times 0.1 \times \frac{3 \times 1.1^2 - 1.975^2}{2 \times 1.1 \times 1.975}$$

$$\Rightarrow \quad y(1.2) \approx 2 + 2 \times 0.1 \times -0.062\,284$$

Felly, pan fo $x = 1.2$, $y = 1.9875$, yn gywir i 4 lle degol.

Hafaliadau differol trefn dau o'r ffurf $\frac{\mathrm{d}^2y}{\mathrm{d}x^2} = \mathrm{f}(x, y)$

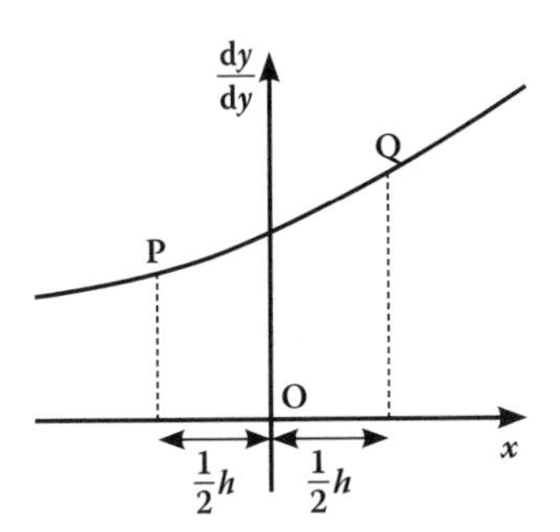

Gan gyfeirio at y diagram ar y dde, mae P yn bwynt yn $x = -\frac{1}{2}h$ ar gromlin $\frac{\mathrm{d}y}{\mathrm{d}x}$ yn erbyn x, a Q yn bwynt yn $x = \frac{1}{2}h$ ar yr un gromlin, lle mae h yn fach.

Gwelwn fod graddiant y cord PQ yn fras yr un fath â graddiant y tangiad yn $x = 0$. Felly, cawn

$$\text{Graddiant PQ} = \frac{\left(\frac{\mathrm{d}y}{\mathrm{d}x}\right)_{\frac{1}{2}h} - \left(\frac{\mathrm{d}y}{\mathrm{d}x}\right)_{-\frac{1}{2}h}}{h}$$

Hynny yw, mae gennym

$$\text{Graddiant y tangiad} = \left(\frac{\mathrm{d}^2y}{\mathrm{d}x^2}\right)_0 \approx \frac{\left(\frac{\mathrm{d}y}{\mathrm{d}x}\right)_{\frac{1}{2}h} - \left(\frac{\mathrm{d}y}{\mathrm{d}x}\right)_{-\frac{1}{2}h}}{h}$$

sy'n rhoi

$$\left(\frac{\mathrm{d}^2y}{\mathrm{d}x^2}\right)_0 \approx \frac{\frac{y_1 - y_0}{h} - \frac{y_0 - y_{-1}}{h}}{h}$$

$$\Rightarrow \quad \left(\frac{\mathrm{d}^2y}{\mathrm{d}x^2}\right)_0 \approx \frac{y_1 - 2y_0 + y_{-1}}{h^2}$$

I ddatrys hafaliad differol trefn dau yn rhifiadol, mae arnom angen naill ai gwerthoedd y mewn dau werth x gwahanol, neu un gwerth y ac un gwerth $\frac{\mathrm{d}y}{\mathrm{d}x}$.

Enghraifft 11

$$\frac{d^2y}{dx^2} = xe^{\cos y}$$

Gan ddefnyddio hyd cam 0.1, darganfyddwch y pan fo $x = 1.3$, o wybod bod $y = 1$ pan fo $x = 1$ ac $y = 1.2$ pan fo $x = 1.1$.

DATRYSIAD

Defnyddiwn

$$\left(\frac{d^2y}{dx^2}\right)_0 \approx \frac{y_1 - 2y_0 + y_{-1}}{h^2}$$

lle mae

y_0 yn cynrychioli'r gwerth pan fo $x = 1.1$

y_1 yn cynrychioli'r gwerth pan fo $x = 1.1 + h = 1.2$

y_{-1} yn cynrychioli'r gwerth pan fo $x = 1.1 - h = 1$

Felly, cawn

$$\left(\frac{d^2y}{dx^2}\right)_{x=1.1} \approx \frac{y(1.2) - 2y(1.1) + y(1)}{0.1^2}$$

$$\Rightarrow \quad \left(\frac{d^2y}{dx^2}\right)_{x=1.1} \approx \frac{y(1.2) - 2.4 + 1}{0.01}$$

Pan fo $x = 1.1$ ac $y = 1.2$, cawn

$$\frac{d^2y}{dx^2} = 1.1e^{\cos 1.2} = 1.580\,38$$

sy'n rhoi

$$\frac{y(1.2) - 1.4}{0.01} \approx 1.580\,38$$

$$\Rightarrow \quad y(1.2) \approx 2.4 - 1 + 0.015\,8038$$

$$\Rightarrow \quad y(1.2) \approx 1.4158$$

Ailadroddwn y broses, gan ddefnyddio

$$\left(\frac{d^2y}{dx^2}\right)_0 \approx \frac{y_1 - 2y_0 + y_{-1}}{h^2}$$

lle mae

y_0 yn cynrychioli'r gwerth pan fo $x = 1.2$

y_1 yn cynrychioli'r gwerth pan fo $x = 1.2 + h = 1.3$

y_{-1} yn cynrychioli'r gwerth pan fo $x = 1.2 - h = 1.1$

Felly, cawn

$$\left(\frac{d^2y}{dx^2}\right)_{x=1.2} \approx \frac{y(1.3) - 2y(1.2) + y(1.1)}{0.1^2}$$

Ar gyfer $x = 1.2$ ac $y = 1.4158$, mae hyn yn rhoi

$$\left(\frac{d^2y}{dx^2}\right)_{x=1.2} = 1.4003 \approx \frac{y(1.3) - 2.8316 + 1.2}{0.01}$$

$$\Rightarrow \quad y(1.3) \approx 2.8316 - 1.2 + 0.014\,003$$

$$\Rightarrow \quad y(1.3) \approx 1.6456$$

Felly, pan fo $x = 1.3$, mae $y = 1.6456$, yn gywir i 4 lle degol.

Enghraifft 12

$$\frac{d^2y}{dx^2} = 1 + x\cos y + \sin y \cos y$$

Gan ddefnyddio hyd cam 0.05, darganfyddwch y pan fo $x = 1.1$,

o wybod bod $\frac{dy}{dx} = 1$ ac $y = 0$ pan fo $x = 1$.

DATRYSIAD

Oherwydd bod gennym y a $\frac{dy}{dx}$ yn **un** gwerth x **yn unig**,

mae'n rhaid defnyddio brasamcan cam wrth gam trefn un i ddarganfod ail werth ar gyfer y.

Rydym yn gwybod gwerth y pan fo $x = 1$, felly cymerwn $x = 1$ yn werth gwreiddiol ar gyfer x. Rydym angen hyd cam 0.05, felly defnyddiwn

$$\left(\frac{d^2y}{dx^2}\right)_0 \approx \frac{y_1 - 2y_0 + y_{-1}}{h^2}$$

lle mae

y_0 yn cynrychioli'r gwerth pan fo $x = 1$

y_1 yn cynrychioli'r gwerth pan fo $x = 1 + h = 1.05$

y_{-1} yn cynrychioli'r gwerth pan fo $x = 1 - h = 0.95$

Y dull cam wrth gam trefn un mwyaf cywir yw'r brasamcan cam dwbl

$$\left(\frac{dy}{dx}\right)_0 \approx \frac{y_1 - y_{-1}}{2h}$$

sy'n rhoi

$$1 \approx \frac{y(1.05) - y(0.95)}{0.1}$$

$$\Rightarrow \quad 0.1 \approx y(1.05) - y(0.95) \qquad [1]$$

Gan ddefnyddio $\left(\frac{d^2y}{dx^2}\right)_0 \approx \frac{y_1 - 2y_0 + y_{-1}}{h^2}$, gydag $x = 1$ ac $y = 0$, cawn

$$\left(\frac{d^2y}{dx^2}\right)_{x=1} \approx \frac{y(1.05) - 2 \times 0 + y(0.95)}{h^2}$$

Pan fo $x = 1$ ac $y = 0$, cawn

$$\left(\frac{\mathrm{d}^2y}{\mathrm{d}x^2}\right)_{x=1} = 1 + 1 \cos 0 + \sin 0 \cos 0 = 2$$

sy'n rhoi

$$2 \approx \frac{y(1.05) + y(0.95)}{0.0025}$$

$$\Rightarrow \quad 0.005 \approx y(1.05) + y(0.95) \qquad [2]$$

Drwy hyn, gan adio [1] a [2], cawn $y(1.05) = 0.0525$.

Mae gennym ddau werth y yn awr, sef $y(1)$ ac $y(1.05)$, ac felly gallwn ddefnyddio

$$\left(\frac{\mathrm{d}^2y}{\mathrm{d}x^2}\right)_0 \approx \frac{y_1 - 2y_0 + y_{-1}}{h^2}$$

i ddarganfod y pan fo $x = 1.1$

Felly, mae gennym

$$\left(\frac{\mathrm{d}^2y}{\mathrm{d}x^2}\right)_{x=1.05} \approx \frac{y(1.1) - 2y(1.05) + y(1)}{0.05^2}$$

Pan fo $x = 1.05$ ac $y = 0.0525$, mae gennym hefyd

$$\left(\frac{\mathrm{d}^2y}{\mathrm{d}x^2}\right)_{x=1.05} = 1 + 1.05 \cos 0.0525 + \sin 0.0525 \cos 0.0525$$

$$= 2.100\,957$$

sy'n rhoi

$$2.100\,957 \approx \frac{y(1.1) - 2 \times 0.0525 + 0}{0.05^2}$$

$$\Rightarrow \quad y(1.1) \approx 0.0025 \times 2.100\,957 + 0.105$$

$$\Rightarrow \quad y(1.1) \approx 0.1103$$

Felly, pan fo $x = 1.1$, mae $y = 0.1103$, yn gywir i 4 lle degol.

Cyfres Taylor

Y prif ddull arall o ddatrys hafaliadau differol yn rhifiadol yw drwy ddefnyddio cyfres Taylor (mae deillio'r gyfres y tu hwnt i ofynion y llyfr hwn):

$$\mathrm{f}(x) = \mathrm{f}(a) + (x - a)\,\mathrm{f}'(a) + \frac{(x-a)^2}{2!}\,\mathrm{f}''(a) + \frac{(x-a)^3}{3!}\,\mathrm{f}'''(a) + \ldots$$

Defnyddiwn y gyfres hon i ddarganfod gwerthoedd $\mathrm{f}(x)$, neu y, yn agos at ryw werth penodol o $\mathrm{f}(x)$ (gweler Enghraifft 12). Y cymhwysiad mwyaf cyffredin yw'r achos arbennig pan fo $a = 0$, sy'n rhoi

$$\mathrm{f}(x) = \mathrm{f}(0) + x\mathrm{f}'(0) + \frac{x^2}{2!}\,\mathrm{f}''(0) + \frac{x^3}{3!}\,\mathrm{f}'''(0) + \ldots$$

Sylwch fod hyn yr un fath â chyfres Maclaurin, a astudiwyd ar dudalennau 177–9. Pan ydym yn cyfeirio at gyfres, wrth ddatrys hafaliadau differol drwy ddull rhifiadol, rydym bob amser yn golygu cyfres Taylor, er mai yn anaml iawn y byddwn yn ei gweld yn ei ffurf lawn.

Enghraifft 13 Ehangwch f(x) hyd at dermau yn x^4, lle mae

$$\frac{d^2y}{dx^2} + x\frac{dy}{dx} + y = 0$$

o wybod bod $y = 1$ a bod $\frac{dy}{dx} = 0$ yn $x = 0$.

Drwy hynny, darganfyddwch y pan fo $x = 0.01$, gan roi eich ateb i 11 lle degol.

DATRYSIAD

Wrth ddifferu $\frac{d^2y}{dx^2} + x\frac{dy}{dx} + y = 0$, cawn

$$\frac{d^3y}{dx^3} + \frac{dy}{dx} + x\frac{d^2y}{dx^2} + \frac{dy}{dx} = 0$$

$$\Rightarrow \quad \frac{d^3y}{dx^3} + x\frac{d^2y}{dx^2} + 2\frac{dy}{dx} = 0$$

Wrth ddifferu unwaith eto, cawn

$$\frac{d^4y}{dx^4} + \frac{d^2y}{dx^2} + x\frac{d^3y}{dx^3} + 2\frac{d^2y}{dx^2} = 0$$

$$\Rightarrow \quad \frac{d^4y}{dx^4} + x\frac{d^3y}{dx^3} + 3\frac{d^2y}{dx^2} = 0$$

Ond mae f(0) = 1 ac mae f′(0) = 0 (wedi'u rhoi), felly cawn

$$\text{O } \frac{d^2y}{dx^2} + x\frac{dy}{dx} + y = 0: \quad f''(0) = -1$$

$$\text{O } \frac{d^3y}{dx^3} + x\frac{d^2y}{dx^2} + 2\frac{dy}{dx} = 0: \quad f'''(0) = 0$$

$$\text{O } \frac{d^4y}{dx^4} + x\frac{d^3y}{dx^3} + 3\frac{d^2y}{dx^2} = 0: \quad f''''(0) = 3$$

sy'n rhoi

$$f(x) = 1 - \frac{x^2}{2!} + \frac{3x^4}{4!}$$

Felly, drwy amnewid $x = 0.01$, cawn

$$f(0.01) = 1 - 0.000\,05 + \frac{1}{8} \times 0.000\,000\,01$$

Hynny yw, $y = 0.999\,950\,001\,25$, yn gywir i 11 lle degol gan mai'r term nesaf yw 10^{-12}.

Enghraifft 14 Ehangwch y hyd at dermau yn $(x - 1)^3$, lle mae

$$\frac{d^2y}{dx^2} + y\frac{dy}{dx} = x$$

o wybod bod $y = 0$ a bod $\frac{dy}{dx} = 1$ yn $x = 1$.

Drwy hynny, darganfyddwch y pan fo $x = 1.01$, gan roi eich ateb i chwe lle degol.

DATRYSIAD

Oherwydd ein bod yn gwybod gwerthoedd y a $\frac{dy}{dx}$ pan fo $x = 1$, mae'n rhaid defnyddio fersiwn llawn cyfres Taylor a chael datrysiad ar gyfer y mewn pwerau $x - 1$.

Wrth ddifferu $\frac{d^2y}{dx^2} + y\frac{dy}{dx} = x$, cawn

$$\frac{d^3y}{dx^3} + \frac{dy}{dx} \times \frac{dy}{dx} + y\frac{d^2y}{dx^2} - 1 = 0$$

$$\Rightarrow \quad \frac{d^3y}{dx^3} + \left(\frac{dy}{dx}\right)^2 + y\frac{d^2y}{dx^2} - 1 = 0$$

Ond mae $f(1) = 0$ ac $f'(1) = 1$ (wedi'u rhoi), felly mae gennym

$$\text{O } \frac{d^2y}{dx^2} + y\frac{dy}{dx} = x: \quad f''(1) = 1$$

$$\text{O } \frac{d^3y}{dx^3} + \left(\frac{dy}{dx}\right)^2 + y\frac{d^2y}{dx^2} - 1 = 0: \quad f'''(1) = 0$$

sy'n rhoi

$$f(x) = (x - 1) + \frac{(x - 1)^2}{2!}$$

(Noder: oherwydd bod $f'''(1) = 0$, nid oes term yn $(x - 1)^3$.)

Pan fo $x = 1.01$, cawn

$$f(0.1) = 0.01 + 0.000\,05$$

Felly, $y = 0.010\,050$ yn gywir i 6 lle degol gan mai'r term nesaf yw 10^{-8}.

Ymarfer 13C

Yng Nghwestiynau **1** i **4**, darganfyddwch ddatrysiad cyfres Taylor ar gyfer y hyd at, ac yn cynnwys, termau yn x^4:

1 $\frac{dy}{dx} = y^3 + x^8$, gydag $y = 1$, pan fo $x = 0$

2 $\frac{dy}{dx} = x^2y + xy^2$, gydag $y = 2$, pan fo $x = 0$

3 $\frac{d^2y}{dx^2} + x\frac{dy}{dx} + 4y = 0$, gyda $\frac{dy}{dx} = 1$ ac $y = 0$ pan fo $x = 0$.

4 $\frac{d^2y}{dx^2} + y\frac{dy}{dx} + 2x^2y = 0$, gyda $\frac{dy}{dx} = 0$ ac $y = 1$ pan fo $x = 0$.

Drwy hynny, darganfyddwch y yn gywir i naw lle degol pan fo $x = 0.01$.

5 O wybod bod

$$\frac{d^2y}{dx^2} = x^3 + 2y^3$$

a bod $y = 0$ a $\frac{dy}{dx} = 1$ pan fo $x = 0$, ehangwch y ar ffurf cyfres bŵer yn $(x - 1)$.

Drwy hynny, darganfyddwch y, yn gywir i bedwar lle degol, pan fo **a)** $x = 1.1$, a **b)** $x = 0.9$.

6 O wybod bod y yn bodloni'r hafaliad differol

$$\frac{d^2y}{dx^2} - 4y\frac{dy}{dx} = 0$$

a bod $y = 0$ yn $x = 0$, a $\frac{dy}{dx} = 2$ yn $x = 0$, defnyddiwch ddull cyfres Taylor i ddarganfod cyfres ar gyfer y mewn pwerau esgynnol x hyd at, ac yn cynnwys, y term yn x^3. (EDEXCEL)

7 Darganfyddwch bolynomial Taylor gradd dau ar gyfer y ffwythiant $\sin x$ yn agos at $x = \frac{\pi}{4}$.

Amcangyfrifwch werth sin 46° drwy ddefnyddio'r brasamcan gradd un. (SQA/CSYS)

8 Darganfyddwch bolynomial Taylor gradd dau, yn y ffurf $f(0.5 + h) = c_0 + c_1h + c_2h^2$ ar gyfer y ffwythiant $f(x) = \frac{1}{7x - 4}$ yn agos at $x = 0.5$.

Nodwch, gan roi rheswm, a yw $f(x)$ yn sensitif i newidiadau bach yng ngwerth x yng nghyffiniau $x = 0.5$. (SQA/CSYS)

9

$$\frac{d^2y}{dx^2} + x\frac{dy}{dx} + 3y = 0$$

lle mae $y = 1$ yn $x = 0$ a $\frac{dy}{dx} = 2$ yn $x = 0$.

Darganfyddwch y ar ffurf cyfres mewn pwerau esgynnol x, hyd at, ac yn cynnwys, y term yn x^3. (EDEXCEL)

10 O wybod bod y yn bodloni'r hafaliad differol $\frac{dy}{dx} = (x + y)^3$, a bod $y = 1$ yn $x = 0$,

a) darganfyddwch fynegiadau ar gyfer $\frac{d^2y}{dx^2}$ a $\frac{d^3y}{dx^3}$.

b) Drwy hynny, neu fel arall, darganfyddwch y ar ffurf cyfres mewn pwerau esgynnol x hyd at, ac yn cynnwys, y term yn x^3.

c) Defnyddiwch eich cyfres i amcangyfrif gwerth y yn $x = -0.1$, gan roi eich ateb i un lle degol. (EDEXCEL)

11 Darganfyddwch y datrysiad cyfres mewn pwerau esgynnol x, hyd at, ac yn cynnwys, y term yn x^3, ar gyfer yr hafaliad differol

$$\frac{d^2y}{dx^2} + y\frac{dy}{dx} - 4y = 0$$

o wybod bod $y = 3$ a $\frac{dy}{dx} = 2$ yn $x = 0$. (EDEXCEL)

12 $\dfrac{dy}{dx} = y(xy - 1)$, $y = 1$ yn $x = 0$

a) Defnyddiwch y brasamcan $\dfrac{y_1 - y_0}{h} \approx \left(\dfrac{dy}{dx}\right)_0$ i amcangyfrif gwerth y yn $x = 0.1$.

b) Gan ddefnyddio hyd cam 0.1 gyda'r brasamcan $\dfrac{y_2 - y_0}{2h} \approx \left(\dfrac{dy}{dx}\right)_1$ a'ch ateb o ran **a**, amcangyfrifwch werth y yn $x = 0.2$.

c) Gan ddefnyddio hyd cam 0.1 eto ac ailadrodd y defnydd o'r brasamcan a ddefnyddiwyd yn rhan **b**, amcangyfrifwch werth y yn $x = 0.3$. **(EDEXCEL)**

13 Mae'r ffwythiant $y(x)$ yn bodloni'r hafaliad differol

$$\frac{dy}{dx} = f(x, y)$$

lle mae $f(x, y) = (x^2 + y^2)^{\frac{1}{2}}$, ac $y(0) = 1$.

a) Defnyddiwch fformiwla Euler

$$y_{r+1} = y_r + h\, f(x_r, y_r)$$

gyda $h = 0.1$ i gael brasamcan ar gyfer $y(0.1)$.

b) Defnyddiwch fformiwla Euler wedi'i gwella

$$y_{r+1} = y_r + \frac{h}{2}\,[f(x_r, y_r) + f(x_r + h, y_r + h\, f(x_r, y_r))]$$

ynghyd â'ch ateb i ran **a** i gael brasamcan ar gyfer $y(0.2)$,
gan roi eich ateb yn gywir i dri lle degol. **(NEAB)**

14 Rhoddir mudiant un pwynt ar lafn tyrbin gan

$$\frac{dx}{dt} = 4y + 3 \qquad \frac{dy}{dt} = 5 - 4x$$

I ddechrau, $x = 2$, $y = 0$.

a) Defnyddiwch ddull cam wrth gam gyda $dt = 0.05$ i amcangyfrif lleoliad y pwynt ddegfed rhan o eiliad yn ddiweddarach.

b) Darganfyddwch hafaliad trefn dau, yn x a t yn unig, sy'n rhoi'r dadleoliad, x, ar unrhyw amser t.

c) Ysgrifennwch hafaliad differol trefn un yn x ac y yn unig.
Datryswch yr hafaliad hwn drwy ddefnyddio dull union gywir,
gan adael eich ateb yn y ffurf $f(y) = g(x)$. **(NEAB/SMP16-19)**

15 Mae'r ffwythiant $y(x)$ yn bodloni'r hafaliad differol

$$\frac{dy}{dx} = f(x, y)$$

lle mae $f(x, y) = 2 + \dfrac{y}{x}$ ac $y(1) = 1$.

a) Defnyddiwch fformiwla Euler

$$y_{r+1} = y_r + h\, f(x_r, y_r)$$

gyda $h = 0.05$ i ddarganfod brasamcan ar gyfer gwerth $y(1.2)$,
gan roi eich ateb yn gywir i dri lle degol.

b) **i)** Dangoswch mai'r ffactor integru ar gyfer yr hafaliad differol uchod yw $\frac{1}{x}$.

ii) Datryswch yr hafaliad differol i ddarganfod y yn nhermau x, a defnyddiwch hyn i ddangos bod $y(1.2) = 1.638$, yn gywir i dri lle degol.

c) Drwy hynny, darganfyddwch, yn gywir i un lle degol, y cyfeiliornad canrannol wrth ddefnyddio fformiwla Euler i gyfrifo $y(1.2)$. (NEAB)

16 Mae'r newidyn y yn bodloni'r hafaliad differol $\frac{\mathrm{d}y}{\mathrm{d}x} = x^2 + y^2$, ac mae $y = 0$ yn $x = 0.5$.

Defnyddiwch y brasamcan $\left(\frac{\mathrm{d}y}{\mathrm{d}x}\right)_0 \approx \frac{y_1 - y_0}{h}$ gyda hyd cam $h = 0.01$

i amcangyfrif gwerthoedd y yn $x = 0.51$, $x = 0.52$ ac $x = 0.53$, gan roi eich ateb yn gywir i bedwar lle degol. (EDEXCEL)

17 **a)** Gellir ysgrifennu'r hafaliad differol

$$\frac{\mathrm{d}^2x}{\mathrm{d}t^2} - 4\frac{\mathrm{d}x}{\mathrm{d}t} + 3x = 0$$

fel dau hafaliad differol cydamserol trefn un.

i) Os un o'r hafaliadau hyn yw $v = \frac{\mathrm{d}x}{\mathrm{d}t}$, ysgrifennwch y llall.

ii) Defnyddiwch ddull cam wrth gam gyda dau gam $\mathrm{d}t = 0.05$ i amcangyfrif gwerth x yn $t = 0.1$, o wybod pan fo $t = 0$, fod $x = 0$ a $v = 2$.

b) **i)** Darganfyddwch ddatrysiad cyffredinol yr hafaliad differol

$$\frac{\mathrm{d}^2x}{\mathrm{d}t^2} - 4\frac{\mathrm{d}x}{\mathrm{d}t} + 3x = 0$$

ii) Darganfyddwch y datrysiad neilltuol os yw $x = 0$ a $\frac{\mathrm{d}x}{\mathrm{d}t} = 2$ yn $t = 0$. Drwy hynny, cyfrifwch werth x pan fo $t = 0.1$, gan roi eich ateb i ddau le degol. (NEAB/SMP 16-19)

18 Mae gan yr hafaliad $\mathrm{f}(x) = 0$ wreiddyn yn $x = a$, a gwyddom ei fod yn agos at $x = x_0$. Defnyddiwch ehangiad cyfres Taylor ar gyfer $\mathrm{f}(x)$ o amgylch $x = x_0$ i ddeillio'r fformiwla ar gyfer dull Newton–Raphson er mwyn datrys $\mathrm{f}(x) = 0$.

Mae'n wybyddus fod gan yr hafaliad $\mathrm{f}(x) = 0$ lle mae

$$\mathrm{f}(x) = x^4 - 6x^2 + 2x + 1$$

bedwar gwreiddyn gwahanol gyda dau ohonynt yn bositif.

Dangoswch fod union un gwreiddyn i'r hafaliad yn gorwedd yn y cyfwng [2, 3].

Defnyddiwch ddull Newton–Raphson i ddarganfod y gwreiddyn hwn yn gywir i ddau le degol.

Mae'n fwriad darganfod y gwreiddyn positif arall drwy ddefnyddio iteru syml. Dangoswch fod modd aildrefnu'r hafaliad i roi'r fformiwla iterus

$$x_{n+1} = \frac{x_n^3}{6} + \frac{1}{3} + \frac{1}{6x_n}$$

ac y **gall** hon fod yn addas ar gyfer darganfod datrysiad yn y cyfwng [0.5, 1].

Gan ddefnyddio $x_0 = 0.5$ fel gwerth cychwynnol, a chan gofnodi iteriadau olynol i dri lle degol, defnyddiwch iteru syml i ddarganfod y gwreiddyn hwn i ddau le degol.

Nodwch drefn cydgyfeirio'r dull iterus a ddefnyddiwyd ac esboniwch sut mae'r data o'r dull iterus i'w gweld yn cytuno â hyn. (SQA/CSYS)

19 Deilliwch ddull Euler ar gyfer brasamcan o ddatrysiad yr hafaliad differol

$$\frac{dy}{dx} = f(x, y)$$

yn ddibynnol ar yr amod cychwynnol $y(x_0) = y_0$.

Mae angen datrys yr hafaliad differol $\frac{dy}{dx} = (x^2 + y)e^{-2x}$ gydag $y(1) = 2$.

Defnyddiwch ddull Euler gyda hyd cam 0.1 a 0.05 i gael dau frasamcan ar gyfer datrysiad yr hafaliad hwn yn $x = 1.2$. Rhowch eich atebion i gyd i bedwar lle degol.

Gan gymryd mai'r cyfeiliornad blaendorri sy'n gyfan gwbl gyfrifol am y gwahaniaeth yn y ddau amcangyfrif ar gyfer $y(1.2)$, amcangyfrifwch faint y cyfeiliornad hwn yn y cyfrifiad gyda hyd cam 0.05. Drwy hynny, cynigiwch well amcangyfrif ar gyfer $y(1.2)$ i fanwl gywirdeb priodol.

Er mwyn brasamcanu datrysiad yr hafaliad uchod yn $x = 1.2$ rydym am ddefnyddio'r dull rhagfynegwr-cywirwr gyda dull Euler yn cael ei ddefnyddio fel rhagfynegwr a'r rheol trapesiwm fel y cywirwr (gan ddefnyddio'r cywirwr **un** waith ym mhob cam). Defnyddiwch hyd cam 0.1 a rhoi pob ateb i bedwar lle degol wrth gyfrifo'r datrysiad. **(SQA/CSYS)**

20 Mae angen datrys yr hafaliad differol

$$x\frac{dy}{dx} = (y + 1)^2 - \cos x \qquad y(1) = 0$$

yn $x = 1.15$. Defnyddiwch ddull Euler gyda hyd cam 0.05 i gael brasamcan o'r datrysiad. Rhowch eich atebion yn gywir i dri lle degol.

Petaech wedi defnyddio hyd cam 0.01 yn y cyfrifiad hwn, o ba ffactor y byddech yn disgwyl i'r cyfeiliornad blaendorri gael ei leihau? **(SQA/CSYS)**

14 Matricsau

Mathematics is not a book confined within a cover and bound between brazen clasps, whose contents it needs only patience to ransack.
JAMES JOSEPH SYLVESTER

Mae matricsau yn storio gwybodaeth fathemategol mewn dull cryno.
Cofnodir yr wybodaeth mewn arae petryal o resi a cholofnau o dermau sy'n cael eu galw'n **elfennau** neu **gofnodion**, gyda phob un yn ei union safle yn yr arae.

Mae $\begin{pmatrix} 4 \\ 8 \\ 7 \end{pmatrix}$ yn fatrics, ond mae ei ystyr yn dibynnu ar y cyd-destun.

Fel ym Mhennod 6, fe allai gynrychioli fector, gan olygu $4\mathbf{i} + 8\mathbf{j} + 7\mathbf{k}$.
Mewn pêl-droed, gallai gynrychioli nifer y goliau a sgoriwyd gan dri chlwb gwahanol.
Mewn siop, gallai gynrychioli nifer y pacedi o dair eitem wahanol a brynwyd.

Nodiant

Rydym yn defnyddio priflythrennau trwm i gynrychioli matricsau, fel arfer. Er enghraifft,

$$\mathbf{M} = \begin{pmatrix} 4 & 11 & 5 \\ 1 & 4 & 2 \\ 1 & 2 & 1 \end{pmatrix}$$

Mae Enghraifft 1, ar dudalen 300, yn defnyddio'r nodiant hwn.

Trefn matrics

Siâp matrics sy'n pennu beth yw ei drefn. Er enghraifft, trefn y matrics $\begin{pmatrix} 6 & -2 & 7 \\ 4 & 3 & -5 \end{pmatrix}$ yw 2×3, gan fod ei elfennau wedi eu gosod mewn dwy res a thair colofn.

Wrth nodi trefn matrics, **mae'n rhaid rhoi nifer y rhesi'n gyntaf**, ac wedyn nifer y colofnau.

Mae $\begin{pmatrix} 4 \\ 8 \\ 7 \end{pmatrix}$ yn **fatrics colofn** â'i drefn yn 3×1,
oherwydd bod ei elfennau wedi eu gosod mewn tair rhes ac un golofn yn unig.

Trefn y matrics $(4 \quad 8 \quad 7)$ yw 1×3 ac mae'n **fatrics rhes**.

Pan fo nifer y rhesi a nifer y colofnau'n hafal, gelwir y matrics yn **fatrics sgwâr**.

Noder Mae (4, 8, 7) lle mae'r rhifau wedi'u gwahanu gan atalnodau yn cynrychioli pwynt. Mae $\begin{pmatrix} 4 & 8 & 7 \end{pmatrix}$, heb yr atalnodau, yn fatrics.

Adio a thynnu matricsau

Ni allwn adio neu dynnu matricsau oni bai bod ganddynt **yr un drefn**.

I adio dau fatrics o'r un drefn, dilynwn y camau a ganlyn, elfen wrth elfen:

$$\begin{pmatrix} a & b & c \\ d & e & f \\ g & h & i \end{pmatrix} + \begin{pmatrix} p & q & r \\ s & t & u \\ v & w & x \end{pmatrix} = \begin{pmatrix} a+p & b+q & c+r \\ d+s & e+t & f+u \\ g+v & h+w & i+x \end{pmatrix}$$

Rydym yn tynnu dau fatrics o'r un drefn mewn ffordd debyg.

Ni allwn enrhifo $\begin{pmatrix} a \\ b \end{pmatrix} + \begin{pmatrix} c & d \\ e & f \end{pmatrix}$ oherwydd **nad yw'r ddau fatrics o'r un drefn.**

Lluosi matricsau

Lluosi matrics â rhif

I luosi matrics â k, er enghraifft, rydym yn lluosi **pob elfen** o'r matrics â k. Felly, cawn

$$k\begin{pmatrix} a & b & c \\ d & e & f \\ g & h & i \end{pmatrix} = \begin{pmatrix} ka & kb & kc \\ kd & ke & kf \\ kg & kh & ki \end{pmatrix}$$

Enghraifft 1 Darganfyddwch $3\mathbf{A} + 2\mathbf{B}$ pan fo $\mathbf{A} = \begin{pmatrix} 4 & 7 & -1 \\ 8 & 1 & 5 \end{pmatrix}$ a $\mathbf{B} = \begin{pmatrix} 3 & 2 & 4 \\ -1 & -3 & 2 \end{pmatrix}$.

DATRYSIAD

Mae gennym

$$3\mathbf{A} + 2\mathbf{B} = 3\begin{pmatrix} 4 & 7 & -1 \\ 8 & 1 & 5 \end{pmatrix} + 2\begin{pmatrix} 3 & 2 & 4 \\ -1 & -3 & 2 \end{pmatrix}$$

Wrth luosi'r ochr dde, cawn

$$3\mathbf{A} + 2\mathbf{B} = \begin{pmatrix} 12 & 21 & -3 \\ 24 & 3 & 15 \end{pmatrix} + \begin{pmatrix} 6 & 4 & 8 \\ -2 & -6 & 4 \end{pmatrix}$$

sy'n rhoi

$$3\mathbf{A} + 2\mathbf{B} = \begin{pmatrix} 18 & 25 & 5 \\ 22 & -3 & 19 \end{pmatrix}$$

Lluosi matrics â matrics arall

Nid yw'n bosibl lluosi **unrhyw** fatrics ag **unrhyw** fatrics arall.

Er mwyn gallu lluosi, mae'n rhaid i drefn y ddau fatrics dan ystyriaeth **fodloni'r** rheol a ganlyn:

Mae'n rhaid i nifer y colofnau yn y matrics cyntaf fod yr un fath â nifer y rhesi yn yr ail fatrics.

Er enghraifft, os trefn y matrics cyntaf yw 3×3, mae'n rhaid i drefn yr ail fod yn $3 \times$ rhywbeth. Gwelwn hyn wrth i ni luosi **A** â **B** isod gyda'i gilydd:

$$\mathbf{A} = \begin{pmatrix} 2 & 3 & 1 \\ 0 & -2 & 3 \\ 0 & 2 & 3 \end{pmatrix} \qquad \mathbf{B} = \begin{pmatrix} 1 & 2 & 0 \\ 1 & -2 & 1 \\ 0 & 2 & 1 \end{pmatrix}$$

I luosi **A** â **B**, dechreuwn drwy gymryd rhes gyntaf matrics **A**, $(2 \quad 3 \quad 1)$,

a cholofn gyntaf matrics **B**, $\begin{pmatrix} 1 \\ 1 \\ 0 \end{pmatrix}$.

Rydym wedyn yn lluosi elfen gyntaf y rhes ag elfen gyntaf y golofn, ail elfen y rhes ag ail elfen y golofn, a thrydedd elfen y rhes ag elfen olaf y golofn. Rydym wedyn yn adio'r tri lluoswm hyn.

Mae hyn yn rhoi'r elfen yng nghornel chwith uchaf y matrics **AB**, sydd yn

$$2 \times 1 + 3 \times 1 + 1 \times 0 = 5$$

Felly, cawn

$$\mathbf{AB} = \begin{pmatrix} 5 & ? & ? \\ ? & ? & ? \\ ? & ? & ? \end{pmatrix}$$

Rydym wedyn yn cymryd ail res matrics **A**, $(0 \quad -2 \quad 3)$, a cholofn gyntaf matrics **B**, $\begin{pmatrix} 1 \\ 1 \\ 0 \end{pmatrix}$.

Unwaith eto, rydym yn lluosi pob elfen yn y rhes â'r elfen gyfatebol yn y golofn ac yn adio'r lluosymiau.

Mae hyn yn rhoi ail elfen colofn gynta'r matrics **AB**, sydd yn

$$0 \times 1 - 2 \times 1 + 3 \times 0 = -2$$

Felly, mae gennym nawr

$$\mathbf{AB} = \begin{pmatrix} 5 & ? & ? \\ -2 & ? & ? \\ ? & ? & ? \end{pmatrix}$$

Rydym yn ailadrodd y broses ar gyfer ail a thrydedd golofn matrics **B**, gan orffen, yn y pen draw, gyda

$$\mathbf{AB} = \begin{pmatrix} 5 & 0 & 4 \\ -2 & 10 & 1 \\ 2 & 2 & 5 \end{pmatrix}$$

(Sylwch fod pob cam yn debyg i ddarganfod lluoswm dot sgalar dau fector.)

Yn gyffredinol, mae'r lluoswm **PQ** yn cynhyrchu matrics sydd â'r **un nifer o resi** â **P**, a'r **un nifer o golofnau** â **Q**. Felly, os trefn **P** yw $p \times t$ a threfn **Q** yw $t \times q$, yna trefn **PQ** yw $p \times q$.

Nid yw lluosi yn gymudol

Mae'n bwysig sylwi **nad yw** lluosi dau fatrics yn **gymudol**. Hynny yw,

$$\mathbf{AB} \neq \mathbf{BA}$$

Felly, mae'n rhaid sicrhau ein bod yn ysgrifennu'r matricsau yn y **drefn gywir**.
(Gweler Ymarfer 14A, Cwestiwn 1, tudalen 306.)

Hefyd, i osgoi amwysedd pan ydym yn trafod lluoswm **A** a **B**, mae'n rhaid **nodi'r drefn**.
Er enghraifft, yn achos **AB**, rydym yn dweud bod **A** yn **blaen-luosi B** neu fod **B** yn **ôl-luosi A**.

Ond mae tri eithriad i'r ddeddf anghymudol:

- Lluosi matrics sero â matrics ansero o'r un drefn (gweler tudalen 304)
- Lluosi matrics sgwâr â'i wrthdro (gweler tudalen 304)
- Lluosi matrics sgwâr â'r matrics unfathiant o'r un drefn (gweler tudalen 303).

Rydym yn ogystal yn nodi'r canlynol:

- Os yw **AB** yn bodoli, nid yw **BA** o anghenraid yn bodoli.
- Y matrics $\mathbf{A}^2$ yw $\mathbf{A} \times \mathbf{A}$, sy'n bodoli'n unig os yw **A** yn fatrics sgwâr.

Mae lluosi yn gysylltiadol

Gwelwn, ar gyfer **unrhyw** fatricsau **A**, **B** ac **C**, fod modd eu lluosi,

$$\mathbf{A(BC)} = \mathbf{(AB)C}$$

ar yr amod **nad yw trefn y lluosi yn newid.**

Gelwir y rheol hon yn **rheol gysylltiadol**.
Mae'n caniatáu i ni ddewis cychwyn y lluosi â'r pâr cyntaf o fatricsau neu'r ail bâr.
Oherwydd hyn gallwn sôn am y lluoswm **ABC** heb unrhyw amwysedd.

Determinant matrics

Fel y nodwyd ar dudalen 81, mae determinant bob amser yn arae sgwâr o elfennau. Mae'n dilyn felly mai **dim ond gan fatrics sgwâr** mae determinant.

O ddiffiniad determinant, gwelwn ei fod yn gynrychiolaeth sgalar o'r matrics sgwâr y mae'n deillio ohono, ac yn rhoi'r gwerth sy'n gysylltiedig â'r matrics hwnnw.

Os yw **A** yn fatrics sgwâr, gallwn ddarganfod determinant **A**, a ddynodir gan det **A** neu $|\mathbf{A}|$, drwy'r dull a ddangoswyd ar dudalennau 80–1.

Determinant lluoswm dau fatrics

Mae determinant y lluoswm **AB** yr un fath â determinant **A** wedi ei luosi â determinant **B**:

$$\det(\mathbf{AB}) = \det \mathbf{A} \times \det \mathbf{B}$$

Matricsau unfathiant a matricsau sero

Matrics unfathiant yw unrhyw fatrics sgwâr gyda'r holl elfennau yn y groeslin arweiniol yn hafal i 1 a'r holl elfennau eraill yn sero. Fe'i dynodir gan **I**.
Felly,

$$\mathbf{I} = \begin{pmatrix} 1 & 0 \\ 0 & 1 \end{pmatrix}$$

yw'r matrics unfathiant 2 × 2, a gelwir

$$\mathbf{I} = \begin{pmatrix} 1 & 0 & 0 \\ 0 & 1 & 0 \\ 0 & 0 & 1 \end{pmatrix}$$

yn fatrics unfathiant 3 × 3.

Wrth luosi **I** gydag unrhyw fatrics sgwâr **M** o'r un drefn ag **I**, mae **I** yn ymddwyn fel un. Hynny yw,

$$\mathbf{IM} = \mathbf{MI} = \mathbf{M}$$

Matricsau sero

Pan fo pob elfen matrics yn sero, fe'i gelwir yn **fatrics sero**, ac fe'i dynodir gan **0**.

Gall matrics sero fod o **unrhyw** drefn ac nid yw felly'n unigryw. Er enghraifft,

$$\mathbf{0} = \begin{pmatrix} 0 \\ 0 \end{pmatrix} \qquad \mathbf{0} = \begin{pmatrix} 0 & 0 \\ 0 & 0 \end{pmatrix}$$

Gallwn luosi unrhyw fatrics ansero â matrics sero **cyhyd ag y bo lluosi'n cael ei ganiatáu.** Er enghraifft,

$$\begin{pmatrix} 5 & -2 \\ -4 & 3 \end{pmatrix}\begin{pmatrix} 0 \\ 0 \end{pmatrix} = \begin{pmatrix} 0 \\ 0 \end{pmatrix}$$

a $$\begin{pmatrix} 0 & 0 \\ 0 & 0 \end{pmatrix}\begin{pmatrix} 3 & 2 \\ 4 & 5 \end{pmatrix} = \begin{pmatrix} 0 & 0 \\ 0 & 0 \end{pmatrix} = \begin{pmatrix} 3 & 2 \\ 4 & 5 \end{pmatrix}\begin{pmatrix} 0 & 0 \\ 0 & 0 \end{pmatrix}$$

Yn gyffredinol, cawn

$$\mathbf{0M} = \mathbf{0} \text{ ac } \mathbf{N0} = \mathbf{0}$$

Yn ogystal â hyn, o'r ail enghraifft, nodwn pan fo gan **0** ac **M** yr **un drefn** fod

$$\mathbf{0M} = \mathbf{0} = \mathbf{M0}$$

sy'n un o'r tri eithriad i'r deddfau anghymudol a drafodwyd ar dudalen 302.

Pan ydym yn lluosi dau **fatrics ansero**, mae'n bosibl cael **matrics sero** yn ganlyniad. Er enghraifft,

$$\begin{pmatrix} 5 & 2 \\ 10 & 4 \end{pmatrix}\begin{pmatrix} 2 & 4 \\ -5 & -10 \end{pmatrix} = \begin{pmatrix} 0 & 0 \\ 0 & 0 \end{pmatrix}$$

Matricsau gwrthdro

Os yw **M** yn fatrics sgwâr, diffinnir ei **wrthdro**, a ddynodir gan $\mathbf{M}^{-1}$, gan

$$\mathbf{MM}^{-1} = \mathbf{M}^{-1}\mathbf{M} = \mathbf{I}$$

Yn groes i'r ddeddf anghymudol a drafodwyd ar dudalen 302, nodwn nad oes wahaniaeth ym mha drefn y lluoswn **M** ac $\mathbf{M}^{-1}$, sy'n golygu bod $\mathbf{M}^{-1}$, os yw'n bodoli, yn unigryw.

Mae gwrthdro matrics sgwâr, **M**, yn bodoli pan fo det **M** ≠ 0. Hynny yw, pan fo **M** yn **anhynod.** Pan fo det **M** = 0, dywedir bod **M** yn **hynod**.

Y determinant lleiaf

Determinant lleiaf elfen matrics yw determinant y matrics a ffurfir drwy ddileu'r rhes a'r golofn sy'n cynnwys yr elfen honno.

Er enghraifft, determinant lleiaf elfen ganol, 2, y matrics $\begin{pmatrix} 5 & 6 & 9 \\ 7 & 2 & 1 \\ 3 & 4 & 8 \end{pmatrix}$

yw determinant y matrics $\begin{pmatrix} 5 & 9 \\ 3 & 8 \end{pmatrix}$, sydd yn

$$\begin{vmatrix} 5 & 9 \\ 3 & 8 \end{vmatrix} = 13$$

Darganfod gwrthdro matrics 3 × 3

Dilynwn y camau a ganlyn yn yr un drefn:

1 Darganfyddwch werth determinant, Δ, y matrics.

2 Darganfyddwch werth determinant lleiaf pob un o'r elfennau.

3 Ffurfiwch fatrics newydd gan ddefnyddio'r gwerthoedd lleiaf, a'u rhoi yn y safleoedd sy'n cyfateb i'r elfennau a'u ffurfiodd. Yn ogystal â hyn, rhowch arwydd minws ym mhob safle sydd ag odrif, gan gyfrif ymlaen o'r cofnod uchaf ar y chwith yn y matrics. Gelwir y gwerthoedd lleiaf hyn ynghyd â'u harwyddion cysylltiol (+ neu –) yn **gydffactorau** elfennau'r matrics gwreiddiol.

4 Darganfyddwch drawsddodyn y canlyniad.

Felly, cawn

$$\begin{pmatrix} a & b & c \\ d & e & f \\ g & h & i \end{pmatrix}^{-1} = \frac{1}{\Delta}\begin{pmatrix} A & -B & C \\ -D & E & -F \\ G & -H & I \end{pmatrix}^{\mathrm{T}}$$

lle mae $A, B, C, \ldots$ yn ddeterminannau lleiaf yr elfennau $a, b, c, \ldots$ yn ôl eu trefn.

Enghraifft 2 Darganfyddwch wrthdro'r matrics **M**, lle mae $\mathbf{M} = \begin{pmatrix} 1 & 2 & 5 \\ 2 & 3 & 4 \\ 1 & 1 & 2 \end{pmatrix}$

DATRYSIAD

Yn gyntaf, rydym yn cyfrifo det **M**, sy'n rhoi

$$\det \mathbf{M} = 1(6-4) - 2(4-4) + 5(2-3) = -3$$

Ar ôl hynny, rydym yn cyfrifo'r determinannau lleiaf, ac yn cael

$$\begin{matrix} 2 & 0 & -1 \\ -1 & -3 & -1 \\ -7 & -6 & -1 \end{matrix}$$

Yna, rydym yn rhoi'r gwerthoedd lleiaf hynny yn eu safleoedd priodol, ynghyd â'u harwyddion cysylltiol (+ neu –), i ffurfio'r matrics fydd yn cael ei drawsddodi.

(Er enghraifft, gwerth lleiaf elfen 4 yw $\begin{vmatrix} 1 & 2 \\ 1 & 1 \end{vmatrix} = -1.$

Gosodwn hwn dri lle o gornel uchaf, chwith y matrics, gydag arwydd cysylltiol minws, sy'n rhoi $-(-1) = +1$. Felly +1 yw cydffactor elfen 4.)

Felly, cawn

$$\mathbf{M}^{-1} = \frac{1}{-3}\begin{pmatrix} 2 & -0 & -1 \\ +1 & -3 & +1 \\ -7 & +6 & -1 \end{pmatrix}^{\mathrm{T}}$$

Cawn y trawsddodyn drwy adlewyrchu'r matrics yn y groeslin arweiniol (gweler tudalen 84), sy'n rhoi

$$\mathbf{M}^{-1} = -\frac{1}{3}\begin{pmatrix} 2 & 1 & -7 \\ 0 & -3 & 6 \\ -1 & 1 & -1 \end{pmatrix} = \begin{pmatrix} -\frac{2}{3} & -\frac{1}{3} & \frac{7}{3} \\ 0 & 1 & -2 \\ \frac{1}{3} & -\frac{1}{3} & \frac{1}{3} \end{pmatrix}$$

Ymarfer 14A

1 Enrhifwch **PQ** a **QP**, lle mae

$$\mathbf{P} = \begin{pmatrix} 6 & 4 \\ 2 & 3 \end{pmatrix} \quad \text{a} \quad \mathbf{Q} = \begin{pmatrix} 1 & -2 \\ 2 & 3 \end{pmatrix}$$

Beth mae'r canlyniadau'n ddweud wrthych, a pham mae hyn yn digwydd?

2 Darganfyddwch wrthdro pob un o'r canlynol.

a) $\begin{pmatrix} 3 & 4 \\ 4 & 5 \end{pmatrix}$ **b)** $\begin{pmatrix} 2 & 7 \\ 1 & 4 \end{pmatrix}$ **c)** $\begin{pmatrix} 1 & -2 & 1 \\ 3 & -1 & 5 \\ -1 & 4 & 0 \end{pmatrix}$

d) $\begin{pmatrix} 4 & 11 & 5 \\ 1 & 4 & 2 \\ 1 & 2 & 1 \end{pmatrix}$ **e)** $\begin{pmatrix} 3 & 4 & -2 \\ 2 & -1 & 5 \\ -3 & 4 & 1 \end{pmatrix}$

3 Darganfyddwch wrthdro'r matrics $\begin{pmatrix} -1 & 0 & 1 \\ 2 & 0 & 1 \\ k & -1 & 0 \end{pmatrix}$ yn nhermau k. **(NICCEA)**

4 O wybod bod y matrics $\mathbf{A} = \begin{pmatrix} \cos\theta & -\sin\theta \\ \sin\theta & \cos\theta \end{pmatrix}$, dangoswch drwy anwytho fod

$$\mathbf{A}^n = \begin{pmatrix} \cos n\theta & -\sin n\theta \\ \sin n\theta & \cos n\theta \end{pmatrix}$$

ar gyfer pob cyfanrif positif n. **(CBAC)**

5 **a)** Cyfrifwch wrthdro'r matrics

$$\mathbf{A}(x) = \begin{pmatrix} 1 & x & -1 \\ 3 & 0 & 2 \\ 1 & 1 & 0 \end{pmatrix} \quad x \neq \frac{5}{2}$$

Delwedd y fector $\begin{pmatrix} a \\ b \\ c \end{pmatrix}$ ar ôl iddo gael ei drawsffurfio gan y matrics $\begin{pmatrix} 1 & 3 & -1 \\ 3 & 0 & 2 \\ 1 & 1 & 0 \end{pmatrix}$ yw'r fector $\begin{pmatrix} 4 \\ 3 \\ 5 \end{pmatrix}$.

b) Darganfyddwch werthoedd a, b ac c. **(EDEXCEL)**

6 O wybod bod y matrics $\mathbf{A} = \begin{pmatrix} 5 & 2 & 3 \\ 3 & 2 & 1 \\ 2 & 5 & 2 \end{pmatrix}$ ac mai 20 yw determinant **A**,

darganfyddwch $\mathbf{A}^{-1}$. **(CBAC)**

7 Rhoddir y matricsau **A** ac **C** gan

$$\mathbf{A} = \begin{pmatrix} 1 & 1 & 1 \\ 1 & 2 & 2 \\ 2 & 1 & 3 \end{pmatrix} \quad \mathbf{C} = \begin{pmatrix} 1 & 0 & 2 \\ 3 & 1 & 0 \\ 1 & 1 & 1 \end{pmatrix}$$

Darganfyddwch y matrics **B** sy'n bodloni **BA** = **C**. (CBAC)

8 Boed i'r matrics $\mathbf{A} = \begin{pmatrix} 0 & 1 \\ -2 & 3 \end{pmatrix}$ ac **I** fod y matrics uned $\begin{pmatrix} 1 & 0 \\ 0 & 1 \end{pmatrix}$.

i) Dangoswch fod $\mathbf{A}^2 = 3\mathbf{A} - 2\mathbf{I}$.

ii) Drwy ysgrifennu $\mathbf{A}^3 = \mathbf{A} \times \mathbf{A}^2$ a defnyddio rhan **i**, dangoswch fod $\mathbf{A}^3 = 7\mathbf{A} - 6\mathbf{I}$.

iii) Ar gyfer n positif, defnyddiwch anwytho i brofi bod

$$\mathbf{A}^n = (2^n - 1)\,\mathbf{A} + (2 - 2^n)\,\mathbf{I}$$ (NICCEA)

9 Rhoddir y matrics **A** gan

$$\mathbf{A} = \begin{pmatrix} 1 & a & 0 \\ -1 & 1 & 0 \\ a & 5 & 1 \end{pmatrix}$$

lle mae a $\neq -1$.

i) Darganfyddwch $\mathbf{A}^{-1}$.

ii) O wybod bod $a = 2$, darganfyddwch gyfesurynnau'r pwynt sy'n cael ei fapio ar y pwynt sydd â chyfesurynnau (1, 2, 3) gan y trawsffurfiad sy'n cael ei gynrychioli gan **A**. (OCR)

10 Rhoddir y matrics **A** gan

$$\mathbf{A} = \begin{pmatrix} 2 & -1 & 1 \\ 0 & 3 & 1 \\ 1 & 1 & a \end{pmatrix}$$

gydag $a \neq 1$. Darganfyddwch wrthdro **A**.

Drwy hynny, neu fel arall, darganfyddwch bwynt croestoriad y tri phlân sydd â'r hafaliadau

$$2x - y + z = 0$$

$$3y + z = 0$$

$$x + y + az = 3$$ (OCR)

11 Rhoddir y matricsau **A** a **B** gan

$$\mathbf{A} = \begin{pmatrix} 1 & 0 & 0 \\ 1 & -1 & 0 \\ 1 & 0 & a \end{pmatrix} \quad \text{a} \quad \mathbf{B} = \begin{pmatrix} 1 & 1 & 1 \\ 0 & 1 & -1 \\ 0 & 0 & 2 \end{pmatrix}$$

gydag $a \neq 0$.

i) Darganfyddwch wrthdro **A**.

ii) O wybod bod

$$\mathbf{B}^{-1} = \begin{pmatrix} 1 & -1 & -1 \\ 0 & 1 & \frac{1}{2} \\ 0 & 0 & \frac{1}{2} \end{pmatrix}$$

darganfyddwch y matrics **C** fel bod **ABC** = **I**. **I** yw'r matrics unfathiant. (OCR)

12 Rydym yn gwybod bod

$$\mathbf{A} = \begin{pmatrix} 1 & -1 & 2 \\ 1 & 1 & 3 \\ a & 0 & 5 \end{pmatrix}$$

gydag $a \neq 2$.

i) Dangoswch fod gan **A** wrthdro, a darganfyddwch y gwrthdro hwn.

ii) Rydym yn gwybod bod

$$\mathbf{A}\begin{pmatrix} x_1 \\ x_2 \\ x_3 \end{pmatrix} = \mathbf{B}\begin{pmatrix} y_1 \\ y_2 \\ y_3 \end{pmatrix}$$

lle mae

$$\mathbf{B} = \begin{pmatrix} 0 & 1 & 1 \\ 1 & 0 & 1 \\ 1 & 1 & 0 \end{pmatrix}$$

Darganfyddwch x_2 yn nhermau y_1, y_2, y_3 ac a. (OCR)

13 Boed i $\mathbf{A} = \begin{pmatrix} 1 & 1 & 1 \\ 1 & 1 & 1 \\ 1 & 1 & 1 \end{pmatrix}$ a $\mathbf{B} = \begin{pmatrix} 1 & -1 & -1 \\ -1 & 1 & -1 \\ -1 & -1 & 1 \end{pmatrix}$

a) Penderfynwch a yw **AB** = **BA** ai peidio.

b) Gwiriwch fod $\mathbf{A}^2 + 3\mathbf{B}^2 = 12\mathbf{I}$. **I** yw'r matrics unfathiant 3×3.

c) Darganfyddwch **AB**, $\mathbf{AB}^2$ ac $\mathbf{AB}^3$ fel lluosrifau **A**,
a chynigiwch ddyfaliad am ganlyniad cyffredinol ar gyfer $\mathbf{AB}^n$.
Defnyddiwch anwytho i brofi'ch dyfaliad.

d) Rydym yn gwybod bod gan **B** wrthdro, gyda gwrthdro yn y ffurf

$$\mathbf{B}^{-1} = \begin{pmatrix} x & y & z \\ z & x & y \\ y & z & x \end{pmatrix}$$

Ysgrifennwch system o hafaliadau llinol sy'n cael eu bodloni gan x, y a z,
a thrwy hynny darganfyddwch werthoedd x, y a z.

e) Gwiriwch fod $\mathbf{B}^2 - \mathbf{B}$ yn lluosrif **I**, a thrwy hynny darganfyddwch $\mathbf{B}^{-1}$ yn y ffurf $r\mathbf{B} + s\mathbf{I}$ lle mae r ac s yn rhifau real. Drwy hynny, gwiriwch eich ateb i ran **d**. (SQA/CSYS)

14 **a)** O wybod bod $\mathbf{A} = \begin{pmatrix} 1 & 1 & 2 \\ 0 & 2 & 1 \\ 1 & 0 & 2 \end{pmatrix}$, darganfyddwch $\mathbf{A}^2$.

b) Gan ddefnyddio $\mathbf{A}^3 = \begin{pmatrix} 10 & 9 & 23 \\ 5 & 9 & 14 \\ 9 & 5 & 19 \end{pmatrix}$, dangoswch fod $\mathbf{A}^3 - 5\mathbf{A}^2 + 6\mathbf{A} - \mathbf{I} = 0$.

c) Diddwythwch fod $\mathbf{A}(\mathbf{A} - 2\mathbf{I})(\mathbf{A} - 3\mathbf{I}) = \mathbf{I}$.

d) Drwy hynny, darganfyddwch $\mathbf{A}^{-1}$. (EDEXCEL)

15 O wybod bod $\mathbf{A} = \begin{pmatrix} 1 & 0 & 0 \\ 0 & 2 & 1 \\ 0 & 0 & 1 \end{pmatrix}$, defnyddiwch luosi matricsau i ddarganfod

a) $\mathbf{A}^2$ **b)** $\mathbf{A}^3$

c) Profwch drwy anwytho fod

$$\mathbf{A}^n = \begin{pmatrix} 1 & 0 & 0 \\ 0 & 2^n & 2^n - 1 \\ 0 & 0 & 1 \end{pmatrix} \qquad n \geqslant 1$$

d) Darganfyddwch wrthdro $\mathbf{A}^n$. (EDEXCEL)

Trawsffurfiadau

Gellir cynrychioli nifer o drawsffurfiadau plân dau-ddimensiwn ar blân dau-ddimensiwn, $\mathbb{R}^2$, ac o ofod tri-dimensiwn ar ofod tri-dimensiwn, $\mathbb{R}^3$, gan fatrics **M**, lle mae

$$\mathbf{M}\begin{pmatrix} x \\ y \\ z \end{pmatrix} = \begin{pmatrix} x_1 \\ y_1 \\ z_1 \end{pmatrix}$$

yn golygu bod delwedd (x, y, z) o dan y trawsffurfiad, T, yn (x_1, y_1, z_1).

Trawsffurfiadau llinol

Disgrifir T fel **trawsffurfiad llinol** gofod n-dimensiwn (lle mae $n = 2, 3, \ldots$) pan fo ganddo'r priodweddau

$$\mathrm{T}(\lambda\mathbf{x}) = \lambda\mathrm{T}(\mathbf{x}) \quad \text{a} \quad \mathrm{T}(\lambda\mathbf{x} + \mu\mathbf{y}) = \lambda\mathrm{T}(\mathbf{x}) + \mu\mathrm{T}(\mathbf{y})$$

lle mae λ a μ yn gysonion mympwyol.

Gallwn ddefnyddio matrics i gynrychioli trawsffurfiad llinol.
Er enghraifft, mewn tri dimensiwn, gallai T gael ei gynrychioli gan y matrics

$$\mathbf{M} = \begin{pmatrix} a & b & c \\ d & e & f \\ g & h & i \end{pmatrix}$$

Felly, i ddarganfod delwedd y pwynt sydd â fector safle **i**, o dan T, rydym yn cyfrifo

$$\begin{pmatrix} a & b & c \\ d & e & f \\ g & h & i \end{pmatrix}\begin{pmatrix} 1 \\ 0 \\ 0 \end{pmatrix} = \begin{pmatrix} a \\ d \\ g \end{pmatrix}$$

Felly, delwedd y pwynt (1, 0, 0) o dan T yw (a, d, g), a gwelwn mai hon yw colofn gyntaf **M**.

I ddarganfod pa fath o drawsffurfiad sy'n cael ei gynrychioli gan fatrics, rydym yn darganfod delweddau'r fectorau (1, 0, 0) a (0, 1, 0) a (0, 0, 1). Trawsffurfiadau llinol cyffredin yw cylchdroadau o amgylch y tarddbwynt, adlewyrchiadau mewn llinellau drwy'r tarddbwynt, estyniadau a chroeswasgiadau.

Gallwn ddefnyddio matrics i gynrychioli trawsffurfiad llinol o $\mathbb{R}^2$, sef y plân-xy.
2 × 2 fydd trefn matrics o'r fath.

Er enghraifft, boed T yn gylchdro gwrthglocwedd gofod dau-ddimensiwn.

Mae'r cylchdro, sydd wedi'i ganoli ar y tarddbwynt, drwy ongl θ.

Yna, mae'r fector $\begin{pmatrix} 1 \\ 0 \end{pmatrix}$, sef **i**,

yn trawsffurfio i'r fector $\begin{pmatrix} \cos\theta \\ \sin\theta \end{pmatrix}$,

a'r fector $\begin{pmatrix} 0 \\ 1 \end{pmatrix}$, sef **j**,

yn trawsffurfio i'r fector $\begin{pmatrix} -\sin\theta \\ \cos\theta \end{pmatrix}$.

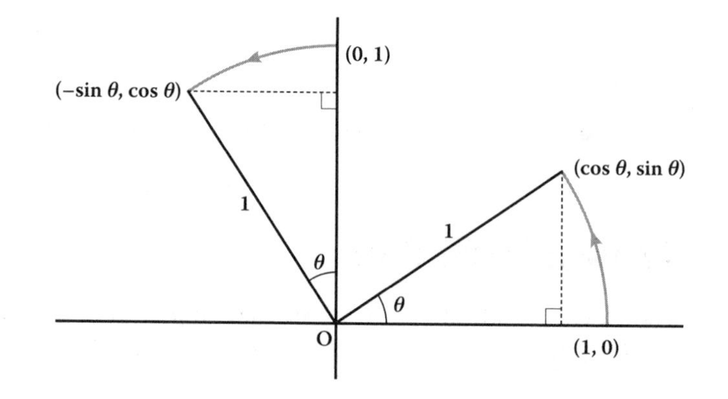

Felly, rhoddir y matrics ar gyfer T gan

$$\mathbf{M} = \begin{pmatrix} \cos\theta & -\sin\theta \\ \sin\theta & \cos\theta \end{pmatrix}$$

Felly, i ddarganfod y matrics sy'n cynrychioli'r trawsffurfiad hwn,
rydym yn darganfod delweddau (1, 0) a (0, 1), sydd wedyn yn ffurfio colofnau'r matrics.

Mewn tri dimensiwn, rydym yn darganfod delweddau'r pwyntiau (1, 0, 0), (0, 1, 0) a (0, 0, 1), sef fertigau'r ciwb uned. Yn y ffurf fector, y rhain yw delweddau'r fectorau **i**, **j** a **k**.
Fel y gwelir isod ac ar dudalen 311, mae'r rhain wedyn yn ffurfio colofnau'r matrics sy'n cynrychioli'r trawsffurfiad.

Enghraifft 3 Darganfyddwch y matrics **M** sy'n cynrychioli helaethiad, ffactor graddfa 2, lle mae'r tarddbwynt yn ganol i'r helaethiad.

DATRYSIAD

Delweddau fertigau'r ciwb uned yw

$$(1, 0, 0) \rightarrow (2, 0, 0)$$
$$(0, 1, 0) \rightarrow (0, 2, 0)$$
$$(0, 0, 1) \rightarrow (0, 0, 2)$$

Felly, cawn

$$\mathbf{M} = \begin{pmatrix} 2 & 0 & 0 \\ 0 & 2 & 0 \\ 0 & 0 & 2 \end{pmatrix}$$

Enghraifft 4 Darganfyddwch y matrics **M** sy'n cynrychioli adlewyrchiad yn y llinell $y = x$ yn y plân-xy.

DATRYSIAD

Delweddau fertigau'r ciwb uned yw

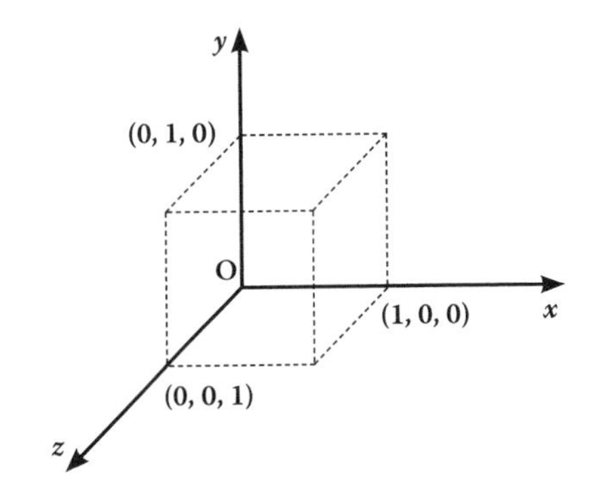

$$(1, 0, 0) \rightarrow (0, 1, 0)$$

$$(0, 1, 0) \rightarrow (1, 0, 0)$$

$$(0, 0, 1) \rightarrow (0, 0, 1)$$

Felly, mae gennym

$$\mathbf{M} = \begin{pmatrix} 0 & 1 & 0 \\ 1 & 0 & 0 \\ 0 & 0 & 1 \end{pmatrix}$$

Enghraifft 5 Darganfyddwch y matrics **M** sy'n cynrychioli croeswasgiad yn y plân-yz, lle mae (0, 1, 0) yn sefydlog a (0, 0, 1) yn symud i (0, 2, 1).

DATRYSIAD

Delweddau fertigau'r ciwb uned yw

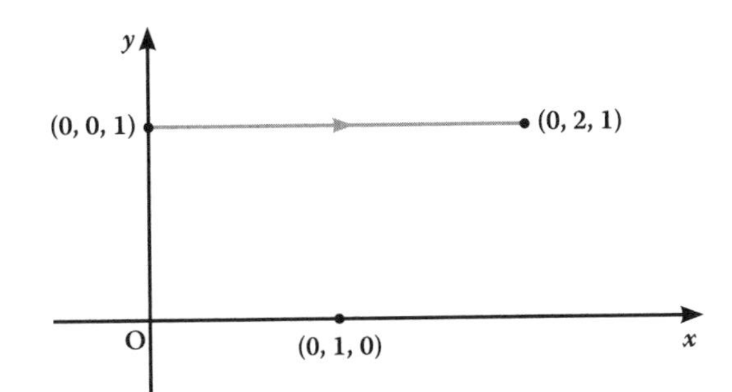

$$(1, 0, 0) \rightarrow (1, 0, 0)$$

$$(0, 1, 0) \rightarrow (0, 1, 0)$$

$$(0, 0, 1) \rightarrow (0, 2, 1)$$

Felly, mae gennym

$$\mathbf{M} = \begin{pmatrix} 1 & 0 & 0 \\ 0 & 1 & 2 \\ 0 & 0 & 1 \end{pmatrix}$$

Enghraifft 6 Darganfyddwch ddelwedd y llinell $y = 7x$ o dan y trawsffurfiad

sydd â'i fatrics yn $\begin{pmatrix} 4 & -1 \\ 2 & 5 \end{pmatrix}$.

DATRYSIAD

I ddarganfod delwedd llinell (neu blân), rydym yn gyntaf yn darganfod y pwynt cyffredinol ar y llinell (neu'r plân), ac wedyn yn darganfod delwedd y pwynt cyffredinol hwn.

Y pwynt cyffredinol ar y llinell $y = 7x$ yw $(t, 7t)$.

Rhoddir delwedd y pwynt gan

$$\begin{pmatrix} 4 & -1 \\ 2 & 5 \end{pmatrix} \begin{pmatrix} t \\ 7t \end{pmatrix} = \begin{pmatrix} -3t \\ 37t \end{pmatrix}$$

Felly, cawn $x = -3t$, $y = 37t$.

Felly, i ddarganfod y llinell angenrheidiol, rydym yn diddymu t, ac yn cael

$$37x + 3y = 0$$

Felly, delwedd y llinell $y = 7x$ yw $37x + 3y = 0$.

Enghraifft 7 Mae'r trawsffurfiad T yn drawsffurfiad cyfansawdd o

i) estyniad un-ffordd yng nghyfeiriad x, ffactor graddfa 3

ii) estyniad un-ffordd yng nghyfeiriad y, ffactor graddfa 9

iii) estyniad un-ffordd yng nghyfeiriad z, ffactor graddfa 3

iv) adlewyrchiad yn y plân-xy

Darganfyddwch y matrics **N** sy'n cynrychioli'r trawsffurfiad cyfansawdd hwn.

DATRYSIAD

Gellir cyfuno trawsffurfiadau **iii** a **iv** i roi estyniad un-ffordd yng nghyfeiriad z gyda ffactor graddfa –3.

Ar ôl i'r pedwar trawsffurfiad ddigwydd, delweddau fertigau'r ciwb uned yw

$$(1, 0, 0) \rightarrow (3, 0, 0)$$

$$(0, 1, 0) \rightarrow (0, 9, 0)$$

$$(0, 0, 1) \rightarrow (0, 0, -3)$$

Felly, cawn

$$\mathbf{N} = \begin{pmatrix} 3 & 0 & 0 \\ 0 & 9 & 0 \\ 0 & 0 & -3 \end{pmatrix}$$

Pwyntiau a llinellau sefydlog

Pwynt sefydlog trawsffurfiad T yw pwynt nad yw'n cael ei newid gan y trawsffurfiad hwnnw. Hynny yw, $\mathrm{T}(\mathbf{x}) = \mathbf{x}$.

Er enghraifft, yr unig bwyntiau nad ydynt yn cael eu newid drwy adlewyrchu yn y llinell $y = x$ yw'r pwyntiau ar y llinell $y = x$ ei hun. Felly, mae'r **unig** bwyntiau sefydlog yn y trawsffurfiad hwn ar y llinell $y = x$.

Nid yw adlewyrchu yn y llinell $y = x$ yn effeithio ar y llinell $y = x$. Yn ogystal â hyn, mae'r llinell $y = -x$ yn mapio arni ei hun. Dyma'r **unig** ddwy linell sy'n mapio arnynt eu hunain. Mae'r ddwy linell yn mynd drwy'r tarddbwynt.

Dywedwn mai'r rhain yw **llinellau sefydlog** y trawsffurfiad sy'n adlewyrchiad yn y llinell $y = x$. Yr **unig** linellau sefydlog yw $y = x$ ac $y = -x$.

Sylwn fod rhai pwyntiau nad ydynt yn bwyntiau sefydlog ar linell sefydlog.
Er enghraifft, mae'r pwynt $(1, -1)$, sydd ar y llinell $y = -x$, yn cael ei adlewyrchu i'r pwynt $(-1, 1)$, sy'n parhau i fod ar yr un llinell sefydlog $y = -x$.

Mae pob un o linellau sefydlog trawsffurfiad y gellir ei gynrychioli gan fatrics, heblaw'r rhai hynny sydd â phlân sefydlog, yn mynd drwy'r tarddbwynt. Os yw'r trawsffurfiad yn cael ei gynrychioli gan y matrics unfathiant, bydd pob llinell yn sefydlog.

Enghraifft 8 Darganfyddwch

a) bwyntiau sefydlog a **b)** llinellau sefydlog y trawsffurfiad â'r matrics $\begin{pmatrix} 4 & -1 \\ 2 & 5 \end{pmatrix}$.

DATRYSIAD

a) Y pwyntiau sefydlog yw'r pwyntiau (x, y) sy'n bodloni

$$\begin{pmatrix} 4 & -1 \\ 2 & 5 \end{pmatrix}\begin{pmatrix} x \\ y \end{pmatrix} = \begin{pmatrix} x \\ y \end{pmatrix}$$

Drwy hyn, cawn yr hafaliadau cydamserol canlynol:

$$4x - y = x \quad \Rightarrow \quad 3x = y \qquad [1]$$

$$2x + 5y = y \quad \Rightarrow \quad 2x = -4y \qquad [2]$$

Wrth amnewid [1] yn [2], cawn

$$2x = -4(3x)$$

$$\Rightarrow \quad 2x = -12x$$

$$\Rightarrow \quad x = 0$$

Unig ddatrysiad hafaliadau [1] a [2] yw $x = y = 0$.

Felly'r tarddbwynt (0, 0) yw'r unig bwynt sefydlog o dan y trawsffurfiad hwn.

b) Mae'r llinell $y = mx + c$ yn sefydlog os yw pwyntiau arni yn mapio ar bwyntiau ar yr un llinell, ond nid o anghenraid ar yr un pwyntiau.

Felly, dylai'r pwynt cyffredinol, (t, mt), ar y llinell $y = mx$ fapio ar bwynt arall (T, mT), ar yr un llinell. Felly mae'n rhaid datrys yr hafaliad

$$\begin{pmatrix} 4 & -1 \\ 2 & 5 \end{pmatrix}\begin{pmatrix} t \\ mt \end{pmatrix} = \begin{pmatrix} T \\ mT \end{pmatrix}$$

Wrth luosi'r ochr chwith, cawn

$$\begin{pmatrix} (4 - m)t \\ (2 + 5m)t \end{pmatrix} = \begin{pmatrix} T \\ mT \end{pmatrix}$$

Felly, mae gennym bâr o hafaliadau cydamserol

$$(4 - m)t = T$$

$$(2 + 5m)t = mT$$

sy'n rhoi

$$\frac{4 - m}{2 + 5m} = \frac{1}{m}$$

Drwy drawsluosi, cawn

$$4m - m^2 = 2 + 5m$$

$$\Rightarrow \quad m^2 + m + 2 = 0$$

Nid oes gan yr hafaliad hwn wreiddiau real, felly nid oes gan y trawsffurfiad linell sefydlog.

Ystyriwch y cylchdro gwrthglocwedd drwy $\frac{\pi}{2}$ o amgylch y tarddbwynt yn $\mathbb{R}^2$.

Mae pob llinell yn cael ei chylchdroi, ac felly nid oes llinellau sefydlog.
Yn ogystal â hyn, nid oes ond un pwynt sefydlog, sef (0, 0).

Nid oes llinellau sefydlog gan unrhyw gylchdro mewn gofod dau-ddimensiwn (heblaw am yr onglau 0° a 180°). Er enghraifft, gallwn weld o'r ffigur ar y dde na all y llinell ddelwedd orwedd ar y llinell wrthrych oni bai bod θ = 0° neu 180°.

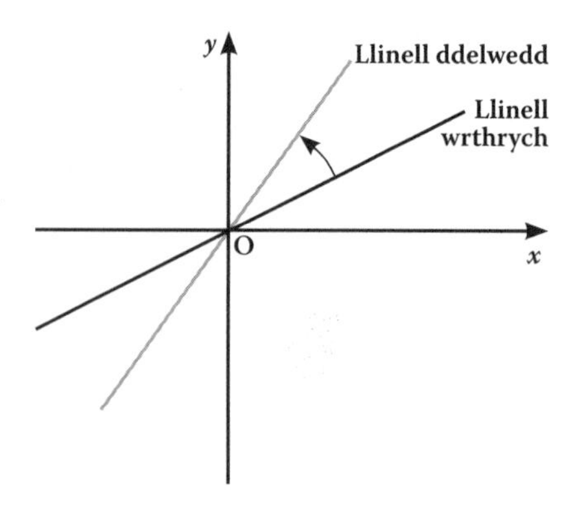

Ond, mewn gofod tri-dimensiwn, mae'n rhaid fod gan gylchdro linell sefydlog, sef y llinell y mae'r cylchdro'n digwydd o'i chwmpas. Mewn gofod tri-dimensiwn, mae plân bob amser yn mapio ar blân oni bai bod y matrics yn hynod (hynny yw, det **M** = 0). Pan fo'r matrics yn hynod, mae plân weithiau'n mapio ar linell neu bwynt. Yr un modd, mae llinell bob amser yn mapio ar linell heblaw bod y matrics yn hynod.
Yn yr achos hwnnw, fe allasai'r llinell fapio ar bwynt.

Eigenfectorau ac eigenwerthoedd

Eigenfector trawsffurfiad llinol T yw fector sy'n pwyntio yng nghyfeiriad llinell sefydlog o dan y trawsffurfiad T.

Er enghraifft, boed i T fod yn adlewyrchiad yn y llinell $y = x$.
Yna, mae (1, −1) ar y llinell sefydlog $y = -x$ ond yn mapio ar (−1, 1).

Yr **eigenwerth** ar gyfer yr eigenfector $\begin{pmatrix} 1 \\ -1 \end{pmatrix}$ yw −1,

oherwydd bod pob pwynt ar y llinell $y = -x$
yn mapio ar bwyntiau y mae eu cyfesurynnau'n −1 gwaith y cyfesurynnau gwreiddiol.

I grynhoi: os **M** yw'r matrics ar gyfer trawsffurfiad T, yna mae

$$\mathbf{M}\begin{pmatrix} x \\ y \end{pmatrix} = \lambda\begin{pmatrix} x \\ y \end{pmatrix}$$

yn golygu bod $\begin{pmatrix} x \\ y \end{pmatrix}$ yn eigenfector T, a λ yw eigenwerth T a gysylltir â $\begin{pmatrix} x \\ y \end{pmatrix}$.

Yn yr achos hwn, cawn

$$\begin{pmatrix} 0 & -1 \\ 1 & 0 \end{pmatrix}\begin{pmatrix} x \\ y \end{pmatrix} = -1\begin{pmatrix} x \\ y \end{pmatrix}$$

Mewn gofod tri-dimensiwn, mae

$$\mathbf{M}\begin{pmatrix} x \\ y \\ z \end{pmatrix} = \lambda\begin{pmatrix} x \\ y \\ z \end{pmatrix}$$

yn golygu bod $\begin{pmatrix} x \\ y \\ z \end{pmatrix}$ yn eigenfector T, ac mai λ yw eigenwerth T a gysylltir â $\begin{pmatrix} x \\ y \\ z \end{pmatrix}$.

Darganfod eigenfectorau ac eigenwerthoedd

I ddarganfod eigenwerthoedd trawsffurfiad sydd â'i fatrics

$$\mathbf{M} = \begin{pmatrix} a & b & c \\ d & e & f \\ g & h & i \end{pmatrix}$$

rydym yn datrys yr hafaliad $\det(\mathbf{M} - \lambda\mathbf{I}) = 0$ ar gyfer λ. Rydym am brofi hyn nawr.

Mae gennym

$$\begin{pmatrix} a & b & c \\ d & e & f \\ g & h & i \end{pmatrix}\begin{pmatrix} x \\ y \\ z \end{pmatrix} = \lambda \begin{pmatrix} x \\ y \\ z \end{pmatrix}$$

sy'n rhoi

$$ax + by + c = \lambda x$$

$$dx + ey + fz = \lambda y$$

$$gx + hy + iz = \lambda z$$

ac o'r rhain, cawn

$$(a - \lambda)\, x + by + cz = 0$$

$$dx + (e - \lambda)y + fz = 0$$

$$gx + hy + (i - \lambda)z = 0$$

Er mwyn i'r eigenfectorau fod yn ansero, mae'n rhaid i'r tri hafaliad hyn gael datrysiadau nad ydynt yn unigryw (gweler tudalen 87). Felly, cawn

$$\begin{vmatrix} a - \lambda & b & c \\ d & e - \lambda & f \\ g & h & i - \lambda \end{vmatrix} = 0$$

sef

$$\det(\mathbf{M} - \lambda\mathbf{I}) = 0$$

I ddarganfod yr eigenfectorau, rydym yn datrys

$$\mathbf{M}\begin{pmatrix} x \\ y \\ z \end{pmatrix} = \lambda \begin{pmatrix} x \\ y \\ z \end{pmatrix}$$

ar gyfer pob gwerth λ.

Enghraifft 9 Darganfyddwch **a)** eigenwerthoedd a **b)** eigenfectorau'r matrics

$$\begin{pmatrix} 1 & 1 & 2 \\ 0 & 2 & 2 \\ -1 & 1 & 3 \end{pmatrix}$$

DATRYSIAD

a) Rydym yn datrys yr hafaliad

$$\begin{vmatrix} 1-\lambda & 1 & 2 \\ 0 & 2-\lambda & 2 \\ -1 & 1 & 3-\lambda \end{vmatrix} = 0$$

sy'n rhoi

$$(1-\lambda)[(2-\lambda)(3-\lambda)-2] - 1(2) + 2(2-\lambda) = 0$$

$$\Rightarrow \quad (1-\lambda)(\lambda^2 - 5\lambda + 4) - 2 + 4 - 2\lambda = 0$$

$$\Rightarrow \quad \lambda^3 - 6\lambda^2 + 11\lambda - 6 = 0$$

Yr enw a roddir ar yr hafaliad hwn yw **hafaliad nodweddiadol** y matrics (gweler tudalen 323).

Drwy ffactorio'r ochr chwith, cawn

$$(\lambda-1)(\lambda-2)(\lambda-3) = 0$$

$$\Rightarrow \quad \lambda = 1, 2, 3$$

Felly, yr eigenwerthoedd yw 1, 2 a 3.

b) Mae'r eigenfector ar gyfer yr eigenwerth 1 yn cael ei roi gan ddatrysiad i'r hafaliad

$$\begin{pmatrix} 1 & 1 & 2 \\ 0 & 2 & 2 \\ -1 & 1 & 3 \end{pmatrix}\begin{pmatrix} x \\ y \\ z \end{pmatrix} = \begin{pmatrix} x \\ y \\ z \end{pmatrix}$$

$$\Rightarrow \quad \begin{pmatrix} x+y+2z \\ 2y+2z \\ -x+y+3z \end{pmatrix} = \begin{pmatrix} x \\ y \\ z \end{pmatrix}$$

sy'n rhoi i ni'r hafaliadau cydamserol

$$x + y + 2z = x \qquad [1]$$

$$2y + 2z = y \qquad [2]$$

$$-x + y + 3z = z \qquad [3]$$

Nodwn mai dau hafaliad gwahanol yn unig sydd yma ar gyfer darganfod tri anhysbysyn. Felly, ni allwn ganfod datrysiad unigryw i set o hafaliadau o'r fath (gweler tudalen 87). Felly, boed i t fod yn un o'r anhysbysion. Nodwn, yn ogystal, fod tynnu [3] o [1] yn rhoi $x = 0$.

Felly, boed i $z = t$, a datryswn yr hafaliadau cydamserol ar gyfer y:

$$x + y + 2t = x \qquad [4]$$

$$2y + 2t = y \qquad [5]$$

$$-x + y + 3t = t \qquad [6]$$

O [4], cawn $y = -2t$.

Felly, cyfeiriad yr eigenfector yw $\begin{pmatrix} 0 \\ -2t \\ t \end{pmatrix}$.

Felly, mae $\begin{pmatrix} 0 \\ -2 \\ 1 \end{pmatrix}$ yn eigenfector ar gyfer yr eigenwerth 1.

Caiff yr eigenfector ar gyfer yr eigenwerth 2 ei roi gan ddatrysiad i'r hafaliad

$$\begin{pmatrix} 1 & 1 & 2 \\ 0 & 2 & 2 \\ -1 & 1 & 3 \end{pmatrix} \begin{pmatrix} x \\ y \\ z \end{pmatrix} = 2 \begin{pmatrix} x \\ y \\ z \end{pmatrix}$$

sy'n rhoi i ni'r hafaliadau cydamserol

$$x + y - 2z = 2x \qquad [7]$$

$$2y + 2z = 2y \qquad [8]$$

$$-x + y + 3z = 2z \qquad [9]$$

Y tro hwn, nid ydym yn rhoi $z = t$, oherwydd bod [8] yn rhoi $z = 0$ yn syth.

Felly, rhoddwn $y = t$. Yna o [7], cawn $x = t$.

Felly, cyfeiriad yr eigenfector yw $\begin{pmatrix} t \\ t \\ 0 \end{pmatrix}$.

Felly, mae $\begin{pmatrix} 1 \\ 1 \\ 0 \end{pmatrix}$ yn eigenfector ar gyfer yr eigenwerth 2.

Mae'r eigenfector ar gyfer yr eigenwerth 3 yn cael ei roi gan ddatrysiad i'r hafaliad

$$\begin{pmatrix} 1 & 1 & 2 \\ 0 & 2 & 2 \\ -1 & 1 & 3 \end{pmatrix} \begin{pmatrix} x \\ y \\ z \end{pmatrix} = 3 \begin{pmatrix} x \\ y \\ z \end{pmatrix}$$

sy'n rhoi i ni'r hafaliadau cydamserol

$$x + y + 2z = 3x$$

$$2y + 2z = 3y$$

$$-x + y + 3z = 3z$$

sy'n rhoi

$$-2x + y + 2z = 0 \qquad [10]$$

$$2z = y \qquad [11]$$

$$-x + y = 0 \qquad [12]$$

Boed i $x = t$. Yna o [12] ac [11], cawn $y = t$ a $z = \frac{t}{2}$.

Felly, cyfeiriad yr eigenfector yw $\begin{pmatrix} t \\ t \\ \frac{1}{2}t \end{pmatrix}$.

Felly, mae $\begin{pmatrix} 1 \\ 1 \\ \frac{1}{2} \end{pmatrix}$ yn eigenfector ar gyfer yr eigenwerth 3.

Gan fod unrhyw luoswm sgalar eigenfector hefyd yn eigenfector,

gallwn ysgrifennu'r eigenfector ar gyfer 3 fel $\begin{pmatrix} 2 \\ 2 \\ 1 \end{pmatrix}$.

Enghraifft 10 Dangoswch fod $\begin{pmatrix} 1 \\ -1 \\ -2 \end{pmatrix}$ yn eigenfector y matrics **A**, lle mae

$$\mathbf{A} = \begin{pmatrix} 1 & 0 & -1 \\ 1 & 2 & 1 \\ 2 & 0 & 4 \end{pmatrix}$$

Darganfyddwch yr eigenwerth cysylltiol.

DATRYSIAD

Os yw $\begin{pmatrix} 1 \\ -1 \\ -2 \end{pmatrix}$ yn eigenfector **A**, yna cawn

$$\mathbf{A}\begin{pmatrix} 1 \\ -1 \\ -2 \end{pmatrix} = \lambda \begin{pmatrix} 1 \\ -1 \\ -2 \end{pmatrix}$$

λ yw'r eigenwerth sy'n gysylltiedig â $\begin{pmatrix} 1 \\ -1 \\ -2 \end{pmatrix}$.

Felly, cawn

$$\mathbf{A}\begin{pmatrix} 1 \\ -1 \\ -2 \end{pmatrix} = \begin{pmatrix} 1 & 0 & -1 \\ 1 & 2 & 1 \\ 2 & 0 & 4 \end{pmatrix}\begin{pmatrix} 1 \\ -1 \\ -2 \end{pmatrix} = \begin{pmatrix} 3 \\ -3 \\ -6 \end{pmatrix}$$

$$\Rightarrow \quad \mathbf{A}\begin{pmatrix} 1 \\ -1 \\ -2 \end{pmatrix} = 3\begin{pmatrix} 1 \\ -1 \\ -2 \end{pmatrix}$$

Nodwn fod gan

$$\mathbf{A}\begin{pmatrix} 1 \\ -1 \\ -2 \end{pmatrix} = 3\begin{pmatrix} 1 \\ -1 \\ -2 \end{pmatrix}$$

yr un ffurf ag $\mathbf{Ax} = \lambda\mathbf{x}$,

felly mae $\begin{pmatrix} 1 \\ -1 \\ -2 \end{pmatrix}$ yn eigenfector **A** a'r eigenwerth cysylltiol yw 3.

Croeslinoli

Os yw **M** yn **fatrics cymesur**, yna mae $\mathbf{M}^T = \mathbf{M}$.
Hynny yw, mae trawsddodiad y matrics **M** yr un fath â'r matrics gwreiddiol **M**.

Er enghraifft, mae $\begin{pmatrix} 3 & 4 & -2 \\ 4 & 1 & 7 \\ -2 & 7 & 4 \end{pmatrix}$ yn fatrics cymesur, oherwydd bod

$$\begin{pmatrix} 3 & 4 & -2 \\ 4 & 1 & 7 \\ -2 & 7 & 4 \end{pmatrix}^T = \begin{pmatrix} 3 & 4 & -2 \\ 4 & 1 & 7 \\ -2 & 7 & 4 \end{pmatrix}$$

Sylwer bod eigenfectorau matrics cymesur sydd heb eigenwerthoedd hafal yn **gydberpendicwlar.**

Matrics croeslin yw matrics sydd â phob elfen yn 0 heblaw'r rhai hynny yn y groeslin arweiniol.

Er enghraifft, mae $\begin{pmatrix} 1 & 0 & 0 \\ 0 & 7 & 0 \\ 0 & 0 & -1 \end{pmatrix}$ yn fatrics croeslin.

Os **P** yw'r matrics sydd ag eigenfectorau **M** yn ffurfio ei golofnau, cawn

$$\mathbf{P}^{-1}\,\mathbf{MP} = \mathbf{D}$$

lle mae **D** yn **fatrics croeslin,** gyda'r eigenwerthoedd yn elfennau'r groeslin.

Oherwydd bod $\mathbf{P}^{-1}\,\mathbf{MP} = \mathbf{D}$, cawn

$$\mathbf{PP}^{-1}\,\mathbf{MP} = \mathbf{PD} \quad \Rightarrow \quad \mathbf{MP} = \mathbf{PD}$$

$$\Rightarrow \quad \mathbf{MPP}^{-1} = \mathbf{PDP}^{-1} \quad \Rightarrow \quad \mathbf{M} = \mathbf{PDP}^{-1}$$

Felly, mae modd mynegi **M**, sy'n cynrychioli'r trawsffurfiad, yn nhermau matrics croeslin pan ddefnyddir yr eigenfectorau yn echelinau. (Gweler tudalen 322 am enghraifft o hyn.)

Os **P** yw'r matrics gydag eigenfectorau'r **matrics cymesur M** yn ffurfio ei golofnau, cawn

$$\mathbf{P}^T\mathbf{MP} = \mathbf{D}_1$$

lle mae D_1 yn fatrics croeslin hefyd.

Os yw'r eigenfectorau a ddefnyddir yn **P** yn cael eu **normaleiddio** (hynny yw, eu newid yn fectorau uned), yna yr eigenwerthoedd fydd elfennau $\mathbf{D}_1$ yn ogystal.

Ond os nad yw eigenfectorau'r matrics cymesur **P** yn cael eu normaleiddio, yna mae pob elfen yn y groeslin arweiniol yn lluoswm eigenwerth a sgwâr modwlws yr eigenfector cysylltiol.

Yn Enghraifft 9 (tudalennau 316–18), gwelwyd mai eigenfectorau $\begin{pmatrix} 1 & 1 & 2 \\ 0 & 2 & 2 \\ -1 & 1 & 3 \end{pmatrix}$

yw $\begin{pmatrix} 0 \\ -2 \\ 1 \end{pmatrix}$, $\begin{pmatrix} 1 \\ 1 \\ 0 \end{pmatrix}$ a $\begin{pmatrix} 2 \\ 2 \\ 1 \end{pmatrix}$. Felly, cawn

$$\mathbf{P} = \begin{pmatrix} 0 & 1 & 2 \\ -2 & 1 & 2 \\ 1 & 0 & 1 \end{pmatrix} \qquad \mathbf{P}^{-1} = \begin{pmatrix} \frac{1}{2} & -\frac{1}{2} & 0 \\ 2 & -1 & -2 \\ -\frac{1}{2} & \frac{1}{2} & 1 \end{pmatrix}$$

sy'n rhoi'r matrics croeslin, $\mathbf{P}^{-1}\mathbf{MP}$, fel

$$\begin{pmatrix} \frac{1}{2} & -\frac{1}{2} & 0 \\ 2 & -1 & -2 \\ -\frac{1}{2} & \frac{1}{2} & 1 \end{pmatrix}\begin{pmatrix} 1 & 1 & 2 \\ 0 & 2 & 2 \\ -1 & 1 & 3 \end{pmatrix}\begin{pmatrix} 0 & 1 & 2 \\ -2 & 1 & 2 \\ 1 & 0 & 1 \end{pmatrix} = \begin{pmatrix} \frac{1}{2} & -\frac{1}{2} & 0 \\ 4 & -2 & -4 \\ -\frac{3}{2} & \frac{3}{2} & 3 \end{pmatrix}\begin{pmatrix} 0 & 1 & 2 \\ -2 & 1 & 2 \\ 1 & 0 & 1 \end{pmatrix}$$

$$= \begin{pmatrix} 1 & 0 & 0 \\ 0 & 2 & 0 \\ 0 & 0 & 3 \end{pmatrix}$$

Hynny yw, cawn

$$\mathbf{P}^{-1}\mathbf{MP} = \mathbf{D}$$

Mae croeslinoli matrics cymesur i'w weld yn Enghraifft 11.

Enghraifft 11 Caiff trawsffurfiad T ei gynrychioli gan

$$\mathbf{M} = \begin{pmatrix} 3 & 4 & -4 \\ 4 & 5 & 0 \\ -4 & 0 & 1 \end{pmatrix}$$

Darganfyddwch

a) eigenwerthoedd **M**

b) yr eigenfectorau cysylltiol

c) matrics **P**, fel bod $\mathbf{P}^{\mathrm{T}}\mathbf{MP} = \mathbf{D}$, lle mae **D** yn fatrics croeslin y mae'r eigenwerthoedd yn elfennau croeslin iddo.

DATRYSIAD

a) I ddarganfod yr eigenwerthoedd, cawn

$$\mathbf{Mx} = \lambda\mathbf{x}$$

$$\Rightarrow \quad (\mathbf{M} - \lambda\mathbf{I})\mathbf{x} = 0$$

$$\Rightarrow \quad |\mathbf{M} - \lambda\mathbf{I}| = 0$$

sy'n rhoi

$$\begin{vmatrix} 3-\lambda & 4 & -4 \\ 4 & 5-\lambda & 0 \\ -4 & 0 & 1-\lambda \end{vmatrix} = 0$$

$$(3-\lambda)(5-\lambda)(1-\lambda) - 4 \times 4(1-\lambda) - 4 \times 4(5-\lambda) = 0$$

$$\lambda^3 - 9\lambda^2 - 9\lambda + 81 = 0$$

Wrth ffactorio, cawn

$$(\lambda - 3)(\lambda + 3)(\lambda - 9) = 0$$

$$\Rightarrow \quad \lambda = 3, 9, -3$$

felly, eigenwerthoedd **M** yw 3, 9, –3.

b) Pan fo $\lambda = 3$, darganfyddwn yr eigenfector cysylltiol o $\mathbf{Mx} = 3\mathbf{x}$, sy'n rhoi

$$\begin{pmatrix} 3 & 4 & -4 \\ 4 & 5 & 0 \\ -4 & 0 & 1 \end{pmatrix}\begin{pmatrix} x \\ y \\ z \end{pmatrix} = 3\begin{pmatrix} x \\ y \\ z \end{pmatrix}$$

$$3x + 4y - 4z = 3x \quad \Rightarrow \quad 4y - 4z = 0 \qquad [1]$$

$$4x + 5y = 3y \quad \Rightarrow \quad 4x + 2y = 0 \qquad [2]$$

$$-4x - z = 3z \quad \Rightarrow \quad -4x = 2z \qquad [3]$$

Gan roi $x = t$, cawn, o [2] a [3], $y = -2t$ a $z = -2t$.

Felly, un eigenfector yw $\begin{pmatrix} 1 \\ -2 \\ -2 \end{pmatrix}$.

Yr un modd, darganfyddwn mai'r eigenfectorau eraill yw $\begin{pmatrix} 2 \\ 2 \\ -1 \end{pmatrix}$ a $\begin{pmatrix} 2 \\ -1 \\ 2 \end{pmatrix}$.

c) O ran **b**, cawn

$$\mathbf{P} = \begin{pmatrix} 1 & 2 & 2 \\ -2 & 2 & -1 \\ -2 & -1 & 2 \end{pmatrix}$$

Darganfyddwn mai maint pob un o'r eigenfectorau $\begin{pmatrix} 1 \\ -2 \\ -2 \end{pmatrix}$, $\begin{pmatrix} 2 \\ 2 \\ -1 \end{pmatrix}$ a $\begin{pmatrix} 2 \\ -1 \\ 2 \end{pmatrix}$ yw 3.

Felly, wrth normaleiddio'r eigenfectorau, cawn, yn ôl eu trefn

$$\begin{pmatrix} \frac{1}{3} \\ -\frac{2}{3} \\ -\frac{2}{3} \end{pmatrix}\begin{pmatrix} \frac{2}{3} \\ \frac{2}{3} \\ -\frac{1}{3} \end{pmatrix} \text{ a } \begin{pmatrix} \frac{2}{3} \\ -\frac{1}{3} \\ \frac{2}{3} \end{pmatrix}$$

sy'n rhoi

$$\mathbf{P} = \begin{pmatrix} \frac{1}{3} & \frac{2}{3} & \frac{2}{3} \\ -\frac{2}{3} & \frac{2}{3} & -\frac{1}{3} \\ -\frac{2}{3} & -\frac{1}{3} & \frac{2}{3} \end{pmatrix}$$

Felly, cawn

$$\mathbf{P}^{\mathrm{T}}\mathbf{MP} = \begin{pmatrix} \frac{1}{3} & -\frac{2}{3} & -\frac{2}{3} \\ \frac{2}{3} & \frac{2}{3} & -\frac{1}{3} \\ \frac{2}{3} & -\frac{1}{3} & \frac{2}{3} \end{pmatrix}\begin{pmatrix} 3 & 4 & -4 \\ 4 & 5 & 0 \\ -4 & 0 & 1 \end{pmatrix}\begin{pmatrix} \frac{1}{3} & \frac{2}{3} & \frac{2}{3} \\ -\frac{2}{3} & \frac{2}{3} & -\frac{1}{3} \\ -\frac{2}{3} & -\frac{1}{3} & \frac{2}{3} \end{pmatrix}$$

sy'n rhoi

$$\mathbf{P}^{\mathrm{T}}\mathbf{MP} = \begin{pmatrix} 1 & -2 & -2 \\ 6 & 6 & -3 \\ -2 & 1 & -2 \end{pmatrix}\begin{pmatrix} \frac{1}{3} & \frac{2}{3} & \frac{2}{3} \\ -\frac{2}{3} & \frac{2}{3} & -\frac{1}{3} \\ -\frac{2}{3} & -\frac{1}{3} & \frac{2}{3} \end{pmatrix}$$

$$= \begin{pmatrix} 3 & 0 & 0 \\ 0 & 9 & 0 \\ 0 & 0 & -3 \end{pmatrix}$$

sy'n fatrics croeslin gydag eigenwerthoedd **M** yn elfennau iddo.

Gwelsom yn Enghraifft 7 (tudalen 312) fod y trawsffurfiad a ffurfiwyd o

i) estyniad un-ffordd yng nghyfeiriad x, ffactor graddfa 3

ii) estyniad un-ffordd yng nghyfeiriad y, ffactor graddfa 9

iii) estyniad un-ffordd yng nghyfeiriad z, ffactor graddfa 3

iv) adlewyrchiad yn y plân-xy

yn cael ei gynrychioli gan

$$\mathbf{N} = \begin{pmatrix} 3 & 0 & 0 \\ 0 & 9 & 0 \\ 0 & 0 & -3 \end{pmatrix}$$

Drwy ystyriaeth geometregol o'r union drawsffurfiad, gallwn ddiddwytho
mai eigenfectorau'r trawsffurfiad hwn yw'r tri fector cydberpendicwlar

$\begin{pmatrix} 1 \\ 0 \\ 0 \end{pmatrix}$, $\begin{pmatrix} 0 \\ 1 \\ 0 \end{pmatrix}$ a $\begin{pmatrix} 0 \\ 0 \\ 1 \end{pmatrix}$ gydag eigenwerthoedd cysylltiol 3, 9, –3.

Rydym newydd ddarganfod bod gan y trawsffurfiad a gynrychiolir gan

$$\mathbf{M} = \begin{pmatrix} 3 & 4 & -4 \\ 4 & 5 & 0 \\ -4 & 0 & 1 \end{pmatrix}$$

hefyd dri eigenfector cydberpendicwlar gydag eigenwerthoedd cysylltiol 3, 9, –3.
Felly, mae'r ddau drawsffurfiad hyn (Enghraifft 7, tudalen 312, ac Enghraifft 11, tudalen 320)
yn cynrychioli'r un trawsffurfiad ond o amgylch echelinau gwahanol: mae gan yr un a gynrychiolir
gan **N** ei estyniadau un-ffordd ym mhob un o'r tri chyfeiriad cydberpendicwlar **i**, **j** a **k**
tra bo gan yr un a gynrychiolir gan **M** ei estyniadau un-ffordd, gyda'r un ffactorau graddfa,
yn y tri chyfeiriad cydberpendicwlar

$$\begin{pmatrix} \frac{1}{3} \\ -\frac{2}{3} \\ -\frac{2}{3} \end{pmatrix}, \begin{pmatrix} \frac{2}{3} \\ \frac{2}{3} \\ -\frac{1}{3} \end{pmatrix}, \begin{pmatrix} \frac{2}{3} \\ -\frac{1}{3} \\ \frac{2}{3} \end{pmatrix}$$

Yn naturiol, determinant y ddau fatrics yw –81, sy'n ffactor graddfa cyfaint yr helaethiad,
sef cyfaint delwedd y ciwb uned.

Felly, mae'r trawsffurfiad $\mathbf{x}' = \mathbf{M}\mathbf{x}$, lle mae

$$\mathbf{M} = \begin{pmatrix} 3 & 4 & -4 \\ 4 & 5 & 0 \\ -4 & 0 & 1 \end{pmatrix}$$

mewn perthynas ag echelinau yng nghyfeiriad yr eigenfectorau
yn newid i'r trawsffurfiad $\mathbf{X}' = \mathbf{D}\mathbf{X}$, lle mae

$$\mathbf{D} = \begin{pmatrix} 3 & 0 & 0 \\ 0 & 9 & 0 \\ 0 & 0 & -3 \end{pmatrix}$$

sef ffurf groeslinol **M**.

Yr hafaliad nodweddiadol

Ar dudalen 316, soniwyd mai **hafaliad nodweddiadol** y matrics

$$\mathbf{M} = \begin{pmatrix} 1 & 1 & 2 \\ 0 & 2 & 2 \\ -1 & 1 & 3 \end{pmatrix}$$

yw

$$\lambda^3 - 6\lambda^2 + 11\lambda - 6 = 0$$

lle mae gwerthoedd λ yn eigenwerthoedd **M**.

Mae **M** hefyd yn bodloni'r hafaliad nodweddiadol hwn. Felly, cawn

$$\mathbf{M}^3 - 6\mathbf{M}^2 + 11\mathbf{M} - 6\mathbf{I} = 0$$

O'r hafaliad hwn, gallwn ddarganfod $\mathbf{M}^{-1}$.

Ôl-luoswn ag $\mathbf{M}^{-1}$, a chawn

$$\mathbf{M}^3\mathbf{M}^{-1} - 6\mathbf{M}^2\mathbf{M}^{-1} + 11\mathbf{M}\mathbf{M}^{-1} - 6\mathbf{M}^{-1} = 0$$

$$\Rightarrow \quad \mathbf{M}^2 - 6\mathbf{M} + 11\mathbf{I} - 6\mathbf{M}^{-1} = 0$$

sy'n rhoi

$$\mathbf{M}^{-1} = \frac{1}{6}\mathbf{M}^2 - \mathbf{M} + \frac{11}{6}\mathbf{I}$$

Ymarfer 14B

1 Rhoddir y matrics **A** gan

$$\mathbf{A} = \begin{pmatrix} \frac{1}{2}\sqrt{3} & \frac{1}{2} \\ -\frac{1}{2} & \frac{1}{2}\sqrt{3} \end{pmatrix}$$

Rhowch ddisgrifiad llawn o'r trawsffurfiad geometregol sy'n cael ei gynrychioli gan $\mathbf{A}^4$. **(OCR)**

2 **C** yw'r matrics $\begin{pmatrix} -1 & 0 \\ 0 & 2 \end{pmatrix}$. Gallwn ystyried y trawsffurfiad geometregol a gynrychiolir gan **C** fel canlyniad adlewyrchiad wedi'i ddilyn gan estyniad. Drwy ystyried yr effaith ar y sgwâr uned, neu fel arall, disgrifiwch yr adlewyrchiad a'r estyniad yn llawn.

Darganfyddwch fatricsau **A** a **B** sy'n cynrychioli'r adlewyrchiad a'r estyniad yn ôl eu trefn. **(OCR)**

3 Rhoddir y matrics **M** gan $\mathbf{M} = \begin{pmatrix} 1 & -1 \\ 0 & 1 \end{pmatrix}$.

Disgrifiwch yn llawn y trawsffurfiad geometregol sy'n cael ei gynrychioli gan **M**.

Rhoddir y matrics **C** gan

$$\mathbf{C} = \begin{pmatrix} \frac{1}{2} & \frac{1}{2}(\sqrt{3}-1) \\ -\frac{1}{2}\sqrt{3} & \frac{1}{2}(\sqrt{3}+1) \end{pmatrix}$$

Mae **C** yn cynrychioli effaith gyfunol y trawsffurfiad sy'n cael ei gynrychioli gan **M** wedi ei ddilyn gan drawsffurfiad a gynrychiolir gan fatrics **B**.

i) Darganfyddwch fatrics **B**.

ii) Disgrifiwch yn llawn y trawsffurfiad geometregol sy'n cael ei gynrychioli gan **B**. **(OCR)**

4 Rhoddir y matricsau **A** a **B** gan

$$\mathbf{A} = \begin{pmatrix} 3 & -4 \\ 4 & 3 \end{pmatrix} \qquad \mathbf{B} = \begin{pmatrix} 1 & 0 \\ 0 & -1 \end{pmatrix}$$

O dan y trawsffurfiad a gynrychiolir gan **AB**, mae triongl P yn mapio ar driongl Q sydd â'r fertigau (0, 0), (9, 12) a (22, –4).

i) Darganfyddwch gyfesurynnau fertigau P.

ii) Nodwch arwynebedd P a thrwy hynny darganfyddwch arwynebedd Q.

iii) Darganfyddwch arwynebedd delwedd P o dan y trawsffurfiad sy'n cael ei gynrychioli gan $\mathbf{ABA}^{-1}$. **(OCR)**

5 Boed i $\mathbf{A} = \begin{pmatrix} 1 & -1 & 0 \\ -1 & 0 & -1 \\ -1 & 1 & 0 \end{pmatrix}$.

Ysgrifennwch y matrics $\mathbf{A} - \lambda\mathbf{I}$, lle mae $\lambda \in \mathbb{R}$ ac **I** yn cynrychioli'r matrics unfathiant 3×3.

Darganfyddwch werthoedd λ fel bod determinant $\mathbf{A} - \lambda\mathbf{I}$ yn sero. **(SQA/CSYS)**

6 Diffinnir y matrics **P** gan

$$\mathbf{P} = \begin{pmatrix} 1 & -2 \\ -2 & 1 \end{pmatrix}$$

a) Darganfyddwch eigenwerthoedd **P**.

b) Darganfyddwch eigenfector sy'n cyfateb i bob eigenwerth.

c) Gwiriwch fod yr eigenfectorau hyn yn orthogonol. (NEAB)

7 Rhoddir y matrics **A** gan $\mathbf{A} = \begin{pmatrix} 1 & 4 \\ 2 & 3 \end{pmatrix}$.

a) **i)** Darganfyddwch eigenwerthoedd **A**.

ii) Ar gyfer pob eigenwerth darganfyddwch eigenfector cyfatebol.

b) O wybod bod $\mathbf{U} = \begin{pmatrix} a & 5 \\ -3 & b \end{pmatrix}$, ysgrifennwch werthoedd a a b fel bod

$$\mathbf{U}^{-1}\mathbf{AU} = \begin{pmatrix} -1 & 0 \\ 0 & 5 \end{pmatrix}$$ (NEAB)

8 Eigenwerthoedd y matrics $\mathbf{A} = \begin{pmatrix} 2 & 2 & -3 \\ 2 & 2 & 3 \\ -3 & 3 & 3 \end{pmatrix}$ yw $\lambda_1, \lambda_2, \lambda_3$.

a) Dangoswch fod $\lambda_1 = 6$ yn eigenwerth a darganfyddwch y ddau eigenwerth arall λ_2 a λ_3.

b) Gwiriwch fod det $\mathbf{A} = \lambda_1 \lambda_2 \lambda_3$.

c) Darganfyddwch eigenfector sy'n cyfateb i'r eigenwerth $\lambda_1 = 6$.

O wybod bod $\begin{pmatrix} 1 \\ -1 \\ 1 \end{pmatrix}$ a $\begin{pmatrix} 1 \\ 1 \\ 0 \end{pmatrix}$ yn eigenfectorau **A** sy'n cyfateb i λ_2 a λ_3,

d) ysgrifennwch fatrics **P** fel bod $\mathbf{P}^{\mathrm{T}}\mathbf{AP}$ yn fatrics croeslin. (EDEXCEL)

9 $$\mathbf{A} = \begin{pmatrix} 3 & 4 & -4 \\ 4 & 5 & 0 \\ -4 & 0 & 1 \end{pmatrix}$$

a) Dangoswch fod 3 yn eigenwerth **A** a darganfyddwch y ddau eigenwerth arall.

b) Darganfyddwch eigenfector sy'n cyfateb i'r eigenwerth 3.

O wybod bod y fectorau $\begin{pmatrix} 2 \\ 2 \\ -1 \end{pmatrix}$ a $\begin{pmatrix} 2 \\ -1 \\ 2 \end{pmatrix}$ yn eigenfectorau sy'n cyfateb i'r ddau eigenwerth arall,

c) ysgrifennwch fatrics **P** fel bod $\mathbf{P}^{\mathrm{T}}\mathbf{AP}$ yn fatrics croeslin. (EDEXCEL)

10 Rhoddir y matrics **A** gan $\begin{bmatrix} 7 & 4 \\ -1 & 3 \end{bmatrix}$. Mae **T** yn drawsffurfiad y plân fel bod $\mathbf{T}: \begin{bmatrix} x \\ y \end{bmatrix} \mapsto \mathbf{A}\begin{bmatrix} x \\ y \end{bmatrix}$.

a) **i)** Dangoswch mai ond un eigenwerth sydd gan **A**.
Darganfyddwch yr eigenwerth hwn ac eigenfector cyfatebol.

ii) Drwy hynny, neu fel arall, darganfyddwch hafaliad Cartesaidd llinell sefydlog **T**.

b) O dan **T**, mae sgwâr sydd â'i arwynebedd yn 1 cm² yn cael ei drawsffurfio'n baralelogram sydd â'i arwynebedd yn d cm². Darganfyddwch werth d. (AEB 96)

11 Diffinnir y matrics **P** gan

$$\mathbf{P} = \begin{pmatrix} 1 & 3 & 0 \\ 2 & 0 & 2 \\ 1 & 1 & 2 \end{pmatrix}$$

a) Dangoswch fod $\mathbf{v}_1 = \begin{pmatrix} 1 \\ -1 \\ 0 \end{pmatrix}$ a $\mathbf{v}_2 = \begin{pmatrix} 1 \\ 0 \\ -1 \end{pmatrix}$ yn eigenfectorau **P**

a darganfyddwch y ddau eigenwerth cyfatebol.

b) O wybod mai 4 yw'r trydydd eigenwerth, darganfyddwch yr eigenfector cyfatebol, $\mathbf{v}_3$.

c) Dangoswch fod $\mathbf{v}_1$, $\mathbf{v}_2$ a $\mathbf{v}_3$ yn llinol annibynnol.

d) Mynegwch y fector $\begin{pmatrix} a \\ b \\ c \end{pmatrix}$ fel cyfuniad llinol o $\mathbf{v}_1$, $\mathbf{v}_2$ a $\mathbf{v}_3$

gyda chyfernodau yn nhermau'r cysonion a, b ac c. (NEAB)

12 Boed i **A** fod y matrics $\begin{bmatrix} 3 & 1 \\ 5 & -1 \end{bmatrix}$

a) Darganfyddwch eigenwerthoedd ac eigenfectorau cyfatebol **A**.

b) **i)** Dangoswch fod $\mathbf{A}^2 - 2\mathbf{A} - 8\mathbf{I} = \mathbf{Z}$, lle mae $\mathbf{I} = \begin{bmatrix} 1 & 0 \\ 0 & 1 \end{bmatrix}$ a $\mathbf{Z} = \begin{bmatrix} 0 & 0 \\ 0 & 0 \end{bmatrix}$.

ii) Mae'r matrics $\mathbf{B} = \mathbf{A}^{-1}$. Drwy luosi'r hafaliad matrics $\mathbf{A}^2 - 2\mathbf{A} - 8\mathbf{I} = \mathbf{Z}$ â **B**, neu fel arall, darganfyddwch werthoedd y ddau sgalar α a β fel bod $\mathbf{B} = \alpha\mathbf{A} + \beta\mathbf{I}$. (AEB 97)

13 **a)** Darganfyddwch eigenwerthoedd y matrics

$$\mathbf{A} = \begin{pmatrix} 3 & -3 & 6 \\ 0 & 2 & -8 \\ 0 & 0 & -2 \end{pmatrix}$$

b) Dangoswch fod $\begin{pmatrix} 3 \\ 1 \\ 0 \end{pmatrix}$ yn eigenfector **A**.

$$\mathbf{B} = \begin{pmatrix} 7 & -6 & 2 \\ 1 & 2 & 3 \\ 1 & -3 & 2 \end{pmatrix}$$

c) Dangoswch fod $\begin{pmatrix} 3 \\ 1 \\ 0 \end{pmatrix}$ yn eigenfector **B** ac ysgrifennwch yr eigenwerth cyfatebol.

d) Drwy hynny, neu fel arall, ysgrifennwch eigenfector y matrics **AB**, a nodwch yr eigenwerth cyfatebol. (EDEXCEL)

14 Mae'r trawsffurfiad **T** yn mapio pwyntiau (x, y) y plân ar y pwyntiau (x', y') fel bod

$$x' = 4x + 2y + 14$$

$$y' = 2x + 7y + 42$$

a) **i)** Darganfyddwch gyfesurynnau pwynt sefydlog **T**.

ii) Drwy hynny, mynegwch **T** yn y ffurf

$$\begin{bmatrix} x' \\ y' + k \end{bmatrix} = \mathbf{A} \begin{bmatrix} x \\ y + k \end{bmatrix}$$

lle mae k yn gyfanrif positif ac mae **A** yn fatrics 2×2.

b) **i)** Darganfyddwch eigenwerthoedd ac eigenfectorau cyfatebol y matrics $\begin{bmatrix} 4 & 2 \\ 2 & 7 \end{bmatrix}$.

ii) Diddwythwch hafaliadau Cartesaidd llinellau sefydlog **T**, a phrofwch eu bod yn berpendicwlar.

c) Rhowch ddisgrifiad geometregol llawn o **T**. **(AEB 98)**

15 **i)** O wybod bod $\mathbf{P} = \begin{pmatrix} 4 & -1 & 0 \\ 1 & 5 & 3 \\ 2 & 1 & 1 \end{pmatrix}$, darganfyddwch det **P** a $\mathbf{P}^{-1}$.

Eigenwerthoedd y matrics 3 × 3, **M**, yw −1, 2, 5 gydag eigenfectorau cyfatebol

$\begin{pmatrix} 4 \\ 1 \\ 2 \end{pmatrix} \begin{pmatrix} -1 \\ 5 \\ 1 \end{pmatrix} \begin{pmatrix} 0 \\ 3 \\ 1 \end{pmatrix}$ yn ôl eu trefn.

ii) Drwy ystyried **MP**, neu fel arall, darganfyddwch y matrics **M**.

iii) Darganfyddwch yr hafaliad nodweddiadol ar gyfer **M**.

iv) Darganfyddwch p, q ac r fel bod $\mathbf{M}^{-1} = p\mathbf{M}^2 + q\mathbf{M} + r\mathbf{I}$. **(MEI)**

16 Diffinnir trawsffurfiad llinol gofod tri-dimensiwn gan $\mathbf{r}' = \mathbf{Mr}$, lle mae

$$\mathbf{r}' = \begin{pmatrix} x' \\ y' \\ z' \end{pmatrix} \qquad \mathbf{r} = \begin{pmatrix} x \\ y \\ z \end{pmatrix} \qquad \mathbf{M} = \begin{pmatrix} 2 & 1 & -1 \\ -1 & 0 & 3 \\ 2 & k & 4 \end{pmatrix}$$

a) Dangoswch fod y trawsffurfiad yn hynod os yw, a dim ond os yw, $k = 2$.

b) Yn yr achos pan fo $k = 2$, dangoswch fod **M** yn cynrychioli trawsffurfiad gofod tri-dimensiwn ar blân a darganfyddwch hafaliad Cartesaidd y plân hwn. **(NEAB)**

17 Mae'r fectorau **a**, **b** ac **c**, a roddir isod, yn llinol annibynnol.

$$\mathbf{a} = \begin{pmatrix} 1 \\ 2 \\ -1 \end{pmatrix} \qquad \mathbf{b} = \begin{pmatrix} 0 \\ 3 \\ 4 \end{pmatrix} \qquad \mathbf{c} = \begin{pmatrix} 1 \\ 2 \\ 0 \end{pmatrix}$$

Darganfyddwch α, β a γ fel bod modd mynegi'r fector

$$\mathbf{d} = \begin{pmatrix} 7 \\ 5 \\ -14 \end{pmatrix}$$

fel cyfuniad llinol o **a**, **b** ac **c**, yn y ffurf

$\mathbf{d} = \alpha\mathbf{a} + \beta\mathbf{b} + \gamma\mathbf{c}$ **(NEAB)**

18 Diffinnir y matrics **A** gan

$$\mathbf{A} = \begin{pmatrix} 1 & 1 & 1 \\ 1 & k & 1 \\ 1 & 1 & k \end{pmatrix}$$

a) Darganfyddwch ddeterminant **A** yn nhermau k.

b) Mae'r matrics **A** yn cyfateb i drawsffurfiad llinol T mewn gofod tri-dimensiwn. Pan fo rhanbarth yn cael ei drawsffurfio mewn gofod tri-dimensiwn gan T, mae ei gyfaint, V, yn cael ei gynyddu gan ffactor o bedwar i $4V$. Darganfyddwch werthoedd posibl k. **(NEAB)**

19 Diffinnir trawsffurfiad llinol T gofod tri-dimensiwn gan $\mathbf{r}' = \mathbf{Mr}$, lle mae

$$\mathbf{r}' = \begin{pmatrix} x' \\ y' \\ z' \end{pmatrix} \qquad \mathbf{r} = \begin{pmatrix} x \\ y \\ z \end{pmatrix} \qquad \mathbf{M} = \begin{pmatrix} \frac{1}{2} & \frac{1}{2} & -\frac{1}{\sqrt{2}} \\ \frac{1}{2} & \frac{1}{2} & \frac{1}{\sqrt{2}} \\ \frac{1}{\sqrt{2}} & -\frac{1}{\sqrt{2}} & 0 \end{pmatrix}$$

a) Dangoswch fod pob pwynt ar y llinell $x = y$, $z = 0$ yn sefydlog o dan T.

b) Darganfyddwch $\mathbf{M}^2$ a thrwy hynny dangoswch fod $\mathbf{M}^4 = \mathbf{I}$, lle mae $\mathbf{I}$ yn dynodi'r matrics uned 3×3.

c) O wybod mai cylchdro yw T, nodwch

i) echelin y cylchdro

ii) ongl y cylchdro.

d) Ysgrifennwch ddelwedd y fector uned $\begin{pmatrix} 0 \\ 0 \\ 1 \end{pmatrix}$ o dan T,

a thrwy hynny dangoswch gyfeiriad y cylchdro mewn diagram. **(NEAB)**

20 **a)** Diffinnir y matrics $\mathbf{A}$ a matrics anhynod $\mathbf{M}$ gan

$$\mathbf{A} = \begin{pmatrix} 5 & -1 & 0 \\ -1 & 10 & 3 \\ 0 & 3 & 1 \end{pmatrix} \qquad \mathbf{M} = \begin{pmatrix} 0 & -1 & 0 \\ 0 & -1 & -2 \\ 2 & 3 & 6 \end{pmatrix}$$

Dangoswch fod $\mathbf{M}^T\mathbf{AM} = 4\mathbf{I}$, lle rhoddir $\mathbf{M}^T$, trawsddodiad y matrics $\mathbf{M}$, gan

$$\mathbf{M}^T = \begin{pmatrix} 0 & 0 & 2 \\ -1 & -1 & 3 \\ 0 & -2 & 6 \end{pmatrix}$$

a lle mae $\mathbf{I}$ yn dynodi'r matrics uned 3×3.

b) Diffinnir arwyneb caeedig S mewn gofod tri-dimensiwn gan yr hafaliad

$$5x^2 + 10y^2 + z^2 - 2xy + 6yz = 4$$

Gwiriwch fod modd cael yr hafaliad hwn o'r hafaliad

$$\mathbf{r}^T\mathbf{Ar} = 4 \qquad (*)$$

lle mae $\mathbf{r} = \begin{pmatrix} x \\ y \\ z \end{pmatrix}$, $\mathbf{r}^T = (x\ y\ z)$ ac $\mathbf{A}$ yw'r matrics a ddiffinnir yn rhan **a**.

c) Diffinnir trawsffurfiad llinol L gan $\mathbf{R} = \mathbf{M}^{-1}\mathbf{r}$, lle mae $\mathbf{R} = \begin{pmatrix} X \\ Y \\ Z \end{pmatrix}$

ac $\mathbf{M}$ yw'r matrics a ddiffinnir yn rhan **a**.

i) Drwy ddefnyddio'r ddwy berthynas

$$\mathbf{r} = \mathbf{MR} \qquad \text{ac} \qquad \mathbf{r}^T = \mathbf{R}^T\mathbf{M}^T$$

lle mae $\mathbf{R}^T = (X\ Y\ Z)$, yn hafaliad (*) yn rhan **b** uchod, neu fel arall, dangoswch fod L yn mapio'r arwyneb S ar wyneb sffêr â'i radiws yn uned wedi'i ganoli yn y tarddbwynt sydd â'r hafaliad

$$X^2 + Y^2 + Z^2 = 1$$

ii) Dangoswch fod det $\mathbf{M}^{-1} = \frac{1}{4}$.

iii) O wybod mai'r cyfaint a amgylchynir gan sffêr â'i radiws yn uned yw $\frac{4}{3}\pi$, darganfyddwch gyfaint y rhanbarth a amgylchynir gan S. **(NEAB)**

21 Diffinnir trawsffurfiad T gofod tri-dimensiwn gan $\mathbf{r}' = \mathbf{Mr}$, lle mae

$$\mathbf{r}' = \begin{pmatrix} x' \\ y' \\ z' \end{pmatrix} \qquad \mathbf{r} = \begin{pmatrix} x \\ y \\ z \end{pmatrix} \qquad \mathbf{M} = \begin{pmatrix} 0 & 1 & 0 \\ 0 & 0 & 1 \\ 1 & 0 & 0 \end{pmatrix}$$

i) Darganfyddwch ddelwedd P′ y pwynt P(2, −3, 1) o dan T.

ii) Dangoswch fod llinell L yn bodoli fel bod pob pwynt ar L yn sefydlog o dan T, a darganfyddwch hafaliad Cartesaidd y llinell hon.

iii) Darganfyddwch hafaliad y plân Π drwy'r tarddbwynt O sy'n berpendicwlar i L a gwiriwch fod P a P′ yn gorwedd yn Π.

iv) O wybod bod T yn cynrychioli cylchdro o amgylch y llinell L, darganfyddwch faint ongl y cylchdro.

Darganfyddwch $\mathbf{M}^2$ ac $\mathbf{M}^3$ a nodwch pa drawsffurfiadau sy'n cael eu cynrychioli gan y matricsau hyn. **(NEAB)**

22 Darganfyddwch eigenwerthoedd ac eigenfectorau cyfatebol y matrics **A**, lle mae

$$\mathbf{A} = \begin{bmatrix} 26 & -5 \\ -5 & 2 \end{bmatrix}$$

Diffinnir y trawsffurfiad plân **T** gan **T**: $\begin{bmatrix} x \\ y \end{bmatrix} \mapsto \mathbf{A}\begin{bmatrix} x \\ y \end{bmatrix}$.

a) Ysgrifennwch hafaliad Cartesaidd llinell pwyntiau sefydlog **T**.

b) Dangoswch fod pob llinell yn y ffurf $y = -\frac{1}{5}x + k$ (lle mae k yn gysonyn mympwyol) yn llinellau sefydlog **T**.

c) Enrhifwch ddeterminant **A**, ac esboniwch arwyddocâd geometregol yr ateb hwn mewn perthynas â **T**.

d) Rhowch ddisgrifiad geometregol llawn o **T**. **(AEB 98)**

23 Diffinnir trawsffurfiad T gofod tri-dimensiwn gan $\mathbf{r}' = \mathbf{Mr}$, lle mae

$$\mathbf{r}' = \begin{pmatrix} x' \\ y' \\ z' \end{pmatrix} \qquad \mathbf{r} = \begin{pmatrix} x \\ y \\ z \end{pmatrix} \qquad \mathbf{M} = \begin{pmatrix} 1 & 3 & 2 \\ 1 & 1 & 1 \\ -1 & 2 & k \end{pmatrix}$$

lle mae k yn real.

i) Darganfyddwch $\mathbf{M}^{-1}$ ar gyfer $k \neq \frac{1}{2}$

ii) Yn yr achos pan fo $k = 1$, darganfyddwch gyfesurynnau'r pwynt sydd â'r pwynt (2, 1, 2) yn **ddelwedd** o dan T.

iii) Yn yr achos pan fo $k = \frac{1}{2}$, dangoswch fod delwedd pob pwynt yn y gofod o dan T yn gorwedd yn y plân

$$3x - 5y - 2z = 0$$

iv) Dangoswch, ar gyfer un gwerth arbennig o k, fod llinell L yn bodoli fel bod pob pwynt ar L yn sefydlog o dan T. Darganfyddwch hafaliad Cartesaidd L. **(NEAB)**

15 Rhifau cymhlyg pellach

In his Miscellanea analytica (1730), Abraham de Moivre presented further analytical trigonometric results (some formulated as early as 1707), making use of complex numbers. Although he did not state what is now known as de Moivre's theorem, it is clear that he was making use of it.
ALBERT C. LEWIS

Theorem de Moivre

Ar dudalen 8, gwelsom fod

$$(\cos\theta + \mathrm{i}\sin\theta)(\cos\phi + \mathrm{i}\sin\phi) \equiv \cos(\theta+\phi) + \mathrm{i}\sin(\theta+\phi)$$

Felly, cawn

$$(\cos\theta + \mathrm{i}\sin\theta)^2 \equiv (\cos\theta + \mathrm{i}\sin\theta)(\cos\theta + \mathrm{i}\sin\theta)$$

$$\equiv \cos 2\theta + \mathrm{i}\sin 2\theta$$

Mae achos cyffredinol y canlyniad hwn yn cael ei adnabod fel theorem de Moivre, sy'n datgan, ar gyfer pob gwerth real n, fod

$$(\cos\theta + \mathrm{i}\sin\theta)^n \equiv \cos n\theta + \mathrm{i}\sin n\theta$$

Pan nad yw n yn gyfanrif, yna nid yw $\cos n\theta + \mathrm{i}\sin n\theta$ yn ddim ond un o'r gwerthoedd posibl.

Prawf pan fo *n* yn gyfanrif positif

Mae'r prawf hwn yn enghraifft o **brawf drwy anwytho** (gweler tudalen 159).

Cymerwn fod y gosodiad yn wir pan fo $n = k$. Drwy hynny, cawn

$$(\cos\theta + \mathrm{i}\sin\theta)^k \equiv (\cos k\theta + \mathrm{i}\sin k\theta)$$

$$\Rightarrow \quad (\cos\theta + \mathrm{i}\sin\theta)^{k+1} \equiv (\cos k\theta + \mathrm{i}\sin k\theta)(\cos\theta + \mathrm{i}\sin\theta)$$

Gan ddefnyddio $(\cos\theta + \mathrm{i}\sin\theta)(\cos\phi + \mathrm{i}\sin\phi) \equiv \cos(\theta+\phi) + \mathrm{i}\sin(\theta+\phi)$, cawn

$$(\cos\theta + \mathrm{i}\sin\theta)^{k+1} \equiv \cos(k+1)\theta + \mathrm{i}\sin(k+1)\theta$$

Felly, mae'r gosodiad yn wir pan fo $n = k + 1$.

Pan fo $n = 1$, cawn

$$(\cos\theta + \mathrm{i}\sin\theta)^n \equiv \cos\theta + \mathrm{i}\sin\theta$$

a

$$\cos n\theta + \mathrm{i}\sin n\theta \equiv \cos\theta + \mathrm{i}\sin\theta$$

Felly, mae'r gosodiad yn wir pan fo $n = 1$.

Felly, mae theorem de Moivre yn wir am bob gwerth $n \geqslant 1$. Hynny yw, ar gyfer pob cyfanrif positif.

Prawf pan fo *n* yn gyfanrif negatif

Pan fo n yn gyfanrif negatif, mae $n = -p$, lle mae p yn gyfanrif positif. Felly, cawn

$$(\cos\theta + i\sin\theta)^n \equiv (\cos\theta + i\sin\theta)^{-p}$$

$$\equiv \frac{1}{(\cos\theta + i\sin\theta)^p}$$

Gan ddefnyddio theorem de Moivre ar gyfer y cyfanrif positif p, cawn

$$\frac{1}{(\cos\theta + i\sin\theta)^p} \equiv \frac{1}{(\cos p\theta + i\sin p\theta)}$$

$$\equiv \frac{\cos p\theta - i\sin p\theta}{(\cos p\theta + i\sin p\theta)(\cos p\theta - i\sin p\theta)}$$

sy'n rhoi

$$\frac{1}{(\cos\theta + i\sin\theta)^p} \equiv \cos p\theta - i\sin p\theta$$

Ond mae $n = -p$, felly cawn

$$\cos p\theta - i\sin p\theta \equiv \cos(-n\theta) - i\sin(-n\theta)$$

$$\equiv \cos n\theta + i\sin n\theta$$

Felly, cawn

$$(\cos\theta + i\sin\theta)^n \equiv \cos n\theta + i\sin n\theta$$

ar gyfer pob cyfanrif negatif.

Enghraifft 1 Darganfyddwch werth $(\cos\theta + i\sin\theta)^5$.

DATRYSIAD

Gan ddefnyddio theorem de Moivre, cawn

$$(\cos\theta + i\sin\theta)^5 \equiv \cos 5\theta + i\sin 5\theta$$

Enghraifft 2 Darganfyddwch $\left[\cos\left(\frac{\pi}{6}\right) + i\sin\left(\frac{\pi}{6}\right)\right]^3$.

DATRYSIAD

Gan ddefnyddio theorem de Moivre, cawn

$$\left[\cos\left(\frac{\pi}{6}\right) + i\sin\left(\frac{\pi}{6}\right)\right]^3 \equiv \cos\left(3\times\frac{\pi}{6}\right) + i\sin\left(3\times\frac{\pi}{6}\right)$$

$$\equiv \cos\left(\frac{\pi}{2}\right) + i\sin\left(\frac{\pi}{2}\right)$$

sy'n rhoi

$$\left[\cos\left(\frac{\pi}{6}\right) + i\sin\left(\frac{\pi}{6}\right)\right]^3 = i \quad \left(\text{gan fod } \cos\left(\frac{\pi}{2}\right) = 0 \text{ a } \sin\left(\frac{\pi}{2}\right) = 1\right)$$

Enghraifft 3 Darganfyddwch $\left[\sin\left(\frac{\pi}{3}\right) + \text{i}\cos\left(\frac{\pi}{3}\right)\right]^6$.

DATRYSIAD

Gan ddefnyddio $\cos\left(\frac{\pi}{2} - \theta\right) = \sin\theta$, cawn

$$\left[\sin\left(\frac{\pi}{3}\right) + \text{i}\cos\left(\frac{\pi}{3}\right)\right]^6 \equiv \left[\cos\left(\frac{\pi}{6}\right) + \text{i}\sin\left(\frac{\pi}{6}\right)\right]^6$$

$$\equiv \cos\pi + \text{i}\sin\pi$$

sy'n rhoi

$$\left[\sin\left(\frac{\pi}{3}\right) + \text{i}\cos\left(\frac{\pi}{3}\right)\right]^6 = -1 \text{ (gan fod } \cos\pi = -1 \text{ a } \sin\pi = 0\text{)}$$

Neu, fe allwn ddilyn y camau a ganlyn:

$$\left[\sin\left(\frac{\pi}{3}\right) + \text{i}\cos\left(\frac{\pi}{3}\right)\right]^6 \equiv \left\{\text{i}\left[\cos\left(\frac{\pi}{3}\right) - \text{i}\sin\left(\frac{\pi}{3}\right)\right]\right\}^6$$

$$\equiv \left\{\text{i}\left[\cos\left(-\frac{\pi}{3}\right) + \text{i}\sin\left(-\frac{\pi}{3}\right)\right]\right\}^6$$

Gan ddefnyddio theorem de Moivre ar yr ochr dde, cawn

$$\left[\sin\left(\frac{\pi}{3}\right) + \text{i}\cos\left(\frac{\pi}{3}\right)\right]^6 \equiv \text{i}^6[\cos(-2\pi) + \text{i}\sin(-2\pi)] = -1 \times 1 = -1$$

Felly, cawn

$$\left[\sin\left(\frac{\pi}{3}\right) + \text{i}\cos\left(\frac{\pi}{3}\right)\right]^6 = -1$$

fel yr uchod.

Gofal Efallai eich bod wedi sylwi bod

$$\left[\cos\left(\frac{\pi}{3}\right) - \text{i}\sin\left(\frac{\pi}{3}\right)\right]^6 \equiv \cos 2\pi - \text{i}\sin 2\pi$$

ac felly eich bod wedi diddwytho bod

$$(\cos\theta - \text{i}\sin\theta)^n \equiv \cos n\theta - \text{i}\sin n\theta$$

Ond, **ni ellir** defnyddio hwn fel fersiwn gywir o theorem de Moivre, sydd yn wir yn unig ar gyfer $(\cos\theta + \text{i}\sin\theta)^n$

Felly, os bydd gofyn i chi ddefnyddio theorem de Moivre i ddarganfod gwerth, dyweder, $\left[\cos\left(\frac{\pi}{3}\right) - \text{i}\sin\left(\frac{\pi}{3}\right)\right]^6$, **mae'n rhaid** i chi newid hyn yn $\left[\cos\left(-\frac{\pi}{3}\right) + \text{i}\sin\left(-\frac{\pi}{3}\right)\right]^6$, fel y gwelir yn Enghraifft 3.

Enghraifft 4 Darganfyddwch werth $(1 + \mathrm{i})^4$.

DATRYSIAD

I ddechrau, newidiwn $(1 + \mathrm{i})^4$ i'w ffurf (r, θ) ac yna defnyddio theorem de Moivre.

Felly, cawn

$$(1 + \mathrm{i})^4 = \left\{\sqrt{2}\left[\cos\left(\frac{\pi}{4}\right) + \mathrm{i}\sin\left(\frac{\pi}{4}\right)\right]\right\}^4$$

$$= (\sqrt{2})^4\left[\cos\left(\frac{\pi}{4}\right) + \mathrm{i}\sin\left(\frac{\pi}{4}\right)\right]^4$$

$$= 4\,(\cos\pi + \mathrm{i}\sin\pi)$$

sy'n rhoi

$$(1 + \mathrm{i})^4 = -4$$

Enghraifft 5 Darganfyddwch werth $\dfrac{1}{(4 - 4\mathrm{i})^3}$.

DATRYSIAD

Yn gyntaf, newidiwn $4 - 4\mathrm{i}$ i'w ffurf (r, θ), ac yna defnyddio theorem de Moivre.

Felly, cawn

$$4 - 4\mathrm{i} = 4\sqrt{2}\left[\cos\left(-\frac{\pi}{4}\right) + \mathrm{i}\sin\left(-\frac{\pi}{4}\right)\right]$$

$$\Rightarrow \quad (4 - 4\mathrm{i})^3 = \left\{4\sqrt{2}\left[\cos\left(-\frac{\pi}{4}\right) + \mathrm{i}\sin\left(-\frac{\pi}{4}\right)\right]\right\}^3$$

$$\Rightarrow \quad \frac{1}{(4 - 4\mathrm{i})^3} = \frac{1}{\left\{4\sqrt{2}\left[\cos\left(-\frac{\pi}{4}\right) + \mathrm{i}\sin\left(-\frac{\pi}{4}\right)\right]\right\}^3}$$

$$= \frac{1}{128\sqrt{2}\left[\cos\left(-\frac{\pi}{4}\right) + \mathrm{i}\sin\left(-\frac{\pi}{4}\right)\right]^3}$$

$$= \frac{1}{128\sqrt{2}}\left[\cos\left(-\frac{\pi}{4}\right) + \mathrm{i}\sin\left(-\frac{\pi}{4}\right)\right]^{-3}$$

Gan ddefnyddio theorem de Moivre, cawn

$$\frac{1}{(4 - 4\mathrm{i})^3} = \frac{1}{128\sqrt{2}}\left[\cos\left(\frac{3\pi}{4}\right) + \mathrm{i}\sin\left(\frac{3\pi}{4}\right)\right]$$

$$= \frac{1}{128\sqrt{2}}\left(-\frac{1}{\sqrt{2}} + \frac{1}{\sqrt{2}}\,\mathrm{i}\right)$$

sy'n rhoi

$$\frac{1}{(4 - 4\mathrm{i})^3} = \frac{1}{256}(-1 + \mathrm{i})$$

Ymarfer 15A

1 Gan ddefnyddio theorem de Moivre, darganfyddwch werth pob un o'r canlynol.

a) $(\cos\theta + \mathrm{i}\sin\theta)^6$

b) $(\cos 2\theta + \mathrm{i}\sin 2\theta)^4$

c) $\left[\cos\left(\frac{\pi}{3}\right) + \mathrm{i}\sin\left(\frac{\pi}{3}\right)\right]^9$

d) $\left[\cos\left(\frac{\pi}{4}\right) + \mathrm{i}\sin\left(\frac{\pi}{4}\right)\right]^6$

e) $\dfrac{1}{(\cos 2\theta + \mathrm{i}\sin 2\theta)^4}$

f) $\dfrac{1}{\left[\cos\left(\frac{\pi}{6}\right) + \mathrm{i}\sin\left(\frac{\pi}{6}\right)\right]^6}$

g) $\left[\cos\left(\frac{2\pi}{5}\right) + \mathrm{i}\sin\left(\frac{2\pi}{5}\right)\right]^{10}$

h) $\left[\cos\left(-\frac{\pi}{18}\right) + \mathrm{i}\sin\left(-\frac{\pi}{18}\right)\right]^9$

2 Symleiddiwch bob un o'r canlynol.

a) $(\cos 3\theta + \mathrm{i}\sin 3\theta)(\cos 7\theta + \mathrm{i}\sin 7\theta)$

b) $(\cos 5\theta + \mathrm{i}\sin 5\theta)(\cos 6\theta - \mathrm{i}\sin 6\theta)$

c) $\dfrac{\left[\cos\left(\frac{\pi}{3}\right) + \mathrm{i}\sin\left(\frac{\pi}{3}\right)\right]^5}{\left[\cos\left(\frac{\pi}{3}\right) - \mathrm{i}\sin\left(\frac{\pi}{3}\right)\right]^4}$

d) $(1 + \mathrm{i})^4 + (1 - \mathrm{i})^4$

3 Symleiddiwch bob un o'r canlynol.

a) $(1 + \mathrm{i})^8$

b) $(2 - \sqrt{3}\mathrm{i})^6$

c) $(3 - \sqrt{3}\mathrm{i})^6$

d) $(1 - \mathrm{i})^4$

e) $(2 + 2\sqrt{3}\mathrm{i})^6$

f) $(2\mathrm{i} - \sqrt{3})^9$

4 Symleiddiwch bob un o'r canlynol.

a) $(\cos\theta - \mathrm{i}\sin\theta)^5$

b) $(\sin\theta - \mathrm{i}\cos\theta)^4$

c) $\dfrac{1}{(\sin\theta + \mathrm{i}\cos\theta)^6}$

d) $\dfrac{1}{\left[\sin\left(\frac{\pi}{5}\right) - \mathrm{i}\cos\left(\frac{\pi}{5}\right)\right]^{10}}$

5 Dangoswch fod modd mynegi

$$\frac{\cos 2x + \mathrm{i}\sin 2x}{\cos 9x - \mathrm{i}\sin 9x}$$

yn y ffurf $\cos nx + \mathrm{i}\sin nx$, lle mae n yn gyfanrif i'w ddarganfod. **(EDEXCEL)**

*n*fed israddau un

Pan nad yw n yn gyfanrif, mae theorem de Moivre yn rhoi **un** gwerth posibl **yn unig** ar gyfer $(\cos\theta + \mathrm{i}\sin\theta)^n$, sef $\cos n\theta + \mathrm{i}\sin n\theta$.

Ond, rydym am ddangos yn awr fod $(\cos\theta + \mathrm{i}\sin\theta)^{\frac{1}{n}}$ yn cymryd n gwerth gwahanol.

Gadawn i

$$(\cos\theta + \mathrm{i}\sin\theta)^{\frac{1}{n}} = r(\cos\phi + \mathrm{i}\sin\phi)$$

Wrth gymharu modwli y ddwy ochr, cawn fod $r = 1$.

Gan godi'r ddwy ochr i'r $n$fed pŵer, a defnyddio

$$[(\cos\theta + \mathrm{i}\sin\theta)^{\frac{1}{n}}]^n = \cos\theta + \mathrm{i}\sin\theta$$

cawn

$$\cos\theta + \mathrm{i}\sin\theta = [(\cos\theta + \mathrm{i}\sin\theta)^{\frac{1}{n}}]^n = (\cos\phi + \mathrm{i}\sin\phi)^n$$

$$\Rightarrow \quad \cos\theta + \mathrm{i}\sin\theta = \cos n\phi + \mathrm{i}\sin n\phi$$

Felly, mae gennym

$$\cos\theta = \cos n\phi \quad \text{a} \quad \sin\theta = \sin n\phi$$

sy'n rhoi

$$n\phi = \theta, \theta + 2\pi, \theta + 4\pi, \theta + 6\pi, \ldots$$

oherwydd bod $\cos(\theta + 2\pi) = \cos\theta$, a $\sin(\theta + 2\pi) = \sin\theta$.

Hynny yw, mae gennym

$$\phi = \frac{\theta}{n}, \frac{\theta + 2\pi}{n}, \frac{\theta + 4\pi}{n}, \ldots$$

sy'n golygu bod $(\cos\theta + \mathrm{i}\sin\theta)^{\frac{1}{n}}$ yn unfath â

$$\cos\left(\frac{\theta}{n}\right) + \mathrm{i}\sin\left(\frac{\theta}{n}\right)$$

neu $\quad \cos\left(\frac{\theta + 2\pi}{n}\right) + \mathrm{i}\sin\left(\frac{\theta + 2\pi}{n}\right)$

neu $\quad \cos\left(\frac{\theta + 4\pi}{n}\right) + \mathrm{i}\sin\left(\frac{\theta + 4\pi}{n}\right)$

ac felly ymlaen, gan adio $\frac{2\pi}{n}$ bob tro hyd y cawn

$$(\cos\theta + \mathrm{i}\sin\theta)^{\frac{1}{n}} \equiv \cos\left[\frac{\theta + (n-1)2\pi}{n}\right] + \mathrm{i}\sin\left[\frac{\theta + (n-1)2\pi}{n}\right]$$

Mae pob gwerth olynol yn ailadrodd yr n gwerth gwahanol a geir uchod.

Felly, mae n gwerth gwahanol gan $(\cos\theta + \mathrm{i}\sin\theta)^{\frac{1}{n}}$.

Nodwn fod yr n datrysiad hyn wedi'u gosod yn gymesur ar gylch sy'n cael ei lunio ar ddiagram Argand.

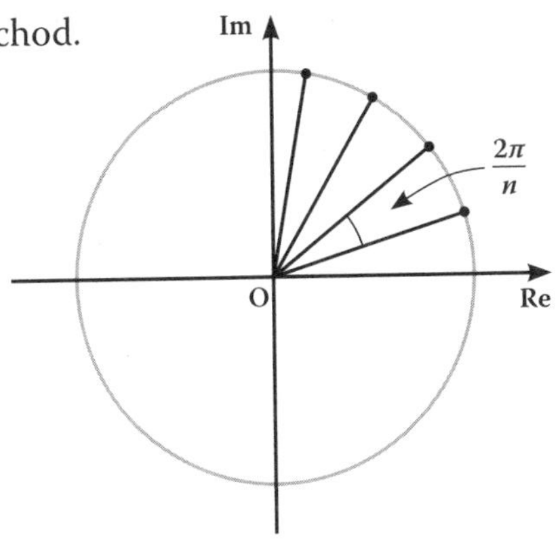

Enghraifft 6 Darganfyddwch werth $(-64)^{\frac{1}{6}}$.

DATRYSIAD

Gan fynegi -64 yn y ffurf $r(\cos\theta + \text{i}\sin\theta)$, cawn

$$-64 = 64(\cos\pi + \text{i}\sin\pi)$$

sy'n rhoi

$$(-64)^{\frac{1}{6}} = 64^{\frac{1}{6}}(\cos\pi + \text{i}\sin\pi)^{\frac{1}{6}}$$

$$= 2\left[\cos\left(\frac{\pi}{6}\right) + \text{i}\sin\left(\frac{\pi}{6}\right)\right] \quad \text{(o theorem de Moivre)}$$

Gan ddefnyddio cymesuredd, gwelwn fod y gwerthoedd eraill fel y dangosir yn y diagram isod ar y dde. Hynny yw

$$2\left[\cos\left(\frac{\pi}{2}\right) + \text{i}\sin\left(\frac{\pi}{2}\right)\right]$$

$$2\left[\cos\left(\frac{5\pi}{6}\right) + \text{i}\sin\left(\frac{5\pi}{6}\right)\right]$$

$$2\left[\cos\left(-\frac{5\pi}{6}\right) + \text{i}\sin\left(-\frac{5\pi}{6}\right)\right]$$

$$2\left[\cos\left(-\frac{\pi}{2}\right) + \text{i}\sin\left(-\frac{\pi}{2}\right)\right]$$

$$2\left[\cos\left(-\frac{\pi}{6}\right) + \text{i}\sin\left(-\frac{\pi}{6}\right)\right]$$

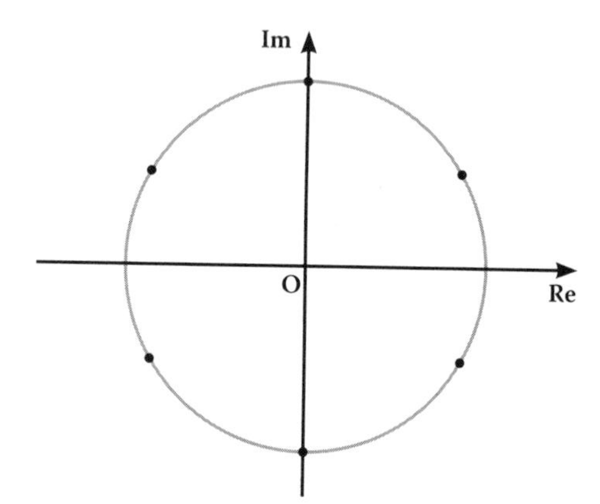

Gan fod modd mynegi'r gwerthoedd hyn yn syml yn y ffurf $a + \text{i}b$, mae'n gyffredin rhoi'r atebion hyn yn y ffurf

$$\pm\left(\frac{\sqrt{3}}{2} \pm \frac{\text{i}}{2}\right), \pm\text{i}$$

Enghraifft 7 Darganfyddwch werthoedd $(-1 - \sqrt{3}\text{i})^{\frac{1}{2}}$.

DATRYSIAD

Gan fynegi $-1 - \sqrt{3}\text{i}$ yn y ffurf $\cos\theta + \text{i}\sin\theta$, cawn

$$-1 - \sqrt{3}\text{i} = 2\left[\cos\left(-\frac{2\pi}{3}\right) + \text{i}\sin\left(-\frac{2\pi}{3}\right)\right]$$

Felly, o theorem de Moivre, un gwerth $(-1 - \sqrt{3}\text{i})^{\frac{1}{2}}$ yw

$$\left\{2\left[\cos\left(-\frac{2\pi}{3}\right) + \text{i}\sin\left(-\frac{2\pi}{3}\right)\right]\right\}^{\frac{1}{2}} = 2^{\frac{1}{2}}\left[\cos\left(-\frac{\pi}{3}\right) + \text{i}\sin\left(-\frac{\pi}{3}\right)\right]$$

$$= \sqrt{2}\left(+\frac{1}{2} - \frac{\sqrt{3}}{2}\text{i}\right)$$

$$= \frac{\sqrt{2}}{2} - \frac{\sqrt{6}}{2}\text{i}$$

Drwy gymesuredd, mae'r gwerth arall fel a welir yn y diagram ar y dde. Hynny yw,

$$-\frac{\sqrt{2}}{2}+\frac{\sqrt{6}}{2}\mathrm{i}$$

Felly, mae gennym

$$\left(-1-\sqrt{3}\mathrm{i}\right)^{\frac{1}{2}}=\pm\left(\frac{\sqrt{2}}{2}-\frac{\sqrt{6}}{2}\mathrm{i}\right)$$

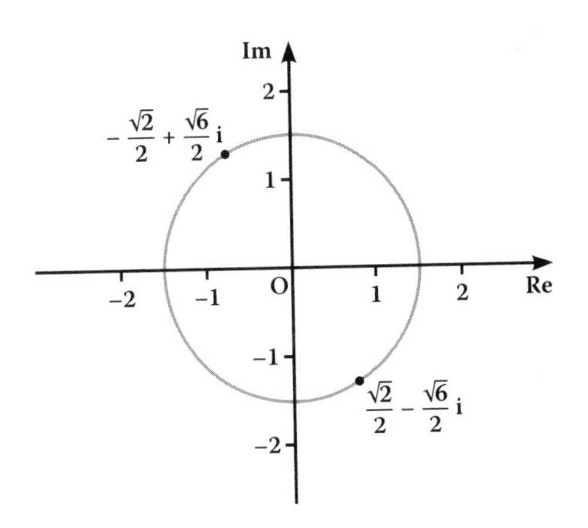

Enghraifft 8 Darganfyddwch ddatrysiadau $27z^3 = 8$.

DATRYSIAD

Cymerwn drydydd isradd y ddwy ochr, gan gofio lluosi un ochr yr hafaliad sy'n deillio o hyn â phob un o dri thrydydd isradd un, gan eu cymryd un ar y tro. Yn yr achos hwn, mae'n haws lluosi $\sqrt[3]{8}$ â'r tri thrydydd isradd.

Felly, cawn

$$27z^3 = 8$$

$$\Rightarrow \quad 3z = \sqrt[3]{1} \times 2$$

O dudalen 18, rydym yn gwybod bod gan $\sqrt[3]{1}$ y gwerthoedd canlynol:

$$1 \qquad -\frac{1}{2}+\frac{\sqrt{3}}{2}\mathrm{i} \qquad -\frac{1}{2}-\frac{\sqrt{3}}{2}\mathrm{i}$$

Gan ddefnyddio $\sqrt[3]{1} = 1$, cawn

$$3z = 2 \quad \Rightarrow \quad z = \frac{2}{3}$$

Gan ddefnyddio $\sqrt[3]{1} = -\frac{1}{2}+\frac{\sqrt{3}}{2}\mathrm{i}$, cawn

$$3z = -1+\sqrt{3}\mathrm{i} \quad \Rightarrow \quad z = -\frac{1}{3}+\frac{\sqrt{3}}{3}\mathrm{i}$$

Gan ddefnyddio $\sqrt[3]{1} = -\frac{1}{2}-\frac{\sqrt{3}}{2}\mathrm{i}$, cawn

$$3z = -1-\sqrt{3}\mathrm{i} \quad \Rightarrow \quad z = -\frac{1}{3}-\frac{\sqrt{3}}{3}\mathrm{i}$$

Enghraifft 9 Darganfyddwch ddatrysiadau $16z^4 = (z-1)^4$.

DATRYSIAD

Cymerwn bedwerydd isradd y ddwy ochr, gan gofio lluosi un ochr yr hafaliad sy'n deillio o hyn â phob un o'r pedwar pedwerydd isradd un, gan eu cymryd un ar y tro.

Felly, cawn

$$16z^4 = (z-1)^4$$

$$\Rightarrow \quad 2z = \sqrt[4]{1}\,(z-1)$$

Rydym yn gwybod bod $\sqrt[4]{1} = 1, -1, \mathrm{i}, -\mathrm{i}$.

Gan ddefnyddio $\sqrt[4]{1} = 1$, cawn

$$2z = z - 1 \quad \Rightarrow \quad z = -1$$

Gan ddefnyddio $\sqrt[4]{1} = -1$, cawn

$$2z = -(z-1) \quad \Rightarrow \quad 3z = 1 \quad \Rightarrow \quad z = \tfrac{1}{3}$$

Gan ddefnyddio $\sqrt[4]{1} = \mathrm{i}$, cawn

$$2z = \mathrm{i}(z-1)$$

$$\Rightarrow \quad z = -\frac{\mathrm{i}}{2-\mathrm{i}}$$

$$\Rightarrow \quad z = -\frac{\mathrm{i}(2+\mathrm{i})}{(2-\mathrm{i})(2+i)}$$

sy'n rhoi

$$z = \tfrac{1}{5}\,(1 - 2\mathrm{i})$$

Gan ddefnyddio $\sqrt[4]{1} = -\mathrm{i}$, cawn

$$2z = -\mathrm{i}(z-1)$$

$$\Rightarrow \quad z = \frac{\mathrm{i}}{2+\mathrm{i}}$$

$$\Rightarrow \quad z = \frac{\mathrm{i}(2-\mathrm{i})}{5}$$

sy'n rhoi

$$z = \tfrac{1}{5}\,(1 + 2i)$$

Felly, pedwar datrysiad $16z^4 = (z-1)^4$ yw $1, \dfrac{1}{3}, \dfrac{1}{5}(1 \pm 2\mathrm{i})$.

Ffurf esbonyddol rhif cymhlyg

Drwy ddefnyddio'r ehangiadau cyfresi pŵer a astudiwyd ar dudalennau 177–9, cawn

$$\mathrm{e}^{\mathrm{i}\theta} = 1 + \mathrm{i}\theta + \frac{(\mathrm{i}\theta)^2}{2!} + \frac{(\mathrm{i}\theta)^3}{3!} + \ldots$$

$$= 1 + \mathrm{i}\theta - \frac{\theta^2}{2!} - \frac{\mathrm{i}\theta^3}{3!} + \frac{\theta^4}{4!} + \frac{\mathrm{i}\theta^5}{5!} - \ldots$$

$$= \left(1 - \frac{\theta^2}{2!} + \frac{\theta^4}{4!} - \ldots\right) + \mathrm{i}\left(\theta - \frac{\theta^3}{3!} + \frac{\theta^5}{5!} - \ldots\right)$$

$$\Rightarrow \quad \mathrm{e}^{\mathrm{i}\theta} = \cos\theta + \mathrm{i}\sin\theta$$

Hon yw **ffurf esbonyddol** rhif cymhlyg.

Gallwn ei mynegi'n gyffredinol fel

$$z = r(\cos\theta + \mathrm{i}\sin\theta) \quad \Rightarrow \quad z = re^{\mathrm{i}\theta}$$

Gallwn ddefnyddio'r ffurf esbonyddol i ddatrys llawer math o broblem.

Noder Gan ddefnyddio ffurf esbonyddol $(\cos\theta + \mathrm{i}\sin\theta)^n$, cawn

$$(\cos\theta + \mathrm{i}\sin\theta)^n = (e^{\mathrm{i}\theta})^n = e^{\mathrm{i}(n\theta)} = \cos n\theta + \mathrm{i}\sin n\theta$$

sy'n profi theorem de Moivre.

Enghraifft 10 Mynegwch $2 + 2\mathrm{i}$ yn y ffurf $re^{\mathrm{i}\theta}$.

DATRYSIAD

Modwlws $2 + 2\mathrm{i}$ yw $2\sqrt{2}$ a'i arg yw $\frac{\pi}{4}$. Felly, cawn

$$2 + 2\mathrm{i} = 2\sqrt{2}e^{\frac{\mathrm{i}\pi}{4}}$$

Enghraifft 11 Mynegwch $1 - \mathrm{i}\sqrt{3}$ yn y ffurf $re^{\mathrm{i}\theta}$.

DATRYSIAD

Modwlws $1 - \mathrm{i}\sqrt{3}$ yw 2 a'i arg yw $-\frac{\pi}{3}$. Felly, cawn

$$1 - \mathrm{i}\sqrt{3} = 2e^{-\mathrm{i}\pi/3}$$

Enghraifft 12 Darganfyddwch werthoedd $(-2 + 2\mathrm{i})^{\frac{1}{3}}$ a dangoswch eu safleoedd ar ddiagram Argand.

DATRYSIAD

Dilynwn y camau a ganlyn:

- Yn gyntaf, mynegwn $(-2 + 2\mathrm{i})$ yn ei ffurf (r, θ).
- Yna darganfod un gwerth $(-2 + 2\mathrm{i})^{\frac{1}{3}}$
- Yn olaf, defnyddiwn gymesuredd i ddarganfod y gwerthoedd eraill.

Drwy hynny, cawn

$$(-2 + 2\mathrm{i})^{\frac{1}{3}} = \left\{2\sqrt{2}\left[\cos\left(\frac{3\pi}{4}\right) + \mathrm{i}\sin\left(\frac{3\pi}{4}\right)\right]\right\}^{\frac{1}{3}}$$

$$= \left\{2^{\frac{3}{2}}\left[\cos\left(\frac{3\pi}{4}\right) + \mathrm{i}\sin\left(\frac{3\pi}{4}\right)\right]\right\}^{\frac{1}{3}}$$

Felly, o theorem de Moivre, un gwerth $(-2 + 2\mathrm{i})^{\frac{1}{3}}$ yw

$$2^{\frac{1}{2}}\left[\cos\left(\frac{\pi}{4}\right) + \mathrm{i}\sin\left(\frac{\pi}{4}\right)\right]$$

Drwy gymesuredd, y gwerthoedd eraill yw

$$2^{\frac{1}{2}}\left[\cos\left(\frac{\pi}{4}+\frac{2\pi}{3}\right)+\text{i}\sin\left(\frac{\pi}{4}+\frac{2\pi}{3}\right)\right]$$

a $$2^{\frac{1}{2}}\left[\cos\left(\frac{\pi}{4}+\frac{4\pi}{3}\right)+\text{i}\sin\left(\frac{\pi}{4}+\frac{4\pi}{3}\right)\right]$$

Gellir mynegi'r tri gwerth hyn (gweler diagram Argand ar y dde) fel

$$2^{\frac{1}{2}}\text{e}^{\text{i}\pi/4} \quad 2^{\frac{1}{2}}\text{e}^{11\text{i}\pi/12} \quad 2^{\frac{1}{2}}\text{e}^{19\text{i}\pi/12}$$

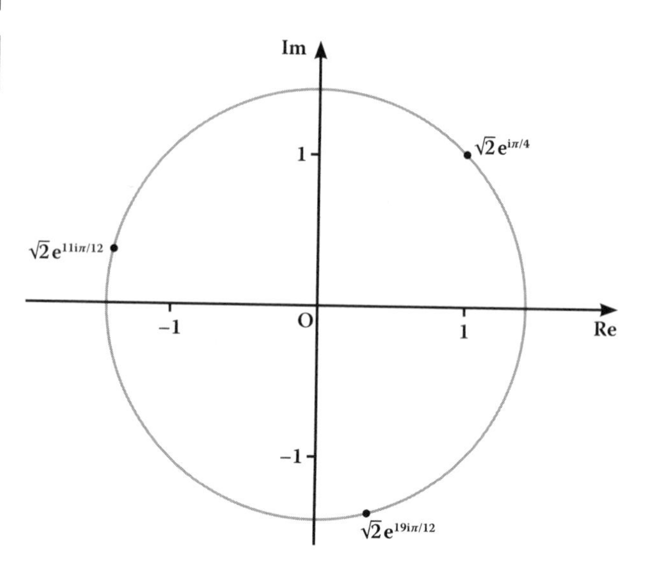

Lluosi un rhif cymhlyg ag un arall

Gan fynegi'r ddau rif z_1 a z_2 yn eu ffurf esbonyddol, cawn

$$z_1z_2 = r_1\text{e}^{\text{i}\theta_1} \times r_2\text{e}^{\text{i}\theta_2}$$

sy'n rhoi

$$z_1z_2 = r_1r_2\text{e}^{\text{i}(\theta_1+\theta_2)}$$

Dyma ffordd syml iawn o ddangos mai'r hyn sydd ei angen i ddarganfod lluoswm dau rif cymhlyg yw lluosi'r modwli ac adio'r argiau. (Gweler tudalen 8.)

Symleiddio rhai integrynnau

Gallwn symleiddio integrynnau o'r math $\int \text{e}^{ax}\cos bx\,\text{d}x$ drwy ddefnyddio'r ffurf esbonyddol, fel y gwelir yn Enghreifftiau 13 a 14.

Enghraifft 13 Darganfyddwch $\int \text{e}^{2x}\sin x\,\text{d}x$.

DATRYSIAD

Mae gennym

$$\int \text{e}^{2x}\sin x\,\text{d}x = \text{Im}\int \text{e}^{2x}(\cos x + \text{i}\sin x)\,\text{d}x$$

lle mae Im $\int$ yn cynrychioli rhan ddychmygol yr integryn a roddir.

Gan ddefnyddio ffurf esbonyddol $\cos x + \mathrm{i} \sin x$, cawn

$$\int e^{2x} \sin x \, dx = \operatorname{Im} \int e^{2x} \times e^{ix} \, dx$$
$$= \operatorname{Im} \int e^{(2+i)x} \, dx$$

sy'n rhoi

$$\int e^{2x} \sin x \, dx = \operatorname{Im} \left(\frac{1}{2 + i} e^{(2+i)x} \right)$$
$$= \operatorname{Im} \left[\frac{2 - i}{(2 + i)(2 - i)} e^{2x} (\cos x + i \sin x) + c \right]$$
$$= \operatorname{Im} \left[e^{2x} \frac{(2 \cos x + \sin x + 2i \sin x - i \cos x)}{2^2 - (i)^2} \right] + c$$

Felly, darganfyddwn fod

$$\int e^{2x} \sin x \, dx = \frac{e^{2x}}{5} (2 \sin x - \cos x) + c$$

Enghraifft 14 Darganfyddwch $\int e^{4x} \cos 3x \, dx$.

DATRYSIAD

Mae gennym

$$\int e^{4x} \cos 3x = \operatorname{Re} \int e^{4x} (\cos 3x + i \sin 3x) \, dx$$

lle mae Re $\int$ yn cynrychioli rhan real yr integryn a roddir.

Gan ddefnyddio ffurf esbonyddol $\cos 3x + \mathrm{i} \sin 3x$, cawn

$$\int e^{4x} \cos 3x \, dx = \operatorname{Re} \int e^{(4+3i)x} \, dx$$
$$= \operatorname{Re} \left(\frac{1}{4 + 3i} e^{(4+3i)x} + c \right)$$
$$= \operatorname{Re} \left[\frac{4 - 3i}{(4 + 3i)(4 - 3i)} e^{4x} (\cos 3x + i \sin 3x) + c \right]$$

Felly, cawn

$$\int e^{4x} \cos 3x \, dx = \frac{e^{4x}}{25} \left(\frac{4 \cos 3x + 3 \sin 3x}{25} \right) + c$$

Ymarfer 15B

1 Ar gyfer pob un o'r canlynol, darganfyddwch werthoedd posibl z, gan roi eich atebion yn

i) y ffurf $a + ib$ **ii)** y ffurf $re^{i\theta}$

a) $z^4 = -16$ **b)** $z^3 = -8 + 8i$ **c)** $z^3 = 27i$

d) $z^2 = 16i$ **e)** $z^2 = -25i$ **f)** $z^5 = -32$

2 Darganfyddwch chwe chweched isradd un.

3 Datryswch bob un o'r rhain.

a) $(z + 2i)^2 = 4$ **b)** $(z - 1)^3 = 8$ **c)** $z^2 = (z + 1)^2$

d) $(z + 3i)^2 = (2z - 1)^2$ **e)** $(z - i)^4 = 81(z + 2)^4$

4 Darganfyddwch saith seithfed isradd un yn y ffurf $e^{i\theta}$.

5 Datryswch $z^5 = 32i$. Rhowch eich atebion yn y ffurf $re^{i\theta}$, a dangoswch hwy ar ddiagram Argand.

6 Drwy ystyried nawfed israddau un, dangoswch fod

$$\cos\left(\frac{2\pi}{9}\right) + \cos\left(\frac{4\pi}{9}\right) + \cos\left(\frac{6\pi}{9}\right) + \cos\left(\frac{8\pi}{9}\right) = -\frac{1}{2}$$

7 Drwy ystyried seithfed israddau un, dangoswch fod

$$\cos\left(\frac{\pi}{7}\right) + \cos\left(\frac{3\pi}{7}\right) + \cos\left(\frac{5\pi}{7}\right) = \frac{1}{2}$$

8 Pan fo $\cos 4\theta = \cos 3\theta$, profwch fod $\theta = 0, \frac{2\pi}{7}, \frac{4\pi}{7}, \frac{6\pi}{7}$.

Drwy hynny profwch mai $\cos\left(\frac{2\pi}{7}\right)$, $\cos\left(\frac{4\pi}{7}\right)$, $\cos\left(\frac{6\pi}{7}\right)$ yw gwreiddiau $8x^3 + 4x^2 - 4x - 1 = 0$.

9 Enrhifwch bob un o'r rhain.

a) $\int e^{4x} \cos 5x \, dx$ **b)** $\int e^{3x} \sin 7x \, dx$

c) $\int e^{-2x} \sin 4x \, dx$ **d)** $\int e^{-4x} \cos 3x \, dx$

10 Darganfyddwch, mewn ffurf begynlinol, bob un o bedwerydd israddau $-8 - 8\sqrt{3}i$. **(CBAC)**

11 Gwiriwch fod $(3 - 2i)^2 = 5 - 12i$, gan ddangos eich gwaith cyfrifo yn glir.
Darganfyddwch ddau wreiddyn yr hafaliad $(z - i)^2 = 5 - 12i$ **(OCR)**

12 i) Darganfyddwch fodwlws union ac arg y rhif cymhlyg $-4\sqrt{3} - 4i$.

ii) Drwy hynny darganfyddwch wreiddiau'r hafaliad

$$z^3 + 4\sqrt{3} + 4i = 0$$

gan roi eich atebion yn y ffurf $re^{i\theta}$, lle mae $r > 0$ a $-\pi < \theta \leqslant \pi$. **(OCR)**

13 Mynegwch $(8\sqrt{2})(1 + i)$ yn y ffurf $r(\cos\theta + i\sin\theta)$, lle mae $r > 0$ a $-\pi < \theta \leqslant \pi$.
Drwy hynny, neu fel arall, datryswch yr hafaliad $z^4 = (8\sqrt{2})(1 + i)$,
gan roi eich atebion mewn ffurf begynlinol. **(OCR)**

14 Ysgrifennwch y ddau rif cymhlyg

$$z_1 = 1 - (\sqrt{3})i \qquad z_2 = (\sqrt{3}) + i$$

yn y ffurf $re^{i\theta}$, lle mae $r > 0$ a $-\pi < \theta \leqslant \pi$.

Drwy hynny dangoswch, os yw $z_1^7 + z_2^7 = x + iy$, lle mae $x, y \in \mathbb{R}$, yna fod

$$\frac{y}{x} = 2 + \sqrt{3}$$ **(OCR)**

15 **a)** Mynegwch theorem de Moivre ar gyfer estyniad $(\cos\theta + i\sin\theta)^n$, lle mae n yn gyfanrif positif neu'n rhif cymarebol.

b) Darganfyddwch fodwlws ac arg pob un o drydydd israddau $1 + i$.

c) Dangoswch fod $(1 + i)^{51} = 2^{25}(-1 + i)$. **(CBAC)**

16 Ysgrifennwch fodwlws ac arg y rhif cymhlyg -64.

Drwy hynny datryswch yr hafaliad $z^4 + 64 = 0$,
gan roi eich atebion yn y ffurf $r(\cos\theta + i\sin\theta)$, lle mae $r > 0$ a $-\pi < \theta \leqslant \pi$.

Mynegwch bob un o'r pedwar datrysiad hyn yn y ffurf $a + ib$ a dangoswch, gyda chymorth diagram, fod y pwyntiau yn y plân cymhlyg sy'n eu cynrychioli'n ffurfio fertigau sgwâr. **(AEB 96)**

17 **a)** Datryswch yr hafaliad $z^5 = 4 + 4i$, gan roi eich atebion yn y ffurf $z = re^{ik\pi}$, lle mae r yn fodwlws z a k yn rhif cymarebol fel bod $0 \leqslant k \leqslant 2$.

b) Dangoswch y pwyntiau sy'n cynrychioli eich datrysiadau ar ddiagram Argand. **(EDEXCEL)**

18 **i)** Dangoswch fod

$$e^{(3 + 2i)x} \equiv e^{3x}(\cos 2x + i\sin 2x)$$

lle mae x yn real.

ii) Darganfyddwch rannau real a dychmygol

$$\frac{e^{3x}(\cos 2x + i\sin 2x)}{(3 + 2i)}$$

iii) Os yw $C = \int e^{3x}\cos 2x\,dx$ ac $S = \int e^{3x}\sin 2x\,dx$,
gan ddefnyddio rhannau **i** a **ii** a chan ystyried $C + iS$, neu fel arall, darganfyddwch C ac S.

[Cewch gymryd yn ganiataol fod rheolau arferol integru'n berthnasol i $\int e^{kx}\,dx$ pan fo k yn gymhlyg.] **(NICCEA)**

19 **a)** Gwiriwch fod $z_1 = 1 + e^{\pi i/5}$ yn wreiddyn yr hafaliad $(z - 1)^5 = -1$.

b) Darganfyddwch bedwar gwreiddyn arall yr hafaliad.

c) Marciwch y pwyntiau sy'n cyfateb i bum gwreiddyn yr hafaliad ar ddiagram Argand. Dangoswch fod y gwreiddiau hyn yn gorwedd ar gylch, a nodwch ganol a radiws y cylch.

d) Drwy ystyried y diagram Argand, neu fel arall, darganfyddwch

i) arg z_1 yn nhermau π.

ii) $|z_1|$ yn y ffurf $a\cos\frac{\pi}{b}$, lle mae a a b yn gysonion i'w darganfod. **(NEAB)**

20 **i)** Darganfyddwch wreiddiau'r hafaliad $(z - 4)^3 = 8\text{i}$ yn y ffurf $a + \text{i}b$, lle mae a a b yn rhifau real. Nodwch y pwyntiau A, B ac C sy'n cynrychioli'r tri gwreiddyn hyn ar ddiagram Argand a darganfyddwch arwynebedd ΔABC.

ii) Mae $3 + \text{i}$ yn wreiddyn hafaliad $z^3 + pz^2 + 40z + q = 0$, lle mae p a q yn real. Ysgrifennwch un o wreiddiau eraill yr hafaliad.

Drwy hynny, neu fel arall, darganfyddwch werthoedd p a q. **(EDEXCEL)**

21 Ysgrifennwch bumed israddau un yn y ffurf $\cos\theta + \text{i}\sin\theta$, lle mae $0 \leqslant \theta < 2\pi$.

i) Drwy hynny, neu fel arall, darganfyddwch bumed israddau i mewn ffurf debyg.

ii) Drwy ysgrifennu'r hafaliad $(z - 1)^5 = z^5$ yn y ffurf

$$\left(\frac{z-1}{z}\right)^5 = 1$$

dangoswch mai ei wreiddiau yw

$$\frac{1}{2}\left(1 + \text{i}\cot\frac{1}{5}k\pi\right) \quad k = 1, 2, 3, 4$$ **(OCR)**

22 **i)** Darganfyddwch chwe gwreiddyn cymhlyg yr hafaliad $z^6 + 8\text{i} = 0$, gan fynegi pob un yn y ffurf $r\text{e}^{\text{i}\theta}$. Rhowch werthoedd union θ mewn radianau.

ii) Dangoswch fod $(1 + \text{i})$ a $(-1 - \text{i})$ yn ddau o'r gwreiddiau.

iii) Brasluniwch y chwe gwreiddyn ar ddiagram Argand, gan nodi'n glir y nodweddion geometregol arwyddocaol. **(NICCEA)**

Unfathiannau trigonometrig

Mynegiadau ar gyfer $\cos^n\theta$ a $\sin^n\theta$ yn nhermau lluosrifau θ

Boed i $z \equiv \cos\theta + \text{i}\sin\theta$. Mae gennym felly

$$\frac{1}{z} \equiv (\cos\theta + \text{i}\sin\theta)^{-1} \equiv \cos\theta - \text{i}\sin\theta$$

sy'n rhoi

$$z + \frac{1}{z} \equiv 2\cos\theta$$

$$z - \frac{1}{z} \equiv 2\text{i}\sin\theta$$

Mae gennym hefyd

$$z^n \equiv (\cos\theta + \text{i}\sin\theta)^n = \cos n\theta + \text{i}\sin n\theta$$

$$\Rightarrow \quad \frac{1}{z^n} \equiv \frac{1}{\cos n\theta + \text{i}\sin n\theta}$$

$$\Rightarrow \quad \frac{1}{z^n} \equiv \cos n\theta - \text{i}\sin n\theta$$

sy'n rhoi

$$z^n + \frac{1}{z^n} \equiv 2\cos n\theta$$

$$z^n - \frac{1}{z^n} \equiv 2\text{i} \sin n\theta$$

Gyda chymorth y pedwar unfathiant hyn ar gyfer $z \pm \frac{1}{z}$ a $z^n \pm \frac{1}{z^n}$,

gallwn ysgrifennu unrhyw bŵer $\cos\theta$ neu $\sin\theta$ yn nhermau lluosrifau θ.

Enghraifft 15 Os yw $z \equiv \cos\theta + \text{i}\sin\theta$, mynegwch y canlynol yn nhermau θ.

a) z^4 **b)** z^{-3}

DATRYSIAD

Rydym yn gwybod, pan fo $z \equiv \cos\theta + \text{i}\sin\theta$, fod

$$z^n \equiv \cos n\theta + \text{i}\sin n\theta$$

am bob cyfanrif n.

Felly, cawn

a) $z^4 \equiv \cos 4\theta + \text{i}\sin 4\theta$

b) $z^{-3} \equiv \cos(-3\theta) + \text{i}\sin(-3\theta)$

$\Rightarrow \quad z^{-3} \equiv \cos 3\theta - \text{i}\sin 3\theta$

Enghraifft 16 Os yw $z \equiv \cos\theta + \text{i}\sin\theta$, mynegwch y canlynol yn nhermau z.

a) $\cos 6\theta$ **b)** $\sin 3\theta$

DATRYSIAD

Pan fo $z \equiv \cos\theta + \text{i}\sin\theta$, rydym yn gwybod bod

$$z^n + \frac{1}{z^n} \equiv 2\cos n\theta$$

a $$z^n - \frac{1}{z^n} \equiv 2\text{i}\sin n\theta$$

Felly, cawn

a) $$2\cos 6\theta \equiv z^6 + \frac{1}{z^6}$$

$$\Rightarrow \quad \cos 6\theta \equiv \frac{1}{2}\left(z^6 + \frac{1}{z^6}\right)$$

b) $$2\text{i}\sin 3\theta \equiv z^3 - \frac{1}{z^3}$$

$$\Rightarrow \quad \sin 3\theta \equiv \frac{1}{2\text{i}}\left(z^3 - \frac{1}{z^3}\right)$$

Enghraifft 17 Mynegwch $\cos^3\theta$ fel cosinau lluosrifau θ.

DATRYSIAD

Dilynwn y camau a ganlyn:

- Mynegi $\cos\theta$ yn nhermau z, a thrwy hynny ddarganfod $\cos^3\theta$.
- Casglu termau o'r math $z^n + \dfrac{1}{z^n}$, yn ôl gwerthoedd n (gan fod gofyn i ni roi'r ateb fel cosinau lluosrifau θ).
- Yn olaf, newid y termau hyn yn gosinau lluosrifau θ.

Felly, cawn

$$\cos\theta \equiv \frac{1}{2}\left(z + \frac{1}{z}\right)$$

sy'n rhoi

$$\begin{aligned}\cos^3\theta &\equiv \left[\frac{1}{2}\left(z + \frac{1}{z}\right)\right]^3 \\ &\equiv \frac{1}{2^3}\left(z + \frac{1}{z}\right)^3 \\ &\equiv \frac{1}{8}\left(z^3 + 3z^2 \times \frac{1}{z} + 3z \times \frac{1}{z^2} + \frac{1}{z^3}\right) \\ &\equiv \frac{1}{8}\left(z^3 + 3z + \frac{3}{z} + \frac{1}{z^3}\right)\end{aligned}$$

Aildrefnwn y termau ar yr ochr dde i gael

$$\cos^3\theta \equiv \frac{1}{8}\left[\left(z^3 + \frac{1}{z^3}\right) + 3\left(z + \frac{1}{z}\right)\right]$$

Newidiwn yr ochr dde i gael

$$\cos^3\theta \equiv \frac{1}{8}(2\cos 3\theta + 3 \times 2\cos\theta)$$

sy'n rhoi

$$\cos^3\theta \equiv \frac{1}{4}\cos 3\theta + \frac{3}{4}\cos\theta$$

Enghraifft 18 Mynegwch $\cos^6\theta$ fel cosinau lluosrifau θ.

DATRYSIAD

Mae gennym

$$\cos^6\theta \equiv \left[\frac{1}{2}\left(z + \frac{1}{z}\right)\right]^6$$

lle mae $z \equiv \cos\theta + \mathrm{i}\sin\theta$.

Defnyddiwn y theorem binomial i gael

$$\left(z + \frac{1}{z}\right)^6 = z^6 + 6z^5 \times \frac{1}{z} + 15z^4 \times \frac{1}{z^2} + \ldots + \frac{1}{z^6}$$

sy'n rhoi

$$\cos^6\theta \equiv \frac{1}{64}\left(z^6 + 6z^4 + 15z^2 + 20 + \frac{15}{z^2} + \frac{6}{z^4} + \frac{1}{z^6}\right)$$

$$\equiv \frac{1}{64}\left[\left(z^6 + \frac{1}{z^6}\right) + 6\left(z^4 + \frac{1}{z^4}\right) + 15\left(z^2 + \frac{1}{z^2}\right) + 20\right]$$

Drwy newid yr ochr dde, cawn

$$\cos^6\theta \equiv \frac{1}{64}(2\cos 6\theta + 6 \times 2\cos 4\theta + 15 \times 2\cos 2\theta + 20)$$

$$\Rightarrow \quad \cos^6\theta \equiv \frac{1}{32}\cos 6\theta + \frac{3}{16}\cos 4\theta + \frac{15}{32}\cos 2\theta + \frac{5}{16}$$

Enghraifft 19 Mynegwch $\sin^5\theta$ fel sinau lluosrifau θ.

DATRYSIAD

Mae gennym

$$\sin^5\theta \equiv \left[\frac{1}{2\mathrm{i}}\left(z - \frac{1}{z}\right)\right]^5$$

lle mae $z = \cos\theta + \mathrm{i}\sin\theta$.

Defnyddiwn y theorem binomial i gael

$$\sin^5\theta \equiv \frac{1}{32\mathrm{i}^5}\left(z^5 - 5z^3 + 10z - \frac{10}{z} + \frac{5}{z^3} - \frac{1}{z^5}\right)$$

$$\equiv \frac{1}{32\mathrm{i}}\left[\left(z^5 - \frac{1}{z^5}\right) - 5\left(z^3 - \frac{1}{z^3}\right) + 10\left(z - \frac{1}{z}\right)\right]$$

Drwy newid yr ochr dde, cawn

$$\sin^5\theta \equiv \frac{1}{32\mathrm{i}}[2\mathrm{i}\sin 5\theta - 10\mathrm{i}\sin 3\theta + 20\mathrm{i}\sin\theta]$$

$$\Rightarrow \quad \sin^5\theta \equiv \frac{1}{16}\sin 5\theta - \frac{5}{16}\sin 3\theta + \frac{5}{8}\sin\theta$$

Ehangiadau cos $n\theta$ a sin $n\theta$ fel pwerau cos θ a sin θ

I newid ffwythiant megis $\cos 6\theta$ yn bwerau $\cos\theta$, rydym yn mynegi $\cos 6\theta$ fel **rhan real** $\cos 6\theta + \mathrm{i}\sin 6\theta$.

Mae theorem de Moivre yn rhoi

$$\cos 6\theta + \mathrm{i}\sin 6\theta = (\cos\theta + \mathrm{i}\sin\theta)^6$$

Gallwn ehangu'r ochr dde drwy ddefnyddio'r theorem binomial.
Rydym wedyn yn gosod termau real yr ehangiad hwn ar y tu allan.

Yr un modd, rydym yn mynegi, er enghraifft, $\sin 7\theta$ fel **rhan ddychmygol** $\cos 7\theta + \mathrm{i}\sin 7\theta$.

Enghraifft 20 Mynegwch $\sin 3\theta$ yn nhermau $\sin \theta$.

DATRYSIAD

Rhoddwn

$$\sin 3\theta = \text{Im}(\cos 3\theta + \text{i} \sin 3\theta)$$

lle mae Im (z) yn cynrychioli rhan ddychmygol z.

Felly, cawn

$$\sin 3\theta = \text{Im}(\cos \theta + \text{i} \sin \theta)^3$$

Ehangwn yr ochr dde drwy ddefnyddio'r theorem binomial i gael

$$\begin{aligned}\sin 3\theta &= \text{Im}[\cos^3 \theta + 3\cos^2 \theta (\text{i} \sin \theta) + 3\cos \theta (\text{i} \sin \theta)^2 + (\text{i} \sin \theta)^3] \\ &= \text{Im}(\cos^3 \theta + 3\text{i} \cos^2 \theta \sin \theta - 3\cos \theta \sin^2 \theta - \text{i} \sin^3 \theta) \\ &= 3\cos^2 \theta \sin \theta - \sin^3 \theta\end{aligned}$$

Gan ddefnyddio $\cos^2 \theta = 1 - \sin^2 \theta$ (gan fod yn rhaid i'r ateb fod yn nhermau $\sin \theta$), cawn

$$\begin{aligned}\sin 3\theta &= 3(1 - \sin^2 \theta) \sin \theta - \sin^3 \theta \\ &= 3\sin \theta - 3\sin^3 \theta - \sin^3 \theta\end{aligned}$$

sy'n rhoi

$$\sin 3\theta = 3\sin \theta - 4\sin^3 \theta$$

Enghraifft 21

a) Mynegwch $\cos 6\theta$ yn nhermau pwerau $\cos \theta$.

b) Mynegwch $\dfrac{\sin 6\theta}{\sin \theta}$ yn nhermau pwerau $\cos \theta$.

DATRYSIAD

a) Rhoddwn

$$\cos 6\theta = \text{Re}(\cos 6\theta + \text{i} \sin 6\theta)$$

lle mae Re(z) yn cynrychioli rhan real z.

Felly, cawn

$$\cos 6\theta = (\cos \theta + \text{i} \sin \theta)^6$$

Ehangwn yr ochr dde drwy ddefnyddio'r theorem binomial i gael

$$\begin{aligned}\cos 6\theta = \text{Re}\Big[&\cos^6 \theta + 6\cos^5 \theta (\text{i} \sin \theta) + \frac{6.5}{2.1}\cos^4 \theta (\text{i} \sin \theta)^2 + \\ &+ \frac{6.5.4}{3.2.1}\cos^3 \theta (\text{i} \sin \theta)^3 + \frac{6.5.4.3}{4.3.2.1}\cos^2 \theta (\text{i} \sin \theta)^4 + \\ &+ \frac{6.5.4.3.2}{5.4.3.2.1}\cos \theta (\text{i} \sin \theta)^5 + (\text{i} \sin \theta)^6\Big]\end{aligned}$$

$$\Rightarrow \quad \cos 6\theta = \cos^6 \theta - 15\cos^4 \theta \sin^2 \theta + 15\cos^2 \theta \sin^4 \theta - \sin^6 \theta$$

Gan ddefnyddio $\sin^2\theta = 1 - \cos^2\theta$, cawn

$$\cos 6\theta = \cos^6\theta - 15\cos^4\theta\,(1-\cos^2\theta) + 15\cos^2\theta\,(1-\cos^2\theta)^2 - (1-\cos^2\theta)^3$$

$$= \cos^6\theta - 15\cos^4\theta + 15\cos^6\theta + 15\cos^2\theta - 30\cos^4\theta + 15\cos^6\theta -$$

$$- 1 + 3\cos^2\theta - 3\cos^4\theta + \cos^6\theta$$

sy'n rhoi

$$\cos 6\theta = 32\cos^6\theta - 48\cos^4\theta + 18\cos^2\theta - 1$$

b) Rhoddwn

$$\sin 6\theta = \text{Im}\,(\cos 6\theta + \text{i}\sin 6\theta)$$

lle mae $\text{Im}(z)$ yn cynrychioli rhan ddychmygol z.

Felly, cawn

$$\sin 6\theta = \text{Im}\,(\cos\theta + \text{i}\sin\theta)^6$$

Ehangwn yr ochr dde drwy ddefnyddio'r theorem binomial i gael

$$\sin 6\theta = \text{Im}\Big[\cos^6\theta + 6\cos^5\theta\,(\text{i}\sin\theta) + \frac{6.5}{2.1}\cos^4\theta\,(\text{i}\sin\theta)^2 +$$

$$+ \frac{6.5.4}{3.2.1}\cos^3\theta\,(\text{i}\sin\theta)^3 + \frac{6.5.4.3}{4.3.2.1}\cos^2\theta\,(\text{i}\sin\theta)^4 +$$

$$+ \frac{6.5.4.3.2}{5.4.3.2.1}\cos\theta\,(\text{i}\sin\theta)^5 + (\text{i}\sin\theta)^6\Big]$$

$$\Rightarrow \quad \sin 6\theta = 6\cos^5\theta\sin\theta - 20\cos^3\theta\sin^3\theta + 6\cos\theta\sin^5\theta$$

Felly, cawn

$$\frac{\sin 6\theta}{\sin\theta} = 6\cos^5\theta - 20\cos^3\theta\,(1-\cos^2\theta) + 6\cos\theta\,(1-\cos^2\theta)^2$$

$$= 6\cos^5\theta - 20\cos^3\theta + 20\cos^5\theta + 6\cos\theta - 12\cos^3\theta + 6\cos^5\theta$$

sy'n rhoi

$$\frac{\sin 6\theta}{\sin\theta} = 32\cos^5\theta - 32\cos^3\theta + 6\cos\theta$$

Enghraifft 22

a) Mynegwch $\sin 5\theta$ yn nhermau $\sin\theta$.

b) Drwy hynny, profwch mai $\sin\left(\frac{\pi}{5}\right)$, $\sin\left(\frac{2\pi}{5}\right)$, $\sin\left(\frac{6\pi}{5}\right)$ a $\sin\left(\frac{7\pi}{5}\right)$

yw gwreiddiau'r hafaliad $16x^4 - 20x^2 + 5 = 0$.

c) Diddwythwch mai $\sin^2\left(\frac{\pi}{5}\right)$ a $\sin^2\left(\frac{2\pi}{5}\right)$

yw gwreiddiau'r hafaliad $16y^2 - 20y + 5 = 0$, a thrwy hynny darganfyddwch werth union

i) $\sin\left(\frac{\pi}{5}\right)\sin\left(\frac{2\pi}{5}\right)$ **ii)** $\cos\left(\frac{2\pi}{5}\right)$

DATRYSIAD

a) Rhoddwn

$$\sin 5\theta = \text{Im}\,(\cos 5\theta + \text{i} \sin 5\theta)$$

lle mae Im(z) yn rhan ddychmygol z.

Drwy hynny, cawn

$$\sin 5\theta = \text{Im}\,(\cos \theta + \text{i} \sin \theta)^5$$

$$= \text{Im}\,(\cos^5 \theta + 5\text{i} \cos^4 \theta \sin \theta + 10\text{i}^2 \cos^3 \theta \sin^2 \theta + 10\text{i}^3 \cos^2 \theta \sin^3 \theta +$$

$$+ 5\text{i}^4 \cos \theta \sin^4 \theta + \text{i}^5 \sin^5 \theta)$$

sy'n rhoi

$$\sin 5\theta = 5 \cos^4 \theta \sin \theta - 10 \cos^2 \theta \sin^3 \theta + \sin^5 \theta$$

Gan ddefnyddio $\cos^2 \theta = 1 - \sin^2 \theta$, cawn

$$\sin 5\theta = 5(1 - \sin^2 \theta)^2 \sin \theta - 10(1 - \sin^2 \theta) \sin^3 \theta + \sin^5 \theta$$

$$\Rightarrow \quad \sin 5\theta = 16 \sin^5 \theta - 20 \sin^3 \theta + 5 \sin \theta$$

b) O ran **a**, cawn

$$\frac{\sin 5\theta}{\sin \theta} = 16 \sin^4 \theta - 20 \sin^2 \theta + 5$$

Pan fo $\sin 5\theta = 0$, mae $16 \sin^4 \theta - 20 \sin^2 \theta + 5 = 0$, sy'n rhoi

$$16x^4 - 20x^2 + 5 = 0$$

wrth amnewid $x = \sin \theta$.

Datrysiadau $16x^4 - 20x^2 + 5 = 0$ yw $x = \sin \theta$, lle mae θ yn bodloni $\dfrac{\sin 5\theta}{\sin \theta} = 0$.

Mae pob x yn wahanol, a chan ein bod yn rhannu $\sin 5\theta$ â $\sin \theta$, rydym yn diystyru'r gwreiddyn posibl $\sin \theta = 0$. Felly, cawn

$$\sin 5\theta = 5 \quad \Rightarrow \quad \theta = 0 \text{ (wedi'i ddiystyru)}, \frac{\pi}{5}, \frac{2\pi}{5}, \frac{3\pi}{5}, \ldots$$

sy'n rhoi'r gwerthoedd canlynol ar gyfer θ:

$\sin\left(\dfrac{\pi}{5}\right)$, $\sin\left(\dfrac{2\pi}{5}\right)$, $\sin\left(\dfrac{3\pi}{5}\right)$, sydd yr un fath â $\sin\left(\dfrac{2\pi}{5}\right)$,

$\sin\left(\dfrac{4\pi}{5}\right)$ sydd yr un fath â $\sin\left(\dfrac{\pi}{5}\right)$,

$\sin \pi$ sydd yn sero ac felly wedi'i ddiystyru,

$\sin\left(\dfrac{6\pi}{5}\right)$ a $\sin\left(\dfrac{7\pi}{5}\right)$

Felly, pedwar gwerth **gwahanol** ansero x ar gyfer $16x^4 - 20x^2 + 5 = 0$ yw

$$\sin\left(\frac{\pi}{5}\right) \quad \sin\left(\frac{2\pi}{5}\right) \quad \sin\left(\frac{6\pi}{5}\right) \quad \sin\left(\frac{7\pi}{5}\right)$$

c) Rydym yn amnewid $y = x^2$ i gael yr hafaliad $16y^2 - 20y + 5 = 0$, sydd â'i wreiddiau yn ddau werth gwahanol y a roir gan yr amnewid.

Mae gan x^2 ddau werth yn unig, $\sin^2\left(\frac{\pi}{5}\right)$ a $\sin^2\left(\frac{2\pi}{5}\right)$, gan fod

$\sin\left(\frac{6\pi}{5}\right) = -\sin\left(\frac{\pi}{5}\right)$ a $\sin\left(\frac{7\pi}{5}\right) = -\sin\left(\frac{2\pi}{5}\right)$, sy'n rhoi

$$\sin^2\left(\frac{6\pi}{5}\right) = \sin^2\left(\frac{\pi}{5}\right) \quad \text{a} \quad \sin^2\left(\frac{7\pi}{5}\right) = \sin^2\left(\frac{2\pi}{5}\right)$$

Felly, dau wreiddyn gwahanol yr hafaliad $16y^2 - 20y + 5 = 0$ yw

$y = \sin^2\left(\frac{\pi}{5}\right)$ ac $y = \sin^2\left(\frac{2\pi}{5}\right)$.

i) Gan ddefnyddio lluoswm gwreiddiau polynomial (gweler tudalen 147), cawn, ar gyfer $16y^2 - 20y + 5 = 0$,

$$\alpha\beta = \frac{5}{16}$$

$$\Rightarrow \quad \sin^2\left(\frac{\pi}{5}\right)\sin^2\left(\frac{2\pi}{5}\right) = \frac{5}{16}$$

$$\Rightarrow \quad \sin\left(\frac{\pi}{5}\right)\sin\left(\frac{2\pi}{5}\right) = \pm\sqrt{\frac{5}{16}}$$

Gan fod $\sin\left(\frac{\pi}{5}\right)$ a hefyd $\sin\left(\frac{2\pi}{5}\right)$ yn bositif, cawn

$$\sin\left(\frac{\pi}{5}\right)\sin\left(\frac{2\pi}{5}\right) = \frac{\sqrt{5}}{4}$$

ii) Gan fod $16y^2 - 20y + 5 = 0$ yn hafaliad cwadratig, ei wreiddiau yw

$$y = \frac{20 \pm \sqrt{400 - 320}}{32}$$

$$\Rightarrow \quad y = \frac{20 \pm \sqrt{80}}{32} = \frac{5 \pm \sqrt{5}}{8}$$

Gan mai $\sin^2\left(\frac{\pi}{5}\right)$ a $\sin^2\left(\frac{2\pi}{5}\right)$ yw'r rhain, a

$\sin\left(\frac{2\pi}{5}\right) > \sin\left(\frac{\pi}{5}\right) > 0$, cawn

$$\sin^2\left(\frac{\pi}{5}\right) = \frac{5 - \sqrt{5}}{8}$$

Gan ddefnyddio'r unfathiant $\cos\theta \equiv 1 - \sin^2\left(\frac{\theta}{2}\right)$, cawn

$$\cos\left(\frac{2\pi}{5}\right) = 1 - 2\sin^2\left(\frac{\pi}{5}\right)$$

$$= 1 - 2 \times \frac{5 - \sqrt{5}}{8}$$

$$\Rightarrow \quad \cos\left(\frac{2\pi}{5}\right) = \frac{\sqrt{5} - 1}{4}$$

Ymarfer 15C

1 Os yw $z = \cos\theta + \mathrm{i}\sin\theta$, darganfyddwch werthoedd pob un o'r canlynol.

a) $z^2 - \frac{1}{z^2}$ **b)** $z^4 + \frac{1}{z^4}$ **c)** $z^5 + \frac{1}{z^5}$ **d)** $z^2 - \frac{2}{z} + \frac{2}{z} - \frac{1}{z^2}$

2 Mynegwch bob un o'r canlynol yn nhermau z, lle mae $z = \cos\theta + \mathrm{i}\sin\theta$.

a) $\cos 6\theta$ **b)** $\sin 5\theta$ **c)** $\cos^4\theta$ **d)** $\sin^3\theta$

e) $\sin^2 5\theta$ **f)** $\cos^4 3\theta$

3 Mynegwch bob un o'r canlynol yn nhermau $\cos\theta$.

a) $\cos 6\theta$ **b)** $\cos 4\theta$ **c)** $\frac{\sin 4\theta}{\sin\theta}$ **d)** $\frac{\sin 6\theta}{\sin\theta}$

4 Mynegwch bob un o'r canlynol yn nhermau $\sin\theta$.

a) $\sin 3\theta$ **b)** $\sin 5\theta$ **c)** $\frac{\cos 7\theta}{\cos\theta}$ **d)** $\frac{\cos 5\theta}{\cos\theta}$

5 Mynegwch bob un o'r canlynol yn nhermau sinau neu gosinau onglau cyfansawdd.

a) $\sin^3\theta$ **b)** $\cos^3\theta$ **c)** $\cos^5\theta$ **d)** $\sin^5\theta$

e) $\cos^6\theta$

6 Profwch fod $\cos^4\theta = \frac{1}{8}(\cos 4\theta + 4\cos 2\theta + 3)$.

7 Profwch fod $\tan 3\theta = \frac{3\tan\theta - \tan^3\theta}{1 - 3\tan^2\theta}$. Drwy hynny, datryswch $t^3 - 3t^2 - 3t + 1 = 0$.

8 Drwy ystyried $(\cos\theta + \mathrm{i}\sin\theta)^3$, defnyddiwch theorem de Moivre i brofi'r unfathiant

$$\cos 3\theta \equiv 4\cos^3\theta - 3\cos\theta$$

Ysgrifennwch gyfernod θ^4 yn ehangiad cyfres $\cos 3\theta$.

Drwy hynny, gan ddefnyddio'r unfathiant uchod,
darganfyddwch gyfernod θ^4 yn ehangiad cyfres $\cos^3\theta$. (AEB 96)

9 **i)** Dangoswch fod $(2 + \mathrm{i})^4 = -7 + 24\mathrm{i}$.

ii) Defnyddiwch theorem de Moivre i ddangos bod

$$\cos 4\theta = \cos^4\theta - 6\cos^2\theta\sin^2\theta + \sin^4\theta$$

a bod $\sin 4\theta = 4\sin\theta\cos^3\theta - 4\sin^3\theta\cos\theta$

iii) Os yw $t = \tan\theta$, dangoswch fod

$$\tan 4\theta = \frac{4t - 4t^3}{1 - 6t^2 + t^4}$$

iv) Drwy ystyried arg $(2 + \mathrm{i})$, esboniwch pam mae $t = \frac{1}{2}$ yn wreiddyn yr hafaliad canlynol.

$$\frac{4t - 4t^3}{1 - 6t^2 + t^4} = -\frac{24}{7}$$

v) Drwy ddefnyddio priodweddau cymesuredd pedwar gwreiddyn yr hafaliad $z^4 = a^4$, lluniwch ddiagram Argand i ddangos pedwar gwreiddyn $z^4 = -7 + 24i$.

vi) Darganfyddwch un gwreiddyn arall yr hafaliad yn rhan **iv**. **(NICCEA)**

10 Defnyddiwch theorem de Moivre i brofi bod

$$\sin 6\theta = 6\cos^5\theta\sin\theta - 20\cos^3\theta\sin^3\theta + 6\cos\theta\sin^5\theta$$

Drwy roi $x = \sin\theta$, diddwythwch, ar gyfer $|x| \leqslant 1$, fod

$$-\frac{1}{2} \leqslant x(16x^4 - 16x^2 + 3)\sqrt{(1 - x^2)} \leqslant \frac{1}{2}$$ **(OCR)**

11 Defnyddiwch theorem de Moivre i brofi bod

$$\cos 5\theta = \cos\theta(16\cos^4\theta - 20\cos^2\theta + 5)$$

Drwy ystyried yr hafaliad $\cos 5\theta = 0$, dangoswch mai gwerth union

$\cos^2\left(\frac{1}{10}\pi\right)$ yw $\frac{5 + \sqrt{5}}{8}$. **(OCR)**

12 Defnyddiwch theorem de Moivre i ddangos bod

$$\tan 5\theta = \frac{5t - 10t^3 + t^5}{1 - 10t^2 + 5t^4}$$

lle mae $t = \tan\theta$. **(OCR)**

13 Boed i $z = \cos\theta + i\sin\theta$.

a) Defnyddiwch y theorem binomial i ddangos mai rhan real z^4 yw

$$\cos^4\theta - 6\cos^2\theta\sin^2\theta + \sin^4\theta$$

Darganfyddwch fynegiad tebyg ar gyfer rhan ddychmygol z^4 yn nhermau θ.

b) Defnyddiwch theorem de Moivre i ysgrifennu mynegiad ar gyfer z^4 yn nhermau 4θ.

c) Defnyddiwch eich atebion i rannau **a** a **b** i fynegi $\cos 4\theta$ yn nhermau $\cos\theta$ a $\sin\theta$.

d) Drwy hynny, dangoswch fod modd ysgrifennu $\cos 4\theta$ yn y ffurf $k(\cos^m\theta - \cos^n\theta) + p$, lle mae k, m, n, p yn gyfanrifau. Nodwch werthoedd k, m, n, p. **(SQA/CSYS)**

14 Defnyddiwch theorem de Moivre i ddangos bod

$$\sin 5\theta = a\cos^4\theta\sin\theta + b\cos^2\theta\sin^3\theta + c\sin^5\theta$$

lle mae a, b ac c yn gyfanrifau sydd i'w darganfod.

Drwy hynny, dangoswch fod

$$\frac{\sin 5\theta}{\sin\theta} = 16\cos^4\theta - 12\cos^2\theta + 1 \quad (\theta \neq k\pi, \text{ lle mae } k \in \mathbb{Z})$$

Drwy ddefnyddio'r amnewid $x = 2\cos\theta$, darganfyddwch, mewn ffurf trigonometrig, wreiddiau'r hafaliad

$$x^4 - 3x^2 + 1 = 0$$

Drwy hynny, neu fel arall, dangoswch fod

$$\cos^2\left(\frac{1}{5}\pi\right) + \cos^2\left(\frac{2}{5}\pi\right) = \frac{3}{4}$$ **(NEAB)**

15 Darganfyddwch bob un o wreiddiau'r hafaliad $z^5 - 1 = 0$ yn y ffurf $r(\cos\theta + \mathrm{i}\sin\theta)$, lle mae $r > 0$ a $-\pi < \theta \leqslant \pi$.

a) O wybod mai α yw gwreiddyn cymhlyg yr hafaliad hwn gyda'r arg positif lleiaf, dangoswch fod modd ysgrifennu gwreiddiau $z^5 - 1 = 0$ fel $1, \alpha, \alpha^2, \alpha^3, \alpha^4$.

b) Dangoswch fod $\alpha^4 = \alpha^*$, a thrwy hynny, neu fel arall, darganfyddwch $z^5 - 1$ ar ffurf lluoswm ffactorau real llinol a chwadratig, gan roi'r cyfernodau yn nhermau cyfanrifau a chosinau.

c) Dangoswch hefyd fod

$$z^5 - 1 = (z - 1)(z^4 + z^3 + z^2 + z + 1)$$

a thrwy hynny, neu fel arall, darganfyddwch $\cos\left(\frac{2}{5}\pi\right)$,

gan roi eich ateb yn nhermau syrdiau. **(EDEXCEL)**

16 **a)** Defnyddiwch anwytho mathemategol i brofi, pan fo n yn gyfanrif positif, fod

$$(\cos\theta + \mathrm{i}\sin\theta)^n = \cos n\theta + \mathrm{i}\sin n\theta$$

b) Drwy hynny, dangoswch fod

$$\sin 5\theta = 16\sin^5\theta - 20\sin^3\theta + 5\sin\theta$$ **(EDEXCEL)**

17 Yn yr hafaliad polynomaidd

$$a_n z^n + a_{n-1} z^{n-1} + \ldots + a_0 = 0$$

mae'r cyfernodau $a_n, a_{n-1}, \ldots, a_0$ i gyd yn real.
O wybod bod $x + \mathrm{i}y$ yn wreiddyn yr hafaliad, dangoswch fod y cyfiau cymhlyg $x - \mathrm{i}y$ hefyd yn wreiddyn.

Dangoswch fod $e^{\pi i/6}$ yn un gwreiddyn yr hafaliad $z^3 = \mathrm{i}$.
Darganfyddwch y ddau wreiddyn arall a nodwch y pwyntiau sy'n cynrychioli'r tri gwreiddyn hyn ar ddiagram Argand. Dangoswch fod y tri gwreiddyn hyn hefyd yn wreiddiau'r hafaliad

$$z^6 + 1 = 0$$

ac ysgrifennwch dri gwreiddyn arall yr hafaliad hwn.
Drwy hynny, neu fel arall, mynegwch $z^6 + 1$ fel lluoswm tri ffactor cwadratig gyda chyfernodau ar ffurf cyfanrifau neu syrdiau. **(NEAB)**

Trawsffurfiadau mewn plân cymhlyg

Mae angen i ni allu trawsffurfio locysau syml mewn plân cymhlyg, megis llinellau syth a chylchoedd, yn locysau newydd, sydd eto fel arfer yn llinellau syth a chylchoedd.

Y dull a ddefnyddiwn fel arfer yw adnabod y pwynt cyffredinol ar y locws gwreiddiol a darganfod ei ddelwedd.

Enghraifft 23 O dan y trawsffurfiad $w = z^2$, darganfyddwch ddelwedd

a) cylch, canol O, radiws 3, a

b) llinell $\arg z = \frac{\pi}{2}$.

DATRYSIAD

Y locws gwreiddiol yw $z \equiv x + \mathrm{i}y$, a'r locws newydd yw $w \equiv u + \mathrm{i}v$.

a) Y pwynt cyffredinol ar y cylch gwreiddiol yw $z = 3\mathrm{e}^{\mathrm{i}\theta}$, neu $z = 3\cos\theta + 3\mathrm{i}\sin\theta$.
Ei bwynt delwedd yw $w = z^2 = 9\mathrm{e}^{2\mathrm{i}\theta}$, neu $z = 9(\cos 2\theta + \mathrm{i}\sin 2\theta)$.
Felly mae locws y ddelwedd yn gylch, canol O, radiws 9.

b) Y pwynt cyffredinol ar y llinell $\arg z = \frac{\pi}{2}$ yw

$$z = r\mathrm{e}^{\mathrm{i}\pi/2} = r\left[\cos\left(\frac{\pi}{2}\right) + \mathrm{i}\sin\left(\frac{\pi}{2}\right)\right]$$

$$\Rightarrow \quad z = \mathrm{i}r$$

Felly, cawn ar gyfer y pwynt delwedd

$$w = z^2 = r^2\mathrm{e}^{\mathrm{i}\pi} \quad \text{neu} \quad -r^2$$

Felly mae locws y ddelwedd yn llinell ar hyd yr echelin real yn y cyfeiriad negatif o O.

Enghraifft 24 Darganfyddwch y ddelwedd o dan y trawsffurfiad $w = \frac{2 + z}{\mathrm{i} - z}$,

lle mae z yn cynrychioli'r cylch $|z| = 1$.

DATRYSIAD

I ddarganfod delwedd $|z| = k$, rydym fel arfer yn mynegi z yn nhermau w ac wedyn yn defnyddio'r mynegiad hwn gyda $|z| = k$.

Felly, cawn

$$w(\mathrm{i} - z) = 2 + z$$

$$\Rightarrow \quad w\mathrm{i} - 2 = (1 + w)z$$

$$\Rightarrow \quad z = \frac{w\mathrm{i} - 2}{1 + w}$$

Defnyddiwn hwn gyda $|z| = 1$, a chawn

$$|wi - 2| = |1 + w|$$

Nawr rhown $|wi - 2| = |i|\,|w + 2i|$, ac felly cawn

$$|w + 2i| = |1 + w| \quad \text{(oherwydd bod } |i| = 1)$$

Felly, y locws yw hanerydd perpendicwlar y llinell sy'n cysylltu $-2i$ â -1 (gweler tudalen 13).

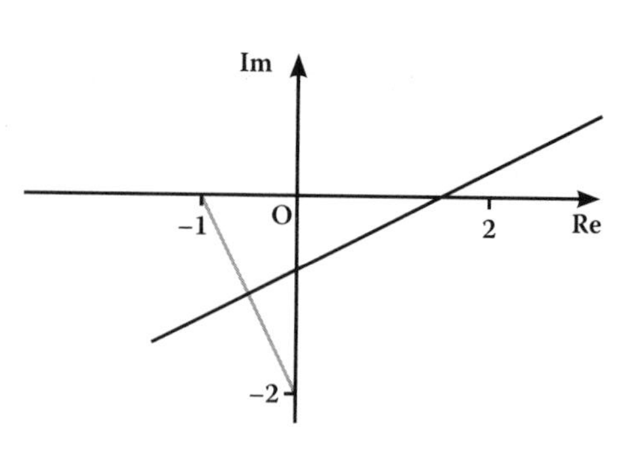

Enghraifft 25 Darganfyddwch ddelwedd cylch, canol O, radiws 1, o dan y trawsffurfiad $w = \dfrac{1}{1 - z}$.

DATRYSIAD

Y pwynt cyffredinol ar y cylch gwreiddiol yw $z = e^{i\theta}$ neu $z = \cos\theta + i\sin\theta$. Felly, cawn

$$w = \frac{1}{1 - e^{i\theta}} = \frac{1}{1 - \cos\theta - i\sin\theta}$$

Noder Peidiwch â defnyddio

$$w = \frac{1}{1 - e^{i\theta}} = \frac{1 - e^{-i\theta}}{(1 - e^{i\theta})(1 - e^{-i\theta})}$$

gan mai **nid** $1 - e^{-i\theta}$ yw cyfiau cymhlyg $1 - e^{i\theta}$.

Lluoswn y rhifiadur a'r enwadur ag $1 - \cos\theta + i\sin\theta$, a chawn

$$w = \frac{1}{1 - \cos\theta - i\sin\theta} = \frac{1 - \cos\theta + i\sin\theta}{(1 - \cos\theta - i\sin\theta)(1 - \cos\theta + i\sin\theta)}$$

$$= \frac{1 - \cos\theta + i\sin\theta}{(1 - \cos\theta)^2 + \sin^2\theta}$$

Gan ddefnyddio $\cos^2\theta + \sin^2\theta = 1$, cawn

$$w = \frac{1 - \cos\theta + i\sin\theta}{2 - 2\cos\theta}$$

$$= \frac{1}{2} + \frac{i\sin\theta}{2 - 2\cos\theta}$$

Gan ddefnyddio'r unfathiannau hanner-ongl ar gyfer $\sin\theta$ a $\cos\theta$, cawn

$$w = \frac{1}{2} + \frac{i}{2}\cot\left(\frac{\theta}{2}\right)$$

sy'n rhoi $u = \frac{1}{2}$, gan fod $w = u + iv$.

Felly, locws w yw'r llinell syth, $u = \frac{1}{2}$.

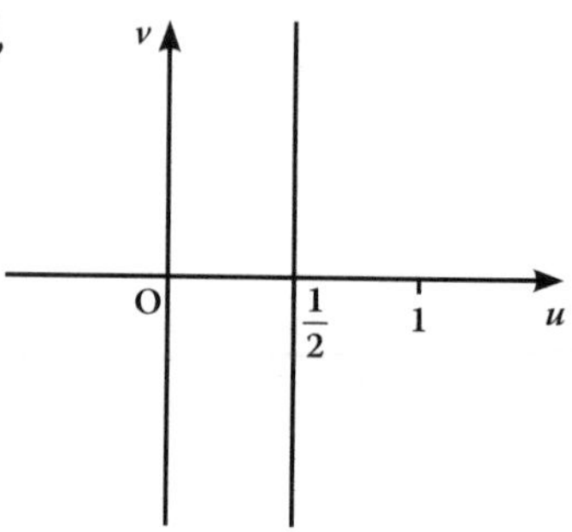

Enghraifft 26 Darganfyddwch ddelwedd $|z| = 2$ o dan y trawsffurfiad $w = 2z - \dfrac{3}{z}$.

DATRYSIAD

Y pwynt cyffredinol ar y cylch gwreiddiol yw $z = 2e^{i\theta}$, neu $z = 2\cos\theta + 2i\sin\theta$.
Felly, cawn

$$w = 4\cos\theta + 4i\sin\theta - \frac{3}{2(\cos\theta + i\sin\theta)}$$

$$= 4\cos\theta + 4i\sin\theta - \frac{3}{2}(\cos\theta - i\sin\theta)$$

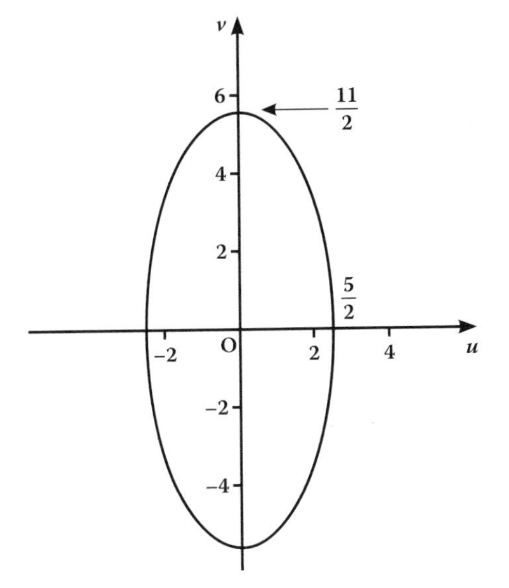

sy'n rhoi

$$u + iv = \frac{5}{2}\cos\theta + \frac{11}{2}i\sin\theta$$

$$\Rightarrow \quad u = \frac{5}{2}\cos\theta \quad \text{a} \quad v = \frac{11}{2}\sin\theta$$

Drwy ddileu $\cos\theta$ a $\sin\theta$, cawn

$$\left(\frac{2u}{5}\right)^2 + \left(\frac{2v}{11}\right)^2 = 1$$

$$\Rightarrow \quad \frac{4u^2}{25} + \frac{4v^2}{121} = 1$$

Felly, mae'r ddelwedd yn elips sydd â'r hafaliad uchod.

Enghraifft 27 Darganfyddwch ddelwedd $|z - 7| = 7$ o dan y trawsffurfiad $w = \dfrac{28}{z}$ $(z \neq 0)$.

DATRYSIAD

Pwynt cyffredinol $|z - 7| = 7$ yw $z = 7 + 7\cos\theta + 7i\sin\theta$.
Drwy hynny, cawn

$$w = \frac{28}{7 + 7\cos\theta + 7\,i\sin\theta}$$

$$= \frac{4}{1 + \cos\theta + i\sin\theta}$$

$$= \frac{4(1 + \cos\theta - i\sin\theta)}{(1 + \cos\theta + i\sin\theta)(1 + \cos\theta - i\sin\theta)}$$

$$= \frac{4(1 + \cos\theta - i\sin\theta)}{(1 + \cos\theta)^2 + \sin^2\theta}$$

$$= \frac{4(1 + \cos\theta - i\sin\theta)}{2 + 2\cos\theta} = 2 - \frac{4\,i\sin\theta}{2 + 2\cos\theta}$$

Gan ddefnyddio'r unfathiannau hanner-ongl ar gyfer sin θ a cos θ, cawn

$$u + \mathrm{i}v = 2 - 2\mathrm{i} \tan\left(\frac{\theta}{2}\right)$$

sy'n rhoi $u = 2$.

Y llinell hon, $u = 2$, yw $|w - 4| = |w|$, sy'n hanerydd perpendicwlar y llinell sy'n cysylltu 0 a 4.

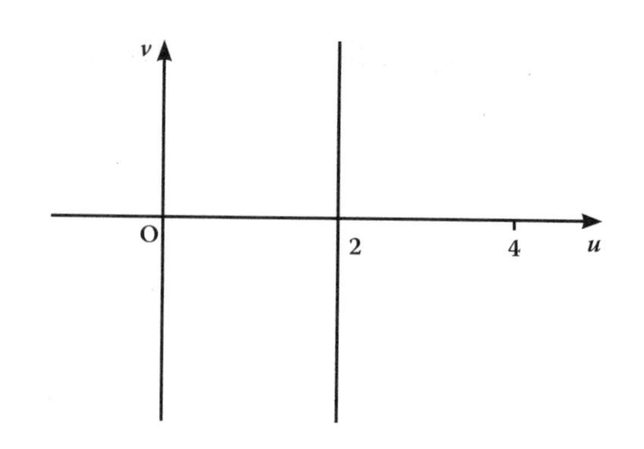

Noder Gallem fod wedi darganfod y ddelwedd o

$$|z - 7| = 7 \quad \Rightarrow \quad \left|\frac{28}{w} - 7\right| = 7$$

$$|28 - 7w| = 7|w|$$

sy'n rhoi $|w| = |w - 4|$, fel sydd ei angen.

Enghraifft 28 Darganfyddwch ddelwedd y llinell syth $3x + 2y = 8$ o dan y trawsffurfiad $w = \dfrac{1}{2 - z}$.

DATRYSIAD

Dechreuwn drwy fynegi $z \equiv x + \mathrm{i}y$ yn nhermau $w = u + \mathrm{i}v$:

$$w = \frac{1}{2 - z} \quad \Rightarrow \quad z = 2 - \frac{1}{w}$$

$$\Rightarrow \quad x + \mathrm{i}y = 2 - \frac{1}{u + \mathrm{i}v}$$

$$= 2 - \frac{u - \mathrm{i}v}{u^2 + v^2}$$

Felly, cawn

$$x = 2 - \frac{u}{u^2 + v^2} \qquad y = \frac{v}{u^2 + v^2}$$

Gan ddefnyddio'r gwerthoedd hyn yn hafaliad y llinell, $3x + 2y = 8$, cawn

$$3\left(2 - \frac{u}{u^2 + v^2}\right) + 2\left(\frac{v}{u^2 + v^2}\right) = 8$$

$$\Rightarrow \quad 6(u^2 + v^2) - 3u + 2v = 8(u^2 + v^2)$$

$$\Rightarrow \quad u^2 + v^2 + \frac{3}{2}u - v = 0$$

sy'n rhoi

$$\left(u + \frac{3}{4}\right)^2 + \left(v - \frac{1}{2}\right)^2 = \frac{13}{16}$$

Mae hwn yn hafaliad cylch, canol $\left(-\frac{3}{4}, \frac{1}{2}\right)$ neu $-\frac{3}{4} + \frac{1}{2}\mathrm{i}$, radiws $\frac{1}{4}\sqrt{13}$.

Ymarfer 15D

1 Ar gyfer y trawsffurfiad $w = z^2$, darganfyddwch locws w pan fo

a) z yn gorwedd ar gylch, canol O, radiws 5

b) z yn gorwedd ar yr echelin real

c) z yn gorwedd ar yr echelin ddychmygol.

2 Ar gyfer y trawsffurfiad $w^2 = z$, darganfyddwch locws w pan fo

a) z yn gorwedd ar gylch, canol O, radiws 5

b) z yn gorwedd ar gylch, canol O, radiws 2

c) z yn gorwedd ar yr echelin ddychmygol.

3 Ar gyfer y trawsffurfiad $w = z^2$, dangoswch mai locws w, pan fo z yn symud ar hyd llinell $y = k$, yw parabola. Darganfyddwch ei hafaliad.

4 Ar gyfer y trawsffurfiad $w = \dfrac{z + \mathrm{i}}{\mathrm{i}z + 2}$, darganfyddwch

a) locws w pan fo z yn gorwedd ar yr echelin real

b) locws w pan fo z yn gorwedd ar yr echelin ddychmygol

c) unrhyw bwyntiau sefydlog.

5 Ar gyfer y trawsffurfiad $w = 3z + 2\mathrm{i} - 5$, darganfyddwch locws w ar gyfer $|z| = 4$.

6 **a)** Ar gyfer y trawsffurfiad $w = \dfrac{az + b}{z + c}$, lle mae $a, b, c \in \mathbb{R}$, darganfyddwch a, b ac c o wybod bod $w = 3\mathrm{i}$ pan fo $z = -3\mathrm{i}$, ac $w = 1 - 4\mathrm{i}$ pan fo $z = 1 + 4\mathrm{i}$.

b) Dangoswch fod y pwyntiau lle mae $w = \bar{z}$ yn gorwedd ar gylch. Darganfyddwch ei ganol a'i radiws.

7 Darganfyddwch y ddelwedd o dan y trawsffurfiad $w = \dfrac{3\mathrm{i} + z}{2 - z}$, lle mae z yn cynrychioli'r cylch $|z| = 3$.

8 Darganfyddwch ddelwedd $|z| = 3$ o dan y trawsffurfiad $w = 3z + \dfrac{4}{z}$.

9 Darganfyddwch ddelwedd $|z - 5| = 5$ o dan y trawsffurfiad $w = \dfrac{30}{z}$ $(z \neq 0)$.

10 Mae'r pwynt P yn y diagram Argand yn cynrychioli'r rhif cymhlyg z.

a) O wybod bod $|z| = 1$, brasluniwch locws P.

Y pwynt Q yw delwedd P o dan y trawsffurfiad

$$w = \frac{1}{z - 1}$$

b) O wybod bod $z = \mathrm{e}^{\mathrm{i}\theta}$, $0 < \theta < 2\pi$, dangoswch fod $w = -\frac{1}{2} - \frac{1}{2}\mathrm{i}\cot\frac{1}{2}\theta$

c) Lluniwch fraslun arall i ddangos locws Q. **(EDEXCEL)**

11 **i)** Datryswch yr hafaliad $z^3 + 8\text{i} = 0$, gan roi eich atebion yn y ffurf $r\text{e}^{\text{i}\theta}$, lle mae $r > 0$ a $-\pi \leqslant \theta < \pi$.

ii) Mae'r pwynt P yn cynrychioli'r rhif cymhlyg z mewn diagram Argand. O wybod bod $|z - 3\text{i}| = 2$,

a) brasluniwch locws P ar ddiagram Argand.

Rhoddir y trawsffurfiadau T_1, T_2 a T_3 o'r plân-z i'r plân-w gan

T_1 : $w = \text{i}z$

T_2 : $w = 3z$

T_3 : $w = z^*$

b) Disgrifiwch yn fanwl gywir locws delwedd P o dan bob un o'r trawsffurfiadau hyn. **(EDEXCEL)**

12 Rhoddir trawsffurfiad T o'r plân-z i'r plân-w gan

$$w = \frac{z+1}{z-1} \qquad z \neq 1$$

Darganfyddwch ddelwedd y cylch $|z| = 1$, $z \neq 1$, yn y plân-w, o dan y trawsffurfiad T. **(EDEXCEL)**

13 Rhoddir y trawsffurfiad T o'r plân-z i'r plân-w gan

$$w = \frac{1}{z-2} \qquad z \neq 2$$

lle mae $z = x + \text{i}y$ ac $w = u + \text{i}v$.

Dangoswch fod y llinell syth sydd â'r hafaliad $2x + y = 5$ yn cael ei thrawsffurfio o dan T i gylch yn y plân-w sydd â chanol $(1, -\frac{1}{2})$ a radiws $\frac{1}{2}\sqrt{5}$. **(EDEXCEL)**

14 Diffinnir y rhifau cymhlyg z ac w gan

$$z = \text{e}^{(1+2\text{i})\phi} \qquad \text{ac} \qquad w = \frac{z}{1+\text{i}}$$

lle mae ϕ yn real.

a) **i)** Dangoswch fod $|z| = \text{e}^{\phi}$ ac $\arg z = 2\phi$.

ii) Mewn diagram Argand, cynrychiolir z gan y pwynt P. Brasluniwch locws P pan fo ϕ yn amrywio o 0 i π.

b) **i)** Dangoswch mai rhan ddychmygol w yw

$$\frac{1}{2}\text{e}^{\phi}(\sin 2\phi - \cos 2\phi)$$

ii) Darganfyddwch werthoedd ϕ yn y cyfwng $0 \leqslant \phi \leqslant \pi$ fel bod w yn real. **(NEAB)**

15 O wybod bod $z = x + \text{i}y$ ac $w = u + \text{i}v$ yn rhifau cymhlyg sydd â'r berthynas rhyngddynt yn $w = \dfrac{1}{z} + 1$, darganfyddwch fynegiadau ar gyfer u a v yn nhermau x ac y.

Cynrychiolir y rhifau cymhlyg z ac w gan y pwyntiau P a Q yn ôl eu trefn mewn diagram Argand. O wybod bod P yn symud ar hyd y llinell $y = 2x$, dangoswch fod Q yn symud ar hyd y llinell $2u + v - 2 = 0$. **(CBAC)**

16 Cyfesurynnau cynhenid

It is no paradox to say that in our most theoretical moods we may be nearest to our practical applications.
ALFRED NORTH WHITEHEAD

Rydym eisoes wedi gweld bod modd rhoi safle pwynt ar gromlin (ac felly hafaliad y gromlin) yn nhermau:

- cyfesurynnau Cartesaidd (x, y), neu
- cyfesurynnau pegynlinol (r, θ) (gweler tudalennau 43–56).

Gallwn hefyd ddiffinio safle pwynt ar gromlin drwy ddefnyddio **cyfesurynnau cynhenid** (s, ψ), lle mae s yn hyd yr arc o bwynt sefydlog i'r pwynt a roddir, a ψ yw'r ongl sy'n cael ei ffurfio rhwng y tangiad i'r gromlin yn y pwynt hwnnw a'r echelin-x.

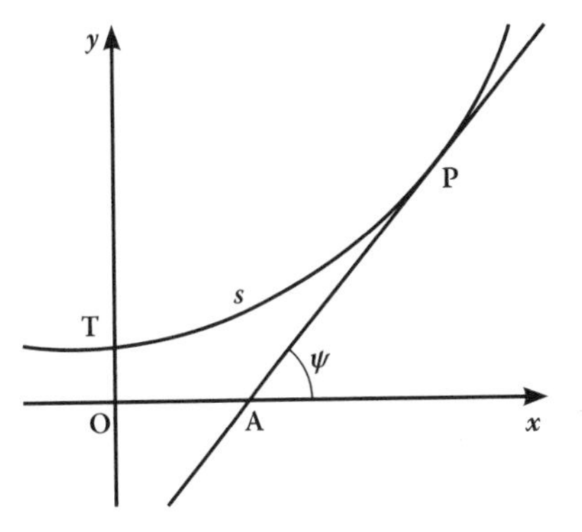

Felly, gan gyfeirio at y diagram ar y dde, byddai cyfesurynnau cynhenid yn rhoi safle'r pwynt P yn nhermau hyd arc PT a'r ongl sy'n cael ei ffurfio rhwng PA ac Ox.

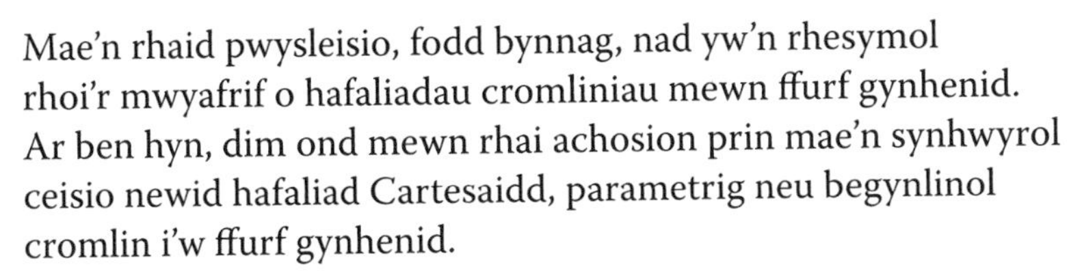

Mae'n rhaid pwysleisio, fodd bynnag, nad yw'n rhesymol rhoi'r mwyafrif o hafaliadau cromliniau mewn ffurf gynhenid. Ar ben hyn, dim ond mewn rhai achosion prin mae'n synhwyrol ceisio newid hafaliad Cartesaidd, parametrig neu begynlinol cromlin i'w ffurf gynhenid.

Ond mae dwy gromlin sy'n haws eu trin yn eu ffurf gynhenid. Y rhain yw'r **catena** (gweler Enghraifft 2, ar dudalennau 365–6) a'r **cylchoid** (gweler Enghraifft 3, ar dudalennau 366–7).

Ffwythiannau trigonometrig ψ

Drwy ystyried graddiant tangiad, cawn

$$\frac{dy}{dx} = \tan \psi$$

Wrth i ni ddeillio hyd arc cromlin (gweler tudalennau 250–3), gwnaethom ddarganfod bod

$$\frac{ds}{dx} = \sqrt{1 + \left(\frac{dy}{dx}\right)^2}$$

$$\Rightarrow \quad \frac{ds}{dx} = \sqrt{1 + \tan^2 \psi}$$

Gan ddefnyddio'r unfathiant $1 + \tan^2 \psi = \sec^2 \psi$, cawn

$$\frac{ds}{dx} = \sec \psi$$

$$\Rightarrow \quad \cos \psi = \frac{dx}{ds}$$

Gan ddefnyddio $\sin \psi = \tan \psi \cos \psi$, cawn

$$\sin \psi = \frac{dy}{dx}\frac{dx}{ds}$$

$$\Rightarrow \quad \sin \psi = \frac{dy}{ds}$$

Radiws crymedd

Boed i P a Q fod yn bwyntiau ar y gromlin sydd â chyfesurynnau cynhenid (s, ψ) ac $(s + \delta s, \psi + \delta\psi)$ yn ôl eu trefn. Felly, δs yw hyd PQ.

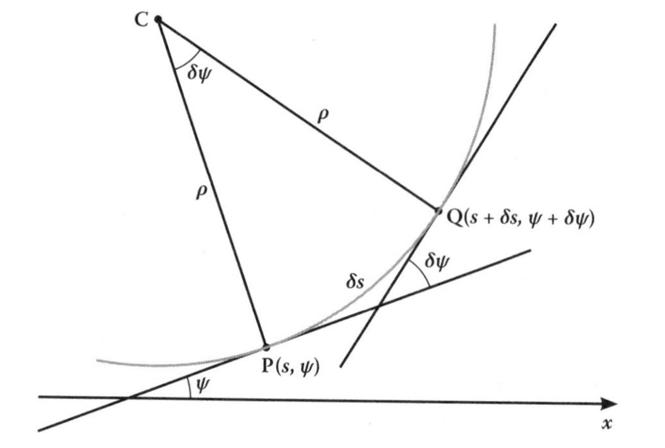

Os yw δs yn ddigon bychan, gallwn gymryd bod PQ yn segment cylch.

Os C yw canol y cylch sy'n mynd drwy P a Q, yna'r ongl PCQ yw $\delta\psi$.

Boed i ρ fod yn radiws y crymedd yn P. Felly, hyd PQ yw $\rho\delta\psi$. Hynny yw,

$$\delta s = \rho\delta\psi \quad \Rightarrow \quad \rho = \frac{\delta s}{\delta\psi}$$

Wrth i $\delta s \to 0$, mae hyn yn rhoi

$$\text{Radiws crymedd} = \rho = \frac{ds}{d\psi}$$

I ddarganfod y radiws crymedd yn nhermau x ac y, mae'n rhaid differu $\frac{dy}{dx} = \tan \psi$ mewn perthynas ag x, sy'n rhoi

$$\frac{d^2y}{dx^2} = \frac{d}{dx}(\tan \psi)$$

$$\Rightarrow \quad \frac{d^2y}{dx^2} = \frac{d}{d\psi}(\tan \psi)\frac{d\psi}{dx} = (\sec^2 \psi)\frac{d\psi}{dx}$$

$$\Rightarrow \quad \frac{dx}{d\psi} = \frac{\sec^2\psi}{\frac{d^2y}{dx^2}}$$

Gan ddefnyddio $\rho = \frac{ds}{d\psi} = \frac{ds}{dx}\frac{dx}{d\psi}$ ac amnewid ar gyfer $\frac{ds}{dx}$ a $\frac{dx}{d\psi}$, cawn

$$\rho = \sqrt{1+\left(\frac{dy}{dx}\right)^2}\left(\frac{\sec^2\psi}{\frac{d^2y}{dx^2}}\right)$$

$$\Rightarrow \quad \rho = \frac{\sqrt{1+\left(\frac{dy}{dx}\right)^2}\,(1+\tan^2\psi)}{\frac{d^2y}{dx^2}} = \frac{\sqrt{1+\left(\frac{dy}{dx}\right)^2}\left[1+\left(\frac{dy}{dx}\right)^2\right]}{\frac{d^2y}{dx^2}}$$

sy'n rhoi

$$\rho = \frac{\left[1+\left(\frac{dy}{dx}\right)^2\right]^{\frac{3}{2}}}{\frac{d^2y}{dx^2}} \qquad [1]$$

Pan roddir x ac y yn nhermau paramedr t, gallwn ddarganfod $\frac{dx}{dt}$ a $\frac{dy}{dt}$, ac felly $\frac{dy}{dx}$, yn nhermau t.

Mae gennym

$$\frac{d^2y}{dx^2} = \frac{d}{dx}\left(\frac{dy}{dx}\right)$$

$$\Rightarrow \quad \frac{d^2y}{dx^2} = \frac{d}{dt}\left(\frac{dy}{dx}\right)\frac{dt}{dx}$$

$$\Rightarrow \quad \frac{d^2y}{dx^2} = \frac{d}{dt}\left(\frac{dy}{dt}\frac{dt}{dx}\right)\frac{dt}{dx}$$

Gan ddefnyddio $\dot{y}$ ac $\dot{x}$ i ddangos ein bod wedi differu mewn perthynas â t (gweler tudalen 252), cawn

$$\dot{y} \equiv \frac{dy}{dt} \quad \text{ac} \quad \ddot{y} \equiv \frac{d^2y}{dt^2}$$

$$\dot{x} \equiv \frac{dx}{dt} \quad \text{ac} \quad \ddot{x} \equiv \frac{d^2x}{dt^2}$$

sy'n rhoi

$$\frac{d^2y}{dx^2} = \frac{d}{dt}\left(\frac{\dot{y}}{\dot{x}}\right)\frac{1}{\dot{x}}$$

Gan gofio bod $\frac{\dot{y}}{\dot{x}}$ yn gyniferydd, darganfyddwn

$$\frac{d^2y}{dx^2} = \left(\frac{\ddot{y}\dot{x}-\ddot{x}\dot{y}}{\dot{x}^2}\right)\frac{1}{\dot{x}} = \frac{\ddot{y}\dot{x}-\ddot{x}\dot{y}}{\dot{x}^3}$$

Amnewidiwn y mynegiad hwn yn [1], a chawn

$$\rho = \frac{\left[1 + \left(\frac{\dot{y}}{\dot{x}}\right)^2\right]^{\frac{3}{2}}}{\frac{\ddot{y}\dot{x} - \ddot{x}\dot{y}}{\dot{x}^3}} \quad \Rightarrow \quad \rho = \frac{(\dot{x}^2 + \dot{y}^2)^{\frac{3}{2}}}{\ddot{y}\dot{x} - \ddot{x}\dot{y}}$$

Felly, rhoddir y radiws crymedd gan

$$\rho = \frac{\left[1 + \left(\frac{\mathrm{d}y}{\mathrm{d}x}\right)^2\right]^{\frac{3}{2}}}{\frac{\mathrm{d}^2y}{\mathrm{d}x^2}} \quad \text{neu} \quad \rho = \frac{(\dot{x}^2 + \dot{y}^2)^{\frac{3}{2}}}{\ddot{y}\dot{x} - \ddot{x}\dot{y}} \quad \text{neu} \quad \rho = \frac{\mathrm{d}s}{\mathrm{d}\psi}$$

Enghraifft 1 Darganfyddwch radiws crymedd yr hyperbola petryal $y = \frac{16}{x}$, o wybod mai ei gyfesurynnau parametrig yw $x = 4t$, $y = \frac{4}{t}$.

DATRYSIAD

Dull 1

Defnyddiwn y dull sy'n cael ei argymell, sef cadw at y ffurf barametrig. Felly, cawn

$$\dot{x} = 4 \quad \Rightarrow \quad \ddot{x} = 0 \qquad \dot{y} = -\frac{4}{t^2} \quad \Rightarrow \quad \ddot{y} = \frac{8}{t^3}$$

Amnewidiwn am $\dot{x}, \ddot{x}, \dot{y}$ ac $\ddot{y}$ yn

$$\rho = \frac{(\dot{x}^2 + \dot{y}^2)^{\frac{3}{2}}}{\ddot{y}\dot{x} - \ddot{x}\dot{y}}$$

lle mae ρ yn cynrychioli'r radiws crymedd, a chawn

$$\rho = \frac{t^3\left(16 + \frac{16}{t^4}\right)^{\frac{3}{2}}}{32}$$

$$\Rightarrow \quad \rho = 2t^3\left(1 + \frac{1}{t^4}\right)^{\frac{3}{2}}$$

Dull 2

Mae modd defnyddio'r ffurf Gartesaidd, sy'n rhoi $\frac{\mathrm{d}y}{\mathrm{d}x}$ yn hawdd ond bod $\frac{\mathrm{d}^2y}{\mathrm{d}x^2}$ yn dipyn mwy anodd ei gyfrifo, fel mae'r canlynol yn dangos.

Mae gennym

$$x = 4t \quad \Rightarrow \quad \frac{\mathrm{d}x}{\mathrm{d}t} = 4 \qquad y = \frac{4}{t} \quad \Rightarrow \quad \frac{\mathrm{d}y}{\mathrm{d}t} = -\frac{4}{t^2}$$

sy'n rhoi

$$\frac{\mathrm{d}y}{\mathrm{d}x} = \frac{\mathrm{d}y}{\mathrm{d}t}\frac{\mathrm{d}t}{\mathrm{d}x} = -\frac{4}{t^2} \times \frac{1}{4} \quad \Rightarrow \quad \frac{\mathrm{d}y}{\mathrm{d}x} = -\frac{1}{t^2}$$

Differwn unwaith eto i gael

$$\frac{d^2y}{dx^2} = \frac{d}{dx}\left(-\frac{1}{t^2}\right)$$

$$\Rightarrow \quad \frac{d^2y}{dx^2} = \frac{d}{dt}\left(-\frac{1}{t^2}\right)\frac{dt}{dx} = \frac{2}{t^3} \times \frac{1}{4} = \frac{1}{2t^3}$$

Amnewidiwn am $\frac{dy}{dx}$ a $\frac{d^2y}{dx^2}$ yn

$$\rho = \frac{\left[1 + \left(\frac{dy}{dx}\right)^2\right]^{\frac{3}{2}}}{\frac{d^2y}{dx^2}}$$

lle mae ρ yn cynrychioli'r radiws crymedd, a chawn

$$\Rightarrow \quad \rho = 2t^3\left(1 + \frac{1}{t^4}\right)^{\frac{3}{2}}$$

Darganfod hafaliadau cynhenid

Enghraifft 2 Mae $y = \cosh x$ yn mynd drwy'r pwynt (0, 1). Darganfyddwch hafaliad cynhenid y gromlin.

DATRYSIAD

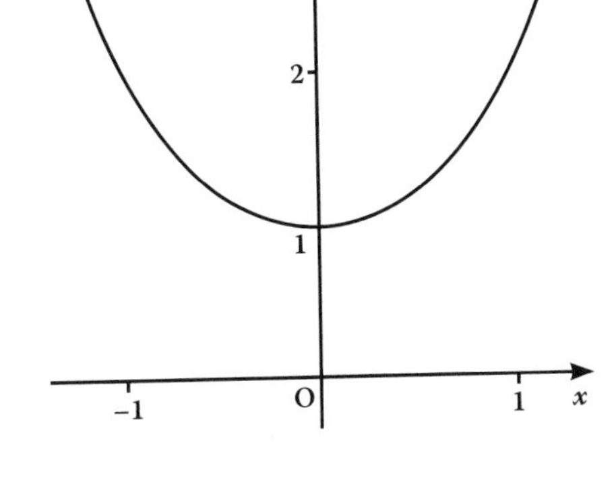

Rydym yn gwybod bod

$$s = \int \sqrt{1 + \left(\frac{dy}{dx}\right)^2}\, dx$$

sy'n rhoi

$$s = \int \sqrt{1 + \sinh^2 x}\, dx$$

$$\Rightarrow \quad s = \int \cosh x\, dx = \sinh x + c$$

Pan fo $x = 0$, mae $s = 0$, sy'n rhoi $c = 0$. Felly, darganfyddwn

$$s = \sinh x$$

Nawr mae $\frac{dy}{dx} = \sinh x$. Felly, gan ddefnyddio $\tan \psi = \frac{dy}{dx}$ (gweler tudalen 361), cawn

$$\sinh x = \tan \psi$$

Oherwydd bod $s = \sinh x$, cawn

$$s = \tan \psi$$

Mae hwn yn hafaliad lle mae s a ψ yn unig newidynnau.
Felly, hafaliad cynhenid $y = \cosh x$ yw $s = \tan \psi$.

Mae'r gromlin $y = \cosh x$ (y daethom ar ei thraws ar dudalennau 189 ac 190) yn **gatena**.

Y catena yw'r siâp a ffurfir gan gebl hyblyg, unffurf a thrwm pan fo'n hongian yn rhydd rhwng dau bwynt. Enghraifft yw rhaff angori lac rhwng llong a'r cei. Mewn pontydd crog mawr, lle defnyddir ceblau trwm, mae'r gromlin sy'n cael ei ffurfio gan y ceblau weithiau'n agos at fod yn gatena.

Hafaliad cynhenid safonol catena yw $s = a \tan \psi$, lle mae a yn cynrychioli'r rhyngdoriad-y.
Mae hyn yn cyfateb i'r hafaliad Cartesaidd safonol $y = a \cosh\left(\frac{x}{a}\right)$.

Cromlin arall o ddiddordeb ymarferol (er enghraifft, fel proffil ochrol dannedd rhai olwynion gêr) yw'r **cylchoid**. Hwn yw locws pwynt sefydlog ar gylchyn cylch sy'n rholio ar hyd llinell sail syth a sefydlog, fel y gwelir isod.

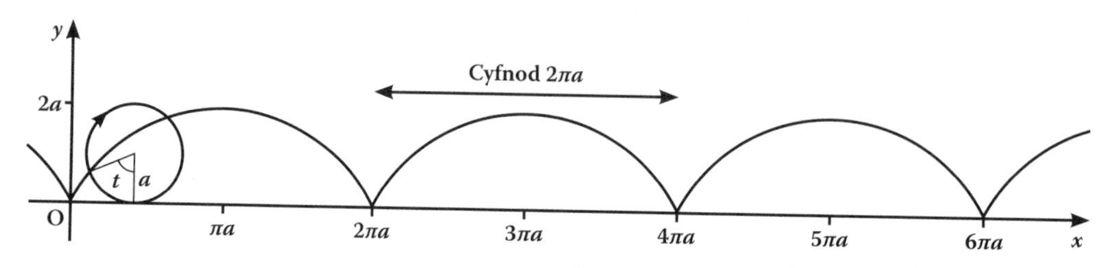

Nodwch fod y pellter rhwng cysbau olynol yn $2\pi a$, lle mae a yn dynodi radiws y cylch sy'n rholio. Felly, mae'r cylchoid yn **gyfnodol**, â'i gyfnod yn $2\pi a$.

Mae hafaliad Cartesaidd cylchoid yn anodd ei ddeillio,
felly rydym fel arfer yn gweithio gyda'i hafaliadau parametrig

$$x = a(t - \sin t) \quad \text{ac} \quad y = a(1 - \cos t)$$

lle mae t yn cynrychioli ongl ganolog y cylch, fel y gwelir yn y diagram.

Enghraifft 3 Darganfyddwch hafaliad cynhenid y cylchoid.

DATRYSIAD

Rydym yn gwybod bod

$$s = \int \sqrt{\left(\frac{dx}{dt}\right)^2 + \left(\frac{dy}{dt}\right)^2}\, dt$$

Drwy ddifferu'r hafaliadau parametrig ar gyfer y cychloid a'u hamnewid yn yr uchod, cawn

$$s = \int \sqrt{a^2(1 - \cos t)^2 + a^2 \sin^2 t}\, dt$$

$$\Rightarrow \quad s = a \int \sqrt{2 - 2\cos t}\, dt$$

Gan ddefnyddio $\cos t \equiv 1 - 2\sin^2\left(\frac{t}{2}\right)$, cawn

$$s = a \int \sqrt{2 - 2\left[1 - 2\sin^2\left(\frac{t}{2}\right)\right]}\, dt = a \int 2 \sin\left(\frac{t}{2}\right) dt$$

sy'n rhoi

$$s = -\,4a \cos\left(\frac{t}{2}\right) + c \qquad [1]$$

Gan ddefnyddio

$$\tan\psi = \frac{dy}{dx} = \frac{dy}{dt}\frac{dt}{dx}$$

cawn

$$\tan\psi = \frac{\sin t}{1 - \cos t}$$

Gan ddefnyddio $\sin t \equiv 2\sin\left(\frac{t}{2}\right)\cos\left(\frac{t}{2}\right)$ a $\cos t \equiv 1 - 2\sin^2\left(\frac{t}{2}\right)$, cawn

$$\tan\psi = \frac{2\sin\left(\frac{t}{2}\right)\cos\left(\frac{t}{2}\right)}{1 - \left[1 - 2\sin^2\left(\frac{t}{2}\right)\right]} = \frac{2\sin\left(\frac{t}{2}\right)\cos\left(\frac{t}{2}\right)}{2\sin^2\left(\frac{t}{2}\right)}$$

sy'n rhoi

$$\tan\psi = \cot\left(\frac{t}{2}\right) = \tan\left(\frac{\pi}{2} - \frac{t}{2}\right)$$

$$\Rightarrow \quad \psi = \frac{\pi}{2} - \frac{t}{2} \quad \Rightarrow \quad \frac{t}{2} = \frac{\pi}{2} - \psi$$

Amnewidiwn am $\frac{t}{2}$ yn [1], a chawn

$$s = c - 4a\cos\left(\frac{\pi}{2} - \psi\right)$$

Felly, hafaliad cynhenid y cylchoid yw

$$s = c - 4a\sin\psi$$

Bydd gwerth c yn wahanol ar gyfer pob bwa sydd gan y cylchoid.

Ymarfer 16

Yng Nghwestiynau **1** i **8**, darganfyddwch radiws crymedd pob un o'r cromliniau yn y pwynt a nodir.

1 $y^2 = x^3 + 3$, yn $(1, 2)$.

2 $y = e^x$, yn $(1, e)$.

3 $y = \sin x$, pan fo $x = \frac{\pi}{3}$.

4 $y = x \ln x$, yn $(1, 0)$.

5 $x = t^3$, $y = t^2$, pan fo $t = 1$.

6 $x = ct$, $y = \frac{c}{t}$, pan fo $t = 2$.

7 $x = \cos^2 t$, $y = \sin^2 t$, pan fo $t = \frac{\pi}{4}$.

8 $x = a\cos^3 t$, $y = a\sin^3 t$, pan fo $t = \frac{\pi}{3}$.

9 Darganfyddwch y radiws crymedd, yn nhermau ψ, ar gyfer

a) $s = \psi^3 + \cos\psi$

b) $s = 3\psi + 4\psi\sin\psi$

c) $s = \psi\cos\psi + \psi^2$

10 Darganfyddwch hafaliad cynhenid y gromlin $y = \ln \sec x$, lle mae s yn cynrychioli'r pellter o'r tarddbwynt.

11 Hafaliad cynhenid cromlin yw $s = a \cos \psi$.

a) Cyfrifwch radiws crymedd y gromlin yn nhermau ψ.

b) Dangoswch fod y tangiad i'r gromlin yn y pwynt lle mae $s = 0$ yn baralel i'r echelin-y. (EDEXCEL)

12 Hafaliad y gromlin C yw $y = 3 \cosh \left(\frac{x}{3}\right)$.

a) Dangoswch mai'r radiws crymedd yn y pwynt ar C lle mae $x = t$, yw $3 \cosh^2 \left(\frac{t}{3}\right)$.

b) Darganfyddwch y radiws crymedd yn y pwynt lle mae $t = 1.5$, gan roi eich ateb i dri ffigur ystyrlon.

c) Darganfyddwch arwynebedd yr arwyneb a gynhyrchir pan fo arc C rhwng $x = -3$ ac $x = 3$ yn cael ei gylchdroi drwy 2π radian o amgylch yr echelin-x, gan roi eich ateb yn nhermau e a π. (EDEXCEL)

13 Hafaliadau parametrig cromlin yw $x = 4t - \frac{1}{3}t^3$, $y = 2t^2 - 8$.

i) Dangoswch mai'r radiws crymedd mewn pwynt cyffredinol $(4t - \frac{1}{3}t^3, 2t^2 - 8)$ ar y gromlin yw $\frac{1}{4}(4 + t^2)^2$.

ii) Darganfyddwch y craidd crymedd sy'n cyfateb i'r pwynt ar y gromlin a roddir gan $t = 3$.

Mae C yn dynodi arc y gromlin a roddir gan $0 \leqslant t \leqslant 2\sqrt{3}$.

iii) Darganfyddwch hyd yr arc C.

iv) Darganfyddwch arwynebedd yr arwyneb crwm a gynhyrchir pan gylchdroir yr arc C o amgylch yr echelin-y. (MEI)

14 Rhoddir cromlin yn barametrigol gan $x = e^{\theta}(2 \sin 2\theta + \cos 2\theta)$, $y = e^{\theta}(\sin 2\theta - 2 \cos 2\theta)$. P yw'r pwynt sy'n cyfateb i $\theta = 0$, a Q yw'r pwynt sy'n cyfateb i $\theta = \alpha$ (lle mae $\alpha > 0$).

i) Dangoswch mai graddiant y gromlin yn Q yw $\tan 2\alpha$, a darganfyddwch hyd arc y gromlin rhwng P a Q.

ii) Gan ddefnyddio cyfesurynnau cynhenid (s, ψ), lle mae s yn dynodi hyd arc y gromlin wedi'i mesur o P, a $\tan \psi = \frac{dy}{dx}$, dangoswch fod $s = 5(e^{\frac{1}{2}\psi} - 1)$.

iii) Darganfyddwch y radiws crymedd yn y pwynt Q.

iv) Dangoswch mai'r craidd crymedd sy'n cyfateb i'r pwynt Q yw

$$\left(\frac{1}{2}e^{\alpha}(2 \cos 2\alpha - \sin 2\alpha), \frac{1}{2}e^{\alpha}(2 \sin 2\alpha + \cos 2\alpha)\right).$$ (MEI)

17 Grwpiau

Cyn i'r gair 'grŵp' ymddangos mewn ysgrifau mathemategol, bu cyfnod hirach o ddatblygu pan oedd mathemategwyr yn cymhwyso canlyniadau damcaniaeth grŵp heb i'r cysyniad o grŵp gael ei ddiffinio'n fanwl.
WALTER PURKERT A HANS WUSSING

Gweithrediadau deuaidd ac unaidd

Rheol yw **gweithrediad deuaidd** (a ddynodir fel arfer gan $*$) sy'n cymryd pâr o elfennau trefnedig, a a b, ac yn rhoi trydedd elfen, c, wedi'i diffinio'n unigryw, fel bod $a * b = c$.
(Symbolau eraill sy'n cael eu defnyddio i gynrychioli gweithrediad deuaidd yw $\bigcirc$, $\otimes$ a $\oplus$.)

Er enghraifft, mae lluosi yn weithrediad deuaidd. Os ydym yn defnyddio $*$ i gynrychioli luosi, yna

$$4 * 3 = 4 \times 3 = 12$$

Mae adio hefyd yn weithrediad deuaidd. Os ydym yn defnyddio $*$ i gynrychioli adio, yna

$$6 * 3 = 6 + 3 = 9$$

Yr un modd ar gyfer rhannu, lle mae gennym

$$6 * 3 = \frac{6}{3} = 2$$

Ond nodwn **nad** yw'r weithred **yn gymudol** yn achos rhannu. Felly, mae gennym

$$3 * 6 = \frac{3}{6} = \frac{1}{2}$$

Hynny yw,

$$6 * 3 \neq 3 * 6$$

Yn gyffredinol, cawn

$$a * b \neq b * a$$

Felly, ar gyfer rhai gweithrediadau deuaidd, mae'r drefn y gosodwn yr elfennau yn gwneud gwahaniaeth.

Gweithrediadau unaidd

Gweithrediad unaidd yw gweithrediad sy'n defnyddio un elfen yn unig.
Er enghraifft, mae $a \to a^2$ yn weithrediad unaidd.

Rhifyddeg fodiwlaidd

Gallwn gyflawni gweithrediadau rhifyddol mewn gwahanol **fodwli**. I ddangos ein bod yn defnyddio modwlo arbennig, n dyweder, rydym yn ychwanegu (mod n) ar ôl cwblhau'r gwaith cyfrifo.

Cymerwch, er enghraifft, **luosi** dau gyfanrif mewn modwlo 6. Rydym yn lluosi'r ddau rif yr un fath ag arfer ac yna'n tynnu 6 dro ar ôl tro hyd nes bod yr ateb rhwng 0 a 5.

Felly, ar gyfer $3 \times 3 = 9$, cawn

$$3 \times 3 = 3 \pmod 6 \quad \text{gan fod } 9 - 6 = 3$$

Yr un modd, ar gyfer $5 \times 4 = 20$, cawn

$$5 \times 4 = 2 \pmod 6 \quad \text{gan fod } 20 - 6 - 6 - 6 = 2$$

Ac, ar gyfer $4 \times 3 = 12$, cawn

$$4 \times 3 = 0 \pmod 6 \quad \text{gan fod } 12 - 6 - 6 = 0$$

Mae **adio** modiwlaidd yn debyg i luosi. Tybiwch fod arnom eisiau adio dau gyfanrif mewn modwlo 4. Rydym yn eu hadio yr un fath ag arfer ac yna'n tynnu 4 dro ar ôl tro hyd nes bod yr ateb rhwng 0 a 3.

Er enghraifft, cawn

$$2 + 3 = 5 = 1 \pmod 4 \qquad 2 + 0 = 2 \pmod 4$$

$$1 + 3 = 4 = 0 \pmod 4 \qquad 3 + 3 = 2 \pmod 4$$

Enghraifft 1 Mynegwch 9×11 mewn modwlo 17.

DATRYSIAD

Mae gennym $9 \times 11 = 99$, sy'n newid i

$$9 \times 11 = 14 \pmod{17} \quad \text{gan fod } 99 - 17 - 17 - 17 - 17 - 17 = 14$$

Diffinio grŵp

Mae **grŵp** yn cynnwys

- set o elfennau (neu aelodau), G, ynghyd â
- gweithrediad deuaidd $*$ ar y set hon.

I fod yn grŵp, mae'n rhaid i G fodloni'r **pedair priodwedd** ganlynol (weithiau fe'u gelwir yn **wirebau**).

- **Caefa** Mae'n rhaid i G fod yn gaeedig. Mae hyn yn golygu os yw a a b yn aelodau o G, yna mae'n rhaid i $a * b$ hefyd fod yn aelod o G. Mae hyn yn cael ei ysgrifennu fel

  $a * b \in G$, am bob a a $b \in G$

- **Cysylltiadedd** Cyn belled ag y bydd eu trefn wreiddiol yn cael ei chadw, nid yw canlyniad cyfuno a, b ac c yn dibynnu ar ba barau cyfagos sy'n cael eu cyfuno gyntaf. Mae hyn yn cael ei ysgrifennu fel

  $(a * b) * c = a * (b * c)$, am bob a, b ac $c \in G$

- **Unfathiant** Mae elfen e yn G fel bod $a * e = e * a = a$ ar gyfer pob a yn G.
  Hynny yw, mae **elfen unfathiant** e yn G, nad yw yn newid unrhyw elfen arall.

- **Gwrthdroeon** Ar gyfer unrhyw elfen a yn G, mae **elfen wrthdro** a yn G, a ddynodir gan a^{-1}.
  Mae hyn yn cael ei ysgrifennu fel

  Am unrhyw a $\in G$, mae $a^{-1} \in G$ yn bodoli, fel bod $a * a^{-1} = a^{-1} * a = e$

I gadarnhau bod set o elfennau, o dan effaith gweithrediad ar y set, yn ffurfio grŵp, mae'n rhaid i ni wirio bod gan y set **bob un** o'r pedair priodwedd hyn. Gall hyn fod yn anodd, oherwydd mae'n rhaid gwirio **pob priodwedd** ar gyfer **pob elfen** neu **bob pâr o elfennau** yn y set.

Noder Pan gewch gwestiwn sy'n ymwneud â grŵp, fe gewch hefyd bob amser weithrediad deuaidd (lluosi neu adio fel arfer). Mae'n hanfodol eich bod yn gwybod pa weithrediad deuaidd sy'n cael ei ddefnyddio.

Enghraifft 2 Profwch fod y set $G = \{1, i, -1, -i\}$, o dan effaith lluosi, yn grŵp (lle mae $i^2 = -1$).

DATRYSIAD

I brofi bod hwn yn grŵp, mae'n rhaid gwirio pob un o'r pedair priodwedd yn eu tro.
Mae'n hanfodol cadarnhau bod **pob** priodwedd yn cael ei bodloni.

Caefa Mae'n rhaid gwirio ar gyfer unrhyw a a $b \in G$ fod $a * b \in G$.

Felly, o gymryd unrhyw elfen yn G a'i lluosi ag unrhyw elfen arall yn G, dylai'r canlyniad fod yn elfen yn G. Un ffordd o wirio hyn yw drwy gymryd pob pâr yn ei dro.
(Mae'r dull hwn yn synhwyrol yn yr achos hwn yn unig oherwydd bod G yn grŵp bach.)
Felly, cawn

$1 * 1 = 1$	$1 * i = i$	$1 * -1 = -1$	$1 * -i = -i$
$i * 1 = i$	$i * i = -1$	$i * -1 = -i$	$i * -i = 1$
$-1 * 1 = -1$	$-1 * i = -i$	$-1 * -1 = 1$	$-1 * -i = i$
$-i * 1 = -i$	$-i * i = 1$	$-i * -1 = i$	$-i * -i = 1$

Hynny yw, $a * b \in G$.

Cysylltiadedd Mae'n rhaid gwirio bod $(a * b) * c = a * (b * c)$, am bob a, b ac c yn G.

Mae gennym, er enghraifft,

$$(i * -1) * -i = -i * -i = -1 \quad \text{ac} \quad i * (-1 * -i) = i * i = -1$$

Mae hyn yn gwirio cysylltiadedd ar gyfer yr un cyfuniad triphlyg hwn yn unig.
I brofi cysylltiadedd drwy ddefnyddio'r dull hwn, byddai'n rhaid gwirio pob cyfuniad triphlyg arall, ac mae 64 ohonynt.

Ar y llaw arall, gallwn gofio ac ailadrodd y ffaith fod lluosi rhifau cymhlyg yn gysylltiadol.

Unfathiant Elfen unfathiant y grŵp hwn yw 1. Y rheswm am hyn yw nad yw lluosi unrhyw rif ag 1 yn newid y rhif hwnnw. I gadarnhau mai 1 yw'r elfen unfathiant, mae'n rhaid gwirio bod $1 * a = a * 1 = a$ am bob elfen a yn G.

Yn yr achos hwn, nid yw'n ormod o waith gwneud y gwaith cyfrifo angenrheidiol.
Felly, cawn

$1 * 1 = 1 * 1 = 1$ $\quad$ $1 * i = i * 1 = i$

$1 * -i = -i * 1 = -i$ $\quad$ $1 * -1 = -1 * 1 = -1$

Yn hytrach na hyn, gallwn ddweud yn syml mai 1 yw'r unfathiant, gan ein bod yn gwybod nad yw lluosi ag 1 yn newid gwerth unrhyw rif.

Gwrthdroeon Mae'n rhaid darganfod gwrthdro pob un o'r elfennau 1, i, −1 a −i er mwyn cadarnhau bod pob gwrthdro yn aelod o'r grŵp. Hynny yw, ar gyfer pob elfen a yn G, mae'n rhaid darganfod a^{-1}, a gwirio bod $a * a^{-1} = a^{-1} * a = 1$.

Felly, cawn

Gwrthdro 1 yw 1, gan fod $1 * 1 = 1 * 1 = 1$

Gwrthdro i yw −i, gan fod $i * -i = -i * i = 1$

Gwrthdro −1 yw −1, gan fod $-1 * -1 = -1 * -1 = 1$

Gwrthdro −i yw i, gan fod $-i * i = i * -i = 1$

Gan fod pob priodwedd wedi'i bodloni ar gyfer unrhyw ddewis o elfennau, rydym wedi profi bod G yn grŵp.

Gall gymryd tipyn o amser i brofi bod set o elfennau, o dan effaith gweithrediad ar y set, yn ffurfio grŵp, yn arbennig felly os oes llawer o elfennau. Fodd bynnag, mae ffyrdd i fyrhau'r gwaith.

- Gallwn ddefnyddio rheolau algebraidd i brofi caefa. Er enghraifft, i brofi bod y set o gyfanrifau o dan effaith adio yn ffurfio grŵp, rydym yn nodi'n syml fod swm unrhyw ddau gyfanrif bob amser yn gyfanrif.
- Mae cysylltiadedd bob amser yn anodd ei brofi. Ond, mae'n bwysig cofio bod lluosi ac adio rhifau real, lluosi ac adio rhifau cymhlyg, a lluosi ac adio matricsau sgwâr, i gyd yn gysylltiadol.
- I ddarganfod unfathiant grŵp, cofiwn mai 0 yw'r unfathiant ar gyfer adio (gan nad yw adio sero at rif yn ei newid). Cofiwn hefyd mai 1 yw'r unfathiant ar gyfer lluosi (gan nad yw lluosi rhif ag 1 yn ei newid). Ond mae'n rhaid bod yn ofalus, beth bynnag, oherwydd mewn rhai achosion anarferol o luosi, megis mewn modwlo 14, nid oes rhaid i'r unfathiant fod yn 1 (gweler tudalen 375).
- I ddarganfod gwrthdroeon, yn aml iawn nid oes angen ond rhoi fformiwla gyffredinol sy'n darganfod y gwrthdroeon i gyd.

Enghraifft 3 Profwch fod y set $G = \{0, 1, 2, 3\}$, o dan effaith gweithrediad deuaidd adio (mod 4), yn ffurfio grŵp.

DATRYSIAD

Yr un fath ag arfer, mae'n rhaid gwirio bod holl briodweddau grŵp yn cael eu bodloni.

Caefa Bob tro rydym yn adio dau rif (mod 4), rydym yn cael rhif rhwng 0 a 3. Felly mae adio (mod 4) yn gaeedig.

Cysylltiadedd Mae adio yn gysylltiadol, ac felly mae'n rhaid fod adio (mod 4) hefyd yn gysylltiadol.

Unfathiant Mae adio 0 at rif (mod 4) yn gadael y rhif heb ei newid. Felly 0 yw unfathiant adio (mod 4).

Gwrthdroeon Felly, cawn

Gwrthdro 0 yw 0, gan fod $0 + 0 = 0 \pmod 4$

Gwrthdro 1 yw 3, gan fod $1 + 3 = 3 + 1 = 0 \pmod 4$

Gwrthdro 2 yw 2, gan fod $2 + 2 = 0 \pmod 4$

Gwrthdro 3 yw 1, gan fod $3 + 1 = 1 + 3 = 0 \pmod 4$

Felly mae'r pedair priodwedd grŵp i gyd wedi'u bodloni.

Oherwydd hyn, mae'r set $G = \{0, 1, 2, 3\}$ o dan effaith gweithrediad deuaidd adio (mod 4), yn ffurfio grŵp.

Tabl grŵp

Mae **tabl grŵp** yn dangos effaith cyfuno unrhyw ddwy elfen. (Enwau eraill sy'n cael eu rhoi arno weithiau yw Tabl Cayley, tabl cyfansoddiad, tabl cyfuniad, tabl gweithrediad neu dabl lluosi.) Y cofnod yn rhes a a cholofn b yw'r cyfansoddiad $a * b$.

Gwelir isod y tabl grŵp ar gyfer y set $G = \{0, 1, 2, 3\}$, o dan effaith adio modwlo 4. Fel enghraifft, mae [**3**] yn cofnodi'r canlyniad $1 * 2 = 3$.

+ (mod 4)	0	1	2	3
0	0	1	2	3
1	1	2	[**3**]	0
2	2	3	0	1
3	3	0	1	2

I gwblhau'r tabl, mae'n rhaid i ni ddarganfod pob un o'r 16 canlyniad.

Gallwn ddefnyddio'r ffaith fod $x * e = x$ ac $e * x = x$ i ddarganfod saith o'r canlyniadau yn hawdd iawn. Mae'n rhaid cyfrifo pob un o'r cofnodion eraill.

Er bod yn rhaid i ni gwblhau'r cofnodion yn y tabl i gyd, mae'n aml yn haws llunio a defnyddio tabl grŵp i weld a yw'r set sydd o dan effaith y gweithrediad, yn ffurfio grŵp.

Ar gyfer priodweddau grŵp, cawn:

Caefa Gellir gweld hyn drwy sylwi bod y canlyniadau yn y tabl i gyd yn y set wreiddiol.

Cysylltiadedd Ni ellir gweld hyn o'r tabl grŵp.

Unfathiant Mae'r golofn o dan yr elfen unfathiant a'r rhes ar draws o'r elfen unfathiant yn cynnwys yr elfennau yn yr un drefn ag y maent yn y set wreiddiol.

Mae'r rhes a'r golofn a welir isod yn dangos mai 0 yw'r elfen unfathiant:

+ (mod 4)	0	1	2	3
0	0	1	2	3
1	1			
2	2			
3	3			

Sylwer Nid oes rhaid i'r elfen unfathiant fod yn 0 neu 1. Er enghraifft, gweler y tabl grŵp ar dudalen 375 ar gyfer y set o gyfanrifau {2, 4, 6, 8, 10, 12} o dan effaith lluosi (mod 14).

Gwrthdroeon Gallwn ddarganfod safle'r elfen unfathiant ym mhob colofn a phob rhes. Er enghraifft, mae $1 * 3 = 3 * 1 = 0$, sef yr unfathiant. Felly 3 yw gwrthdro 1.

Mewn gwirionedd, mae'r set $G = \{0, 1, 2, \ldots, m-1\}$ o dan effaith gweithrediad deuaidd, adio (mod m), hefyd yn ffurfio grŵp. (Gallwch wirio hyn eich hun ar gyfer amrywiol werthoedd m.)
Sylwch, yn gyffredinol, mai gwrthdro k o dan effaith ag adio (mod m) yw $m - k$.

Enghraifft 4 Darganfyddwch a yw'r set {1, 3}, o dan effaith lluosi (mod 11), yn ffurfio grŵp.

DATRYSIAD

Gallwn ddarganfod yr ateb drwy wirio pob un o'r priodweddau grŵp yn eu tro, hyd nes i ni ddarganfod un **nad yw'n** gweithio. Atgoffwn ein hunain fod yn rhaid gwirio bod **pob un** o'r pedair priodwedd yn cael ei bodloni er mwyn i G fod yn grŵp. Felly, i ddangos **nad yw** G yn grŵp, nid oes angen darganfod dim ond **un** briodwedd nad yw'n cael ei bodloni.

Yn yr achos hwn, gan fod

$$3 * 3 = 3 \times 3 = 9 \pmod{11}$$

a chan **nad** yw 9 yn aelod o'r set wreiddiol, **nid yw caefa yn dal**.

Gan nad yw {1, 3} yn gaeedig o dan effaith lluosi (mod 11), **nid** yw'n ffurfio grŵp.

Sylwer Petaem yn ystyried y priodweddau grŵp eraill yn Enghraifft 4, byddem yn darganfod y canlynol:

- Mae'r set yn gysylltiadol, gan fod lluosi yn gysylltiadol.
- Mae yna elfen unfathiant, 1, gan mai 1 yw'r elfen unfathiant o dan effaith lluosi.
- Nid oes elfen a, beth bynnag, fel bod $3 * a \equiv 1 \pmod{11}$, ac felly ni fodlonir chwaith y briodwedd o fod ag elfen wrthdro.

Enghraifft 5 Profwch fod y set o gyfanrifau {2, 4, 6, 8, 10, 12}, o dan effaith lluosi (mod 14), yn ffurfio grŵp.

DATRYSIAD

Unwaith eto, mae'n rhaid gwirio bod pob priodwedd grŵp yn cael ei bodloni.
Ond, mae'r ddau olaf yn anodd eu profi, ac felly mae'n rhaid defnyddio tabl grŵp i gyfrifo sut mae'r elfennau'n cyfuno.

Caefa Wrth luosi dau gyfanrif sydd hefyd yn eilrifau, rydym yn cael cyfanrif sy'n eilrif yn ateb, sydd hefyd yn eilrif (mod 14). Felly, mae'r set yn gaeedig.

Cysylltiadedd Mae lluosi yn gysylltiadol.

Unfathiant Nid oes elfen unfathiant amlwg. Mae'r elfen unfathiant arferol, sef 1, ar goll o'r grŵp hwn. I oresgyn y broblem hon, rydym yn llunio'r tabl grŵp, sy'n dangos effaith cyfuno unrhyw ddwy elfen.

× (mod 14)	2	4	6	8	10	12
2	4	8	12	2	6	10
4	8	2	10	4	12	6
6	12	10	8	6	4	2
8	2	4	6	8	10	12
10	6	12	4	10	2	8
12	10	6	2	12	8	4

O'r tabl hwn gwelwn fod y golofn o dan 8, neu'r rhes ar draws o 8, yn 2, 4, 6, 8, 10, 12, sydd yr un fath â'r set wreiddiol. Felly, nid yw lluosi ag 8 yn newid unrhyw elfen o'r grŵp, ac felly 8 yw elfen unfathiant y grŵp hwn.

Gwrthdroeon Yn yr achos hwn, fel yn y rhan fwyaf o broblemau yn ymwneud â lluosi (mod n), nid oes ffordd hawdd o brofi bod gan bob elfen wrthdro. Ond, fel yn Enghraifft 4, gallwn ddefnyddio'r tabl grŵp. I ddarganfod gwrthdro 2, mae'n rhaid dod o hyd i elfen a fel bod $2 * a = 8$. (Gan gofio mai 8 yw elfen unfathiant y grŵp hwn.)

Gwrthdro 2 yw 4, gan fod $2 * 4 = 4 * 2 = 8$ (mod 14)

Gwrthdro 4 yw 2, gan fod $4 * 2 = 2 * 4 = 8$ (mod 14)

Gwrthdro 6 yw 6, gan fod $6 * 6 = 6 * 6 = 8$ (mod 14)

Gwrthdro 8 yw 8, gan fod $8 * 8 = 8 * 8 = 8$ (mod 14)

Gwrthdro 10 yw 12, gan fod $10 * 12 = 12 * 10 = 8$ (mod 14)

Gwrthdro 12 yw 10, gan fod $12 * 10 = 10 * 12 = 8$ (mod 14)

Felly, rydym wedi gwirio bod pob priodwedd grŵp wedi'i bodloni.

Felly, mae'r set o gyfanrifau {2, 4, 6, 8, 10, 12} o dan effaith lluosi (mod 14) yn ffurfio grŵp.

Sylwer Dywedwn fod y rhif 6 yn Enghraifft 5 yn **hunanwrthdro**, gan mai ef ei hun yw ei wrthdro. (Gweler tudalen 393 yn ogystal.)

Ymarfer 17A

Yng nghwestiynau **1** i **4**, profwch fod pob set o dan effaith y gweithrediad a roddir, yn bodloni'r holl briodweddau grŵp ac felly'n ffurfio grŵp.

1 Y set $\{1, 5\}$ o dan effaith ($\times$, mod 12).

2 Y set $\{1, 2, 3, 4\}$ o dan effaith ($\times$, mod 5).

3 Y set $\{0, 1, 2, 3, 4, 5\}$ o dan effaith ($+$, mod 6)

4 Y set $\{1, 2, 3, 4, 5, 6\}$ o dan effaith ($\times$, mod 7).

5 Dangoswch nad yw'r set $\{1, 3\}$ o dan effaith ($\times$, mod 12) yn ffurfio grŵp.

6 Dangoswch nad yw'r set o gyfanrifau positif o dan effaith adio yn ffurfio grŵp.

Cymesureddau polygon rheolaidd *n*-ochr

Mae'r set o gymesureddau sydd gan bolygon rheolaidd, o dan effaith cyfansoddi cymesureddau, yn ffurfio grŵp. Felly, mae hyn yn wir, er enghraifft, am sgwâr, hecsagon rheolaidd a heptagon rheolaidd.

Enghraifft 6 Profwch fod set cymesureddau pentagon rheolaidd, o dan effaith cyfansoddi, yn ffurfio grŵp.

DATRYSIAD

Mae'n haws dangos y grŵp hwn drwy geometreg na thrwy restru'r holl elfennau. Cymesureddau pentagon, PQRST, a welir ar y dde, yw'r pum adlewyrchiad (rhes uchaf) a'r pum cylchdro (rhes isaf) a welir isod.

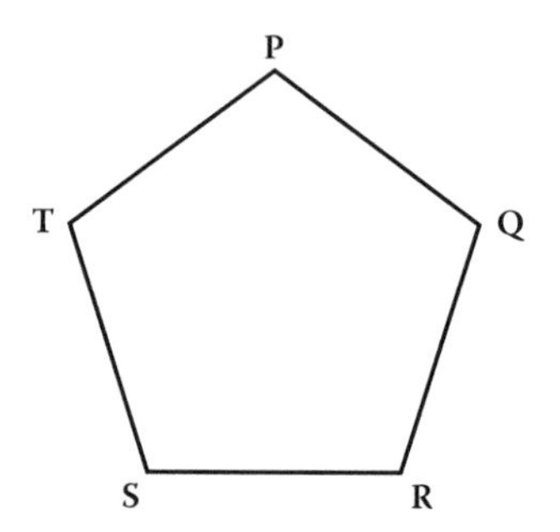

Adlewyrchiadau

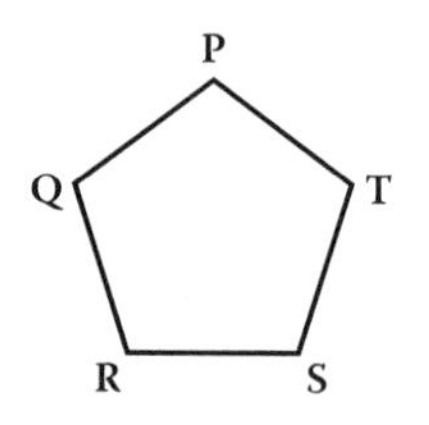

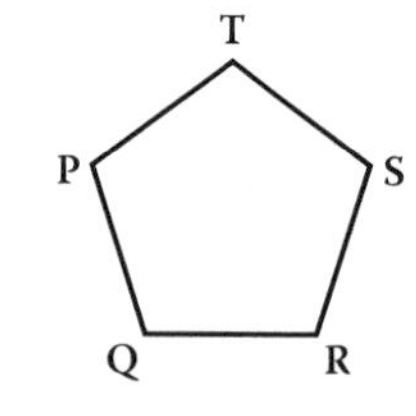

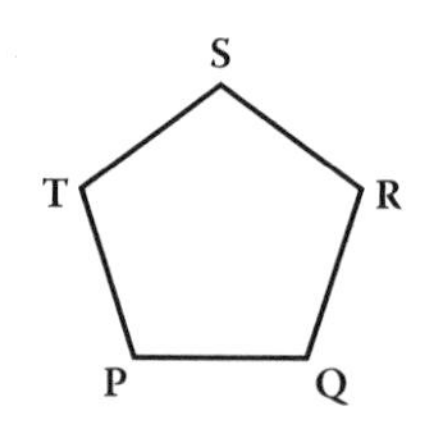

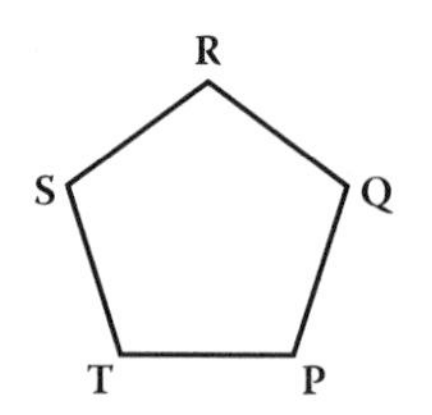

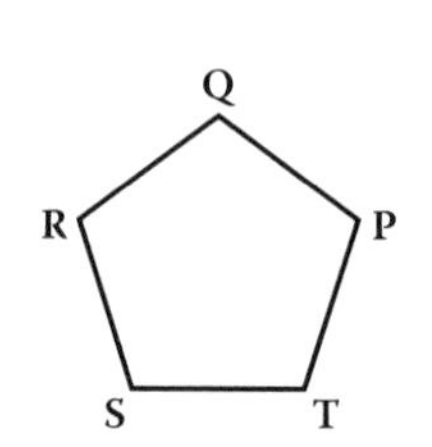

Cylchdroeon

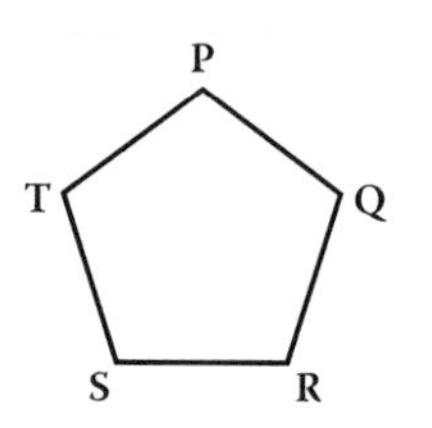

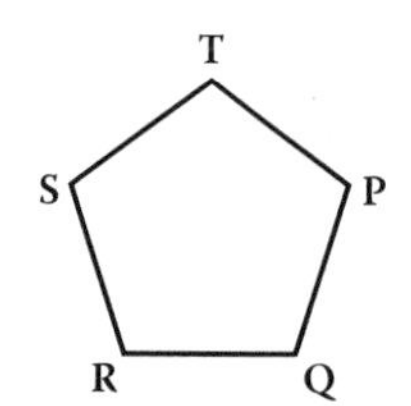

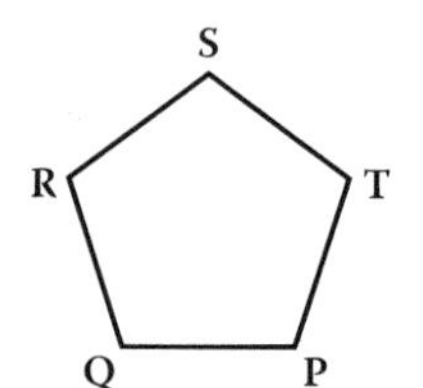

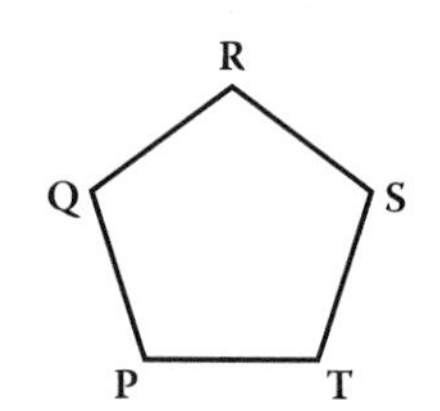

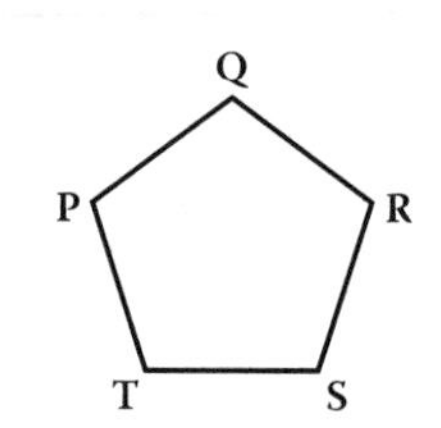

Y gweithrediad deuaidd yn yr achos hwn yw cyfansoddi cymesureddau.
Er enghraifft, cyfansoddiad cylchdro clocwedd drwy 72° a chylchdro clocwedd drwy 216° yw cylchdro clocwedd drwy 288°.

I brofi bod y set o gymesureddau yn ffurfio grŵp, mae'n rhaid gwirio pob un o'r pedair priodwedd.

Caefa Cyfansoddiad dau gylchdro yw cylchdro arall.
Cyfansoddiad adlewyrchiad a chylchdro yw cylchdro, fel y gwelir yn yr enghraifft isod.

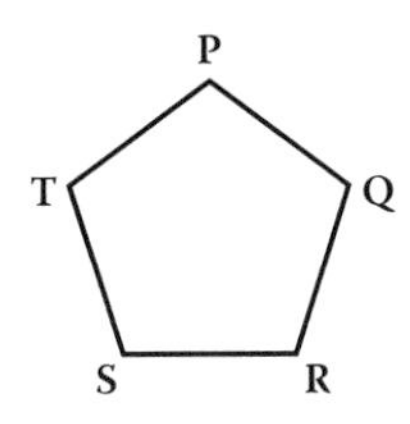

Adlewyrchiad yn hanerydd perpendicwlar RS, sy'n mynd drwy P, . . .

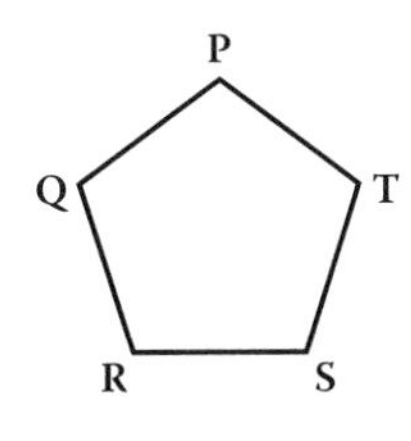

. . . wedi'i ddilyn gan gylchdro gwrthglocwedd drwy 72° . . .

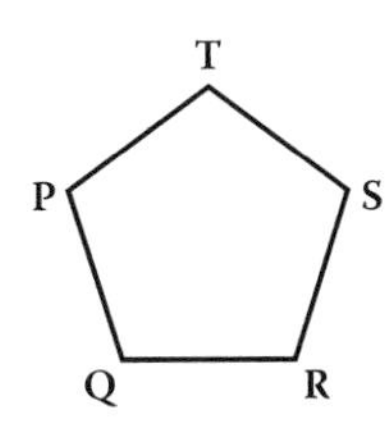

. . . yw adlewyrchiad yn hanerydd perpendicwlar PT, sy'n mynd drwy R.

Cyfansoddiad dau adlewyrchiad yw cylchdro, fel y gwelir yn yr enghreifftiau isod:

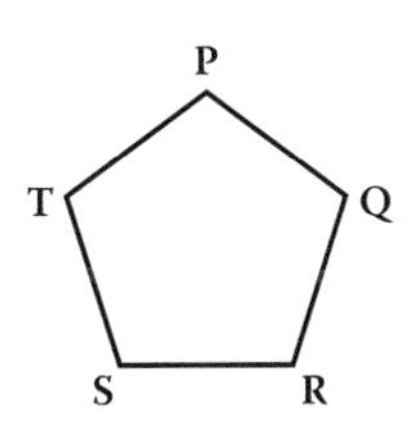

Adlewyrchiad yn hanerydd perpendicwlar RS, sy'n mynd drwy P, . . .

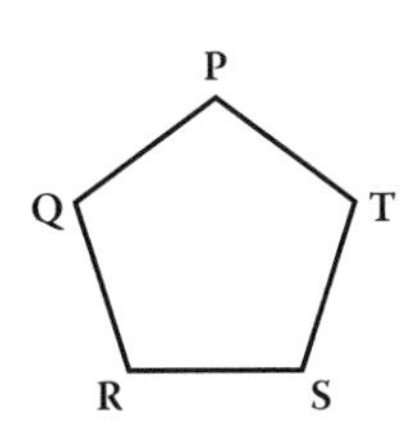

. . . wedi'i ddilyn gan adlewyrchiad yn hanerydd perpendicwlar PT, sy'n mynd drwy R, . . .

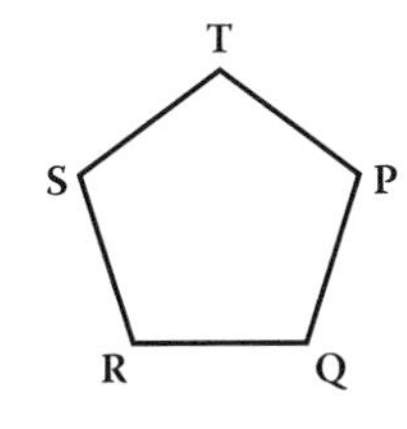

. . . yw cylchdro gwrthglocwedd drwy 288°.

Felly, mae'r set o gymesureddau sydd gan bentagon yn gaeedig.

Cysylltiadedd Yn bendant, **nid** ydym eisiau profi $a * (b * c) = (a * b) * c$ ar gyfer pob un o'r deg cymesuredd, sy'n rhoi 1000 o gyfuniadau posibl! Yn hytrach, cofiwn fod modd cynrychioli pob cymesuredd gan fatrics 2×2 (gweler tudalen 310). Felly, mae cyfansoddiad trawsffurfiadau'n cyfateb i luosi matricsau. Gan fod lluosi matricsau yn gysylltiadol, yna felly hefyd mae cyfansoddiad trawsffurfiadau. Felly, mae set cymesureddau pentagon yn gysylltiadol.

Unfathiant Mae'r trawsffurfiad unfathiant (cylchdro 0°) yn y set o drawsffurfiadau.

Gwrthdroeon Mae gan bob cymesuredd ei wrthdro. Ym mhob achos, mae'r gwrthdro yn gymesuredd sy'n dychwelyd y pentagon i'w safle gwreiddiol. Ar gyfer trawsffurfiad clocwedd $n°$, y trawsffurfiad gwrthdro yw'r cylchdro gwrthglocwedd $-n°$.

Mae gwneud yr un adlewyrchiad ddwywaith bob amser yn dychwelyd y pentagon i'w safle gwreiddiol. Felly, gwrthdro unrhyw adlewyrchiad yw'r un adlewyrchiad. Felly, mae pob adlewyrchiad yn hunanwrthdro.

Felly, rydym wedi gwirio bod cymesureddau pentagon yn ffurfio grŵp.

Grwpiau deuhedrol

Yr enw a roddir ar grŵp o gymesureddau yw **grŵp deuhedrol**. Mae grŵp cymesureddau pentagon yn cynnwys deg (2×5) elfen ac fe'i dynodir gan D_{10}. Mae cymesureddau'r polygonau rheolaidd eraill hefyd yn ffurfio grwpiau. Er enghraifft, mae cymesureddau heptagon rheolaidd yn ffurfio grŵp. Gan fod saith ochr gan heptagon, mae'r grŵp yn cynnwys 14 (2×7) elfen.
Felly dynodir grŵp cymesureddau heptagon rheolaidd gan D_{14}.

Grwpiau nad ydynt yn feidraidd

Mae'r grwpiau rydym wedi eu hystyried hyd yn hyn i gyd wedi eu ffurfio gan setiau sy'n cynnwys nifer meidraidd o elfennau. Rydym nawr am ystyried grwpiau y mae eu setiau yn cynnwys nifer **anfeidraidd** o elfennau.

Pan ydym yn ymwneud â grwpiau anfeidraidd, rydym yn defnyddio dull tebyg i'r un a ddefnyddiwyd ar gyfer grwpiau meidraidd, ond **nid yw'n** bosibl llunio tabl grŵp oherwydd bod nifer anfeidraidd o elfennau. Nid yw hyn yn gwneud y dasg o wirio'r grŵp yn llawer mwy anodd; ond mae'n rhaid gwneud hynny'n **algebraidd**.

Enghraifft 7 Profwch fod y set o gyfanrifau, o dan effaith adio, yn ffurfio grŵp.

DATRYSIAD

Gan fod nifer anfeidraidd o gyfanrifau, ni allwn lunio tabl grŵp.
Rydym felly'n defnyddio dulliau algebraidd i wirio bod y pedair priodwedd yn cael eu bodloni.

Caefa Wrth adio unrhyw ddau gyfanrif, rydym bob amser yn cael cyfanrif yn ateb.
Felly, os yw a a b yn gyfanrifau, rydym yn gwybod bod

$$a * b = a + b = c$$

ac felly mae c yn gyfanrif. Oherwydd hyn, mae'r set o gyfanrifau, o dan effaith adio, yn gaeedig.

Cysylltiadedd Gallwn ddweud yn syml fod adio bob amser yn gysylltiadol.

Unfathiant O dan effaith adio, yr elfen unfathiant yw 0 bob amser.
Ar gyfer unrhyw gyfanrif a, cawn

$$a * 0 = 0 * a = a + 0 = 0 + a = a$$

Mae hyn yn profi mai 0 yw elfen unfathiant y grŵp.

Gwrthdroeon O wybod unrhyw gyfanrif, a, ei wrthdro yw $-a$. Mae hyn oherwydd bod

$$a * -a = a + -a = 0 \quad \text{a} \quad -a * a = -a + a = 0$$

Felly, rydym wedi gwirio bod y pedair priodwedd wedi'u bodloni, ac felly,
mae'r set o gyfanrifau, o dan effaith adio, yn ffurfio grŵp.

Enghraifft 8 Profwch nad yw'r set o gyfanrifau, o dan effaith fel gweithrediad deuaidd lluosi, yn ffurfio grŵp.

DATRYSIAD

Er mwyn profi **nad yw** set o dan effaith gweithrediad yn ffurfio grŵp, cofiwn mai'r unig beth sy'n rhaid ei wneud yw profi nad yw un o'r priodweddau yn cael ei bodloni.

Yn yr achos hwn, nid yw'r briodwedd wrthdro yn cael ei bodloni.

Yr elfen unfathiant o dan effaith lluosi fyddai 1, ond gwrthdro 2 fyddai $\frac{1}{2}$, oherwydd bod

$$\frac{1}{2} * 2 = \frac{1}{2} \times 2 = 1$$

Ond nid yw $\frac{1}{2}$ yn elfen o'r set o gyfanrifau, felly nid oes gan 2 wrthdro yn y set.

Gan fod un elfen nad yw'n bodloni un o'r priodweddau,
ni all y set o gyfanrifau o dan effaith lluosi fod yn grŵp.

Enghraifft 9 Profwch fod y set o rifau real (heb sero), o dan effaith gweithrediad deuaidd lluosi, yn ffurfio grŵp.

DATRYSIAD

Unwaith eto, mae'n rhaid gwirio bod y pedair priodwedd wedi'u bodloni.

Caefa Mae lluoswm unrhyw ddau rif real nad ydynt yn sero hefyd yn rhif real nad yw'n sero.
Felly mae'r set yn gaeedig.

Cysylltiadedd Mae lluosi bob amser yn gysylltiadol.

Unfathiant 1 yw unfathiant lluosi ac mae yn y grŵp hwn.
Felly, mae elfen unfathiant yn bodoli.

Gwrthdroeon Gwrthdro unrhyw rif real x yw $\frac{1}{x}$ oherwydd bod

$$\frac{1}{x} \times x = x \times \frac{1}{x} = 1$$

Felly, mae gan bob elfen wrthdro sy'n aelod o'r set.

Felly mae'r set o rifau real (ac eithrio sero), o dan effaith gweithrediad deuaidd lluosi, yn ffurfio grŵp.

Sylwer **Nid** yw'r set o rifau real sy'n cynnwys sero, o dan effaith gweithrediad deuaidd lluosi, yn grŵp. Mae hyn oherwydd nad oes gan sero wrthdro.

Byddai darganfod gwrthdro sero yn golygu darganfod $\frac{1}{0}$, sy'n amhosibl.

Enghraifft 10 Boed i G fod yn set o fatricsau 3×3 sydd ag elfennau cyfanrifol a determinant 1, o dan effaith gweithrediad deuaidd lluosi matricsau.
Profwch fod G yn ffurfio grŵp.

DATRYSIAD

Er mwyn darganfod a yw set o fatricsau sydd o dan effaith gweithrediad arbennig yn ffurfio grŵp, mae'n rhaid cymhwyso rheolau matricsau. Ond mae'n dal yn ofynnol gwirio bod G yn bodloni **pob un** o'r pedair priodwedd grŵp.

Caefa Os yw **A** a **B** yn fatricsau 3×3, yna bydd **AB** hefyd yn fatrics 3×3.

Mae angen gwirio'n ogystal fod gan **AB** elfennau cyfanrifol.

Os oes gan **A** a **B** elfennau cyfanrifol, yna ystyriwn sut ydym yn darganfod **AB**.
Rydym yn lluosi'r cyfanrifau yn A â'r cyfanrifau yn B, ac yna'n eu hadio.
Felly mae pob cofnod yn **AB** yn gyfanrif.

Yn olaf, mae angen gwirio bod gwerth y determinant **AB** yn 1.

Gan ddefnyddio det (**AB**) = det **A** × det **B**, rydym yn darganfod bod

$$\det(\mathbf{AB}) = 1 \times 1 = 1$$

Felly, mae **AB** yn aelod o'r set ac o'r herwydd mae'r set o dan effaith lluosi yn gaeedig.

Cysylltiadedd Mae lluosi matricsau yn gysylltiadol.

Unfathiant Unfathiant lluosi matricsau yw'r matrics unfathiant **I**. Gan fod gan **I** elfennau cyfanrifol a determinant 1, yna mae **I** yn aelod o'r set.

Gwrthdro Mae gwrthdro matrics 3×3 yn fatrics 3×3. Ond mae'n rhaid gwirio bod elfennau'r matrics gwrthdro yn gyfanrifau a bod ei ddeterminant yn 1.

I wirio bod elfennau'r matrics gwrthdro yn gyfanrifau, ystyriwn sut y byddem yn darganfod y gwrthdro (gweler tudalennau 304–6). I ddarganfod gwrthdro matrics 3×3, mae'n rhaid darganfod cydffactor pob elfen. Yn yr achos hwn, byddai hynny'n golygu darganfod cydffactor naw matrics 2×2, pob un ag elfennau cyfanrifol. Byddai hyn yn rhoi canlyniadau sy'n gyfanrifau. Byddem wedyn yn rhannu pob cydffactor â determinant y matrics 3×3 gwreiddiol, sef 1 yn yr achos hwn.

Felly mae gwrthdro unrhyw fatrics 3×3 sydd ag elfennau cyfanrifol a determinant 1 hefyd yn fatrics 3×3 ag elfennau cyfanrifol.

Yn olaf, os 1 yw determinant $\mathbf{A}$, yna 1 yw determinant $\mathbf{A}^{-1}$ hefyd.

Felly mae pob priodwedd grŵp wedi'i bodloni ac mae G yn ffurfio grŵp.

Nodiant a^n

Mae'n arferol ysgrifennu a^2 am $a * a$. Yr un modd, ysgrifennir $a * a * a$ fel a^3.

Os yw n yn bositif, yna mae a^n yn golygu $a * a * a \ldots * a$. (Mae n copi o a yma.)

a^0 yw'r elfen unfathiant, e.

Mae a^{-n} yn golygu $a^{-1} * a^{-1} * \ldots * a^{-1}$. (Mae n copi o a^{-1} yma eto.)

Rhannu mewn grŵp

Ni allwn rannu ag a mewn grŵp G. Yn hytrach, rydym yn **lluosi** â'i wrthdro, a^{-1}, sy'n cael yr un effaith â rhannu ag a.

Wrth luosi ag a^{-1}, mae'n rhaid sicrhau ein bod yn lluosi'r ddwy ochr ag a^{-1} yn yr **un safle**.
Er enghraifft, os yw $b = c$, cawn

$$a^{-1} * b = a^{-1} * c \quad \text{a} \quad b * a^{-1} = c * a^{-1}$$

Ni allwn gael $a^{-1} * b = c * a^{-1}$.

Grwpiau trynewid

Cymerwn fod gennym n gwrthrych mewn rhyw drefn arbennig.
Drwy gyfnewid lleoedd dau wrthrych, gallwn newid y drefn honno.

Cynrychiolir cyfnewid y gwrthrychau yn safle 1 a 2 gan y nodiant (1 2) neu $\begin{pmatrix} 1 & 2 \\ 2 & 1 \end{pmatrix}$.

Yr un modd, y nodiant ar gyfer cyfnewid y gwrthrychau yn safle 5 ac 8 yw (5 8) neu $\begin{pmatrix} 5 & 8 \\ 8 & 5 \end{pmatrix}$.

Os oes arnom eisiau symud y gwrthrych yn safle 1 i safle 8, y gwrthrych yn safle 8 i safle 5, a'r gwrthrych yn safle 5 yn ôl i safle 1, y nodiant ar gyfer hyn yw (1 8 5) neu $\begin{pmatrix} 1 & 8 & 5 \\ 5 & 8 & 1 \end{pmatrix}$.

Mae hyn yn golygu '1 i 8, 8 i 5, a 5 i 1'.

Yr un modd, mae (1 2) (3 4 5) neu $\begin{pmatrix} 1 & 2 \\ 2 & 1 \end{pmatrix}\begin{pmatrix} 3 & 4 & 5 \\ 4 & 5 & 3 \end{pmatrix}$ yn golygu '1 i 2 a 2 i 1, yna 3 i 4, 4 i 5 a 5 i 3'.

Dangosir yr 'iaith' drynewid hon isod.

Mae $\begin{cases} \text{A B C D E F} \\ \text{B A D C F E} \end{cases}$ yn cael ei gynrychioli gan

(1 2) (3 4) (5 6)

neu

$$\begin{pmatrix} 1 & 2 & 3 & 4 & 5 & 6 \\ 2 & 1 & 4 & 3 & 6 & 5 \end{pmatrix}$$

Mae'r set sy'n cynnwys holl drynewidion posibl n gwrthrych yn ffurfio grŵp.
Y gweithrediad deuaidd yw cyfansoddiad y trynewidion. Gallwn wirio'r pedair priodwedd grŵp.

Caefa Mae cyfansoddi dau drynewid o n gwrthrych yn rhoi trynewid arall o'r n gwrthrych hynny.

Cysylltiadedd Mae cyfansoddi trynewidion yn gysylltiadol, ond nid ydym am ei brofi yma.

(Un ffordd o brofi hyn yw drwy amgodio'r trynewidion fel matrics $n \times n$ sy'n cynnwys 1au a 0au, ac yna bydd y cyfansoddiad yn cyfateb i luosi matricsau, sy'n gysylltiadol, fel rydym yn gwybod. Ond nid ydym am drafod y dechneg hon yn y llyfr hwn.)

Gallwn ddweud yn syml, heb brawf, fod cyfansoddi trynewidion yn gysylltiadol.

Unfathiant Mae'r trynewid unfathiant nad yw'n cyfnewid unrhyw wrthrychau yn aelod o'r set.

Gwrthdroeon Gwrthdro trynewid arferol $(abc \ldots d)$ yw'r trynewid $(d \ldots cba)$ sydd hefyd yn aelod o'r set.

Oherwydd bod $n!$ ffordd o drefnu n gwrthrych, mae'n dilyn bod $n!$ trynewid gwahanol yn y grŵp trynewid sy'n cynnwys n elfen. Dynodir y grŵp gan S_n.

Generadur grŵp

Os yw a yn aelod o grŵp ac os yw $a \neq e$, yna mae a^2 hefyd yn aelod o'r grŵp.

Os yw $a^2 \neq e$, bydd $a^2 * a$ neu a^3 hefyd yn aelod o'r grŵp.

Os yw a yn **eneradur** grŵp, yna gellir mynegi pob aelod o'r grŵp fel a^k am ryw gyfanrif k.

Os yw'r grŵp yn feidraidd, yna bydd $a^r = e$ am ryw gyfanrif r, ac aelodau'r grŵp yw

$$a, a^2, a^3, \ldots, a^{r-1} \text{ ac mae } a^r = e$$

Er enghraifft, yn y grŵp $(\{e, a, a^2, a^3, a^4\}, *)$ lle mae $a^5 = e$, mae pob un o a, a^2, a^3 ac a^4 yn eneradur. (Gweler tudalennau 391–2.)

Grwpiau cylchol

Grŵp cylchol yw'r math symlaf o grŵp. Mewn unrhyw grŵp cylchol, mae rhyw elfen a sy'n **generadu**'r grŵp. Felly, elfennau'r grŵp yw

$$\{e, a, a * a, a * a * a, a * a * a * a, \ldots\} \quad \text{neu} \quad (e, a, a^2, a^3, \ldots\}$$

Enghreifftiau o grwpiau cylchol ac anghylchol

- Mae'r grŵp {1, i, −1, −i} yn gylchol.
  Gan fod $i^2 = -1$ ac $i^3 = -i$, gellir ysgrifennu'r grŵp fel $\{1, i, i^2, i^3\}$.

- Mae'r grŵp o gyfanrifau, o dan effaith adio (mod 4), hefyd yn grŵp cylchol.
  Elfennau'r grŵp hwn yw {0, 1, 2, 3}. Gellir ysgrifennu'r grŵp fel $\{e, 1, 1^2, 1^3\}$.
  Rydym eisoes wedi gweld bod $1^2 = 1 * 1 = 1 + 1 \pmod 4 = 2 \pmod 4$.

Sylwch fod y ddau grŵp cylchol hyn yn debyg iawn, gyda phedair elfen ym mhob un.
Ar dudalen 388, byddwn yn darganfod eu bod yn **isomorffig**, gan fod eu strwythurau yn unfath.

- Mae'r cyfanrifau o dan effaith adio (mod n) bob amser yn ffurfio grŵp cylchol, sydd bob amser yn gallu cael ei eneradu gan un elfen.

- **Nid yw** cymesureddau pentagon yn gylchol. Wrth ailadrodd cylchdro drosodd a throsodd, **nid ydym byth** yn cael adlewyrchiad. Wrth ailadrodd adlewyrchiad drosodd a throsodd, yr **unig** beth a gawn yw'r adlewyrchiad hwnnw a'i unfathiant. Felly, nid oes ffordd o ailadrodd yr un cymesuredd drosodd a throsodd a chynhyrchu'r **holl** gymesureddau.
  Felly ni all grŵp cymesureddau pentagon fod yn gylchol.

Grwpiau Abel

Grŵp Abel yw grŵp lle mae $a * b = b * a$ am **bob** pâr o elfennau a a b. Mewn geiriau eraill, nid oes wahaniaeth ym mha drefn y cyfunwn yr elfennau. Weithiau gelwir grŵp Abel yn **grŵp cymudol**, oherwydd bod pob pâr o elfennau yn cymudo.

Nodwn fod grŵp yn Abelaidd pan fo gan y tabl grŵp gymesuredd yn y groeslin arweiniol.

(Enwyd y dosbarth hwn o grwpiau ar ôl Niels Henrik Abel (1802–29), y mathemategydd hynod ddawnus o Norwy.)

Penderfynu pa grwpiau sy'n Abelaidd

Ystyriwch y gweithrediad deuaidd. Mae adio bob amser yn gymudol, ac mae lluosi rhifau hefyd bob amser yn gymudol. Ond **nid yw** lluosi matricsau yn gymudol, oherwydd, yn gyffredinol, $\mathbf{AB} \neq \mathbf{BA}$, lle mae $\mathbf{A}$ a $\mathbf{B}$ yn fatricsau.

Felly, er enghraifft, mae'r grŵp {0, 1, 2, 3}, o dan effaith adio (mod 4), yn Abelaidd, oherwydd bod $a + b = b + a$ am unrhyw gyfanrifau a a b.

I ddangos **nad yw'r** grŵp o fatricsau 2×2 sydd ag elfennau cyfanrifol a determinant 1 yn grŵp Abel, mae angen darganfod **un** pâr o fatricsau $\mathbf{A}$ a $\mathbf{B}$ sydd ag $\mathbf{AB} \neq \mathbf{BA}$.

Er enghraifft, cawn

$$\begin{pmatrix} 1 & 1 \\ 0 & 1 \end{pmatrix}\begin{pmatrix} 1 & 0 \\ 1 & 0 \end{pmatrix} = \begin{pmatrix} 2 & 0 \\ 1 & 0 \end{pmatrix}$$

$$\begin{pmatrix} 1 & 0 \\ 1 & 0 \end{pmatrix}\begin{pmatrix} 1 & 1 \\ 0 & 1 \end{pmatrix} = \begin{pmatrix} 1 & 1 \\ 1 & 1 \end{pmatrix}$$

Mae'r un enghraifft hon yn profi **nad yw'r** grŵp o fatricsau 2×2 sydd ag elfennau a determinant cyfanrifol yn grŵp Abel.

Nid yw set trawsffurfiadau pentagon yn Abelaidd, oherwydd bod gwahaniaeth rhwng adlewyrchiad wedi'i ddilyn gan gylchdro a chylchdro wedi'i ddilyn gan adlewyrchiad.

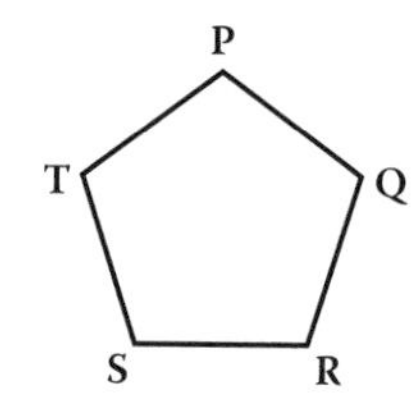

Cyn trawsffurfio.

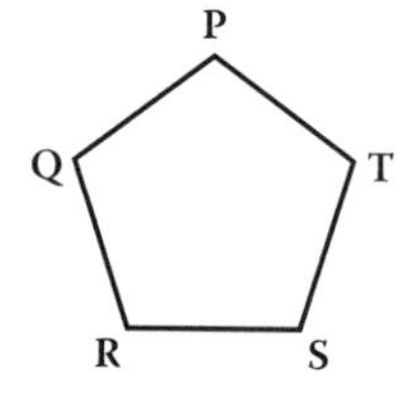

Adlewyrchu yn hanerydd perpendicwlar RS, sy'n mynd drwy P.

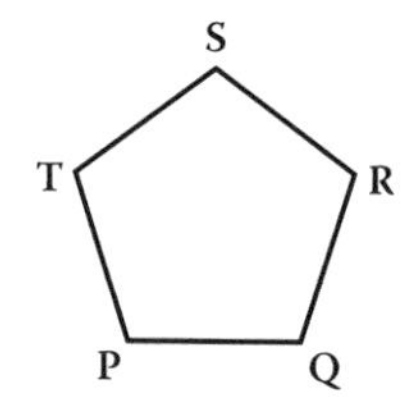

Cylchdroi'n wrthglocwedd drwy 144°.

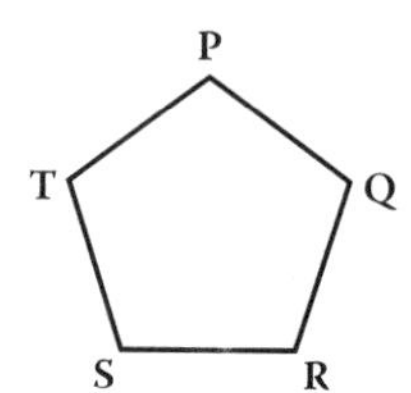

Cyn trawsffurfio.

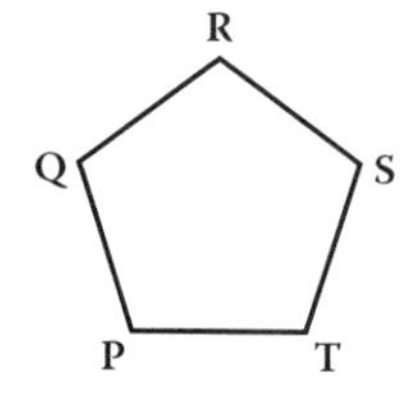

Cylchdroi'n wrthglocwedd drwy 144°.

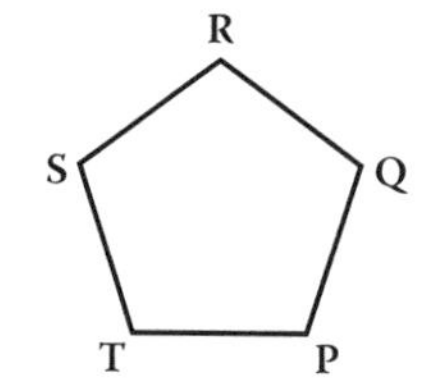

Adlewyrchu yn hanerydd perpendicwlar PT, sy'n mynd drwy R.

Mae pob grŵp cylchol yn Abelaidd

Prawf

Mae angen profi bod $a * b = b * a$, lle mae a a b yn unrhyw ddwy elfen mewn grŵp cylchol G. Oherwydd bod G yn gylchol, bydd rhyw elfen c yn **generadu** G. Gan fod c yn generadu G, mae cyfanrifau n ac m yn bodoli fel bod $c^n = a$ ac $c^m = b$.

Felly, cawn

$$a * b = c^n * c^m = c^{n+m} = c^m * c^n = b * a$$

$$\Rightarrow \quad a * b = b * a$$

Felly mae pob grŵp cylchol yn Abelaidd.

Mantais grwpiau Abel

Mae'n llawer haws cyfrifo mewn grwpiau Abel nag mewn grwpiau an-Abel. Wrth gyfrifo mewn grwpiau an-Abel, mae'n rhaid i ni sicrhau bob amser fod yr elfennau yn eu safleoedd cywir. Rhoddir isod enghraifft o gyfrifo mewn grŵp an-Abel.

Cyfrifo mewn grŵp an-Abel

Pan nad yw grŵp yn Abelaidd, mae'n bwysig **nad** ydym yn newid trefn unrhyw bâr o elfennau. Er enghraifft, ystyriwn grŵp cymesureddau sgwâr. Dyma'r grŵp deuhedrol D_8.

Boed i a ddynodi cylchdro drwy 90° yn wrthglocwedd.
Yna cylchdroeon y sgwâr yw a, a^2, a^3 ac e ($a^4 = e$), fel y gwelir isod.

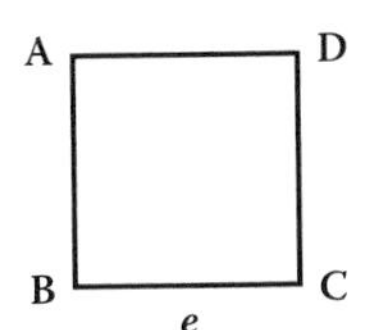

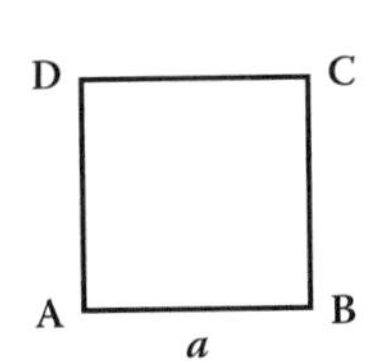

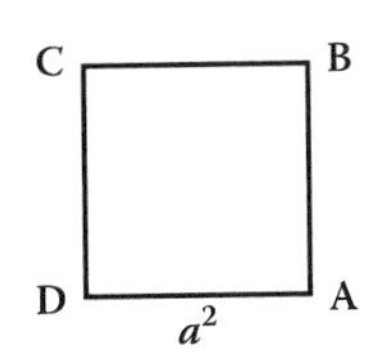

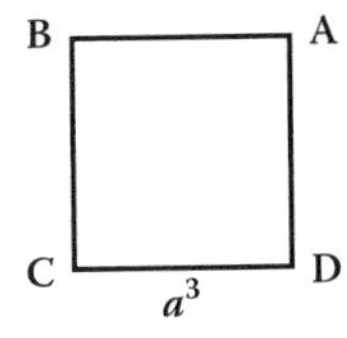

Nawr boed i b gynrychioli'r adlewyrchiad a welir isod.

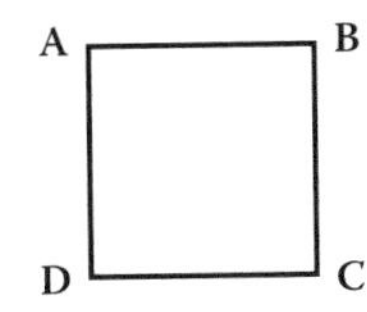

Rhoddir yr adlewyrchiadau eraill gan $a * b$ ac $a^2 * b$, $a^3 * b$ fel y gwelir isod.

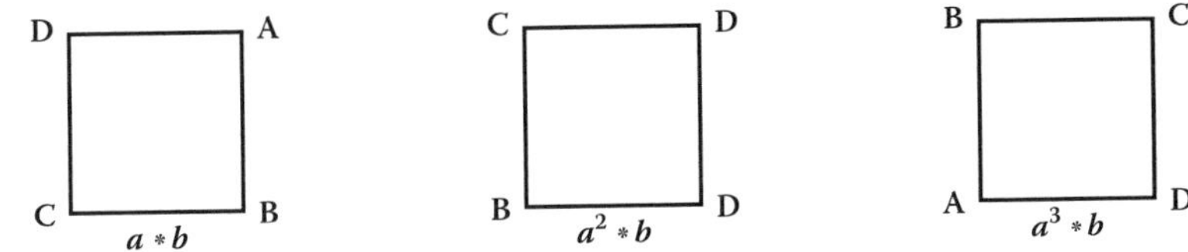

Nodwn fod $b * a = a^3 * b$, sy'n arwain at ffordd o ysgrifennu elfennau'r grŵp.

Grŵp cymesureddau sgwâr yw'r grŵp sydd â'r elfennau $\{e, a, a^2, a^3, a * b, a^2 * b, a^3 * b\}$, gyda'r **amodau** $a^4 = e$, $b^2 = e$, $b * a = a^3 * b$.

Mae'r perthnasoedd hyn yn ddigon i ddarganfod cyfansoddiad unrhyw ddwy elfen. Ond eto, mae'n rhaid bod yn ofalus – **nid** yw'r grŵp yn Abelaidd. Felly, **ni allwn newid trefn dwy elfen**.

Er enghraifft, ystyriwn $(a * b) * (a^3 * b)$. Gan ddefnyddio $b * a = a^3 * b$, cawn

$$(a * b) * (a^3 * b) = (a * b) * (b * a) = a * (b * b) * a$$

Gan ddefnyddio $b^2 = e$, cawn

$$a * (b * b) * a = a * e * a = a * a = a^2$$

Felly, cawn

$$(a * b) * (a^3 * b) = a^2$$

Yr un modd, cawn

$$(a * b) * a^2 = a * (b * a) * a = a * (a^3 * b) * a = (a * a^3) * (b * a) =$$

$$= a^4 * (b * a) = e * (b * a) = (e * b) * a = b * a = a^3 * b$$

Oherwydd nad yw'r grŵp yn Abelaidd, mae'n rhaid bod yn ofalus hefyd wrth ysgrifennu elfennau gwrthdro. Gwrthdro $a * b$ yw $b^{-1} * a^{-1}$, oherwydd bod

$$(a * b) * (b^{-1} * a^{-1}) = a * (b * b^{-1}) * a^{-1} = a * e * a^{-1} = a * a^{-1} = e$$

Trefn grŵp

Trefn grŵp yw nifer yr elfennau sydd yn y grŵp. Mae'r rhan fwyaf o grwpiau rydym wedi eu gweld hyd yn hyn yn **grwpiau meidraidd**, sef grwpiau sy'n cynnwys nifer feidraidd o elfennau yn unig.

I ddarganfod trefn grŵp, mae angen gweld sawl elfen sydd yn y grŵp. Dyma bedair enghraifft:

- Trefn y grŵp o gyfanrifau o dan effaith adio (mod 4) yw 4, oherwydd mai'r elfennau yw {0, 1, 2, 3}.
- Trefn y grŵp {1, i, −1, −i} yw 4 oherwydd bod yma bedair elfen unwaith eto.
- Trefn grŵp cymesureddau pentagon yw 10 (gweler tudalen 376), oherwydd bod pum cylchdro a phum adlewyrchiad.
- Trefn y grŵp trynewid S_n yw $n!$, oherwydd bod $n!$ trefniant posibl ar gyfer n gwrthrych (gweler tudalen 382).

Trefn elfen

Mewn unrhyw grŵp meidraidd, mae cyfuno unrhyw elfen â hi ei hun dro ar ôl tro yn y pen draw yn rhoi'r elfen unfathiant. Er enghraifft, yn y grŵp adio (mod 4), cawn

$$1 + 1 + 1 + 1 = 0 \quad \text{a} \quad 2 + 2 = 0$$

Yn y grŵp o gymesureddau pentagon, mae ailadrodd cylchdro drwy 72° bedair gwaith, yn dod â'r pentagon yn ôl i'w safle gwreiddiol. Felly, mae pum cylchdro drwy 72° yn gywerth â'r cymesuredd unfathiant.

Trefn, neu **gyfnod**, elfen yw'r nifer leiaf o droeon mae'n rhaid ailadrodd yr elfen cyn cael yr elfen unfathiant. Felly, yn y grŵp G, trefn elfen, a, yw n, lle mae n yn dynodi'r cyfanrif lleiaf fel bod $a^n = e$. Er enghraifft, cawn:

- Yn y grŵp adio (mod 4), trefn elfen 1 yw 4, oherwydd bod 1 + 1 + 1 + 1 = 0 (mod 4).
- Trefn elfen 3 o dan effaith adio (mod 4) yw 4, oherwydd bod 3 + 3 + 3 + 3 = 0 (mod 4).
- Trefn elfen 2 yw 2, oherwydd dim ond dwywaith y mae angen cyfuno 2 cyn dychwelyd at yr unfathiant: 2 + 2 = 0 (mod 4). Trefn 0, sydd hefyd yn drefn pob elfen unfathiant ym mhob grŵp, yw 1.
- Yng nghymesureddau pentagon, mae trefn unrhyw adlewyrchiad yn 2, oherwydd bod cyfuno yr un adlewyrchiad ddwywaith yn ein dychwelyd at yr unfathiant. Trefn unrhyw gylchdro yng nghymesureddau pentagon yw 5, oherwydd bod angen i ni ailadrodd cylchdro bedair gwaith yn ychwanegol cyn dychwelyd at yr unfathiant.

Sylwer

- **Ni chaiff** trefn elfen **fod yn fwy** na threfn ei grŵp.
- Mae trefn grŵp a threfn elfen **yn ddau gysyniad cwbl wahanol**.

Is-grwpiau

Ystyriwch y grŵp o gyfanrifau {0, 1, 2, 3} o dan effaith adio (mod 4). Petaem yn cymryd y set lai {0, 2} o gyfanrifau o dan effaith adio (mod 4) yn unig, yna byddai gennym grŵp arall. (Gallwn gadarnhau hyn drwy wirio'r holl briodweddau grŵp: caefa, cysylltiadedd, unfathiant a gwrthdroeon.)
Gan fod {0, 2} yn grŵp sydd wedi'i gynnwys yn gyfan gwbl tu mewn i'r grŵp gwreiddiol, dywedwn fod {0, 2} yn **is-grŵp** o {0, 1, 2, 3}.

Hynny yw, os yw G a H yn grwpiau gyda'r un gweithrediad deuaidd, a phob aelod o H wedi'i gynnwys tu mewn i G, yna mae H yn **is-grŵp** o G.

Mae'n aml yn llawer haws gwirio bod H yn is-grŵp o G nag yw gwirio gan ddechrau o'r dechrau fod H yn grŵp. Felly, i gadarnhau bod H yn is-grŵp o G, mae'n ofynnol dilyn y camau canlynol:

1 Gwirio bod H yn cynnwys unfathiant G.

2 Gwirio, os yw a a b yn H, yna fod $a * b$ hefyd yn H.

3 Gwirio ar gyfer pob a yn H, fod a^{-1} hefyd yn H.

Does ond rhaid dangos bod y tri amod hyn wedi'u bodloni, gan y byddant yn sicrhau bod y pedair priodwedd grŵp wedi'u bodloni.

Caefa Mae amod **2** yn gwirio bod H yn gaeedig.

Cysylltiadedd Rydym yn gwybod bod H yn gysylltiadol, oherwydd ei fod yn is-set o G, sy'n gysylltiadol.

Unfathiant Mae amod **1** yn gwirio bod gan H unfathiant.

Gwrthdroeon Mae amod **3** yn gwirio bod gan bob elfen yn H elfen wrthdro.

Enghraifft 11 Profwch fod y set H o gylchdroeon pentagon yn is-grŵp o'r set o holl gymesureddau pentagon.

DATRYSIAD

Wrth edrych ar y tri amod is-grŵp, rydym yn darganfod y canlynol:

1 Mae'r cymesuredd unfathiant, cylchdro drwy 0°, yn H.

2 Mae cyfansoddiad dau gylchdro hefyd yn gylchdro, felly os yw a a b yn H, mae $a * b$ hefyd yn H.

3 Gwrthdro cylchdro clocwedd drwy $\alpha°$ yw cylchdro gwrthglocwedd drwy $\alpha°$. Felly, mae gwrthdro unrhyw elfen yn H hefyd yn H.

Grwpiau isomorffig

Rydym eisoes wedi darganfod bod y grŵp $G = \{0, 1, 2, 3\}$ o dan effaith adio (mod 4) a'r grŵp $H = \{1, i, -1, -i\}$ o dan effaith lluosi yn debyg oherwydd bod y ddau yn gylchol o drefn 4. Drwy lunio eu tablau grŵp, gallwn weld bod ganddynt strwythurau unfath.

+ (mod 4)	0	1	2	3
0	0	1	2	3
1	1	2	3	0
2	2	3	0	1
3	3	0	1	2

×	1	i	−1	−i
1	1	i	−1	−i
i	i	−1	−i	1
−1	−1	−i	1	i
−i	−i	1	i	−1

Dywedir bod dau grŵp â'r un strwythur yn **isomorffig**.

I brofi bod G a H yn isomorffig, mae'n rhaid adnabod ffordd y gallwn fapio elfennau G ar elfennau H.

Yn yr achos uchod, gallwn fapio cyfanrif $n \in G$ ar y rhif cymhlyg $e^{\pi i n/2} \in H$.
I gadarnhau bod mapiad f o G i H yn **isomorffedd**, mae'n rhaid gwirio pob un o'r canlynol:

1 Mae pob elfen o G yn mapio ar elfen **unigryw** o H.

2 Mae pob elfen yn H yn ddelwedd **union un** elfen o G.

3 Delwedd unfathiant G, $f(e)$, yw unfathiant H.

4 Yr un elfen yw'r elfen gyfansawdd $f(a) * f(b)$ yn H â delwedd $f(a * b)$ yr elfen gyfansawdd $(a * b)$ yn G.

Enghraifft 12 Dangoswch fod y mapiad $f(n) = e^{\pi i n/2}$ o $G = \{0, 1, 2, 3\}$ i $H = \{1, i, -1, -i\}$ yn isomorffedd.

DATRYSIAD

Mae'n rhaid gwirio bod f yn bodloni'r pedwar amod ar gyfer isomorffedd.

1 Mae f yn rhoi delwedd i bob aelod o G.

2 Mae pob aelod o H yn ddelwedd o $f(n)$ ar gyfer rhyw n. Mae hyn oherwydd bod

$$1 = e^{0\pi i/2} \qquad i = e^{\pi i/2} \qquad -1 = e^{2\pi i/2} \qquad -i = e^{3\pi i/2}$$

3 Delwedd unfathiant G, sef 0, yw $f(0)$, sy'n 1. Dyma unfathiant H sy'n cadarnhau bod elfen unfathiant G yn cael ei mapio ar elfen unfathiant H.

4 Rhaid gwirio, ar gyfer pob cyfanrif n ac m rhwng 0 a 3, fod

$$f(n * m) = f(n) * f(m)$$

Gan fod y gweithrediad deuaidd yn G yn wahanol i'r un yn H, yr hafaliad y mae'n rhaid ei wirio yw

$$f(n + m) = f(n) \times f(m)$$

sy'n rhoi

$$f(n + m) = e^{\pi i (n+m)/2} = e^{\pi i n/2} \times e^{\pi i m/2} = f(n) \times f(m)$$

Felly, cawn

$$f(n * m) = f(n) * f(m)$$

Gan ein bod wedi profi bod y pedwar amod wedi'u bodloni, mae f yn isomorffedd o G i H.

Ar ôl darganfod isomorffedd rhwng dau grŵp, rydym yn gwybod bod y ddau grŵp yr un fath yn eu hanfod. Mae'r elfennau'n wahanol, mae'r gweithrediadau'n wahanol, ond oherwydd amod **4**, maent yn cyfuno yn yr un ffordd.

Mae'r ddau grŵp hyn yn **isomorffig**.

Theorem Lagrange

Yn ôl theorem Lagrange, pan fo trefn n gan grŵp meidraidd G, bydd trefn m is-grŵp H yn ffactor o n.

Felly, mae'n rhaid mai trefn 2 neu drefn 5 yw is-grwpiau grŵp trefn 10.

Nid oes rhaid i grŵp trefn 10 gael is-grŵp sy'n drefn 2, nac is-grŵp sy'n drefn 5, ond os oes is-grŵp **mae'n rhaid iddo fod** yn un o'r ddwy drefn hyn.

Mae theorem Lagrange yn ein helpu i ddeall strwythur grwpiau.
Po fwyaf y gallwn ei ddeall am sut mae gwahanol grwpiau yn perthyn i'w gilydd, mwyaf y gallwn obeithio ei ddeall am grwpiau yn gyffredinol.

Enghreifftiau o theorem Lagrange

Rydym eisoes wedi darganfod bod $\{0, 2\}$ yn is-grŵp o'r grŵp $\{0, 1, 2, 3\}$ o gyfanrifau o dan effaith adio (mod 4). Trefn $\{0, 2\}$ yw 2, a threfn $\{0, 1, 2, 3\}$ yw 4. Gan ein bod yn gwybod bod 4 yn rhanadwy â 2, mae'r enghraifft hon yn cytuno â theorem Lagrange.

Ar dudalen 387, gwelsom fod grŵp cylchdroeon pentagon yn is-grŵp o gymesureddau pentagon. Mae pum cylchdro a deg cymesuredd gan y pentagon. Unwaith eto, gwelwn fod trefn y grŵp lleiaf (5) yn ffactor o drefn y grŵp mwyaf (10). Mae hyn eto'n cytuno â theorem Lagrange.

Un canlyniad i theorem Lagrange yw'r canlynol:

Mae trefn elfen yn ffactor o drefn y grŵp.

Cymerwn elfen a o grŵp G, ac ystyriwn y grŵp cylchol a gynhyrchir gan a.

Os n yw trefn a, yna mae $a^n = e$. Felly, y grŵp H a gynhyrchir gan a yw $\{e, a, a^2, a^3, \ldots, a^{n-1}\}$.

Gan fod H yn is-grŵp o G, gallwn ddefnyddio theorem Lagrange, sy'n datgan bod trefn G yn rhanadwy â trefn H.

Ond trefn H yw n. Felly, mae trefn G yn rhanadwy ag a.

Enghraifft 13 Is-grwpiau grŵp G yw $\{a\}$, $\{a, b, c, d, f\}$ ac $\{a, d\}$.

a) Beth yw unfathiant G?

b) A all G gynnwys y pum elfen $\{a, b, c, d, f\}$ yn unig? Esboniwch eich ateb.

c) Beth yw trefn leiaf posibl G?

DATRYSIAD

a) Mae'n rhaid mai a yw unfathiant G. Mae hyn oherwydd bod yn rhaid i bob is-grŵp o G gynnwys unfathiant G, ac mae $\{a\}$ yn is-grŵp o G.

b) Mae trefn is-grŵp yn rhannu trefn y grŵp. Felly, mae'n rhaid fod trefn G yn rhanadwy ag 1, 5 a 2. Felly, ni all trefn G fod yn 5, ac felly ni all G gynnwys yr elfennau a, b, c, d ac f yn unig.

c) Y drefn leiaf posibl y gall G ei chael yw'r rhif lleiaf posibl sy'n rhanadwy ag 1, 2 a 5. Y rhif hwnnw yw 10.

Grwpiau trefn 3

Os 3 yw trefn grŵp G, yna mae'n rhaid i 3 fod yn rhanadwy â phob elfen yn G. Hynny yw, mae trefn pob elfen yn G naill ai'n 1 neu 3.

Nid oes ond un elfen trefn 1, yr elfen unfathiant e.

Gan mai tair elfen sydd yn G, mae'n rhaid fod dwy elfen nad ydynt yn drefn 1 ac felly mae'n rhaid fod pob un yn drefn 3.

Boed i a fod yn elfen trefn 3. Yna mae a, a^2 ac $a^3 = e$ yn dair elfen wahanol yn y grŵp. Gan mai tair elfen yn unig sydd yn y grŵp, mae'n dilyn mai a, a^2 ac e yw **holl** elfennau'r grŵp, ac felly mae'n rhaid fod G yn grŵp cylchol trefn 3.

Felly, mae pob grŵp trefn 3 yn gylchol. Maent hefyd i gyd yn isomorffig â'i gilydd.

Grwpiau trefn 4

Os yw G yn grŵp trefn 4, yna mae'n rhaid mai 1, 2 neu 4 yw trefn pob elfen. Mae'n rhaid i un o'r elfennau gael trefn 1; hon yw'r elfen unfathiant e. Os oes gan G elfen a sy'n drefn 4, yna e, a, a^2 ac a^3 yw pedair elfen G, ac felly mae'n rhaid mai G yw'r grŵp cylchol a gynhyrchir gan a.

Felly, os **nad** y grŵp cylchol a gynhyrchir gan a yw G, nid oes unrhyw elfen trefn 4 yn G. Os nad oes gan G **unrhyw** elfen trefn 4, yna mae'n rhaid fod pob elfen heblaw am e yn drefn 2. Felly, y grŵp yw $\{e, a, b, c\}$ ac mae $a^2 = b^2 = c^2 = e$.

Yr unig beth nad ydym yn ei wybod yw sut mae'r elfennau'n cyfuno.

Os yw $a * b = a$, yna drwy flaenluosi'r ddwy ochr ag a^{-1} cawn

$$a^{-1} * a = a^{-1} * (a * b) = (a^{-1} * a) * b = e * b = b$$

Oherwydd bod $a^{-1} * a = e$, mae hyn yn rhoi $b = e$. Ni all hyn fod yn wir, oherwydd roeddem wedi rhagdybio bod e, a, b, c yn bedair elfen wahanol o'r grŵp. Felly $a * b \neq a$.

Os yw $a * b = b$, yna drwy ôl-luosi'r ddwy ochr â b^{-1}, gallwn brofi yn yr un modd fod $a = e$. Trydydd dewis fyddai bod $a * b = e$, ond byddai blaenluosi'r ddwy ochr ag a yn rhoi $a * a * b = a * e$. Oherwydd bod $a^2 = e$, byddai hyn yn rhoi $b = a$, sydd hefyd yn amhosibl. Gan fod y set yn gaeedig ac $a * b \neq a$, b nac e, cawn

$$a * b = c$$

Yr un modd, gallwn brofi bod $b * c = a$ a bod $a * c = b$. Felly, does ond un ffordd y gall grŵp trefn 4 edrych os nad yw'n gylchol, ac mae hyn yn digwydd os yw'r elfennau yn cyfuno fel y disgrifiwyd uchod. Y tabl cyfansoddiad ar gyfer y grŵp hwn felly yw:

$*$	e	a	b	c
e	e	a	b	c
a	a	e	c	b
b	b	c	e	a
c	c	b	a	e

Ar ôl llenwi'r rhes a'r golofn agosaf at e, a rhoi e ar gyfer a^2, b^2 ac c^2, gallwn gwblhau'r tabl cyfansoddiad yn syml iawn drwy ddefnyddio'r rheol fod pob aelod o'r grŵp, e, a, b, c yn ymddangos unwaith ac unwaith yn unig ym mhob rhes a cholofn.

Gwahaniaethu rhwng y ddau grŵp trefn 4

Rydym wedi profi nad oes ond dau grŵp gwahanol trefn 4. Felly, mae unrhyw grŵp trefn 4 naill ai'n isomorffig â grŵp cylchol trefn 4, neu'n isomorffig â'r grŵp sydd â'r tabl cyfansoddiad uchod.

Mae dwy ffordd o wahaniaethu rhwng grwpiau trefn 4:

- Os yw G yn cynnwys elfen trefn 4, yna mae'n gylchol.
- Os yw G yn cynnwys tair elfen trefn 2, yna nid yw'n gylchol.

Grwpiau trefn 5

Os yw G yn grŵp trefn 5, yna mae'n rhaid i drefn pob elfen yn G fod yn ffactor o 5. Gan fod 5 yn gysefin, mae'n rhaid i drefn pob elfen fod yn 1 neu 5. Nid oes ond un elfen trefn 1, a honno yw'r elfen unfathiant.

Dewiswn unrhyw elfen heblaw'r elfen unfathiant, a boed i hon fod yn a. Yna mae a yn drefn 5, ac felly mae'n rhaid mai pum elfen y grŵp yw a, a^2, a^3, a^4 ac a^5, sef e. Gan mai dim ond pum elfen sydd gan y grŵp, dyma holl elfennau'r grŵp ac mae'r grŵp yn gylchol.

Nodwn fod pob elfen heblaw am yr elfen unfathiant yn eneradur.

Felly, mae **unrhyw** grŵp trefn 5 yn **gylchol**, ac mae **pob** grŵp trefn 5 yn **isomorffig**.

Grwpiau trefn 6

Nid oes ond dau grŵp trefn 6:

- Math 1: y grŵp cylchol
- Math 2: grŵp cymesureddau triongl hafalochrog.

O edrych ar grŵp trefn 6, mae sawl ffordd o benderfynu a yw'n gylchol.

Gwahaniaethu rhwng math 1 a math 2

Os yw G yn Abelaidd, mae'n rhaid ei fod yn gylchol.
Nid yw grŵp cymesureddau triongl hafalochrog yn Abelaidd.

Os oes gan G elfen sy'n drefn 6, yna mae'n rhaid ei bod yn aelod o'r grŵp cylchol trefn 6.
Nid oes cymesuredd sy'n llwyr eneradu grŵp cymesureddau triongl hafalochrog.

Os oes gan G dair elfen sy'n drefn 2, yna mae'n isomorffig â grŵp cymesureddau triongl hafalochrog.
Mae'r tair elfen hyn o drefn 2 yn cyfateb i dri adlewyrchiad triongl hafalochrog.
Yn y grŵp cylchol trefn 6, nid oes ond un elfen trefn 2.

Enghraifft 14 Mae cymesureddau sgwâr yn ffurfio'r grŵp deuhedrol, D_8.
Darganfyddwch

a) unrhyw is-grŵp o D_8 sydd yn drefn 3

b) pob is-grŵp o D_8 sydd yn drefn 4.

DATRYSIAD

a) Gan mai trefn D_8 yw 8, ni all fod unrhyw grŵp trefn 3, gan nad yw 8 yn rhanadwy â 3.

b) Boed i H fod yn is-grŵp trefn 4.

Os oes cylchdro 90° yn H, yna mae'n rhaid mai H yw set **holl** gylchdroeon sgwâr.
Mae hyn oherwydd bod cylchdro 90° yn cynhyrchu'r pedwar cylchdro sgwâr i gyd, ac oherwydd mai pedair elfen yn unig sydd gan H.

Os oes adlewyrchiad mewn croeslin yn H, yna'r unig adlewyrchiad arall sydd yn H yw'r adlewyrchiad yn y groeslin arall.

Petaem yn cynnwys unrhyw adlewyrchiad arall, yna byddai'n rhaid i H gynnwys yr **holl** adlewyrchiadau. Felly, byddai'n rhaid i H gynnwys y pedwar adlewyrchiad **a**'r elfen unfathiant, sy'n **amhosibl**, gan mai trefn H yw 4.

Yr un modd, petaem yn cynnwys adlewyrchiad nad yw mewn croeslin, byddai'n rhaid i'r adlewyrchiad arall, nad yw'n adlewyrchiad yn y naill groeslin na'r llall, fod yn yr is-grŵp.

Felly, unig is-grwpiau D_8 sydd yn drefn 4 yw:

- Y pedwar cylchdro (is-grŵp cylchol).
- Un cylchdro 180°, ynghyd â'r ddau adlewyrchiad yn y croesliniau a'r unfathiant.
- Un cylchdro 180°, ynghyd â'r ddau adlewyrchiad **nad** ydynt yn adlewyrchiadau yn y croesliniau a'r unfathiant.

Enghraifft 15 *G* yw grŵp cymesureddau sgwâr.
Darganfyddwch holl ddatrysiadau'r hafaliad $x^3 = x$ yn y grŵp G.

DATRYSIAD

Byddem yn hoffi rhannu dwy ochr yr hafaliad hwn ag x. Ond, ni chawn rannu mewn grwpiau, ac felly yn gyntaf, mae'n rhaid lluosi dwy ochr yr hafaliad ag x^{-1}.
Gan nad yw'r grŵp yn Abelaidd, mae'n rhaid dewis blaenluosi neu ôl-luosi ag x^{-1}.
Rydym am ddewis ôl-luosi (er bod y ddwy ffordd yn gweithio yn yr achos hwn), sy'n rhoi

$$\Rightarrow \quad x^3 = x$$

$$\Rightarrow \quad x * x * x = x$$

$$\Rightarrow \quad (x * x * x) * x^{-1} = x * x^{-1}$$

$$\Rightarrow \quad (x * x) * (x * x^{-1}) = x * x^{-1}$$

$$\Rightarrow \quad x * x * e = e$$

$$\Rightarrow \quad x * x = e$$

$$\Rightarrow \quad x^2 = e$$

Felly'r datrysiad yw'r holl gymesureddau sydd, o'u gwneud ddwywaith, yn rhoi'r unfathiant.

Gelwir trawsffurfiadau o'r fath yn **hunanwrthdro**, gan eu bod yn wrthdro iddynt hwy eu hunain. (Gweler hefyd tudalen 375.)

Yn y grŵp o gymesureddau sgwâr, y trawsffurfiadau hyn yw'r pedwar adlewyrchiad, cylchdro drwy 180°, a'r trawsffurfiad unfathiant.

Ymarfer 17B

1 Ystyriwch y ddau grŵp:

G_1: $(\mathbb{R}^+, \times)$, y set o rifau real positif o dan effaith lluosi

G_2: $(\mathbb{R}, +)$, y set o rifau real o dan effaith adio

i) Beth yw'r elfennau unfathiant ym mhob un o'r ddau grŵp?

ii) Pam nad yw sero yn cael ei gynnwys yn set elfennau G_1?

Ystyriwch y mapiad

$$f: \mathbb{R}^+ \rightarrow \mathbb{R}$$

$$f(x) = \log_e(x)$$

iii) Esboniwch pam mae'r mapiad hwn yn diffinio isomorffedd o G_1 i G_2. (NICCEA)

2 Ystyriwch y tri grŵp canlynol.

G_1: $(\{1, 3, 7, 9\}, \times_{10})$, h.y. y set $\{1, 3, 7, 9\}$ o dan effaith lluosi mod 10

G_2: $(\{1, 5, 7, 11\}, \times_{12})$

G_3: $(\{1, 3, 5, 7\}, \times_8)$

Lluniwch y tablau grŵp ar gyfer G_1, G_2 a G_3 a defnyddiwch hwy i:

i) ddarganfod pa ddau sy'n isomorffig â'i gilydd ac ysgrifennwch isomorffedd rhyngddynt

ii) ddatrys yr hafaliad $x^3 = x$ ym mhob un o'r tri grŵp. (NICCEA)

3 Dangoswch fod pob matrics yn y ffurf $\begin{pmatrix} 1 & n \\ 0 & 1 \end{pmatrix}$, lle mae n yn gyfanrif, yn ffurfio grŵp o dan effaith gweithrediad lluosi matricsau. (Gallwch gymryd cysylltiadedd lluosi matricsau yn ganiataol.)

Disgrifiwch y trawsffurfiad geometrig a gynrychiolir gan y matrics $\begin{pmatrix} 1 & n \\ 0 & 1 \end{pmatrix}$. (OCR)

4 **i)** Mae'r set o gyfanrifau $\{1, 3, 5, 7\}$, o dan effaith gweithrediad lluosi modwlo 8, yn ffurfio grŵp G. Dangoswch y tabl gweithrediadau ar gyfer G.

ii) Darganfyddwch dri gwir is-grŵp o G.

iii) Diffinnir y ffwythiannau f, g, h, k, ar gyfer $x \neq 0$, fel a ganlyn:

$$f: x \mapsto x \qquad g: x \mapsto \frac{1}{x} \qquad h: x \mapsto -x \qquad k: x \mapsto -\frac{1}{x}$$

Mae'r set {f, g , h, k}, o dan effaith gweithrediad cyfansoddi ffwythiannau yn ffurfio grŵp H. Dangoswch y tabl gweithrediadau ar gyfer H.

iv) Nodwch, gyda rheswm, a yw G a H yn isomorffig ai peidio. (OCR)

5 **a)** Boed i $G = \{1, 3, 5, 7\}$. Lluniwch y tabl Cayley ar gyfer G o dan effaith lluosi (mod 8), a phenderfynwch a yw G yn grŵp ai peidio mewn perthynas â'r gweithrediad hwn.

b) Esboniwch pam **nad** yw'r set $\mathbb{Z}_8 - \{0\}$ yn ffurfio grŵp o dan effaith lluosi (mod 8).

c) Ar gyfer pa werthoedd o n mae $\mathbb{Z}_n - \{0\}$ yn ffurfio grŵp o dan effaith lluosi (mod n)? (SQA/CSYS)

6 Dangoswch fod y set o'r holl fatricsau yn y ffurf $\begin{pmatrix} 1-n & n \\ -n & 1+n \end{pmatrix}$, lle mae n yn gyfanrif (positif, negatif neu sero), yn ffurfio grŵp G o dan effaith gweithrediad lluosi matricsau. (Cewch gymryd yn ganiataol fod lluosi matricsau'n gysylltiadol.)

Dynodir yr is-set o G sy'n cynnwys yr elfennau hynny sydd ag n yn gyfanrif eilrifol (positif, negatif neu sero) gan H. Penderfynwch a yw H yn is-grŵp o G ai peidio, gan gyfiawnhau eich ateb. (OCR)

7 **a)** Rydych yn gwybod bod x ac y yn elfennau grŵp lluosol G gydag unfathiant e, a bod $x^2 = e$, $y^2 = e$ ac $(xy)^2 = e$. Dangoswch fod $xy = yx$.

b) Mae'r grŵp lluosol H yn gymudol. Mae dwy elfen a a b yn H. Trefn a yw 2 a threfn b yw 3. Dangoswch mai 6 yw trefn ab. (OCR)

8 Elfennau'r grŵp G yw'r set o chwe matrics **I**, **A**, **B**, **C**, **D**, **E** a ddiffinnir isod, o dan effaith gweithrediad lluosi matricsau.

$$\mathbf{I} = \begin{pmatrix} 1 & 0 & 0 \\ 0 & 1 & 0 \\ 0 & 0 & 1 \end{pmatrix} \quad \mathbf{A} = \begin{pmatrix} 0 & 0 & 1 \\ 1 & 0 & 0 \\ 0 & 1 & 0 \end{pmatrix} \quad \mathbf{B} = \begin{pmatrix} 0 & 1 & 0 \\ 0 & 0 & 1 \\ 1 & 0 & 0 \end{pmatrix}$$

$$\mathbf{C} = \begin{pmatrix} 1 & 0 & 0 \\ 0 & 0 & 1 \\ 0 & 1 & 0 \end{pmatrix} \quad \mathbf{D} = \begin{pmatrix} 0 & 0 & 1 \\ 0 & 1 & 0 \\ 1 & 0 & 0 \end{pmatrix} \quad \mathbf{E} = \begin{pmatrix} 0 & 1 & 0 \\ 1 & 0 & 0 \\ 0 & 0 & 1 \end{pmatrix}$$

i) Copïwch a chwblhewch y tabl grŵp canlynol ar gyfer G.

	I	A	B	C	D	E
I	I	A	B	C	D	E
A	A	B	I	E	C	
B	B	I	A	D	E	
C	C	D	E			
D	D	E	C			
E						

ii) Dangoswch nad yw G yn gylchol.

iii) Darganfyddwch bob gwir is-grŵp o G.

iv) Y grŵp H yw'r chwe elfen 1, 2, 3, 4, 5, 6 o dan effaith lluosi modwlo 7. Y grŵp lluosol K yw'r chwe elfen i, a, a^2, b, ab, a^2b, gydag i yn unfathiant, $a^3 = b^2 = i$ a $ba = a^2b$. Penderfynwch a yw

a) H yn isomorffig ag G

b) K yn isomorffig ag G

c) H yn isomorffig â K.

Rhowch resymau dros eich casgliadau. (OCR)

9 Mae gan y grŵp lluosol G wyth o elfennau e, a, b, c, ab, ac, bc, abc, gydag e yn unfathiant. Mae'r grŵp yn gymudol, a threfn pob un o'r elfennau a, b, c yw 2.

i) Nodwch drefn yr elfennau ab ac abc.

ii) Darganfyddwch bedwar is-grŵp o G sydd yn drefn 4.

iii) Rhowch reswm pam na all unrhyw grŵp trefn 8 gael is-grŵp trefn 3.

Elfennau'r grŵp H yw 0, 1, 2, . . . , 7 o dan effaith gweithrediad grŵp adio modwlo 8.

iv) Darganfyddwch drefn pob elfen yn H.

v) Penderfynwch a yw G a H yn isomorffig, gan gyfiawnhau eich casgliad. (OCR)

10 Isod dangosir tablau ar gyfer G, grŵp cylchol trefn 6, a H, grŵp anghylchol trefn 6.

G

	e	g	g^2	g^3	g^4	g^5
e	e	g	g^2	g^3	g^4	g^5
g	g	g^2	g^3	g^4	g^5	e
g^2	g^2	g^3	g^4	g^5	e	g
g^3	g^3	g^4	g^5	e	g	g^2
g^4	g^4	g^5	e	g	g^2	g^3
g^5	g^5	e	g	g^2	g^3	g^4

H

	i	h_1	h_2	h_3	h_4	h_5
i	i	h_1	h_2	h_3	h_4	h_5
h_1	h_1	h_2	i	h_5	h_3	h_4
h_2	h_2	i	h_1	h_4	h_5	h_3
h_3	h_3	h_4	h_5	i	h_1	h_2
h_4	h_4	h_5	h_3	h_2	i	h_1
h_5	h_5	h_3	h_4	h_1	h_2	i

i) Rhowch drefn pob elfen yn G.

ii) Rhowch drefn pob elfen yn H ac ysgrifennwch bob gwir is-grŵp H.

iii) Elfennau'r grŵp M yw 1, 3, 4, 9, 10, 12 o dan effaith gweithrediad lluosi modwlo 13. Nodwch â pha un o'r grwpiau G neu H mae M yn isomorffig. Ar gyfer y ddau grŵp sy'n isomorffig, ysgrifennwch gyfatebiaeth rhwng yr elfennau. (OCR)

11 Trefn y grŵp $G = \{e, p_1, p_2, p_3, q_1, q_2, q_3, q_4\}$ yw 8, a dangosir ei dabl lluosi isod.

	e	p_1	p_2	p_3	q_1	q_2	q_3	q_4
e	e	p_1	p_2	p_3	q_1	q_2	q_3	q_4
p_1	p_1	p_2	p_3	e	q_4	q_3	q_1	q_2
p_2	p_2	p_3	e	p_1	q_2	q_1	q_4	q_3
p_3	p_3	e	p_1	p_2	q_3	q_4	q_2	q_1
q_1	q_1	q_3	q_2	q_4	e	p_2	p_1	p_3
q_2	q_2	q_4	q_1	q_3	p_2	e	p_3	p_1
q_3	q_3	q_2	q_4	q_1	p_3	p_1	e	p_2
q_4	q_4	q_1	q_3	q_2	p_1	p_3	p_2	e

i) Darganfyddwch drefn p_1 a p_3.

ii) Darganfyddwch ddau is-grŵp trefn 4.

iii) Nodwch a oes gan G unrhyw is-grŵp sydd yn drefn 6, gan gyfiawnhau eich ateb.

iv) Elfennau'r grŵp H yw $e^{\frac{1}{4}k\pi i}$, lle mae $k = 0, 1, \ldots, 7$, a'r gweithrediad grŵp yw lluosi cymhlyg. Dangoswch fod H yn gylchol.

v) Mae'r set $K = \{i, a, a^2, a^3, b, ab, a^2b, a^3b\}$ yn grŵp lluosol cymudol trefn 8. Yr elfen unfathiant yw i ac mae $a^4 = b^2 = i$. Penderfynwch a yw unrhyw ddau o G, H, K yn isomorffig â'i gilydd, gan gyfiawnhau eich casgliadau. (OCR)

12 **a)** Esboniwch pam mae $4 \times 14 = 2$ mewn lluosi modwlo 18.

b) Cwblhewch y tabl grŵp a ddangosir isod ar gyfer lluosi modwlo 18.

	2	4	8	10	12	16
2	4	8	16	2	10	14
4	8	16	14	4	2	10
8	16	14	10	8	4	2
10	2	4				
12	10	2				
16	14	10				

c) Nodwch yr elfen unfathiant. Darganfyddwch is-grŵp sydd yn drefn 2 ac is-grŵp sydd yn drefn 3.

d) Nodwch, gyda rheswm, a yw'r grŵp yn rhan **b** yn isomorffig â'r grŵp cymesureddau triongl hafalochrog. **(NEAB/SMP 16-19)**

13 Ystyriwch y matricsau

$$\mathbf{A} = \begin{pmatrix} 3 & 2 \\ 1 & 4 \end{pmatrix} \quad \mathbf{E}_1 = \begin{pmatrix} \frac{1}{3} & 0 \\ 0 & 1 \end{pmatrix} \quad \mathbf{E}_2 = \begin{pmatrix} 1 & 0 \\ -1 & 1 \end{pmatrix} \quad \mathbf{E}_3 = \begin{pmatrix} 1 & 0 \\ 0 & \frac{3}{10} \end{pmatrix}$$

$$\mathbf{E}_4 = \begin{pmatrix} 1 & -\frac{2}{3} \\ 0 & 1 \end{pmatrix}$$

i) Disgrifiwch y trawsffurfiadau geometregol sy'n cyfateb i $\mathbf{E}_1$ ac $\mathbf{E}_2$.

ii) Cyfrifwch y tri lluoswm: $\mathbf{E}_1\mathbf{A}$, $\mathbf{E}_2(\mathbf{E}_1\mathbf{A})$, $\mathbf{E}_3(\mathbf{E}_2\mathbf{E}_1\mathbf{A})$. Gwiriwch fod $\mathbf{E}_4(\mathbf{E}_3\mathbf{E}_2\mathbf{E}_1\mathbf{A}) = \mathbf{I}$.

iii) Darganfyddwch y matricsau gwrthdro $\mathbf{E}_1^{-1}$, $\mathbf{E}_2^{-1}$, $\mathbf{E}_3^{-1}$ ac $\mathbf{E}_4^{-1}$.

iv) Nodwch sut mae modd ysgrifennu **A** fel lluoswm y matricsau gwrthdro hyn. Disgrifiwch yn llawn y trawsffurfiad geometregol sy'n cyfateb i **A** yn nhermau cyfansoddi croeswasgiadau ac ymestyniadau, gan roi'r ffactorau graddfa a chyfeiriadau perthnasol ym mhob achos. **(NICCEA)**

14 **i)** Ffurfiwch y tabl cyfuniadau ar gyfer y set $\{3, 6, 9, 12\}$ o dan effaith gweithrediad lluosi modwlo 15. Nodwch unrhyw elfennau sy'n hunanwrthdro.

ii) Diffinnir gweithrediad deuaidd $*$ ar R gan

$$r * s = r + s + rs$$

O wybod bod $S = \{x: x \in \mathbb{R}, x \neq -1\}$,
dangoswch fod S yn ffurfio grŵp o dan effaith gweithrediad $*$.

Datryswch yr hafaliad

$$(x * 2) * x = 3 * (4 * x)$$ **(EDEXCEL)**

15 Mae grŵp an-Abel G yn cynnwys wyth matrics 2×2, a'r gweithrediad deuaidd yw lluosi matricsau. Gellir ysgrifennu wyth elfen wahanol G fel

$$G = \{\mathbf{I}, \mathbf{A}, \mathbf{A}^2, \mathbf{A}^3, \mathbf{B}, \mathbf{AB}, \mathbf{A}^2\mathbf{B}, \mathbf{A}^3\mathbf{B}\} \qquad (*)$$

gydag **I** yn fatrics unfathiant, ac **A** a **B** yn fatricsau 2×2 fel bod

$$\mathbf{A}^4 = \mathbf{I} \qquad \mathbf{B}^2 = \mathbf{I} \qquad \text{a} \qquad \mathbf{BA} = \mathbf{A}^3\mathbf{B}$$

i) Dangoswch fod $(\mathbf{A}^2\mathbf{B})(\mathbf{AB}) = \mathbf{A}$ a bod $(\mathbf{AB})(\mathbf{A}^2\mathbf{B}) = \mathbf{A}^3$.

ii) Enrhifwch y lluosymiau canlynol, gan roi pob un fel elfen o G a restrwyd yn $(*)$,

$$(\mathbf{AB})(\mathbf{A}) \qquad (\mathbf{AB})(\mathbf{AB}) \qquad (\mathbf{B})(\mathbf{A}^2)$$

iii) Darganfyddwch drefn pob elfen yn G.

iv) Dangoswch fod $\{\mathbf{I}, \mathbf{A}^2, \mathbf{B}, \mathbf{A}^2\mathbf{B}\}$ yn is-grŵp o G.

v) Darganfyddwch y ddau is-grŵp arall o G sydd yn drefn 4.

vi) Ar gyfer pob un o'r tri is-grŵp o drefn 4, nodwch a yw'n is-grŵp cylchol ai peidio. **(MEI)**

16 Pedwar is-grŵp o grŵp, **X**, yw $\{A\}$, $\{A, B, C, D\}$, $\{A, C\}$ a $\{A, E\}$.

a) Esboniwch pam mae'n rhaid i **X** gynnwys mwy na'r pum elfen uchod.
Nodwch y nifer lleiaf o elfennau ychwanegol mae'n rhaid i **X** eu cael.

b) Mae'r is-grŵp $\{A, B, C, D\}$ yn gylchol. Nodwch drawsffurfiadau geometregol posibl a allai gyfateb i'r elfennau A, B, C a D a lluniwch dabl ar gyfer yr is-grŵp hwn.
(NEAB/SMP 16-19)

17 Diffinnir y matrics $\mathbf{M}(\alpha)$ gan

$$\mathbf{M}(\alpha) = \begin{pmatrix} \alpha & \alpha & \alpha \\ \alpha & \alpha & \alpha \\ \alpha & \alpha & \alpha \end{pmatrix}$$

a) Dangoswch fod y set $G = \{\mathbf{M}(\alpha) : \alpha \in \mathbb{C}, \alpha \neq 0\}$ yn ffurfio grŵp dan effaith gweithrediad lluosi matricsau, y gallwch gymryd yn ganiataol ei fod yn gysylltiadol.

b) Darganfyddwch drefn $\mathbf{M}(\frac{1}{3}\mathrm{i})$ a thrwy hynny darganfyddwch is-grŵp o G sydd yn drefn 4 ac is-grŵp o G sydd yn drefn 2.

c) Dangoswch fod y set $H = \{\mathbf{M}(\alpha) : \alpha = 3^k, k \in \mathbb{Z}\}$ yn is-grŵp o G.

d) Esboniwch pam nad yw'r set $S = \{\mathbf{M}(\alpha) : \alpha = \frac{1}{3}k, k \in \mathbb{Z}, k \neq 0\}$ yn is-grŵp o G. **(EDEXCEL)**

18 a) Dangoswch, os yw $M = \begin{pmatrix} \cos\theta & \sin\theta \\ \sin\theta & -\cos\theta \end{pmatrix}$, yna bod $M^2 = I$,

lle mae I yn dynodi'r matrics unfathiant 2×2.

Drwy ddewis dau werth gwahanol ar gyfer θ,
dangoswch ddau fatrics A a B fel bod $A^2 = I$ a $B^2 = I$ ond $(AB)^2 \neq I$.

b) Os yw C a D yn ddau fatrics $n \times n$ fel bod $C^2 = I$, $D^2 = I$ a **bod C a D yn gymudol**, profwch fod $(CD)^2 = I$.

c) Boed i G fod yn grŵp Abel, a diffiniwn H gan

$$H = \{g \in G : g^2 = e\}$$

gydag e yn elfen unfathiant G. Dangoswch fod H yn is-grŵp o G.

d) Tabl lluosi'r grŵp D_8 yw'r canlynol

	e	a	b	c	p	q	r	s
e	e	a	b	c	p	q	r	s
a	a	b	c	e	q	r	s	p
b	b	c	e	a	r	s	p	q
c	c	e	a	b	s	p	q	r
p	p	s	r	q	e	c	b	a
q	q	p	s	r	a	e	c	b
r	r	q	p	s	b	a	e	c
s	s	r	q	p	c	b	a	e

i) Penderfynwch a yw D_8 yn Abelaidd ai peidio.

ii) Penderfynwch a yw $\{g \in D_8 : g^2 = e\}$ yn is-grŵp o D_8. **(SQA/CSYS)**

19 Chwe thrynewid y set {1, 2, 3} yw

$$\pi_1 = \begin{pmatrix} 1 & 2 & 3 \\ 1 & 2 & 3 \end{pmatrix} \quad \pi_2 = \begin{pmatrix} 1 & 2 & 3 \\ 2 & 3 & 1 \end{pmatrix} \quad \pi_3 = \begin{pmatrix} 1 & 2 & 3 \\ 3 & 1 & 2 \end{pmatrix}$$

$$\pi_4 = \begin{pmatrix} 1 & 2 & 3 \\ 2 & 1 & 3 \end{pmatrix} \quad \pi_5 = \begin{pmatrix} 1 & 2 & 3 \\ 3 & 2 & 1 \end{pmatrix} \quad \pi_6 = \begin{pmatrix} 1 & 2 & 3 \\ 1 & 3 & 2 \end{pmatrix}$$

i) Os yw $\bigcirc$ yn cynrychioli cyfansoddiad trynewidion, dangoswch fod $\pi_5 \bigcirc \pi_3 = \pi_6$.

ii) Dangoswch fod $\pi_3 \bigcirc (\pi_5 \bigcirc \pi_2) = (\pi_3 \bigcirc \pi_5) \bigcirc \pi_2$.

iii) Lluniwch dabl ar gyfer y grŵp a gynhyrchir gan $\bigcirc$ yn gweithredu ar y grŵp hwn o chwe thrynewid.

iv) Nodwch grŵp sy'n isomorffig â'r grŵp hwn o chwe thrynewid. **(NICCEA)**

20 Ystyriwch y gweithrediad deuaidd $\otimes$ a ddiffinnir gan

$$a \otimes b = a + b + ab$$

i) Dangoswch fod

$$a \otimes (b \otimes c) = a + b + c + ab + bc + ac + abc$$

ii) Profwch fod $\otimes$ yn gysylltiol.

Ystyriwch y system algebraidd sy'n cynnwys y set o rifau real, $\mathbb{R}$, a'r gweithrediad $\otimes$.

iii) Darganfyddwch yr elfen unfathiant ar gyfer y gweithrediad deuaidd hwn.

iv) Drwy ystyried gwrthdro'r elfen a, dangoswch **nad** yw'r system hon yn grŵp.

v) Mae modd ffurfio grŵp drwy ddefnyddio'r gweithrediad hwn ac is-set o $\mathbb{R}$. Nodwch sut mae addasu $\mathbb{R}$ i ffurfio'r is-set hon. **(NICCEA)**

Gofodau fector real

Mae gan grwpiau un gweithrediad deuaidd. Mewn **gofodau fector**, mae dau weithrediad: adio a lluosi. Y gofod fector real diddorol symlaf yw'r gofod fector dau-ddimensiwn $\mathbb{R}^2$.

Yn union yr un fath ag yn achos grwpiau, i wirio bod gennym ofod fector real, mae'n rhaid i ni wirio bod priodweddau arbennig wedi'u bodloni.

Mae **gofod fector real** yn cynnwys set o fectorau V, sy'n caniatáu dau weithrediad, + a . , ac yn meddu ar y chwe phriodwedd ganlynol:

- Mae $(V, +)$ yn **grŵp Abel**. Unfathiant y grŵp hwn yw'r fector sero $\mathbf{0}$.
- Os yw $\mathbf{v}$ yn fector yn V a $\lambda \in \mathbb{R}$, yna mae $\lambda.\mathbf{v}$ yn fector yn V.
- Os yw $\mathbf{v}$ ac $\mathbf{w}$ yn fectorau yn V a $\lambda \in \mathbb{R}$, yna mae $\lambda.(\mathbf{v} + \mathbf{w}) = \lambda.\mathbf{v} + \lambda.\mathbf{w}$.
- Os yw $\mathbf{v} \in V$ a $\lambda, \mu \in \mathbb{R}$, yna mae $(\lambda + \mu).\mathbf{v} = \lambda.\mathbf{v} + \mu.\mathbf{v}$.
- Os yw $\mathbf{v} \in V$ a $\lambda, \mu \in \mathbb{R}$, yna mae $\lambda(\mu.\mathbf{v}) = (\lambda\mu).\mathbf{v}$.
- Am unrhyw $\mathbf{v} \in V$, mae $1.\mathbf{v} = \mathbf{v}$.

Mae'r pedair priodwedd ddiwethaf yn diffinio'r gweithrediad lluosi â sgalarau, rydym wedi ei ddefnyddio'n barod wrth drin fectorau geometrig (gweler tudalen 94).

Gofod tri-dimensiwn

Boed i V fod y gofod fector tri-dimensiwn $\mathbb{R}^3$. Gallwn ddiffinio unrhyw fector yn nhermau **i**, **j** a **k**. Er enghraifft, mae 2**i** + 3**k** yn fector yn y gofod hwn. Rydym yn gwybod sut i adio yn y gofod fector hwn: rydym yn adio'r cydrannau ar wahân. Rydym hefyd yn gwybod sut i luosi fector â sgalar real. Mae pob un o briodweddau gofod fector real wedi cael eu bodloni.

Rhifau cymhlyg

Gellir trin y set o'r holl rifau cymhlyg fel gofod fector real. Gallwn ysgrifennu unrhyw rif cymhlyg yn y ffurf $a + bi$, lle mae a a b yn rhifau real. Mae adio'n digwydd yn y ffordd arferol, ac rydym yn gwybod sut i luosi unrhyw rif cymhlyg â sgalar **real**. Unwaith eto, rydym wedi gwirio bod priodweddau gofod fector real wedi cael eu bodloni.

Setiau llinol annibynnol

Boed i V fod yn ofod fector. Dywedwn fod $\{\mathbf{v}_1, \mathbf{v}_2, \ldots, \mathbf{v}_n\}$ yn set **linol annibynnol** os,

pan fo $\sum_{k=1}^{n} \lambda_k \mathbf{v}_k = 0$, gallwn ddiddwytho bod $\lambda_k = 0$ am bob k.

Gadewch i ni ystyried y fectorau **i** a **j** mewn gofod dau-ddimensiwn arferol. A gadewch i ni ddychmygu ein bod yn ceisio dilyn llwybrau o'r tarddbwynt ac yn ôl ato'i hun drwy ddilyn y fectorau **i** a **j**. Gwelir dwy enghraifft isod.

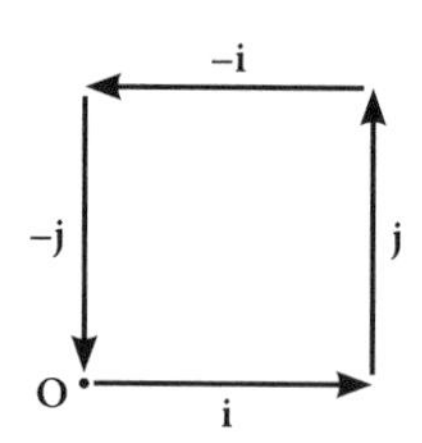

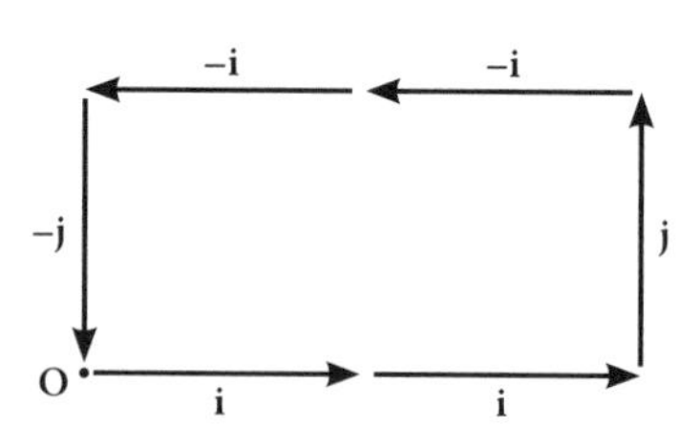

Yn y ddau achos, cyfanswm nifer cydrannau'r fector **i** a ddilynir yw 0.
Yr un modd, cyfanswm nifer cydrannau'r fector **j** a ddilynir yw 0.
Nawr, yr unig ffordd mae $a\mathbf{i} + b\mathbf{j} = 0$ yw fod $a = b = 0$.
Felly, mae **i** a **j** yn llinol annibynnol.

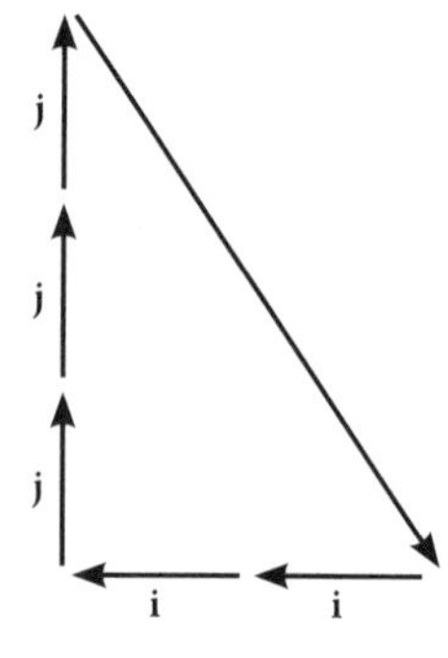

Ar y llaw arall, **nid** yw'r fectorau **i**, **j** a 2**i** – 3**j** yn llinol annibynnol.
Mae'r diagram ar y dde yn dangos bod $-2\mathbf{i} + 3\mathbf{j} + 1(2\mathbf{i} - 3\mathbf{j}) = \mathbf{0}$.

Nid yw unrhyw dri fector mewn gofod dau-ddimensiwn yn llinol annibynnol.

Setiau rhychwantu a fectorau sail

Boed i V fod yn ofod fector. Gelwir y set $\{\mathbf{v}_1, \mathbf{v}_2, \ldots, \mathbf{v}_n\}$ yn **set rychwantu** os yw'n bosibl ysgrifennu unrhyw elfen **v** o V fel swm,

$$\mathbf{v} = \sum_{k=1}^{n} \lambda_k \mathbf{v}_k$$

Sail yw set rychwantu sydd hefyd yn set linol annibynnol. Mae sail yn bodoli mewn unrhyw ofod fector real. Mae gan unrhyw ddwy sail sydd â'r gofod fector yr un nifer o elfennau.

Mae'r fectorau **i**, **j** a **k** yn ffurfio sail ar gyfer gofod tri-dimensiwn.

Gelwir nifer yr elfennau sydd mewn sail ar gyfer V yn **ddimensiwn** V.

Mae'r fectorau 1 ac i yn ffurfio sail ar gyfer set yr holl rifau cymhlyg.
Felly, mae gan set yr holl rifau cymhlyg ddimensiwn dau pan ydym yn ei hystyried fel gofod fector real.

Mapiadau llinol

Mapiad llinol $\mathrm{T} : V \to V$ yw un sy'n bodloni

$$\mathrm{T}(\lambda \mathbf{v}) = \lambda \mathrm{T}(\mathbf{v}) \quad \text{ar gyfer pob } \lambda \in \mathbb{R}, \mathbf{v} \in V$$

a

$$\mathrm{T}(\mathbf{v} + \mathbf{w}) = \mathrm{T}(\mathbf{v}) + \mathrm{T}(\mathbf{w})$$

Diffinnir mapiadau llinol yn llwyr gan eu heffaith ar sail.

Er enghraifft, ystyriwn gylchdro gwrthglocwedd 90° yn $\mathbb{R}^2$.
Mae hwn yn symud fector **i** ar **j** a hefyd yn symud **j** ar **–i**.
Mae'n dilyn bod y fector $2\mathbf{i} + 3\mathbf{j}$ yn cael ei gario i $2\mathbf{j} + 3(-\mathbf{i})$.

Nawr, os ydym yn defnyddio $\mathbf{e}_1$ i gynrychioli **i**, yr elfen sail gyntaf, ac $\mathbf{e}_2$ i gynrychioli **j**, yr ail elfen sail, cawn

$$\mathrm{T}(\mathbf{e}_1) = \mathbf{e}_2 \quad \mathrm{T}(\mathbf{e}_2) = -\mathbf{e}_1$$

Er mwyn hwylustod, mae $\mathbf{e}_1$ yn cael ei gynrychioli gan y fector colofn $\begin{pmatrix} 1 \\ 0 \end{pmatrix}$,

ac $\mathbf{e}_2$ gan y fector colofn $\begin{pmatrix} 0 \\ 1 \end{pmatrix}$.

Gallwn felly gynrychioli T gan y matrics

$$\mathbf{T} = \begin{pmatrix} 0 & -1 \\ 1 & 0 \end{pmatrix}$$

sy'n rhoi

$$\mathrm{T}(\mathbf{e}_1) = \mathbf{T}\begin{pmatrix} 1 \\ 0 \end{pmatrix} = \begin{pmatrix} 0 \\ 1 \end{pmatrix} = \mathbf{e}_2$$

a

$$\mathrm{T}(\mathbf{e}_2) = \mathbf{T}\begin{pmatrix} 0 \\ 1 \end{pmatrix} = \begin{pmatrix} -1 \\ 0 \end{pmatrix} = -\mathbf{e}_1$$

Nodwn fod **T** yn dibynnu ar ein dewis o sail.

Mae Enghraifft 16 yn dangos y gwahaniaeth y mae newid sail yn gallu ei wneud i fatrics trawsffurfiad.

Enghraifft 16 Boed i **T** fod yn adlewyrchiad yn yr echelin-x.
Darganfyddwch fatrics trawsffurfiad **T** mewn perthynas â'r seiliau hyn:

a) $\mathbf{e}_1 = \mathbf{i}$ ac $\mathbf{e}_2 = \mathbf{j}$

b) $\mathbf{e}_1 = \frac{\sqrt{3}}{2}\mathbf{i} + \frac{1}{2}\mathbf{j}$ ac $\mathbf{e}_2 = -\frac{1}{2}\mathbf{i} + \frac{\sqrt{3}}{2}\mathbf{j}$

DATRYSIAD

a) Pan fo $\mathbf{e}_1 = \mathbf{i}$ ac $\mathbf{e}_2 = \mathbf{j}$, nid yw $\mathbf{e}_1$ yn cael ei newid gan adlewyrchiad yn y llinell $y = 0$, a symudir $\mathbf{e}_2$ i $-\mathbf{e}_2$. Felly, cawn

$$\mathbf{T} = \begin{pmatrix} 1 & 0 \\ 0 & -1 \end{pmatrix}$$

b) Pan fo $\mathbf{e}_1 = \frac{\sqrt{3}}{2}\mathbf{i} + \frac{1}{2}\mathbf{j}$, mae $\mathbf{e}_1$ yn cael ei adlewyrchu i $\mathbf{e}_1' = \frac{\sqrt{3}}{2}\mathbf{i} - \frac{1}{2}\mathbf{j}$.

Mae'n rhaid ysgrifennu hyn yn nhermau $\mathbf{e}_1$ ac $\mathbf{e}_2$, ac felly mae'n rhaid datrys yr hafaliad

$$\frac{\sqrt{3}}{2}\mathbf{i} - \frac{1}{2}\mathbf{j} = a\mathbf{e}_1 + b\mathbf{e}_2 = a\left(\frac{\sqrt{3}}{2}\mathbf{i} + \frac{1}{2}\mathbf{j}\right) + b\left(-\frac{1}{2}\mathbf{i} + \frac{\sqrt{3}}{2}\mathbf{j}\right)$$

Drwy gymharu cydrannau **i** a **j**, rydym yn darganfod bod

$$\frac{\sqrt{3}}{2} = \frac{\sqrt{3}}{2}a - \frac{1}{2}b$$

$$-\frac{1}{2} = \frac{1}{2}a + \frac{\sqrt{3}}{2}b$$

Drwy ddatrys y rhain, cawn $a = \frac{1}{2}$, $b = -\frac{\sqrt{3}}{2}$.

Felly, cawn

$$\mathbf{T}(\mathbf{e}_1) = \frac{1}{2}\mathbf{e}_1 - \frac{\sqrt{3}}{2}\mathbf{e}_2$$

Yr un modd, gallwn ddarganfod

$$\mathbf{T}(\mathbf{e}_2) = -\frac{\sqrt{3}}{2}\mathbf{e}_1 - \frac{1}{2}\mathbf{e}_2$$

Felly, y matrics trawsffurfiad yw

$$\mathbf{T} = \begin{pmatrix} \frac{1}{2} & -\frac{\sqrt{3}}{2} \\ -\frac{\sqrt{3}}{2} & -\frac{1}{2} \end{pmatrix}$$

Trawsffurfiadau llinol set yr holl rifau cymhlyg

Mae'r mapiad cyfiau cymhlyg $z \to z^*$ yn drawsffurfiad llinol o set yr holl rifau cymhlyg o'u hystyried fel gofod fector real. Mae hyn oherwydd bod $z \to z^*$ yn cyfateb i adlewyrchiad yn echelin real diagram Argand, sy'n cyfateb i adlewyrchiad yn y llinell $y = 0$ yn $\mathbb{R}^2$.

Enghraifft 17 Darganfyddwch y matrics trawsffurfiad ar gyfer y mapiad

$$f: z \to (1 + i)\,z + (2 - i)\,z^*$$

mewn perthynas â'r sail {1, i}.

DATRYSIAD

Rhoddwn $\mathbf{e}_1 = \mathbf{1}$ ac $\mathbf{e}_2 = \mathbf{i}$. (Mae hyn yn ein hatgoffa i feddwl am 1 ac i fel **fectorau sail.**)

Rydym nawr yn cyfrifo effaith y trawsffurfiad ar y naill fector a'r llall.

$$f(\mathbf{e}_1) = f(\mathbf{1}) = (\mathbf{1} + \mathbf{i}) + (\mathbf{2} - \mathbf{i}) = \mathbf{3} = 3\mathbf{e}_1$$

$$f(\mathbf{e}_2) = f(\mathbf{i}) = (\mathbf{1} + \mathbf{i})\mathbf{i} + (\mathbf{2} - \mathbf{i})\,(-\,\mathbf{i}) = -\,\mathbf{2} - \mathbf{i} = -\,2\mathbf{e}_1 - \mathbf{e}_2$$

Felly, mewn perthynas â'r sail {1, i}, y matrics trawsffurfiad yw

$$\begin{pmatrix} 3 & -2 \\ 0 & -1 \end{pmatrix}$$

Ymarfer 17C

1 Y fectorau **a**, **b** ac **c** yw

$$\mathbf{a} = \begin{pmatrix} 1 \\ 2 \\ 3 \end{pmatrix} \qquad \mathbf{b} = \begin{pmatrix} 2 \\ 3 \\ 7 \end{pmatrix} \qquad \mathbf{c} = \begin{pmatrix} -2 \\ -2 \\ -8 \end{pmatrix}$$

Profwch fod **a**, **b** ac **c** yn llinol ddibynnol.

2 Beth yw rhychwant y tri fector $\begin{pmatrix} 2 \\ 3 \\ 4 \end{pmatrix}, \begin{pmatrix} 1 \\ 0 \\ 1 \end{pmatrix}, \begin{pmatrix} 3 \\ 3 \\ 4 \end{pmatrix}$ yn $\mathbb{R}^3$?

Darganfyddwch ddau fector sydd â'r un rhychwant.

3 Y fectorau **a**, **b** ac **c** yw

$$\mathbf{a} = \begin{pmatrix} 1 \\ 2 \\ 3 \end{pmatrix} \qquad \mathbf{b} = \begin{pmatrix} 0 \\ 1 \\ 4 \end{pmatrix} \qquad \mathbf{c} = \begin{pmatrix} 4 \\ 9 \\ 13 \end{pmatrix}$$

Profwch fod **a**, **b** ac **c** yn llinol annibynnol.

4 Y fectorau **a**, **b** ac **c** yn $\mathbb{R}^3$ yw

$$\mathbf{a} = \begin{pmatrix} 1 \\ 2 \\ 3 \end{pmatrix} \qquad \mathbf{b} = \begin{pmatrix} 2 \\ 4 \\ 5 \end{pmatrix} \qquad \mathbf{c} = \begin{pmatrix} 0 \\ 0 \\ 1 \end{pmatrix}$$

Profwch fod **a**, **b** ac **c** yn llinol ddibynnol.
Darganfyddwch fector **d** sydd, ynghyd ag **a**, **b** ac **c**, yn rhychwantu $\mathbb{R}^3$.

5 Darganfyddwch fatrics trawsffurfiad (mewn perthynas â'r sail safonol) y trawsffurfiad llinol sy'n symud (1, 0) i (2, 1) ac (1, 1) i (3, 4).

Nawr darganfyddwch y matrics trawsffurfiad mewn perthynas â'r sail $\begin{pmatrix} 2 \\ 0 \end{pmatrix}, \begin{pmatrix} 1 \\ 1 \end{pmatrix}$.

6 Diffinnir y trawsffurfiad llinol $T : \mathbb{R}^2 \to \mathbb{R}^2$ gan

$$T\begin{pmatrix} x \\ y \end{pmatrix} = \begin{pmatrix} 2 & 0 \\ 1 & 0 \end{pmatrix}\begin{pmatrix} x \\ y \end{pmatrix}$$

a) Disgrifiwch yr holl bwyntiau yn nelwedd T.

b) Nodwch ddimensiwn delwedd T.

c) Darganfyddwch set rychwantu ar gyfer delwedd T.

7 Gellir edrych ar rai setiau o ffwythiannau fel gofodau fector real. Er enghraifft, ystyriwch y set

$$T := \left\{ \text{ffwythiannau} \mid \mathrm{f} : \mathbb{R} \to \mathbb{R}, \mathrm{f}(x) = a_0 + \sum_{n=0}^{\infty} [b_n \sin nx + a_n \cos nx] \right\}$$

Mae 'fectorau' yn y gofod fector T yn ffwythiannau mewn gwirionedd.

a) Profwch fod T yn ffurfio gofod fector real.

b) Profwch fod y fectorau $\sin x$ a $\sin 2x$ yn llinol annibynnol.

8 Boed i V fod yn ofod fector real gyda'r gweithrediadau + a **.** . Dywedir bod set U, o dan effaith gweithrediadau + a **.** , yn is-ofod o V os yw'r amodau canlynol yn cael eu bodloni:

- Mae U yn cynnwys 0.
- Mae U yn gaeedig o dan effaith adio.
- Mae U yn gaeedig o dan effaith lluosi sgalar.

a) Profwch, os yw U yn is-ofod o V, yna mae U hefyd yn ofod fector.

b) Beth yw is-ofod lleiaf posibl $\mathbb{R}^3$?

9 Gellir ystyried $\mathbb{C}$, y set o rifau cymhlyg, fel gofod fector real, lle mae adio rhifau cymhlyg, a lluosi rhif cymhlyg â sgalar real wedi'u diffinio yn y ffordd arferol.

i) Dangoswch fod $\{1, \mathrm{j}\}$ yn sail i'r gofod fector hwn.

Boed i $u = a + b\mathrm{j}$ a $v = c + d\mathrm{j}$ (lle mae a, b, c a d yn real) fod yn rhifau cymhlyg sefydlog. Diffinnir mapiad $\mathbf{T} : \mathbb{C} \to \mathbb{C}$ gan $\mathrm{T}(z) = uz + vz^*$ (lle mae z^* yn dynodi cyfiau cymhlyg z).

ii) Dangoswch fod **T** yn fapiad llinol.

iii) Darganfyddwch y matrics **M** a gysylltir â **T** a'r sail $\{1, \mathrm{j}\}$.

iv) O wybod bod $\mathbf{M} = \begin{pmatrix} 6 & 1 \\ 11 & 2 \end{pmatrix}$,
darganfyddwch y rhif cymhlyg z fel bod $uz + vz^* = 1 + 4\mathrm{j}$. (MEI)

Atebion

Ymarfer 1A

1 a) $-i$ **b)** 1 **c)** -1 **c)** i **2 a)** $3 + 2i$ **b)** $6 - 3i$ **c)** $-4 + 3i$ **d)** $-2 + 2\sqrt{2}i$ **e)** $2i$

3 a) $3 - 4i$ **b)** $2 + 6i$ **c)** $-4 + 3i$ **d)** $-8 - 5i$ **4 a)** $-1 \pm \sqrt{3}i$ **b)** $\frac{3}{2} \pm \frac{\sqrt{15}}{2}i$ **c)** $\frac{1}{4}(-1 \pm \sqrt{7}i)$ **d)** $1 \pm \frac{\sqrt{2}}{2}i$

5 a) $10 - 2i$ **b)** $1 - i$ **c)** $-1 + 2i$ **d)** $2 + 55i$ **e)** $1 + i$ **f)** $3 + 8i$ **g)** $10 + 18i$ **h)** $18 + 13i$

6 a) $3 + 11i$ **b)** $26 + 2i$ **c)** $74 + 7i$ **d)** $42 - 24i$ **e)** $10 + 11i$ **f)** $11 - 29i$

7 a) $\frac{1}{17}(5 + 14i)$ **b)** $\frac{1}{26}(23 + 11i)$ **c)** $1 - 2i$ **d)** $\frac{1}{13}(4 - 19i)$

8 a) $x = 4, y = -2$ **b)** $x = -11, y = 22$ **c)** $x = 8, y = -1$ **d)** $x = 17, y = -17$ **e)** $x = \frac{13}{5}, y = \frac{9}{5}$ **f)** $x = -5, y = -12$

9 $3.3 + 0.9i$ **10 a)** $-2 + \sqrt{3}i$ **b)** $-1 \pm \sqrt{5}i$ **c)** $\frac{1}{2}(-3 \pm 3i)$ **d)** $\frac{5}{2}(1 \pm \sqrt{3}i)$

Ymarfer 1B

2 a) $2\sqrt{2}, \pi/4$ **b)** $3\sqrt{2}, 3\pi/4$ **c)** $4, 2\pi/3$ **d)** $\sqrt{2}, -3\pi/4$ **e)** $4, \pi/2$ **f)** $13, \tan^{-1}\left(\frac{12}{5}\right)$ **g)** $4, \pi$ **h)** $7, \tan^{-1}\left(\frac{\sqrt{13}}{6}\right)$

3 a) i) $-7 + 24i$ **ii)** $-117 + 44i$ **b) i)** 5 **ii)** 25 **iii)** 125 **c) i)** 0.9273 **ii)** 1.8546 **iii)** 2.7819

4 a) $1 + \sqrt{3}i$ **b)** $2\sqrt{2} + 2\sqrt{2}i$ **c)** $-i$ **d)** $-2\sqrt{2} + 2\sqrt{2}i$ **e)** $-\sqrt{3} + i$ **f)** $-3\sqrt{3} - 3i$

5 a) $-\frac{1}{5} + \frac{2}{5}i$ **b)** $13, \pi - \tan^{-1}\left(\frac{12}{5}\right)$ neu 1.9656 **6)** $\frac{5}{13}, 2.1033$ **7 a)** $-\frac{1}{5} + \frac{3}{5}i$ **b)** $\frac{1}{5}\sqrt{10}, \pi - \tan^{-1} 3$ neu 1.8925

8 i) $3\pi/4$ **ii)** $\pm(5 - 3i)$ **9 i)** $\sec\alpha$ **ii)** $4\sec\alpha$ **iii)** $\pi/2 - \alpha$ **iv)** $2\pi/5 - \alpha$ **10 i)** $\sin\alpha$ **ii)** $\pi/2 - \alpha$

11 a) $3 - 4i$ **c)** 1.95 **d)** $6 + 14i$ **12 a)** $z = -2 \pm \sqrt{3}i$ **c) i)** 2.65 **ii)** ± 2.43 **13** $2 - 3i$

14 $\frac{6}{5} + \frac{12}{5}i$ **15 b)** 5 **c)** $\frac{1}{13}(7 + 17i)$ **d)** 1.18 **e)** $-7, -5$ **16 a)** $-11 - 2i, 1 + 2i$ **c)** 2.2 **d)** $-1, -2$

17 a) $2\sqrt{2}, 3\pi/4$ **b)** $1/2\sqrt{2}, -3\pi/4$ **d)** $90°$ **18 a)** 2.68 rad **b)** $6, 4$ **d)** 28 **19 i)** $\pm(3 + 2i)$ **ii)** $-\frac{119}{169}$

20 a) $14 + 2i, 1 + i$ **b) i)** $2\sqrt{5}, 0.464$ rad; $\sqrt{10}, -0.3218$ rad **20 b) ii)** $\sqrt{10}$

Ymarfer 1C

6 a) -1 **b)** 2 **c)** 0 **7 a)** 0 neu 3 **b)** 2 **c)** w^2 **d)** -1 neu 2 **8** $3, \frac{3}{2} + \frac{1}{2}\sqrt{3}i, \frac{3}{2} - \frac{1}{2}\sqrt{3}i$

10 b) $5i, 3\sqrt{2}$ **11 i)** 2 **ii)** $5\pi/6$ **14** 2 **15 i) a)** $\frac{1}{2}(1 + i)$ **b)** $\frac{1}{2}(1 - i)$ **ii)** $(1 - w)/w$

16 b) i) $3/2, \sqrt{3}/2$ **ii)** $\pi/6$ **17 a)** $\pi/4, -4(1 + a)^4$ **b)** $y = x$

Ymarfer 2A

1 $n\pi + (-1)^n \frac{\pi}{4}, 180n° + (-1)^n 45°$ **2** $2n\pi \pm \frac{2\pi}{3}, 360n° \pm 120°$ **3** $n\frac{\pi}{2} + (-1)^n \frac{\pi}{12}, 90n° + (-1)^n 15°$

4 $n\frac{\pi}{3} + \frac{\pi}{12}, 60n° + 15°$ **5** $n\pi + \frac{\pi}{8}$ **6** $\frac{2}{3}n\pi + \frac{2\pi}{9}, \frac{2}{3}n\pi$ **7** $n\frac{\pi}{2} - \frac{\pi}{24}$ **8** $n\frac{\pi}{4} + \frac{\pi}{16}, 45n° + 11.25°$

9 $\frac{2}{3}n\pi + \frac{\pi}{3}, 120n° + 60°$ **10** $n\pi + \frac{\pi}{2}, 2n\pi \pm \frac{\pi}{3}; 180n° + 90°, 360n° \pm 60°$ **11** $n\pi + \frac{\pi}{2}, 180n° + 90°$

12 $n\frac{\pi}{2}, \frac{2}{3}n\pi \pm \frac{\pi}{9}; 90n°, 120n° \pm 20°$ **13** $n\pi, 180n°$

14 $2n\pi + \frac{3\pi}{2}, n\pi + (-1)^n 0.848; 360n° + 270°, 180n° + (-1)^n 48.59°$ **15** $n\frac{\pi}{2} - \frac{\pi}{8}, n\frac{\pi}{5} - \frac{\pi}{20}; 90n° - 22.5°, 36n° - 9°$

16 $n\pi, n\pi \pm \frac{\pi}{6}$ **17** $n\pi + \frac{\pi}{2}, 2n\pi + (-1)^n \frac{\pi}{6}$ **18** $\frac{\pi}{3} + 2n\pi, \frac{2}{3}n\pi - \frac{\pi}{9}$ **19** $\frac{2t}{1 - t^2}; n\pi, n\pi \pm \frac{\pi}{3}$

Ymarfer 2B

1 a) $13, 67.3°$ **b)** $5, 53.13°$ **c)** $5, 53.13°$ **d)** $\sqrt{2}, 45$ **e)** $10, 53.13°$ **2 a) i)** $15, -15$ **ii)** $306.87°, 143.13°$

2 b) i) $10, -10$ **ii)** $18.43°, 108.43°$ **c) i)** $\frac{4}{3}, \frac{4}{13}$ **iii)** $53.13°, 233, 13°$ **d) i)** $\frac{3}{4 - \sqrt{5}}, \frac{3}{4 + \sqrt{5}}$ **ii)** $296.56°, 116.56$

2 e) i) $-\frac{1}{2}$(macs), $\frac{1}{3}$ (min) **ii)** 233.13°, 53.13° **f) i)** $-\frac{3}{2}$(macs), $\frac{1}{6}$(min) **ii)** 216.87°, 36.87° **3 a)** $360n° + 53.13° \pm 60°$
3 b) $360n° - 22.62° \pm 60°$ **c)** $180n° - 7.5°, 180n° + 52.5°$ **d)** $60n° + 15° + (-1)^n 10°$ **e)** $60n°, 60n° - 17.7°$

Ymarfer 2C

1 a) $-\pi/6$ **b)** $\pi/6$ **c)** $5\pi/6$ **d)** $\pi/4$ **e)** $\pi/4$ **f)** 18.4° neu 0.3218 rad **3** $\pi/10$ **5** $360n° - 66.8° \pm 142.0°$
6 a) 13 **b)** 67.4° **c)** $360n° - 67.4° \pm 72.1°$ **7 i)** $\sqrt{58}\cos(\theta + 23.2°)$ **ii)** $\sqrt{58}, -\sqrt{58}$ **iii)** $360n° - 23.2° \pm 82.5°$
8 a) 126.9°, 270° **b)** $180n° + 90°, 60n° + 15°$ **9 a)** 25, 73.7° **b)** $360n° + 20.6°$ neu $360n° + 126.8°$ **c)** $\frac{1}{630} \le f(x) \le \frac{1}{5}$
10 60°; 195°, 345° **11** $2\cos(\theta - 60°)$, $360n° + 60° \pm 40°$ **12 a)** 85, 0.154 rad **b)** $2\pi n - 0.154 \pm 1.369$
13 a) 25 **b)** −25 **c)** 1.85 rad **d)** 3.84 rad, 6.16 rad **14 i) a)** 15, 53.13° **b)** 156.9°, 276.9° **ii)** $n\pi + \pi/3$

Ymarfer 2D

1 a) $\frac{5}{\sqrt{1-25x^2}}$ **b)** $\frac{3}{1+9x^2}$ **c)** $\frac{\sqrt{2}}{\sqrt{1-2x^2}}$ **d)** $\frac{12}{16+9x^2}$ **e)** $\frac{2x}{\sqrt{1-x^4}}$ **f)** $\frac{1-x^2}{1+3x^2+x^4}$ **g)** $\frac{6(\sin^{-1}2x)^2}{\sqrt{1-4x^2}}$ **h)** $\frac{1620(\tan^{-1}5x)^3}{1+25x^2}$
1 i) $\frac{1}{x\sqrt{x^2-1}}$ **j)** $-\frac{1}{x^2+1}$ **2 a)** $\sin^{-1}\left(\frac{x}{2}\right) + c$ **b)** $\sin^{-1}\left(\frac{x}{3}\right) + c$ **c)** $\frac{1}{2}\sin^{-1}\left(\frac{2x}{5}\right) + c$ **d)** $\frac{1}{9}\sin^{-1}\left(\frac{3x}{4}\right) + c$
2 e) $\frac{1}{3}\tan^{-1}\left(\frac{x}{3}\right) + c$ **f)** $\frac{1}{4}\tan^{-1}\left(\frac{x}{4}\right) + c$ **g)** $\frac{1}{20}\tan^{-1}\left(\frac{4x}{5}\right) + c$ **h)** $\frac{1}{15}\tan^{-1}\left(\frac{5x}{3}\right) + c$ **3 a)** $\pi/2$ **b)** $\pi/8$ **c)** $\pi/2$
3 d) $\pi/6\sqrt{3}$ **e)** $\pi/5$ **4 a)** 0.0505 **b)** 0.0444 **c)** 0.615 **d)** 0.0741 **e)** 0.841 **f)** 0.0207 **5** $\pi/24$

6 $9 - (x-2)^2, \pi/3$ **7** $2 + \frac{1}{1+x} + \frac{2x+1}{x^2+4}$ **8** $\frac{\sqrt{3}}{3} - \frac{\pi}{12}$ **9** $\frac{y + x\frac{dy}{dx}}{1 + x^2y^2}$ **10 ii)** $-\frac{x}{\sqrt{1-x^2}}$ **iii)** $\frac{\pi}{2} - 1$
11 $-\sin^{-1}\left(\frac{1}{x}\right) + c$ **12 ii)** $\frac{1}{2}t\sqrt{1-t^2}$

Ymarfer 3B

1 a) $x^2 + y^2 = 16$ **b)** $x = 3$ **c)** $y = 7$ **d)** $x^2 + y^2 = ax + a\sqrt{x^2+y^2}$ **e)** $x^2 + y^2 + ax = a\sqrt{x^2+y^2}$ **f)** $y^2 = 4 - 4x$
2 a) $r = 3$ **b)** $r^2\sin 2\theta = 32$ **c)** $\frac{r^2\cos^2\theta}{9} + \frac{r^2\sin^2\theta}{16} = 1$ **d)** $r = 6\cos\theta$ · **e)** $r^2 + 8r\sin\theta = 16$ **f)** $r^2 = \cos\theta$

Ymarfer 3D

1 $\frac{7\pi^3a^2}{48}$ **2 a)** $\frac{\pi a^2}{8}$ **b)** $\frac{\pi a^2}{8}$ **c)** $\frac{\pi a^2}{16}$ **3** $\frac{\pi a^2}{4}$ **4** $5\sqrt{5} + \frac{17}{2}\cos^{-1}\left(-\frac{2}{3}\right)$ **5 a)** $r^2 = \sin^4\theta$ **b) ii)** $\frac{3\pi}{8}$
6 $\left(1, \frac{\pi}{6}\right), \left(1, \frac{5\pi}{6}\right); \frac{7\pi}{3} - 4\sqrt{3}$ **7 b)** $\frac{\pi a^2}{12}$ **8 b)** $\frac{9\pi a^2}{2}$

Ymarfer 3E

1 $y = 0.185a, y = \pm 0.88a$ **2 a)** $y = \frac{e^{-\pi/4}}{\sqrt{2}}, y = \frac{e^{3\pi/4}}{\sqrt{2}}, \ldots$ **b)** $x = \frac{e^{-3\pi/4}}{\sqrt{2}}, x = \frac{e^{\pi/4}}{\sqrt{2}}, \ldots$ **3 a)** $y = \pm\frac{2}{3\sqrt{6}}$ **b)** $x = \pm a$
4 b) $\frac{\pi}{16}$ **c) iii)** $\frac{16}{27}$ **5** $\sqrt{3}\cos\theta - \cos^2\theta; 0, \frac{\pi}{6}, -\frac{\pi}{6}, \pi$ **6 b)** (0.667, 0.421), (0.667, − 0.421) **7 a)** $a^2\left(2 - \frac{\pi}{4}\right)$
8 b) $(0, 0), \left(3, \frac{\pi}{3}\right)$ **c)** 1.33 **9 a)** $r = 2$ **b)** $r\cos\theta = 3$ **c)** $r\sin\left(\theta + \frac{\pi}{3}\right) = 2\sqrt{3}$

Ymarfer 4A

1 a) x^2 **b)** $\sqrt{x^2+1}$ **c)** $\frac{1}{x^3}$ **d)** $\sec x$ **e)** $\sqrt{x^2-1}$ **f)** 2^{3x} **2** $y = \frac{1}{3}x - \frac{1}{9} + ce^{-3x}$ **3** $y = -\frac{1}{3}e^{2x} + ce^{5x}$ **4** $y = \frac{x^2}{3} + \frac{c}{x}$
5 $y = x^3 + cx^2$ **6** $y = 5(x-1)^4\ln(x-1) + c(x-1)^4$ **7** $y\sin x = \frac{2}{5}e^{2x}\sin x - \frac{1}{5}e^{2x}\cos x + c$ **8 a)** $ye^x = x + c$
8 b) i) $y = (x-1)e^{-x}$ **ii)** $y = 0$ **9** $y = (c + \frac{1}{2}x^2)e^{x^3}, y = (1 + \frac{1}{2}x^2)e^{x^3}$ **10** $y = x\cos x + c\cos x$
11 $y = \frac{1}{5}x + cx^{-4}, y = \frac{1}{5}(x + 4x^{-4})$ **12** $y = x^2 - x + cx^{-4}$ **13 i)** $v = \frac{1}{\alpha+\beta}e^{\beta t} + ce^{\alpha t}$ **14** $v = 200\tan 0.2 + \sec 0.2$
15 i) $y\sec x = x + c$ **ii)** $y = (x+2)\cos x$ **16** $y = (3x^4 + 5)e^{-x^2-x}$ **17** $N = \frac{\mu}{\lambda}t + \frac{\mu}{\lambda^2} + \left(N_0 - \frac{\mu}{\lambda^2}\right)e^{\lambda t}$
18 i) $y = ce^{kx} - x - \frac{1}{k}$ **ii) a)** $y = -x - \frac{1}{4} - \frac{3}{4}e^{4(x-1)}$ **19 ii)** $y\sin^2 x = -\frac{1}{2}\cos 2x + c$
20 $s = \frac{1}{2}\tan^{-1}\left(\frac{t}{2}\right) + c, s = \frac{1}{2}\tan^{-1}\left(\frac{t}{2}\right) - \frac{\pi}{8}$ **21 a)** $y = cx - xe^{-x}$ **b) i)** $y = -xe^{-x}$ **iii)** 0

Ymarfer 4B

1 $y = e^{(3+\sqrt{17})x} + Be^{(3-\sqrt{17})x}$ **2** $y = Ae^{-x} + Be^{-2x}$ **3** $y = Ae^{2x} + Be^{-3/2x}$ **4** $y = Ae^{x} + Be^{-7x/3}$ **5** $x = Ae^{8t} + Be^{-t}$

6 $x = Ae^{7t} + Be^{4t}$ **7** $y = (A + Bx)e^{2x}$ **8** $y = (A + Bx)e^{-3x}$ **9** $y = e^{-x/2}\left[A\cos\left(\frac{\sqrt{3}}{2}x\right) + B\sin\left(\frac{\sqrt{3}}{2}x\right)\right]$

10 $y = e^{-2x}(A\cos 2x + B\sin 2x)$ **11** $x = Ae^{(3+\sqrt{2})t} + Be^{(3-\sqrt{2})t}$ **12** $x = e^{-t}(A\cos 2\sqrt{3}t + B\sin 2\sqrt{3}t)$

Ymarfer 4C

1 $y = Ae^{-8x} + Be^{x} - 2x - \frac{7}{4}$ **2** $y = Ae^{-x} + Be^{-3x} - 4e^{-2x}$ **3** $y = Ae^{-x} + Be^{5x/2} - 2x^2 + \frac{12}{5}x - \frac{81}{25}$

4 $y = Ae^{-x} + Be^{x/3} - \frac{304}{5876}\sin 5x - \frac{40}{5876}\cos 5x$ **5** $x = Ae^{5t} + Be^{-t} - \frac{3}{8}e^{3t}$ **6** $s = Ae^{5t} + Be^{3t} + \frac{55}{377}\cos 2t - \frac{80}{377}\sin 2t$

7 $y = Ae^{-4x} + Be^{-x} + \frac{2}{3}xe^{-x}$ **8** $y = (A + Bx + \frac{5}{2}x^2)e^{3x}$ **9** $y = e^{x}(A\cos\sqrt{2}x + B\sin\sqrt{2}x) + 2e^{4x}$

10 $y = e^{-3x}(A\cos x + B\sin x) + \frac{3}{2}e^{-4x}$ **11** $x = (A + Bt + 2t^2)e^{t}$ **12** $x = A\cos 4t + B\sin 4t + \frac{3}{8}t\sin 4t$

13 $x = (2\sin 2t - 3\cos 2t)e^{t}$ **14 a)** $y = Ae^{2x} + Be^{-2x} + 2e^{3x}$ **b)** $y = e^{-2x} - 5e^{2x} + 2e^{3x}$

15 $y = A + Bx + \frac{1}{4}e^{2x} - 4\cos\frac{1}{2}x$; $y(0)$ ac $y'(0)$, neu y ar gyfer dau werth x **16 i)** $y = e^{-2x}(4\cos 3x + 3\sin 3x)$ **ii)** $\frac{3}{2} - \frac{\pi}{24}$

17 $y = e^{2x}(A\cos x + B\sin x) + \frac{1}{65}(\sin 2x + 8\cos 2x)$ **18 i)** $x = A\cos 4t + B\sin 4t$ **iii)** 1.424

19 $x = 2t + 3 + 4e^{-t/10}\sin\left(\frac{t}{5}\right)$ **20** $x = Ae^{-4t} + Be^{-t} + \sin 3t$

21 $y = Ae^{4x} + Be^{-x} + 3\cos 2x - 4\sin 2x$, $y = 3\cos 2x - 4\sin 2x - 3e^{-x}$ **22 i)** $x = e^{2t}(A\cos 5t + B\sin 5t) + 2\sin 2t$

22 ii) $x = 3e^{2t}\cos 5t + 2\sin 2t$ **23 a)** $\ln(1 + y) = c + \frac{1}{2}x^2$ **b)** $y = Ce^{3x}$; $y = -\frac{2}{9} - \frac{2}{3}x + e^{4x}$, $y = Ce^{3x} - \frac{2}{9} - \frac{2}{3}x + e^{4x}$

24 a) $y = e^{-2x}(A\cos 3x + B\sin 3x)$ **b)** $\frac{3}{4}, \frac{1}{4}$ **d)** $y = \frac{3}{4}\cos 3x + \frac{1}{4}\sin 3x - \frac{3}{4}e^{-2x}(\cos 3x + \sin 3x)$

25 a) $y = Ae^{4x} + Be^{-x/2} + \sin x + 2\cos x$ **b)** $y = 2e^{4x} - 4e^{-x/2} + \sin x + 2\cos x$

26 i) $x = e^{-t}\left[A\cos\left(\frac{t}{2}\right) + B\sin\left(\frac{t}{2}\right)\right] + 2\cos t$ **ii)** \$9 550 000

27 $p = 0$, $q = -\frac{1}{4}$, $y = A\sin 2x + B\cos 2x - \frac{1}{4}x\cos 2x$, $y \approx \frac{1}{4}(n + \frac{1}{2})\pi$ **28 a)** $\frac{1}{2}$ **b)** $y = (1 + t)e^{-1} + \frac{1}{2}t^2e^{-t}$

Ymarfer 4D

1 a) $x^3(x - 4y) = c$ **b)** $y^2 = 2x^2\ln x + cx^2$ **c)** $\ln\left[\frac{x^4(x - y)}{x + y}\right] = \frac{2x}{x + y} + c$ **d)** $\frac{3}{8}\ln\left[\frac{(y - 2x)(y + 2x)}{y^2}\right] = \ln x + c$

2 $x + y - \frac{1}{4}\ln(4x + 4y + 5) = 4x + c$ **3** $2x + 3y + \frac{21}{8}\ln(16x + 24y - 13) = 8x + c$ **4 a)** $y = Ax + \frac{B}{x^2}$

4 b) $y = Ax^{3+\sqrt{15}} + Bx^{3-\sqrt{15}}$ **c)** $y = Ax^2 + Bx^2\ln x$ **d)** $y = x^{-\frac{1}{2}}\left[A\cos\left(\frac{\sqrt{3}}{2}\ln x\right) + B\sin\left(\frac{\sqrt{3}}{2}\ln x\right)\right]$

5 $\frac{dy}{dx} = 2\sqrt{t}\frac{dy}{dt}$, $y = Ae^{x^2} + Be^{-4x^2} + \frac{1}{6}e^{2x^2}$ **6 a)** $z = \frac{1}{2}e^{x} + ce^{-x}$ **b)** $y = \frac{1}{2}xe^{x} + cxe^{-x}$

7 b) 2 **c)** $xy = 2e^4(1 - x)e^{-2x} + 2e^{2x}$ **d)** Anfeidraidd **8** $x = (A + Bt)e^{-t}$, $y = (A + B + Bt)e^{-t}$; $x = (1 - t)e^{-t}$, $y = -te^{-t}$

9 a) $y = \frac{(\cosh^{-1}x + c)}{\sqrt{x^2 - 1}}$ **b) ii)** $y = \frac{1}{x}(A\sin 5x + B\cos 5x)$

Ymarfer 5A

1 a) 177 **b)** 15 **c)** 0 **d)** –255 **2 a)** $(a + b + c)(a - b)(b - c)(c - a)$ **b)** $-24pqr$

2 c) $(ab + bc + ca)(b - c)(c - a)$ **d)** 0 **3** $(a - b)(b - c)(c - a)(a + b + c + 1)$, –1

Ymarfer 5B

1 $(a - b)(b - c)(c - a)(a + b + c)$; 1, 2, –3; $(t, 0, t)$ **2 ii)** $(5 - t, t - 1, t)$ **3 i)** $\left(\frac{7t - 19}{5}, \frac{37 - 11t}{5}, t\right)$

4 a) $a = b = c$ **b)** $x = a + b$, $y = b - a + t$, $z = t$ **i)** Planau'n croestorri mewn llinell **ii)** Dau blân yn baralel

5 $\frac{1}{2}$, –2; planau'n ffurfio prism trionglog **6** 10 **7** $1 - k^2$; $k \neq 1, -1$ **i)** 2, 1, 0

7 iii) $2 + 3t, -1 - 2t, t$. Tri phlân yn cyfarfod mewn pwynt; planau'n ffurfio prism trionglog; dau blân yn gyd-drawol

8 a) $(a - b)(b - c)(c - a)(a + b + c)$ **b)** -5 **9 ii)** $x = -17, y = \frac{17}{2}, z = -1$ **iv)** Dau blân paralel, trydydd plân yn croestorri

10 i) $(p + 1)(q - 2)$ **iii)** 7 **iv)** Ysgub o blanau **11** $(-\frac{1}{3}t, \frac{2}{3}t, t)$; tri phlân yn croestorri yn y llinell $\frac{x}{1} = \frac{y}{-2} = \frac{z}{-3}$

12 i) $q \neq 2$ **ii)** $p = -4, q = 2$ **iii)** $q = 2, p \neq -4$

Ymarfer 6A

1 a) $\mathbf{r} = \begin{pmatrix} 2 \\ -7 \\ 5 \end{pmatrix} + t\begin{pmatrix} 3 \\ 4 \\ -7 \end{pmatrix}$ **b)** $\mathbf{r} = \begin{pmatrix} 4 \\ 8 \\ -6 \end{pmatrix} + t\begin{pmatrix} -2 \\ 3 \\ 6 \end{pmatrix}$ **c)** $\mathbf{r} = \begin{pmatrix} 7 \\ 4 \\ -1 \end{pmatrix} + t\begin{pmatrix} 2 \\ -1 \\ -3 \end{pmatrix}$ **d)** $\mathbf{r} = \begin{pmatrix} -8 \\ 1 \\ -3 \end{pmatrix} + t\begin{pmatrix} 1 \\ 3 \\ -7 \end{pmatrix}$

2 a) $\mathbf{r} = \begin{pmatrix} 4 \\ 8 \\ -2 \end{pmatrix} + t\begin{pmatrix} 3 \\ 11 \\ -6 \end{pmatrix}$ **b)** $\mathbf{r} = \begin{pmatrix} -1 \\ 8 \\ 3 \end{pmatrix} + t\begin{pmatrix} 3 \\ -11 \\ 6 \end{pmatrix}$ **c)** $\mathbf{r} = \begin{pmatrix} 1 \\ 7 \\ -2 \end{pmatrix} + t\begin{pmatrix} 4 \\ 3 \\ -10 \end{pmatrix}$ **d)** $\mathbf{r} = \begin{pmatrix} 3 \\ -5 \\ -9 \end{pmatrix} + t\begin{pmatrix} -5 \\ 2 \\ 16 \end{pmatrix}$

3 a) $\frac{x-2}{3} = \frac{y+7}{4} = \frac{z-5}{-7}$ **b)** $\frac{x-4}{-2} = \frac{y-8}{3} = \frac{z+6}{6}$ **c)** $\frac{x-7}{2} = \frac{y-4}{-1} = \frac{z+1}{-3}$ **d)** $\frac{x+8}{1} = \frac{y-1}{3} = \frac{z+3}{-7}$

4 a) $\mathbf{r} = \begin{pmatrix} 3 \\ -2 \\ 4 \end{pmatrix} + t\begin{pmatrix} 4 \\ 3 \\ -5 \end{pmatrix}$ **b)** $\mathbf{r} = \begin{pmatrix} -2 \\ 1 \\ -3 \end{pmatrix} + t\begin{pmatrix} 5 \\ -7 \\ -2 \end{pmatrix}$ **c)** $\mathbf{r} = \begin{pmatrix} -5 \\ 2 \\ -4 \end{pmatrix} + t\begin{pmatrix} 1 \\ -3 \\ 2 \end{pmatrix}$ **d)** $\mathbf{r} = \begin{pmatrix} \frac{3}{2} \\ 5 \\ 2 \end{pmatrix} + t\begin{pmatrix} 2 \\ 3 \\ -1 \end{pmatrix}$

4 e) $\mathbf{r} = \begin{pmatrix} \frac{5}{3} \\ -2 \\ 2 \end{pmatrix} + t\begin{pmatrix} 2 \\ 4 \\ -3 \end{pmatrix}$ **5 a)** 109° **b)** 93.3° **6 a)** $\mathbf{r} = \begin{pmatrix} 2 \\ 1 \\ 4 \end{pmatrix} + t\begin{pmatrix} 2 \\ 6 \\ 1 \end{pmatrix}$ **b)** $\mathbf{r} = \begin{pmatrix} -1 \\ -4 \\ 3 \end{pmatrix} + t\begin{pmatrix} 3 \\ 12 \\ 1 \end{pmatrix}$

6 c) $\mathbf{r} = \begin{pmatrix} 4 \\ 1 \\ -5 \end{pmatrix} + t\begin{pmatrix} -1 \\ 1 \\ -1 \end{pmatrix}$ **7** $2\sqrt{2}$ **8** $19/5\sqrt{2}$ **9 a) i)** $1 : 2 : -2$ **ii)** $\frac{1}{3}, \frac{2}{3}, -\frac{2}{3}$ **b) i)** $3 : -4 : -5$

9 b) ii) $3/5\sqrt{2}, -4/5\sqrt{2}, -1/\sqrt{2}$ **c) i)** $3 : 2 : -5$ **ii)** $3/\sqrt{38}, 2/\sqrt{38}, -5/\sqrt{38}$ **d) i)** $1 : -2 : -3$ **ii)** $1/\sqrt{14}, -2/\sqrt{14}, -3/\sqrt{14}$

10 a) $\mathbf{r} = 2\mathbf{i} + \mathbf{j} + \mathbf{k} + t(-2\mathbf{i} + 4\mathbf{j} + 2\mathbf{k})$ **d)** 18.7° **11 b)** $\mathbf{r} = -9\mathbf{j} + 13\mathbf{k} + t(\mathbf{i} + 2\mathbf{j} - 3\mathbf{k})$ **c)** $(5, 1, -2)$ **e)** 43° **f)** $(4.5, 0, -0.5)$

12 a) $(4, -1, -3)$ **b)** 71.4° **13 a)** $\mathbf{r} = \begin{pmatrix} 1 \\ 2 \\ 3 \end{pmatrix} + t\begin{pmatrix} 0 \\ 4 \\ -3 \end{pmatrix}$ **b)** 21° **14** $47\mathbf{i} - 9\mathbf{j} + 62\mathbf{k}, a = -5$ **15 a)** $\mathbf{i} - 3\mathbf{j} - \mathbf{k}$ **c)** 95.2°

16 i) $(2, 3, 5)$ **ii)** 40.9° **17 a)** 0.148 rad **18** $(1, 1, -12)$ **19 i)** $\mathbf{r} = \begin{pmatrix} 7 \\ -8 \\ 7 \end{pmatrix} + t\begin{pmatrix} 1 \\ -5 \\ 1 \end{pmatrix}$ **ii)** $5\mathbf{i} + 2\mathbf{j} + 5\mathbf{k}$

Ymarfer 6B

1 a) $-5\mathbf{i} + 7\mathbf{j} + 11\mathbf{k}$ **b)** $31\mathbf{i} + 22\mathbf{j} + \mathbf{k}$ **c)** $22\mathbf{i} + 14\mathbf{j} + 16\mathbf{k}$ **d)** $-32\mathbf{i} + 23\mathbf{j} - 10\mathbf{k}$

2 a) $\mathbf{r} . \begin{pmatrix} 3 \\ -5 \\ 4 \end{pmatrix} = -13$ **b)** $\mathbf{r} . \begin{pmatrix} 9 \\ 7 \\ -2 \end{pmatrix} = 47$ **c)** $\mathbf{r} . \begin{pmatrix} 28 \\ -17 \\ 18 \end{pmatrix} = 41$ **3 a)** $3x + y + 7z = 4$ **b)** $2x + 4y + 3z = 8$

3 c) $-x + 5y + 3z + 7 = 0$ **4 a)** 68.5° **b)** 34.1° **c)** 28.1° **d)** 48.5° **5** 29.1° **6** 0°

7 $\mathbf{r} . \begin{pmatrix} 3/5\sqrt{2} \\ 4/5\sqrt{2} \\ -1/\sqrt{2} \end{pmatrix} = 2\sqrt{2}, 2\sqrt{2}$ **8 a) i)** -13 **ii)** $-12\mathbf{i} + 8\mathbf{j} + 8\mathbf{k}$ **b) i)** $+\frac{13}{21}$ **ii)** $2\sqrt{17}$ **iii)** $\mathbf{r} . \begin{pmatrix} -3 \\ 2 \\ 2 \end{pmatrix} = 3$

9 a) $-\mathbf{i} + 8\mathbf{j} - 4\mathbf{k}$ **b)** $3\mathbf{i} + \mathbf{j} - \mathbf{k}$ **d)** $\mathbf{r} = \begin{pmatrix} 1 \\ 1 \\ 1 \end{pmatrix} + t\begin{pmatrix} 4 \\ 13 \\ 25 \end{pmatrix}$ **10 a)** $\mathbf{r} = 24\mathbf{i} + 6\mathbf{j} + t(\mathbf{i} + \mathbf{j} + 2\mathbf{k})$ **c)** $(35, 17, 32)$ **d)** $18\sqrt{101}$

11 a) $36\mathbf{i} + 12\mathbf{j} + 9\mathbf{k}$ **b)** $\mathbf{r} . \begin{pmatrix} 36 \\ 12 \\ 9 \end{pmatrix} = 9$ **c)** $(1, -3, 1)$ **12 i)** $-\mathbf{i} + \mathbf{j} + \mathbf{k}$ **13** $\mathbf{r} . \begin{pmatrix} 11 \\ 5 \\ -7 \end{pmatrix} = 14$

14 $\mathbf{r} = \begin{pmatrix} 1 \\ -8 \\ 7 \end{pmatrix} + t\begin{pmatrix} 1 \\ 2 \\ -1 \end{pmatrix}$ **i)** $-x + 5y + 3z = 46$ **iii)** $12\mathbf{i} + 14\mathbf{j} - 4\mathbf{k}$ **15 i)** $-\mathbf{i} + 2\mathbf{j} + \mathbf{k}$ **iv)** 31.8°

16 $3\mathbf{i} + 8\mathbf{k} - 15\mathbf{j}$, 14.4° **17 ii)** $3x + y + 2z = 15$ **iii)** $5 - x = y = z$ **18 a)** $2\mathbf{i} - 3\mathbf{j} - 2\mathbf{k}$ **b)** $\frac{1}{2}\sqrt{17}$

18 c) $\mathbf{r} . (2\mathbf{i} - 3\mathbf{j} - 2\mathbf{k}) = -7$ **d)** $2x - 3y - 2z = -7$ **e)** $\frac{7}{\sqrt{17}}$ **f)** 3.2° **19** $\mathbf{i} + 3\mathbf{j} - 3\mathbf{k}$ **20 i)** $(2, 1, 1)$

20 ii) $3\mathbf{i} + 2\mathbf{j} + 4\mathbf{k}$ **iii)** $8\mathbf{i} - 2\mathbf{j} + 5\mathbf{k}$ **iv)** $\mathbf{r} = \begin{pmatrix} 2 \\ 1 \\ 1 \end{pmatrix} + t\begin{pmatrix} 2 \\ -47 \\ 22 \end{pmatrix}$ **21** $-2\mathbf{a} \times \mathbf{b}; 0, \pi$ **22 b)** $7\mathbf{i} + 3\mathbf{j} - 4\mathbf{k}$ **c)** 72.8°

22 d) $(-3, \frac{1}{2}, 4\frac{1}{2})$ **e)** $\frac{1}{2}\sqrt{26}$ **23 a)** $\frac{x}{1} = \frac{y-2}{-1} = \frac{z+3}{-1}$ **b)** $x + z = 0$ **24 a)** $(1, -2, 3)$ **b)** $2x + y - 3z = -9$ **c)** 70.9°

25 ii) $7 + \frac{2}{3}k$ **iii)** $-\frac{21}{2}$ **iv)** $\mathbf{r} = \begin{pmatrix} 4 \\ 12 \\ 5 \end{pmatrix} + t\begin{pmatrix} 2 \\ 10 \\ 11 \end{pmatrix}$ **26 i)** $2\mathbf{i} - 2\mathbf{j} - 2\mathbf{k}$ **ii)** $x - y - z = 12$

27 a) $(-3, 0, 1)$ **b)** $-3, -1$ **c)** $x - 3y - z + 4 = 0$ **28** $1 : -2 : 4$, $2x - y - z = 0$

29 a) i) $2\mathbf{i} - 3\mathbf{j} + 6\mathbf{k}$ **iii)** $\mathbf{r} \cdot \begin{pmatrix} 2 \\ -3 \\ 6 \end{pmatrix} = 14$ **b) i)** $\mathbf{r} = \begin{pmatrix} 3 \\ -1 \\ 2 \end{pmatrix} + t\begin{pmatrix} 2 \\ 1 \\ 1 \end{pmatrix}$ **iii)** Ochr arall i'r plân o'r tarddbwynt; pellter 1 o Π

30 a) ii) $\mathbf{r} \cdot \begin{pmatrix} 1 \\ 0 \\ -1 \end{pmatrix} = 1$ **b) ii)** $3x + 5y + 3z + 1 = 0$ **31 a)** $\mathbf{r} = \mathbf{i} + 2\mathbf{j} + \mathbf{k} + t(2\mathbf{i} + \mathbf{j} + 3\mathbf{k})$ **b)** $(3, 3, 4)$ **c)** $5\mathbf{i} - \mathbf{j} - 3\mathbf{k}$

31 d) $\sqrt{\frac{35}{34}}$ **e)** $(5, 4, 7)$ **32 i)** $\mathbf{r} = \begin{pmatrix} 1 \\ 2 \\ 0 \end{pmatrix} + t\begin{pmatrix} 2 \\ 2 \\ -1 \end{pmatrix}$, $\frac{\sqrt{65}}{3}$ **ii)** $\mathbf{r} = \begin{pmatrix} 1 \\ 2 \\ 0 \end{pmatrix} + t\begin{pmatrix} -1 \\ 0 \\ 3 \end{pmatrix}$, 50.8° **iii)** $\frac{3}{\sqrt{10}}$

33 i) 3 **ii)** $\begin{pmatrix} -17 \\ -10 \\ 14 \end{pmatrix}$ **iii)** $\frac{21}{\sqrt{65}}$ **34** $3\mathbf{i} + 5\mathbf{j} - 7\mathbf{k}$, $3x - 5y - 7z = 1$ **35** $3\mathbf{i} + 4\mathbf{j} + \mathbf{k}$, $3x - 2y - 2z = -1$

36 b) i) $(4, 0, 0)$ **iv)** $(2, 1, 4)$ **v)** 8

Ymarfer 6C

1 -73 **2** 177 **3** 21 **4** 8 **5 i)** 0 **ii)** $\overrightarrow{EF}$ **iii)** $\sqrt{\frac{2}{3}}$ **6 a)** $-30\mathbf{i} - 15\mathbf{j} + 45\mathbf{k}$ **b)** $\mathbf{r} = \begin{pmatrix} 3 \\ 1 \\ 2 \end{pmatrix} + t\begin{pmatrix} 2 \\ 1 \\ -3 \end{pmatrix}$ **d)** 35

7 a) $5\mathbf{i} - 3\mathbf{j} - 4\mathbf{k}$ **b)** 100 **c)** 50 **8 a)** $-6\mathbf{i} - 2\mathbf{j} + 5\mathbf{k}$ **b)** $\frac{1}{2}\sqrt{65}, \frac{1}{6}$ **c)** $\mathbf{r} \cdot (6\mathbf{i} + 2\mathbf{j} - 5\mathbf{k}) = 1$ **d)** $(\frac{1}{2}, \frac{1}{4}, \frac{1}{2})$ **e)** 9.52°

Ymarfer 7A

7 a) $y \le 1, y \ge \frac{49}{25}$ **b)** $y \ge 1, y \le \frac{5}{13}$ **8** $x = -\frac{2}{3}, x = \frac{5}{7}, y = \frac{4}{21}$ **9** $x = -1, y = x - 2$ **10 i)** $x = -2$ **ii)** 7

11 i) $x = 2, x = -2, y = 10$ **ii)** $\frac{16}{(x-2)^3} - \frac{54}{(x+2)^3}$ **iii)** $(10, 8\frac{3}{4})$ **12 a)** $y = 1, x = 2\sqrt{3} - 1, x = -1 - 2\sqrt{3}$ **b)** $(5, \frac{5}{6}), (1, \frac{1}{2})$

13 a) i) $x = -\frac{1}{2}, y = \frac{x}{2}$ **ii)** $(0, 0), (-1, -1)$ **14 a)** $\frac{5}{4}$ **b) i)** $x = 2$ **ii)** $y = 2x + 1$ **c)** $(3, 8)$ min

15 i) $y = 2 + \frac{3}{x-1} + \frac{1}{x+2}$ **iii)** $y = 2, x = 1, x = -2$ **iv)** $(-\frac{5}{4}, 2)$ **16 a)** $\frac{2t}{(1+t)^2}$ **c)** $y = \frac{x}{2}, x = 0$ **ch) ii)** $(1, 1), (-1, -1)$

Ymarfer 7B

1 a) $x > -1, x < -2$ **b)** $x > 3$ **c)** $-10 < x < -3$ **d)** $x > 5, x < -14$ **e)** $-\frac{3}{10} > x > -\frac{1}{2}$ **f)** $\frac{1}{5} < x < \frac{6}{11}$

2 a) $x < -2, -1 < x < 0$ **b)** $x > 8, 2 < x < 3$ **c)** $5 < x < \frac{1}{2}(3 + \sqrt{65}), \frac{1}{2}(3 - \sqrt{65}) < x < -1$ **d)** $-7 < x, 3 < x < \frac{44}{13}$

2 e) $-2 < x < -1\frac{1}{2}$ **3 a)** $-\frac{5}{2} < x \; (x \ne -2)$ **b)** $-5 < x < -1 \; (x \ne -2)$ **c)** $\frac{5}{3} < x < 11 \; (x \ne 4)$ **d)** $x > 6, -\frac{4}{3} > x \; (x \ne -5)$

3 e) $x > 5, x < -\frac{3}{5} (x \ne -2)$ **f)** $x > -2\frac{1}{2} (x \ne -3)$ **4 a)** $1 > x > -2$ **b)** $x > 1, x < -\frac{3}{2}$ **c)** $x < -2 \; (x \ne -1)$

5 $x > 4, -3 < x < 0$ **6** $x > 1, x < -1$ **7** $x > 2, -1 < x < 1$ **8** $-2 < x < -1, 1 < x < 4$ **9** $2 < x < 5, x < -1$

11 a) $f(x) \le \frac{1}{6}, f(x) \ge \frac{3}{2}, (-4, \frac{3}{2})(6, \frac{1}{6})$ **b)** Un **12** $x < -\frac{3}{2}, x > \frac{7}{4}$ **13** $x > -1, x > -\frac{5}{2}$ **14** 1, 2, 4; $y = x + 2$

15 a) $(0, 3), (-\frac{3}{2}, 0)$ **b)** $x > -\frac{13}{6}$

Ymarfer 8A

1 a) $-3, -7$ **b)** 11, 5 **c)** $-5, -4$ **d)** $-\frac{11}{3}, \frac{2}{3}$ **e)** $-2, -5$ **f)** $-2, -\frac{7}{2}$

2 a) $x^2 - 7x + 15 = 0$ **b)** $x^2 + 3x + 5 = 0$ **c)** $x^2 + 2x - 4 = 0$ **d)** $x^2 + 5x - 11 = 0$ **3 a)** 0 **b)** -10 **c)** -9

4 i) $9 + \mathrm{i}$ **ii)** $\frac{5}{2} - 2\mathrm{i}$ **5 i)** $-10 - 37\mathrm{i}$ **ii)** $-\frac{8}{3} - \frac{7}{3}\mathrm{i}$ **6** $x^3 - 4x^2 - 4x - 25 = 0$ **7** 6, -6

8 $3x^2 - 11x + 10 = 0$ **9 a)** 15

Ymarfer 8B

1 $x^2 + 14x + 44 = 0$ **2** $x^2 - 45x + 63 = 0$ **3** $3x^3 - 8x^2 + 32x - 56 = 0$

4 $8x^3 - 12x^2 - 22x + 5 = 0$ **5** $4x^2 + 59x + 289 = 0$ **6** $9x^2 + 41x + 225 = 0$

7 a) $x^2 + 7x + 6 = 0$ **b)** $6x^2 + 7x + 1 = 0$ **c)** $4x^2 - 37x + 9 = 0$ **d)** $2x^2 - x - 3 = 0$

8 a) $3x^2 + 36x - 32 = 0$ **b)** $6x^2 + 9x - 1 = 0$ **c)** $9x^2 - 93x + 4 = 0$ **d)** $3x^2 + 27x + 52 = 0$

9 a) $x^3 + 9x^2 + 45x + 189 = 0$ **b)** $x^3 + x^2 - 17x - 49 = 0$ **c)** $x^3 - 6x^2 + 14x - 8 = 0$

10 $x^4 + 9x^3 + 63x^2 - 297x + 81 = 0$ **11** $x^2 + 10x + 75 = 0$ **12** $4x^2 - 3x + 1 = 0$

Ymarfer 8C

1 $\mathrm{i}, -\mathrm{i}, \frac{5}{2} \pm \sqrt{\frac{21}{2}}$ **2** $2\mathrm{i}, -2\mathrm{i}, 2, -\frac{5}{3}$ **3** 1 **4** 3 **5** $0 < k < 4$ **6** $1 - \mathrm{i}, \frac{3}{2} \pm \frac{\mathrm{i}\sqrt{11}}{2}$ **7 b)** $3 - \mathrm{i}, -11$

8 b) i) $2 + 3\mathrm{i}, -1$ (dwy waith) **8 b) ii)** $(z^2 - 4z + 13)(z^2 + 2z + 1)$ **9 b)** $-\mathrm{i}, 1 + \mathrm{i}, 1 - \mathrm{i}$ **10** $2 - \mathrm{i}, \frac{2}{3}$

11 i) $1 + 3\mathrm{i}$ **ii)** $5, -\frac{1}{2}$ **12** $-3\mathrm{i}, \frac{5}{3}$ **13 b)** $(z - 2)(z^2 - 6z + 10)$; $2, 3 + \mathrm{i}, 3 - \mathrm{i}$

14 i) $1 - 3\mathrm{i}$ **ii)** $z^3 - 4z^2 + 14z - 20 = 0$ **15** $1 - \mathrm{i}$; 2, 18 **16 a)** $\frac{8}{7}$ **b)** $1 - 2\mathrm{i}, -\frac{6}{7}$

17 i) $3p^2$ **iii)** $z^3 - 3pz^2 + 3p^2z - (p^3 + q^3) = 0$ **18** $5 + 4\mathrm{i}, 5 - 4\mathrm{i}, \sqrt{2}(1 + \mathrm{i}), \sqrt{2}(1 - \mathrm{i}), -\sqrt{2}(1 + \mathrm{i}), -\sqrt{2}(1 - \mathrm{i})$

Ymarfer 9A

6 4 **11** $\frac{n}{3}(4n^2 - 1)$ **14 a)** $\frac{n^2}{(2n - 1)(2n + 1)}$ **16 a)** $\frac{n}{4}(n + 1)(n + 2)(n - 1)$

18 Gwrth-enghraifft: $\begin{pmatrix} 1 \\ 0 \\ 0 \end{pmatrix} \times \begin{pmatrix} 1 \\ 0 \\ 0 \end{pmatrix} = \begin{pmatrix} 0 \\ 0 \\ 0 \end{pmatrix}, \frac{1}{3}\begin{pmatrix} 2 \\ -2 \\ 1 \end{pmatrix}$ **23** $\frac{n}{6}(n + 1)(2n + 7)\ln 2$

25 b) Ddim yn gydgyfeiriol. Nid yw $(-2)^n$ yn tueddu at 0 **27** Ydy **28** $\frac{1}{6}$

29 i) Ddim yn wir: er enghraifft, $u = 2, v = 3, w = 6$ **ii)** Gwir

29 iii) Gwir. Cyfdro **ii** yw 'Os yw u yn rhannu $v + w$, yna mae u yn rhannu u ac w ill dau'. Nid yw hyn yn wir.

Ymarfer 9B

1 $\frac{2n}{3}(n + 1)(n + 2)$ **2** $\frac{n}{2}(n + 1)(n^2 + n + 1)$ **3** $\frac{n}{3}(n^2 - 7)$ **4** $\frac{n}{6}(4n^2 + 33n - 1)$ **5 b)** 61 907

6 $n^2(2n^2 - 1)$ **7** 18760 **8** $N^2(2N + 1)^2, -N^2(4N + 3)$

Ymarfer 9C

1 $\frac{3}{4}$ **2** $\frac{n^2 + 3n}{4(n + 1)(n + 2)}$ **3 a)** $\frac{1}{2}\left(\frac{1}{2r - 1} - \frac{1}{2r + 1}\right)$ **b)** $a = b = 1$ **c)** 0 **4** 8

5 $\frac{1}{2}\left(\frac{1}{2r + 1} - \frac{1}{2r + 3}\right), \frac{1}{6} - \frac{1}{2(2n + 3)}, \frac{1}{6}$ **6** 2 **7 i)** $1 - \mathrm{e}^{Nx}$ **ii)** $x > 0, 1$

8 $\frac{1}{7} - \frac{1}{\sqrt{2N + 1}}, \frac{1}{7}$ **9 i)** $1 - \frac{1}{(n + 1)!}$ **ii)** $2\mathrm{e} - 3$ **10 b)** $\frac{n}{2(n + 2)}$

Ymarfer 9D

1 b) $\frac{25}{8}$ **c)** 0.110 **2 i)** $x - \frac{x^2}{2} + \frac{x^3}{3}$ **ii)** $\frac{5}{6}, -\frac{3}{5}$

3 a) $2(1 + x)\cos x - (1 + x^2)\sin x$, $2\cos x - 4(1 + x)\sin x - (1 + x)^2\cos x$; $-6\sin x - 6(1 + x)\cos x + (1 + x)^2\sin x$

3 b) $1 + 2x + \frac{x^2}{2} - x^3$ **4 i)** $x - \frac{x^3}{3!} + \frac{x^5}{5!}$ **5 b)** 0.029 565 **6** $(1 + \sin x + \cos x)\mathrm{e}^x$; $\frac{1}{2}$, 4

7 i) $A = 0, B = 1, C = 0, D = -\frac{1}{3}$ **ii)** $1 - u^2 + u^4$ **iii)** $x - \frac{x^3}{2} + \frac{x^5}{5}$ **iv)** $\tan^{-1} x$ **8** $1, \frac{1}{2}, \frac{1}{8}$

9 a) $-\frac{6}{(1 + x)^4}$ **c)** $\frac{(-1)^r x^r}{r(r - 1)}$ **10 a) i)** $\frac{2x}{2 + x^2}$ **ii)** $\ln 2 + \frac{x^2}{2}$ **b)** $-\frac{x^4}{8}$

11 i) $1 + rx + \frac{r(r - 1)}{2!}x^2 + \frac{r(r - 1)(r - 2)}{3!}x^3 + \frac{r(r - 1)(r - 2)(r - 3)}{4!}x^4$ **ii)** $\sqrt[3]{\frac{3}{2}}$

12 i) $1 + x + \frac{x^2}{2!} + \frac{x^3}{3!} + \frac{x^4}{4!}$ **ii)** $\frac{(3n - 2)}{n!}$ **iii)** $\mathrm{e} + 2$

Ymarfer 9E

1 a) $2x - \frac{4x^3}{3} + \frac{4x^5}{15} - \ldots$ **b)** $5x - \frac{126}{6}x^3 + \frac{625}{24}x^5$ **c)** $1 + 8x + 32x^2 + \frac{256}{3}x^3 + \ldots$ **d)** $x^2 - \frac{x^4}{2} + \frac{x^6}{3} - \frac{x^8}{4} + \ldots$

1 e) $-\left(2x + 2x^2 + \frac{8}{3}x^3 + \ldots\right)$ **2 a)** $x^2 - \frac{x^6}{3!} + \frac{x^{10}}{5!} - \ldots + (-1)^n \frac{x^{(4n+2)}}{(2n+1)!} + \ldots$ **b)** $1 + 4x + \frac{15}{2}x^2 + 9x^3 + \frac{63}{8}x^4$

2 c) $2 - 8x^2 + \frac{9}{4}x^4$ **d)** $e\left(1 - \frac{x^2}{2} + \frac{x^4}{6}\right)$ **e)** $\ln 2 - \frac{x^2}{4} - \frac{x^4}{96}$ **3 a)** Cydgyfeiriol **b)** Cydgyfeiriol **c)** Cydgyfeiriol

4 $1 - \frac{x^6}{2!} + \frac{x^{12}}{4!} - \ldots + (-1)^n \frac{x^{6n}}{(2n)!} + \ldots$, pob gwerth x **5** $1 + 2x^2 + 2x^4 + \frac{4}{3}x^6 + \ldots$ **6** $|x| < 3$

7 a) $2 - \frac{x}{4} - \frac{x^2}{64} - \frac{x^3}{512}$ **b)** $6x - \frac{3}{4}x^2 - \frac{579}{64}x^3$ **8 a)** $\frac{1}{2} - \frac{3}{4}x + \frac{9}{8}x^2 - \frac{27}{16}x^3$ **b)** $x - \frac{3}{2}x^2 + \frac{19}{12}x^3 - \frac{19}{8}x^4$

9 a) $\frac{1}{2}, -\frac{1}{2}\sqrt{3}$ **10 a)** $a - \frac{1}{3}b, \frac{1}{2}a^2 + \frac{1}{9}b^2, \frac{1}{6}a^3 - \frac{5}{81}b^3$ **b) i)** 1, 3

Ymarfer 10A

1 a) i) $\frac{1}{2}(e^2 + e^{-2})$ **ii)** 3.76 **b) i)** $\frac{1}{2}(e^3 - e^{-3})$ **ii)** 10.0 **c) i)** $\frac{e^8 - 1}{e^8 + 1}$ **ii)** 0.999 **3 a)** $2 \sinh 2x$ **b)** $5 \cosh 5x$

3 c) $3 \operatorname{sech}^2 3x$ **d)** $8 \sinh 4x - 15 \cosh 3x$ **e)** $6 \sinh 2x + 30 \cosh 5x$ **f)** $-\operatorname{cosech}^2 x$ **g)** $-\operatorname{sech} x \tanh x$

3 h) $45 \sinh 3x \cosh^4 3x$ **i)** $64 \cosh 8x \sinh^3 8x$ **j)** $\tanh x$ **k)** $2 \cosh 2x\, e^{\sinh 2x}$ **l)** $5 \operatorname{cosech} 5x \operatorname{sech} 5x$

4 a) $\frac{1}{3}\cosh 3x$ **b)** $\frac{1}{4}\sinh 4x$ **c)** $3 \cosh\left(\frac{x}{3}\right)$ **d)** $10 \sinh\left(\frac{x}{5}\right)$ **e)** $\frac{3}{5}\sinh 5x - 4\cosh\left(\frac{x}{2}\right)$ **f)** $\frac{1}{4}\ln \cosh 4x$

5 a) 0.540 **b)** 0.693 **c)** 0.457 **d)** 0.191 **e)** 1.10, −0.625 **f)** 0.514

6 $\ln\frac{1}{2}, \ln\frac{2}{3}$ **7 a) i)** $\frac{e^x - e^{-x}}{e^x + e^{-x}}$ **b)** $\ln 2$ **8** $(-\ln 2, 4)$, min **10 i)** $x \sinh x + 4 \cosh x$ **ii), iii)** $x \sinh x + 2n \cosh x$

11 $-\ln 3, 0$ **16 b) i)** (1.32, 2.15) **ii)** 3.3000 **c)** −1, 4

Ymarfer 10B

1 a) $\frac{5}{\sqrt{1 + 25x^2}}$ **b)** $\frac{3}{\sqrt{9x^2 - 1}}$ **c)** $\frac{\sqrt{2}}{\sqrt{1 + 2x^2}}$ **d)** $\frac{3}{\sqrt{9x^2 - 16}}$ **e)** $\frac{2x}{\sqrt{1 + x^4}}$ **f)** $-\frac{1}{x\sqrt{1 - x^2}}$ **g)** $\frac{1}{1 - x^2}$

2 a) $\cosh^{-1}\left(\frac{x}{2}\right) + c$ **b)** $\cosh^{-1}\left(\frac{x}{3}\right) + c$ **c)** $\frac{1}{2}\cosh^{-1}\left(\frac{2x}{5}\right) + c$ **d)** $\frac{1}{3}\cosh^{-1}\left(\frac{3x}{4}\right) + c$ **e)** $\sinh^{-1}\left(\frac{x}{3}\right) + c$ **f)** $\sinh^{-1}\left(\frac{x}{4}\right) + c$

2 g) $\frac{1}{4}\sinh^{-1}\left(\frac{4x}{5}\right) + c$ **h)** $\frac{1}{5}\sinh^{-1}\left(\frac{5x}{3}\right) + c$ **3 a)** $\ln(1 + \sqrt{2})$ **b)** $\ln(1 + \sqrt{2})$ **c)** $\ln(2 + \sqrt{3})$ **d)** $\frac{1}{\sqrt{3}}\ln(2 + \sqrt{3})$

3 e) $\frac{1}{5}\ln(5 + \sqrt{24})$ **4 a)** $\frac{1}{5}\ln\left(\frac{10 + 4\sqrt{6}}{5 + \sqrt{21}}\right)$ **b)** $\frac{1}{3}\ln\left(\frac{6 + 2\sqrt{10}}{3 + \sqrt{13}}\right)$ **c)** $\ln\left(1 + \sqrt{\frac{2}{3}}\right)$ **d)** $\frac{1}{2}\ln\left(\frac{4 + \sqrt{21}}{5}\right)$ **e)** $\ln\left(1 + \sqrt{\frac{2}{3}}\right)$

4 f) $\frac{1}{4}\ln\left(\frac{13 + 2\sqrt{71}}{5 + 2\sqrt{35}}\right)$ **5 a)** $\cosh^{-1}\left(\frac{x + 2}{4}\right) + c$ **b)** $\ln\left(\frac{3 + \sqrt{8}}{2 + \sqrt{3}}\right)$ **6 b)** $\ln(1 + \sqrt{2})$ **7 a)** $x \tanh x - \ln \cosh x + c$

7 b) $y = x \sinh x - \cosh x \ln \cosh x + c \cosh x$ **8 a)** 2, 1, 4 **b)** $\frac{1}{4}\tanh^{-1}\left(\frac{2x + 1}{2}\right) + c$ **9 b)** 0.2763

10 a) $(2x + 1)^2 + 25$ **b)** $\frac{1}{2}\sinh\left(\frac{2x + 1}{5}\right) + c$ **11 i)** 3, 4, −25 **12** $(x - 3)^2 - 1^2, \ln(2 + \sqrt{3})$

13 c) $x \sinh^{-1} x - \sqrt{1 + x^2} + c$ **17 iii)** $\frac{1}{3}\ln(6 + \sqrt{37})$ **18 a)** $x \geq 1$ **b) ii)** $\sqrt{2} - \ln(1 + \sqrt{2})$; $\sqrt{2}, 1 + \sqrt{2}$

19 a) $2 \tan^{-1} e^x + c$ **c)** 2.604 **20** $\pi \ln(2 + \sqrt{5})$ **21 c)** $\frac{3}{x^2 - 9}$ **d)** $-\frac{3}{x} - \frac{9}{x^3} - \frac{243}{5x^5} - \frac{2187}{7x^7}, -\frac{3^{2n+1}}{2n + 1}$

21 e) $\frac{3}{x^2} + \frac{27}{x^4} + \frac{243}{x^6} + \frac{2187}{x^8}, 3^{2n-1}$ **22 a)** $x + \frac{x^3}{3} + \frac{x^5}{5}, \frac{1}{2n + 1}$ **b)** $\frac{1}{2}\ln\left(\frac{1}{5}\right)$ **c)** $\frac{1}{4}\ln\left(\frac{27}{2}\right)$ **23 b) ii)** $2 \ln 2 - 1$

Ymarfer 10C

1 a) $1 + 2x + \frac{2}{3}x^4$ **b)** $3x + \frac{9}{32}x^3$ **c)** $1 + x + \frac{25}{2}x^2 + \frac{25}{2}x^3 + \frac{625}{24}x^4$ **d)** $6x + 12x^2 + 36x^3 + 72x^4$

2 $\frac{1}{2}x\sqrt{x^2 - 9} - \frac{9}{2}\cosh^{-1}\left(\frac{x}{3}\right) + c$ **3** $\frac{1}{2}x\sqrt{x^2 + 16} + 8\sinh^{-1}\left(\frac{x}{4}\right) + c$ **4** $\frac{1}{2}x\sqrt{x^2 + 25} + \frac{25}{2}\sinh^{-1}\left(\frac{x}{4}\right) + c$

5 $\frac{1}{2}x\sqrt{x^2 - 25} - \frac{25}{2}\cosh^{-1}\left(\frac{x}{5}\right) + c$ **6** $\frac{1}{2}x\sqrt{x^2 - 4} + 2\cosh^{-1}\left(\frac{x}{2}\right) + c$ **7** $\frac{1}{8}x\sqrt{x^2 + 9} - \frac{5}{2}\sinh^{-1}\left(\frac{x}{3}\right) + c$

8 $\frac{x}{2}\sqrt{x^2 + 4} + 2\sinh^{-1}\left(\frac{x}{2}\right) + c$ **9 i)** 0; $\frac{1}{2}\left[\frac{1 - (n + 1)\cosh nx + n \cosh(n + 1)x}{\cosh x - 1}\right]$

12 $y = \frac{1}{2}\coth x - \frac{1}{2}x \operatorname{cosech} x + c \operatorname{cosech}^2 x$ **14** $\frac{x}{\sqrt{x^2 - 1}}; \frac{5}{4}, -\frac{3}{4}$ **15 c) ii)** 1.76

17 d) $\frac{1}{2}\ln(2 + \sqrt{3}) - \frac{1}{4}\sqrt{3}; \frac{1}{2}, -\frac{1}{4}$ **18 b)** $1, -\frac{1}{2}, \frac{13}{120}$ **c)** $x^3 + \frac{1}{6}x^5$

Ymarfer 11A

1 a) $(4, 0), x = -4$ **b)** $(7, 0), x = -7$ **c)** $(0, 2), y = -2$ **d)** $(0, -4), y = 4$ **e)** $(-3, 0), x = 3$

1 f) $(8, -1), x = -8$ **g)** $(5, 2), x = 1$ **2 a)** $y^2 = 12x$ **b)** $y^2 = 16x$ **c)** $x^2 = 8y$ **d)** $x^2 = -20y$

3 a) $ty = x + 5t^2$ **b)** $py = x + 5p^2$ **c)** $y = 5 + x$ **d)** $2y = x + 20$ **4 a)** $x + y = 6$ **b)** $(18, -12)$

Ymarfer 11B

1 a) $\frac{\sqrt{7}}{4}, (\pm\sqrt{7}, 0), x = \pm\frac{16}{\sqrt{7}}$ **b)** $\frac{\sqrt{33}}{7}, (\pm\sqrt{33}, 0), x = \pm\frac{49}{\sqrt{33}}$ **c)** $\frac{3}{5}, (\pm 3, 0), x = \pm\frac{25}{3}$ **d)** $\frac{\sqrt{5}}{3}, (0, \pm 2\sqrt{5}), y = \pm\frac{18}{5}$

1 e) $\frac{4}{5}, (5, -2), x = \frac{29}{4}, x = -\frac{21}{4}$ **2 a)** $\frac{x^2}{36} + \frac{y^2}{27} = 1$ **b)** $\frac{x^2}{36} + \frac{y^2}{32} = 1$ **c)** $\frac{x^2}{16} + \frac{y^2}{32} = 1$ **d)** $\frac{x^2}{36} + \frac{y^2}{45} = 1$

3 a) $4x\cos\theta + 5y\sin\theta = 20$ **b)** $4y\cos\theta = 5x\sin\theta - 9\sin\theta\cos\theta$ **4** $(-\frac{12}{5}a, 0), (-\frac{6}{5}a, 0)$

Ymarfer 11C

1 a) $\frac{5}{4}, (\pm 5, 0), x = \pm\frac{16}{5}$ **b)** $\frac{\sqrt{65}}{7}, (\pm\sqrt{65}, 0), x = \pm\frac{49}{\sqrt{65}}$ **c)** $\frac{\sqrt{41}}{5}, (\pm\sqrt{41}, 0), x = \pm\frac{25}{\sqrt{41}}$ **d)** $\frac{\sqrt{13}}{2}, (\pm\sqrt{13}, 0), x = \pm\frac{4}{\sqrt{13}}$

1 e) $\frac{\sqrt{34}}{5}, (1 \pm\sqrt{34}, -2), x = 1 \pm\frac{25}{\sqrt{34}}$ **2 a)** $\frac{x^2}{36} - \frac{y^2}{108} = 1$ **b)** $\frac{x^2}{36} - \frac{y^2}{288} = 1$ **c)** $\frac{y^2}{32} - \frac{x^2}{32} = 1$ **d)** $\frac{y^2}{45} - \frac{x^2}{180} = 1$

3 a) $4x\sec\theta - 5y\tan\theta = 20$ **b)** $5x\sin + 4y = 41\tan\theta$

Ymarfer 11D

2 a) $(0, 2t)$ **b)** $y^2 = 9x$ **3 b)** $(apq, a(p + q))$ **c)** $pq = -1$ **4 b)** $3x + 7y = 37, y + 3x = 13$

5 a) $\frac{x}{a}\cos t + \frac{y}{b}\sin t = 1$ **b)** $ax\sin t - by\cos t = (a^2 - b^2)\sin t\cos t$ **c)** $\left(\frac{a^2 - b^2}{2a}\right)\cos t, \frac{b}{2\sin t}$

6 a) $3x\cos\theta + 2y\sin\theta = 6$ **c)** $\theta = 0°, 233.1°, 360°; (-1.2, -2.4)$ **8 c)** 1

9 a) $\frac{(x-2)^2}{9} + \frac{y^2}{4} = 1, \frac{\sqrt{5}}{3}$ **b)** $(\pm\sqrt{5}, 0)$ **d)** 33.84 **10 c)** C_1: $(\pm 3a, 0), y = \pm\frac{x}{3}$; C_2: $\left(\pm\frac{10a}{3}, 0\right), y = \pm 3x$

10 e) C_1: $\frac{\sqrt{10}}{3}, (\pm\sqrt{10}a, 0), x = \pm\frac{9}{10}$; C_2: $\sqrt{10}, \left(\pm\frac{100a}{3}, 0\right), x = \pm\frac{a}{3}$ **12 iv)** $(-1, 2t)$

Ymarfer 12A

Mae'r cysonyn integru wedi cael ei hepgor o bob un o'r atebion hyn.

1 a) $\frac{1}{6}(x^2 + 1)^6$ **b)** $\frac{1}{10}(x^2 - 1)^5$ **c)** $\frac{1}{32}(x^4 - 1)^8$ **d)** $-\frac{1}{15}(1 - x^3)^5$ **e)** $-\frac{1}{6}\cos^6 x$ **f)** $\frac{1}{5}\sinh^5 x$ **g)** $\frac{1}{15}\cosh^5 3x$

1 h) $\frac{1}{12}\sin^6 2x$ **2 a)** $\frac{1}{2}e^x(\cos x + \sin x)$ **b)** $\frac{1}{5}e^x(\cos 2x + 2\sin 2x)$ **c)** $\frac{1}{5}e^{2x}(\sin x + 2\cos x)$

2 d) $\frac{1}{34}e^{3x}(5\sin 5x + 3\cos 5x)$ **e)** $\frac{1}{10}e^{4x}(2\cosh 2x - \sinh 2x)$ **f)** $-\frac{1}{40}e^{-7x}(3\cosh 3x + 7\sinh 3x)$

3 a) $x - \tan^{-1} x$ **b)** $x - 5\tan^{-1}\left(\frac{x}{4}\right)$ **c)** $\frac{1}{4}x - \frac{23}{32}\ln(8x + 3)$ **d)** $-\frac{7}{4}x - \frac{47}{16}\ln(5 - 4x)$ **e)** $\ln(x^2 + 2x + 3) - \frac{3}{\sqrt{2}}\tan^{-1}\left(\frac{x+1}{\sqrt{2}}\right)$

3 f) $\frac{1}{2}\ln(x^2 + x + 1) - \frac{1}{\sqrt{3}}\tan^{-1}\left(\frac{2x+1}{\sqrt{3}}\right)$ **g)** $\sqrt{x^2 + x - 1} - \frac{3}{2}\cosh^{-1}\left(\frac{2x+1}{\sqrt{5}}\right)$ **h)** $\sqrt{2x^2 - 4x + 5} - \frac{5}{\sqrt{2}}\sinh^{-1}\left(\sqrt{\frac{2}{3}}(x - 1)\right)$

3 i) $-2\sqrt{1 - 4x - x^2} + \sin^{-1}\left(\frac{x+2}{\sqrt{5}}\right)$ **j)** $-\sqrt{2 - 5x - 3x^2} - \frac{19}{2\sqrt{3}}\sin^{-1}\left(\frac{6x+5}{7}\right)$ **4 a)** $-\sqrt{1 - x^2} + \sin^{-1} x$ **b)** $1 - \frac{\sqrt{3}}{2} + \frac{\pi}{6}$

5 $\sin^{-1}\left(\frac{x+3}{5}\right)$ **6 i)** $1 + \frac{2}{1+x} - \frac{1}{9+x^2}$ **7** $\frac{1}{3x+4} + \frac{2x+1}{x^2+9}$

Ymarfer 12B

1 a) $5\pi/32$ **b)** $\frac{16}{35}$ **2** $I_n = x^n e^n - nI_{n-1}$ **3** $120 - 326/e$ **4 a)** $\frac{1}{4}\pi - \frac{2}{3}$ **b)** $\frac{5}{12} - \frac{1}{2}\ln 2$

6 $\frac{1}{5}\cosh^4 1\sinh 1 + \frac{4}{15}\cosh^2 1\sinh 1 + \frac{8}{15}\sinh 1$ **11 b)** $\frac{316}{81}$ **12** $\frac{1}{16}\pi^4 - 3\pi^2 + 24$ **13** $\frac{8}{15}$

14 b) $2 - \frac{2}{\sqrt{e}}$ **c)** $16 - \frac{26}{\sqrt{e}}$ **15 ii)** $\frac{26}{15}$ **16** $\frac{1}{2}\ln 2 - \frac{1}{4}$ **17 b)** $\sqrt{3} + \frac{1}{2}\ln(2 + \sqrt{3})$

18 $\frac{1}{3}, -\frac{1}{3}, \frac{2}{3}; \frac{1}{3}\ln 2 + \frac{\pi}{3\sqrt{3}}; \frac{1}{6} + \frac{2\pi}{9\sqrt{3}} + \frac{2}{9}\ln 2$ **21** $\frac{4\pi}{3} - 2\sqrt{3}$ **24** $\frac{1}{8}e^2 + \frac{3}{8}$ **26 b)** $-\frac{17}{15}\sqrt{2} + \frac{4}{5}\sqrt{3}$

27 a) $\frac{5}{4}, \frac{3}{4}$ **b) ii)** $\frac{57}{64}$ **28 a)** π **c)** $\frac{5}{16}\pi$ **d)** $\frac{5a^2\pi}{32}$ **29 b) i)** $\ln 2$ **iv)** $\frac{3}{5}\ln 2$

30 i) $-\frac{1}{n+1}\cos^{n+1}\theta$ **31 b)** $\pi\sqrt{5} - \frac{\pi}{2}\ln(2 + \sqrt{5})$ **c)** 1.641%

Ymarfer 12C

1 $\frac{1}{27}(31\sqrt{31} - 8)$ **2** $\frac{(14\sqrt{14} - 11\sqrt{11})}{9\sqrt{2}}$ **3** $\frac{1}{2}t\sqrt{1+t^2} + \frac{1}{2}\ln(t + \sqrt{1+t^2})$ **4** $4a$ **5** $c\sinh 1$

6 a) $\frac{12\pi}{5}(2 + 782\sqrt{17})$ **b)** $\frac{8\pi}{3}(5\sqrt{5} - 1)$ **c)** $\frac{12\pi a^2}{5}$ **d)** $\frac{5\pi}{6}(61^{3/2} - 41^{3/2})$ **e)** $\pi(\frac{1}{2}\sinh 2 + 1)$

6 f) $\frac{\pi}{3}e^{12}\sqrt{1 + 9e^{24}} + \frac{\pi}{9}\sinh^{-1}(3e^{12}) - \frac{\pi}{3}e^3\sqrt{1 + 9e^6} - \frac{\pi}{9}\sinh^{-1}(3e^3)$ **7** $8a$ **8 a)** $-1, 2$ **b) i)** $\frac{2x}{1 - x^2}$

10 $\frac{1}{4}(e^{2\pi} - 1)$ **11 i)** 3 **12** $\frac{64\pi a^2}{3}$ **13** $2 - 2e^{-\pi/2}, 2\int_0^{\pi/2}[4 + e^{-t}(\cos t - \sin t)\, 2e^{-t}\, dt$ **14** 6

16 i) $3\sqrt{2}$ **ii)** $\frac{24\sqrt{2}}{5}\pi$ **17 b) i)** 12 **ii)** $\frac{576}{5}\pi$ **19** $\frac{\pi}{27}(10\sqrt{10} - 1)$ **20 b)** $(\frac{1}{5}e^{\pi} - \frac{2}{5})2\sqrt{2}\pi$ **22 a)** $\frac{1}{3}\cosh^3 t + c$ **c)** 438

Ymarfer 12D

1 $\frac{3}{2}$ **2** Nid yw'n bodoli **3** Nid yw'n bodoli **4** Nid yw'n bodoli **5** Nid yw'n bodoli **6** Nid yw'n bodoli
7 Nid yw'n bodoli **8** $\pi/2a$ **9** Nid yw'n bodoli **10** Nid yw'n bodoli **11 a)** $\frac{x^2}{2}\ln x - \frac{x^2}{4} + c$ **b)** $-\frac{1}{4}$

12 a) $\frac{1}{2}$ **b)** $\ln\left(\frac{3}{2}\right)$ **13 a)** $-\frac{k\pi}{2}$ **b) ii)** $\frac{1}{2}\ln 2$ **14 i)** $\ln 2$ **iii)** $\ln 2$ **iv)** $\pi/4$ **15** $\frac{1}{4}$ **16 iii)** -4

Ymarfer 13A

1 1.12 **2** 0.87 **3** 2.46 **4** 0.95 **5** 0.93 **6** 0.60 **7** 1.41

8 a) −3.8125, −3.7936, −3.7915, −3.7913, −3.7912, −3.7912, −3.791 **b)** −3.791 **c)** Pump

9 [0.375, 0.5], un deg pedwar **10 b)** 1.432 **d)** 0.669 **11 b)** 1.373

12 Dechrau gyda $x_0 = 0$: $x_1 = 1$, $x_2 = 0.806\,824\,2641$, $x_3 = 0.792\,134\,9597$, $x_4 = 0.792\,059\,9704$, $x_5 = 0.792\,059\,9684$, $x_6 = 0.792\,0599684$ **13 a)** 0.109, −0.402 **b)** 2.11 **c)** 2.13 **14** 0.53 Tangiad yn baralel i'r echelin-x

15 4.026 **16 b)** 6.135 **17 b)** 1.54 **c)** −0.54 **18 a) i)** 1.4973 **ii)** 1.497 3043 **19 c)** 1.07

20 a) 0.2443, 0.2553, 0.2582, 0.2589 **b)** 2.544 **21 a)** 0.337 609

22 a) $\frac{1}{2}, \frac{3}{2}$ **b) i)** $4x^3 - 12x^2 + 9x + 3 = 0$ **ii)** −0.2460 **23** −0.670, 0.78, [1.2, 1.206 25]

Ymarfer 13B

1 a) i) 42.0000 **ii)** 41.3333 **b) i)** 328.0000 **ii)** 320.0000 **c) i)** 3.6734 **ii)** 3.7175 **d) i)** 5.0898 **ii)** 5.1795

2 i) 1255.81 **ii)** 1403.734 **3 b)** 3.6281 **c)** sinh 2 **d)** 0.03% **4 b)** $2 - \frac{2}{\sqrt{e}}$ **c)** $16 - \frac{26}{\sqrt{e}}$

5 a) i) 0.4285 **ii)** 0.4217 **b)** 0.4207 **6 b)** $\frac{\pi}{4}[2\sqrt{5} - \ln(2 + \sqrt{5})]$ **c)** 1.641% **7** 0.579 **8** 2.53, 1.26

9 0.52, 0.52 **10** 0.749 88 **11** 0.1026 **12** 0.82 **i)** Tanamcangyfrif **ii)** Amcangyfrif mwy a gwell brasamcan

Ymarfer 13C

1 $y = 1 + x + \frac{3x^2}{2} + \frac{5x^3}{2} + \frac{35x^4}{8}$ **2** $y = 2 + 2x^2 + \frac{2x^3}{3} + 2x^4$ **3** $y = x - \frac{5x^3}{6}$ **4** $y = 1 - \frac{x^4}{6}$, 0.999 999 998

5 $y = (x - 1) + \frac{1}{2}(x - 1)^2 + \frac{1}{2}(x - 1)^3 + \ldots$ **a)** 0.1055 **b)** −0.0955 **6** $y = 2x + \frac{8x^3}{3}$

7 $\sin x = \frac{1}{\sqrt{2}} + \frac{1}{\sqrt{2}}\left(x - \frac{\pi}{4}\right) - \frac{1}{2\sqrt{2}}\left(x - \frac{\pi}{4}\right)^2$, 0.719448

8 $f(0.5 + h) = -2 - 28h - 784h^2$ Sensitif oherwydd bod y deilliad yn fawr yn agos at $x = 0.5$ **9** $y = 1 + 2x - \frac{3x^2}{2} - \frac{4x^3}{3}$

10 a) $3\left(1 + \frac{dy}{dx}\right)(x + y)^2, 3\frac{d^2y}{dx^2}(x + y)^2 + 6\left(1 + \frac{dy}{dx}\right)^2(x + y)$ **b)** $y = 1 + x + 3x^2 + 7x^3$ **c)** 0.9 **11** $y = 3 + 2x + 3x^2 - \frac{7x^3}{3}$

12 a) 0.9 **b)** 0.8362 **c)** 0.7607 **13 a)** 1.1 **b)** 1.221 **14 a)** $x = 2.27, y = -0.33$ **b)** $\frac{d^2x}{dt^2} + 16x = 20$ **15 a)** 1.628

15 b) $y = x(2\ln x + 1)$ **c)** 0.6% **16** 0.0025, 0.0051, 0.0078 **17 a) i)** $\frac{dv}{dt} = 4 - \frac{3x}{v}$ **ii)** 0.22 **b) i)** $x = Ae^{3t} + Be^t$

17 b) ii) $x = e^{3t} - e^t$, 0.245 **18** 2.21, 0.64 **19** 2.0766, 2,0743 **20** 0.049, $\frac{1}{5}$

Ymarfer 14A

1 $\begin{pmatrix} 14 & 0 \\ 8 & 5 \end{pmatrix}, \begin{pmatrix} 2 & -2 \\ 18 & 17 \end{pmatrix}$, $\mathbf{PQ} \neq \mathbf{QP}$ **2 a)** $\begin{pmatrix} -5 & 4 \\ 4 & 3 \end{pmatrix}$ **b)** $\begin{pmatrix} 4 & -7 \\ -1 & 2 \end{pmatrix}$ **c)** $\begin{pmatrix} -20 & 4 & -9 \\ -5 & 1 & -2 \\ 11 & -2 & 5 \end{pmatrix}$ **d)** $\begin{pmatrix} 0 & -1 & 2 \\ 1 & -1 & -3 \\ -2 & 3 & 5 \end{pmatrix}$

2 e) $-\frac{1}{141}\begin{pmatrix} -21 & -12 & 18 \\ -17 & -3 & -19 \\ 5 & -24 & -11 \end{pmatrix}$ **3** $\begin{pmatrix} -\frac{1}{3} & \frac{1}{3} & 0 \\ -\frac{k}{3} & \frac{k}{3} & -1 \\ \frac{2}{3} & \frac{1}{3} & 0 \end{pmatrix}$ **5 a)** $\frac{1}{2x-5}\begin{pmatrix} -2 & -1 & 2x \\ 2 & 1 & -5 \\ 3 & x-1 & -3x \end{pmatrix}$ **b)** 19, −14, −27

6 $\frac{1}{20}\begin{pmatrix} -1 & 11 & -4 \\ -4 & 4 & 4 \\ 11 & -21 & 4 \end{pmatrix}$ **7** $\begin{pmatrix} -1 & 0 & 1 \\ 6\frac{1}{2} & -2\frac{1}{2} & -\frac{1}{2} \\ 1 & 0 & 0 \end{pmatrix}$ **9 i)** $\frac{1}{1+a}\begin{pmatrix} 1 & -a & 0 \\ 1 & 1 & 0 \\ -5-a & a^2-5 & 1+a \end{pmatrix}$ **ii)** (−1, 1, 0)

10 $\frac{1}{6a-6}\begin{pmatrix} 3a-1 & a+1 & -4 \\ 1 & 2a-1 & -2 \\ -3 & -3 & 6 \end{pmatrix}, \left(\frac{2}{1-a}, \frac{1}{1-a}, \frac{3}{1-a}\right)$ **11 i)** $\begin{pmatrix} 1 & 0 & 0 \\ 1 & -1 & 0 \\ -\frac{1}{a} & 0 & \frac{1}{a} \end{pmatrix}$ **iii)** $\begin{pmatrix} \frac{1}{a} & 1 & -\frac{1}{a} \\ 1-\frac{1}{2a} & -1 & \frac{1}{2a} \\ -\frac{1}{2a} & 0 & \frac{1}{2a} \end{pmatrix}$

12 i) $\frac{1}{10-a}\begin{pmatrix} 5 & 5 & -5 \\ 3a-5 & 5-2a & -1 \\ -a & -a & 2 \end{pmatrix}$ **iii)** $\frac{2}{5}y_1 - \frac{3}{5}y_2 + \left(\frac{a}{10-5a}\right)y_3$ **13 c)** $-\mathbf{A}, \mathbf{A}, -\mathbf{A}; (-1)^n \mathbf{A}$

13 d) $x - y - z = 1, -x + y - z = 0, -x - y + z = 0, x = 0, y = z = -\frac{1}{2}$ **e)** $\frac{1}{2}, -\frac{1}{2}$

14 a) $\begin{pmatrix} 3 & 3 & 7 \\ 1 & 4 & 4 \\ 3 & 1 & 6 \end{pmatrix}$ **d)** $\begin{pmatrix} 4 & -2 & -3 \\ 1 & 0 & -1 \\ -2 & 1 & 2 \end{pmatrix}$ **15 a)** $\begin{pmatrix} 1 & 0 & 0 \\ 0 & 4 & 3 \\ 0 & 0 & 1 \end{pmatrix}$ **b)** $\begin{pmatrix} 1 & 0 & 0 \\ 0 & 8 & 7 \\ 0 & 0 & 1 \end{pmatrix}$ **d)** $\frac{1}{2^n}\begin{pmatrix} 2^n & 0 & 0 \\ 0 & 1 & 1-2^n \\ 0 & 0 & 2^n \end{pmatrix}$

Ymarfer 14B

1 Cylchdro clocwedd o amgylch O drwy $2\pi/3$ **2** Adlewyrchiad yn yr echelin-y, wedi ei ddilyn gan estyniad un ffordd yng nghyfeiriad y, ffactor graddfa 2 $\begin{pmatrix} -1 & 0 \\ 0 & 1 \end{pmatrix}, \begin{pmatrix} 1 & 0 \\ 0 & 2 \end{pmatrix}$

3 Croeswasgiad yng nghyfeiriad x yn symud (0, 1) i (−1, 1) **i)** $\begin{pmatrix} \frac{1}{2} & \frac{\sqrt{3}}{2} \\ -\frac{\sqrt{3}}{2} & \frac{1}{2} \end{pmatrix}$ **ii)** Cylchdro clocwedd o amgylch O drwy $\pi/3$

4 i) (0, 0), (3, 0), (2, 4) **ii)** 6, 150 **iii)** 6 **5** 0, 1 **6 a)** 3, −1 **b)** $\begin{pmatrix} 1 \\ -1 \end{pmatrix}, \begin{pmatrix} 1 \\ 1 \end{pmatrix}$ **7 a) i)** 5, −1 **ii)** $\begin{pmatrix} 1 \\ 1 \end{pmatrix}, \begin{pmatrix} 2 \\ -1 \end{pmatrix}$ **b)** 6, 5

8 a) 4, −3 **c)** $\begin{pmatrix} 1 \\ -1 \\ -2 \end{pmatrix}$ **d)** $\begin{pmatrix} 1 & 1 & 1 \\ -1 & -1 & 1 \\ -2 & 1 & 0 \end{pmatrix}$ **9 a)** 9, −3 **b)** $\begin{pmatrix} -1 \\ 2 \\ 2 \end{pmatrix}$ **c)** $\begin{pmatrix} 2 & 2 & -1 \\ 2 & -1 & 2 \\ -1 & 2 & 2 \end{pmatrix}$ **10 a) i)** 5, $\begin{pmatrix} 2 \\ -1 \end{pmatrix}$ **ii)** $x + 2y = 0$

10 b) 25 **11 a)** −2, 1 **b)** $\begin{pmatrix} 1 \\ 1 \\ 1 \end{pmatrix}$ **d)** $\frac{1}{3}(a - 2b + c)\mathbf{v}_1 + \frac{1}{3}(a + b - 2c)\mathbf{v}_2 + \frac{1}{3}(a + b + c)\mathbf{v}_3$ **12 a)** 4, −2; $\begin{pmatrix} 1 \\ 1 \end{pmatrix}, \begin{pmatrix} 1 \\ -5 \end{pmatrix}$

12 b) ii) $\frac{1}{8}, -\frac{1}{4}$ **13 a)** 2, −2, 3 **c)** 5 **d)** $\begin{pmatrix} 3 \\ 1 \\ 0 \end{pmatrix}$, 10 **14 a) i)** (0, −7) **ii)** $k = 7, \mathbf{A} = \begin{pmatrix} 4 & 2 \\ 2 & 7 \end{pmatrix}$ **b) i)** 3, 8; $\begin{pmatrix} 2 \\ -1 \end{pmatrix}, \begin{pmatrix} 1 \\ 2 \end{pmatrix}$

14 b) ii) $x + 2y = 0, y = 2x$ **c)** Estyniad un ffordd wedi'i ganoli yn (0, -7), ffactor graddfa 3, yng nghyfeiriad $x + 2y = 0$ wedi'i ddilyn gan estyniad un ffordd wedi'i ganoli yn (0 −7), ffactor graddfa 8, yng nghyfeiriad $y = 2x$

15 i) 3, $\begin{pmatrix} \frac{2}{3} & \frac{1}{3} & -1 \\ \frac{5}{3} & \frac{4}{3} & -4 \\ -3 & -2 & 7 \end{pmatrix}$ **ii)** $\begin{pmatrix} -6 & -4 & 12 \\ -29 & -17 & 66 \\ -13 & -8 & 29 \end{pmatrix}$ **iii)** $\lambda^3 - 6\lambda^2 + 3\lambda + 10 = 0$ **iv)** $-\frac{1}{10}, \frac{3}{5}, -\frac{3}{10}$ **16 b)** $2x + 2y - z = 0$

17 2, −3, 5 **18 a)** $k^2 - 2k + 1$ **b)** 3, −1 **19 b)** $\begin{pmatrix} 0 & 1 & 0 \\ 1 & 0 & 0 \\ 0 & 0 & -1 \end{pmatrix}$ **c) i)** $x = y, z = 0$ **ii)** 90° **d)** $\begin{pmatrix} -1/\sqrt{2} \\ 1/\sqrt{2} \\ 0 \end{pmatrix}$

20 c) iii) $\frac{16\pi}{3}$ **21 i)** (−3, 1, 2) **ii)** $x = y = z$ **iii)** $x + y + z = 0$

21 iv) $\frac{2\pi}{3}\begin{pmatrix} 0 & 0 & 1 \\ 1 & 0 & 0 \\ 0 & 1 & 0 \end{pmatrix}, \begin{pmatrix} 1 & 0 & 0 \\ 0 & 1 & 0 \\ 0 & 0 & 1 \end{pmatrix}$ Cylchdroi o amgylch L drwy $\frac{4\pi}{3}$; unfathiant

22 1, 27; $\begin{pmatrix} 1 \\ 5 \end{pmatrix}, \begin{pmatrix} 5 \\ -1 \end{pmatrix}$ **a)** $5x = y$ **c)** 27 Ffactor graddfa helaethiad arwynebedd

22 d) Estyniad un ffordd yng nghyfeiriad $\begin{pmatrix} 5 \\ -1 \end{pmatrix}$, ffactor graddfa 27

23 i) $\frac{1}{1-2k}\begin{pmatrix} k-2 & 4-3k & 1 \\ -1-k & k+2 & 1 \\ 3 & -5 & -2 \end{pmatrix}$ **ii)** (−1, −1, 3) **iv)** $\frac{x}{3} = \frac{y}{2} = -\frac{z}{3}$

Ymarfer 15A

1 a) $\cos 6\theta + i\sin 6\theta$ **b)** $\cos 8\theta + i\sin 8\theta$ **c)** -1 **d)** $-i$ **e)** $\cos 8\theta - i\sin 8\theta$ **f)** -1 **g)** 1 **h)** $-i$

2 a) $\cos 10\theta + i\sin 10\theta$ **b)** $\cos\theta - i\sin\theta$ **c)** -1 **d)** -8 **3 a)** 16 **b)** $512i$ **c)** $24\sqrt{3}$ **d)** -4 **e)** 2^{12} **f)** $-512i$

4 a) $\cos 5\theta - i\sin 5\theta$ **b)** $\cos 4\theta + i\sin 4\theta$ **c)** $-\cos 6\theta + i\sin 6\theta$ **d)** -1 **5** $\cos 11x + i\sin 11x$

Ymarfer 15B

1 a) i) $\pm\sqrt{2}(1 \pm i)$ **ii)** $2e^{i\pi/4}, 2e^{-in/4}, 2e^{3i\pi/4}, 2e^{-3i\pi/4}$ **b) i)** $2^{\frac{2}{3}}(1 + i), 2^{\frac{7}{6}}\left[\cos\left(\frac{11\pi}{12}\right) + i\sin\left(\frac{11\pi}{12}\right)\right], 2^{\frac{7}{6}}\left[\cos\left(\frac{5\pi}{12}\right) - i\sin\left(\frac{5\pi}{12}\right)\right]$

1 b) ii) $2^{\frac{7}{6}}e^{i\pi/4}, 2^{\frac{7}{6}}e^{11i\pi/12}, 2^{\frac{7}{6}}e^{-5i\pi/12}$ **c) i)** $\frac{3}{2}(\sqrt{3} + i), \frac{3}{2}(-\sqrt{3} + i), -3i$ **ii)** $3e^{i\pi/6}, 3e^{5i\pi/6}, 3e^{-i\pi/2}$ **d) i)** $\pm 2\sqrt{2}(1 + i)$

1 d) ii) $4e^{i\pi/4}, 4e^{-3i\pi/4}$ **e) i)** $\frac{5}{\sqrt{2}}(-1 + i), \frac{5}{\sqrt{2}}(1 - i)$ **ii)** $5e^{3i\pi/4}, 5e^{-i\pi/4}$ **f) i)** $-2, 2\left[\cos\left(\frac{\pi}{5}\right) \pm i\sin\left(\frac{\pi}{5}\right)\right], 2\left[\cos\left(\frac{3\pi}{5}\right) \pm i\sin\left(\frac{3\pi}{5}\right)\right]$

1 f) ii) $2e^{i\pi/5}, 2e^{3i\pi/5}, 2e^{i\pi}, 2e^{-i\pi/5}, 2e^{-3i\pi/5}$ **2** $e^{\pm i\pi/3}, e^{\pm 2i\pi/3}, e^{i\pi}, e^{i0}$ neu $1, -1, \pm\left(\frac{1}{2} \pm \frac{\sqrt{3}}{2}i\right)$ **3 a)** $2 - 2i, -2 - 2i$ **b)** $3, \pm\sqrt{3}i$

3 c) $-\frac{1}{2}$ **d)** $1 + 3i, \frac{1}{3} - i$ **e)** $-3 - \frac{1}{2}i, -\frac{3}{2} + \frac{1}{4}i, -\frac{21}{10} + \frac{7}{10}i, -\frac{3}{2} - \frac{1}{2}i$ **4** $e^{i0}, e^{2i\pi/7}, e^{4i\pi/7}, e^{6i\pi/7}, e^{-2i\pi/7}, e^{-4i\pi/7}, e^{-6i\pi/7}$

5 $2e^{i\pi/10}, 2e^{i\pi/2}, 2e^{9i\pi/10}, 2e^{-3i\pi/10}, 2e^{-7i\pi/10}$ **9 a)** $\frac{1}{41}(4\cos 5x + 5\sin 5x)e^{4x} + c$ **b)** $\frac{1}{58}(3\sin 7x - 7\cos 7x)e^{3x} + c$

9 c) $-\frac{1}{20}(2\sin 4x + 4\cos 4x)e^{-2x} + c$ **d)** $\frac{1}{25}(3\sin 3x - 4\cos 3x) + c$ **10** $2e^{-i\pi/6}, 2e^{-2i\pi/3}, 2e^{5i\pi/6}, 2e^{i\pi/3}$

11 $3 - i, -3 + 3i$ **12 i)** $8, -5\pi/6$ **ii)** $2e^{-5i\pi/18}, 2e^{7i\pi/18}, 2e^{-17i\pi/18}$ **13** $16\left[\cos\left(\frac{\pi}{4}\right) + i\sin\left(\frac{\pi}{4}\right)\right], 2\left[\cos\left(\frac{\pi}{16}\right) + i\sin\left(\frac{\pi}{16}\right)\right],$

$2\left[\cos\left(\frac{9\pi}{16}\right) + i\sin\left(\frac{9\pi}{16}\right)\right], 2\left[\cos\left(-\frac{7\pi}{16}\right) + i\sin\left(-\frac{7\pi}{16}\right)\right], 2\left[\cos\left(-\frac{15\pi}{16}\right) + i\sin\left(-\frac{15\pi}{16}\right)\right]$ **14** $2e^{-i\pi/3}, 2e^{i\pi/6}$

15 b) $2^{\frac{1}{6}}, \pi/12; 2^{\frac{1}{6}}, 3\pi/4; 2^{\frac{1}{6}}, -7\pi/12$ **16** $64, \pi; 2\sqrt{2}\left[\cos\left(\frac{\pi}{4}\right) + i\sin\left(\frac{\pi}{4}\right)\right], 2\sqrt{2}\left[\cos\left(\frac{3\pi}{4}\right) + i\sin\left(\frac{3\pi}{4}\right)\right],$

$2\sqrt{2}\left[\cos\left(-\frac{3\pi}{4}\right) + i\sin\left(-\frac{3\pi}{4}\right)\right], 2\sqrt{2}\left[\cos\left(-\frac{\pi}{4}\right) + i\sin\left(-\frac{\pi}{4}\right)\right]; 2 + 2i, -2 + 2i, -2 - 2i, 2 - 2i$

17 a) $\sqrt{2}e^{i\pi/20}, \sqrt{2}e^{9i\pi/20}, \sqrt{2}e^{17i\pi/20}$ **18 ii)** $\frac{1}{13}e^{3x}(3\cos 2x + 2\sin 2x), \frac{1}{13}e^{3x}(3\sin 2x - 2\cos 2x)$

18 iii) $\frac{1}{13}e^{3x}(3\cos 2x + 2\sin 2x) + c, \frac{1}{13}e^{3x}(3\sin 2x - 2\cos 2x) + c$

19 b) $1 + e^{3i\pi/5}, 1 + e^{i\pi}$ (neu 0), $1 + e^{-3i\pi/5}, 1 + e^{-i\pi/5}, 1 + e^{i\pi/5}$ **c)** $(1, 0), 1$ **d) i)** $\frac{\pi}{10}$ **ii)** $2\cos\left(\frac{\pi}{10}\right)$

20 i) $4 - 2i, 4 + \sqrt{3} + i, 4 - \sqrt{3} + i; 3\sqrt{3}$ **ii)** $-i; -11, -50$ **21** $\cos\left(\frac{2r\pi}{5}\right) + i\sin\left(\frac{2r\pi}{5}\right)$ $(r = 0, 1, 2, 3, 4)$

21 i) $\cos\left(\frac{\pi}{2}\right) + i\sin\left(\frac{\pi}{10}\right), \cos\left(\frac{\pi}{2}\right) + i\sin\left(\frac{\pi}{2}\right), \cos\left(\frac{9\pi}{10}\right) + i\sin\left(\frac{9\pi}{10}\right), \cos\left(\frac{13\pi}{10}\right) + i\sin\left(\frac{13\pi}{10}\right), \cos\left(\frac{17\pi}{10}\right) + i\sin\left(\frac{17\pi}{10}\right)$

22 i) $\sqrt{2}e^{i\pi/4}, \sqrt{2}e^{7i\pi/12}, \sqrt{2}e^{11i\pi/12}, \sqrt{2}e^{-3i\pi/4}, \sqrt{2}e^{-5i\pi/12}, \sqrt{2}e^{-i\pi/12}$

Ymarfer 15C

1 a) $2i\sin\theta$ **b)** $2\cos 4\theta$ **c)** $2\cos 5\theta$ **d)** $2i\sin 2\theta - 2i\sin\theta$ **2 a)** $\frac{1}{2}\left(z^6 + \frac{1}{z^6}\right)$ **b)** $\frac{1}{2i}\left(z^5 - \frac{1}{z^5}\right)$ **c)** $\frac{1}{2}\left(z^4 + \frac{1}{z^4}\right)$

2 d) $\frac{1}{2i}\left(z^3 - \frac{1}{z^3}\right)$ **e)** $-\frac{1}{4}\left(z^5 - \frac{1}{z^5}\right)^2$ **f)** $\frac{1}{16}\left(z^3 + \frac{1}{z^3}\right)^4$ **3 a)** $32\cos^6\theta - 48\cos^4\theta + 18\cos^2\theta - 1$

3 b) $8\cos^4\theta - 8\cos^2\theta + 1$ **c)** $8\cos^3\theta - 4\cos\theta$ **d)** $32\cos^5\theta - 32\cos^3\theta + 6\cos\theta$ **4 a)** $3\sin\theta - 4\sin^3\theta$

4 b) $16\sin^5\theta - 20\sin^3\theta + 5\sin\theta$ **c)** $-64\sin^6\theta + 80\sin^4\theta - 24\sin^2\theta + 1$ **d)** $16\sin^4\theta - 12\sin^2\theta + 1$

5 a) $\frac{3}{4}\sin\theta - \frac{1}{4}\sin 3\theta$ **b)** $\frac{1}{4}\cos 3\theta + \frac{3}{4}\cos\theta$ **c)** $\frac{1}{16}\cos 5\theta + \frac{5}{16}\cos 3\theta + \frac{5}{8}\cos\theta$ **d)** $\frac{1}{16}\sin 5\theta - \frac{5}{16}\sin 3\theta + \frac{5}{8}\sin\theta$

5 e) $\frac{1}{32}\cos 6\theta + \frac{3}{16}\cos 4\theta + \frac{15}{32}\cos\theta + \frac{5}{16}$ **7** $\tan\left(\frac{\pi}{12}\right), \tan\left(\frac{5\pi}{12}\right), \tan\left(\frac{3\pi}{4}\right)$ **8** $\frac{27}{8}, \frac{7}{8}$ **9 vi)** $-1 + 2i$

13 a) $4\cos^3\theta\sin\theta - 4\cos\theta\sin^3\theta$ **b)** $z^4 = \cos 4\theta + i\sin 4\theta$ **c)** $\cos 4\theta = \cos^4\theta - 6\cos^2\theta\sin^2\theta + \sin^4\theta$ **d)** $8, 4, 2, 1$

14 $5, -10, 1; \pm 2\cos\left(\frac{\pi}{5}\right), \pm 2\cos\left(\frac{2\pi}{5}\right)$ **15** $\cos\theta + i\sin\theta, \cos\left(\frac{2\pi}{5}\right) + i\sin\left(\frac{2\pi}{5}\right), \cos\left(\frac{4\pi}{5}\right) + i\sin\left(\frac{4\pi}{5}\right),$

$\cos\left(-\frac{2\pi}{5}\right) + i\sin\left(-\frac{2\pi}{5}\right), \cos\left(\frac{4\pi}{5}\right) - i\sin\left(\frac{4\pi}{5}\right)$ **b)** $(z - 1)\left[z^2 - 2z\cos\left(\frac{2\pi}{5}\right) + 1\right]\left[z^2 - 2z\cos\left(\frac{4\pi}{5}\right) + 1\right]$ **c)** $\frac{1}{4}(\sqrt{5} - 1)$

17 $e^{5i\pi/6}, e^{-i\pi/2}, e^{-i\pi/6}, e^{-5i\pi/6}, e^{i\pi/2}; (z^2 + \sqrt{3}z + 1)(z^2 - \sqrt{3}z + 1)(z^2 + 1)$

Ymarfer 15D

1 a) w yn gorwedd ar gylch, canol O, radiws 25 **b)** w yn gorwedd ar y rhan honno o'r echelin real sydd ag arg 0

1 c) w yn gorwedd ar y rhan honno o'r echelin real sydd ag arg π **2 a)** w yn gorwedd ar gylch, canol O, radiws $\sqrt{5}$

2 b) w yn gorwedd ar gylch, canol O, radiws $\sqrt{2}$ **c)** w yn gorwedd ar y llinell $u = v$ **3** $v^2 = 4k^2(u + k^2)$

4 a) Cylch, canol $-\frac{1}{4}$i, radiws $\frac{3}{4}$ **b)** Echelin ddychmygol **c)** $\pm\frac{1}{2}\sqrt{3} + \frac{1}{2}$i

5 $|w + 5 - 2\text{i}| = 12$ neu gylch, canol (–5, 2i), radiws 12 **6 a)** 4, 9, –4 **b)** (4, 0), 5 **7** Cylch $|w - \frac{9}{5} - \frac{21}{20}\text{i}| = \frac{3}{4}\sqrt{17}$

8 Elips: $\left(\frac{4u}{31}\right)^2 + \left(\frac{3v}{23}\right)^2 = 1$ **9** Llinell syth: $w = 3$ **11 i)** $2\text{e}^{\text{i}\pi/2}, 2\text{e}^{-\text{i}\pi/6}, 2\text{e}^{-5\text{i}\pi/6}$

11 ii) b) Cylch, canol –3, radiws 2; cylch, canol 9i, radiws 6; cylch, canol –3i, radiws 2 **12** w = 0

14 b) ii) $\pi/8, 5\pi/8$ **15** $1 + \frac{x}{x^2 + y^2}, -\frac{y}{x^2 - y^2}$

Ymarfer 16

1 $\frac{125}{78}$ **2** $\frac{(1 + \text{e}^2)^{3/2}}{\text{e}}$ **3** $\frac{5\sqrt{5}}{4\sqrt{3}}$ **4** $2\sqrt{2}$ **5** $\frac{13\sqrt{13}}{6}$ **6** $\frac{17\sqrt{17}c}{16}$ **7** ∞ **8** $\frac{\sqrt{3}}{2}a$

9 a) $3\psi^2 - \sin\psi$ **b)** $3 + 4\sin\psi + 4\psi\cos\psi$ **c)** $\cos\psi - \psi\sin\psi + 2\psi$ **10** $s = \ln|\sec\psi + \tan\psi|$ **11 a)** $-a\sin\psi$

12 b) 3.81 **c)** $\frac{9\pi}{2}(\text{e}^2 + 4 - \text{e}^{-2})$ **13 ii)** $(42, 26\frac{1}{4})$ **iii)** $16\sqrt{3}$ **iv)** $\left(384 - \frac{192\sqrt{3}}{5}\right)\pi$ **14 i)** $5\text{e}^{\alpha} - 5$ **iii)** $\frac{5}{2}\text{e}^{\alpha}$

Ymarfer 17A

5 3 × 3 = 9, nid yw'r set yn gaeedig **6** Dim gwrthdro i –1

Ymarfer 17B

1 i) G_1: 1, G_2: 0 **ii)** Oherwydd nad oes gan 0 wrthdro o dan effaith × **iii)** $\text{f}(xy) = \ln(xy) = \ln x + \ln y = \text{f}(x) + \text{f}(y)$

2 i) G_1

	1	3	7	9
1	1	3	7	9
3	3	9	1	7
7	7	1	9	3
9	9	7	3	1

G_2

	1	5	7	11
1	1	5	7	11
5	5	1	11	7
7	7	11	1	5
11	11	7	5	1

G_3

	1	3	5	7
1	1	3	5	7
3	3	1	7	5
5	5	7	1	3
7	7	5	3	1

G_2 ac G_3 yn isomorffig. Isomorffedd G_2 i G_3: $1 \to 1, 5 \to 3, 7 \to 5, 11 \to 7$

2 ii) G_1: $x = 1, 9$; G_2: $x = 1, 5, 7, 11$; G_3: $x = 1, 3, 5, 7$

3 Croeswasgiad yng nghyfeiriad x yn symud (0, 1) i (n, 1)

4 i)

	1	3	5	7
1	1	3	5	7
3	3	1	7	5
5	5	7	1	3
7	7	5	3	1

ii) {1}, {1, 3}, {1, 5}, {1, 7}

4 iii)

	f	g	h	k
f	f	g	h	k
g	g	f	k	h
h	h	k	f	g
k	k	h	g	f

iv) Ydynt. Tabl cyfansoddiad {f, g, h, k} i'w gael o dabl cyfansoddiad {1, 3, 5, 7} drwy roi f yn lle 1, g yn lle 3, h yn lle 5 a k yn lle 7.

5 a)

	1	3	5	7
1	1	3	5	7
3	3	1	7	5
5	5	7	1	3
7	7	5	3	1

b) Heb fod yn gaeedig, 2 × 4 = 0 (mod 8)

c) Unrhyw werth n nad yw'n rhif cysefin

6 H yn is-grŵp o G

8 i)

	I	A	B	C	D	E
I	I	A	B	C	D	E
A	A	B	I	E	C	D
B	B	I	A	D	E	C
C	C	D	E	I	A	B
D	D	E	C	B	I	A
E	E	C	D	A	B	I

iii) {**I**}, {**I, C**}, {**I, D**}, {**I, E**}, {**I, A, B**}

iv) a) Nac ydy **b)** Ydy **c)** Nac ydy

9 i) 2, 2 **ii)** $\{e, a, b, c\}$, $\{e, a, bc, abc\}$, $\{e, b, ac, abc\}$ ac $\{e, c, ab, abc\}$ **iii)** Theorem Lagrange, nid yw 8 yn rhanadwy â 3

9 iv)

Elfen	0	1	2	3	4	5	6	7
Trefn	1	8	4	8	2	8	4	8

v) Nac ydynt. Tair elfen trefn 2 yn G, un yn unig yn H

10 i)

Elfen	e	g	g^2	g^3	g^4	g^5
Trefn	1	6	3	2	3	6

ii)

Elfen	i	h_1	h_2	h_3	h_4	h_5
Trefn	1	3	3	2	2	2

Is-grwpiau priodol H: $\{i\}$, $\{i, h_1, h_2\}$, $\{i, h_3\}$, $\{i, h_4\}$, $\{i, h_5\}$

10 iii) M yn isomorffig ag G. Cyfatebiaeth yw: $\begin{matrix} e & g & g^2 & g^3 & g^4 & g^5 \\ 1 & 4 & 3 & 12 & 9 & 10 \end{matrix}$ neu $\begin{matrix} e & g & g^2 & g^3 & g^4 & g^5 \\ 1 & 10 & 9 & 12 & 3 & 4 \end{matrix}$

11 i) 4, 4 **ii)** $\{e, p_1, p_2, p_3\}$ ac $\{e, p_1, q_1, q_2\}$ **iii)** Nac oes, nid yw 8 yn rhanadwy â 6 **v)** G yn isomorffig â K

12 b)

8	10	14	16
4	14	16	8
2	16	8	4

c) 10; {10, 8}, {10, 4, 16} **d)** Ydyw

13 i) $\mathbf{E}_1$ estyniad un ffordd yng nghyfeiriad x, graddfa ffactor $\frac{1}{3}$. $\mathbf{E}_2$ croeswasgiad

13 ii) $\mathbf{E}_1\mathbf{A} = \begin{pmatrix} 1 & \frac{2}{3} \\ 1 & 4 \end{pmatrix}$, $\mathbf{E}_2(\mathbf{E}_1\mathbf{A}) = \begin{pmatrix} 1 & \frac{2}{3} \\ 0 & \frac{10}{3} \end{pmatrix}$, $\mathbf{E}_3(\mathbf{E}_2\mathbf{E}_1\mathbf{A}) = \begin{pmatrix} 1 & \frac{2}{3} \\ 0 & 1 \end{pmatrix}$

13 iii) $\mathbf{E}_1^{-1} = \begin{pmatrix} 3 & 0 \\ 0 & 1 \end{pmatrix}$, $\mathbf{E}_2^{-1} = \begin{pmatrix} 1 & 0 \\ 1 & 1 \end{pmatrix}$, $\mathbf{E}_3^{-1} = \begin{pmatrix} 1 & 0 \\ 0 & \frac{10}{3} \end{pmatrix}$, $\mathbf{E}_4^{-1} = \begin{pmatrix} 1 & \frac{2}{3} \\ 0 & 1 \end{pmatrix}$ **iv)** $\mathbf{A} = \mathbf{E}_1^{-1}\mathbf{E}_2^{-1}\mathbf{E}_3^{-1}\mathbf{E}_4^{-1}$

14 i)

	3	6	9	12
3	9	3	12	6
6	3	6	9	12
9	12	9	6	3
12	6	12	3	9

6 yn hunanwrthdro **ii)** $-1, \frac{17}{3}$

15 ii) **B**, **I**, $\mathbf{A}^2\mathbf{B}$ **iii)** **I**, 1; **A**, 4; $\mathbf{A}^2$, 2; $\mathbf{A}^3$, 4; **B**, 2; **AB**, 2; $\mathbf{A}^2\mathbf{B}$, 2; $\mathbf{A}^3\mathbf{B}$, 2

15 v) $\{\mathbf{I}, \mathbf{A}, \mathbf{A}^2, \mathbf{A}^3\}$ a $\{\mathbf{I}, \mathbf{AB}, \mathbf{A}^3\mathbf{B}, \mathbf{A}^2\}$ **vi)** $\{\mathbf{I}, \mathbf{A}, \mathbf{A}^2, \mathbf{A}^3\}$ yn unig sy'n gylchol

16 a) Theorem Lagrange: Os oes gan **X** n elfen, yna mae n yn rhanadwy â 2, ac â 4 hefyd. Nifer lleiaf yw 8

17 b) trefn $\mathbf{M}\left(\frac{1}{3}\mathrm{i}\right)$ yw 4. Y grwpiau sydd eu hangen yw: grŵp trefn 4: $\left\{\mathbf{M}\left(\frac{1}{3}\mathrm{i}\right), \mathbf{M}\left(-\frac{1}{3}\right), \mathbf{M}\left(-\frac{1}{3}\mathrm{i}\right), \mathbf{M}\left(\frac{1}{3}\right)\right\}$;
grŵp trefn 2: $\left\{\mathbf{M}\left(-\frac{1}{3}\right), \mathbf{M}\left(\frac{1}{3}\right)\right\}$

17 d) Gwrthdro $\mathbf{M}\left(\frac{2}{3}\right)$ yw $\mathbf{M}\left(\frac{1}{6}\right)$, nad yw'n S. Felly, nid yw S yn grŵp, ac felly nid yw'n is-grŵp o G.

18 a) Ar gyfer A, boed i $\theta = 0$; ar gyfer B, boed i $\theta = \frac{\pi}{2}$. Yna $A^2 = B^2 = I$, ond $(AB)^2 = -I$

18 d) i) Nid yw D_8 yn Abelaidd oherwydd $q * a \neq a * q$

18 d) ii) Mae gan y set 6 elfen. Oherwydd nad yw 8 yn rhanadwy â 6, nid oes is-grŵp o D_8 sydd â 6 elfen.

19 iii)

Ail ○ Cyntaf	π_1	π_2	π_3	π_4	π_5	π_6
π_1	π_1	π_2	π_3	π_4	π_5	π_6
π_2	π_2	π_3	π_1	π_6	π_4	π_5
π_3	π_3	π_1	π_2	π_5	π_6	π_4
π_4	π_4	π_6	π_5	π_1	π_2	π_3
π_5	π_5	π_4	π_6	π_3	π_1	π_2
π_6	π_6	π_5	π_4	π_2	π_3	π_1

iv) Cymesureddau triongl hafalochrog

20 iii) 0 **iv)** Dim gwrthdro gan -1 **v)** Drwy ddileu -1

Ymarfer 17C

2 $\mathbf{r}.\begin{pmatrix} 3 \\ 2 \\ -3 \end{pmatrix} = 0, \begin{pmatrix} 2 \\ 3 \\ 4 \end{pmatrix}$ ac $\begin{pmatrix} 1 \\ 0 \\ 1 \end{pmatrix}$ **4** Er enghraifft: $\begin{pmatrix} 1 \\ 1 \\ 0 \end{pmatrix}$ **5** $\begin{pmatrix} 2 & 1 \\ 1 & 3 \end{pmatrix}, \begin{pmatrix} 1 & 3 \\ 5 & 4 \end{pmatrix}$

6 a) Pwyntiau ar y llinell $2y = x$ **b)** 1 **c)** $\begin{pmatrix} 2 \\ 1 \end{pmatrix}$ **8 b)** Pwynt O **9 iii)** $\mathrm{M} = \begin{pmatrix} a + c & d - b \\ b + d & a - c \end{pmatrix}$ **iv)** $z = -2 + 13\mathrm{j}$

Mynegai